ACCESO GRATIS a la Lectura en la Nube

Para visualizar el libro electrónico en la nube de lectura envíe junto a su nombre y apellidos una fotografía del código de barras situado en la contraportada del libro y otra del ticket de compra a la dirección:

ebooktirant@tirant.com

En un máximo de 72 horas laborales le enviaremos el código de acceso con sus instrucciones.

HABLEMOS DE DERECHOS HUMANOS

La doctrina del TEDH y su aplicación en España desde los votos particulares del Juez Paulo Pinto de Albuquerque

HABLEMOS DE DERECHOS HUMANOS

La doctrina del TEDH y su aplicación en España desde los votos particulares del Juez Paulo Pinto de Albuquerque

PAULO PINTO DE ALBUQUERQUE
Magistrado TEDH

CARLOS HUGO PRECIADO DOMÈNECH
Magistrado TSJ Catalunya

tirant lo blanch
Valencia, 2020

En caso de erratas y actualizaciones, la Editorial Tirant lo Blanch publicará la pertinente corrección en la página web www.tirant.com.

Traducción de los votos particulares y sus extractos: Carlos Hugo Preciado Domènech

Directora de la colección:
CONSUELO RAMÓN CHORNET

© Paulo Pinto de Albuquerque
Carlos Hugo Preciado Domènech

© TIRANT LO BLANCH
EDITA: TIRANT LO BLANCH
C/ Artes Gráficas, 14 - 46010 - Valencia
TELFS.: 96/361 00 48 - 50
FAX: 96/369 41 51
Email:tlb@tirant.com
www.tirant.com
Librería virtual: www.tirant.es
DEPÓSITO LEGAL: V-236-2020
ISBN: 978-84-1336-670-8
IMPRIME Y MAQUETA: Tink Factoría de Color

Si tiene alguna queja o sugerencia, envíenos un mail a: *atencioncliente@tirant.com*. En caso de no ser atendida su sugerencia, por favor, lea en *www.tirant.net/index.php/empresa/politicas-de-empresa* nuestro procedimiento de quejas.

Responsabilidad Social Corporativa: http://www.tirant.net/Docs/RSCTirant.pdf

ÍNDICE

ABREVIATURAS

AEPD	Agencia Española de Protección de Datos
ARCO	Acceso, rectificación, cancelación y oposición
CC	Código Civil
CCom	Código de Comercio
CE	Constitución Española
CEDH	Convenio Europeo de Derechos Humanos
CJM	Código de Justicia Militar
CP	Código Penal
DDFF	Derechos Fundamentales
DDHH	Derechos Humanos
DP	Dato personal/Datos personales
DPDP	Derecho a la protección de datos personales
EBEP	Estatuto Básico del Empleado Público
EEMM	Estados Miembros de la UE
ET	Estatuto de los Trabajadores
LAJG	Ley de Asistencia Jurídica Gratuita
LAR	Ley de Arrendamientos Rústicos
LAU	Ley de Arrendamientos Urbanos
LBRL	Ley de Bases de Régimen Local
LCCH	Ley Cambiaria y del Cheque
LCP	Ley de Colegios Profesionales
LCS	Ley del Contrato de Seguro
LCSP	Ley de Contratos del Sector Público
LCT	Ley del Contrato de Trabajo

LD	Ley del Deporte
LDGC	Ley de Derechos y Garantías de los Contribuyentes
LDYPJ	Ley de Demarcación y Planta Judicial
LEC	Ley de Enjuiciamiento Civil de 2000
LECrim	Ley de Enjuiciamiento Criminal
LG	Ley General Tributaria
LGS	Ley General de Sanidad
LGSS	Ley General de la Seguridad Social
LH	Ley Hipotecaria
LIRPF	Ley del Impuesto Sobre la Renta de las Personas Físicas
LISOS	Ley de Infracciones y Sanciones en el Orden social (TR 2000)
LIVA	Ley del Impuesto sobre el Valor Añadido
LJCA	Ley de la Jurisdicción Contencioso-Administrativa de 1998
LMV	Ley del Mercado de Valores
LOCE	Ley Orgánica del Consejo de Estado
LOCJ	Ley Orgánica de Conflictos Jurisdiccionales de 1987
LODE	Ley Orgánica Reguladora del Derecho a la Educación
LODLex	Ley Orgánica sobre Derechos y Libertades de los Extranjeros en España de 2000
LOE	Ley de Ordenación de la Edificación
LOFAGE	Ley de Organización y Funcionamiento de la Administración Central del Estado
LOFCA	Ley Orgánica de Financiación de las Comunidades Autónomas
LOGSE	Ley Orgánica de Ordenación General del Sistema Educativo
LOGP	Ley Orgánica General Penitenciaria

LOLS	Ley Orgánica de Libertad Sindical
LOSSP	Ley de Ordenación y Supervisión de los Seguros Privados
LOPD	Ley Orgánica de Protección de Datos de Carácter Personal 1999
LOPJ	Ley Orgánica del Poder Judicial
LOTC	Ley Orgánica del Tribunal Constitucional
LOTJ	Ley Orgánica del Tribunal del Jurado
LPH	Ley de Propiedad Horizontal
LRC	Ley del Registro Civil
LRSV	Ley del Régimen del Suelo y Valoraciones
LS	Ley del Suelo
LRJS	Ley Reguladora de la Jurisdicción Social
NLOPD	Ley Orgnáica de Protección de Datos 2018
OIT	Organización Internacional del Trabajo
RAMINP	Reglamento de Actividades Molestas Insalubres Nocivas y Peligrosas
REF	Reglamento de Expropiación Forzosa
RGCLSS	Reglamento General de Cotización y Liquidación de la Seguridad Social
RGPD	Reglamento 679/2016, de 27 de abril de Protección de datos
RGR	Reglamento General de Recaudación
RGU	Reglamento de Gestión Urbanística
RH	Reglamento Hipotecario
RIRNR/2004	Reglamento del Impuesto sobre la Renta de No Residentes de 2004
RIRPF	Reglamento del Impuesto Sobre la Renta de las Personas Físicas
RIS	Reglamento del Impuesto sobre Sociedades

RISyD	Reglamento del Impuesto sobre Sucesiones y Donaciones
RITPAJD	Reglamento del Impuesto sobre Transmisiones Patrimoniales y Actos Jurídicos Documentados
RLE	Reglamento de Extranjería
ROTT	Reglamento de la Ley de Ordenación de los Transportes Terrestres
RRC	Reglamento del Registro Civil
STC	Sentencia del Tribunal Constitucional
STEDH	Sentencia del Tribunal Europeo de Derechos Humanos
STJUE	Sentencia del Tribunal de Justicia de la UE
STS	Sentencia del Tribunal Supremo
TC	Tribunal Constitucional
TCE	Tratado constitutivo de la Comunidad Económica Europea
TEDH	Tribunal Europeo de Derechos Humanos
TFUE	Tratado sobre el Funcionamiento de la Unión Europea
TJUE	Tribunal de Justicia de la Unión Europea
TUE	Tratado de la Unión Europea

PRÓLOGO

1. En el curso de los últimos años, la doctrina académica ha venido prestando una especial atención, abriendo intensos y extensos debates, sobre la noción de "pluralismo constitucional". La elaboración del modelo pluralista se debe al mérito científico de Maccormick, que entiende por tal la situación en la que convergen, en un espacio territorial y de manera simultánea, dos o más constituciones que regulan y condicionan el ejercicio de los poderes políticos y en el que se reconoce una recíproca legitimidad sin que ello comporte superioridad de ninguno de ellos sobre él o los otros. El pluralismo constitucional evoca la existencia de diversos órdenes normativos que interaccionan recíprocamente sin estar, sin embargo, jerarquizados. En el ámbito europeo, en definitiva, con esta noción o con otras de contenido semejante, como la de "constitucionalismo en red" (Bustos Gisbert), se quieren identificar las relaciones existentes entre los tratados de la UE, las constituciones nacionales y algunos de los más relevantes instrumentos internacionales aprobados por el Consejo de Europa que se articulan, en lugar de en términos de supremacía, material o formal, de modo independiente.

No entra en el círculo de mis intenciones entrar a discutir el concepto apenas apuntado, que cuenta con tantos detractores como defensores. Sin negar la concurrencia de objeciones no menores, coincido con quienes sostienen que la mayor ventaja del pluralismo constitucional reside en las posibilidades que ofrece para la implantación de "un equilibrio institucional"; esto es, para el diseño de un marco en el que las diversas instituciones que elaboran y aplican el derecho "colaboren y se limiten mutuamente, sin que exista ninguna que pueda reclamar la autoridad última" (Torres Pérez).

Lo que me interesa destacar es que la pluralidad constitucional se encuentra en el origen de la emergencia, primero, y consolidación más tarde, de dos procesos estrechamente vinculados entre sí y que han dado lugar, últimamente y de seguro, a constantes y densas discusiones doctrinales. Me refiero al "diálogo judicial" y a la "protección multinivel de los derechos fundamentales". No pretendo terciar sobre la polémica, a mi juicio bastante estéril, sobre si la relación entre ambos es de causa a efecto y a cuál de los dos procesos ha de imputarse la actuación en uno u otro sentido. Me limitaré a realizar algunas observaciones de carácter muy general.

En la semántica del primero de los dos procesos que se vienen de mencionar, el de diálogo judicial, el adjetivo utilizado sustantiviza el *nomen*, terminando por convertirse en elemento configurador del concepto mismo. En tal sentido, uno de los autores que más se han ocupado, en la doctrina científica española, de elaborar una teoría general sobre esta noción, Bustos Gisbert, define el "diálogo judicial" como la "comunicación entre tribunales", que tiene en cuenta la "jurisprudencia de otro tribunal (extranjero o ajeno al propio ordenamiento jurídico) para aplicar" el derecho interno. En idéntico sentido, también se ha argumentado que el "derecho constitucional europeo" se ha desarrollado y potenciado a través de un "diálogo entre los jueces" o "diálogo judicial" a distintas voces; esto es, mediante la apropiación o la utilización, en la tarea de interpretación de la norma sometida al conocimiento y sustanciación de un tribunal, de criterios, pautas o estándares elaborados por otros órganos jurisdiccionales en base a disposiciones pertenecientes a otros diferentes sistemas normativos, que han permitido la creación de un complejo entramado de relaciones (Burgorgue-Larsen).

Girando ahora la atención hacia el otro concepto, las conclusiones son similares. Con la cobertura de la noción de "protección multinivel de los derechos fundamentales", la doctrina científica suele designar aquellas fórmulas de tutela de los derechos fundamentales instrumentada de manera sucesiva en el tiempo a través de variados órganos jurisdiccionales, nacionales y supranacionales, pertenecientes a una pluralidad de ordenamientos jurídicos y articulados, en atención a su heterogénea adscripción institucional, en distintos "niveles". En todo caso, esta vía de protección se sustenta sobre un principio estructural. Se trata del principio de subsidiariedad según el cual compete al Estado la responsabilidad primordial y principal de respetar y hacer respetar los derechos y libertades fundamentales, de modo que, solo en caso de que los órganos de garantía de carácter nacional frustren o incumplan este cometido, intervienen las normas e instituciones de ámbito supranacional, que actúan, siempre y por tanto, de manera subsidiaria.

Por lo demás y aun cuando es esta una noción hoy ya consolidada en diferentes espacios regionales, Europa constituye de seguro el ámbito territorial más adecuado no solo para reconstruir los procesos de emergencia y maduración de la tutela multinivel de los derechos fundamentales sino, adicionalmente, para poder identificar y valorar sus muy complejas y diferentes implicaciones (cultural, social, económica y, sobre todo, política, por citar las más significativas) y, en razón de ello y al menos a medio plazo, sus limitaciones y desafíos.

2. Expresada la idea con un criterio de cierta generalidad, la doctrina científica española, a diferencia de la de los países de nuestro entorno jurídico, apenas ha venido prestando atención al diálogo judicial a diversos niveles. Desde luego, hay magníficos estudios sobre la jurisprudencia de los tribunales europeos (TEDH y TJUE) recaída sobre las más diversas materias en los ámbitos normativos más variados: constitucional, penal o laboral, por citar ejemplos ilustrativos. Pero estos estudios, que en raras ocasiones adoptan el formato de monografías, no suelen abrir diálogos verticales. En el mejor de los casos, los diálogos se entrecruzan con la jurisprudencia nacional, constitucional u ordinaria, a fin de confrontar y enjuiciar las decisiones tomadas por ambos tribunales: los europeos y los nacionales. Es esta una aseveración que cabe fundamentar mediante el auxilio de fáciles medios. Basta con el ininterrumpido seguimiento de las notables referencias bibliográficas ofrecidas, tanto por las editoriales españolas, como por las revistas especializadas para verificarla.

El lector tiene ahora en sus manos un estudio que rompe con esa tendencia en la literatura jurídica española. La obra de los jueces del TEDH, Paulo Pinto, y del TSJ de Cataluña, Carlos Preciado, *"Hablemos de derechos humanos"*, se aparta de manera directa y eficiente de la resistencia o, indiferencia, de nuestra doctrina a propiciar diálogos judiciales verticales de carácter generalista, en lugar de índole particular.

Pero además de introducir ideas jurídicas por un sendero poco transitado, la obra es de una notable originalidad, apreciada esta desde los más plurales puntos de vista. Lo es, por lo pronto, por los diálogos judiciales que se llevan a cabo, que tienen una pluralidad de protagonistas. Bien que, como ya se anticipa en el subtítulo de la presente monografía, la jurisprudencia del TEDH constituye el eje central y constante de los diálogos judiciales, estos se abren con los tribunales del litigio de origen, incluidos los constitucionales. Por este lado, no tengo la menor duda en afirmar que, además de ser pionero en el análisis de la protección multinivel de los derechos fundamentales, este estudio contribuye a reforzar el conocimiento de otros ordenamientos jurídicos, ajenos, por cierto, a nuestro sistema jurídico. Los comentarios a las sentencias *Khoroshenko* (2015*) Abdullahi Elmi y Aweys Abubaka*r (2016) o *Károly Nagy* (2017) ofrecen un buen ejemplo de este tratamiento.

Pero además de original por la razón de los diálogos judiciales, otra circunstancia potencia este elemento. Me refiero al modo de abordar todos los diálogos, que no solo responden a un principio bilateral entre el TEDH y los Tribunales de los países de origen. Al margen de ello, los autores inician otros diálogos judiciales; al menos estos tres. En primer lugar, se confronta la resolución del TEDH a examen con la jurisprudencia en la materia recaída por el propio Tribunal europeo. Por este lado, y además de un ejemplo para el conocimiento del derecho europeo, como ya hecho constar, la obra ofrece un espléndido análisis de dicha jurisprudencia.

En segundo lugar y en ocasiones de modo exhaustivo, el análisis de las resoluciones del TEDH, objeto de atención, abre conversaciones con los votos particulares emitidos en todas esas resoluciones por el juez Paulo Pinto. Los votos particulares de los tribunales superiores son objeto de una escasa atención por la doctrina científica. Por ese lado, se olvida o da de lado esa afirmación de la jurisprudencia elaborada por el Tribunal Supremo de los EEUU, en virtud de la cual los votos particulares tienden a anticipar la doctrina posterior dominante. Sin entrar ahora a discutir el acierto o desacierto de esta aseveración, los votos particulares del juez Paulo Pinto son de una notable consistencia e innovación.

El tercer y último de los diálogos que los autores abren tiene como protagonista actores nacionales. La obra, en efecto, contrasta las sentencias y votos particulares con el ordenamiento patrio en un sentido a veces conforme y, otras, crítico. Yo invito al lector al estudio pausado de las sentencias *Hutchinson* (2017) y *Valiulene* (2013). En su proyección en España, la primera aborda el espinoso y polémico tema de la prisión permanente revisable, examinando con el debido detalle las resoluciones en las que tanto la jurisprudencia constitucional como el TEDH se han pronunciado concluyendo del modo siguiente: el CEDH por sí solo no puede servir de justificación para reducir el nivel de protección existente de un derecho humano en un estado, aun contando con un margen de apreciación de los estados de duración de las penas privativas de libertad (página 92). En definitiva, y como razonan los autores, la LO 1/2015, que introdujo la citada modalidad de prisión en España, aminora el nivel de protección cuyo estándar era superior al del CEDH. De su lado, con la sentencia *Valiulene,* que establece la obligación del Estado de tipificar y castigar de forma efectiva la violencia doméstica llevando a cabo una revisión del test *Osman*; digo, de su lado, en la sentencia *Valiulene* se efectúa un examen de los supuestos de violencia de género en España, argumentando la necesidad de aplicar el principio de presunción de inocencia y analizando los derechos que han de ser reconocidos a la víctima.

3. En otro orden de consideraciones los autores expresan un especial interés por una de las cuestiones más debatidas a propósito del CEDH y, claro está, de su órgano de garantía: el TEDH. En concreto, se trata de las relaciones de uno y otra con las Constituciones nacionales y los respectivos Tribunales de garantía.

Entre otras muchas, resulta ejemplar la primera de las sentencias citadas del Tribunal de Estrasburgo objeto de análisis: el caso *G.I.E.M. S.R.L.* y otros. No me interesa ahora entrar en el contenido de este pronunciamiento, bastando con señalar que la Gran Sala procede a cuestionar la denominada por la STI 49/2015, caso *Varvara,* como "doctrina consolidada", invitando a la Corte italiana constitucional a que revise sus modalidades de relación con el TEDH.

Lo anterior razonado y centrando ya las reflexiones en la cuestión apenas enunciada, la obra procede a examinar tres concretos y combinados problemas; a saber: i) la actividad interpretativa del TEDH; ii) la prevalencia del CEDH sobre el derecho constitucional y iii) la aplicación por los jueces y tribunales de los Estados parte, a fin de priorizar los derechos fundamentales enunciados en el Convenio de Roma mediante la técnica del control difuso de convencionalidad.

Resultaría impertinente por mi parte entrar a analizar y, menos aún, a discutir las tesis defendidas en relación con estos tres centrales temas de las relaciones entre CEDH/TEDH, de un lado, y constituciones/tribunales nacionales, de otro. Pero no me resisto a destacar la relevancia del control de convencionalidad respecto de las leyes interiores contrarias a los Convenios y Tratados internacionales. Por lo demás, es esta una técnica de solución de litigios cuya competencia la reciente STC 140/2018, de 20 de diciembre, tras largos silencios y rodeos, ha atribuido a los órganos judiciales ordinarios. La decisión, por tanto, de no aplicar *ad casum* una norma interna por contraria al CEDH o a la Carta Social Europea, por poner ejemplos significativos, no plantea un problema de constitucionalidad sino de mera legalidad.

4. En mi ya dilatada vida académica, resultado de la lenta pero inexorable conversión de la mayor parte de mi quehacer profesional en biografía, el prólogo ha venido ocupando un lugar privilegiado, que ahora confieso sin disimulo. He tenido la inmensa fortuna de, cuando he sido requerido para elaborar este género que en modo alguno he percibido como científicamente menor, apoyarme en excelentes monografías; en monografías que, en sus respectivas áreas de investigación, han pasado, todas ellas, a ser referentes en la doctrina laboralista española. Por esta razón, por cuantos mis prólogos han estado destinados a preceder a estudios de indiscutida solvencia, siempre entendí que la mejor forma de colaboración con el autor era intentar estar a esa misma altura científica. Con independencia de que lo haya o no logrado, siempre he procurado abrir diálogos de relativa paridad con el protagonista de la monografía.

Uno de los problemas que todo jurista ha de resolver es el definir la relación entre conciencia problemática y conciencia dogmática. Aquella le lleva a mantener una actitud libre y vigilante sobre el significado de su quehacer; ésta otra, por el contrario, le arrastra hacia actitudes de pasividad a resultas de las transformaciones que le vienen dadas de fuera, por las decisiones del legislador. Reflexionando sobre tan trascendental cuestión, ha hecho notar Frosini con toda razón que no se puede resolver el problema del Derecho, que es el problema de la objetividad jurídica, de la "cosificación" de la acción estudiada por el jurista , sin que éste asuma una conciencia nomológica; una conciencia que no sea reflexiva y crítica. Al fin y al cabo las normas no son más que fórmulas operativas de las que el jurista se vale para entender la realidad de una situación.

En ésta monografía, los autores ofrecen un ejemplar testimonio de conciencia nomológica; de cómo el más exigente y riguroso quehacer jurídico no conduce a la aceptación de lo dado; de que el cometido básico del jurista no es el mero descriptivismo científico-técnico, por depurado que resulte, sino el ir al fondo de la realidad, aun cuando ello requiera desenmascarar conceptos y categorías que, presentándose como la única verdad posible, a veces no pasan de ser, por decirlo con la enérgica palabra de Hernández Gil, "simples estratificaciones ideológicas perfectamente removibles".

Algunas de las conclusiones que el libro desarrolla podrán no compartirse y ser sometidas a revisión crítica. Pero ello no hace sino acrecer el valor e interés de esta obra, plena de madurez, creatividad jurídica y sensibilidad social, cualidad ésta que deviene cada más estimable y exigente dada la actual tendencia a convertirla en un bien mostrenco.

Trabajo denso y creativo, que conjuga elegancia jurídica, pensamiento sistemático y nomológico, disciplinadamente discursivo y reflexivo *"Hablemos de derechos humanos"* ha logrado fundir lo general con lo particular y lo coincidente con lo original. Y también ha logrado combinar, con ponderación, el rigor conceptual y el lenguaje constructivo.

Por todas estas razones, y por otras muchas que aún cabría invocar, felicito de manera muy sincera a los autores de la obra, agradeciéndoles la confianza depositada en este prologuista.

INTRODUCCIÓN

El legado jurídico de mayor calado que nos dejó el Siglo XX es, sin lugar a dudas, el de los Derechos Humanos (DDHH). Por ello, la responsabilidad de todo jurista nacido/a en ese siglo, consiste en conservar, ampliar y transmitir dicho legado a las generaciones venideras. Se trata de uno de los mayores avances jurídicos y éticos jamás logrados en la historia de la humanidad: concebir unos derechos inherentes a toda persona e iguales para todos, que se tienen por el mero hecho de ser persona desde el nacimiento hasta la muerte; y que se orientan a satisfacer las necesidades materiales y morales básicas del ser humano en orden a disfrutar de un vida digna, en la que cada persona sea un fin en sí misma. Unos derechos que constituyen una suerte de piel jurídica, que protege la fragilidad del individuo y los grupos en que se integra frente a la violencia de los poderes públicos y privados, y frente al *homini lupi* del que Hobbes ya nos alertó.

"Hablemos de Derechos Humanos" es un libro orientado a divulgar, difundir y transmitir a la comunidad jurídica de los países de habla hispana el pulso actual de los DDHH en el ámbito del Consejo de Europa, una organización internacional que abarca 47 países, cuyo TEDH, junto con el Comité Europeo de Derechos Sociales, constituyen dos de los mejores termómetros de la situación actual de los DDHH en Europa.

Para ello, los **casos más polémicos y actuales de DDHH resueltos por el TEDH se dan cita en este libro,** planteando dilemas éticos y jurídicos que no dejarán indiferente a ningún lector/a, puesto que ocurren en nuestro entorno cotidiano más próximo: las devoluciones en caliente en la valla de Melilla, los menores no acompañados, la violencia de género como forma de tortura o trato inhumano, la gestación subrogada, la persecución de los crímenes del franquismo y la memoria histórica, la prisión permanente revisable, la resocialización como fin de la pena y los permisos penitenciarios, la responsabilidad civil por negligencia médica, la legítima defensa y sus excesos, la independencia judicial y el papel del CGPJ, la libertad de expresión de los jueces/as, el derecho a la herencia de los hijos no matrimoniales, las formas actuales de esclavitud y explotación laboral, la trata de seres humanos, el derecho de huelga, el despido sin causa, los permisos parentales y la corresponsabilidad en la conciliación de la vida personal, familiar y laboral, los recortes en sanidad en los hospitales y el derecho a la vida, las personas con discapacidad y sus derechos, el despido de religiosos por sus Iglesias, el derecho de los trabajadores a la privacidad en el uso de dispositivos electrónicos facilitados por la empresa, la prueba ilícita y el hallazgo inevitable, el derecho de asilo y la expulsión de personas extranjeras, el derecho de asilo por razones de persecución religiosa, etc. El papel del CEDH como instrumento de orden público constitucional europeo y la función del TEDH de atender a los avances y retrocesos de los miembros del Consejo de Europa en materia de DDHH, así como el valor de sus sentencias y su ejecución, son también temas de innegable actualidad que se integran en la sistemática de la obra.

Para tratar todas estas cuestiones, se establece un **diálogo entre la doctrina del TEDH y la doctrina de los tribunales españoles.** Los interlocutores son Paulo Pinto de Albuquerque, Magistrado del TEDH desde 2011 y Carlos Hugo Preciado Domènech, Magistrado especialista en derecho del trabajo y DDHH en el Tribunal Superior de Justicia de Catalunya.

El diálogo se articula conforme al método del caso, utilizado en Escuelas Judiciales y en multitud de Universidades para aproximar al lector a la problemática jurídica actual de los DDHH a través de los casos concretos. Se parte de **los votos particulares de Paulo Pinto,** que gozan de un insuperable valor pedagógico, tanto por su exhaustividad y rigor analítico, como por su insobornable compromiso con la defensa de los derechos.

Muchos de estos votos no son sino los brotes que terminan convirtiéndose con el tiempo en nuevas líneas doctrinales o fecundos estándares de enjuiciamiento del TEDH ante los nuevos retos del mundo actual. (vid. Barbulescu I y II).

En la sistemática de la obra, el lector/a comprobará que cada uno de los capítulos da comienzo con el resumen de los hechos del caso y de la sentencia, al que sigue la traducción de los más relevantes votos particulares de Paulo Pinto, continúa con un análisis completo de la doctrina del TEDH, y termina con la proyección del caso en España y el análisis de los posibles incumplimientos o lagunas que respecto de la doctrina del TEDH en ese tipo de casos presentan las normas españolas o la doctrina de los tribunales, de lo cual se ocupa Carlos H. Preciado.

De esta forma se subrayan los **supuestos en que la legislación española o la doctrina de sus tribunales —en particular el TC— se hallan en tensión con las obligaciones derivadas del CEDH,** y se proporcionan argumentos al jurista práctico para afrontar las crecientes necesidades de conocimiento y accesibilidad a una materia, como la de los DDHH, que es esencialmente transversal y afecta por ello mismo a todas las disciplinas del Derecho.

El enfoque de la obra, que va desde los casos más polémicos y actuales a su solución jurídica, **contrasta las obligaciones que impone el CEDH y su (in) cumplimiento por España.** Este enfoque casuístico y crítico la dota de un enorme **valor práctico para los operadores jurídicos,** desde Jueces/as y Fiscales, hasta abogados/as y graduados sociales, que en su día a día deben conocer y aplicar la doctrina del TEDH a la hora de garantizar y tutelar los DDFF y los DDHH (art. 10.2 y 96.1 CE).

El valor pedagógico de la obra la convierte también en u**n instrumento de divulgación de la cultura de los DDHH en el ámbito de la Universidad,** donde los futuros juristas pueden familiarizarse con el acervo de los DDHH transmitido por el TEDH, a través de casos polémicos que suscitan vivos debates.

Se cumple así con el propósito divulgativo de este libro, novedoso en su enfoque, igualmente útil para el jurista y el académico y llamado a convertirse en una valiosa herramienta para el conocimiento y aplicación de los DDHH en España e Iberoamérica.

Paulo Pinto de Albuquerque
Carlos Hugo Preciado Domènech

1. LA OBLIGACIÓN DE RESPETAR LOS DERECHOS HUMANOS (ART. 1 CEDH)

Artículo 1 CEDH. Obligación de respetar los Derechos Humanos
Las Altas Partes Contratantes reconocen a toda persona bajo su jurisdicción los derechos y libertades definidos en el Título I del presente Convenio.

1.1. CASO G.I.E.M. S.R.L. Y OTROS C. ITALIA (STEDH 28 junio 2018): La relación entre el CEDH y la Constitución, la "autoridad interpretativa" de las sentencias del TEDH; constitucionalismo multinivel; una teoría constitucional de los derechos fundamentales orientada al CEDH

1.1.1. Resumen del caso

La STEDH 28 junio 2018, Caso G.I.E.M, SRL, y otros c. Italia, trata sobre el decomiso de terrenos previsto en la ley italiana para los supuestos de urbanización ilícita (Ley 47/1985). Los demandantes —tres personas jurídicas y el Sr. Gironda— alegaron ante el TEDH que el decomiso carecía de base legal. (Art. 7 CEDH).

El TEDH observa que los demandantes vieron cómo se decomisaban sus bienes sin que ninguno de ellos hubiera sido objeto de una condena formal. Conforme a la doctrina del TEDH, sentada en la STEDH 29 octubre 2013; caso Varvara c. Italia, el Tribunal recuerda que el art. 7 CEDH se opone a que pueda imponerse a nadie pena alguna sin que previamente se establezca y declare su culpabilidad.

En el caso concreto del Sr. Gironda, el Tribunal considera que, al haber apreciado los tribunales competentes que concurrían todos los elementos del tipo —objetivos y subjetivos— de urbanización ilícita, aunque, sin embargo, estimasen que procedía el sobreseimiento por prescripción, dicha apreciación se realiza en lo que puede considerarse una sentencia de condena, a la luz del art. 7 CEDH, razón por la cuál dicho precepto no se considera infringido. No obstante, el Sr. Gironda fue declarado en esencia culpable por la Corte de Casación tras un procedimiento en el que se vulneró su presunción de inocencia. Por tanto, hubo infracción del art. 6.2 CEDH en el caso del Sr. Gironda.

En cambio, en cuanto a las sociedades demandantes (G.I.E.M, SRL; Hotel Promotion Bureau, SRL, y R.I.T.A Sarda, SRL) no fueron parte en proceso alguno. En virtud del principio según el cual no se puede sancionar a una persona por una conducta que suponga responsabilidad penal de otra (principio de personalidad de las penas), el Tribunal concluye que el decomiso aplicado a las personas físicas o jurídicas que no sean partes en el proceso es incompatible con el art. 7 CEDH.

El Tribunal considera que se ha violado el art. 1 del Protocolo 1 en el caso de todos los demandantes, por razón del carácter desproporcionado del decomiso.

Analizaremos cada uno de los preceptos del Convenio que entran en juego en el presente caso.

a) Sobre la vulneración del art. 7 CEDH

El Tribunal considera que el art. 7 exige que los decomisos sean previsibles para los demandantes y que no les sean impuestos como responsabilidad objetiva, es decir sin un elemento que entrañe responsabilidad personal en su conducta. (Principio de culpabilidad).

El Tribunal observa que, mientras que los bienes del conjunto de los demandantes han sido decomisados, ninguno de ellos ha sido objeto de condena formal. Conforme a la doctrina Varvara c. Italia, el Tribunal recuerda que el art. 7 CEDH se opone a que una sanción de naturaleza penal pueda imponerse a un individuo sin que su responsabilidad penal personal sea previamente establecida y declarada. De lo contrario, se vulneraría la presunción de inocencia.

Los demandantes alegan la ilegalidad del decomiso sin condena formal. El Gobierno italiano estima que, a parte del caso G.I.E.M, las sociedades demandantes y sus representantes, entre ellos el Sr. Gironda, han sido claramente declarados culpables de violación de las reglas urbanísticas. El Tribunal estima que, dado que las sociedades demandantes no han sido perseguidas como tales y que no han sido partes en el proceso, no pueden ser objeto de una declaración de responsabilidad previa. La cuestión se ciñe entonces al Sr. Gironda. El Tribunal ha de determinar si, aunque la infracción de que se le acusa esté prescrita, puede tener en cuenta los elementos de la infracción para concluir que existe una declaración de responsabilidad que pueda servir de condición previa necesaria para la imposición de una sanción compatible con el art. 7.

En opinión del Tribunal, hay que tener en cuenta, de un lado, la importancia que representa garantizar el Estado de Derecho y asegurar la confianza de los ciudadanos en la justicia; y de otro lado, el objeto y el objetivo del régimen aplicado por los tribunales italianos. Este régimen se dirige a **luchar contra la impunidad que implica —por el efecto combinado de infracciones complejas y de los términos de prescripción relativamente cortos— que los autores de tales infracciones escapen sistemáticamente a las investigaciones penales y a las consecuencias de sus fechorías.** Por esa razón, el Tribunal considera que cuando los tribunales competentes declaran que concurren todos los elementos de la infracción de urbanización ilícita y concluyen que procede el archivo por la sola razón de la prescripción, tal declaración goza de la consideración de condena en el sentido del art. 7 CEDH, que en tal supuesto, por ello mismo, no resulta violado. Por ello, resulta que el art. 7 no se ha infringido en el caso del Sr. Gironda.

El Tribunal señala que el derecho italiano reconoce a las SL una personalidad jurídica distinta de la de sus administradores o asociados. Sin embargo, en el derecho italiano vigente a la fecha de los hechos, las SL no podían, en tanto que tales, ser partes en un proceso penal, a pesar de su personalidad jurídica distinta. Por tanto, tenían la condición de terceros en el proceso penal.

En derecho italiano, el decomiso de los bienes es una sanción aplicada por el juez penal a consecuencia de la infracción de urbanización ilícita. No se contempla distinción alguna para el caso de que el propietario de los bienes sea una sociedad, que, en virtud del derecho italiano, no puede legalmente haber cometido la infracción penal en cuestión.

El Tribunal reitera el razonamiento que sostuvo en Varvara c. Italia. Las sociedades GIEM, Hotel Promotion y Rita Sarda, no han sido partes en proceso alguno. Sólo el legal representante de Hotel Promotion y los dos socios de Rita han sido acusados a título personal.

De esta forma, las autoridades han aplicado a las sociedades demandantes una sanción por actos de terceros, —sus representantes legales o
socios— que actuaban a título personal, salvo en el caso de GIEM.

En relación al principio conforme al que no puede sancionarse a una
persona por un acto que implique la responsabilidad penal de otra, el Tribunal concluye que una medida de decomiso aplicada a las personas físicas
o jurídicas que no hayan sido parte en el proceso es incompatible con el
art. 7. Por tanto, ha habido violación del art. 7 en el caso de las sociedades
demandantes que no fueron partes en el proceso penal; y no ha habido
violación del art. 7 en el caso del Sr. Gironda, pues el decomiso de los tribunales es calificable como acorde con el art. 7.

b)   Sobre la vulneración del art. 1 del Protocolo nº 1 del CEDH

Una injerencia en los derechos garantizados por el art. 1 del Protocolo
1 no es legítima si no se da un previo debate contradictorio, respetando el
principio de igualdad de armas, que permita debatir los aspectos importantes para resolver el caso. Sin embargo, la ley italiana impone un mecanismo
automático de aplicación del decomiso en los supuestos de urbanización
ilícita que no permite al juez ponderar entre el objetivo legítimo de la medida y los derechos de los interesados afectados por la sanción.

Por ello, el Tribunal estima que se ha vulnerado el art. 1 del Protocolo 1
en el caso de todos los demandantes, por razón de la desproporcionalidad
de la medida de decomiso.

c)   Sobre la vulneración del artículo 6.1 y 13 CEDH

El Tribunal considera que no ha lugar a examinar la denuncia de infracción de los arts. 6 y 13 del CEDH, pues la misma se solapa con la que ya
se ha examinado bajo la perspectiva de los arts. 7 CEDH y 1 del Protocolo
nº 1.

d) Sobre la vulneración del artículo 6.2 CEDH

El Sr. Gironda fue declarado culpable sin haber sido formalmente condenado, lo cual, por si solo, entraña una violación de su presunción de inocencia. Además, el TEDH recuerda que la culpabilidad no podría haberse
declarado en un proceso resuelto por un tribunal sin la aportación de prue-

bas o el debate contradictorio que le hubieran permitido decidir sobre el fondo del asunto.

En el caso concreto, el Sr. Gironda fue absuelto en apelación y el decomiso fue anulado tras considerarse la urbanización compatible con el plan urbanístico y las leyes de urbanismo.

Posteriormente, esta sentencia fue anulada sin devolución por la Corte de casación, que declaró probada la responsabilidad del Sr. Gironda, pero acordó a su vez la prescripción. Por tanto, el Sr. Gironda ha sido condenado por la Corte de casación, un tribunal llamado a revisar la aplicación de la ley, pero que no conoce de los hechos, en un proceso en el curso del cual la presunción de inocencia no ha sido respetada. Por todo ello, el Tribunal concluye que en el caso del Sr. Gironda se ha violado el art. 6.2 CEDH.

1.1.2. *Antecedentes: la doctrina del TEDH sobre el decomiso y la doctrina del Tribunal Constitucional Italiano sobre las relaciones de la Constitución y el CEDH*

Como **antecedentes relevantes del caso**, en lo que a la relación entre el CEDH y la Constitución Italiana se refiere, es pertinente traer a colación los que el voto particular de Paulo Pinto invoca:

a) **Los asuntos Sud Fondi y Varvara: el decomiso por delito urbanístico en Italia y el art. 7 del CEDH**

En la **STEDH 20 enero 2009, Caso Sur Fondi s.r.l, y otros c. Italia,** se resuelve un caso de urbanización ilícita por varias sociedades en la que los acusados —sus representantes— habían obtenido los permisos correspondientes del Ayuntamiento de Bari para llevar a cabo dicha urbanización.

Por sentencia posterior del tribunal de Bari, se reconoció el carácter ilegal de los inmuebles, porque estaba prohibido autorizar construcciones en parajes de interés natural. En esa misma sentencia, conforme a la ley italiana 47/85, el tribunal de Bari ordenó el decomiso de los terrenos urbanizados en Punta Perotti y de los inmuebles construidos, así como su atribución al patrimonio del Ayuntamiento de Bari.

Prescindiendo de mayores detalles en el complejo vericueto judicial del caso ante la jurisdicción italiana, en lo que aquí importa, tras sendos procesos penales entablados contra los representantes de las sociedades por urbanización ilícita, la Corte de Casación italiana estimó que los demandantes habían incurrido en un error invencible y excusable en la interpretación de las normas italianas sobre urbanismo. La ley regional aplicable, en combinación con la ley estatal era "oscura y mal redactada"; su concordancia con la ley nacional en la materia había generado una jurisprudencia contradictoria; los responsables del ayuntamiento de Bari autorizaron la urbanización, asegurando a los demandantes que la misma era totalmente regular; y a todo ello se añadió la inercia de las autoridades competentes para la tutela del medio ambiente. Por todo ello, conforme a la Corte de Casación italiana, el error de los acusados sobre la legalidad de la urbanización fue invencible.

Partiendo de estas circunstancias específicas, el TEDH considera que la ley no era accesible ni previsible, por lo que era imposible prever que se podía imponer una pena, y ello fue así tanto para las sociedades demandantes, que llevaron a cabo la urbanización ilegal, como para sus representantes, acusados en el proceso penal.

Aunque el art. 7 no lo diga de forma expresa, el concepto de "persona culpable" exige para imponer una pena, un vínculo de naturaleza intelectual (consciencia y voluntad) que permita decantar la responsabilidad en la conducta del autor material de la infracción. A falta de dicho vínculo, la pena no estaría justificada, pues no es lógico exigir una base legal accesible y previsible y, por otro lado, permitir condenar como culpable a quien no estuvo en condiciones de conocer la ley penal, por error invencible y excusable.

En conclusión, existía un marco legal que no permitía al acusado conocer el sentido y alcance de la ley penal por lo que en el caso de autos se concluye que el decomiso no estaba previsto por la ley en el sentido del art. 7 del CEDH, tratándose por ello de una sanción arbitraria.

En la **STEDH 29 octubre 2013, caso Varvara c. Italia,** una vez más, un particular, (M. Vincenzo Varvara) presenta un proyecto de urbanización, que le aprueba el Ayuntamiento y obtiene el permiso de edificación. Sin embargo, termina abriéndose contra él un procedimiento penal por urbanización abusiva y se le embargan 17 inmuebles. Tras un proceso penal, con sentencias en apelación y casación, anulando esta última la sentencia de apelación, el tribunal de apelación termina por declarar el sobreseimiento de la causa, debido a la prescripción de las infracciones. Aún así, el tribunal de apelación entiende, siguiendo la doctrina de la corte de casación, que era obligatorio imponer el decomiso en el caso de sentencia absolutoria en el fondo (salvo que la misma declarase la inexistencia del hecho), o en el caso de prescripción, si el proyecto urbanístico se oponía objetivamente a las disposiciones en materia de planificación urbanística. Sin embargo, la Corte de apelación consideró que unas variaciones del proyecto inicial lo convertían en realidad en un nuevo proyecto, respecto del que habría debido de obtenerse autorización regional antes de que fuera otorgado el permiso de edificación. Por otro lado, la Corte de apelación ordenó el decomiso de las edificaciones al amparo del art. 1 de la ley 47/85.

El TEDH, evocando la doctrina sentada en Sud Fondi, recuerda que la aplicación del decomiso, a pesar de la existencia de sentencia absolutoria, carecía de base legal, era arbitraria y violaba el art. 7 CEDH. (F.58).

En Varvara, el TEDH concluye que hubo violación del art. 7 CEDH porque la pena impuesta (decomiso), en tanto que la responsabilidad penal se había extinguido y dicha pena no se impuso en una sentencia condenatoria, infringió el principio de legalidad penal que reconoce el art. 7 CEDH, por lo que el decomiso fue una sanción no prevista por la ley en el sentido exigido por el art. 7 CEDH (F.72).

b) Las primeras sentencias "gemelas": el CEDH como una norma de rango infraconstitucional y supralegal

Hasta ahora hemos visto la doctrina del TEDH sobre el principio de legalidad en relación a los decomisos sin sentencias de condena en el caso de Italia. Ahora corresponde dar la voz al otro interlocutor en el diálogo entre tribunales, en este caso el Tribunal Constitucional Italiano (TCI). Nos disponemos a analizar, con la brevedad necesaria, la evolución de la doctrina constitucional italiana en lo que a la relación CEDH vs. Constitución se refiere. (Vid. Voto Particular de Paulo Pinto en el caso G.I.E.M (F.3-20).

Hasta 2007 "La Consulta"[1] venía considerando que la CEDH tenía rango de ley ordinaria, basándose en una concepción dualista del Derecho Internacional.

Las SSTCI 348 y 349/2007, conocidas como **las "dos gemelas" sitúan al CEDH en un rango superior a la ley ordinaria e inferior a la Constitución,** partiendo del nuevo redactado del art. 117 de la Constitución Italiana. Al juez ordinario le corresponde interpretar la norma italiana conforme al CEDH y a la jurisprudencia del TEDH. En caso de duda sobre la compatibilidad de la norma interna y la CEDH, el juez ordinario debía plantear una cuestión de constitucionalidad cuya resolución quedaba reservada al TCI.

c) Las segundas sentencias "gemelas": la maximización de las garantías del CEDH y de la Constitución italiana

En las sentencias del TCI nº 311 y 317/2009, el TCI reconoce que carece de competencia para sustituir con su propia interpretación la que el TEDH haga de toda disposición del CEDH, sin embargo limita la autoridad interpretativa del TEDH a la "sustancia" de la jurisprudencia "consolidada"(STCI 311/2009, F.6).

En un loable ejercicio de maximización de las garantías, el TCI se introduce en una ponderación de los dos catálogos de derechos y las "interrelaciones normativas entre los diferentes niveles de garantía". De esta forma, "La Consulta" admite explícitamente que el **CEDH, tal y como lo interpreta el TEDH, tiene el mismo rango que la Constitución.**

Esta "elevación de rango" del CEDH supone que **"La Consulta" es la que debe de ponderar el CEDH "con otros intereses constitucionales dignos de tutela constitucional, en particular los que garantizan a su vez los derechos fundamentales".** De esta forma, "La Consulta" deviene el último árbitro de la fuerza ejecutiva de las sentencias del TEDH en el ordenamiento italiano. Desde ese mismo instante, **las semillas de la discordia entre "La Consulta" y Estrasburgo están sembradas.** En efecto, si bien las "segundas gemelas" elevan de rango el CEDH a un rango paraconstitucio-

---

[1] Nombre que recibe la Corte Constitucional Italiana por razón de su ubicación en el Pallazzo della Consulta.

nal y dejan de concebirlo desde una perspectiva dualista, como un cuerpo extraño al ordenamiento italiano; sin embargo, el TCI se atribuye a sí mismo un margen de apreciación amplísimo, limitando el papel del TEDH a la tutela individual del derecho fundamental, y arrogándose la ponderación de los intereses constitucionales en juego, por lo que, en definitiva, se atribuye un margen de apreciación para ejecutar, o no, en función de los intereses constitucionales italianos en juego, las sentencias del TEDH en Italia.

El **primer brote de la discordia entre Estrasburgo y Roma** vendrá de la mano de la **STEDH 31 mayo 2011, caso Maggio y otros c. Italia**[2], relativo a unos ciudadanos italianos que emigraron temporalmente a Suiza donde trabajaron y cotizaron más de 30 años antes de jubilarse en Italia. El Instituto Nazionale della Previdenza Sociale decidió reajustar sus pensiones a fin de tener en cuenta las cotizaciones cuantitativamente escasas que habían realizado durante su estancia en Suiza (un 8% en lugar del 32,7% propio de Italia). A consecuencia del nuevo cálculo realizado por el INPS, el Sr. Maggio vio reducida su pensión de jubilación de 1.372 euros a 873 euros. Entre tanto, la Ley 296/06 validó el sistema de cálculo del INPS y el TCI no la declaró inconstitucional. El Gobierno sostuvo que la modificación de la ley, con la consiguiente reducción de las pensiones, respondía a un interés general, en concreto, garantizar la estabilidad económica y financiera del sistema de protección social italiano.

El TEDH considera que hay violación del art. 6.1 del CEDH y que no hay violación del art. 1 del Protocolo 1 del CEDH ni del art. 14 en relación con el art. 6 en el caso del Sr. Maggio.

Muy brevemente, el TEDH entiende que la Ley 296/06 regula de forma retroactiva el cálculo de pensiones que estaba *sub iudice*. Estima que esta intervención legislativa carece de justificación razonable. No aprecia que consideraciones de índole financiero basten por sí solas para justificar que el poder legislativo usurpe el poder judicial para resolver procesos en curso. El TEDH no considera que esté justificado acudir a legislación con efectos retroactivos para restaurar el equilibrio del sistema de pensiones.

El TEDH concluye que el Estado ha intervenido legislativamente con la finalidad de garantizar un resultado favorable en un proceso en el que era

---

[2] Vid. Caso G.I.E.M: Voto particular de P. Pinto (f.11-15).

parte, lo que supone una violación del art. 6.1 CEDH en relación a todos los demandantes.

No considera el TEDH, sin embargo, que el derecho de propiedad haya sido vulnerado en el caso del Sr. Maggio, porque la reducción de la pensión es proporcional a las cotizaciones que realizó, muy inferiores a las italianas, y porque la reducción de la pensión pretendía evitar ventajas indebidas para aquellos que habían trabajado en el extranjero.

Pues bien, ante la **ejecución de la sentencia del caso Maggio**, el **TCI pone en práctica su "novedosa" facultad de ponderar con los intereses constitucionales** en juego y **justifica la inaplicación de Maggio**, considerando que existen razones imperiosas de interés general que justificaban una aplicación retroactiva de la ley, y lo hace incluso invocando la "sustancia" de la decisión del TEDH, de forma que acude a la "sustancia" de la doctrina del TEDH para dejar de ejecutar la sentencia Maggio en el caso concreto. **El conflicto está servido.**

d) La "revolucionaria" sentencia nº 49/2015 y sus consecuencias

Esta sentencia de "La Consulta" parte de las cuestiones de inconstitucionalidad planteadas en relación a la doctrina del asunto Varvara, por el Tribunal de Teramo y la Corte de Casación.

La Consulta recuerda la naturaleza administrativa del decomiso previsto en el art. 44 el DC 380/2001, pero admite que se trata de una pena en el sentido del art. 7 CEDH y que la presunción de inocencia garantizada por el art. 6.2 del CEDH le resulta de aplicación. Además, el TCI sostiene que el archivo por prescripción puede ir acompañado de una motivación específica sobre la responsabilidad con el solo fin de imponer el decomiso del bien.

Precisamente, los Tribunales italianos que plantean la cuestión de constitucionalidad, preguntan si tal concepción del decomiso no es contraria a la doctrina del TEDH sentada en Varvara.

Sin embargo el TCI considera que Varvara debe interpretarse en el sentido de que solo impone una *"declaración sustancial de responsabilidad"*, y por tanto, es compatible con la declaración simultánea de prescripción del delito, de acuerdo con las normas de derecho italiano. En otras palabras, que —según el TCI— lo que se quiso decir en Varvara es que las reglas de prescripción eran compatibles con la "condena sustancial"; pronunciamiento que, tras Sud-Fondi, además, no era una mera facultad, sino una obligación del juez a fin de imponer el decomiso.

El TCI rechaza que la doctrina sobre el decomiso sea contraria a Varvara, por 3 razones:

1) porque la doctrina del TEDH es un flujo continuo que está muy vinculado a los casos concretos y el asunto Varvara no introduce ninguna novedad doctrinal;

2) porque los tribunales que plantean la cuestión han errado al haber situado la sanción administrativa de decomiso en la esfera del derecho penal, pues ello iría en contra de la propia doctrina del TEDH sobre el margen del legislador interno y el principio de subsidiariedad de la sanción penal; y, en fin,

3) porque la sentencia Varvara debía interpretarse en el sentido de que sólo impone una declaración sustancial de responsabilidad y, por tanto, es compatible con la declaración de la prescripción.

En definitiva, según el TCI, Varvara no introduce novedad alguna.

En cuanto a **la relación jueces ordinarios-CEDH**, el TCI afirma que el juez ordinario ha de seguir la jurisprudencia del TEDH, sin embargo precisa que en **caso de duda sobre la conformidad de esta jurisprudencia con la Constitución, dicha jurisprudencia no vincula al juez ordinario sino cuando esta "bien establecida", en el sentido del art. 28 CEDH[3], o pronunciada en un "*lead case*" o caso piloto.**

---

[3] ARTÍCULO 28 CEDH Competencia de los Comités.

1. Respecto de una demanda presentada en virtud del artículo 34, un Comité podrá, por unanimidad:

a) Declarar la misma inadmisible o archivarla, cuando pueda adoptarse tal decisión sin tener que proceder a un examen complementario; o

b) **declararla admisible y dictar al mismo tiempo sentencia sobre el fondo, si la cuestión subyacente al caso, relativa a la interpretación o la aplicación del Convenio o de sus Protocolos, ya ha dado lugar a jurisprudencia consolidada del Tribunal.**

2. Las decisiones y sentencias dictadas en virtud del párrafo 1 serán definitivas.

En caso de que el juez designado a título de la Alta Parte Contratante en el litigio no sea miembro del Comité, el Comité podrá, en cualquier fase del procedimiento,

Ninguna de esas circunstancias, al entender del TCI, concurre en Varvara, cuando afirma el principio de que el art. 7 CEDH impone que una sanción penal sea precedida de una condena formal, por lo que dicha afirmación no vincula a los jueces nacionales.

En definitiva, concluye el TCI, en caso de conflicto entre la CEDH y la Constitución, prevalece la Constitución, por razón de una "supremacía axiológica de la Constitución sobre el CEDH".

En cuanto a las consecuencias de la STCI 49/2015 en el ordenamiento italiano, las mismas se pueden sintetizar como siguen, siguiendo el voto particular del Magistrado Paulo Pinto (f. 21-56)

- *La lectura errónea de Varvara*

  - *El olvido del derecho al olvido*: en primer lugar, considera el voto particular, que se da una lectura errónea de Varvara por parte del TCI, porque lo que exige Varvara para imponer una pena (como el decomiso) es que la infracción penal no haya prescrito y que se haya pronunciado una sentencia de condena. En un Estado de derecho, **el principio de legalidad limita en el tiempo al *ius puniendi* del Estado, a través del instituto de la prescripción.** Como formula con elegancia el propio TCI *"con el paso del tiempo tras la comisión de los hechos, se desvanece la necesidad del castigo de su autor y madura para él un derecho al olvido"*.

    De esta forma, si el objetivo de la lucha contra la impunidad es siempre prevalente, se "olvida el derecho al olvido".

  - *La instrumentación del derecho penal a los fines de la justicia administrativa:* El TCI, con su argumentación, niega la evidencia de que una declaración sustancial de culpabilidad no tiene mucho sentido si no consiste en una declaración formal de culpabilidad emitida por un Tribunal. Igualmente, si bien es cierto que el *ius puniendi* está limitado por el principio de intervención mínima, resulta inadmisible recu-

---

invitar a dicho juez a ocupar el lugar de uno de los miembros del Comité, tomando en consideración todos los factores pertinentes, entre ellos el de si esa Parte se ha opuesto a la aplicación del procedimiento previsto en el párrafo 1 (b).

rrir a tal argumento *in malam partem*, a fin de privar al imputado de la protección del art. 7 CEDH para imponerle la pena de decomiso sin que exista ninguna condena formal a causa de la prescripción.

Desde el momento en que se aplica un decomiso sin condena por el Juez penal, se está asumiendo por éste funciones administrativas. Desde la óptica del derecho constitucional, tal asunción de un rol administrativo por el juez penal supone una vulneración del principio de separación de poderes.

- *La ilusoria declaración sustancial de responsabilidad*

  – *La insuperable falta de seguridad jurídica*: según el TCI una declaración "sustancial" de responsabilidad no plantea problema alguno en relación con el CEDH. Sin embargo, lo cierto es todo lo contrario. En este sentido, el TCI no aclara los límites del juez penal relativos a las actividades precisas para apreciar la responsabilidad; tampoco concreta si el decomiso no puede aplicarse hasta que consten los elementos objetivos y subjetivos de la responsabilidad antes de declararse la prescripción; o bien, si el juez puede completar la investigación después de dicha declaración a fin de determinar la concurrencia de tales elementos. Tampoco aclara el TCI que estándar de prueba ha de aplicar para apreciar la existencia de "responsabilidad sustancial" a los efectos del decomiso.

  Sin embargo, la Gran Sala del TEDH no considera en el caso que este "agujero negro" jurídico y la insuperable falta de seguridad jurídica que genera sean problemáticas. En realidad la declaración "sustancial" de responsabilidad es un cheque en blanco que permite a los jueces actuar a su gusto. Se pliega así el juez a la racionalidad de los fines, en lugar de la que debiera ser regla imperante: la racionalidad de los valores.

  En este punto, el Juez Paulo Pinto es crítico con el criterio de la mayoría, cuando considera que está justificada la "responsabilidad sustancial", basándose para ello en criterios de política criminal, como el de que la complejidad de los delitos urbanísticos y los cortos plazos de prescripción favorecen la impunidad. Un juez —remacha Paulo

Pinto— no debe imponer al ciudadano las consecuencias de una política criminal irracional.

En definitiva, la declaración sustancial de responsabilidad, no es sino una analogía *in malam partem* de una sentencia de condena, habiendo sido rechazada dicho tipo de analogía por el propio TEDH, en su STEDH 27 mayo 2014, caso Margus c. Croacia.

— *La violación del principio de presunción de inocencia:* En fin, la declaración "sustancial" de responsabilidad viola palmariamente la presunción de inocencia. Tanto es así que recuerda a la "media absolución" propia de la Edad Media, según la cual, aunque los acusados fueran absueltos, al ser probada cierta culpabilidad, podían ser sancionados *"un poco"*.

• El volátil criterio de la "doctrina consolidada"

— *La distorsión de la jurisprudencia consolidada*: el contexto que acabamos de exponer, el TCI redefine las modalidades de relación entre el derecho convencional, interpretado por el TEDH y el derecho constitucional.

Así, distingue entre el efecto *inter partes* y el efecto *erga omnes* de las sentencias del TEDH. Para los jueces italianos, el efecto *inter partes* de las sentencias del TEDH sería innegable; pero no ocurriría lo mismo con el efecto *erga omnes*, que consideran que sólo tendría lugar en el caso de "doctrina consolidada" del TEDH, por lo que podrían rechazar este efecto frente a todos cuando apreciasen que la sentencia del TEDH no es jurisprudencia consolidada.

Así, el TCI sugiere determinados indicios de que la doctrina del TEDH es una doctrina no consolidada:

— el carácter inédito del principio enunciado, en relación a la jurisprudencia anterior,

— la existencia de votos particulares;

— una sentencia de Sala no confirmada por la Gran Sala; o, en fin,

— una duda respecto de la toma en consideración de las especialidades del ordenamiento nacional.

El TCI afirma que el concepto de "jurisprudencia consolidada" se contempla en el propio art. 28 CEDH, y que por tanto, según el propio Convenio, la potencia persuasiva las sentencias fluctúa hasta el momento en que cristaliza una "jurisprudencia consolidada". En apoyo de tal tesis el TCI cita el informe explicativo del Protocolo nº 14 del CEDH que indica, en relación al art. 8 que el concepto de "jurisprudencia consolidada" significa, la mayoría de las veces la jurisprudencia constante de una Sala o que, por excepción, una sola sentencia piloto del TEDH es jurisprudencia consolidada, en particular si es de la Gran Sala.

Sin embargo, como bien apunta el Juez Paulo Pinto, la noción de jurisprudencia consolidada del art. 28 CEDH difiere radicalmente del concepto de "doctrina consolidada" manejada por el TCI; y ello a pesar de sus semejanzas.

En efecto, conforme al art. 28 CEDH la función de la jurisprudencia consolidada no es la de modular la fuerza normativa o la "densidad persuasiva" de las sentencias del TEDH, según el grado de "consolidación"; sino que su sola función es la de atribuir la competencia a un Comité o a una Sección del TEDH, a fin de sustanciar el proceso por el trámite simplificado.

En definitiva, **todas las sentencias del TEDH tienen el mismo valor jurídico**. Su naturaleza vinculante y su autoridad interpretativa no dependen de la composición de la sala que las ha dictado.

Por tanto, **toda sentencia definitiva del TEDH**, *inter partes*, **tiene fuerza de "*res iudicata*" (cosa juzgada); y *erga omnes*, tiene fuerza de "*res interpretata*"**.

Desde este punto de vista, el argumento que es piedra angular de la STCI 49/2015, queda desmontado, al rechazarse la noción de "doctrina consolidada" que propone el TCI.

De esta forma, la Gran Sala (f.252) hace un llamamiento al TCI para que revise sus modalidades de relación con el TEDH y no le deja margen alguno de apreciación que le permita abstenerse, porque el TEDH no recurre al margen de apreciación en estos casos. Por lo demás, no es sostenible acudir al margen de apreciación en el supuesto de derechos absolutos como el que consagra el art. 7 CEDH, y menos aún acudir a dicho margen para evitar la ejecución de una sentencia definitiva del TEDH.

— *El inquietante concepto de "doctrina no consolidada"*: en resumen, se traduce en una serie de criterios, que ya hemos apuntado y que conducen a una peligrosa inseguridad jurídica, puesto que introducen altas dosis de discrecionalidad en los tribunales nacionales para determinar el alcance de los efectos de las sentencias del TEDH, de forma que, en definitiva, libera a los jueces ordinarios de la obligación que les impone el CEDH de dotar de plena eficacia a las sentencias del TEDH.

En conclusión (f.55) en el estado actual de la jurisprudencia constitucional italiana, la Constitución y el CEDH contienen catálogos de DDFF que están relacionados entre sí y que se trata de articular bajo el objeto de maximizar la protección de los derechos convencionales y constitucionales. Esta tarea corresponde a los poderes legislativo y judicial italianos, que tienen el deber de interpretación conforme, respecto del derecho interno en relación con las normas del CEDH en el sentido en el que las interpreta el TEDH.

En caso de conflicto entre el derecho interno y el CEDH, corresponde al TCI resolver, los jueces ordinarios carecen del poder de inaplicar una norma interna incompatible. Sólo la doctrina consolidada puede comportar un conflicto, puesto que la doctrina no consolidada no goza de efectos *erga omnes*. Si la jurisprudencia consolidada de la Corte es incompatible con la Constitución, prevalece la Constitución y la ley que traspone la CEDH ha de ser parcialmente anulada por el TCI.

Desde la perspectiva del TEDH, esta doctrina del TCI supone la omnipresente posibilidad de declarar inconstitucional parcialmente la ley de 1955, que no podría oponerse ante el Consejo de Europa, sin una denuncia de la CEDH, puesto que las "reservas a la carta" o de caso concreto son incompatibles con el CEDH y también con su art. 7.

1.1.3. La relación entre el Convenio y la Constitución, la "autoridad interpretativa" de las sentencias del Tribunal, constitucionalismo multinivel, una teoría constitucional de los derechos fundamentales orientada al CEDH

Hasta ahora hemos tratado los antecedentes del Caso G.I.E.M, lo que ha exigido el resumen de la doctrina del TEDH sobre decomiso sin condena (Sur-Fond y Varvara), por un lado; y por otro, la síntesis de la doctrina del Tribunal Constitucional Italiano sobre las relaciones de la Constitución Italiana y el CEDH.

Ahora abordaremos lo realmente importante para el propósito de este comentario: **la relación del CEDH y las Constituciones de los países miembros**.

Es en este punto donde cobra sentido el debate del voto particular de Paulo Pinto con la mayoría de la Sala y donde se hacen los pronunciamientos más importantes de dicho voto en lo que se refiere a la autoridad interpretativa de las sentencias del TEDH (f.72-77 del Voto), el constitucionalismo multinivel (f.78-80 del Voto) y una teoría constitucional de los DDFF orientada al CEDH (81-86).

a) La autoridad interpretativa de las sentencias del TEDH

El CEDH obliga a los Estados, conforme su art. 46[4], no sólo a hacer respetar la fuerza vinculante de una sentencia en relación a las partes del litigio; sino también a impedir que una violación constada por una sentencia del TEDH se repita en relación a terceros[5]. Esa es una de las principales

---

[4] **Art. 46 CEDH Fuerza obligatoria y ejecución de la sentencias.**

1. Las Altas Partes Contratantes se comprometen a acatar las sentencias definitivas del Tribunal en los litigios en que sean partes.

2. La sentencia definitiva del Tribunal se transmitirá al Comité de Ministros, que velará por su ejecución.

3. Cuando el Comité de Ministros considere que la supervisión de la ejecución de una sentencia definitiva resulta obstaculizada por un problema de interpretación de dicha sentencia, podrá dirigirse al Tribunal con objeto de que éste se pronuncie sobre dicho problema de interpretación. La decisión de dirigirse al Tribunal se tomará por mayoría de dos tercios de los votos de los representantes que tengan derecho a formar parte del Comité.

4. Si el Comité considera que una Alta Parte Contratante se niega a acatar una sentencia definitiva sobre un asunto en que es parte, podrá, tras notificarlo formalmente a esa Parte y por decisión adoptada por mayoría de dos tercios de los votos de los representantes que tengan derecho a formar parte del Comité, plantear al Tribunal la cuestión de si esa Parte ha incumplido su obligación en virtud del párrafo 1.

5. Si el Tribunal concluye que se ha producido una violación del párrafo 1, remitirá el asunto al Comité de Ministros para que examine las medidas que sea preciso adoptar. En caso de que el Tribunal concluya que no se ha producido violación alguna del párrafo 1, reenviará el asunto al Comité de Ministros, que pondrá fin a su examen del asunto.

[5] STEDH 7 febrero 2013, Caso Fabris c. Francia.

consecuencias del principio de subsidiariedad (art. 35.1 CEDH)[6] y de su papel fundamental en la arquitectura del Convenio. Así, mientras que a las autoridades nacionales les corresponde en primer lugar interpretar y aplicar el derecho interno, al TEDH le incumbe comprobar si la forma en que ese derecho es interpretado y aplicado produce efectos conformes a los principios del CEDH en el sentido en el que éstos son interpretados por el propio TEDH. (STEDH 29 julio 2004, Caso Scordino c. Italia; STEDH 2 junio 2009, Caso Daddi c. Italia).

Ello también resulta de la declaración de Brighton[7], conforme a la que los Estados miembros se comprometen a garantizan la plena aplicación del CEDH a nivel nacional, lo que supone que **los Estados partes han de adoptar las medidas efectivas para prevenir las violaciones del mismo, a tal fin "todas las leyes y políticas deben concebirse y todos los agentes públicos deben ejercer sus responsabilidades de forma que den una eficacia plena al CEDH"**.

Por otro lado, las medidas que ha de tomar un Estado parte para ejecutar una sentencia no se limitan a las que atañen al demandante. Al contrario, **cuando una violación revela un problema estructural, el Estado demandado debe tomar medidas generales apropiadas para remediarlo**, y evitar así que la misma violación pueda afectar a otras personas. (Vid. STEDH 28 junio 2001, Caso Verein Gegen Tierfabriken c. Suiza)

Las sentencias del TEDH, como ha repetido éste en múltiples ocasiones, "*...sirven no solo para resolver los casos que se le plantean, sino con mayor alcance para clarificar, salvaguardar y desarrollar las normas del CEDH y contribuir de esa forma a que los Estados respeten las obligaciones que han asumido*

---

[6] Art. 35 CEDH Condiciones de admisibilidad-. 1. Al Tribunal no podrá recurrirse sino después de agotar las vías de recursos internas, tal como se entiende según los principios de derecho internacional generalmente reconocidos y en el plazo de seis meses a partir de la fecha de la decisión interna definitiva.

[7] Bajo los auspicios de la presidencia británica del Comité de Ministros del Consejo de Europa, se celebró en Brighton (18 a 20 de abril de 2012) la Conferencia de Alto Nivel sobre el Futuro del TEDH, en la que los Estados parte del CEDH se reunieron con el objetivo de aliviar la sobrecarga de casos que asume el TEDH. Fruto de esta reunión es la Declaración de Brighton, donde se establecen las bases que deben impulsar la reforma de TEDH.

en tanto que partes contratantes" [Vid. STEDH 18 enero 1978, Caso Irlanda c. Reino Unido (f.154)].

Las **sentencias del TEDH tienen todas el mismo valor jurídico y la misma fuerza vinculante e idéntica autoridad interpretativa**, sin que esta regla sufra excepción alguna, en contra de lo que afirma el TCI en su STCI 49/2015, en función de la composición de la sala que las dicta.

Dicho de otra forma, el **valor jurídico de la sentencia del TEDH** comprende no solo el **efecto obligatorio** *inter partes* (*res iudicata*), sino también **su autoridad interpretativa** (*res interpretata*), igualmente importante.

Por tanto, **la sentencia del TEDH tiene un efecto *erga omnes*, en relación a todos los Estados parte del CEDH; incluso aunque no se haya pronunciado respecto a alguno o algunos de ellos,** como así resulta del punto 3c) de la Declaración de Interlaken.

b) De un repliegue constitucional a un constitucionalismo multinivel. Prevalencia del CEDH sobre el derecho constitucional

Estas obligaciones de los Estados relativas a las sentencias y doctrina del TEDH se extienden también a su derecho constitucional. El art. 1 del CEDH no distingue entre normas constitucionales y otras normas.

Así, el art. 27 de la Convención de Viena sobre Derecho de Tratados establece que un Estado no puede invocar las normas de su derecho interno, incluido su derecho constitucional, para justificar el incumplimiento de un tratado.

La era del repliegue constitucional en Europa ha tocado a su fin y ha llegado la hora del constitucionalismo multinivel. **El CEDH es un instrumento constitucional del orden público europeo** [STEDH 23 marzo 1995, Caso Loizidou c. Turquía (f.75)][8].

---

[8] **75.** El artículo 25 no prevé explícitamente ninguna otra forma de limitación (apartado 65 supra). En cuanto al artículo 46.2, precisa que las declaraciones «podrán hacerse pura y simplemente o con la condición de reciprocidad [...]» (apartado 66 supra).

Aunque, como pretende el Gobierno demandado, estas disposiciones permitieran limitaciones territoriales o sobre el contenido de la aceptación, las Partes

El **CEDH prevalece sobre las disposiciones y los intereses constitucionales de los Estados parte**, como ya ha dicho el TEDH en los casos de Malta[9] Irlanda[10], Bosnia[11], Rusia[12], Hungría[13] y como ocurre con todos los demás Estados miembros del Consejo de Europa.

El **constitucionalismo multinivel** que defiende en la práctica el Consejo de Europa, va más allá de la distinción entre constitucionalismo monista y dualista, en tanto que **busca una reducción a la unidad de las cuestiones relativas a los derechos fundamentales en todos los Estados miembros**[14].

Como resulta de la STEDH 23 junio 2016, Caso Baka c. Hungria, el principio según el cual **el CEDH prevalece sobre las disposiciones e intereses constitucionales, resulta de particular importancia en el contexto político actual en Europa**, en el momento en que las "democracias iliberales" amplían los límites de sus constituciones adopando disposiciones

---

Contratantes serían libres de suscribir regímenes distintos de puesta en práctica de las obligaciones del Convenio, según el alcance de sus aceptaciones. **Un sistema así, que permitiría a los Estados atemperar su consentimiento mediante el juego de cláusulas voluntarias, debilitaría gravemente el papel de la Comisión y del Tribunal en el ejercicio de sus funciones, y reduciría, también, la eficacia del Convenio como instrumento constitucional del orden público europeo.** Además, cuando el Convenio autoriza a los Estados a limitar su aceptación en virtud del artículo 25, lo precisa expresamente (véase a este respecto el artículo 6.2 del Protocolo núm. 4 y el artículo 7.2 del Protocolo núm. 7).

En opinión del Tribunal, teniendo en cuenta el objeto y la finalidad del sistema del Convenio arriba indicado, las consecuencias que para la puesta en práctica del Convenio y el cumplimiento de sus objetivos tendrían un alcance tan grande, hubiera habido que prever explícitamente una posibilidad de este tipo. Ahora bien, ni el artículo 25 ni el artículo 46 incluyen una disposición de este estilo.

[9] STEDH 27 agosto 1991, Caso Demicoli c. Malta.

[10] STEDH 29 octubre de 1992, Caso Open Door y Dublin Well Woman c. Irlanda.

[11] STEDH 22 diciembre 2009, Caso Sejdic et Finci c. Bosnia-Herzegovina.

[12] STEDH 4 julio 2013, Caso Anchugov y Gladkov c. Rusia.

[13] STEDH 23 junio 2016, Caso Baka c. Hungria.

[14] En el mismo sentido: PRECIADO DOMÈNECH, C.H. "Teoría General de los Derechos Fundamentales en el Contrato de trabajo". Ed. Aranzadi. 2018. Define los DDFF como los DDHH reconocidos por el Derecho estatal, generalmente a través de su rango constitucional... (p. 70).

contrarias a los principios fundamentlaes del derecho del CEDH, como el principio de independencia del poder judicial.

Si los Estados partes quieren un Tribunal de Estrasburgo suficientemente fuerte como para resistir a las autoridades nacionales que sean hostiles a los derechos humanos, entonces deberán igualmente aceptar que ese tribunal llame a su puerta. Por ello, el **sistema del CEDH es incompatible con la lógica hipócrita del "***NIMBY***"** (*not in my back yard*; no en mi patio trasero), según la cual los derechos humanos son exigibles en casa del vecino, pero resultan un mal negocio en la casa de uno.

c) Una teoría constitucional de los DDFF que priorice el CEDH. El control difuso de convencionalidad

El voto particular de Paulo Pinto esboza y propone una doctrina constitucional de los derechos humanos, según la cual hoy en día una teoría constitucional de los derechos fundamentales *sensible* al CEDH es insuficiente. Es necesaria una teoría constitucional *que dé prioridad* al CEDH. Como **principio básico irrenunciable**, si bien desde el plano axiológico Constitución y CEDH están en un mismo nivel, **en caso de conflicto prevalece el CEDH.**

Este principio de superioridad jerárquica del CEDH sobre el derecho constitucional de cada Estado se muestra particularmente necesario en orden a garantizar la naturaleza contramayoritaria de los DDHH.

Desde esta perspectiva, el art. 53 CEDH[15] impone la consideración del CEDH como un suelo mínimo, no como un techo máximo.

Ello implica que los Tribunales constitucionales y los Tribunales supremos están llamados a interpretar las sentencias del TEDH y confrontarlas con el entorno constitucional nacional en las que van a aplicarse. Sin embargo, dichos tribunales nacionales no pueden rehacer las sentencias del TEDH ni condicionar su aplicación a "otros intereses constitucionales" de

---

[15] Art. 53 CEDH Protección de los derechos humanos reconocidos. Ninguna de las disposiciones del presente Convenio se interpretará en el sentido de limitar o perjudicar aquellos derechos humanos y libertades fundamentales que podrían ser reconocidos conforme a las leyes de cualquier Alta Parte Contratante o en cualquier otro Convenio en el que ésta sea parte.

forma que terminen fallando en contra de quien ya ha ganado en Estrasburgo. Ello sería tanto como convertir a los TC o los TS en Cortes de apelación, para dar una segunda o tercera oportunidad a los Gobiernos que hubieran perdido en Estrasburgo. Como enunció con elocuencia Lord Rodger *"Argentoratum locutum, iudicium finitum". "Estrasburgo ha hablado, caso cerrado".*

Al igual que ocurre con el Derecho de la UE, la primacía sobre el derecho interno, incluido el derecho constitucional, y el efecto directo en el ordenamiento interno son caracteres propios del sistema del CEDH (STEDH 27 agosto 2015, Caso Parrillo c. Italia; (f.98,99).

Ello significa, con toda evidencia, **que los jueces/as nacionales son jueces del CEDH, habilitados para inaplicar el derecho interno que sea contrario al CEDH,** en el sentido en que lo interpreta el TEDH. Se trata de un **control difuso de convencionalidad,** que evita interpretaciones forzadas del derecho interno en apariencia conformes al CEDH, pero que en realidad lo incumplen de manera disimulada.

Por lo demás, la convergencia de la jurisprudencia de Luxemburgo y de Estrasburgo y la influencia mutua de sus normas jurídicas contribuyen a la constitucionalización de un orden jurídico europeo. Si hay que señalar qué prevalece, si Estrasburgo o Luxemburgo, los arts.52.3[16] y 53 CDFUE[17] son muy claros: establecen la subordinación axiológica de la CDFUE, y por tanto, de toda la legislación europea, a las normas de DDFF definidas por el CEDH.

Como conclusión Paulo Pinto en su voto particular (f.91-95), considera que al entender la mayoría que la aplicación de una sanción a la infracción de urbanización ilícita no exige, en derecho italiano, la declaración formal

---

[16] Art. 52.3 CDFUE "En la medida en que la presente Carta contenga derechos que correspondan a los derechos garantizados por el CEDH, su sentido y alcance serán iguales a los que les confiere dicho Convenio. Esta disposición no obstará a que el Derecho de la Unión conceda una protección más extensa.

[17] Art. 53 CDFUE Nivel de protección. Ninguna de las disposiciones de la presente Carta podrá interpretarse como limitativa o lesiva de los derechos humanos y libertades fundamentales reconocidos, en su respectivo ámbito de aplicación, por el Derecho de la UE, el Derecho internacional y los convenios internacionales de los que son parte la UE o todos los estados miembros, y en particular el CEDH, así como por las constituciones de los Estados miembros.

de culpabilidad, se está de alguna forma aceptando la STCI 49/105, que tiene por efecto permitir a los tribunales nacionales ignorar el efecto *erga omnes* de toda sentencia del TEDH o, aún más, de aplicar sus sentencias de forma selectiva.

La jurisprudencia que fija la STCI 49/105 amenaza con restringir el efecto práctico de la jurisprudencia del TEDH en los ordenamientos nacionales de forma claramente perjudicial para el funcionamiento del conjunto del sistema del CEDH. El riesgo de contagio de esa desobediencia entre los Estados miembros es evidente, como lo demuestran los casos de Reino Unido y Rusia. Todo el sistema del CEDH está en peligro.

Partiendo de dicho peligro, el TEDH tiene la ocasión de darle una respuesta y de afirmar un principio.

El **caso G.I.E.M es muy importante** en lo que se refiere a la espinosa cuestión de la "jurisprudencia consolidada", y quedará en la memoria como **un gran paso adelante para la protección de los derechos humanos en Europa.**

El Tribunal constitucional italiano no puede ignorar el mensaje más importante que le envía Estrasburgo en G.I.E.M (f.252): **Todas las sentencias del TEDH tienen el mismo valor jurídico y su fuerza vinculante y autoridad interpretativa no dependen,** por tanto, **de la composición del tribunal que las dicta.**

Este principio rompe la piedra angular sobre la que reposa el edificio teórico de la STCI 49/015, pues el **TEDH rechaza el concepto de "doctrina consolidada" que en dicha resolución se formula.**

Por ello, la Gran Sala del TEDH hace un llamamiento al TCI para que revise sus modalidades de relación con el TEDH sin dejarle margen de apreciación alguno que le permita evitarlo.

En tal tarea, el TCI ha de poner atención al valor del CEDH en tanto que instrumento constitucional del orden público europeo, y al papel único que desempeña el TEDH, que despliega su autoridad sobre el ámbito jurídico europeo.

El **Voto particular de Paulo Pinto en G.I.E.M es una defensa del principio de universalidad de los derechos humanos.** En Europa, el TEDH es el primer intérprete de esta universalidad. Sin embargo, su autoridad interpretativa se pone en cuestión y sus sentencias no se ejecutan por ciertas autoridades nacionales, particularmente los tribunales constitucionales y los tribunales supremos.

Es hora de afrontar el riesgo sistémico sin precedentes al que está sometido el sistema europeo de los derechos humanos. No esmomento de utilizar eufemismos constitucionales, y aun menos de prender Estrasburgo con las llamas de una retórica de la identidad nacional, nutrida por un imaginario anti-cosmopolita.

En tanto que padre fundador del sistema de DDHH en Europa, Italia tiene una particular responsabilidad en el difícil período que hoy en día atraviesa el sistema de la CEH: los padres fundadores han de ser ejemplares, y ello es lo menos que se puede esperar de una nación que tanto ha hecho por la cultura jurídica europea.

1.1.4. Proyección de la doctrina G.I.E.M en España

La sentencia G.I.E.M y el voto particular de Paulo Pinto que acabamos de analizar, tiene una innegable proyección en nuestro derecho interno. Ello es así, tanto desde la perspectiva del tema de fondo, el régimen del decomiso sin condena; como desde la más importante y trascendental relación entre el Convenio Europeo y nuestro Derecho Constitucional, y los efectos de las sentencias del TEDH en España. La trascendental cuestión del control de convencionalidad del juez ordinario respecto de las leyes internas contrarias a los Tratados internacionales, recientemente defendido por nuestro TC, en su STC 140/2018, de 20 de diciembre (f.6), se asoma también en G.I.E.M, en este continuo proceso de construcción del constitucionalismo multinivel, que parte de una concepción unitaria de los derechos fundamentales y los derechos humanos, unos **mismos derechos, protegidos a distintos niveles, que reclaman un permanente diálogo entre sus guardianes.**

Intentaremos desarrollar en las próximas líneas y con ánimo de síntesis, las problemáticas que acabamos de esbozar.

a) Paralelismos entre el régimen del decomiso sin condena y la "condena sustancial"

El decomiso (*la confisca* en Italia*)* tiene un consolidado marco jurídico en el ámbito internacional. Así, podemos distinguir 3 ámbitos comunes a

Italia y España (ONU, Consejo de Europa y Unión Europea)[18], en los que se despliega la tupida red normativa que regula el decomiso[19].

En nuestro derecho interno, a partir del Código Penal de 1995, el régimen del decomiso se contempla originariamente en su art. 127 CP (Título VI "De las consecuencias accesorias"; del Libro I), que ha sido modificado en diversas ocasiones, concretamente, por:

---

[18] **ONU:**
Convención ONU sobre Tráfico Ilícito de Estupefacientes y sustancias sicotrópicas de 20 de diciembre de 1988.
Convención ONU sobre Represión de la Financiación del Terrorismo, de 9 de diciembre de 1999.
Convención ONU sobre la Delincuencia Organizada Transnacional de 15 de diciembre de 2000.
CONSEJO DE EUROPA:
– Convenio n° 141 relativo al blanqueo, seguimiento y decomiso de los productos del delito, celebrado en Estrasburgo de 8 de noviembre de 1990.
– Convenio n° 198 relativo al blanqueo, seguimiento, embargo y decomiso de los productos del delito y la financiación del terrorismo, celebrado en Varsovia el 16 de mayo de 2005.
UNIÓN EUROPEA:
– Decisión Marco 2001/500/JAI, de 5 de julio, sobre blanqueo de capitales, identificación, seguimiento, embargo, incautación y decomiso de instrumentos y productos del delito.
– Decisión Marco 2005/212/JAI, de 24 de febrero, del decomiso de los productos, instrumentos y bienes relacionados con el delito.
– Directiva 2014/42/JAI, de 3 de abril de 201, sobre el embargo y el decomiso de los instrumentos y del producto del delito en la Unión Europea.
– Acción común 98/699/JAI, de 3 de diciembre, relativa al blanqueo de capitales, identificación, seguimiento, embargo, incautación y decomiso de los instrumentos y productos del delito.
– Decisión Marco 2003/577, de 22 de julio de 2003, sobre las resoluciones de embargo de bienes y aseguramiento de pruebas.
– Decisión Marco 2006/783/JAI, de 6 de octubre, sobre la aplicación del principio de reconocimiento mutuo de resoluciones del decomiso y la
– Decisión del Consejo 2007/845/JAI, de 6 de diciembre, sobre cooperación entre los organismos de recuperación de activos de los Estados Miembros en el ámbito del seguimiento y la identificación de productos del delito o de otros bienes relacionados con el mismo.
[19] PORTAL MANRUBIA, J. "Aspectos sustantivos y procesales del decomiso". Revista Aranzadi Doctrina. núm. 3/2016. Parte Estudios.

– La LO 15/2003, de 25 de noviembre, en la que por primera vez se permite el comiso aun cuando no se imponga pena a alguna persona por estar exenta de responsabilidad criminal o por haberse ésta extinguido, en este último caso, siempre que quede demostrada la situación patrimonial ilícita (art. 127.3). En este caso la Exposición de motivos de la LO 15/03 se limita a relatar que *"... se prevé la posibilidad de acordarlo por el tribunal, incluso cuando no se imponga pena a alguno de los imputados por estar exento de responsabilidad criminal"*.

– La LO 5/2010, de 22 de junio, que incluye el decomiso ampliado sobre bienes, instrumentos y ganancias en condenas por delitos de terrorismo o cuya actividad delictiva se desarrolla en una organización o grupo criminal o terrorista. Es la primera vez que el CP prevé que el patrimonio del condenado se considera que proviene de la actividad criminal cuando es desproporcionado en relación a las fuentes de financiación legales con las que cuenta.

– La LO 1/2015, de 30 de marzo ha venido a incrementar la complejidad del régimen del decomiso, de forma que, en síntesis regula:

  • el art. 127.1 CP, el decomiso directo en delitos dolosos;

  • el art. 127.2 CP, el decomiso ante comportamientos imprudentes;

  • los arts. 127.3, 127 bis 3., 127 *quáter* 1 y 127 *septies* CP, el decomiso por equivalente;

  • el art. 127bis, el decomiso ampliado;

  • el art. 127 *ter* CP, el decomiso sin sentencia de condena;

  • el art. 127 *quáter*, el decomiso del tercero;

  • los arts. 127 *quinquies y sexies* CP el decomiso de actividades delictivas previas y continuadas.

Además de esta regulación general, existen especialidades para el decomiso en determinados delitos, como el tráfico de drogas (art. 374 CP), el delito urbanístico (art. 319.3 CP), o en los delitos contra la seguridad vial en relación al vehículo motor o ciclomotor, art. 385 bis CP, entre otros supuestos cuya cita exhaustiva excede del propósito de este trabajo[20].

---

[20] Ejs. delitos relativos a medicamentos y productos nocivos, art. 362 sexies CP; delito de contrabando (art. 5.1c) LO 12/1995, de 12 de diciembre); etc.

El decomiso sin condena, denominado por la doctrina "decomiso autónomo[21]" del art. 127 ter CP[22], aparece con la reforma de 2003 y permite el comiso de bienes de: fallecido, enfermo que no pueda ser enjuiciado y haya riesgo de prescripción; rebelde, de exento de responsabilidad criminal, e incluso se permite en supuestos de extinción de la responsabilidad penal.

Por otra parte, **a nivel procesal**, se ha introducido un **proceso de decomiso autónomo** previsto en el capítulo segundo del título III ter —arts. 803 ter e) a 803 ter u)—LECrim, que permite la aplicación del artículo 127 CP y constituye un instrumento mediante el cual se puede solicitar el decomiso de bienes, efectos o ganancias o un valor equivalente a los mismos, fuera del proceso penal o **cuando no medie sentencia de condena y no se hubiese solicitado con anterioridad**. En particular: a') cuando el Ministerio Fiscal se limite en el escrito de acusación a solicitar el decomiso de bienes reservando para este procedimiento su determinación; b') cuando el decomiso se solicite, consecuencia de una hecho punible, pero su autor haya fallecido, o no pueda ser enjuiciado por hallarse en rebeldía o incapacidad para comparecer en juicio [art. 803 ter e)][23].

---

[21] RODRÍGUEZ GARCÍA, N. "El decomiso de activos ilícitos". Ed. Aranzadi 2017. pp. 194 y ss.

[22] Artículo 127 ter.

1. El juez o tribunal podrá acordar el decomiso previsto en los artículos anteriores aunque no medie sentencia de condena, cuando la situación patrimonial ilícita quede acreditada en un proceso contradictorio y se trate de alguno de los siguientes supuestos:

a) Que el sujeto haya fallecido o sufra una enfermedad crónica que impida su enjuiciamiento y exista el riesgo de que puedan prescribir los hechos,

b) se encuentre en rebeldía y ello impida que los hechos puedan ser enjuiciados dentro de un plazo razonable, o

c) no se le imponga pena por estar exento de responsabilidad criminal o por haberse ésta extinguido.

2. El decomiso al que se refiere este artículo solamente podrá dirigirse contra quien haya sido formalmente acusado o contra el imputado con relación al que existan indicios racionales de criminalidad cuando las situaciones a que se refiere el apartado anterior hubieran impedido la continuación del procedimiento penal.

[23] MUERZA ESPARZA, J. J. "El nuevo procedimiento de decomiso autónomo de la Ley de enjuiciamiento Criminal." Actualidad Jurídica Aranzadi num. 912/2015 parte Tribuna. BIB 2015\16379.

En Italia, el decomiso se regula en el art. 240 CP italiano, y por lo que aquí interesa, los objetos fabricados, usados, enajenados o relacionados con el delito (*le cose intrinsecamente criminose*), son siempre decomisados, aunque no se dicte sentencia condenatoria. La expresión «**È sempre ordinata la confisca**» revela la opción del decomiso frente a autos de archivo y sentencias de condena o absolutorias[24].

En ambos países, ha sido determinante la **Directiva 2014/42, de 3 de abril, en orden a instaurar el decomiso sin condena.** El punto 15 de su preámbulo[25], considera que "*Cuando no sea posible el decomiso basado en una resolución judicial firme, debería no obstante seguir siendo posible, en determinadas circunstancias, decomisar esos instrumentos y producto, al menos en los casos de enfermedad o fuga del sospechoso o acusado*"

En nuestra doctrina, el TC, en su **STC 123/1995,** de 18 de julio, conceptúa el comiso en el CP de 1973 **como una pena accesoria** (arts. 27 y 48), exigiendo para su imposición, la acusación, contradicción y prueba, de forma que quede acreditado que los efectos e instrumentos que se pretenden decomisar guardan una relación de medio a fin o de causa a resultado con la comisión de un delito contra la salud pública. De no actuarse así, —concluye el TC— se estaría en presencia de una pena impuesta sin previa acusación y sin previo sometimiento al principio de contradicción, con olvido de la profunda significación que tiene en nuestro sistema procesal penal constitucional el principio acusatorio como una de las manifestacio-

---

[24] PORTAL MANRUBIA, J. "Aspectos sustantivos y procesales del decomiso". Revista Aranzadi Doctrina. núm. 3/2016. Parte Estudios.

[25] (15) Debe existir la posibilidad, previa resolución penal firme condenatoria, de decomisar los instrumentos y el producto del delito o bienes cuyo valor corresponda a tales instrumentos o producto. Dicha resolución penal firme condenatoria también podría derivarse de procedimientos en ausencia del acusado. Cuando no sea posible el decomiso basado en una resolución judicial firme, debería no obstante seguir siendo posible, en determinadas circunstancias, decomisar esos instrumentos y producto, al menos en los casos de enfermedad o fuga del sospechoso o acusado. Sin embargo, en esos casos de enfermedad o fuga, la existencia en los Estados miembros de procedimientos en ausencia del acusado sería suficiente para respetar esta obligación. Cuando el sospechoso o acusado se haya fugado, los Estados miembros deben adoptar todas las medidas oportunas y pueden exigir que se convoque a la persona de que se trate o que se ponga en su conocimiento el procedimiento de decomiso.

nes más relevantes de la proscripción de toda indefensión proclamada en el artículo 24.1 CE.

Poco después, se pronunció en su **STC 92/1997,** de 8 de mayo (f.3), diciendo en sede de recurso de amparo que:

"Al disponer la sentencia impugnada el comiso de los vehículos propiedad de la recurrente, le impuso, de facto, una pena sin previa acusación, sin sometimiento al principio de contradicción y, además, sin que quedara acreditada ni fuera declarada en la sentencia su participación penal en los hechos enjuiciados, presupuesto necesario, según la legislación penal entonces vigente, para el comiso de los instrumentos del delito".

Más adelante, en su **STC 151/2002,** de 15 de julio, se aborda un supuesto de un delito contra la salud pública en que se produce el decomiso de vehículo automóvil caracterizado como bien ganancial, diciendo el TC que no hay indefensión por el hecho de que el cónyuge no responsable del delito, ostente una cuota ideal liquidable del mismo.

Desde la **perspectiva de la presunción de inocencia,** el **canon de control respecto de la fundamentación con la que los órganos jurisdiccionales justifican el comiso de bienes, no es el de la presunción de inocencia, sino el de la tutela judicial efectiva.** Razona el TC en su **STC 219/2006,** de 3 de julio, (F.9), que *"Una vez constatada la existencia de pruebas a partir de las cuales los órganos judiciales consideran razonadamente acreditada la culpabilidad del acusado, ya no está en cuestión el derecho a la presunción de inocencia. Por ello, en la acreditación de la concurrencia de los presupuestos para la imposición de una consecuencia accesoria como el comiso y en la imposición de la misma habrán de respetarse las garantías del proceso (art. 24.2 CE) y las exigencias del derecho a la tutela judicial efectiva (art. 24.1 CE), y será −en cada caso, y en atención a cuál sea la queja del recurrente− conforme a uno u otro canon como debamos llevar a cabo nuestro enjuiciamiento"*[26].

Continuando en el ámbito de la presunción de inocencia, en la **STC 198/2009, de 28 de septiembre,** sin embargo, se aplica el canon constitucional acerca de los requisitos que debe reunir la prueba indiciaria para poder desvirtuar el derecho fundamental a la presunción de inocencia, para

---

[26] [SSTC 123/1995, de 18 de julio (RTC 1995, 123), FF. 2 y 3; 92/1997, de 8 de mayo (RTC 1997, 92), F. 3; 151/2002, de 15 de julio (RTC 2002, 151), FF. 2 y 3].

concluir no se aprecia vulneración del derecho fundamental a la presunción de inocencia (art. 24.2 CE) en el decomiso de los bienes acordado por la Sentencia penal.

El TS, en su STS (Sala II) 22 noviembre 2006, se pronuncia de forma crítica con el comiso sin condena, con ocasión de un caso de delitos de contrabando prescritos, respecto del art. 127.3 CP, introducido por la LO 15/03, diciendo:

> "aún comprendiendo la ratio de la misma que apunta al complejo entramado con el que determinada delincuencia que determina la preservación de su patrimonio frente a sus condenables actos, cabe reflexionar desde el punto de vista exclusivamente técnico acerca de la finalística desnaturalización de la naturaleza del comiso, que extiende sus efectos sin la debida conexión típica con la responsabilidad penal, bien extinguida, bien declarada afecta de alguna exención, con lo que parece ampliarse la naturaleza represora del comiso, declara raigambre procesal preventiva, con la de una afección cuasi indemnizatoria penal, bien entendido que el uso del tiempo verbal «podrá» en este apartado 3°, permite un ejercicio tan facultativo como ponderado por el Juzgador".

Es lógica tal cautela en el TS, puesto que hasta la fecha se ha venido considerando el decomiso como una institución de naturaleza sancionadora, aunque diversa de las penas y mas medidas de seguridad[27]; razón por la que se han extendido al mismo las garantías del principio acusatorio[28], inmediación y contradicción[29], y proporcionalidad.

Sin embargo, la Sala II también ha seguido la estela iniciada por la STC 219/06, en orden a devaluar la garantía de la presunción de inocencia respecto del comiso, pues en estos casos se adopta el decomiso una vez existe sentencia de condena y la presunción de inocencia ha sido, en buena lógica desvirtuada.

¿Puede predicarse la misma devaluación de la presunción de inocencia en el comiso sin condena?

---

[27] STS 7 enero 2009, RJ 2010/661 "su naturaleza es, según la doctrina más autorizada, una tercera clase de sanciones penales, siguiendo así nuestro CP la línea iniciada por los derechos penales germánicos…".

[28] STS 5 marzo 2014, RJ 2014/2016, 17 marzo 2003, RJ 2003/2910, 30 mayo 1997, RJ 1997/4445; etc.

[29] STS 11 junio 2014, RJ 2014/3418; 18 octubre 2011, RJ 2012/1140; 6 marzo 2001, RJ 2001/3587, etc.

En este sentido, el TS ha afirmado, entre otras, en STS 22 marzo 2013. núm 228/2013 de 22 marzo. RJ 2013\8314.

Posibilidad esta admitida por el TEDH, STEDH 7 octubre 1988 Caso Salabiakn; y STEDH 25 septiembre 1992, Caso Pham Hoang y por la doctrina mayoritaria con argumentos como:

a) La presunción de inocencia despliega sus efectos y extiende su ámbito de aplicación en el proceso penal de manera intangible sobre la existencia del hecho delictivo y la participación del acusado en el mismo, mientras que el comiso o confiscación de bienes es una consecuencia accesoria que se adopta una vez destruida aquélla mediante un pronunciamiento penal.

b) El comiso en el ordenamiento jurídico español no es solo una consecuencia accesoria de la pena de los procesos criminales, sino que también es una sanción administrativa susceptible de ser impuesta en los casos de infracciones a la legislación de contrabando, por lo que nada se opondría a su consideración como una medida sui géneris postdelictual que alcanzase a todo el patrimonio directa o indirectamente perteneciente al condenado, otorgando la oportunidad de demostrar el origen legal de los bienes especialmente cuando sus titulares fueran terceras personas.

c) A diferencia de las penas que tienen un carácter personalísimo y sólo pueden imponerse al culpable de un hecho delictivo, la aplicación del comiso en el proceso penal no está vinculada a la pertenencia del bien al responsable criminal (arts. 127 y 374 CP. (RCL 1995, 3170 y RCL 1996, 777)), sino únicamente a la demostración del origen ilícito del producto o las ganancias, o de su utilización para fines criminales.

Como *primera conclusión*, resulta evidente que **las necesidades de la lucha contra la delincuencia organizada y la tutela de determinados bienes jurídicos, han llevado al legislador internacional y al nacional a ampliar progresivamente los supuestos de decomiso.** Sin embargo, en ese camino de ampliación hay que replantearse hasta dónde se puede llegar sin comprometer principios básicos del derecho penal, como el *nulla poena, nullum crimen sine lege* o la misma presunción de inocencia.

En este punto, la doctrina del TEDH sobre el art. 7 del CEDH, parte de un concepto autónomo de pena que, precisamente en un caso de cuestionamiento de la retroactividad de un decomiso, empezó a perfilar en la STEDH 9 febrero 1995, Caso Welch c. Reino Unido (f.28): *"... el punto de partida de toda apreciación de la existencia de una pena consiste en determinar si la medida en cuestión es impuesta tras una condena por una "infracción". Otros elementos pueden ser considerados pertinentes al respecto: la naturaleza y la finalidad de la medida en causa, su calificación en derecho interno, los procesos*

asociados a su adopción y a su ejecución, así como su gravedad[30]. En esa sentencia, siguiendo los parámetros expuestos, concluyó (f.35), que el decomiso
constituía una pena.

En el caso **G.I.E.M, este conflicto entre la necesaria tutela de bienes
jurídicos vs. principios del derecho penal se hace evidente (F.248-262).**
Así, partiendo de que la *confisca* es una pena, le resulta de aplicación el art. 7
conforme al que **una pena no puede imponerse a un individuo sin que se
establezca y declare con carácter previo su responsabilidad penal personal**. Sin ello, la presunción de inocencia del art. 6.2 CEDH sería vulnerada.
(F.251).

El punto de máxima fricción se da en el caso del Sr. Gironda y la "condena sustancial" (f. 260-262), pues mientras que el voto mayoritario considera que en su caso el art. 7 no ha sido vulnerado, el voto particular de
Paulo Pinto considera lo contrario —postura ésta que comparto—.

En efecto, la mayoría acude, precisamente, a la importancia de la confianza de los justiciables en la justicia, la lucha contra la impunidad y los
efectos perniciosos que en las mismas produce un sistema de represión de
la urbanización ilícita en que se produce con frecuencia la prescripción, derivada de la complejidad de las infracciones y de lo corto del plazo de prescripción (f.261). Por ello, concluyen, que como en el caso del Sr. Gironda,
los tribunales aprecian todos los elementos objetivos y subjetivos del tipo,
aunque acuerden el sobreseimiento por la prescripción, existe una "condena
sustancial", en el sentido del art. 7, que por tanto no se ve vulnerado.

El Juez Paulo Pinto es tajante al respecto: "el juez no debe imponer a
los acusados las carencias de una política penal irracional del Estado, en
concreto de una política que se basa en el efecto combinado de infracciones
complejas y plazos cortos de prescripción" (f. 29 a 30 del V.P). En segundo
lugar, el concepto de "condena sustancial", manejado por la mayoría, tampoco resulta convincente, pues considera que va en contra de la seguridad
jurídica y la previsibilidad, dado que la persona afectada no puede prever
si sus bienes serán decomisados y, por otro lado, la noción de "condena

---

[30] Vid. también. STEDH 12 febrero 2008, Caso Kafkaris c. Chipre; STEDH 22
junio 2000, Caso Coeme c. Francia, STEDH 5 mayo 1995, Caso Air Canada c. Reino
Unido.

sustancial" se asienta en una analogía *in malam partem* con el concepto de condena, inadmisible en derecho penal (f. 32 V.P).

En nuestro ordenamiento interno **puede concluirse que el art. 127 ter CP, en la redacción dada por la LO 1/2015, presenta numerosas dudas de adecuación al principio de legalidad de las penas y a la presunción de inocencia, tal y como los interpreta el TEDH.** Como hemos visto, **el decomiso sin condena,** del art. 127 ter CP[31], permite el comiso de bienes del fallecido; los del enfermo que no pueda ser enjuiciado y haya riesgo de prescripción; los del rebelde, y los del exento de responsabilidad criminal —sin mayor precisión—; así como los de quienes se hallan amparados por una causa de extinción de la responsabilidad penal.

En el apartado segundo del art. 127ter, se pretende dotar la figura de "garantías", diciendo que el comiso sin condena sólo puede dirigirse contra quien haya sido formalmente acusado o contra el imputado con relación al que existan indicios racionales de criminalidad cuando las situaciones que contempla el art. 127ter hubieran impedido la continuación del procedimiento penal.

Sin embargo, con toda evidencia, el precepto da pábulo a supuestos claramente excesivos en los casos de extinción (entre los que no distingue) de la responsabilidad penal (muerte, indulto, prescripción…), así como en los casos de exención (ej. legítima defensa, estado de necesidad, cumplimiento de un deber….), como ya criticó la doctrina al ser introducida esta figura

---

[31] Artículo 127 ter.

1. El juez o tribunal podrá acordar el decomiso previsto en los artículos anteriores aunque no medie sentencia de condena, cuando la situación patrimonial ilícita quede acreditada en un proceso contradictorio y se trate de alguno de los siguientes supuestos:

a) Que el sujeto haya fallecido o sufra una enfermedad crónica que impida su enjuiciamiento y exista el riesgo de que puedan prescribir los hechos,

b) se encuentre en rebeldía y ello impida que los hechos puedan ser enjuiciados dentro de un plazo razonable, o

c) no se le imponga pena por estar exento de responsabilidad criminal o por haberse ésta extinguido.

2. El decomiso al que se refiere este artículo solamente podrá dirigirse contra quien haya sido formalmente acusado o contra el imputado con relación al que existan indicios racionales de criminalidad cuando las situaciones a que se refiere el apartado anterior hubieran impedido la continuación del procedimiento penal.

del comiso sin condena en nuestro ordenamiento[32]. Por ese motivo, esta institución ha recibido, con razón, duras críticas, como la de que "*adolece de evidentes violaciones del principio de presunción de inocencia*"[33].

Desde la óptica de la presunción de inocencia, **¿es aceptable la doctrina del TC en su STC 219/2006, al no aplicar el canon de la presunción de inocencia al decomiso?. Más aún, ¿es aceptable en el caso del decomiso sin condena?**

Que no se trata de una cuestión pacífica, y que ello excede del ámbito español o italiano y se proyecta en el seno del derecho eurounitario, lo evidencia el hecho de que al cerrar estas páginas haya una cuestión prejudicial planteada por los tribunales búlgaros (Asunto C-234/2018), en relación con la Directiva 2014/42, que en los términos en que se formula es algo más que elocuente:

Cuestiones prejudiciales:

1) ¿Debe interpretarse el artículo 1, apartado 1, de la Directiva 2014/42/UE del Parlamento Europeo y del Consejo, de 3 de abril de 2014, sobre el embargo y el decomiso de los instrumentos y del producto del delito en la Unión Europea, 1 que establece «normas mínimas sobre el embargo de bienes con vistas a su posible decomiso», en el sentido de que permite a los Estados miembros adoptar disposiciones sobre el decomiso civil independiente de la existencia de una condena penal?

2) ¿Se deduce del artículo 1, apartado 1, en relación con el artículo 4, apartado 1, de la Directiva 2014/42/UE del Parlamento Europeo y del Consejo, de 3 de abril de 2014, sobre el embargo y el decomiso de los instrumentos y del producto del delito en la Unión Europea, que para iniciar y sustanciar un procedimiento civil de decomiso basta con que se haya incoado un proceso penal contra la persona cuyos bienes se pretende decomisar?

---

[32] RODRÍGUEZ PUERTA, M. J. "Comentario al art. 127 CP", en "QUINTERO OLIVARES, G.; MORALES PRATS, F." Comentarios al Nuevo Código Penal". Ed. Thomson Aranzadi. 4ª edición. pp. 667-671.

[33] HAVA GARCÍA, E. "La nueva regulación del comiso", en QUINTERO OLIVARES, G. "Comentario a la reforma penal de 2015". Ed. Thomson Reuters, Aranzadi. pp. 213 y ss.

3) ¿Es lícita una interpretación extensiva de las razones del artículo 4, apartado 2, de la Directiva 2014/42/UE del Parlamento Europeo y del Consejo, de 3 de abril de 2014, sobre el embargo y el decomiso de los instrumentos y del producto del delito en la Unión Europea, que admiten un decomiso civil independiente de la existencia de una condena penal?

4) ¿Debe interpretarse el artículo 5, apartado 1, de la Directiva 2014/42/UE del Parlamento Europeo y del Consejo, de 3 de abril de 2014, sobre el embargo y el decomiso de los instrumentos y del producto del delito en la Unión Europea, en el sentido de **que la mera discrepancia entre el patrimonio de una persona y sus ingresos legales justifica la privación de un derecho patrimonial por haber sido obtenido, directa o indirectamente, mediante delito, sin que exista una sentencia firme que determine la comisión del delito por esa persona?**

5) ¿Debe interpretarse el artículo 6, apartado 1, de la Directiva 2014/42/UE del Parlamento Europeo y del Consejo, de 3 de abril de 2014, sobre el embargo y el decomiso de los instrumentos y del producto del delito en la Unión Europea, en el sentido de que regula el decomiso de bienes de terceros como medida adicional o alternativa al decomiso directo o como medida adicional al decomiso ampliado?

6) **¿Debe interpretarse el artículo 8, apartado 1, de la Directiva 2014/42/UE del Parlamento Europeo y del Consejo, de 3 de abril de 2014, sobre el embargo y el decomiso de los instrumentos y del producto del delito en la Unión Europea, en el sentido de que garantiza la aplicación del principio de presunción de inocencia y prohíbe todo decomiso que no se base en una condena penal?**

El 31/10/19, se publicaron las Conclusiones de la Abogada General, en el sentido de que: La Decisión Marco 2005/212/JAI, de 24 de febrero de 2005, relativa al decomiso de los productos, instrumentos y bienes relacionados con el delito, no excluye los procedimientos de decomiso como el pendiente ante el órgano jurisdiccional nacional cuando estos no son procedimientos "relativos a una o varias infracciones penales" y su solución no depende de una resolución penal condenatoria.

Como conclusión, **el comiso sin condena en nuestro ordenamiento, y la "condena sustancial" en el caso G.I.E.M, presentan notables paralelismos** y ubican esta controvertida figura en zona de conflicto con las garantías clásicas del derecho penal, particularmente en relación con el principio de legalidad de las penas y la presunción de inocencia.

b) Los efectos de las sentencias del TEDH en España

Los efectos de las sentencias del TEDH es el núcleo de la controversia en G.I.E.M. El punto de partida de la misma ha de situarse en el art. 46 del CEDH, en relación con su art. 1. El art. 46.1 CEDH dispone que las Altas Partes Contratantes se comprometen a acatar las sentencias definitivas del Tribunal en los litigios en que sean partes, y el art. 1 CEDH establece que "Las Altas Partes Contratantes reconocen a toda persona dependiente de su jurisdicción los derechos y libertades definidos en el Título I del presente Convenio".

En una breve síntesis de cuanto ya hemos expuesto, el Tribunal Constitucional italiano, en su STCI 49/2015, introduce una serie de condicionamientos para la ejecución de las sentencias del TEDH, que vienen fundamentalmente dados por la auto atribuida facultad de ponderar la ejecución de las sentencias del TEDH con los intereses y derechos constitucionales. De esta forma, primero en Di Maggio, y después en G.I.E.M. el TCI había sorteado los efectos de las sentencias del TEDH. En este punto el TEDH recuerda que el CEDH no obliga a los Estados, conforme su art. 46 CEDH, sólo a hacer respetar la fuerza vinculante de una sentencia en relación a las partes del litigio; sino también a impedir que una violación constada por una sentencia del TEDH se repita en relación a terceros[34]. Esa es una de las principales consecuencias del principio de subsidiariedad (art. 35.1 CEDH)[35] y de su papel fundamental en la arquitectura del Convenio.

Se revelan de esta forma las **dos proyecciones de los efectos de las sentencias del TEDH:** (vid. f.72 a 77 del Voto particular)

---

[34] STEDH 7 febrero 2013, Caso Fabris c. Francia.

[35] Art. 35 CEDH Condiciones de admisibilidad. 1. Al Tribunal no podrá recurrirse sino después de agotar las vías de recursos internas, tal como se entiende según los principios de derecho internacional generalmente reconocidos y en el plazo de seis meses a partir de la fecha de la decisión interna definitiva.

- inter partes: *res iudicata*

- erga omnes: *res interpretata.*

Las sentencias del TEDH, como ha repetido éste en múltiples ocasiones, *"…sirven no solo para resolver los casos que se le plantean, sino con mayor alcance para clarificar, salvaguardar y desarrollar las normas del CEDH y contribuir de esa forma a que los Estados respeten las obligaciones que han asumido en tanto que partes contratantes".* [Vid. STEDH 18 enero 1978, Caso Irlanda c. Reino Unido (f.154)].

En efecto, en STEDH 7 febrero 2013, Caso Fabris c. Francia (f.75), el TEDH considera que:

"…el carácter esencialmente declarativo de las sentencias del Tribunal deja al Estado la elección de los medios para subsanar las consecuencias de la violación [Marckx, ap. 58, y Verein gegen Tierfabriken Schweiz (VgT) contra Suiza (núm. 2) (GS), núm. 32772/02, ap. 61, TEDH 2009], debe recordarse al mismo tiempo que la adopción de medidas generales implica para el Estado la obligación de prevenir, con diligencia, nuevas violaciones parecidas a las constatadas en las sentencias del tribunal [Salah contra Países Bajos, núm. 8196/02, ap. 77, TEDH 2006 IX (extractos)]. Ello entraña la obligación, impuesta al juez nacional, de asegurar, de conformidad con su orden constitucional y en el respeto al principio de seguridad jurídica, el pleno efecto de las normas del Convenio, tal como las interpreta el Tribunal".

Pues bien, en nuestro ordenamiento, podemos sostener que el **efecto inter partes de las sentencias del TEDH** viene garantizado por el **art. 5 bis LOPJ, en la redacción dada por la LO 7/2015, de 21 de julio,** que dispone que:

"Se podrá interponer recurso de revisión ante el Tribunal Supremo contra una resolución judicial firme, con arreglo a las normas procesales de cada orden jurisdiccional, cuando el Tribunal Europeo de Derechos Humanos haya declarado que dicha resolución ha sido dictada en violación de alguno de los derechos reconocidos en el Convenio Europeo para la Protección de los Derechos Humanos y Libertades Fundamentales y sus Protocolos, siempre que la violación, por su naturaleza y gravedad, entrañe efectos que persistan y no puedan cesar de ningún otro modo que no sea mediante esta revisión".

En cambio, el **efecto *erga omnes*, la eficacia interpretativa de las sentencias del TEDH se garantizan en el Art..10.2 CE**, que es la norma que "vehicula la apertura del Derecho Constitucional al Derecho internacional de los derechos humanos"[36] y que convierte al **intérprete interno como garante de la nota de universalidad;** como agente homogeneizante del contenido de los DDFF en su tutela multinivel[37].

El TC ha reiterado que los tratados internacionales suscritos por España en materia de DDHH tienen carácter vinculante para la interpretación de los DDFF recnocidos por la CE (SSTC 38/1985, 36/1991, 254/1993, etc.). El límite a ese principio radica en que los tratados internacionales no pueden crear nuevos derechos fundamentales, pero habilita al TC para considerar incluidos en el contenido de un derecho constitucionalmente reconocido, derechos que no se encuentran en la Constitución. Así, por ejemplo la protección frene al ruido como parte de la vida privada (art. 8.1 CEDH). (Vid. STC 150/2011, de 29 de septiembre), en que el voto particular de Aragón Reyes precisa que, a su entender, "... el art. 10.2 CE no permite incorporar nuevos derechos fundamentales y libertades públicas en la Constitución, ni alterar la naturaleza de los reconocidos expresamente en la misma ampliando artificialmente su contenido o alcance ni, por tanto, extender la tutela mediante el recurso de amparo ante el Tribunal Constitucional a otros derechos y libertades que los señalados en el art. 53.2 CE." (F.2).

Sin embargo, lo cierto es que sea el TC en numerosas ocasiones, en lugar de reconocer nuevos derechos ha introducido el contenido de DDHH internacionalmente reconocidos en otros DDFF existentes en España. Ej. protección de datos

El art. 10.2 CE interpretado en coherencia con el art. 53 del CEDH, convierte al CEDH en la forma que lo interpreta el TEDH en mínimo de derecho necesario relativo, mejorable a nivel nacional, pero nunca restringible. **El CEDH es —también en España—, como gráficamente apunta Paulo Pinto en su voto particular (f. 85-86), el suelo y no el techo del contenido de los derechos fundamentales,** de lo que se deduce que el TC, y los tribunales internos deben respetar ese mínimo marcado por Estrasburgo.

---

[36] QUERALT JIMÉNEZ, A. "artículo 10.2"; en PÉREZ TREMPS, P.; SAIZ ARNAIZ, A. "Comentario a la Constitución Española". Libro-homenaje a Luis López Guerra. pp. 277 y ss.

[37] PRECIADO DOMÈNECH, C.H. "Teoría General de los Derechos Fundamentales en el Contrato de Trabajo". Ed. Thomson Reuters. Aranzadi. Pp. 275-277.

En nuestro derecho interno, por tanto, hay que concluir, con el voto particular (f.75), que el valor jurídico de una sentencia del TEDH engloba no sólo el efecto obligatorio de *res iudicata inter partes,* sino también el efecto de *res interpretata erga omnes,* que se proyecta sobre todos los Estados partes, distintos de aquel respecto del que se dicta la sentencia y que, conforme a la Declaración de Interlaken (pto 4.c) le imponen tener en cuenta el desarrollo de la doctrina del TEDH, en especial para considerar las consecuencias que se derivan de una sentencia que señala una violación del CEDH por otro Estado parto cuando su orden interno revela el mismo problema de base.

En suma, **que en un caso concreto no resulte condenada España, no signfica que la sentencia del TEDH no tenga fuerza de *res interpretata* en España y los tribunales nacionales hayan de acatarla por la vía de la interpretación conforme que impone el art. 10.2 CE.**

c) Control de convencionalidad y la STC 140/2018, de 20 de diciembre

La última de las proyecciones que vamos a analizar del caso G.I.E.M y de su importante voto particular en España, es la que atañe al **papel del juez nacional en la aplicación del CEDH.**

El voto particular de Paulo Pinto en G.I.E.M proclama, en claro paralelismo con el Derecho de la UE, **la primacía del CEDH sobre el derecho interno, incluido el derecho constitucional, y el efecto directo de las normas del CEDH.** Ello significa que los jueces nacionales son jueces del Convenio obligados a inaplicar la norma interna contraria al CEDH, salvo que se trate —cabe añadir— de una norma de rango constitucional, en cuyo caso, el juez español ha de plantear la cuestión de constitucionalidad, conforme al art. 163 CE y el art. 5 LOPJ.

En efecto, otro **mecanismo aplicativo de derecho español, junto al art. 10.2 CE,** que tiende con **singular potencia a asegurar la universalidad** de los DDHH, **es el control de convencionalidad** que convierte al **juez nacional ordinario en guardián de la adecuación de las leyes estatales a los Tratados que en materia de DDHH** tenga suscrito el Estado en cuestión. El control de convencionalidad, de adecuación de la ley al tratado, situado jerárquicamente por encima de aquella, se halla normalizado en el constitucionalismo de nuestro entorno (vid. Constitución Francesa de 1958, art. 54). La doctrina[38] en nuestro derecho interno vincula al art. 96.1 CE el control de convencionalidad de la ley y, en cuanto a los tratados de DDHH, al art. 94.1c) CE; preceptos de los que se desprende la superioridad jerárquica de los tratados sobre la ley.

Este superior rango jerárquico, resulta con mayor claridad del art. 29 y 31 de la Ley 25/2014 de 27 de noviembre, de Tratados y otros Acuerdos Internacionales. El art. 29 dice: *"Todos los poderes públicos, órganos y organismos del Estado deberán respetar las obligaciones de los tratados internacionales en vigor en los que España sea parte y velar por el adecuado cumplimiento de dichos tratados"*.

Los deberes de respeto, protección y cumplimiento imponen a los Jueces aplicar la ley claramente contraria al tratado de Derechos Humanos, por establecerlo así el art. 31 de la Ley 25/14: ***"Las normas jurídicas contenidas en los tratados internacionales*** válidamente celebrados y publicados ***prevalecerán sobre cualquier otra norma del ordenamiento interno en caso de conflicto con ellas,*** *salvo las normas de rango constitucional"*.

Sin embargo, a pesar de la claridad de estos preceptos, existen aún autores que se resisten al control de convencionalidad difuso, anclados en un legalismo poco coherente con la dimensión multinivel de la tutela de los DDHH y la nota de universalidad de los mismos[39].

Estos preceptos, junto a la doctrina del TC[40] que ha dejado en reiteradas ocasiones la selección de la norma aplicable (tratado o ley) a la jurisdicción ordinaria, por no ser una cuestión de constitucionalidad de la ley, sino de jerarquía normativa, nos lleva a **concluir que el control de convencionalidad es una función propia del juez ordinario, y no del TC.** Así lo entiende parte de la doctrina constitucionalista[41], que distingue con nitidez el

---

[38] JIMENA QUESADA, L." Jurisdicción nacional y control de convencionalidad. A propósito del diálogo judicial global y de la tutela multinivel de derechos". Ed. Aranzadi. 2013. pp. 83 y ss.

[39] CANOSA USERA, R. "El control de convencionalidad". Ed. Civitas. Thomson Reuters. 2015.

[40] STC 180/1993 de 31 mayo; STC 49/1988 (RTC 1988\49).

[41] JIMENA QUESADA, L." Jurisdicción nacional y control de convencionalidad. A propósito del diálogo judicial global y de la tutela multinivel de derechos". Ed. Aranzadi. 2013. p. 83 y ss.

control de constitucionalidad previa (art. 95 CE) y sucesiva de los Tratados del control de convencionalidad de las leyes. Sin embargo, no faltan autorizadas voces[42] que no consideran razonable que el control de constitucionalidad de la ley esté atribuido al TC y el control de convencionalidad de la misma ley esté completamente desconcentrado, aduciendo en defensa de tales tesis razones de seguridad jurídica.

En mi opinión, **la nota de universalidad de los DDHH reclama un control difuso de la convencionalidad de las leyes** en relación a los Tratados de Derechos Humanos, en tanto en cuanto los destinatarios de las normas, obligados a su cumplimiento son, fundamentalmente, los Estados; que ocupan a su vez la posición de sus mayores infractores. En este contexto, dejar el control de convencionalidad de la ley en manos de un sólo órgano concentrado (TC, Ministerio de Asuntos Exteriores, etc.), hace más vulnerable la función de garantía jurisdiccional de los "Derechos humanos", puesto que es más fácilmente manipulable un sólo órgano que la totalidad difusa de la jurisdicción de un Estado. El control difuso presenta de esta forma notables ventajas institucionales y se erige en un contrapeso que tiene la virtud de convertir a **los jueces en guardianes de los derechos frente al Estado, en lugar de guardianes del Estado frente a los derechos**, como resultaría de la rígida sumisión a la ley que proponen estos autores, que conllevaría una completa inutilidad en la práctica de los Tratados frente a las leyes infractoras, fiando todo el control a órganos concentrados, fácilmente manipulables.

Esta opinión ha venido confirmada por la STC 140/2018, de 20 de diciembre (f.6). que deja claro el rol del juez/a ordinario en orden a efectuar el control de convencionalidad e inaplicar la norma con rango legal contraria al tratado internacional, diciendo que *"El marco jurídico constitucional existente erige, pues, al control de convencionalidad en el sistema español en una mera regla de selección de derecho aplicable, que corresponde realizar, en cada caso concreto, a los jueces y magistrados de la jurisdicción ordinaria".*

---

[42] FERRERES COMELLA, V. "Una defensa jurídica del modelo europeo de control de constitucionalidad. Ed. Marcial Pons. Madrid. 2011 p. 208. Citado por GARCÍA-PERROTE ESCARÍN, I "Carta de los Derechos Fundamentales de la UE. Carta Social europea y reforma laboral española: a propósito de la duración del período de prueba del contrato de trabajo de apoyo a emprendedores". Revista Trabajo y derecho. nº 15. 2015. pp. 18-44.

"Ello supone que, en aplicación de la prescripción contenida en el artículo 96 CE, cualquier juez ordinario puede desplazar la aplicación de una norma interna con rango de ley para aplicar de modo preferente la disposición contenida en un tratado internacional, sin que de tal desplazamiento derive la expulsión de la norma interna del ordenamiento, como resulta obvio, sino su mera inaplicación al caso concreto. La admisión de la posibilidad de que una norma con rango legal sea inaplicada por órganos de la jurisdicción ordinaria ha sido admitida por este Tribunal en aplicación del principio de prevalencia (SSTC 102/2016, de 25 de mayo; 116/2016, de 20 de junio, y 127/2016, de 7 de julio), en lo que hace al control de constitucionalidad de normas preconstitucionales (STC 11/1981, de 8 de abril), y a la hora de determinar las relaciones entre las fuentes internas de rango legal y las normas de derecho comunitario derivado (por todas SSTC 28/1991, de 14 de febrero, FJ 5; 64/1991, de 22 de marzo, FJ 4; 180/1993, de 31 de mayo, FJ 3; 145/2012, de 2 de julio, FJ 2, y 118/2016, de 23 de junio, FJ 3). Incluso, en un obiter dictum contenido en el FJ 3 de la STC 118/2016, de 23 de junio, se dijo expresamente que "es a los órganos judiciales ordinarios a quienes corresponde el control, entonces, tanto de la eventual contradicción entre una norma foral fiscal y una disposición de un tratado o convenio internacional firmado y ratificado por España (SSTC 270/2015, de 17 de diciembre, FJ 5, y 29/2016, de 18 de febrero, FJ 5), como de la adecuación de las normas forales fiscales a las normas de armonización fiscal de la Unión Europea [SSTC 64/2013, de 14 de marzo, FJ 4, y 44/2015, de 5 de marzo, FJ 5 b".

1.1.5. Índice de casos

STEDH 12 febrero 2008, Caso Kafkaris c. Chipre
STEDH 18 enero 1978, Caso Irlanda c. Reino Unido
STEDH 27 agosto 1991, Caso Demicoli c. Malta
STEDH 29 octubre 1992, Caso Open Door y Dublin Well Woman c. Irlanda
STEDH 23 marzo 1995, Caso Loizidou c. Turquía
STEDH 5 mayo 1995, Caso Air Canada c. Reino Unido
STEDH 22 junio 2000, Caso Coeme c. Francia
STEDH 28 junio 2001, Caso Verein Gegen Tierfabriken c. Suiza
STEDH 29 julio 2004, Caso Scordino c. Italia
STEDH 20 enero 2009, Caso Sur Fondi s.r.l, y otros c. Italia
STEDH 2 junio 2009, Caso Daddi c. Italia
STEDH 22 diciembre 2009, Caso Sejdic et Finci c. Bosnia-Herzegovina
STEDH 31 mayo 2011, caso Maggio y otros c. Italia
STEDH 7 febrero 2013, Caso Fabris c. Francia
STEDH 4 julio 2013, Caso Anchugov y Gladkov c. Rusia
STEDH 29 octubre 2013; caso Varvara c. Italia
STEDH 27 mayo 2014, caso Margus c. Croacia
STEDH 27 agosto 2015, Caso Parrillo c. Italia
STEDH 23 junio 2016, Caso Baka c. Hungria
STEDH 28 junio 2018, Caso G.I.E.M, SRL, y otros c. Italia

1.1.6. Bibliografía

BOU FRANCH, V.; CASTILLO, DAUDÍ, M. " Derecho internacional de los derechos humanos y Derecho internacional humanitario". Ed. Tirant Lo Blanch. Monografías 930. Valencia 2014.

GARCÍA ROCA, J.; SANTOLAYA, P (Coord.). " La Europa de los Derechos. El Convenio Europeo de Derechos Humanos. Ed. Centro de Estudios Políticos y Constitucionales. 2ª edición. Madrid 2009.

HAVA GARCÍA, E. " La nueva regulación del comiso"., en QUINTERO OLIVARES, G. " Comentario a la reforma penal de 2015". Ed. Thomson Reuters, Aranzadi. pp. 213 y ss.

LASAGABASTER HERRARTE, I. (Dir.). "Convenio Europeo de Derechos Humanos. Comentarios sistemático". Ed. Thomson Reuters. 2ª edición. 2009.

PORTAL MANRUBIA, J. "Aspectos sustantivos y procesales del decomiso". Revista Aranzadi Doctrina. núm. 3/2016. Parte Estudios.

PINTO DE ALBUQUERQUE, P. "I Diritti Umani in una Prospettiva Europea. Opinioni concorrenti e dissenzienti (2011-2015). A cuera e con un saggio di Davide Galliani. Ed. G. Giappichelli Editore. Italia 2016.

PRECIADO DOMÈNECH, C. H. "Teoría General de los Derechos Fundamentales en el Contrato de Trabajo". Ed. Thomson Reuters. Aranzadi. pp. 275-277.

QUERALT JIMÉNEZ, A. "artículo 10.2"; en PÉREZ TREMPS, P.; SAIZ ARNAIZ, A. "Comentario a la Constitución Española". Libro-homenaje a Luis López Guerra. pp. 277 y ss.

RODRÍGUEZ GARCÍA, N. "El decomiso de activos ilícitos". Ed. Aranzadi 2017. pp. 194 y ss.

RODRÍGUEZ PUERTA, M. J. "Comentario al art. 127 CP", en "QUINTERO OLIVARES, G.; MORALES PRATS, F." Comentarios al Nuevo Código Penal". Ed. Thomson Aranzadi. 4ª edición. pp. 667-671.

SARMIENTO DANIEL; MIERES MIERES, L. J; PRESNO LINERA, M. "Las sentencias básicas del Tribunal Europeo de Derechos Humanos". Ed. Thomson Civitas. 2007.

1.2. CASO HUTCHINSON C. REINO UNIDO
(STEDH 17 enero 2017): Universalismo y diversidad en los derechos humanos, *Argentoratum locutum, iudicium finitum* – "Estrasburgo ha hablado, caso cerrado", la sentencia del TEDH como cosa interpretada, la obligación del Estado de tener en cuenta las sentencias del TEDH

1.2.1. *Resumen del caso y del voto particular de Paulo Pinto*

En la STEDH 17 enero 2017, Caso Hutchinson c. Reino Unido, que resuelve un supuesto de cumplimiento de una pena de cadena perpetua, el TEDH concluye que no hay violación del art. 3 CEDH, que prohíbe los tratos inhumanos o degradantes. En este supuesto, el Sr. Hutchinson, que se halla cumpliendo dicha condena, alega que con la misma se le inflige un trato de esa naturaleza. El Sr. Hutchinson fue condenado por entrar en un domicilio y matar a tres miembros de una misma familia (padre, madre e hijo adulto), así como por violar en varias ocasiones a la hija de 18 años, después de arrastrarla ante el cuerpo de su padre y, en fin, por robo agravado.

El CEDH, como recuerda el Tribunal, no prohíbe la pena de cadena perpetua impuesta a alguien condenado por una infracción particularmente grave, como el homicidio. Sin embargo, para que dicha pena sea compatible con el CEDH, debe ofrecer una perspectiva de liberación y una posibilidad de revisión.

El TEDH —que había condenado a Reino Unido en el caso Vinter por incumplir con dicha obligación— considera que los tribunales británicos han clarificado las disposiciones de derecho interno relativas a la revisión de las cadenas perpetuas. En efecto, en la STEDH 9 julio 2013, Caso Vinter y otros c. Reino Unido, el TEDH había estimado que la normativa interna británica que regulaba al poder del Ministro de justicia de liberar a un condenado a cadena perpetua carecía de la claridad exigible. En tal caso, el TEDH señaló concretamente una incoherencia en el derecho nacional entre la redacción de la disposición legal aplicable (art. 30 de la Ley de 1997 sobre penas en materia criminal) y la política oficial publicada, en la forma que resultaba del manual de penas de duración indeterminada. El TEDH consideró que dicho manual era demasiado restrictivo, por cuanto no daba a los condenados a cadena perpetua más que una información parcial de las condiciones bajo las que podían ser liberados. En contraste, podía verse en el art. 30 de la Ley de 1997, interpretado por los tribunales nacionales conforme al CEDH, una obligación para el Ministro de liberar a todo preso que cumpliera pena de cadena perpetua real en el caso en el que pudiere demostrar que, en relación a circunstancias excepcionales, la continuación en prisión fuese contraria al art. 3. Por tanto, en el caso Vinter el TEDH concluyó que no se podía considerar que la pena de cadena perpetua impuesta ofreciera ni la perspectiva de liberación, ni la posibilidad de revisión que son exigibles conforme al CEDH. *Ergo* dicha pena no era compatible con el art. 3 CEDH.

El contraste que se había detectado en la STEDH 9 julio 2013, Caso Vinter c. Reino Unido, entre la ley aplicable y la política oficial publicada del Reino Unido, según afirma el voto mayoritario del TEDH en *Hutchinson*, ha sido claramente solventada por la Corte de apelación británica en la sentencia, dictada el 18 febrero de 2014 en el *Caso R. V. McLoughlin*. En esta sentencia, la Corte de apelación británica responde explícitamente a las críticas vertidas en *Vinter*, imponiendo al Ministro la obligación legal de ejercer su poder de liberación de los presos que cumplen cadena perpetua de forma compatible con el CEDH. En cuanto a la política publicada, la Corte de apelación precisó que el manual de las penas de duración indeterminada no podía restringir la obligación del Ministro de examinar el conjunto de circunstancias pertinentes para la liberación conforme al art. 30. Por otro lado, la política no podía limitar el poder discrecional del ministro tomando en cuenta únicamente las consideraciones expuestas en el manual.

Acto seguido, el TEDH analiza el derecho nacional aplicable a la naturaleza y alcance de la revisión de las cadenas perpetuas, así como los criterios, modalidades y el plazo para la revisión.

Para empezar, que la naturaleza de la revisión de la condena sea más bien gubernativa que jurisdiccional, no es cuestión que en si misma resulte contraria al art. 3 CEDH; como así se desprende con claridad de muchos otros casos resueltos por el TEDH, relativos al margen de apreciación de que gozan los Estados en esta cuestión.

Además, las críticas que se dirigen al sistema interno —relativas en concreto al hecho de que la revisión se atribuya en Inglaterra y País de Gales al Ministro de justicia— se neutralizan por el efecto de la Ley de derechos humanos. En particular, el Ministro está obligado por el art. 6 de dicha ley a ejercer su poder de excarcelación respetando el CEDH, teniendo en cuenta la jurisprudencia pertinente del TEDH y motivando cada una de sus decisiones particulares. De hecho, las decisiones del Ministro relativas a las solicitudes de liberación se someten al control de los tribunales, que también están obligados a actuar de manera compatible con los derechos consagrados en el CEDH.

Por otro lado, la Corte de apelación, en el caso *McLaughlin*, ha precisado que las circunstancias excepcionales previstas en el art. 30 no pueden limitarse jurídicamente a situaciones de muerte próxima prevista en el manual de penas de duración indeterminada, sino que deben incluir todas las circunstancias excepcionales correspondientes a una liberación por motivos humanitarios. La Corte de apelación ha añadido que la expresión "motivos humanitarios" no debe circunscribirse a tales motivos, sino que ha de entenderse en un sentido amplio o laxo, para que sea conforme al art. 3 CEDH. El TEDH, en relación a ello, subraya que la Ley de Derechos Humanos desempeña un papel importante, puesto que su art. 3 exige que la legislación se interprete y se aplique por el conjunto de autoridades públicas de forma compatible con el CEDH.

Por ello, el TEDH concluye que la existencia de una revisión de la condena por una autoridad que no sólo tiene el poder, sino también el deber de apreciar, si a la luz de un cambio relevante de la conducta del condenado a cadena perpetua y de que el mismo haya logrado progresos en aras de su corrección, subsisten motivos legítimos de orden penológico que permitan justificar su continuación en prisión.

Por otro lado, el TEDH no considera que el sistema británico falle en lo que se refiere a los criterios y modalidades de revisión, en particular cuando se trata de saber si un preso condenado a cadena perpetua sabe a qué atenerse para lograr su libertad y en qué condiciones puede obtener una revisión de la pena.

El TEDH entiende no sólo que el ejercicio del poder de liberación del art. 30 debe estar guiado, en virtud de la Ley de Derechos Humanos, por el conjunto de su jurisprudencia aplicable en cada momento, sino también que la práctica permitirá precisar más aún el significado concreto del art. 30.

En fin, en lo que se refiere al plazo de revisión previsto en el art. 30 de la Ley de 1997, el ministro puede ordenar la liberación del preso en todo momento. El hecho de que en virtud del sistema interno, el proceso de revisión pueda iniciarse en cualquier momento puede considerarse que va en favor de los presos, dado que no tienen por qué esperar cierto número de años para beneficiarse de una primera o ulteriores revisiones. Sea como fuere, es la situación particular del Sr. Hutchinson la que está en juego en el caso concreto y la misma para nada supone que se le haya impedido o que se le haya prohibido pedir al Ministro que valore su liberación en cualquier momento.

Por todo lo dicho, concluye el voto mayoritario, el sistema interno de U.K, basado en la Ley de 1997 sobre penas en materia criminal, la ley sobre derechos humanos, la jurisprudencia y la política oficial publicada (manual sobre penas de duración indeterminada), ya no comporta las infracciones del CEDH que el TEDH había apreciado en *Vinter*.

Una vez analizado el voto mayoritario, cabe señalar que hay también un **voto particular del magistrado español Luis López Guerra**, que concluye que: si hasta 2014 (fecha de la sentencia británica *McLouglin*) conforme sostiene el propio TEDH en *Vinter*, la legislación británica en materia de cadena perpetua era contraria al art. 3 CEDH, entonces, el Sr. Hutchinson, al menos hasta 2014, vio vulnerado su derecho a no sufrir penas inhumanas o degradantes.

El voto particular del magistrado Paulo Pinto, empieza por plantear una cuestión general relevante sobre la aplicación del CEDH en UK (f. 19), que no es otra que la compatibilidad del art. 2 de la Ley de Derechos Humanos[43], en el sentido que se aplica por la Corte de apelación británica, con las obligaciones que incumben el Reino Unido en virtud del CEDH.

---

[43] Human Rights Act 1998::Section2: Interpretation of Convention rights.

(1) A court or tribunal determining a question which has arisen in connection with a Convention right must take into account any—

(a) judgment, decision, declaration or advisory opinion of the European Court of Human Rights,

(b) opinion of the Commission given in a report adopted under Article 31 of the Convention,

(c) decision of the Commission in connection with Article 26 or 27(2) of the Convention, or

Para ello, analiza una serie de casos, dada la importancia del rol que asumen los tribunales en el sistema de aplicación del CEDH a través de la Ley de DDHH en Reino Unido. Empezando por los casos *Ullah* y *Mc Caughey*, en los que se enuncia el **principio del espejo** en cuya virtud los tribunales británicos deben ajustarse a la doctrina de Estrasburgo a medida que ésta evoluciona,*"nada más, pero nada menos"*.

Los tribunales del Reino Unido han aplicado interpretaciones extensivas que van más allá de las posibilidades literales de la norma interna, para adecuarla a las exigencias que dimanan del CEDH (vid. *Ghaidan v. Godin-Mendoza*).

En esta línea, **con el fin de adaptar la norma interna al CEDH, la justicia británica supera el conocido estándar eurounitario de la "interpretación conforme"**[44] del derecho nacional en relación con las Directivas, en cuya virtud sólo puede dejarse inaplicada la disposición nacional en la medida en que sea contraria al derecho de la UE, y cuando no es posible una interpretación conforme de tal disposición. Este principio tiene algunos límites. Así, la obligación del juez nacional de utilizar como referencia el contenido de una directiva cuando interpreta y aplica las normas perti-

---

(d) decision of the Committee of Ministers taken under Article 46 of the Convention, whenever made or given, so far as, in the opinion of the court or tribunal, it is relevant to the proceedings in which that question has arisen.

(2) Evidence of any judgment, decision, declaration or opinion of which account may have to be taken under this section is to be given in proceedings before any court or tribunal in such manner as may be provided by rules.

(3) In this section "rules" means rules of court or, in the case of proceedings before a tribunal, rules made for the purposes of this section—

(a) by the Lord Chancellor or the Secretary of State, in relation to any proceedings outside Scotland;

(b) by the Secretary of State, in relation to proceedings in Scotland; or

(c) by a Northern Ireland department, in relation to proceedings before a tribunal in Northern Ireland—

(i) which deals with transferred matters; and

(ii) for which no rules made under paragraph (a) are in force.

[44] Vid. STJUE 5 de octubre de 2004, Caso Pfeiffer y otros, C-397/01 a C-403/01; STJUE 23 de abril de 2009, Caso Angelidaki y otros, C-378/07 a C-380/07; STJUE 19 de enero de 2010, Caso Kücükdeveci, C-555/07, STJUE 24 de enero de 2012, Domínguez, C282/10.

nentes de su Derecho nacional está limitada por los principios generales del Derecho y no puede servir de base para una interpretación *contra legem* del Derecho nacional (STJUE 24 de enero de 2012, Domínguez, C282/10, apartado 25 y).

En cambio, los Tribunales de Reino Unido pueden modificar el sentido y, por tanto, el efecto, de la legislación primaria y derivada para adecuarla al CEDH, ignorando el sentido literal de la norma o, incluso, añadiéndole términos que modifiquen su sentido.

Aún partiendo de esta generosa interpretación *pro Convenio,* que desborda el estándar de la interpretación conforme propio del ámbito eurounitario, que sería la cara de la moneda, la cruz viene dada porque los tribunales británicos iniciaron una doctrina de "excepciones" a la regla general antes enunciada, conforme a la cual " *A falta de circunstancias especiales el tribunal británico ha de seguir la totalidad de la jurisprudencia clara y constante del TEDH"*[45].

Esta doctrina fue ganando peso en sentencias posteriores[46], conforme a las que ha terminado por configurarse un cuerpo consolidado de jurisprudencia, por el que el criterio decisivo para las autoridades nacionales para aceptar la aplicación de las sentencias del TEDH viene determinado por una lógica binaria norma/excepción, según la cual sólo en los *"casos raros"* o en *los "supuestos excepcionales",* en los que aspectos particularmente importantes del ordenamiento jurídico británico se ignoren o no se entiendan bien por Estrasburgo, entonces las autoridades nacionales pueden decidir que las sentencias del TEDH no les vinculan. Eso precisamente es lo que el voto particular considera que se ha producido en el caso *MacLoughlin,* en que la Corte de apelación británica intentó adaptar su derecho interno poco claro en lo que se refiere a los criterios que se seguían para la liberación condicional en casos de condenados a cadena perpetua a los criterios que se impusieron en la STEDH 9 julio 2013, Caso Vinter c. Reino Unido.

Es obvio que estos *"casos raros"* o *"supuestos excepcionales"* británicos, nos evocan poderosamente el criterio de la *"jurisprudencia consolidada"* (y sus interminables excepciones), acuñado por la Corte Constitucional ita-

---

[45] Caso R (Alcombury Developments Ltd.) v. Secretary of State for de Environment, Trasnport and Regions".

[46] Case R. v. Horncastle; Case Mancheester City Council v. Pinock, etc.

liana (vid. comentario a G.I.E.M y STCI 49/2015), pues ambos supuestos se erigen en **poderosas corrientes en las que se diluye el mandato de respetar los DDHH que impone el art. 1 CEDH y el efecto de** *res iudicata* **y** *res interpretata* **que a tal propósito tienen (todas) las sentencias de Estrasburgo.**

Precisamente en *Hutchinson*, el magistrado Paulo Pinto considera que la Gran Sala del TEDH le da la razón a la Corte de apelación inglesa, en el sentido de admitir que en *Vinter* el TEDH erró, ya que el derecho ingles, al menos tras su sentencia *Bieber*, ya contaba con un mecanismo de libertad condicional para los condenados a perpetuidad compatible con el CEDH. El voto particular cita otros ejemplos de estos retrocesos, que califica de "crisis existencial" (VP. f.35), en los que **la semilla de la doctrina de los "casos raros" ha germinado en otros países,** así: STEDH 15 diciembre 2011, Caso Al-Khawaja y Tahery c. Reino Unido; STEDH 8 abril 2014, Caso National Union of Rail, Maritime and Transport Workers c. Reino Unido., o la STEDH 30 marzo 2004. Caso Hirst (2) c. Reino Unido.

Esta doctrina de los "casos raros" es ciertamente tentadora para los Estados, ávidos de encontrar sus propios casos raros, en particular en lo que atañe a la protección de las minorías, como las personas LGTBI, los demandantes de asilo o las personas de etnia gitana. En definitiva, podríamos decir que la **doctrina de los "casos raros" o de la "jurisprudencia consolidada", no es más que el rugido atávico de las soberanías nacionales, hasta ahora atadas en corto por el guardián europeo de los DDHH.**

Concluye con total acierto el Magistrado Paulo Pinto, que siempre hay una minoría a la que la mayoría está dispuesta a convertir en el chivo expiatorio de todos los males que aquejan la sociedad, imponiéndole restricciones y limitaciones incompatibles con el ejercicio de los derechos y libertades que consagra el CEDH.

El voto particular se cierra, con un balance negativo sobre el caso Hutchinson. Así, es cierto que los grandes beneficios aportados al derecho y a un gran número de personas por la Ley británica de DDHH son incontestables, como también lo son los desarrollos sustanciales que la Corte ha iniciado en un país en el que " la idea de que un ciudadano fuera titular de derechos que pudiese esgrimir contra el Estado era desconocida".

Sin embargo, la sentencia *McLoughlin* demuestra la debilidad potencial del modelo de la Ley británica de derechos humanos, en los casos en que los tribunales de Reino unido no consideran en su totalidad la jurisprudencia de Estrasburgo. En este sentido, en el citado caso, la Corte de apelación no ha remediado algunas lagunas del derecho interno que fueron evidenciadas en *Vinter*.

Si la sentencia McLoughlin representa todo lo que puede lograrse judicialmente para cumplir con la sentencia *Vinter*, entonces, como ya ha admitido la Comisión mixta de Derechos Humanos del Parlamento británico, parece necesario un cambio legislativo.

Como dijo en una ocasión el Juez Nicholls, *"El Parlamento no puede haber tenido la intención de decir que el art. 3 exigiría a los tribunales tomar decisiones para las que no están preparados. Puede haber varias formas de cumplir el CEDH, y la opción por una de ellas puede entrañar la necesidad de una deliberación y decisión del legislador"*.

Sea como fuere, en el caso Hutchinson, concluye el Magistrado Paulo Pinto, la violación del art. 3 se ha consumado el 6 de octubre de 2008, fecha en la que la Corte de apelación británica rechazó la petición del demandante, confirmando la conclusión de la *High Court*, según la cual no había razones para apartarse de la decisión del ministro de imponerle una pena de cadena perpetua. Al menos, desde esa fecha, el demandante se ha visto privado del derecho a la libertad condicional que le confiere el art. 3 CEDH.

1.2.2. Antecedentes: la doctrina del TEDH sobre prisión permanente

La doctrina del TEDH sobre cadena perpetua es ya nutrida, por lo que en este epígrafe nos limitaremos a resumir las sentencias más importantes recaídas en esta materia, apuntando que, si bien el precepto fundamental del CEDH que se trata es el art. 3 (prohibición de tratos inhumanos), no faltan supuestos en que se examina desde otros preceptos, como el art. 5 (derecho a la libertad y a la seguridad).

STEDH 28 mayo 2002, Caso Stafford c. Reino Unido: se plantea si tras julio de 1997, fecha en la que el demandante había cumplido la pena de duración determinada por estafa, el mantenimiento en prisión del interesado en virtud de una pena perpetua obligatoria impuesta por homicidio en 1997 era conforme a las exigencias del art. 5.1 a) CEDH, siendo la respuesta del TEDH negativa. Además, el TEDH concluye que se violó el art. 5.4 CEDH, dado que a partir de julio de 1997 y hasta su liberación el 22 de diciembre de 1998, la prisión no fue objeto de control por un órgano alguno con el poder para liberarle, siguiendo un procedimiento provisto de las garantías judiciales, como la de ser oído en audiencia. El TEDH rechaza la posibilidad de la prisión permanente fundada en factores de riesgo y peligrosidad de comisión futuros delitos no violentos, de modo que no existiendo dicha peligrosidad no hay motivo para mantener una cadena perpetua.

STEDH 16 octubre 2003, Caso Wynne c. Reino Unido. En este caso el TEDH (f.24-27) aprecia que la falta de recurso ante un órgano judicial con las garantías y el poder suficiente para ordenar su liberación supone una violación del art. 5.4 CEDH[47], respecto de quien está cumpliendo una pena de cadena perpetua por asesinato. Además, al no existir ninguna posibilidad de compensación por la prisión contraria al art. 5 CEDH, se vulneró también el art. 5.5 CEDH[48].

STEDH 11 abril 2006, Caso Léger c. Francia. El caso trata de una persona condenada a cadena perpetua por el homicidio de un menor de 11 años, que llevaba 41 años en prisión, y que invoca la vulneración del art. 5.1 a) y del art. 3 CEDH. El Tribunal concluye que no hay violación del art. 5.1a) CEDH[49], porque a la vista de la extrema gravedad del delito cometido, su condena a cadena perpetua no es arbitraria, en el sentido del art. 5. Además, la pena impuesta no impidió al recurrente que fuera libera-

---

[47] Art. 5.4 CEDH Toda persona privada de su libertad mediante arresto o detención tendrá derecho a presentar un recurso ante un órgano judicial, a fin de que se pronuncie en breve plazo sobre la legalidad de su detención y ordene su puesta en libertad si dicha detención fuera ilegal.

[48] Art. 5.5 CEDH Toda persona víctima de un arresto o detención contrarios a las disposiciones de este artículo tendrá derecho a una reparación.

[49] Art. 5.1 a) CEDH 1. Toda persona tiene derecho a la libertad y a la seguridad.

Nadie puede ser privado de su libertad, salvo en los casos siguientes y con arreglo al procedimiento establecido por la ley:

a) Si ha sido privado de libertad legalmente en virtud de una sentencia dictada por un tribunal competente.

do, pues se benefició de la libertad condicional para prevenir su exclusión irreversible de la sociedad.

Tampoco aprecia vulneración del art. 3 CEDH, porque tras 15 años tuvo la posibilidad de pedir su liberación condicional a intervalos regulares con todas las garantías procesales. Por tanto, no se le privó de toda esperanza de obtener una revisión de su pena, que además no era una pena no revisable. Por tanto, no se le infligió un trato inhumano o degradante.

STEDH 4 diciembre 2007, Caso Dickson c. Reino Unido. En este caso se contempla un supuesto de condenados a cadena perpetua que tienen hijos durante la reclusión. La Gran Sala luego examina el argumento de que la confianza del público en el sistema penitenciario se pondría en peligro si los elementos retributivos y disuasorios de una sentencia pudieran eliminarse permitiendo a los reos de ciertos delitos graves tener hijos. El TEDH, recuerda que en el sistema del CEDH, que reconoce la tolerancia y la apertura como características de una sociedad democrática, no cabe la privación automática de los derechos de los presos basada únicamente que ello pueda ofender a la opinión pública.

Sin embargo, la Gran Cámara acepta que el mantenimiento de la confianza pública en el sistema de justicia penal juega un papel relevante en el desarrollo de la política penal. Si bien reconoce que la retribución sigue siendo uno de los propósitos de la prisión, el TEDH también destaca que las políticas penales en Europa están evolucionando y asignando una importancia cada vez mayor al objetivo de reinserción, especialmente en el tramo final de un largo período de encarcelamiento.

STEDH 12 febrero 2008, Caso Kafkaris c. Chipre. Se trata de un condenado a cadena perpetua por tres homicidios, que denuncia que su condena no es revisable y que su permanencia en prisión más allá de la fecha fijada para su liberación por la dirección de la prisión es ilegal y que ello le había sumido en un estado prolongado de angustia e incertidumbre en cuanto su futuro. El TEDH considera que no hay vulneración del art. 3 CEDH, puesto que el sistema chipriota comporta que las penas sean revisables de facto y de iure, por lo que el condenado no carecía de toda perspectiva de liberación. En cuanto a la permanencia en prisión más allá del plazo fijado, el Tribunal considera que aunque el cambio de legislación aplicable y la pérdida de las esperanzas de ser liberado albergadas por el recurrente le habían provocado cierta angustia, la misma no fue de un grado tal como para estar en el ámbito de aplicación del art. 3 CEDH.

STEDH 2 septiembre 2010, Caso Iorgov c. Bulgaria. En este caso, se trata de un condenado a la pena de muerte por homicidio, pena que le fue conmutada por una cadena perpetua sin posibilidad de conmutación, que según el reo no era susceptible de revisión, por lo que era inhumana y degradante. El Tribunal considera que no hay violación del art. 3 CEDH. En efecto, la legislación interna no permite la liberación condicional, y su pena no podía, en principio conmutarse por una pea de prisión temporal. Sin embargo el interesado gozaba de la posibilidad de beneficiarse de una medida de ajuste de la pena que terminara con su liberación por la vía del indulto o de la conmutación de la pena. Por tanto, la cadena perpetua no era una pena irrevisable de iure. Además, en el caso concreto, cuando el condenado pide la revisión sólo había cumplido 13 años y ya se había examinado y rechazado una petición de indulto. De otro lado, ni la legislación ni las autoridades le impedían pedir de nuevo el indulto. En conclusión, no se probó más allá de toda duda razonable que jamás pudiera beneficiarse *de facto* de una reducción de su pena y por tanto que estuviera privado de toda esperanza de liberación.

STEDH 9 julio 2013, Caso Vinter c. Reino Unido. (F.119-122) El TEDH considera que el art. 3 CEDH debe interpretarse, en lo que se refiere a las penas de cadena perpetua, en el sentido de que se exige que sean revisables, es decir, sometidas a una reexamen que permita a las autoridades nacionales determinar si, e lo largo de la ejecución de su penal, el reo a evolucionado y progresado en la dirección de su corrección que no hay motivo alguno de carácter penológico que permita justificar su mantenimiento en prisión.

Por otro lado, el TEDH deja clara que teniendo en cuenta el margen de apreciación que tienen los Estados en materia de justicia criminal y determinación de las penas, el Trbiunal no tiene por función determinar la forma —administrativa o judicial— que ha de tener la revisión de la pena, ni en qué momento debe tener lugar la revisión. Sin embargo, del examen del derecho comparado, constata una tendencia a la fijación de la primera revisión en un plazo de 25 años contados desde la imposición de la pena, y después se establece un mecanismo de revisión periódica.

De todo ello concluye que un derecho nacional que no contempla la posibilidad de revisión de una pena de cadena perpetua vulnera el art. 3 CEDH.

En fin, un condenado a cadena perpetua tiene el derecho de saber, desde el inicio de la pena, lo que tiene que hacer para lograr su liberación y qué condiciones debe cumplir para ello. Tiene derecho a conocer el momento en que se realizará la revisión de la pena o en el que podrá solicitarla.

STEDH 20 mayo 2014, Caso Lászlo Magyar c. Hungría. Se trata de un condenado por homicidio, robo agravado y otros delitos a cadena perpetua sin posibilidad de liberación condicional. Si bien la legislación húngara permite el indulto, el mismo no se ha concedido jamás a un condenado a cadena perpetua tras la instauración de esta pena en 1999. El TEDH concluye que hay violación del art. 3 CEDH por falta de toda posibilidad de liberación condicional, porque los condenados a esta pena no saben que requisitos deben cumplir para lograr su liberación y porque la pena no puede considerarse revisable. En este caso —conforme al art. 46 CEDH— dada la violación sistémica del precepto, se invita a Hungría a revisar su sistema de revisión de penas de cadena perpetua.

STEDH 26 abril 2016, Caso Murray c. Reino Unido. (F. 99,100)

En este caso, el TEDH precisa los cinco principios que han de regir para que el mecanismo de liberación condicional que toda pena de prisión permanente ha de cumplir sea conforme al CEDH.

1) *Principio de legalidad*: reglas que tengan un grado suficiente de claridad y certeza; condiciones definidas en el derecho interno.

2) *Principio de evaluación de los motivos de orden penológico* que justifiquen el mantenimiento de la prisión, sobre la base de "criterios objetivos y definidos previos", que incluyan la resocialización (prevención especial) la disuasión (prevención general) y la retribución.

3) *El principio de evaluación conforme a un calendario predefinido*, que en el caso de condenados a cadena perpetua, no puede superar los 25 años después de la imposición de la pena y que después ha de pasar por revisiones periódicas.

4) *Principio de garantías procesales justas,* entre las que deben contar la obligación de motivar las decisiones de rechazo de concesión de la liberación o de revocación de la misma.

5) El *principio de control jurisdiccional.*

STEDH 23 mayo 2017, Caso Matiosaitis y otros c. Lituania. Existe violación del art. 3 CEDH en el caso de 6 de los recurrentes, porque al momento de dictarse la sentencia la pena de cadena perpetua no podía considerarse como revisable en el sentido del art. 3 CEDH.

STEDH 12 marzo 2019, Caso Petukhov c. Ucrania. En este caso, el TEDH considera que se infringe el art. 3 CEDH, porque el condenado a cadena perpetua carecía de la posibilidad de revisión de la pena. El Tribunal aprecia que las reglas sobre el indulto presidencial, que es el único procedimiento para acortar una pena de cadena perpetua en Ucrania, no son claras y no prevén garantías procesales adecuadas contra el abuso. Por otro lado, las condiciones penitenciarias de los condenados son tales que les impiden progresar en la dirección de la corrección y por tanto, no es posible que las autoridades lleven a cabo una verdadera revisión de la pena. Ante el carácter sistémico del problema, el TEDH sostiene que Ucrania debe reformar su sistema de revisión de penas de cadena perpetua.

1.2.3. *Proyección en España*

El caso Hutchinson c. Reino Unido proyecta dos grandes focos en el plano del ordenamiento jurídico español. El primero, relativo al caso concreto, el candente y actual debate sobre **la pena de prisión permanente revisable en España** (al cerrar esta obra, aún *sub iudice* ante el TC)[50].

---

[50] El Pleno del Tribunal Constitucional admitió a trámite por medio de providencia de 21 de julio de 2015 (BOE Nº 177, de 25 de julio de 2015) el recurso de inconstitucionalidad promovido por el Grupo Parlamentario Socialista, el Grupo Parlamentario Catalán de Convergència i de Unió, el Grupo Parlamentario de IU, ICVEUiA, CHA: La Izquierda Plural, el Grupo Parlamentario de Unión Progreso y Democracia, el Grupo Parlamentario Vasco (EAJ-PNV) y el Grupo Parlamentario Mixto del Congreso de los Diputados contra los artículos de la Ley Orgánica, 1/2015, de 30 de marzo, por la que modifica la Ley Orgánica 10/1995, de 23 de noviembre, del Código Penal.

El segundo, más general, el de **la sentencia del TEDH como cosa interpretada** y la obligación del Estado de tener en cuenta las sentencias del TEDH.

A ambas cuestiones dedicaremos las últimas líneas de este comentario.

a)   La polémica pena de prisión permanente revisable y su constitucionalidad

El caso Hutchinson es uno de los cuatro casos del TEDH que el legislador español cita en el Preámbulo (II) de la LO 1/2015, para justificar por qué introduce en nuestro ordenamiento la pena de prisión permanente revisable, por primera vez tras la Constitución de 1978[51]. Examinaremos, con la necesaria brevedad, los antecedentes, la justificación formal y real de la pena, la doctrina del TC y la valoración de su introducción en España.

Una **fugaz mirada a nuestro pasado**[52], nos descubre la prisión permanente como una vieja conocida de la España decimonónica, que se contempló por primera vez en el CP de 1822 (art. 59)[53], y posteriormente en el art. 24 del CP de 1848[54]. En el art. 29 del CP de 1870, se estableció un precedente de lo que hoy se denomina prisión perpetua "revisable" por indulto a los 30 años " *a no ser que por su conducta o por otras circunstancias graves no fuesen dignos de indulto, a juicio del Gobierno*". Se eliminó del catálogo de penas del CP de 1928 (art. 87). El CP republicano de 1932 suprimió la pena de muerte y la pena más grave fue la de reclusión mayor, que podía alcanzar los 30 años.

---

[51] Junto a Hutchinson se invocan: STEDH 12 febrero 2008, Caso Kafkaris c. Chipre; STEDH 3 noviembre 2009, Caso Meixner c. Alemania; STEDH 13 noviembre 2014, Caso Bodein c. Francia.

[52] MIR PUIG, C. "Derecho Penitenciario. El cumplimiento de la pena privativa de libertad". Ed. Atelier. 4ª edición. pp. 47-48.

[53] El art. 59 del CP de 8 de junio de 1822 decía "art. 59. La pena de reclusión podrá llegar á veinte y cinco años para las mugeres (sic), y ser perpetua para los hombres mayores de setenta años en los casos prescritos por los artículos 66 y 6 7. Para los demas no podrá pasar de quince años. Habrá casas de reclusion diferentes para los dos sexos.

[54] Contempla el art. 24 CP 1848 el catálogo de penas, entre las que figuran la muerte, cadena perpetua, reclusión perpetua, relegación perpetua, extrañamiento perpetua, etc.

Bajo la dictadura franquista, el CP 1944 (art. 27) se rescató la pena de muerte, pero no así la prisión perpetua, aconsejándose el indulto a los 20 años de condena efectiva, salvo que hubieran incurrido en falta muy grave o en dos o más graves. (Decreto de 11 de octubre de 1961[55]). La CE de 1978 abolió la pena de muerte (art. 15) y asignó a las penas privativas de libertad la función de reeducación y reinserción social, en oposición a los sistemas retribucionistas.

Con tales antecedentes, todo estudioso del Derecho habrá de preguntarse **cuáles serían los imperiosos motivos que llevaron al legislador de 2015 a recuperar una pena que ni siquiera se consideró adecuada en la dictadura franquista**. Sin embargo, el análisis de el Preámbulo de la LO 1/2015, es bastante decepcionante en las respuestas que proporciona. Las razones del rescate de la cadena perpetua, ataviada para la ocasión del vistoso eufemismo de "prisión permanente revisable" son, en síntesis:

a) Se da para supuestos de excepcional gravedad en los que esté justificada una respuesta extraordinaria.

b) Se trata de un modelo extendido en el Derecho comparado Europeo.

c) El TEDH lo ha considerado ajustado al CEDH cuando la ley nacional ofrece la posibilidad de revisión de la condena de duración indeterminada con vistas a su conmutación, remisión, terminación o libertad condicional del penado.

Más parece que el legislador estuviera dando respuesta al previsible recurso de inconstitucionalidad, que acabó por interponerse, que justificando la necesidad social y de política criminal de recuperar en pleno siglo XXI una pena propia del s. XIX, que ni siquiera el franquismo defendió en su CP. Ciertamente, el catálogo de supuestos para los que se contempla encajan en la excepcionalidad: asesinato agravado y asesinato de más de 2 personas (art. 140); homicidio del Rey, Reina, Príncipe o Princesa de Asturias (art. 485); homicidio de un Jefe de Estado extranjero (art. 605), genocidio con muerte, agresión sexual o lesiones muy graves (art. 607.1.1 y 2) y delito de lesa humanidad (art. 607 bis. 2.1º).

---

[55] DECRETO 182411961, de 11 de octubre, "por el que se concede indulto general con motivo del XXV aniversario de la exaltación del caudillo a la Jefatura del Estado" (BOE Nº 244 de 12 de octubre de 1961).

Precisamente, la excepcionalidad de los supuestos para los que se contempla evidencia su innecesariedad a nivel de prevención general; y desde luego, a nivel preventivo especial positivo, no cabe esperar nada de una pena que no puede revisarse hasta transcurridos 25 años (art. 92 CP), cuando las posibilidades de reinserción social (art. 25 CE) son ya prácticamente inexistentes.

Sin embargo, el Preámbulo en su primer apartado (pfo. 2) arroja más luz al justificar la prisión permanente diciendo *"**La necesidad de fortalecer la confianza en la Administración de Justicia** hace preciso poner a su disposición un sistema legal que garantice resoluciones judiciales previsibles, que, además, **sean percibidas como justas**". Con esta finalidad, siguiendo el modelo de otros países de nuestro entorno europeo, se introduce la prisión permanente revisable para aquellos delitos de extrema gravedad, en los que **los ciudadanos demandaban una pena proporcional al hecho cometido**"*[56].

Por tanto, **es la demanda social, "la vox populi", y no la prevención general o especial, lo que justifica realmente la pena.** Algo que choca frontalmente con el art. 10.1 y 25.1 CE, pues "ese pueblo" que según el legislador demanda la cadena perpetua, no puede arrebatar la dignidad que la Constitución garantiza para todos/as —también para el peor de los delincuentes—. Será ésta, por tanto, una justificación basada en el deseo de la mayoría, pero no una justificación democrática; pues en una democracia real —y no meramente formal— los deseos de la mayoría encuentran su frontera ahí donde empiezan los derechos humanos. (art. 53.1 CE). Sin embargo, como denuncia con acierto VIVES ANTÓN[57], "seguir los dictados irreflexivos de ciudadanos encolerizados resulta electoralmente más rentable que defender los derechos básicos, que constituyen los cimientos de la democracia"; y es que en eso, precisamente, es en lo que consiste el populismo punitivo.

Una vez efectuadas estas consideraciones, en las próximas líneas trataremos de exponer con la máxima síntesis de que seamos capaces la doctrina

---

[56] El subrayado es nuestro.
[57] VIVES ANTÓN, T. S " La dignidad de todas las personas"; en ARROYO ZAPATERO, L, LASCURAÍN SÁNCHEZ, J. A; PÉREZ MANZANO (Edit.) y RODDRÍGUEZ YAGÜE, C.(Coord.) " Contra la cadena perpetua". Ed. Universidad Castilla-La Mancha., 2016. Pp. 179 y ss.

TC, los motivos aducidos a favor de la prisión permanente revisable y si los mismos son o no consistentes.

- Doctrina del TC

El TC no se ha pronunciado sobre la pena de prisión permanente revisable, pues la misma se implanta en 2015 y el recurso de inconstitucionalidad antes apuntado aún no ha sido resuelto al cierre de la presente edición.

El TC se ha pronunciado sobre la cadena perpetua en supuestos de "lesión indirecta" de los derechos fundamentales, concretamente los del art. 15, 24.1 y 25 CE, en casos de extradición a países en que se da la pena de cadena perpetua[58]. En este sentido, se sigue por el TC español la doctrina sentada por el TEDH en su STEDH 7 julio 1989, Caso Soering c. Reino Unido, según la cual, el hecho de que el CEDH tenga un ámbito territorial determinado no excusa a los Estados de toda responsabilidad por las consecuencias previsibles que una extradición pueda entrañar más allá de sus fronteras.

Así, la **STC 148/2004, de 13 de septiembre** y la **STC 181/2004, de 2 de noviembre**, consideran que a los efectos de la corrección constitucional de las resoluciones judiciales que declaran procedente la extradición para el cumplimiento de una pena de cadena perpetua o para enjuiciar un delito al que previsiblemente se le impondrá esta pena, este Tribunal tiene declarado que resulta suficiente garantía que las resoluciones judiciales condicionen la procedencia de la extradición a que en caso de imponerse dicha pena, su ejecución no sea indefectiblemente de por vida.

La **STC 91/2000, de 20 de marzo** (f. 9), examinó en recurso de amparo la extradición de una persona a Italia, donde existe la pena de *"egarstolo"* o prisión permanente.

Desde el art. 25.2 CE (reeducación y reinserción como finalidad de las penas privativas de libertad) el TC no aprecia vulneración de dicho precepto, en síntesis, porque el mismo no contiene ningún derecho funda-

---

[58] En los casos de extradición, la posibilidad de lesión de derechos fundamentales ha sido presupuesto implícito de la STC 11/1983, de 21 de febrero, y de los AATC 204/1983, 780/1984 y 924/1987, y explícito en las STC 13/1994, de 17 de enero; STC 141/1998, de 29 de junio, y STC 147/1999, de 4 de agosto. En los casos de exequatur, STC 43/1986, de 15 de abril; STC 54/1989, de 23 de febrero, y STC 132/1991, de 17 de junio, y AATC 276/1983, 147/1987 y 795/1988.

mental; no establece que la reeducación y la reinserción social sean la única finalidad legítima de la pena privativa de libertad; y la legislación penal y criminal italiana cumple con dicha finalidad de reeducación y reinserción. Desde la perspectiva del art. 15 CE (tratos inhumanos y degradantes), el **TC considera que la calificación como inhumana o degradante de una pena no viene determinada exclusivamente por su duración, sino que exige un contenido material**, pues «depende de la ejecución de la pena y de las modalidades que ésta reviste, de forma que por su propia naturaleza la pena no acarree sufrimientos de una especial intensidad (penas inhumanas) o provoquen una humillación o sensación de envilecimiento que alcance un nivel determinado, distinto y superior al que suele llevar aparejada la simple imposición de la condena»[59], extremos todos éstos que no constan en el caso concreto. (Vid. también ATC 4/2019, de 29 de enero).

Así, dicha doctrina se ha seguido en la **STC 148/2004, de 13 de septiembre** y la **STC 181/2004, de 2 de noviembre**, consideran que a los efectos de la corrección constitucional de las resoluciones judiciales que declaran procedente la extradición para el cumplimiento de una pena de cadena perpetua o para enjuiciar un delito al que previsiblemente se le impondrá esta pena, que resulta suficiente garantía que las resoluciones judiciales condicionen la procedencia de la extradición a que en caso de imponerse dicha pena, su ejecución no sea indefectiblemente de por vida.

- *La inconsistencia de los motivos de la prisión permanente revisable*

Los motivos de introducción de esta pena en nuestro ordenamiento vienen dados en el Preámbulo de la LO 1/2015 y en el Dictamen de la Comisión de Justicia del Congreso.

Lo hasta ahora expuesto nos lleva a considerar que los argumentos que se esgrimen a favor de la cadena perpetua son poco o nada consistentes. Veamos:

La primera justificación es la previsión de la prisión permanente revisable (PPR) para **supuestos de excepcional gravedad** en los que esté justificada una respuesta extraordinaria. Sin embargo, dicha respuesta "extraordinaria" ya estaba prevista con carácter previo en nuestro CP, que preveía el cumplimiento de penas de prisión de hasta 40 años. (art. 76 CP). Por tanto,

---

[59] STC 65/1986, de 22 de mayo, FJ 4.

no se justifica la PPR con una primera revisión a los 25 años, cuando antes ya podían —en supuestos excepcionales— cumplirse hasta 40 años[60].

La segunda justificación es que se trata de un **modelo extendido en el Derecho comparado Europeo**. Sin embargo, la Resolución (76)2 del Comité de Ministros del Consejo de Europa, de 17 de febrero de 1976, recomienda a los Estados miembros del Consejo de Europa que sigan una política criminal conforme a la que las penas largas no sean impuestas si no son necesarias para la protección de la sociedad. ¿Era necesaria en 2015 la introducción de la PPR en España?. No existía en 2015 en nuestro país un repunte de la criminalidad más grave o excepcional ni una tendencia al alza de los delitos más graves que justificase la necesidad de introducir estas penas. Todo lo contrario. De hecho, la tasa de criminalidad en España es en el año 2014 (44,7%), la más baja en 10 años[61]. Además, los homicidios y asesinatos dolosos y consumados pasan de 401 en 2010 a 323 en 2014[62]. Cuando la tendencia de los delitos excepcionalmente graves es descendente, como lo era en 2015, no existe justificación alguna en la introducción de la PPR. Por lo demás, en muchos países en que se introdujo la cadena perpetua, lo fue por haber abolido la pena de muerte, y como "sustitutivo" de ésta; circunstancia ésta que aconteció nuestro país en 1978 con el art. 15 de la CE[63]. En cualquier caso, el periodo mínimo español de condena (25 años) es harto superior, por ejemplo, al sueco (10 años), al inglés (12 años), al alemán (15 años) o al francés (18 años). Para terminar, la tasa de delito por cada 1000 habitantes en la UE en 2014 es del 61,3 %, y en España del 44,7%, por lo que este modelo supuestamente "extendido" en la UE no casa bien con la realidad española, en la que los datos de criminalidad evidencian su absoluta innecesariedad.

---

[60] (Art. 76.1 c) y d) CP) Condenas por 2 o más delitos y al menos 2 o más de ellos castigados con penas de prisión superior a 20 años; y condena por 2 o más delitos con la misma pena en el caso de delitos de terrorismo.

[61] https://www.dsn.gob.es/es/actualidad/sala-prensa/estad%C3%ADsticas-criminalidad-españa-2016

[62] https://estadisticasdecriminalidad.ses.mir.es/jaxiPx/Datos.htm?path=/Datos1//10/&file=01001.px&type=pcaxis

[63] La pena de muerte había sido regulada en el CP de 1973 (art. 27), y después de la vigencia de la CE, sólo para tiempos de guerra, en el Código Penal Militar (LO 13/1985 de 9 de diciembre, art. 24). Finalmente fue abolida por la LO 11/1995, de 27 de noviembre, también en el ámbito castrense.

La tercera justificación es que **el TEDH la ha considerado ajustada al CEDH cuando la ley nacional ofrece la posibilidad de revisión de la condena** de duración indeterminada con vistas a su conmutación, remisión, terminación o libertad condicional del penado. El TEDH actúa como intérprete del CEDH, y el art. 53 CEDH deja claro que el estándar del CEDH es un estándar de mínimos. Por tanto, la supuesta adecuación de la PPR al CEDH no impide su inconstitucionalidad, si nuestro estándar interno es mayor.

En este sentido, el estándar español es claramente superior al del CEDH, a partir del art. 25.2 CE, que si bien no determina la finalidad de resocialización como única de la pena, sí la alzaprima y la pone en primer lugar respecto de la prevención general y la retribución. Ahondaremos en esta cuestión en el último epígrafe.

Por otro lado, la gran mayoría de la doctrina penalista española (100 catedráticos de Derecho penal)[64] aboga por la supresión de esta pena, sintetizando las razones como sigue:

– No es eficaz para evitar los delitos más graves (sin ella han disminuido en los 10 últimos años).

– No disuade de la comisión de delitos más graves, más de lo que disuaden ya las penas de hasta 40 años de prisión.

– Presenta poderosos reparos desde los principios penales:

  a) La prohibición de penas inhumanas: el encarcelamiento de una persona de por vida sin esperanza de liberación es inhumano, como ha sostenido el Comité Europeo contra la Tortura (CPT/Inf. (2012) 26, 25 octubre 2012). En España se fija un horizonte de libertad muy lejano (25,28,30 ó 35 años) incierto y desvinculado del comportamiento del penado.

  b) La reinserción social se hace muy difícil tras los 15 años de reclusión.

  c) Compromete el principio de legalidad (art. 25.1 CE) y el de seguridad jurídica (art. 9.3 CE), puesto que es una pena doblemente indeterminada, ya que la liberación depende de conceptos jurídicos indeterminados como "la existencia de un pronóstico favorable de reinserción

---

[64] https://elpais.com/politica/2018/03/14/actualidad/1521025566_886445.html

social". De forma que el condenado no sabe desde el principio las condiciones precisas y concretas para lograr su liberación.

Concluyo: en mi opinión, la prisión permanente revisable introducida en 2015 es un ejercicio de populismo punitivo que socava gravemente el valor básico de la democracia, puesto que cosifica al condenado, convirtiéndolo en instrumento para calmar un miedo a la inseguridad injustificado e interesadamente inoculado desde determinadas opciones políticas, miedo que sirve de oportuna cortina de humo para encubrir los problemas sociales realmente acuciantes, como el incremento de la desigualdad o de la pobreza.

La dignidad de las personas es el fundamento de la convivencia y de los derechos fundamentales. Encerrar a alguien de por vida "tirando la llave", podrá satisfacer los legítimos y comprensibles sentimientos de las víctimas de los delitos más terribles y de sus familias; de paso, podrá servir de bandera electoral para opciones políticas con pocas propuestas solventes para la mejora del bienestar de la población y menos escrúpulos para valerse políticamente del dolor de las víctimas; pero todo ello no nos convertirá en una sociedad más segura ni más democrática, sino todo lo contrario.

b) *"Argentoratum locutum, iudicium finitum"* – "Estrasburgo ha hablado, caso cerrado", la sentencia del TEDH como cosa interpretada, la obligación del Estado de tener en cuenta las sentencias del TEDH

En este último epígrafe revisaremos el argumento esgrimido por el legislador español en la LO 1/2015, que introduce la pena de prisión permanente revisable, consistente en que la doctrina del TEDH la permite, siempre que sea revisable, y la pondremos en relación con el voto particular del Juez Paulo Pinto.

Como hemos apuntado, en el Preámbulo de la LO 1/2015, se dice: " *Se trata, en realidad, de un modelo extendido en el Derecho comparado europeo que el Tribunal Europeo de Derechos Humanos ha considerado ajustado a la Convención Europea de Derechos Humanos, pues ha declarado que cuando la ley nacional ofrece la posibilidad de revisión de la condena de duración indeterminada con vistas a su conmutación, remisión, terminación o libertad condicional del penado, esto es suficiente para dar satisfacción al artículo 3 del Convenio".*

Este tipo de argumento merece una reflexión, precisamente desde el voto particular de Paulo Pinto en Hutchinson. (f.41-47), y desde la interpretación cabal del CEDH.

Para empezar, como hemos apuntado, el art. 53 CEDH dispone que ninguna de las disposiciones del CEDH se interpretará en el sentido de limitar o perjudicar aquellos derechos humanos y libertades fundamentales que podrían ser reconocidos conforme a las leyes de cualquier Alta Parte Contratante o en cualquier otro Convenio en el que ésta sea parte.

Ello significa que hay **dos situaciones posibles diferentes en lo que a nivel de protección de los derechos humanos se refiere en cada Estado parte**, incluida España.

La primera, se da en aquellos **casos en que el nivel nacional de protección de los derechos humanos es inferior al que impone Estrasburgo**. En estos casos, rige el brocardo *"Argentoratum locutum, iudicium finitum"*. (Estrasburgo ha hablado, caso cerrado). Las autoridades y los tribunales internos tienen a partir de ese momento la obligación de actuar en tanto que órganos aplicadores del CEDH y reconocer la preponderancia de la interpretación del CEDH dada por el TEDH, que es quien tiene la competencia para asegurar el respeto por loe Estados del CEDH y sus Protocolos (art. 19 CEDH). Esa obligación es una obligación de resultado, de aplicar en su totalidad y de buena fe las sentencias y decisiones de Estrasburgo y los principios que las mismas contienen.

Así resulta de los puntos 7, 9c) IV y 12 b de la Declaración de Brighton de abril de 2012 sobre el futuro del TEDH, en que se dice *"Todas las leyes y políticas deben concebirse y todos los agentes públicos deben ejercer sus competencias de forma tal que dé eficacia plena al CEDH"*.

En definitiva las autoridades nacionales, incluidos los tribunales, deben actuar de acuerdo con el principio de *"pacta sunt servanda"* y conformarse con la letra y los principios de las sentencias y decisiones del TEDH, incluidas aquellas que se dictan respecto de otros Estados contratantes (*res interpretata*). En tanto que primeros garantes de los derechos humanos reconocidos por el CEDH, los tribunales nacionales deben acatar la última palabra de Estrasburgo, que es quien tiene la misión de asegurar la uniformidad del "instrumento constitucional del orden público europeo" (STEDH 23 marzo 1995, Caso Loizidou c. Turquía).

La segunda situación, se da en aquellos **casos en que el nivel de protección nacional es superior al del CEDH**. Es lo que ocurría con España antes de la LO 1/15, que introdujo la prisión permanente revisable. En estos casos, la diferencia entre el estándar de protección del CEDH (menor) y el nacional (mayor), no puede concebirse como un incumplimiento o desajuste del CEDH, sino todo lo contrario, un nivel superior de protección nacional de los DDHH querido, promovido y garantizado por el art. 53 CEDH. Dicho de otra forma, desde el punto de vista de Estrasburgo, nunca hay una interpretación "demasiado generosa" del CEDH; simplemente, porque los Estados pueden incumplir el CEDH por un exceso de prudencia, pero jamás por un exceso de progreso. Por tanto, **la teoría del espejo** sustentada por el Juez Bingham en el caso *Ullah*, para definir las relaciones entre derecho interno y CEDH: "no más, pero tampoco menos", **no es adecuada a lo que significa en realidad el art. 53 CEDH**. (Vid. f.22 Voto particular).

Tampoco lo es, por estos mismos motivos, la justificación del legislador español para introducir la prisión permanente revisable. El **CEDH, por sí solo, no puede servir de justificación para reducir el nivel de protección existente de un derecho humano en un Estado**, aún contando con un margen de apreciación de los Estados en materia de duración de penas privativas de libertad. Habrán de ser otras justificaciones distintas las que lleven al Estado a recorrer ese margen de apreciación hacia niveles inferiores, nunca por debajo de los establecidos en el CEDH.

1.2.4. *Índice de casos*

STEDH 7 julio 1989, Caso Soering c. Reino Unido
STEDH 23 marzo 1995, Caso Loizidou c. Turquía   16
STEDH 16 octubre 2003, Caso Wynne c. Reino Unido
STEDH 30 marzo 2004. Caso Hirst (2) c. Reino Unido
STEDH 11 abril 2006, Caso Léger c. Francia
STEDH 4 diciembre 2007, Caso Dickson c. Reino Unido   7
STEDH 12 febrero 2008, Caso Kafkaris c. Chipre
STEDH 3 noviembre 2009, Caso Meixner c. Alemania
STEDH 2 septiembre 2010, Caso Iorgov c. Bulgaria
STEDH 15 diciembre 2011, Caso Al- Khawaja y Tahery c. Reino Unido
STEDH 9 julio 2013, Caso Vinter c. Reino Unido
STEDH 8 abril 2014, Caso National Union of Rail, Maritime and Transport Workers c. Reino Unido
STEDH 20 mayo 2014, Caso Lászlo Magyar c. Hungría
STEDH 13 noviembre 2014, Caso Bodein c. Francia
STEDH 26 abril 2016, Caso Murray c. Reino Unido
STEDH 23 mayo 2017, Caso Matiosaitis y otros c. Lituania
STEDH 12 marzo 2019, Caso Petukhov c. Ucrania

1.2.5. Bibliografía

ARROYO ZAPATERO, L, LASCURAÍN SÁNCHEZ, J. A; PÉREZ MANZANO (Edit.) y RODDRÍGUEZ YAGÜE, C.(Coord.) " Contra la cadena perpetua". Ed. Universidad Castilla-La Mancha., 2016.

CÁMARA ARROYO, S.; FERNÁNDEZ BERMEJO, D. "La prisión permanente revisable: el ocaso del humanitarismo penal y penitenciario". Ed. Thomson Reuters Aranzadi. Primera Edición. 2016.

FERNÁNDEZ BERMEJO, D. "En contra de la «cadena perpetua» en España (una vez más). A propósito del populismo político actual ". La Ley Penal, N.º 131, Abril-Mayo 2018, Editorial WOLTERS KLUWER.

GARCÍA ARÁN, M. "El regreso de la prisión perpetua al Código Penal español". En: Revista jurídica de Catalunya. - ISSN 1575-0078. - Nº 2, 2018. - pp. 297-314.

GARCÍA PÉREZ, O. "La legitimidad de la prisión permanente revisable a la vista del estándar europeo y nacional" En: Estudios penales y criminológicos. Vol. 38 (2018). p. 51.

GARCÍA RIVAS, N. "Razones para la inconstitucionalidad de la prisión permanente revisable". La Ley Penal, N.º 128, Septiembre-Octubre 2017, Editorial WOLTERS KLUWER.

LANDA GOROSTIZA, J. M. "Ejecución penitenciaria de la prisión perpetua y equivalentes en España: una visión desde el Tribunal Europeo de Derechos Humanos En: Cuadernos Digitales de Formación. - Madrid: Consejo General del Poder Judicial, 2016. - Nº 2 - 2016.

LASCURAÍN SÁNCHEZ, J. A y AAVV "Dictamen sobre la constitucionalidad de la prisión permanente revisable Contra la cadena perpetua/coord. per Cristina Rodríguez Yagüe; Luis Alberto Arroyo Zapatero (ed. lit.), Juan Antonio Lascuraín Sánchez (ed. lit.), Mercedes Pérez Manzano (ed. lit.), 2016, ISBN 978-84-9044-220-3, pp. 17-80.

LÓPEZ PEREGRÍN, C. " Más motivos para derogar la prisión permanente revisable". Revista electrónica de ciencia penal y criminología, ISSN-e 1695-0194, Nº. 20, 2018.

MIR PUIG, C. "Derecho Penitenciario. El cumplimiento de la pena privativa de libertad". Ed. Atelier. 4ª edición. pp. 43-80.

QUERALT JIMÉNEZ, A. "La interpretación de los derechos: del Tribunal de Estrasburgo al Tribunal Constitucional". Ed. CEPC. 2018.

RUBIO LARA, P. "Pena de prisión permanente revisable: análisis doctrinal y jurisprudencial. Especial atención a sus problemas de constitucionalidad En: Revista Aranzadi doctrinal. - ISSN 1889-4380. N. 3, marzo 2016, p. 131-172

SERRANO GÓMEZ, A; SERRANO MAÍLLO, I. "Constitucionalidad de la prisión permanente revisable y razones para su derogación". Ed. Dykinson. 2016.

1.3. CASO BAKA C. HUNGRÍA

(STEDH 23 de junio de 2016): Disposición transitoria constitucional incompatible con la CEDH, normas constitucionales inconstitucionales (Verfassungswidrige Verfassungsnormen), efecto directo, supraconstitucional de la CEDH, la CEDH como el Derecho constitucional común, el TEDH como el Tribunal Constitucional Europeo)

1.3.1. Resumen del caso y del voto particular

a) Resumen de los hechos

El recurrente, Andrés Baka, es un antiguo miembro del TEDH (1991-2008), que fue elegido el 22/06/09 como Presidente del Tribunal Supremo de Hungría por el Parlamento húngaro para un mandato de 6 años, que terminaba el 22/06/2015. Por razón de ese cargo era, además, Presidente del Consejo Nacional de Justicia, y tenía el deber de expresar su opinión e informar sobre todo proyecto de ley que afectara a la magistratura. Entre febrero y noviembre de 2011, criticó diversas reformas legislativas que afectaban a los tribunales, incluida una proposición de reducción de la edad de jubilación forzosa de los jueces/as, que pasaba de 70 a 62 años. Tales críticas las formuló a través de su portavoz, a través de cartas abiertas o comunicados y también mediante un discurso ante el Parlamento.

A partir de abril de 2010, se inició un programa de reformas constitucionales en Hungría. En este contexto, las disposiciones transitorias de la nueva Constitución (Ley fundamental húngara de 2011) establecieron que la *Kúria* (denominación histórica del Tribunal Supremo Húngaro), sería la sucesora legal del Tribunal Supremo y que las funciones del presidente del Tribunal supremo finalizarían con la entrada en vigor de la nueva Constitución. Por tanto, el Sr. Baka cesó en sus funciones el 1/02/2012, es decir, tres años y medios antes de la terminación ordinaria de su mandato. A causa de ello, el Sr. Baka perdió las retribuciones a las que tenía derecho todo presidente del TS durante el ejercicio de su cargo así como ciertas prestaciones que se abonaban al cesar en el mismo.

Conforme a los criterios establecidos para elegir al presidente de la nueva *Kúria,* los candidatos debían contar al menos con 5 años de experiencia como magistrado en Hungría, no tomándose en cuenta el ejercicio de cargos en tribunales internacionales. Por esa razón, el Sr. Baka no podía aspirar a presidir la *Kúria*.

En diciembre de 2011, el Parlamento eligió 10 candidatos, Péter Darák asumió las funciones de la nueva *Kúria*, y Tünde Handó, asumió las funciones de la Oficina nacional de justicia. El Sr. Baka quedó como presidente de la Sala Civil de la *Kúria*.

b) Resumen del voto mayoritario

Los **derechos cuya vulneración invoca el Sr. Baka** son: el derecho al acceso a un tribunal (art. 6.1 CEDH); en tanto de que no tuvo acceso a un tribunal para hacer valer sus derechos en lo concerniente al cese anticipado en su mandato como Presidente del TS, debido a que dicho cese se preveía en una norma de rango constitucional, escapando así al control judicial, incluido el del propio Tribunal Constitucional.

En segundo lugar, aduce la vulneración de su **libertad de expresión (art. 10 CEDH)**, en tanto que fue cesado por razón a las opiniones que había expresado públicamente a propósito de las reformas legislativas que afectaban a los tribunales, en su calidad de Presidente del TS y del Consejo Nacional de Justicia.

Por otro lado, invoca la vulneración del **derecho a un recurso efectivo** (art. 13 CEDH), puesto que se le privó de un recurso interno efectivo contra el cese en su mandato.

En fin, bajo la óptica de **la prohibición de discriminación** (art. 14 CEDH), en relación con los arts. 6.1 y 10 CEDH, alega que fue tratado de forma distinta a sus colegas, hallándose en una situación análoga, a consecuencia de la expresión pública de sus opiniones.

El caso fue visto por la Sección 10ª del TEDH, que concluyó unánimemente que hubo violación de los arts. 6.1 y 10 de la CEDH, y el Gobierno Húngaro acudió a la Gran Sala, que estima (con 2 votos concurrentes y 2 votos disidentes) que hay infracción de esos mismos preceptos, sin considerar necesario examinar las denuncias relativas al art. 13 y 14 CEDH.

- **Sobre el derecho al acceso a un tribunal (art. 6.1 CEDH)**

En lo que se refiere a la aplicabilidad del art. 6.1 CEDH, en su vertiente civil[65], el TEDH considera que el Sr. Baka fue elegido en base a una ley (Ley LXVI de 1997 sobre la organización y administración de los tribunales) que fijaba la duración del mandato de los presidentes de los tribunales en 6 años, y preveía una lista de motivos tasados de terminación del mandato. Entre tales motivos figuraba la destitución, que sólo era posible en caso de incompetencia comprobada en el ejercicio de sus funciones de gobierno, supuesto en que se permitía poner fina anticipadamente al mandato, en contra de la voluntad del titular. En ese caso, el interesado podía ejercitar acciones judiciales para revisar dicha decisión.

El Tribunal considera, por tanto, que el Sr. Baka tenía el derecho a agotar su mandato. Así mismo, señala los principios constitucionales sobre la independencia e inamovilidad de los jueces/s confirman que el derecho del Sr. Baka a agotar su mandato es objeto de protección. En fin, considera que el hecho de que el mandato terminara a consecuencia de una nueva ley (Ley CLXA de 2011 sobre organización y administración de los tribunales y art. 11 de las DT de la Ley fundamental), no significa que puedan anularse retroactivamente las reglas que garantizaban la acción para tutelar su derecho en el momento de ser elegido.

El Tribunal recuerda que, conforme a su jurisprudencia, **STEDH 19 de abril de 2007, Caso Eskelinen y otros c. Finlandia**[66] (F.62), CEDH para que el Estado demandado ante el Tribunal pueda invocar la condición de funcionario público de un demandante para evitar la protección del artículo 6, deben cumplirse dos condiciones:

En primer lugar, la ley interna del Estado en cuestión debe haber excluido expresamente el acceso a un Tribunal con relación al puesto o la categoría en cuestión.

---

[65] Para que sea aplicable el art. 6.1 CEDH en su vertiente se exige desde STEDH 27 octubre 1987, Caso Pudas c. Suecia: la existencia de un derecho - (F.107-111) de Baka) y el carácter civil de ese derecho (F.112-119 de Baka).

[66] En Eskelinen, el TEDH modifica su anterior doctrina, más restrictiva en cuanto al derecho de acceso a los tribunales de los funcionarios, que venía representada, fundamentalmente por la STEDH 8 diciembre 1999, Caso Pellegrin c.Francia.

En segundo lugar, esta excepción debe basarse en razones objetivas de interés del Estado. El mero hecho de que la persona esté en un sector o servicio que participa en el ejercicio del poder público no es en sí mismo decisivo. Para que la exclusión esté justificada, no basta con que el Estado demuestre que el funcionario en cuestión participa en el ejercicio del poder público o que —en palabras utilizadas por el Tribunal en la STEDH 8 diciembre 1999, Caso Pellegrin c. Francia— existe una "relación especial de confianza" entre el individuo y el Estado empleador. También requiere que el Estado demuestre que el objeto del litigio está relacionado con el ejercicio de la autoridad del Estado en el marco de la citada relación especial. Por lo tanto, **no hay en principio ninguna razón para excluir de las garantías del artículo 6 los conflictos laborales ordinarios** —como los relativos a sueldos, indemnizaciones u otros derechos de este tipo— **debido a la naturaleza especial de la relación entre funcionario y el Estado del que se trate.** De hecho, habrá una presunción de que el artículo 6 es aplicable, y corresponderá al Estado demandado demostrar, en primer lugar, que en virtud de la legislación nacional un demandante funcionario no tiene derecho de acceso a un tribunal, y en segundo lugar, que la exclusión de los derechos garantizados en el artículo 6 tenga fundamento. Este criterio se ha aplicado en diversas ocasiones a los jueces[67].

Pues bien, en el caso Baka, el TEDH considera que antes del litigio no estaba expresamente excluido de su derecho al acceso a un tribunal para discutir su cese, sino todo lo contrario, gozaba de acción para ello. Sin embargo, se le impidió el acceso a un tribunal porque su cese fue incluido en las disposiciones transitorias de la nueva Constitución, que entraron en vigor el 1 de enero de 2012. El derecho relevante no es, para el TEDH, el contenido en la nueva Constitución, sino el existente al momento de su nombramiento, por lo que la primera exigencia del estándar Eskelinen no se cumple: no existe exclusión expresa del acceso a un Tribunal con relación al Sr. Baka en cuestión. Por tanto, se le aplica el art. 6.1 CEDH.

---

[67] STEDH 27 enero 2009, Caso G.C. Finlandia; STEDH 11 diciembre 2012, Caso Oleksandr Volkov c. Ucrania; STEDH 9 julio 2013, Caso Di Giovanni c. Italia, STEDH 15 septiembre 2015, caso Tsanova-Gecheva c. Bulgaria; incluidos presidentes de Tribunales Supremos: STEDH 5 febrero 2009, Caso Olujic c. Croacia; STEDH 20 noviembre 2012, Caso Harabin c. Eslovaquia.

Partiendo de ello, respecto de las exigencias del art. 6.1 CEDH, el Tribunal constata que el cese anticipado del Sr. Baka no ha sido examinado por órgano judicial alguno -ordinario o constitucional-, ni tampoco podía haberlo sido. Esta falta de control jurisdiccional resulta de la Ley Fundamental que modifica la Constitución, cuya compatibilidad con las exigencias del Estado de derecho es dudosa. El TEDH efectúa a este propósito un extenso análisis de los instrumentos internacionales, del Consejo de Europa y los Tribunales internacionales en lo que se refiere a los estándares del proceso justo en los casos de revocación o destitución de jueces, especialmente a la necesaria intervención de una autoridad independiente de los poderes ejecutivo y legislativo para toda actuación que suponga el cese en el mandato de un juez. (Vid. f.57-87).

En tales circunstancias, el TEDH considera que Hungría ha vulnerado la esencia misma del derecho de acceso a un tribunal que el Sr. Baka tiene garantizado por el art. 6.1 CEDH.

• Sobre libertad de expresión (art. 10 CEDH)

El TEDH parte de que el Sr. Baka expresó públicamente su opinión, por razón de su cargo, sobre diversos aspectos de las reformas legislativas relativas a los tribunales, concretamente con ocasión de su intervención de 3/11/2011 ante el Parlamento.

Poco después de dicha intervención, se hicieron públicas propuestas dirigidas al cese del Sr. Baka de la Presidencia del TS, que se plantearon ante el Parlamento y, finalmente, se aceptaron en un plazo realmente corto. El 9 de noviembre de 2011 el proyecto de ley sobre organización y administración de los tribunales fue enmendado añadiendo un criterio suplementario de eligibilidad a la presidencia de la *Kúria*, de forma que el Sr. Baka resultara inelegible.

Ponderando los hechos en su conjunto, el TEDH considera que hay indicios de la existencia de una relación causal entre el ejercicio por el Sr. Baka de su libertad de expresión y el cese de su mandato; más aún, teniendo en cuenta que las autoridades nacionales no han cuestionado ante el TEDH la aptitud ni el comportamiento profesional del Sr. Baka. En conclusión, el TEDH estima que el cese anticipado en su mandato fue debido a la expresión de sus opiniones y críticas, por lo que dicho cese constituyó una injerencia en el ejercicio de su derecho a la libertad de expresión.

Constatada la injerencia, hay que determinar si la misma estaba o no justificada por una finalidad legítima. En lo que se refiere a la justificación de la injerencia, el Gobierno Húngaro alegó como objetivo legítimo del cese del Sr. Baka, el de garantizar la imparcialidad del poder judicial.

El TEDH considera que un Estado parte no puede invocar legítimamente la independencia de la justifica para justificar el cese anticipado en el mandato del Presidente de un Tribunal por razones que no estén previstas por la ley y relacionadas con su impericia o falta de profesionalidad. Para el TEDH, tal medida no puede en modo alguno contribuir a reforzar la independencia de la justicia, desde el momento en que dicha medida deriva indiciariamente del ejercicio de la libertad de expresión.

Por esa razón, la injerencia en la libertad de expresión del Sr. Baka, lejos de perseguir el legítimo fin de garantizar la independencia judicial, lo que hizo fue menoscabarla.

Por otro lado, el TEDH subraya que el Sr. Baka expresó sus opiniones y sus críticas sobre cuestione relacionadas con reformas constitucionales y legislativas que afectaban a los tribunales, el funcionamiento y la reforma del sistema judicial, la independencia e inamovilidad de los jueces, así como sobre la reducción de la edad de jubilación forzosa de los jueces. Por ello, le TEDH considera que tales declaraciones no han sobrepasado el marco de una simple crítica de naturaleza estrictamente profesional y se refieren, con total evidencia, a un debate de interés público.

Por ello mismo, la libertad de expresión del Sr. Baka debió gozar de un nivel reforzado de protección frente a toda injerencia.

Además, si bien el Sr. Baka conservó sus funciones de juez de la Sala civil de la nueva *Kúria*, finalmente fue cesado de su cargo de Presidente del TS tres años y medio antes de terminar su mandato.

Para le TEDH esta situación es contraria a la naturaleza de la función judicial, rama independiente del poder del Estado, y al principio de inamovilidad de los jueces, principio que constituye un elemento crucial para preservar la independencia de la justicia.

En este contexto, el TEDH considera que el cese del Sr. Baka de su cargo de Presidente del TS menoscabó el principio de independencia judicial. Para terminar, dicho cese, sin duda alguna, tuvo un efecto disuasorio que afectó no sólo respecto del recurrente, sino a otros jueces y Presidentes de tribunales que, vistos los hechos objeto del caso, en un futuro no osarán intervenir en el debate público sobre las reformas legislativas que afecten a los tribunales y sobre las cuestiones relativas a la independencia de la justicia.

Por todo ello, el TEDH afirma se infringió el art. 10 CEDH.

c) Resumen del voto particular de Paulo Pinto

El voto particular de Paulo Pinto tiene la innegable cualidad de poner sobre la mesa algunas cuestiones que el voto mayoritario parece dar por sentadas, a pesar de que revisten una importancia fundamental e insoslayable, que convierten a *Baka* en un auténtico *lead case*.

Dichas cuestiones podrían resumirse diciendo que el **TEDH asume en** *Baka* **la función de control de convencionalidad de la Constitución de un Estado Parte, cuando de dicha norma se deriva la vulneración de un derecho reconocido en el CEDH.**

En efecto, la peculiaridad del caso reside en que **la medida que se declara vulneradora de los derechos** de acceso al proceso (art. 6.1 CEDH) y libertad de expresión (art. 10 CEDH) del Sr. Baka, **es una ley de reforma de la Carta Magna Húngara con rango constitucional** (Ley fundamental de 31/12/11 —art. 11.2 de las DT—).

Por tanto, el TEDH no sólo confiere a la garantía de la independencia judicial y al derecho de acceso al proceso un efecto directo en el ordenamiento húngaro, sino que además afirma el **efecto supra constitucional del CEDH para invalidar la disposición constitucional de derecho interno** contraria al CEDH.

Ello **sitúa al TEDH en la posición de un Tribunal constitucional europeo**, competente para declarar la nulidad en el orden jurídico interno de los Estados parte de disposiciones nacionales de naturaleza constitucional. Algo así ya se había sugerido en Loizidou, al afirmar que el **CEDH es un instrumento constitucional del orden público euro-**

peo [STEDH 23 marzo 1995, Caso Loizidou c. Turquía (f.75)][68]. Por esa razón, el **CEDH prevalece sobre las disposiciones y los intereses constitucionales de los Estados parte**, como ya ha dicho el TEDH en los casos de Malta[69] Irlanda[70], Bosnia[71], Rusia[72], Hungría[73] e Italia[74]; y como ocurre con todos los demás Estados miembros del Consejo de Europa.

En definitiva, **el principio de** *Kompetenz-Kompetenz*, en cuya virtud el TEDH tiene competencia para decidir sobre su propia competencia, que ha tenido proyecciones relevantes, como indica QUERALT[75], en su com-

---

[68] **75.** El artículo 25 no prevé explícitamente ninguna otra forma de limitación (apartado 65 supra). En cuanto al artículo 46.2, precisa que las declaraciones «podrán hacerse pura y simplemente o con la condición de reciprocidad […]» (apartado 66 supra).

Aunque, como pretende el Gobierno demandado, estas disposiciones permitieran limitaciones territoriales o sobre el contenido de la aceptación, las Partes Contratantes serían libres de suscribir regímenes distintos de puesta en práctica de las obligaciones del Convenio, según el alcance de sus aceptaciones. **Un sistema así, que permitiría a los Estados atemperar su consentimiento mediante el juego de cláusulas voluntarias, debilitaría gravemente el papel de la Comisión y del Tribunal en el ejercicio de sus funciones, y reduciría, también, la eficacia del Convenio como instrumento constitucional del orden público europeo.** Además, cuando el Convenio autoriza a los Estados a limitar su aceptación en virtud del artículo 25, lo precisa expresamente (véase a este respecto el artículo 6.2 del Protocolo núm. 4 y el artículo 7.2 del Protocolo núm. 7).

En opinión del Tribunal, teniendo en cuenta el objeto y la finalidad del sistema del Convenio arriba indicado, las consecuencias que para la puesta en práctica del Convenio y el cumplimiento de sus objetivos tendrían un alcance tan grande, hubiera habido que prever explícitamente una posibilidad de este tipo. Ahora bien, ni el artículo 25 ni el artículo 46 incluyen una disposición de este estilo.

[69] STEDH 27 agosto 1991, Caso Demicoli c. Malta.

[70] STEDH 29 octubre de 1992, Caso Open Door y Dublin Well Woman c. Irlanda.

[71] STEDH 22 diciembre 2009, Caso Sejdic et Finci c. Bosnia-Herzegovina.

[72] STEDH 4 julio 2013, Caso Anchugov y Gladkov c. Rusia.

[73] STEDH 23 junio 2016, Caso Baka c. Hungria.

[74] STEDH 28 junio 2018, Caso G.I.E.M c. Italia.

[75] QUERALT JIMÉNEZ, A. "*La interpretación de los derechos: del Tribunal de Estrasburgo al Tribunal Constitucional*". Ed. CEC. 2008. pp. 82 y ss.

petencia material[76] personal[77], territorial[78] y temporal[79], **en el caso *Baka* se extiende al conocimiento y decisión sobre vulneraciones de los DDHH producidas por normas con rango constitucional.** Asoma aquí el art. 27 de la Convención de Viena sobre el Derecho de Tratados, que establece que un Estado no puede invocar las disposiciones de su derecho interno como justificación del incumplimiento de un tratado.

La cuestión que señala el juez Paulo Pinto en su voto concurrente no ha sido en absoluto una cuestión pacífica, como lo revela el voto particular del juez Wojtyczek, que considera que el TEDH extiende indebidamente su competencia a la resolución de conflictos entre instituciones de derecho público (poder judicial y constituyente), intentando considerarlos como cuestiones de derechos humanos, cuando no lo son.

En una **breve síntesis del voto particular**, el mismo se plantea, en primer lugar, el tema de las **normas constitucionales inconstitucionales**, puesto que en el caso Baka, una disposición de la constitución (art. 11.2 de las Disposiciones transitorias), vulnera otra disposición que garantiza la independencia e inamovilidad de los jueces (art. 48.3 Constituclo a un invidudo concreto eson contarias al Estdo de derechoirigidas pendencia judicial e inamovilidad de los jueces que lucen eión 1949), y ello a la luz de la "constitución histórica húngara", de la "continuidad constitucional" y de los principios de la independencia judicial e inamovilidad de los jueces que lucen en la nueva y en la vieja constitución.

En segundo lugar, se incide en que **la norma constitucional controvertida es una ley *ad hominem*,** como lo apunta la Comisión de Venecia y lo acepta la mayoría de la Gran Sala (f.117); y como es bien sabido, las leyes dirigidas sólo a un individuo concreto son contrarias al Estado de

---

[76] DTEDH 22 marzo 2001, Caso Vaslopoulou c. Grecia.

[77] STEDH 6 septiembre 1987, Caso Klass c. Alemania (f.32) "El Tribunal confirma el principio establecido por su propia jurisprudencia según el cual, una vez interpuesto validamente un asunto ante él, actúa con plenitud de jurisdicción y puede conocer de todas las cuestiones de hecho o de derecho que puedan surgir en el curso del examen de un caso, incluidas aquellas que han podido ser planteadas ante la Comisión en concepto de admisibilidad…"

[78] STEDH 23 marzo 1995, Caso Loizidou c. Turquía.

[79] DTEDH 8 marzo 2001, Caso Parcinski c. Polonia.

derecho[80]. La Gran Sala ve una estrecha relación entre, de un lado, la pobre calidad de la ley controvertida en términos de los estándares aplicables conforme al Estado de derecho; y, de otra parte, los objetivos *ad hominem*, que revela el nuevo texto, que pretende sacrificar al recurrente en el altar de la política gubernamental en materia de justicia.

En tercer lugar, se remarca el **efecto directo, supra-constitucional del CEDH**, puesto que el TEDH confiere al derecho al acceso a la justicia y a la garantía de independencia (art. 6 CEDH) un efecto directo en el ordenamiento jurídico interno, de forma que, una vez más, la distinción entre sistemas dualistas-monistas, en lo que a las relaciones derecho internacional-derecho interno se refiere, se revela completamente obsoleta a los ojos de Estrasburgo. De ello resulta la competencia del TEDH de control jurisdiccional de la legislación interna, incluida la constitucional cuando se trata de proteger de forma efectiva y no ilusoria los DDFF que garantiza el CEDH.

Los **derechos humanos no pueden estar en manos de las mayorías, tampoco de las constituyentes**. En esto se revela su componente fuertemente contra-mayoritario, y su contenido esencial como núcleo intangible por las mayorías, incluso las constituyentes, como ocurre en Baka. Lo que la mayoría no puede decidir, o lo que la mayoría ha de decidir es lo que conforma estructuralmente el concepto moderno de derechos fundamentales y derechos humanos. **El sentido y origen del concepto de contenido esencial** de los DDFF corre parejo a la evolución del concepto de constitución y de soberanía[81]. Si el pueblo es el soberano, los DDFF y las normas constitucionales que los contienen son de todos/as y, por tanto, en tanto que "fragmentos de soberanía" no son suprimibles por la mayoría, siendo ése el fundamento del actual paradigma constitucional de Estado democrático (democrático sustancial y no sólo formal), que se contrapone al Estado legislativo, que dio pábulo a las dictaduras de las mayorías (democracias formales)[82].

---

[80] STEDH 25 octubre 2012, Caso Vistins y Perepjolkins c.Letonia (F.102); con cita de STEDH 23 junio 1993, Caso Ruíz Mateos c. España.

[81] PRECIADO DOMÈNECH, C. H. "Teoría General de los Derechos Fundamentales en el contrato de Trabajo". Ed. Thomson Reuters-Aranzadi. 2018.

[82] FERRAJOLI, Luigi. La democracia a través de los derechos. Ed. Trotta. Trad. Perfecto Andrés Ibáñez. 2014. pp. 119-125.

En este contexto, en el de la **garantía de los DDHH** *erga omnes,* **incluidas las mayorías constituyentes,** es en el que cobra significado el **efecto directo y supraconstitucional del CEDH** y la **concepción del TEDH como Tribunal constitucional Europeo.**

De esta forma, en Baka consolida el principio afirmado en la STEDH 23 marzo 1995, Caso Loizidou c. Turquía conforme al que **el derecho interno de los Estados miembros (también el constitucional) está subordinado a la primacía de la CEDH en tanto que instrumento constitucional del orden público europeo.**

En este punto el diálogo entre Tribunales está avanzando, pues como sostiene la SCIDH 24 febrero 2011, Caso Gelman c. Uruguay (pp. 238-239), donde se abordó el complejo tema de los límites a las reglas de mayorías en instancias democráticas, debe primar "control de convencionalidad" al constituir una "función y tarea de cualquier autoridad pública y no sólo del Poder Judicial".

En conclusión, en Baka se consolida el criterio de que **los derechos humanos no están en manos de ninguna mayoría, tampoco de las mayorías constituyentes de los Estados miembros del Consejo de Europa.**

Como concluye el Voto particular, la CEDH constituye hoy un *ius costintutionale común* europeo. Basándose en este instrumento, el Consejo de Europa, en caso de necesidad derivada de importantes razones constitucionales europeas, puede oponerse a toda pretensión constitucional nacional contraria, con independencia de lo importante que sea la mayoría política que la sostiene.

En el caso Baka ocurrió precisamente éso: que el TEDH, primero para proteger el estado de derecho y la independencia institucional y funcional de la justicia en Hungría; y después para proteger el derecho individual del Sr. Baka a la inamovilidad en el cargo de Presidente del TS, ha declarado contraria al CEDH una medida contemplada en una norma constitucional.

En Europa, los Estados no pueden refugiarse en la jungla de su derecho interno, aunque éste sea constitucional, para incumplir sus obligaciones de respeto a los DDHH a las que están internacionalmente comprometidos.

1.3.2. Doctrina del TEDH sobre independencia judicial y el derecho de acceso al proceso

En este punto, analizaremos **dos líneas jurisprudenciales del TEDH** en torno a las que gira el fondo del asunto Baka: la relativa a la **defensa de la independencia judicial a través del derecho al acceso al proceso** (art. 6.1 CEDH), y la que se refiere a **la libertad de expresión del juez/a.** Esta última será objeto de análisis detallado en los comentarios a la STEDH 9 julio 2013, Caso Di Giovanni c. Italia.

Defensa de la independencia judicial a través del derecho al acceso al proceso: la independencia como derecho subjetivo del juez/a.

La defensa de la independencia judicial se ha basado en el art. 6.1 CE-DH, que exige unas condiciones de aplicabilidad concretas: existencia de un derecho y carácter civil de ese derecho. En este punto, se han considerado derechos de carácter civil a partir de la saga Eskelinen, los derechos de los jueces/as en su relación orgánica con el Estado: salario, antigüedad, nombramiento, régimen disciplinario, etc. Lo veremos sintéticamente en las próximas líneas:

Las condiciones de aplicabilidad del art. 6.1 CEDH: (derecho de acceso al proceso). Para que se aplique dicho precepto se exigen 2 requisitos:

1) **Existencia de un derecho reconocido en el derecho interno susceptible de ser invocado en juicio**: El demandante debe poder invocar en juicio un derecho reconocido en el derecho nacional[83]. El artículo 6 no asegura a un «derecho» ningún contenido material determinado en el ordenamiento jurídico de los Estados contratantes y, en principio, el Tribunal debe acudir al derecho interno para establecer la existencia de un derecho. El carácter discrecional o no del poder de apreciación de las autoridades que les permite conceder el beneficio de una medida solicitada por un demandante puede ser tenido en cuenta, e incluso erigirse en un factor determinante. No obstante, la mera presencia de un elemento discrecional en el enunciado de una disposición legal no excluye, per se, la existencia de un derecho. Entre los otros criterios que el Tribunal puede considerar,

---

[83] STEDH 28 septiembre 1995, Caso Masson y Van Zon c. Países Bajos (F. 48), STEDH 12 junio 2003, Caso Gutfreund c. Francia, (F.41), STEDH 3 abril 2012, Caso Boulois c. Luxemburgo.

figura el reconocimiento por parte de los tribunales internos, en situaciones similares, del derecho alegado o el examen por estos de la pertinencia de la denuncia de un demandante.

2) **Carácter civil de ese derecho:** La determinación del carácter civil o no de un derecho a efectos del Convenio no depende de su calificación jurídica, sino del contenido material y de los efectos que le confiere el derecho interno del Estado en cuestión. Corresponde al Tribunal, en el ejercicio de su control, tener en cuenta el objeto y el fin del Convenio, así como los sistemas de derecho interno de los otros Estados contratantes[84].

La defensa de la independencia judicial y el estatuto del juez/a a través del derecho al acceso a un proceso, parte de la sentencia: STEDH 19 de abril de 2007, Caso Eskelinen y otros c. Finlandia (F.62), que establece que:

> "para que el Estado demandado ante el Tribunal pueda invocar la condición de funcionario público de un demandante para evadir la protección del artículo 6, deben cumplirse dos condiciones. En primer lugar, la ley interna del Estado en cuestión debe haber excluido expresamente el acceso a un Tribunal con relación al puesto o la categoría salarial en cuestión. En segundo lugar, esta excepción debe basarse en razones objetivas de interés del Estado. El mero hecho de que la persona esté en un sector o servicio que participa en el ejercicio del poder público no es en sí mismo decisivo".

Los derechos de los jueces/as que se han venido amparando en esta doctrina, que se ha aplicado a distintos aspectos del régimen orgánico de jueces/as y magistrados/as:

– reclamaciones de salarios y antigüedad[85];

– selección para el TC[86];

---

[84] STEDH 28 junio 1978, Caso König c. Alemania, (F.89).

[85] STEDH 15 mayo 2008, Caso Petrova and Chornobryvets c. Ucrania, en un caso de reclamación de salarios y antigüedad a dos juezas se aplica el art. 6.1 CEDH y el art. 1.1 Protocolo nº 1.

[86] STEDH 26 julio 2011, Caso Juricic c. Croacia, se aplica el art. 6.1 CEDH a un proceso de elección de jueces/as para el Tribunal Constitucional.

- nombramiento de Presidencias de tribunales[87];

- procesos disciplinarios[88];

- promoción interna[89];

- cese por incapacidad sobrevenida[90];

- reingreso desde excedencia[91];

- cese del Presidente del TS[92].

---

[87] STEDH 15 septiembre 2015, caso Tsanova-Gecheva c. Bulgaria; se aplica el art. 6.1 CEDH a un supuesto que trata sobre nombramiento para la presidencia de un Tribunal.

[88] STEDH 12 mayo 2009. Caso Tosti c. Italia, se aplica el art. 6.1 CEDH a un supuesto de un procedimiento disciplinario seguido contra un juez; STEDH 20 febrero 2013, Caso Harabin c. Eslovaquia, se aplica el art. 6.1 CEDH a un supuesto de un procedimiento disciplinario seguido contra el Presidente del Tribunal Supremo; STEDH 5 mayo 2009, Caso Oluji c. Croacia; se debatía sobre la imparcialidad objetiva de los tres jueces, miembros del órgano que debía juzgar en el procedimiento disciplinario a otro juez, por las declaraciones realizadas a la prensa, expresando sus prejuicios contra él. Existían temores objetivamente justificados sobre la imparcialidad del Tribunal; DTEDH 26 mayo 2009, Caso Nazsiz c. Turquía, aplicación del art. 6.1 CEDH en materia de procedimiento disciplinario, STEDH 9 julio 2013, Caso Di Giovanni c. Italia, se trata de una advertencia disciplinaria impuesta a una juez por las declaraciones publicadas en prensa poniendo en entredicho la imparcialidad de un miembro del jurado de un concurso de acceso a la judicatura, por favorecer a su propia hija: debate sobre un asunto de interés general, como es el funcionamiento de la justicia: incumplimiento de la discreción exigida a los jueces: existencia de justo equilibrio entre el derecho al respeto de la vida privada y derecho a la libertad de expresión: injerencia ilegal: violación inexistente.

[89] STEDH 9 octubre 2012, Caso Dzhidzheva-Trendafilova c. Bulgaria, concurso para cubrir plazas de promoción en un tribunal contencioso-administrativo.

[90] STEDH 27 abril 2009, Caso G. c. Finlandia, se aplica el art. 6.1 CEDH al proceso de cese por incapacidad de un juez.

[91] DTEDH 11 diciembre 2007. Caso Apay c. Turquía, se aplica el art. 6.1 CEDH a una denegación de reingreso en la Carrera judicial de un juez excedente.

[92] STEDH 11 diciembre 2012, Caso Oleksandr Volkov c. Ucrania; trata sobre las irregularidades en el proceso de destitución como juez del Tribunal Supremo, apreciándose ausencia de garantías procesales por abuso del sistema de votación electrónica.

La independencia judicial, es un principio estructural que garantiza la separación de poderes, y desde una perspectiva de los derechos, se erige en una garantía del derecho a un proceso justo (art. 6.1 CEDH).

En efecto, el derecho a un proceso equitativo, garantizado en el art. 6.1 CEDH, exige que la cuestión sea oída por un «tribunal independiente e imparcial[93]».

Por independiente, se entiende que no depende de los demás poderes del Estado: el ejecutivo y el legislativo[94], ni de los partidos[95].

La imparcialidad se define a menudo como la ausencia de prejuicios o parcialidad y puede apreciarse de diferentes maneras[96].

La imparcialidad debe apreciarse:

a) en función de un procedimiento subjetivo, teniendo en cuenta la convicción personal del juez y su comportamiento, es decir, en lo que respecta a si ha mostrado durante el caso alguna parcialidad o prejuicio personal;

b) y también en función de un procedimiento objetivo, que consiste en determinar si el tribunal ofrece, principalmente en su composición, las garantías necesarias para despejar cualquier duda legítima en lo referente a su imparcialidad.

Pues bien, **la novedad** que representan, tanto la sentencia del caso Baka, como la STEDH 11 diciembre 2012, Caso Oleksandr Volkov c. Ucrania, es que a la garantía de independencia judicial, como requisito del derecho a un proceso justo de los ciudadanos, se añade el **derecho del juez a la independencia**, que puede invocar por la vía del art. 6.1 CEDH, cuando existan actos del propio poder judicial u otros poderes que perturben la misma, afectando a los más diversos aspectos de su estatuto orgánico que están dirigidos a proteger dicha independencia.

---

[93] STEDH 6 mayo 2003, Caso Kleyn y otros c. Países Bajos (F.192).
[94] STEDH 24 noviembre 1994, Caso Beaumartin c. Francia, (F.38).
[95] STEDH 22 octubre 1984, Caso Sramek c. Austria, (F.42).
[96] STEDH 21 diciembre 2000, Caso Wettstein c. Suiza, (F.43); STEDH 15 octubre 2009, Caso Micallef c. Malta (F.93).

En conclusión, no se trata que la vertiente estructural de la independencia judicial (separación de poderes) y de la garantía del derecho de los justiciables a un proceso justo resuelto por un juez independiente y parcial **estén mutando a un derecho subjetivo del juez**[97]; sino que probablemente la concepción de la independencia *además* como derecho subjetivo del juez, dota a éste de un estatuto más vigoroso que permite repeler a título personal injerencias de los poderes públicos en su estatuto orgánico que comprometen la garantía de independencia.

En este sentido, la pregunta retórica que formula la conclusión del voto particular del juez Sicilianos, es enormemente clarificadora: *"¿Como puede esperarse que los justiciables disfruten del derecho a un juez independiente si el propio juez/a no puede beneficiarse de las garantías que deben asegurar dicha independencia?"*. Por ello, comparto la conlcusión de que el derecho subjetivo del juez/a su independencia es inherente a la noción misma del proceso justo.

1.3.3. Proyección en España: la independencia judicial como derecho subjetivo y la relación entre Constitución y CEDH

Las zonas de impacto de la doctrina Baka en el ordenamiento jurídico español pueden agruparse en tres: la independencia como derecho subjetivo del juez/a; la libertad de expresión de los jueces y, finalmente, la relación de la Constitución española con el CEDH. La libertad de expresión de los jueces será analizada en el marco ce los comentarios al caso Di Giovanni c. Italia, por lo que en este epígrafe nos limitaremos a las otras dos cuestiones.

a) La independencia como derecho subjetivo del juez/a

Como ya hemos apuntado, el **caso Baka y el caso Caso Oleksandr Volkov c. Ucrania**, añaden a la garantía de independencia judicial, como requisito del derecho a un proceso justo de los ciudadanos, el **derecho del propio juez a su independencia**, que puede invocar por la vía del art. 6.1 CEDH, cuando existan actos del propio poder judicial u otros poderes que

---

[97] BUSTOS GISBERT, R. "Independencia judicial y Estado Constitucional. El estatuto delos jueces". Ed. Tirant Lo Blanch.

perturben la misma, afectando a los más diversos aspectos de su estatuto orgánico que están dirigidos a proteger dicha independencia.

En nuestro país, en general, el estatuto orgánico de los jueces/as y magistrados/as en la LOPJ asegura el acceso de los mismos al proceso a fin de defender los derechos que derivan de la garantía de independencia e imparcialidad. De esta forma, el art. 14 LOPJ dispone de **un procedimiento de amparo de la independencia judicial que se inicia a instancia de los miembros de la judicatura que se consideren inquietados o perturbados en su independencia**, en cuyo caso, lo pondrán en conocimiento del CGPJ, dando cuenta de los hechos al Juez o Tribunal competente para seguir el procedimiento adecuado, sin perjuicio de practicar por sí mismos las diligencias estrictamente indispensables para asegurar la acción de la justicia y restaurar el orden jurídico. El mismo precepto en su apartado segundo, dispone que el Ministerio Fiscal, por sí o a petición de aquéllos, promoverá las acciones pertinentes en defensa de la independencia judicial. Dicho procedimiento de amparo de la independencia se desarrolla en el Título XV del Reglamento 2/2011 (arts. 318-325), que ofrece frente a la resolución que pone fin al proceso de amparo, la posibilidad de interponer recurso contencioso-administrativo ante la Sala de lo Contencioso-administrativo del TS.

El procedimiento de amparo es de titularidad exclusiva del juez/a o magistrado/a, pues figura como causa de inadmisión del mismo que el procedimiento no se inste por el propio interesado, lo que resulta excesivo, al no permitir actuar al interesado/a través de su asociación judicial.

Hay que señalar que el Reglamento 2//2011 (RCJ), en su art. 319 establece que se consideran entre otras, actuaciones inquietantes o perturbadoras las siguientes:

a) Las declaraciones o manifestaciones hechas en público y recogidas en medios de comunicación que objetivamente supongan un ataque a la independencia judicial y sean susceptibles de influir en la libre capacidad de resolución del juez o magistrado.

b) Aquellos actos y manifestaciones carentes de la publicidad a que se refiere la letra anterior y que, sin embargo, en atención a la cualidad o condición del autor o de las circunstancias en que tuvieren lugar pudieran afectar, del mismo modo, a la libre determinación del juez o magistrado en el ejercicio de sus funciones.

Dicho precepto fue impugnado por limitar indebidamente por la vía reglamentaria el ámbito del procedimiento de amparo del art. 14 LOPJ, ciñéndolo a los dos supuestos que acabamos de exponer. Sin embargo, en STS (III) 19 julio 2013, Rec.349/2011, (F. 19), se resolvió dicha impugnación desestimándola puesto que conforme al art. 14 LOPJ y al art. 318 del propio Reglamento 2/2011, cabe **el amparo frente a esos dos supuestos y frente a cualquier otro,** ya que aquellos dos casos que cita el reglamento no tienen una pretensión taxativa, sino meramente ejemplificativa.

Sin embargo, hay que apuntar que el Reglamento establece un plazo de 10 días naturales desde que ocurren los hechos para que se admita a trámite el procedimiento de amparo (art. 320 RCJ), que en algunas ocasiones, lo que puede producir supuestos de desamparo.

Se trata, para concluir, de un procedimiento escasamente utilizado en la práctica y que la mayoría de las veces termina en inadmisión, como puede observarse en las memorias del CGPJ, concretamente de su Comisión Permanente[98]; si a ello unimos que el recurso a la jurisdicción contenciosa, en caso de que no se active el amparo solicitado por el CGPJ, puede conllevar la condena en costas del juez/a que lo insta (art. 139 LJCA), podemos concluir que, a todas luces, **nos hallamos ante un procedimiento de amparo completamente inoperante en la práctica.** Esta es una de las razones por las que el 75% de los jueces/as y magistrados/as españoles en activo opina que el CGPJ no defiende de manera suficiente y adecuada la independencia judicial; el 50% opina que el CGPJ no cuenta con mecanismos y procedimientos adecuados para defender la independencia de manera eficaz[99].

Para terminar, en España no han faltado supuestos muy similares al supuesto fáctico que se contempla en Baka. En efecto, resultó pública y notoria la maniobra del Gobierno de España en enero de 2017 para excluir del acceso a la terna de candidatos/as para la elección de Juez/a titular del TEDH, que se publicó en el BOE de 31 de enero de 2017, a una candidata que no era de su agrado y que contaba con mejor currículum y méritos que otros candidatos. Para lograr dicha exclusión, se fijó por primera vez e inopinadamente como requisito para ser candidato/a, el de no superar la edad

---

[98] Pueden consultarse en: https://www3.poderjudicial.es/cgpj/es/Poder-Judicial/Consejo-General-del-Poder-Judicial/Actividad-del-CGPJ/Memorias/

[99] Encuesta Carrera Judicial 2015, p. 35. Puede consultarse en:

de 61 años en la fecha límite para la presentación de candidaturas (edad que superaba la citada candidata). La prensa se hizo eco de tal maniobra[100], y la asociación Juezas y Jueces para la Democracia impugnó dicho acuerdo, recayendo finalmente STS (III) núm. 968/2017 de 31 mayo, RCUD 88/2017, que anuló el requisito referido a no superar la edad de 61 años en la fecha límite para la presentación de las candidaturas[101], por resultar el mismo discriminatorio por razón de edad.

b) La relación entre la Constitución y el CEDH

Como resulta de la STEDH 23 junio 2016, Caso Baka c. Hungria, el principio según el cual **el CEDH prevalece sobre las disposiciones e intereses constitucionales, resulta de particular importancia en el contexto político actual en Europa,** en el momento en que las "democracias iliberales" amplían los límites de sus constituciones adopando disposiciones contrarias a los principios fundamentales del derecho del CEDH, como el principio de independencia del poder judicial.

Los populismos conciben las democracias como instrumentos para dar voz al pueblo, generalmente un pueblo puro, único y privado de sus derechos por las élites. Un pueblo a quien el "buen líder" proporciona soluciones sencillas a problemas complejos (el muro, la expulsión de los inmigrantes, la independencia, el *Brexit…*). Se trata de movimientos en que la democracia ahoga a los derechos, particularmente los derechos de las minorías, siempre culpables de los males que aquejan a la "gente de bien". En suma, la democracia deviene esa tiranía de la mayoría, que ya denunciara Tockville[102]

En este entorno, la esencia contra-mayoritaria de los Derechos Humanos, convierte el CEDH en un instrumento de primer orden, esencial para aglutinar a la ciudadanía europea frente a las pulsiones centrífugas y

---

[100] https://www.elplural.com/politica/asi-ha-maniobrado-rajoy-para-manipular-la-justicia-de-estrasburgo-y-favorecer-a-perez-de-los-cobos_115694102

[101] El Protocolo nº 15 del CEDH suprime la edad de jubilación a los 70 años al eliminar la redacción del actual art. 23.2 CEDH y establece, de forma taxativa, la edad máxima de los candidatos en 65 años. Sin embargo, dicho protocolo no estaba vigente a la fecha de los hechos.

[102] TOCQUEVILLE, A. " La democracia en América". Ed.RBA. 2005. Trad. Dolores Sánchez de Aleu.

contrarias a los derechos propias de los populismos, cuyo mayor éxito es lograr que la fe en soluciones sencillas logre enfrentar a los de abajo contra los de más abajo, dejando en un plácido olvido los problemas reales, fundamentalmente la creciente desigualdad y el estancamiento del nivel de vida.

No es de extrañar, pues, que **la independencia judicial sea una de las principales piezas a batir en la cacería populista de los derechos**, junto a la prensa libre y la separación de poderes, todos ellos los "perros guardianes de la democracia" (STEDH 26 noviembre 1991, Caso Observer y Guardian c. Reino Unido. F. 59).

En este contexto de auge de los populismos a ambos lados del Atlántico que MOUNK[103] describe como *"el pueblo contra la democracia"*, resulta de singular importancia la línea emprendida por el TEDH en Baka, pues viene a blindar los DDHH frente a las mayorías, incluidas las constituyentes.

En tanto que primeros garantes de los derechos humanos reconocidos por el CEDH, los tribunales nacionales, incluidos los TC, deben acatar la última palabra de Estrasburgo, que es quien tiene la misión de asegurar la uniformidad del "instrumento constitucional del orden público europeo" (STEDH 23 marzo 1995, Caso Loizidou c. Turquía

En palabras de nuestro TC, (STC 245/1991, de 16 de diciembre (F.3)

"el Convenio no sólo forma parte de nuestro Derecho interno, conforme al art. 96.1 de la C.E., sino que además, (…), las normas relativas a los derechos fundamentales y libertades públicas contenidas en la C.E., deben interpretarse de conformidad con los tratados y acuerdos internacionales sobre las mismas materias ratificados por España (art. 10.2 C.E.), entre los que ocupa un especial papel el Convenio para la Protección de los Derechos Humanos y de las Libertades Fundamentales. El TEDH es el órgano cualificado que tiene por misión la interpretación del Convenio, y sus decisiones son además obligatorias y vinculantes para nuestro Estado, cuando sea Estado demandado. De ello se sigue que, declarada por Sentencia de dicho Tribunal una violación de un derecho reconocido por el Convenio Europeo que constituya asimismo la violación actual de un derecho fundamental consagrado en nuestra Constitución, corresponde enjuiciarla a este Tribunal, como Juez supremo de la Constitución y de los derechos fundamentales,

---

[103] MOUNK, Y. "El pueblo contra la democracia. Por qué nuestra libertad está en peligro y cómo salvarla". Ed. Paidós Estado y Sociedad. 2018. 1ª Edición.

respecto de los cuales nada de lo que a ello afecta puede serle ajeno. Por tanto ha de valorarse, en el plano de nuestro Derecho interno, si existen medidas para poder corregir y reparar satisfactoriamente la violación de ese derecho fundamental."

De esta forma, la **violación de los derechos reconocidos en el CEDH y a la vez reconocidos en la CE supone una violacion de la Constitución,** de forma que aunque los derechos reconocidos en el CEDH no tienen por sí mismos rango constitucional, el art. 10.2 CE les confiere un estatus cuasi constitucional[104].

El art. 10.2 CE, en palabras del TC (STC 91/2000, de 30 de marzo, F.7):

"… expresa el reconocimiento de nuestra coincidencia con el ámbito de valores e intereses que dichos instrumentos protegen, así como nuestra voluntad como Nación de incorporarnos a un orden jurídico internacional que propugna la defensa y protección de los derechos humanos como base fundamental de la organización del Estado. Por eso, desde sus primeras sentencias este Tribunal ha reconocido la importante función hermenéutica que, para determinar el contenido de los derechos fundamentales, tienen los tratados internacionales sobre derechos humanos ratificados por España [SSTC 38/1981, de 23 de noviembre (RTC 1981\38), 78/1982, de 20 de diciembre (RTC 1982\78) y 38/1985, de 8 de marzo (RTC 1985\38)] y, muy singularmente, el Convenio Europeo para la Protección de los Derechos Humanos y las Libertades Públicas, firmado en Roma en 1950, dado que su cumplimiento está sometido al control del Tribunal Europeo de Derechos Humanos, a quien corresponde concretar el contenido de los derechos declarados en el Convenio que, en principio, han de reconocer, como contenido mínimo de sus derechos fundamentales, los Estados signatarios del mismo *[SSTC 36/1984, de 14 de marzo (RTC 1984\36), 114/1984, de 29 de noviembre (RTC 1984\114), 245/1991, de 16 de diciembre (RTC 1991\245), 85/1994, de 14 de marzo (RTC 1994\85) y 49/1999, de 5 de abril (RTC 1999\49)].*

---

[104] RUBIO LLORENTE F. "Espagne, en VVAA, "Cours suprèms nationales et cours européennes: in memoriam Luis Favoreu. Brusleas Brulant. 2007, p´. 15-165. Citado por LÓPEZ GUERRA, L. "Constitución y proteccion internacional de Derechos humanos. El proceso de internalizacion del CEDH"; en: PENDAS B, "España constitucional (1978-2018). Trayectorias y perspectivas. Ed. CEPC.

Este contenido mínimo de los DDFF que queda en manos del TE-DH, por imperativo constitucional, ha supuesto una intenalización del CEDH por los diversos poderes del Estado (Legislativo, Ejecutivo y Judicial)[105].

Siendo esto así, en el plano internacional, el paso de gigante que se da en Baka, consiste en reconocer que ni siquiera las propias constituciones pueden establecer normas contrarias a los Derechos Humanos, puesto que el Estado todo —también su poder constituyente— es el que se compromete internacionalmente al cumplimiento de los Tratados de DDHH, por lo que no puede invocar el rango constitucional de una norma para justificar la vulneracion de un Derecho Humano. Una norma "constitucional inconstitucional" supone una norma inconvencional, que el TEDH puede declarar como vulneradora de un derecho humano.

¿Normas constitucionales contrarias a los DDHH en España? Veamos un posible ejemplo:

El art. 135 de la CE, modificado por Reforma de 27 de septiembre de 2011[106], en el marco de la crisis económica y las imposiciones de la Unión Europea en materia de déficit público, que impone la prioridad absoluta de los créditos para satisfacer intereses y capital de deuda publica sobre el

---

[105] LÓPEZ GUERRA, L. "Constitución y proteccion internacional de Derechos humanos. El proceso de internalizacion del CEDH"; en: PENDAS B, "España constitucional (1978-2018). Trayectorias y perspectivas. Ed. CEPC.

[106] Art. 135 1. Todas las Administraciones Públicas adecuarán sus actuaciones al principio de estabilidad presupuestaria.

2. El Estado y las Comunidades Autónomas no podrán incurrir en un déficit estructural que supere los márgenes establecidos, en su caso, por la Unión Europea para sus Estados Miembros.

Una ley orgánica fijará el déficit estructural máximo permitido al Estado y a las Comunidades Autónomas, en relación con su producto interior bruto. Las Entidades Locales deberán presentar equilibrio presupuestario.

3. El Estado y las Comunidades Autónomas habrán de estar autorizados por ley para emitir deuda pública o contraer crédito.

Los créditos para satisfacer los intereses y el capital de la deuda pública de las Administraciones se entenderán siempre incluidos en el estado de gastos de sus presupuestos y su pago gozará de prioridad absoluta. Estos créditos no podrán ser objeto de enmienda o modificación, mientras se ajusten a las condiciones de la ley de emisión.

resto de créditos presupuestarios, particularmente los destinados a gasto social ¿es acorde con el compromiso internacional previsto en el art. 2.1 del PIDESC?, que impone a los Estados Partes que adopten medidas, tanto por separado como mediante la asistencia y la cooperación internacionales, especialmente económicas y técnicas, *hasta el máximo de los recursos de que disponga*, para lograr progresivamente, por todos los medios apropiados, inclusive en particular la adopción de medidas legislativas, la plena efectividad de los DESC.

Concluimos, como corolario al comentario de Baka, recordando a **Tockville**[107], que consideró como **impía y detestable la máxima de que, en materia de gobierno, la mayoría de un pueblo tuviera el derecho a hacerlo todo,** debido a la existencia de una ley general que ha sido hecha o por lo menos adoptada, no solamente por la mayoría de tal o cual pueblo, sino

---

El volumen de deuda pública del conjunto de las Administraciones Públicas en relación con el producto interior bruto del Estado no podrá superar el valor de referencia establecido en el Tratado de Funcionamiento de la Unión Europea.

4. Los límites de déficit estructural y de volumen de deuda pública sólo podrán superarse en caso de catástrofes naturales, recesión económica o situaciones de emergencia extraordinaria que escapen al control del Estado y perjudiquen considerablemente la situación financiera o la sostenibilidad económica o social del Estado, apreciadas por la mayoría absoluta de los miembros del Congreso de los Diputados.

5. Una ley orgánica desarrollará los principios a que se refiere este artículo, así como la participación, en los procedimientos respectivos, de los órganos de coordinación institucional entre las Administraciones Públicas en materia de política fiscal y financiera. En todo caso, regulará:

a) La distribución de los límites de déficit y de deuda entre las distintas Administraciones Públicas, los supuestos excepcionales de superación de los mismos y la forma y plazo de corrección de las desviaciones que sobre uno y otro pudieran producirse.

b) La metodología y el procedimiento para el cálculo del déficit estructural.

c) La responsabilidad de cada Administración Pública en caso de incumplimiento de los objetivos de estabilidad presupuestaria.

6. Las Comunidades Autónomas, de acuerdo con sus respectivos Estatutos y dentro de los límites a que se refiere este artículo, adoptarán las disposiciones que procedan para la aplicación efectiva del principio de estabilidad en sus normas y decisiones presupuestarias.

[107] TOCQUEVILLE, A. "La democracia en América". Ed. RBA. 2005. Trad. Dolores Sánchez de Aleu

por la mayoría de todos los hombres. Esa ley es la justicia. Y esa justicia a la que se refería Tocqueville, se identifica hoy con los Derechos Humanos. Esos derechos eran y son el lindero del derecho de cada pueblo, incluido su derecho constitucional.

1.3.4. Índice de casos

STEDH 28 junio 1978, Caso König c. Alemania
STEDH 22 octubre 1984,Caso Sramek c. Austria
STEDH 6 septiembre 1987, Caso Klass c. Alemania
STEDH 27 octubre 1987, Caso Pudas c. Suecia
STEDH 27 agosto 1991, Caso Demicoli c. Malta
STEDH 26 noviembre 1991, Caso Observer y Guardian c. Reino Unido
STEDH 29 octubre 1992, Caso Open Door y Dublin Well Woman c. Irlanda
STEDH 23 junio 1993, Caso Ruíz Mateos c. España
STEDH 24 noviembre 1994, Caso Beaumartin c. Francia
STEDH 23 marzo 1995, Caso Loizidou c. Turquía
STEDH 28 septiembre 1995, Caso Masson y Van Zon c. Países Bajos
STEDH 8 diciembre 1999, Caso Pellegrin c. Francia
STEDH 21 diciembre 2000, Caso Wettstein c. Suiza
DTEDH 22 marzo 2001, Caso Vaslopoulou c. Grecia
DTEDH 8 marzo 2001, Caso Parcinski c. Polonia
STEDH 6 mayo 2003, Caso Kleyn y otros c. Países Bajos
STEDH 12 junio 2003, Caso Gutfreund c. Francia
STEDH 19 abril 2007 , Caso Eskelinen y otros c. Finlandia
STEDH 15 mayo 2008, Caso Petrova and Chornobryvets c. Ucrania
STEDH 27 enero 2009, Caso G.c. Finlandia
STEDH 5 febrero 2009, Caso Olujic c. Croacia
STEDH 27 abril 2009, Caso G. c. Finlandia
STEDH 12 mayo 2009. Caso Tosti c. Italia
STEDH 15 octubre 2009, Caso Micallef c. Malta
STEDH 22 diciembre 2009, Caso Sejdic et Finci c. Bosnia-Herzegovina
STEDH 26 julio 2011, Caso Juricic c. Croacia
STEDH 3 abril 2012, Caso Boulois c. Luxemburgo
STEDH 9 octubre 2012, Caso Dzhidzheva-Trendafilova c. Bulgaria
STEDH 25 octubre 2012, Caso Vistins y Perepjolkins c.Letonia
STEDH 20 noviembre 2012, Caso Harabin c. Eslovaquia.
STEDH 11 diciembre 2012, Caso Oleksandr Volkov c. Ucrania;
STEDH 4 julio 2013, Caso Anchugov y Gladkov c. Rusia
STEDH 9 julio 2013,   Caso Di Giovanni c. Italia
STEDH 15 septiembre 2015, caso Tsanova-Gecheva c. Bulgaria
STEDH 23 junio 2016, Caso Baka c. Hungria

1.3.5. Bibliografía

BUSTOS GISBERT, R. "Independencia judicial y Estado Constitucional. El estatuto delos jueces". Ed. Tirant Lo Blanch.

CANO PALOMARES, G. "El caso *Baka c. Hungría* ante el TEDH o la protección de la independencia judicial a través del CEDH.

CARRILLO, M." ¿Tienen los jueces libertad de expresión?. Notas para el debate. En: Independencia Judicial y Estado Constitucional: el estatuto de los jueces/coord. por María Isabel González Pascual, Joan Solanes Mullor, 2016, ISBN 978-84-9086-777-8, pp. 225-240.

CLIMENT GALLART, J. A.; " La jurisprudencia del TEDH sobre la libertad de expresión de los jueces".

Iuris Tantum Revista Boliviana de Derecho versión impresa ISSN 2070-8157.

FERRAJOLI, Luigi. La democracia a través de los derechos. Ed. Trotta. Trad. Perfecto Andrés Ibáñez. 2014. pp. 119-125.

GARCÍA ROCA, J., SANTOLAYA, P. (Coord.) "La Europa de los Derechos. El Convenio Europeo de Derechos Humanos Ed. CEC. 2ª Edición. 2009.

LASAGABASTER HERRARTE, I. "Convenio Europeo de Derechos Humanos. Comentario Sistemático. 2ª edición. Ed. Civitas Thomson-Reuters 2009.

MONEREO ATIENZA, C.; MONEREO PÉREZ, J. L. "La Garantía Multinivel de los Derechos Fundamentales en el Consejo de Europa". Ed. Comares. 2017.

MOUNK, Y. "El pueblo contra la democracia. Por qué nuestra libertad está en peligro y cómo salvarla". Ed. Paidós Estado y Sociedad. 2018. 1ª Edición.

ORDÓÑEZ SOLÍS, D. " Jueces y medios de comunicación bajo el prisma ético". Ed. La ley digital. La ley 3770/2018.

PECES JUANES, A. "Manifestaciones extraprocesales de jueces y magistrados: su incidencia en el derecho fundamental al juez imparcial". Revista La Ley Digital". Ed. La ley 9707/2016.

PRECIADO DOMÈNECH, C.H. "Teoría General de los Derechos Fundamentales en el contrato de Trabajo". Ed. Thomson Reuters-Aranzadi. 2018.

QUERALT JIMÉNEZ, A. "La interpretación de los derechos: del Tribunal de Estrasburgo al Tribunal Constitucional". Ed. CEC. 2008.

RUBIO LLORENTE F. "Espagne, en VVAA, "Cours suprèms nationales et cours européennes: in memoriam Luis Favoreu. Brusleas Brulant. 2007, p´. 15-165. Citado por LÓPEZ GUERRA, L. "Constitución y proteccion internacional de Derechos humanos. El proceso de internalizacion del CEDH"; en: PENDAS B, "España constitucional (1978-2018). Trayectorias.

SARMIENTO,D.; MIERES MIRES, L. J.; PRESNO LINERA, M. "Las sentencias básicas del Tribunal Europeo de Derechos Humanos. Ed. Thomson Cititas. 2007.

TOCQUEVILLE, A. " La democracia en América". Ed.RBA. 2005. Trad. Dolores Sánchez de Aleu.

1.4. CASO FABRIS C. FRANCIA

(STEDH 28 junio 2013): El efecto directo, *erga omnes* y retroactivo de la sentencia del TEDH. El poder del TEDH de supervisar la ejecución de sus propias sentencias. Los poderes implícitos del TEDH y el equilibrio de poder entre el TEDH y el Comité de Ministros

1.4.1. Resumen del caso y del voto particular de Paulo Pinto

La **STEDH 7 febrero 2013, Caso Fabris c. Francia (Gran Sala).**

Resumen de los hechos: El Sr. Fabris nació en 1943 de la relación de su padre con una mujer casada, madre de dos niños habidos en su matrimonio. En 1970, los esposos (la madre del Sr. Fabris y su marido) hicieron una donación intervivos de sus bienes a sus dos hijos matrimoniales, reserván-dose el uso de tales bienes hasta su muerte. El Sr. M. murió en 1981 y la Sra. M en 1994. En 1983, el tribunal de gran instancia declara al Sr. Fabris hijo natural de la Sra. M. En 1998, el Sr. Fabris demandó a los dos hijos matrimoniales ante el tribunal de gran instancia, pidiendo la reducción de la donación *intervivos* a fin de obtener su parte en la herencia de su madre. En ese momento, la ley francesa de 3 de enero de 1972 preveía que los hi-jos "adulterinos" podían exigir de la herencia de su padre o de su madre la mitad de la parte de un hijo "legítimo".

Tras la condena a Francia por la STEDH 1 febrero 2000, Caso Ma-zurek c Francia, se modificó la normativa de sucesiones por ley de 3 de diciembre de 2008, otorgando a los hijos "adulterinos" los mismos derechos sucesorios que a los hijos "legítimos". En sentencia de septiembre de 2004, el Tribunal de gran instancia admitió la demanda del Sr. Fabris y le dio la razón. A consecuencia de la apelación de los hijos matrimoniales, el tribu-nal de apelación anuló la sentencia de instancia, y el recurso de casación que interpuso el Sr. Fabris fue desestimado.

En STEDH 21 julio de 2011, una de las Salas del TEDH resolvió por 5 votos a 2, que los hechos no constituían una violación del art. 14 del CE-DH (prohibición de discriminación) en relación con el art. 1 del Protocolo nº 1 (derecho de propiedad) porque los tribunales nacionales, al aplicar las disposiciones transitorias de las leyes de 1972 y 2001, ponderaron correc-tamente, de un lado, los derechos adquiridos hacía tiempo por los hijos matrimoniales, y de otro lado, los intereses pecuniarios del Sr. Fabris.

Resumen de la sentencia: prescindiremos del juicio de aplicabilidad del art. 14 CEDH en relación con el art. 1 del Protocolo 1 y entraremos directamente a comentar el fondo del asunto.

El Sr. Fabris fue privado de una parte de reserva hereditaria y se le colocó definitivamente en una situación diferente de la de los hijos matrimoniales en lo que atañe a la sucesión de su madre. Esta diferencia de trato resulta de la ley de 2001, que pone como condición para la aplicación de los nuevos derechos sucesorios de los hijos "adulterinos", a las sucesiones abiertas antes de 4 de diciembre de 2001, que éstas no hubieran dado lugar a una partición de la herencia anterior a dicha fecha.

Sin embargo, al interpretar la disposición transitoria aplicable, la Corte de Casación francesa estimó que la partición hereditaria se produjo en 1994, en el momento de la muerte de la madre del Sr. Fabris, siguiendo una jurisprudencia antigua según la cual en materia de donación *intervivos*, la sucesión es a la vez abierta y partida por la muerte del donante.

No obstante, un hijo "letígimo", preterido en la donación *intervivos* o aún no concebido cuando ésta hubiera tenido lugar, no se hubiera topado con un obstáculo como el establecido por la disposición transitoria de la citada ley para obtener su parte en la herencia. Por esa razón, no cabe duda alguna de que la diferencia de trato sufrida por el Sr. Fabris tiene como único motivo su filiación extramatrimonial.

El Estado francés modificó su derecho de sucesiones a consecuencia de la sentencia Mazurek, derogando el conjunto de disposiciones discriminatorias relativas al hijo "adulterino".

Sin embargo, según el Gobierno, no era posible afectar a derechos ya adquiridos por los terceros, en el caso concreto, los otros herederos, y eso fue lo que justificó limitar el efecto retroactivo de la Ley de 2001 sólo a las sucesiones que estuvieran abiertas en el momento de su publicación y respecto de las que no se hubiera producido la partición en esa misma fecha.

Estas disposiciones transitorias estaban orientadas a garantizar la paz familiar, asegurando los derechos adquiridos de los beneficiarios de herencias ya partidas.

Al amparo de la acción de reducción prevista por la ley, el medio hermano y la media hermana del Sr. Fabris obtuvieron los derechos patrimoniales a consecuencia de la donación inter vivos de 1970, respecto de la que se produjo la partición hereditaria al momento de morir la madre en 1994. Esta circunstancia permite distinguir el presente caso del caso *Mazurek*, en el que la partición hereditaria aún no había tenido lugar.

Sin embargo, **la protección de la confianza del *de cuius* y de su familia debe ceder ante el imperativo de igualdad de trato entre los hijos nacidos fuera del matrimonio y los matrimoniales**. En este sentido, la media hermana y el medio hermano del Sr. Fabris supieron o debieron saber que sus derechos podían ser cuestionados. En efecto, en el momento de la muerte de la madre en 1994, la ley preveía un plazo de 5 años para ejercitar una acción de reducción de la donación intervivos. Su medio hermano podía pedir su parte en la herencia hasta 1999, y con esta acción podía cuestionar, no ya la partición como tal, sino el alcance de los derechos de cada uno de los descendientes en la herencia.

Por otro lado, la acción de reducción que el Sr. Fabris interpuso finalmente en 1998 estaba pendiente ante los tribunales nacionales al momento de pronunciarse la sentencia *Mazurek*, que declaró incompatible con el CEDH una desigualdad en la sucesión basada en la filiación extramatrimonial, y de la publicación de la ley de 2001, que ejecutaba esa sentencia incorporando al derecho francés los principios que se afirmaban en la misma.

En fin, el Sr. Fabris no era un descendiente de quien ignorasen su existencia, ya que fue reconocido como hijo natural de su madre por una sentencia recaída en 1983. Todo ello bastaba para albergar dudas razonables sobre la legalidad de la partición hereditaria realizada. En este primer punto, en las circunstancia particulares del caso, en que la jurisprudencia europea y las reformas legislativas nacionales mostraron una clara tendencia hacia la supresión de toda discriminación de los hijos extramatrimoniales en lo referente a sus derechos sucesorios, el recurso ejercitado por el Sr. Fabris en 1998 ante el juez nacional y desestimado por la Corte de casación en 2007, tiene un peso importante en el examen de la proporcionalidad de la diferencia de trato.

El hecho de que el recurso estuviera aún pendiente en 2001 no podía, en efecto, sino relativizar la expectativa de los otros herederos de la Sra. M. de ver reconocidos sus derechos sucesorios respecto de ella. De esta forma, el objetivo legítimo de la protección de los derechos sucesorios del medio hermano y la media hermana del Sr. Fabris no tenían un peso tal que hubiera debido obstar a satisfacer la pretensión del Sr. Fabris de obtener una parte de la herencia de su madre.

Además, al parecer incluso en opinión de las autoridades nacionales, las expectativas de los herederos beneficiarios de una donación *intervivos* no son dignas de amparo siempre y en todo caso. En efecto, si la misma acción de reducción de la donación intervivos se hubiera ejercicio en ese momento por otro hijo legítimo, nacido después o excluido voluntariamente de la partición, esa razón de inadmisibilidad no le hubiera sido oponible.

De esta forma, no existió una relación razonable de proporcionalidad entre los medios empleados y el objetivo legítimo pretendido. La diferencia de trato de que fue objeto el Sr. Fabris careció de justificación objetiva y razonable.

Esta conclusión **no cuestiona el derecho de los Estados de establecer disposiciones transitorias cuando adopten una reforma legislativa**, en aras de cumplir con las obligaciones que resultan del art. 46.1 CEDH.

De todas formas, si el **carácter esencialmente declarativo de las sentencias del TEDH deja a los Estados la elección de los medios** para deshacer las consecuencias de la violación, es oportuno recordar a la vez que la adopción de medidas generales implica para el Estado **la obligación de prevenir, con diligencia, nuevas violaciones parecidas a las constatadas en la sentencia del TEDH**.

Esto supone una obligación para el juez nacional de asegurar, conforme a su orden constitucional y con respeto al principio de seguridad jurídica, el pleno efecto de las normas del CEDH, tal y como las ha interpretado el TEDH. Sin embargo, en el caso de autos, ello no ocurrió.

Por todo ello **la Gran Sala del TEDH concluye por unanimidad que ha habido violación del art. 14 CEDH**.

En la **STEDH 28 junio 2013, Caso Fabris c. Francia**, el TEDH se pronuncia sobre el acuerdo amistoso alcanzado entre el Gobierno francés y el Sr. Fabris acerca de su demanda ejercitada en virtud del art. 41 CEDH. En ese acuerdo el Sr. Fabris obtiene 165.097,77 € como indemnización del conjunto de los daños y perjuicios materiales y morales sufridos y de los gastos y cosas del proceso.

El TEDH considera que dicho acuerdo es equitativo, y respetuoso con el reconocimiento de los Derechos humanos que se recogen en el CEDH y en consecuencia, da por concluido el proceso, eliminando el asunto del registro (art. 39.3 CEDH).

Resumen del voto particular de Paulo Pinto a la STEDH 28 junio 2013, Caso Fabris c. Francia (Gran Sala): el juez formula voto particular porque considera que la sentencia de la Corte de Casación francesa de 14 de noviembre de 2007 vulneró el principio de igualdad entre los hijos matrimoniales y extramatrimoniales.

De esta forma, con el acuerdo amistoso que la mayoría de la Gran Sala aprueba, el ilícito internacional (la citada sentencia de la Corte de Casación), permanece intacto, por lo que el principio de igualdad no ha sido debidamente tutelado

La ejecución plena de la sentencia de la Gran sala imponía otra reacción por parte del Estado francés, de forma que se hubieran producido tres consecuencias concretas:

– En primer lugar, el Estado francés, debió fijarse en la Sentencia de la Corte de casación de 14 de noviembre de 2007, e *instaurar, si no lo había hecho aún, un proceso de revisión de sentencias civiles* adecuado para poner fin a la discriminación existente en el caso y a la violación del CEDH;

– En segundo lugar, los tribunales nacionales habrían debido proceder *a la partición ex novo de los bienes de la madre del Sr. Fabris, con una reducción de la donación intervivos efectuada en 1970* a fin de proteger la parte reservada al Sr. Fabris, conforme al art. 922 del CC francés.

– En tercer lugar, el Estado habría *debido revisar la disposición de la ley de 3 de diciembre de 2001* que preveía que las sucesiones abiertas el 4 de diciembre de 2001 se rigen por el principio de igualdad entre los hijos matrimoniales y extramatrimoniales, excepto y había habido partición de los bienes con anterioridad a dicha fecha.

Ninguna de estas tres consecuencias son disponibles para el Sr. Fabris, puesto que se trata de efectos jurídicos obligatoriamente derivados de la STEDH de la Gran Sala de 7 de febrero de 2013. El hecho de que la sentencia de la Corte de casación francesa de 14 de noviembre de 2007 siga siendo válida como también lo es la partición discriminatoria de los bienes de la madre del Sr. Fabris, y peor aún, que el art. 25.2 de la ley de 3 de diciembre de 2001 continúe siendo aplicable permitiendo un trato discriminatorio de los hijos matrimoniales y los extramatrimoniales en las sucesiones abiertas a 4 de diciembre de 2001 si la partición se había ya efectuado antes de dicha fecha, no es conforme con la sentencia de la Gran sala y evidencia una grave menoscabo de la autoridad del TEDH.

Para ser claros, el Estado francés no puede contentase con pagar una indemnización por la discriminación sufrida por el Sr. Fabris, en lugar de eso, debe ofrecer al mismo, a su medio hermana y a su medio hermano un trato jurídico igual en la partición de bienes de la herencia de su madre. El estado no puede mantener más la vigencia de una disposición discriminatoria que vulnera el principio de igualdad entre los hijos matrimoniales y extramatrimoniales.

Por tanto, el Juez Paulo Pinto está en contra de aprobar el acuerdo alcanzado, por ser contrario a los principios del art. 37 CEDH.

1.4.2. Antecedentes: los efectos de las sentencias del TEDH y el poder de supervisión del TEDH sobre sus propias sentencias

a) El efecto directo, *erga omnes* y retroactivo de la sentencia del TEDH

Las sentencias del TEDH tienen un valor jurídico concreto: son **declarativas, definitivas, obligatorias**(art. 46.1 CEDH)[108], generan efectos *inter partes*, de *"res iudicata"*; y *erga omnes*, de *"res interpretata"*.

• *Efecto directo*

El **efecto directo** de las sentencias es el que se proyecta inmediatamente en las partes del proceso, consistiendo en la reparación del daño causado en los particulares por la vulneración de sus derechos. Estos efectos se corresponden con los que genera la ejecución de la sentencia. Así las cosas,

---

[108] Art. 46.1 CEDH "Las Altas Partes Contratantes se comprometen a acatar las sentencias definitivas del Tribunal en los litigios en que sean partes".

conforme al art. 46.1 CEDH *"Las Altas Partes Contratantes se comprometen a acatar las sentencias definitivas del Tribunal en los litigios en que sean partes"*. Por tanto, este **efecto directo se proyecta en los procesos en los que los Estados son partes,** que quedan obligados a su cumplimiento.

• *Declarativas*

Las sentencias son **declarativas** porque se limitan a poner de manifiesto, en el caso de ser estimatorias, la vulneración de uno o varios derechos reconocidos en el CEDH por uno de los Estados Parte. Así, en la **STEDH 13 junio 1979, Caso Marckx c. Bélgica (F. 58), el TEDH** recuerda que "la sentencia del Tribunal es esencialmente declarativa y deja al Estado la elección de los medios a utilizar en su ordenamiento jurídico interno para adaptarse a lo que impone el artículo 53."

Las sentencias son **definitivas** (art. 42 y 44 CEDH), cuando son sentencias de la Gran Sala, o son sentencias de la Sala si las partes declaran que no solicitan la remisión a la gran Sala, o no lo hacen 3 meses de la fecha de la sentencia o el colegio a Gran Sala rechaza la demanda de remisión (art. 43.2)

• *Obligatorias*

Volviendo a la naturaleza **obligatoria**, las misma se da porque los Estados se comprometen a acatar las sentencias definitivas del TEDH en los litigios en que sean parte (art. 46.1 CEDH). La obligación que genera las sentencia del TEDH, es **una obligación de resultado**, toda vez, que *"Los Estados contratantes que son parte en un caso son **en principio libres de elegir los medios que utilizarán para cumplir con una sentencia que determine una violación**. Esta discreción en cuanto a la forma de ejecución de una sentencia refleja la libertad de elección vinculada a la obligación principal impuesta por el Convenio a los Estados contratantes de garantizar el respeto de los derechos y libertades garantizados"*[109].

---

[109] STEDH 31 octubre 1995, Caso Papamichalopoulos c. Grecia, (F.34); STEDH 13 junio 1979, Caso Marckx c. Bélgica (F. 58), etc.

En efecto, en principio, el TEDH ha reiterado que **el Convenio no le otorga competencia para exigir al Estado que se comprometa a tomar medidas concretas.**

El artículo 46.1 del Convenio deja al Estado la elección de las medidas generales y/o, dado el caso, individuales, a adoptar en su ordenamiento interno para cumplir su obligación jurídica con respecto al Convenio y poner fin a la violación constatada por el Tribunal y reparar sus consecuencia [STEDH 16 noviembre 1999, Caso E.P c. Italia (f.77)].

Esta **obligación de resultado**, según **STEDH 31 octubre 1995, Caso Papamichalopoulos c. Grecia, (F.34)**, se traduce en 3 obligaciones bien concretas:

– obligación de **poner fin a la violación;**

– obligación de **deshacer sus efectos;**

– obligación de **restaurar en la medida de lo posible la situación a la existente antes de la violación** (*resitutio in integrum*). En caso de que ello no sea posible, en todo o en parte, deberá otorgar a la parte perjudicada la **satisfacción equivalente. (art. 41 CEDH).**

La **obligación de resultado** que comporta toda sentencia del TEDH y que supone una libre elección de los medios del Estado, ha ido **evolucionando,** como ha señalado la doctrina[110], hacia una **mayor limitación de esa libertad en la elección de medios y hacia un mayor reforzamiento de la obligatoriedad de las sentencias.**

Así, el TEDH ha indicado las medidas concretas a adoptar por el Estado para satisfacer la obligación de *restititutio in integrum* **en casos concretos**[111].

Así, en la STEDH 29 noviembre 1991, Caso Vermeire c. Bélgica, **impone la adopción de medidas legislativas en un plazo razonable, no quedando al arbitrio del Estado la demora en dicha adopción (f.26):**

"26. Una revisión total destinada a modificar en profundidad y de una manera coherente toda la legislación sobre filiación y sucesión, no era necesaria, como preliminar

---

[110] QUERALT JIMÉNEZ, A. "La interpretación de los derechos: del Tribunal de Estrasburgo al Tribunal Constitucional". Ed. CEC. 2008. pp. 23 y ss.

[111] Vid. también: STEDH 1 abril 1998, Caso Akdivar y otros c. Turquía, (f.47); STEDH 13 junio 1979, Caso Marckx c. Bélgica. (f. 58).

indispensable para el respeto del Convenio según fue interpretado por el Tribunal en el asunto Marckx.

La libertad de elección reconocida al Estado en cuanto a los medios para cumplir su obligación a tenor del artículo 53 no puede permitirle suspender la aplicación del Convenio mientras se espera a que una reforma de este tipo se concluya, hasta el punto de obligar al Tribunal a desestimar en 1991, para la sucesión abierta el 22 de julio de 1980, idénticas quejas a aquéllas que se aceptaron el 13 de junio de 1979."

En la **STEDH 3 julio 2000, Caso Scozzari y Giunta c. Italia** (f. 249), el TEDH subraya que las partes se comprometen a conformarse con las sentencias definitivas en los litigios en que son parte, siendo el Comité de Ministros el encargado de supervisar la ejecución. De ello deriva que el Estado parte responsable de una violación del CEDH o de sus Protocolos, es llamado no solamente a abonar a los interesados las sumas correspondientes a título de satisfacción equitativa, sino también a **elegir, bajo el control del Comité de Ministros, las medidas generales y/o, siendo el caso, individuales a adoptar en su ordenamiento jurídico interno** a fin de terminar con una violación constatada por el TEDH y de deshacer, en tanto que sea posible sus consecuencia.

En la **STEDH 23 enero 2001, Caso Brumarescu c. Rumanía** (f.20). Si la naturaleza de la violación permite una «restitutio in integrum», es el Estado demandado quien debe llevarla a cabo. En cambio, si el derecho nacional no permite o permite sólo de manera imperfecta eliminar las consecuencias de la violación, el artículo 41 habilita al Tribunal a conceder a la parte perjudicada, si así procede, una indemnización que considere apropiada.

En el caso resuelto por la **STEDH 8 abril 2004, Caso Assanize c. Georgia** (f.202 y 203), el nivel de concreción de las medidas a adoptar "sugeridas" por el TEDH es total, puesto que se considera que la violación del derecho a la libertad (indultado y todavía en prisión) en el caso concreto, no admite elección alguna del Estado en cuanto a las medidas a adoptar para remediar la vulneración, por lo que considera que el Estado parte debe asegurar la liberación lo más pronta posible del Sr. Assanize.

- *Efecto erga omnes*

En cuanto al **efecto erga omnes de la sentencias**, el mismo se desprende de una lectura integrada de los arts. 1 y 46 del CEDH.

Este efecto desborda los efectos de la cosa juzgada respecto de las partes actuantes en el proceso ante el TEDH y tiene efectos de *res interpretata*, de forma que lo dicho en un determinado caso obliga a todos los Estados parte, no sólo al Estado implicado en el caso concreto.

Se produce así, con cierto paralelismo con las sentencias dictadas en los recursos de amparo ante nuestro TC (art. 5 LOPJ y art. 55 LOTC), un efecto *inter partes* y un efecto *erga omnes*.

En la STEDH 18 enero 1978, Caso Irlanda c. Reino Unido (f.239), ya apuntaba a este efecto *erga omnes*:

> «No obstante, el argumento del gobierno irlandés lleva al TEDH a precisar la naturaleza de los compromisos que le corresponde salvaguardar. A diferencia de los tratados internacionales convencionales, el CEDH va más allá de la mera reciprocidad entre los Estados contratantes. Además de una red de compromisos sinalagmáticos bilaterales, el CEDH crea obligaciones objetivas que, en los términos de su preámbulo, se benefician de una "garantía colectiva". En virtud de su art. 24, permite a los Estados contratantes exigir el respecto de estas obligaciones sin tener que justificar un interés propio afectado, por ejemplo, el hecho de que la medida que denuncian haya perjudicado a sus propios nacionales.
> **Al sustituir la palabra "reconocen" por " se comprometen a reconocer" en el redactado del art. 1, los redactores del CEDH han querido indicar además que los derechos y libertades del Título I serán reconocidos directamente, a cualquier persona, dentro de la jurisdicción de los Estados contratantes.** Su intención se refleja con particular fidelidad cuando el CEDH se ha incorporando al ordenamiento jurídico interno (STEDH 17 junio 1971, Caso De Wilde c. Ooms y Versyp (f.82); STEDH 6 febrero 1976, Caso Sindicato Sueco de maquinistas (f.20).
> **El CEDH no se satisface sólo obligando a las autoridades supremas de los Estados parte a respetar los derechos y libertades que consagra,** como lo demuestran el art. 14 y la versión inglesa del art. 1 ("shall secure": garantizará), sino **que también implica que para garantizar su disfrute, debe prevenir o corregir la violación en los niveles inferiores.**»

En el mismo sentido, la STEDH 13 junio 1979, Caso Marckx c. Bélgica (f.58)[112], o en la STEDH 26 octubre 1988, Caso Norris c. Irlanda (f.50)[113].

---

[112] "… Es evidente que la decisión del tribunal producirá efectos que excedan los límites de este caso concreto, sobre todo si se tiene en cuenta que las supuestas violaciones de derechos que aquí se plantean derivaron de preceptos jurídicos generales y no de medidas concretas de ejecución…"

[113] 50 Para resolver en la forma dicha, el Tribunal tuvo en cuenta las modificaciones legales efectuadas en Irlanda del Norte como consecuencia de su Sentencia de 22

En definitiva, y como ya hemos apuntado en el comentario al Caso G.I.E.M, el CEDH obliga a los Estados, conforme su art. 46 CEDH, no sólo a hacer respetar la fuerza vinculante de una sentencia en relación a las partes del litigio; sino también a impedir que una violación constada por una sentencia del TEDH se repita en relación a terceros. Esa es una de las principales consecuencias del principio de subsidiariedad (art. 35.1 CEDH)[114] y de su papel fundamental en la arquitectura del Convenio. Así, mientras que a las autoridades nacionales les corresponde en primer lugar interpretar y aplicar el derecho interno, al TEDH le incumbe comprobar si la forma en que ese derecho es interpretado y aplicado produce efectos conformes a los principios del CEDH en el sentido en el que éstos son interpretados por el propio TEDH. (STEDH 29 julio 2004, Caso Scordino c. Italia; STEDH 2 junio 2009, Caso Daddi c. Italia).

Ello también resulta de la declaración de Brighton[115], conforme a la que los Estados miembros se comprometen a garantizan la plena aplicación del CEDH a nivel nacional, lo que supone que los **Estados partes han de**

---

octubre 1981 (serie A, núm. 59, pp. 7 y 8, ap. 11 a 14). No se ha efectuado ninguna reforma análoga en Irlanda.

Como en el asunto Marckx, es inevitable que la resolución del Tribunal produzca efectos que se salgan de los límites del caso de autos, tanto más cuanto que la violación resulta directamente de los preceptos impugnados y no de medidas individuales de aplicación. Corresponde a Irlanda el tomar en su ordenamiento legal interno las medidas necesarias para cumplir las obligaciones que le impone el artículo 53 (serie A, núm. 31, p. 25, ap. 58).

Por este motivo, y a pesar de la distinta situación de este caso en relación al de Dudgeon, entiende el Tribunal que la constatación de que se vulneró el artículo 8 supone en sí misma una satisfacción equitativa a los efectos del artículo 50 y, por consiguiente, rechaza la solicitud a este respecto.

[114] Art. 35 CEDH Condiciones de admisibilidad. 1. Al Tribunal no podrá recurrirse sino después de agotar las vías de recursos internas, tal como se entiende según los principios de derecho internacional generalmente reconocidos y en el plazo de seis meses a partir de la fecha de la decisión interna definitiva.

[115] Bajo los auspicios de la presidencia británica del Comité de Ministros del Consejo de Europa, se celebró en Brighton (18 a 20 de abril de 2012) la Conferencia de Alto Nivel sobre el Futuro del TEDH, en la que los Estados parte del CEDH se reunieron con el objetivo de aliviar la sobrecarga de casos que asume el TEDH. Fruto de esta reunión es la Declaración de Brighton, donde se establecen las bases que deben impulsar la reforma de TEDH.

adoptar las medidas efectivas para prevenir las violaciones del mismo, a tal fin "todas las leyes y políticas deben concebirse y todos los agentes públicos deben ejercer sus responsabilidades de forma que den una eficacia plena al CEDH".

Por otro lado, las medidas que ha de tomar un Estado parte para ejecutar una sentencia no se limitan a las que atañen al demandante. Al contrario, **cuando una violación revela un problema estructural, el Estado demandado debe tomar medidas generales apropiadas para remediarlo,** y evitar así que la misma violación pueda afectar a otras personas. (vid. STEDH 28 junio 2001, Caso Verein Gegen Tierfabriken c. Suiza)

Las sentencias del TEDH, como ha repetido éste en múltiples ocasiones, *"…sirven no solo para resolver los casos que se le plantean, sino con mayor alcance para clarificar, salvaguardar y desarrollar las normas del CEDH y contribuir de esa forma a que los Estados respeten las obligaciones que han asumido en tanto que partes contratantes"* [Vid. STEDH 18 enero 1978, Caso Irlanda c. Reino Unido (f.154)].

Por tanto, **la sentencia del TEDH tiene un efecto *erga omnes*, en relación a todos los Estados parte del CEDH; incluso aunque no se haya pronunciado respecto a alguno o algunos de ellos,** como así resulta del punto 3c) de la Declaración de Interlaken.

- *Efecto retroactivo*

Resta ahora por analizar el efecto retroactivo de las sentencias del TEDH.

La obligación de los Estados de cumplir las obligaciones derivadas del CEDH puede implicar, en ocasiones, la de afectar a situaciones nacidas antes de las sentencias del TEDH. En estos casos, esos efectos retroactivos plantean problemas con el principio de seguridad jurídica, que es un valor subyacente al CEDH[116] y puede haber colisión con otros derechos deri-

---

[116] Casos: STEDH 20 de octubre de 2011, Caso Nejdet Şahin y Perihan Şahin c. Turquía (F. 56-57);STEDH 19 mayo 2012, Caso Albu y otros c. Rumania, (F.34) y también Brumărescu c. Rumania [GS], núm. 28342/95, ap. 61, TEDH 1999-VII; Beian contra Rumania (no 1), núm. 30658/05, ap. 39, TEDH 2007 V (extractos).

vados del propio convenio o de sus protocolos, o como, ocurre en el caso Fabris, por los derechos adquiridos por terceros.

En este sentido, el TEDH en STEDH 10 febrero 2009, Caso E.S c. Francia, consideró, también en un supuesto de herencias y de hijos no matrimoniales, que "no se podría exigir que la institución judicial anulase un reparto libremente aceptado a la vista de una sentencia del Tribunal pronunciada después del citado reparto".

Por tanto, **seguridad jurídica, los derechos adquiridos o la propiedad, constituyen fines legítimos susceptibles de justificar la diferencia de trato en el tiempo de situaciones idénticas.**

Esta problemática ya se planteó en la STEDH de 13 junio 1979, Caso Marckx c. Bélgica, en cuyo F. 58 se sostiene sobre la retroactividad que "*Sobre este punto existe base para tomar como fundamento dos principios generales del Derecho, que fueron recientemente mencionados por el Tribunal de Justicia de las Comunidades Europeas: "las consecuencias prácticas de cualquier decisión judicial, deben ser detenidamente estudiadas", pero "es imposible ir tan lejos como para disminuir la objetividad de la ley y comprometer su aplicación futura sobre la base de las posibles consecuencias que resultasen para los hechos pasados de una decisión judicial" (8 de abril de 1976, Defrenne v. Sabena Informes de 1976, p. 480)*".

En el caso Fabris, el TEDH **no cuestiona el derecho de los Estados de establecer disposiciones transitorias cuando adopten una reforma legislativa**, en aras de cumplir con las obligaciones que resultan del art. 46.1 CEDH, estableciendo así un equilibrio con los derechos adquiridos, el derecho de propiedad o la seguridad jurídica[117].

En este sentido, Francia, en cumplimiento de la sentencia Mazurek, limita el efecto retroactivo de la Ley de 2001 sólo a las sucesiones que estuvieran abiertas en el momento de su publicación (4 diciembre 2001) y respecto de las que no se hubiera producido la partición en esa misma

---

[117] STEDH 25 noviembre 2010, Caso Cantoni c. República Checa;

STEDH 21 diciembre 2010, Caso Compañía del gas de petróleo Primagaz c. Francia (f.18).

STEDH 9 junio 2011, Caso Mork c. Alemania (f.28-30 y 54).

STEDH 29 mayo 2012, Caso Taron c. Alemania.

fecha. Pero en el caso del Sr. Fabris, dicha limitación es considerada desproporcionada por el TEDH.

En efecto, si bien el **carácter esencialmente declarativo de las sentencias del TEDH deja a los Estados la elección de los medios** para deshacer las consecuencias de la violación, es oportuno recordar a la vez que la adopción de medidas generales implica para el Estado **la obligación de prevenir, con diligencia, nuevas violaciones parecidas a las constatadas en la sentencia del TEDH**.

Esto supone una **obligación para el juez nacional de asegurar, conforme a su orden constitucional y con respeto al principio de seguridad jurídica, el pleno efecto de las normas del CEDH, tal y como las ha interpretado el TEDH**.

Sin embargo, en el Fabris ello no ocurrió, porque, como ha quedado apuntado, y en síntesis:

- la media hermana y el medio hermano del Sr. Fabris supieron o debieron saber que sus derechos podían ser cuestionados, pues en el momento de la muerte de la madre en 1994, la ley preveía un plazo de 5 años para ejercitar una acción de reducción de la donación *intervivos;*

- la acción de reducción que el Sr. Fabris interpuso finalmente en 1998 estaba aún pendiente ante los tribunales nacionales al momento de pronunciarse la sentencia *Mazurek;*

- el Sr. Fabris no era un descendiente de quien ignorasen su existencia, ya que fue reconocido como hijo natural de su madre por una sentencia recaída en 1983. Todo ello bastaba para albergar dudas razonables sobre la legalidad de la partición hereditaria realizada.

Por ello, su exclusión de la herencia resultó desproporcionada y el efecto retroactivo de Fabris le debió alcanzar de lleno, pues no se vio comprometida la seguridad jurídica ni los derechos adquiridos y, al contrario, se afectó al derecho de propiedad y a la prohibición de discriminación del Sr. Fabris (arts. 1 del protocolo 1 del CEDH y art. 14 CEDH).

b) El poder del TEDH de supervisar la ejecución de sus propias sentencias. Los poderes implícitos del TEDH y el equilibrio de poder entre el TEDH y el Comité de Ministros

Tras la reforma introducida en el art. 4 el Protocolo nº 14 del CEDH[118] el art. 46.1 CEDH, como se ha dicho, dispone que "Las Altas Partes Contratantes se comprometen a acatar las sentencias definitivas del Tribunal en los litigios en que sean partes".

Esta reforma ha supuesto la introducción de diversas novedades en materia de ejecución de las sentencias del TEDH y de su supervisión por el TEDH que afectan **al equilibrio de poderes entre el TEDH y el Comité de Ministros.**

En efecto, se establece **un sistema en el que la iniciativa de dicha supervisión la tiene el Comité de Ministros,** puesto que, una vez dictada la sentencia definitiva, el TEDH la remite al Comité de ministros (art. 46.2 CEDH), que es quien vela en primera instancia por su ejecución.

Si el Comité de Ministros considera que la ejecución se ve obstaculizada por un **problema de interpretación,** podrá dirigirse al TEDH para que se pronuncie sobre el problema de interpretación (art. 46.3 CEDH).

Por otro lado, conforme al art. 46.4, "*Si el Comité considera que una Alta Parte Contratante se niega a acatar una sentencia definitiva sobre un asunto en que es parte, podrá, tras notificarlo formalmente a esa Parte y por decisión adoptada por mayoría de dos tercios de los votos de los representantes que tengan derecho a formar parte del Comité, plantear al Tribunal la cuestión de si esa Parte ha incumplido su obligación en virtud del párrafo 1*".

En el art. 46.4 es donde se establece el **poder del TEDH de supervisar la ejecución de sus propias sentencias,** y la competencia para hacerlo se atribuye en el art. 32 del CEDH, Competencia del Tribunal; "*1. La competencia del Tribunal se extiende a todos los asuntos relativos a la interpretación y aplicación del Convenio y de sus Protocolos que le sean sometidos en las condicio-*

---

[118] Instrumento de Ratificación del Protocolo número 14 al Convenio para la protección de los Derechos Humanos y de las Libertades Fundamentales, por el que se modifica el mecanismo de control del Convenio, hecho en Estrasburgo el 13 de mayo de 2004. (BOE nº 130 28 mayo 2010).

nes previstas por los artículos 33, 34, 46 y 47. 2. En caso de impugnación de la competencia del Tribunal, éste decidirá sobre la misma.

En el art. 46.5, se establece que *"Si el Tribunal concluye que se ha producido una violación del párrafo 1, remitirá el asunto al Comité de Ministros para que examine las medidas que sea preciso adoptar. En caso de que el Tribunal concluya que no se ha producido violación alguna del párrafo 1, reenviará el asunto al Comité de Ministros, que pondrá fin a su examen del asunto".*

Por tanto, se establece un **sistema en que, en principio, el órgano que ejecuta las sentencias es el Comité de Ministros, y sólo a iniciativa de** éste (mayoría 2/3), **el TEDH supervisa si la ejecución** se ha realizado correctamente.

Según esta regulación, el TEDH, en principio, **carece de capacidad para ordenar a los Estados medidas concretas** para cumplir sus fallos, sin embargo, como ya hemos apuntado al hablar la obligatoriedad de las sentencias, el **TEDH ha indicado en varias ocasiones las medidas concretas a adoptar por el Estado para satisfacer la obligación de** *restititutio in integrum* **en casos concretos.**

Para comprender esta aparente paradoja, hay que señalar que en el Derecho Internacional Público resulta consolidada la *doctrina de los poderes implícitos* de las Organizaciones Internacionales en tanto que personas jurídicas en el orden internacional; según la cual, la personalidad internacional de las Organizaciones internacionales no sólo comprende las competencias previstas expresamente en los tratados constitutivos de las mismas, sino que también aquéllas otras que se deduzcan del mismo y que sean necesarias para cumplir efectivamente dichas funciones (CIJ. Rec. 1949:178)[119]. En el caso de los Tribunales integrados en Organizaciones Internacionales, **la doctrina de los poderes implícitos**[120] **abarca, naturalmente, la supervisión de la ejecución de sus sentencias.** Así lo ha entendido, por ejemplo,

---

[119] DÍEZ DE VELASCO, M. " Instituciones de Derecho Internacional Público". Ed. Tecnos. 2013. 18ª edición. pp. 360-361.

[120] Sobre poderes implícitos de tribunales internacionales vid: Fábrica de Chorzów (Alemania c. Poloonia 26 julio 1926. CPJI seria ! nº 9, p 21-22; Actividades militares y paramilitaresen Nicaragua (Nicaragua c. Estados Unidos). CJI. Recopilación 1986, p. 142; LaGrand (Alemania c. Estados Unidos); CJI, recopilatorio 2001, p. 485; etc.

la CIDH[121], que considera en su SCIDH 28 noviembre 2003, Caso Baena Ricardo y otros c. Panamá (f.129 y 130), que:

"129. La supervisión del cumplimiento de las sentencias es uno de los elementos que componen la jurisdicción. La efectividad de las sentencias depende de su cumplimiento.
130. Además, el cumplimiento de las decisiones y sentencias debe ser considerado parte integrante del derecho de acceso a la justicia, entendido éste en sentido amplio. Lo contrario supone la negación misma de este derecho. Si el Estado responsable no ejecuta en el ámbito interno las medidas de reparación dispuestas por la Corte estaría negando el derecho de acceso a la justicia internacional."

No debe extrañarnos, por tanto, esta **jurisprudencia progresiva del TEDH en materia de supervisión de sus propias sentencias,** puesto que los Tratados relativos a los DDHH deben interpretarse de la manera que mejor protejan dichos derechos [STEDH 27 junio 1968. Caso Wemhoff c. Alemania (f.8)][122]; y si la ejecución de la sentencia depende por entero del ejecutado (los Estados miembros representados en el Comité de Ministros), es lógico concluir como hace Paulo Pinto, que los derechos humanos se convertirían en un mero espejismo. El principio de efectividad, según el cual, el CEDH garantiza derechos concretos y efectivos y no derechos teóricos o ilusorios discurre también en la línea de apoyar la doctrina progresiva del TEDH en materia de supervisión de la ejecución de sus sentencias (Vid. STEDH 23 julio 1968, Caso del régimen lingüístico en Bélgica).

En esta línea progresiva de Estrasburgo, hay que subrayar la conocida como *cláusula de reapertura,* que se inició en la STEDH 23 octubre 2003,Caso Gençel c. Turquía, que en un supuesto de causa penal con vulneración del derecho al juez imparcial, el TEDH consideró que " en principio, la forma de corrección más apropiada sería volver a celebrar el juicio

---

[121] Cfr. Caso Luis Uzcátegui. Medidas Provisionales. Resolución de la Corte Interamericana de Derechos Humanos de 20 de febrero de 2003, considerando decimotercero; Caso Hilaire, Constantine y Benjamin y otros, supra nota 39, párr. 19; Caso Constantine y otros. Excepciones Preliminares, supra nota 39, párr. 73; Caso Benjamin y otros. Excepciones Preliminares, supra nota 39, párr. 73; y Caso Hilaire. Excepciones Preliminares, supra nota 39, párr. 82.

[122] PRECIADO DOMÈNECH, C. H. "Interpretación de los Derechos humanos y los derechos fundamentales". Ed. Thomson Reuters Aranzadi.. Cuadernos de Derecho Constitucional nº 37. 2016. pp. 237 y ss.

en tiempo útil por un tribunal independiente e imparcial". Se trata de un paso decisivo en la línea de indicar el propio TEDH (no el Consejo de Ministros), cual sería la forma más adecuada de la *restitutio in integrum,* que fue continuado en la conocida STEDH 12 mayo 2005, Caso Ocalan c. Turquía (f.210): en la que considera que un nuevo juicio o una reapertura del realizado sería, en principio, una forma apropiada de corregir la violación del derecho a un juez independiente e imparcial.

Un *resumen de esa jurisprudencia progresiva,* nos la ofrece el voto particular del Juez Paulo Pinto en la **STEDH 11 julio 2017, Caso Moreira Ferreira c. Portugal (nº 2)**, (F.16), en la que **se clasifican los supuestos en que el TEDH**, a pesar del carácter declarativo de sus sentencias, y de la distribución de roles entre el Comité de Ministros y el Tribunal, que en la supervisión de la ejecución que lleva a cabo el art. 46 CEDH, **señala las medidas individuales que debe desplegar el Estado** parte para dar satisfacción a su obligación principal de *"restitutio in integrum".*

1) **Obligaciones impuestas en la parte dispositiva de la sentencia:**

– La obligación de producir un efecto real concreto "lo antes posible" o "inmediatamente" (la solución de *Assanidze)*[123].

  – La obligación de invalidar una decisión judicial interna y de producir un efecto real específico como "el remedio más apropiado" dentro de un cierto período de tiempo, por ejemplo, tres meses a partir de la fecha en que la sentencia se convierta en definitiva (la solución *Gladysheva*)[124].

  – La obligación de implementar una decisión de justicia interna y producir sus efectos concretos, y ello sin demora (la solución *Plotnikovy-Gluhaković)*[125].

2) **Obligaciones que aparecen solo en la fundamentación jurídica de la sentencia:**

  – La obligación de "tomar una decisión judicial interna" sin demora "que cumpla con los requisitos de la Convención" y de abstenerse

---

[123] STEDH 8 abril 2004, Caso Assanidze c. Georgia.
[124] STEDH 6 diciembre 2011, Caso Gladysheva c. Rusia.
[125] STEDH 24 febrero 2005, Plotnikovy-Gluhaković c. Rusia.

de toda acción en espera del pronunciamiento de esa decisión (la solución *M.S.S)*[126].

— La obligación de tomar la medida individual precisa que es "inevitable" y "debe ser determinada" de acuerdo con ciertos imperativos establecidos en la sentencia del Tribunal (la solución de *Abuyeva)*[127].

— La obligación de tomar la medida individual precisa en combinación con las medidas generales necesarias para su implementación, sin demora (la solución *Laska y Lika*[128]).

— La obligación de tomar la medida individual precisa que "constituye el remedio más apropiado en las circunstancias del caso" (la solución de *Vojtěchová)*[129].

— La obligación de tomar la medida individual precisa que es "en principio, el remedio más apropiado" (la solución *Gençel-Somogyi)*[130].

— La obligación de tomar, a solicitud de la persona interesada, la medida individual precisa que "representa en principio un medio apropiado para reparar la violación encontrada" (la solución *Öçalan-Sejdovic)*[131].

3) **Otras medidas individuales incluidas en la fundamentación jurídica de la sentencia:**

— La obligación de tomar "todas las medidas posibles" (no especificadas) para reparar las consecuencias de cualquier daño pasado o futuro causado por la violación de la Convención (la solución *Maestri)*[132].

---

[126] STEDH 21 enero 2011, Caso M.S.S. c. Bélgica.
[127] STEDH 21 diciembre 2010, Caso Abuyeva y otros c. Rusia.
[128] STEDH 20 abril 2010, Caso Laska y Lika c. Albania.
[129] STEDH 25 septiembre 2012, Caso Vojtěchová c Eslovaquia.
[130] STEDH 23 octubre 2003, Caso Gençel c. Turquía.
[131] STEDH 12 mayo 2005, Caso Ocalan c. Turquía.
[132] STEDH 17 febrero 2004, Caso Maestri c. Italia.

- La obligación (medios) de tomar "cualquier medida" para obtener una garantía de un Estado que no es parte de la Convención (la solución *Hirsi*)[133].

- La posibilidad (implícita) de utilizar los recursos internos de revisión mencionados en la fundamentación jurídica.

En definitiva, de todo ello resulta que el art. 46 CEDH permite, llegado el caso, que las sentencias del TEDH produzcan efectos jurídicos individuales imperativos en el ordenamiento jurídico interno del Estado condenado, y permite concretamente impone un nuevo proceso, la revisión o la reapertura de un proceso penal. La cláusula Öçalan debe ser interpretada de manera coherente y uniforme en relación con la jurisprudencia progresiva del TEDH.

Sin embargo, y a pesar de estos avances propiciados por la doctrina del TEDH, en materia de ejecución, **las competencias del TEDH son menores que las de la Corte Interamericana** (vid. art. 33 CIDH), que otorga a la CIDH el conocimiento de los asuntos relacionados con el cumplimiento de los compromisos de los Estados parte (vid. arts. 62.1, 62.3 de la CIDH).

Así, la la postura de la Asamblea General de la OEA con respecto a la supervisión del cumplimiento de las sentencias de la CIDH ha sido la de considerar que dicha **supervisión le compete al mismo Tribunal**, y que en el Informe Anual éste debe señalar los casos en que un Estado no haya dado cumplimiento a sus fallos. En el caso de la CIDH los Estados parte remiten los informes directamente a la Corte, y no al Consejo de Ministros. En cambio, en el Consejo de Europa, el Comité de Ministros, a diferencia de lo que ocurre en el sistema interamericano de protección, es el órgano político ante el cual los Estados responsables presentan los informes sobre las medidas adoptadas para ejecutar las sentencias.

Para terminar, la Resolución (2004) 3, de 12 de mayo de 2004 del Comité de Ministros sobre las *sentencias que revelan un problema estructural subyacente*[134], invita al TEDH a identificar, en la medida de lo posible, en las sentencias en que conste una violación del CEDH que revelen un

---

[133] STEDH 23 febrero 2012, Caso Hirsi Jamaa y otros c. Italia.
[134]   Puede consultarse en: https://search.coe.int/cm/Pages/result_details. aspx?ObjectId=09000016805dd128

problema estructural subyacente y la fuente del problema, en particular cuando sea susceptible de generar numerosas demandas, de forma que se ayude a los Estados a hallar la solución apropiada y **el Comité de Ministros a supervisar la ejecución de las sentencias**. También invita al TEDH a comunicar toda sentencia que detecte dichos problemas estructurales no sólo al Comité de Ministros, sino también a la Asamblea parlamentaria, al secretario General del Consejo de Europa y al Comisario de Derechos Humanos del Consejo de Europa., y a subrayar de forma apropiada dichas sentencias en la base de datos del Consejo de europea. En 2011 el TEDH añadió una nueva regla del Tribunal, la 61.3[135] que adopta dichas recomendaciones y establece que el TEDH en sus **sentencias piloto** identificará tanto la naturaleza del problema estructural o sistémico u otra disfunción detectada, como el tipo de medidas que la parte contratante debe adoptar para remediarla a nivel doméstico en virtud de los pronunciamientos de la sentencia.

Se trata de las conocidas como **sentencias piloto**, con las que se congelan los asuntos repetitivos pendientes a la espera de la adopción de las medidas generales adecuadas. La pionera en este ámbito fue, como señala la doctrina[136], la **STEDH 22 junio 2004, Caso Broniowski c. Polonia** (f.194) se aborda el supuesto de problemas estructurales que exigen medidas generales de naturaleza normativa y administrativa, en un litigio sobre propiedad, y el TEDH somete a juicio la (in)suficiencia de las leyes dictadas en Polonia, para poner fin a la vulneración del derecho de propiedad. En este caso, para ayudar al Estado demandado a cumplir con sus obligaciones en virtud del Artículo 46, el TEDH trató de indicar el tipo de medidas que el Estado polaco podría tomar para poner fin a la situación estructural que se daba en el caso. En tal línea, el TEDH consideró que no está en posición de evaluar si la ley de diciembre de 2003 podía considerarse una medida adecuada a este respecto ya que aún no se había establecido ninguna práctica relacionada con su implementación. En cualquier caso,

---

[135] Pueden consultarse las Reglas del TEDH en: https://www.echr.coe.int/Documents/Rules_Court_ENG.pdf

[136] RUILOBA ALBARIÑO, J. "El TEDH: aspectos organizativos y funcionales". En SEMPERE NAVARRO, A. V. (Dir.) "Prontuario de Jurisprudencia Social del Tribunal Europeo de Derechos Humanos. Ed. Thomson Reuters Aranzadi. 2009. Primera Edición. Pp. 103-175.

esta ley no se aplicaba a las personas que, como el Sr. Broniowski, ya habían recibido una compensación parcial, independientemente de la cantidad de la compensación. Por lo tanto, es claro que para este grupo de demandantes afectados por bienes ubicados más allá de Boug, la ley no podía considerarse como una medida para poner fin a la situación estructural juzgada en esta sentencia en perjuicio de este grupo de personas. A partir de esa sentencia, han seguido muchas otras[137].

1.4.3. Proyección en España

En España, con vigencia a partir de 1/10/2015, el art. 5 bis de la LOPJ dispone que *"Se podrá interponer recurso de revisión ante el Tribunal Supremo contra una resolución judicial firme, con arreglo a las normas procesales de cada orden jurisdiccional, cuando el Tribunal Europeo de Derechos Humanos haya declarado que dicha resolución ha sido dictada en violación de alguno de los derechos reconocidos en el Convenio Europeo para la Protección de los Derechos Humanos y Libertades Fundamentales y sus Protocolos, siempre que la violación, por su naturaleza y gravedad, entrañe efectos que persistan y no puedan cesar de ningún otro modo que no sea mediante esta revisión."*

Con esta previsión **se colma una laguna "tradicional"** en nuestro derecho interno y, como reza el preámbulo de la LO 7/2015, de 21 de julio: *"Con ello se incrementa, sin lugar a dudas, la seguridad jurídica en un sector tan sensible como el de la protección de los derechos fundamentales, fundamento del orden político y de la paz social, como proclama el artículo 10.1 de nuestra Constitución".*

Con anterioridad a dicha norma, **en nuestro derecho interno no se contenía un mecanismo estandarizado de ejecución de las sentencias condenatorias a España pronunciadas por el TEDH.**

El TC, en su **STC 245/1991, de 16 de diciembre formuló el primer pronunciamiento que admitió la ejecución en sus propios términos de**

---

[137] STEDH 19 junio 2006, Caso Hutten-Czapska c. Poland; STEDH 3 noviembre 2009, Caso Suljagic c. Bosnia and Herzegovina; STEDH 12 octubre 2010, Caso Maria Atanasiu y otros c. Romania; STEDH 31 julio 2012, Caso Manushaqe Puto y otros c. Albania; STEDH 3 septiembre 2013, M. C. y otros c. Italia; STEDH 16 julio 2014, Caso Ališić y otros c. Bosnia Herzegovina.

una sentencia del TEDH, mediante el recurso de amparo: la STEDH de 6 de diciembre de 1988, Caso Barberá, Messegué y Jabardo c. España. En dicho caso, se dijo (f.2) *"El que el Convenio Europeo, como instrumento internacional, no obligue a España a reconocer en su ordenamiento jurídico la fuerza ejecutoria directa de las decisiones del TEDH ni tampoco a introducir reformas legales que permitan la revisión judicial de las Sentencias firmes a consecuencia de la declaración por el Tribunal de la violación de un derecho de los reconocidos por el Convenio, que es a la conclusión a la que llega nuestro Tribunal Supremo, y que en este proceso defiende el Ministerio Fiscal, no significa que en el plano de nuestro sistema constitucional de protección de los derechos fundamentales los poderes públicos hayan de permanecer indiferentes ante esa declaración de violación del derecho reconocido en el Convenio, ni que sea conforme a nuestro sistema constitucional el mantenimiento, por medio de la denegación de nulidad y la anulación de la suspensión de las condenas dictadas cautelarmente por la Audiencia Nacional, de una situación que puede implicar lesión actual de derechos fundamentales de los recurrentes."*

Por tanto, el TC adoptó una posición proactiva de defensa de los DDFF que hubieran sido violados y así se hubiera reconocido por el TEDH, diciendo que **"declarada por Sentencia (del TEDH) una violación de un derecho reconocido por el CEDH que constituya asimismo la violación actual de un derecho fundamental consagrado en nuestra CE, corresponde enjuiciarla a este Tribunal, como Juez supremo de la Constitución y de los derechos fundamentales, respecto de los cuales nada de lo que a ello afecta puede serle ajeno"** (f.3).

En resoluciones posteriores, el TC matizó dicha doctrina. Así, en la STC 240/2005, de 10 de octubre (F.6), apuntó al recurso de revisión (art. 954.4 LECrim) para ejecutar las sentencias condenatorias del TEDH:

> *«No cabe duda de que una declaración como la contenida en la Sentencia ahora invocada del Tribunal Europeo de Derechos Humanos puede en hipótesis evidenciar "la equivocación de un fallo" condenatorio de personas distintas a las beneficiadas por aquella declaración, por lo que parece evidente que, frente a esta declaración no puede prevalecer "el efecto preclusivo de la Sentencia condenatoria..." [STC 150/1997 (RTC 1997, 150), F. 5]. Para evitar este resultado contrario a la Constitución debe entenderse que, con la incorporación a nuestro ordenamiento de la jurisdicción del Tribunal Europeo de Derechos Humanos, la expresión "hechos nuevos. Que evidencien la inocencia del condenado" del art. 954.4 LECrim, debe interpretarse de modo que en él se incluyan las declaraciones de dicho Tribunal que puedan afectar a procedimientos distintos a aquellos en los tiene origen dicha declaración.»*

En la STC 313/2005, de 12 de diciembre (F.3), aún sosteniendo que continuaba vigente la doctrina sentada en 1991, consideraba que la misma no resultaba de aplicación cuando no se trataba de una violación actual del derecho, de esta forma calificó de "... *razonable desde la perspectiva de la tutela judicial efectiva que el Tribunal Supremo entienda que el Ordenamiento no le permite acometer dicha anulación a través de un proceso de revisión (ATC 96/2001, de 24 de abril), porque no se trata en rigor de un hecho nuevo, externo al proceso, sino de un nuevo examen de lo en su día ya examinado.*"

A raíz de ello, se dictó más recientemente un Acuerdo No Jurisdiccional del Pleno de la Sala 2ª que decía[138] que "*En tanto no exista en el ordenamiento Jurídico una expresa previsión legal para la efectividad de las sentencias dictadas por el TEDH que aprecien la violación de un derecho fundamental delcondenado por los Tribunales españoles, el recurso de revisión del art. 954 LECrim cumple este cometido.*"

Con todo, **esa laguna en materia de ejecución de sentencias,** como había denunciado buena parte de la doctrina laboralista[139], generaba **resultados materialmente injustos,** como era que gracias al art. 10.2 CE, una resolución del TEDH podía servir para reorientar la posición del TC a propósito del ejercicio de derechos y libertades fundamentales (*res interpretata*) sin aprovechar a aquél ciudadano que la propició con su recurso. (*res iudicata*). Así ocurrió en la conocida STEDH 29 febrero 2000, Caso Fuentes Bobo c. España; en que el TEDH, en contra del criterio del TC (STC 204/1997); consideró desproporcionado un despido de un trabajador de TVE por declaraciones críticas realizadas en programas de radio, y se consideraba que el mismo había vulnerado su libertad de expresión (art. 10 CEDH), declarándolo así el TC en su STC 20/2002, que declaró la nulidad del despido, pero más adelante declaró la imposibilidad de revisar la sentencia firme (STS

---

[138] Puede consultarse en: http://www.poderjudicial.es/cgpj/es/Poder-Judicial/Tribunal-Supremo/Jurisprudencia-/Acuerdos-de-Sala/Acuerdo-del-Pleno-No-Jurisdiccional-de-la-Sala-Segunda-del-Tribunal-Supremo-de-21-10-2014--sobre-la-viabilidad-del-Recurso-de-Revision-como-via-procesal-para-dar-cumplimiento-a-las-resoluciones-del-TEDH-en-el-que-se-haya-declarado-una-vulneracion-de-derechos-fundamentales-que-afecten-a-la-inocencia-de-la-persona-concernida

[139] SEGALÉS FIDALGO, J. "La ejecución de sentencias del Tribunal Europeo de Derechos Humanos sobre derechos de ciudadanía en la empresa". Revista doctrinal Aranzadi Social, nº 2/2007.

20/11/2001), de la Sala IV que había declarado inicialmente su despido disciplinario. En este caso se denegó "como nuevo documento" a los efectos de revisión del art. 1796.1 LEC 1881, la sentencia del TEDH. En la STC 197/06, se reconocía, en efecto, la imposibilidad de ejecutar las sentencias del TEDH por falta de mecanismo legal interno habilitante para ello[140].

De esta forma, el ciudadano, con una sentencia favorable del TEDH y una del TC no podía obtener la *restitutio in integrum*.

El caso Barberà Messegué de 6 de diciembre de 1988, fue el primero en ser sometido a la supervisión de su ejecución en España. A 31/12/2018, los casos transmitidos para supervisión de su ejecución relativos a España son 111[141].

Han tenido que pasar casi 25 años, desde la STC 245/1991 para remediar la laguna en materia de ejecución de las sentencias del TEDH que tenía España, y que a la luz de las ejecuciones supervisadas había devenido inaplazable.

La LO 7/2015, como hemos apuntado, introduce como mecanismo ordinario de ejecución de las sentencias, en la línea que ya había apuntado el TC y el TS, el recurso de revisión ante el Tribunal Supremo contra una resolución judicial firme, con arreglo a las normas procesales de cada orden jurisdiccional, algunas introducidas por la propia LO 7/15, y otras por otras normas, como la Ley 41/2015 de 5 de octubre, en el caso de la LECrim.

---

[140] STC 197/2006, F 7. "En definitiva, considerar, como ha hecho el Tribunal Supremo en la Sentencia impugnada en amparo, que la STEDH de 29 de febrero de 2000, en la que se fundamentaba el recurso de revisión del demandante, no encaja en el motivo del art. 1796.1 LECiv/1881 (ni en ninguno de los motivos restantes de revisión), y que para que una Sentencia del Tribunal Europeo de Derechos Humanos fuese causa de revisión de sentencias firmes tendría que modificarse la actual normativa, estableciendo un nuevo motivo legal de revisión ad hoc, constituye una respuesta que no puede considerarse contraria al derecho a la tutela judicial efectiva (art. 24.1 CE), ya que el art. 510.1 de la vigente LECiv/2000 viene a reproducir, con leves matices de redacción, el art. 1796 LECiv/1881 y, en definitiva, el legislador español no ha adoptado ninguna disposición que obligue a los Jueces y Tribunales a la revisión de sentencias firmes con fundamento en una Sentencia del Tribunal Europeo de Derechos Humanos que haya declarado la vulneración de un derecho fundamental reconocido por el Convenio europeo de derechos humanos. La queja del recurrente ha de ser, por tanto, desestimada y, con ella, el presente recurso de amparo."

[141] Puede consultarse las ejecuciones realizadas y las pendientes a 31/12/2018 respecto de España en: https://rm.coe.int/1680709746

Dichas normas procesales son:

En el orden civil: el art. 510.2 LEC:

"Asimismo se podrá interponer recurso de revisión contra una resolución judicial firme cuando el Tribunal Europeo de Derechos Humanos haya declarado que dicha resolución ha sido dictada en violación de alguno de los derechos reconocidos en el Convenio Europeo para la Protección de los Derechos Humanos y Libertades Fundamentales y sus Protocolos, siempre que la violación, por su naturaleza y gravedad, entrañe efectos que persistan y no puedan cesar de ningún otro modo que no sea mediante esta revisión, sin que la misma pueda perjudicar los derechos adquiridos de buena fe por terceras personas."

En el orden penal: el art. 945.3 LECrim:

"3. Se podrá solicitar la revisión de una resolución judicial firme cuando el Tribunal Europeo de Derechos Humanos haya declarado que dicha resolución fue dictada en violación de alguno de los derechos reconocidos en el Convenio Europeo para la Protección de los Derechos Humanos y Libertades Fundamentales y sus Protocolos, siempre que la violación, por su naturaleza y gravedad, entrañe efectos que persistan y no puedan cesar de ningún otro modo que no sea mediante esta revisión."

En el orden contencioso-administrativo: art. 102.2 LJCA:

"2. Asimismo se podrá interponer recurso de revisión contra una resolución judicial firme cuando el Tribunal Europeo de Derechos Humanos haya declarado que dicha resolución ha sido dictada en violación de alguno de los derechos reconocidos en el Convenio Europeo para la Protección de los Derechos Humanos y Libertades Fundamentales y sus Protocolos, siempre que la violación, por su naturaleza y gravedad, entrañe efectos que persistan y no puedan cesar de ningún otro modo que no sea mediante esta revisión, sin que la misma pueda perjudicar los derechos adquiridos de buena fe por terceras personas."

En el orden social: art. 236.1 LRJS:

"1. Contra cualquier sentencia firme dictada por los órganos del orden jurisdiccional social y contra los laudos arbitrales firmes sobre materias objeto de conocimiento del orden social, procederá la revisión prevista en la Ley 1/2000, de 7 de enero, de Enjuiciamiento Civil, por los motivos de su artículo 510 y por el regulado en el apartado 3 del artículo 86, de la presente Ley. La revisión se solicitará ante la Sala de lo Social del Tribunal Supremo."

Ahora bien, estos mecanismos de revisión de sentencias firmes se refieren a quienes han sido parte en la sentencia cuya revisión se pretende puesto que se establece como cláusula de estilo, que la revisión de la sentencia firme procede "cuando el TEDH haya declarado que dicha resolución ha sido dictada en violación de alguno de los derechos reconocidos en el Convenio Europeo".

No solucionan los supuestos de sentencias dictadas en supuestos idénticos, pero cuyos destinatarios no hayan acudido al TEDH.

Sin embargo, no cabe olvidar, que el art. 219.2 LRJS permite aportar en el proceso social, concretamente en el recurso de casación para la unificación de doctrina, una sentencia del TEDH y de otros órganos jurisdiccionales instituidos en los Tratados y Acuerdos internacionales en materia de derechos humanos y libertades fundamentales ratificados por España, siempre dicha sentencia sea contradictoria con sentencias del TS o TSJ.

1.4.4. Índice de casos

STEDH 27 junio 1968. Caso Wemhoff c. Alemania
STEDH 23 julio 1968, Caso del régimen lingüístico en Bélgica
STEDH 17 junio 1971, Caso De Wilde c. Ooms y Versyp
STEDH 6 febrero 1976, Caso Sindicato Sueco de maquinistas
STEDH 18 enero 1978, Caso Irlanda c. Reino Unido
STEDH 13 junio 1979, Caso Marckx c. Bélgica
STEDH 26 octubre 1988, Caso Norris c. Irlanda
STEDH 6 diciembre 1988, Caso Barberá, Messegué y Jabardo c. España
STEDH 31 octubre 1995, Caso Papamichalopoulos c. Grecia
STEDH 1 abril 1998, Caso Akdivar y otros c. Turquía
STEDH 16 noviembre 1999, Caso E.P c. Italia
STEDH 1 febrero 2000, Caso Mazurek c Francia
STEDH 28 junio 2001, Caso Verein Gegen Tierfabriken c. Suiza
STEDH 23 octubre 2003, Caso Gençel c. Turquía
STEDH 8 abril 2004, Caso Assanidze c. Georgia
STEDH 17 febrero 2004, Caso Maestri c. Italia
STEDH 22 junio 2004, Caso Broniowski c. Polonia
STEDH 29 julio 2004, Caso Scordino c. Italia
STEDH 24 febrero 2005, Plotnikovy-Gluhaković c. Rusia
STEDH 12 mayo 2005, Caso Ocalan c. Turquía
STEDH 19 junio 2006, Caso Hutten-Czapska c. Poland
STEDH 2 junio 2009, Caso Daddi c. Italia 8
STEDH 3 noviembre 2009, Caso Suljagic c. Bosnia and Herzegovina
STEDH 20 abril 2010, Caso Laska y Lika c. Albania
STEDH 12 octubre 2010, Caso Maria Atanasiu y otros c. Romania
STEDH 25 noviembre 2010, Caso Cantoni c. República Checa
STEDH 21 diciembre 2010, Caso Abuyeva y otros c. Rusia
STEDH 21 diciembre 2010, Caso Compañía del gas de petróleo Primagaz, c. Francia
STEDH 21 enero 2011, Caso M.S.S. c. Bélgica
STEDH 9 junio 2011, Caso Mork c. Alemania

STEDH 6 diciembre 2011, Caso Gladysheva c. Rusia
STEDH 23 febrero 2012, Caso Hirsi Jamaa y otros c. Italia
STEDH 29 mayo 2012, Caso Taron c. Alemania
STEDH 31 julio 2012, Caso Manushaqe Puto y otros c. Albania
STEDH 25 septiembre 2012, Caso Vojtěchová c Eslovaquia
STEDH 7 febrero 2013, Caso Fabris c. Francia
STEDH 28 junio 2013, Caso Fabris c. Francia
STEDH 3 septiembre 2013, M.C. y otros c. Italia
STEDH 16 julio 2014, Caso Ališić y otros c. Bosnia Herzegovina
STEDH 11 julio 2017, Caso Moreira Ferreira c. Portugal (nº2)

1.4.5. Bibliografía

DÍEZ DE VELASCO, M. "Instituciones de Derecho Internacional Público". Ed. Tecnos. 2013. 18ª edición. Pp. 360-361.

GARCÍA ORTIZ, L. "El Convenio Europeo para la protección de los Derechos Humanos y de las libertades fundamentales como norma del ordenamiento jurídico español. Especial referencia a la Jurisprudencia del TEDH". Ed. Aranzadi. Boletín Aranzadi Penal nº 1/2004.

GARCÍA ROCA, J., SANTOLAYA, P. (Coord.) "La Europa de los Derechos. El Convenio Europeo de Derechos Humanos Ed. CEC. 2ª Edición. 2009.

LASAGABASTER HERRARTE, I. "Convenio Europeo de Derechos Humanos. Comentario Sistemático. 2ª edición. Ed. Civitas Thomson-Reuters 2009.

LÓPEZ GUERRA, L. "Constitución y protección internacional de derechos humanos. El proceso de internacionalización del CEDH"; en PENDÁS, B. "España constitucional (1978-2018). Ed.CEPC. pp. 772-787.

MONEREO ATIENZA, C.; MONEREO PÉREZ, J.L. "La Garantía Multinivel de los Derechos Fundamentales en el Consejo de Europa". Ed. Comares. 2017.

PINTO DE ALBUQUERQUE, P. "I Diritti Umani in una Prospettiva Europea. Opinioni concorrenti e dissenzienti (2011-2015). A cuera e con un saggio di Davide Galliani. Ed. G. Giappichelli Editore. Italia 2016.

PRECIADO DOMÈNECH, C.H. "Interpretación de los derechos humanos y los derechos fundamentales". Ed. Thomson Reuters Aranzadi.. Cuadernos de Derecho Constitucional nº 37. 2016. pp. 237 y ss.

PRECIADO DOMÈNECH, C.H. "Teoría General de los Derechos Fundamentales en el contrato de Trabajo". Ed. Thomson Reuters-Aranzadi. 2018.

QUERALT JIMÉNEZ, A. "La interpretación de los derechos: del Tribunal de Estrasburgo al Tribunal Constitucional". Ed. CEC. 2008.

RUILOBA ALBARIÑO, J. "El TEDH: aspectos organizativos y funcionales". En SEMPERE NAVARRO, A.V (Dir.) "Prontuario de Jurisprudencia Social del Tribunal Europeo de Derechos Humanos. Ed. Thomson Reuters Aranzadi. 2009. Primera Edición. pp. 103-175.

SARMIENTO, D.; MIERES MIRES, L. J.; PRESNO LINERA, M. "Las sentencias básicas del Tribunal Europeo de Derechos Humanos. Ed. Thomson Cititas. 2007.

SEGALÉS FIDALGO, J. "La ejecución de sentencias del Tribunal Europeo de Derechos Humanos sobre derechos de ciudadanía en la empresa". Revista doctrinal Aranzadi Social, nº 2/2007.

2. DERECHO A LA VIDA (ART. 2 CEDH)

Artículo 2 CEDH. Derecho a la vida
1. El derecho de toda persona a la vida está protegido por la ley. Nadie podrá ser privado de su vida intencionadamente, salvo en ejecución de una condena que imponga la pena capital dictada por un Tribunal al reo de un delito para el que la ley establece esa pena.
2. La muerte no se considerará como infligida en infracción del presente artículo cuando se produzca como consecuencia de un recurso a la fuerza que sea absolutamente necesario:
a) en defensa de una persona contra una agresión ilegítima;
b) para detener a una persona conforme a derecho o para impedir la evasión de un preso o detenido legalmente;
c) para reprimir, de acuerdo con la ley, una revuelta o insurrección.

2.1. CASO FERNANDES DE OLIVEIRA C. PORTUGAL
(STEDH 31 enero 2019): Protección de la salud de pacientes psiquiátricos con tendencias suicidas

2.1.1. Resumen del caso

En la **STEDH 31 enero 2019, Caso Fernandes Oliveira c. Portugal,** el TEDH concluyó por **15 votos contra 2, que no hubo violación del art. 2 CEDH** (derecho a la vida) **en su vertiente material,** en lo que se refiere a las medidas destinadas a proteger la vida de una persona con enfermedad mental voluntariamente hospitalizada que terminó suicidándose; y, **por unanimidad, que hubo violación del art. 2 en su vertiente procesal, derivada de la duración del proceso de reparación de daños y perjuicios entablado por la demandante ante los tribunales portugueses.**

El caso trata sobre el suicidio del hijo mayor de edad de la demandante durante su internamiento voluntario en un hospital psiquiátrico; así como sobre el proceso civil que la demandante entabló para obtener la reparación de los daños y perjuicios derivados de la muerte de su hijo.

El TEDH concluye que el marco normativo aplicable a los cuidados del hijo de la demandante se ajustó a las exigencias que derivan del art. 2 CEDH en materia de protección de los pacientes.

Sostiene el TEDH, precisando su jurisprudencia, que los Estados deben adoptar medidas razonables para proteger a las personas con enfermedades mentales internadas voluntariamente, del mismo modo que en el caso de los internamientos forzosos. Considera que en este caso concreto las autoridades proporcionaron garantías suficientes, dada la ausencia de riesgo real e inminente de suicidio.

Al contrario, el TEDH concluye que el Gobierno no ha facilitado justificaciones convincentes y plausibles para explicar la duración del proceso de reparación —más de 11 años— y concluye por ello la violación del art. 2 CEDH en su vertiente procesal.

a) Resumen de los hechos

El hijo de la Sra. Fernandes de Oliviera, Sr. A. J, nacido en 1964, estuvo en diversas ocasiones en el hospital psiquiátrico Sobral Cid de Coimbra, afectado de diversos problemas mentales.

El 2 de abril de 2000 lo internaron en este establecimiento con su consentimiento, tras haber intentado suicidarse. El 27 de abril 2000, dejó el hospital sin informar a las autoridades hospitalarias y se suicidó arrojándose a la vía del tren.

La Sra. Fernandes de Oliveira entabló acción civil de daños y perjuicios contra el hospital en marzo de 2003, alegando que su hijo debería haber estado bajo vigilancia médica y que el personal del hospital debió haberle impedido abandonar el establecimiento. La demanda fue rechazada, primero por el Tribunal administrativo de Coimbra, en abril de 2011; y más adelante, en mayo de 2014, por la Corte Suprema Administrativa.

Dichos tribunales estimaron que el proceso de vigilancia de pacientes aplicado por el hospital fue suficiente y que el hospital no había infringido ningún deber de vigilancia, dado que el suicidio de A.J. fue imprevisible.

b) Resumen de la sentencia

El TEDH analiza el caso desde la óptica material y procesal del art. 2 CEDH.

Señala que, según su jurisprudencia, los Estados tienen la obligación ("obligación positiva") de establecer un marco normativo para proteger la vida de los pacientes, así como de dotarse de un sistema judicial independiente capaz de determinar las causas de la muerte de todo individuo que se halle bajo la responsabilidad de profesionales de la salud. El Tribunal no examina el marco normativo en abstracto, sino que determina cómo ha afectado éste al caso concreto.

En ciertos supuestos en particular, las autoridades también tienen **la obligación de adoptar preventivamente medidas de orden práctico para proteger al individuo frente a otros o de sí mismo.** En tales casos, el Tribunal no había declarado expresamente que esta obligación se extendiese a las personas con enfermedades mentales internadas con su consentimiento, ni a los que lo han sido sin su consentimiento, pero en Fernandes de Oliveira, el Tribunal precisa que se aplica a ambas categorías de pacientes. Sin embargo, en el caso de los enfermos mentales internados sin su consentimiento, el TEDH puede, dentro de su marco de su apreciación, aplicar un criterio de control más estricto.

En varios casos anteriores, el TEDH había establecido que recae sobre las autoridades la obligación de adoptar medidas preventivas desde el momento mismo en que sepan o deban saber que hay un riesgo inmediato y real de suicidio de un persona.

En el caso del Sr. A. J, que fue objeto de internamiento voluntario, la mayoría del TEDH considera que Portugal contaba con el marco normativo exigible, y concretamente con un sistema judicial apto para investigar la muerte del Sr. A. J.

Al igual que los tribunales portugueses, el TEDH rechaza la denuncia de la demandante conforme a la que el hospital debería haber estado equipado de instalaciones de seguridad, como vallados o paredes adecuadas para impedir a los pacientes que salieran del recinto. Entiende que en un entorno menos restrictivo en los hospitales psiquiátricos es conforme al derecho interno —la ley de salud mental— y que también se adecúa a los estándares internacionales. Además, el hospital contaba con facultades para ordenar el internamiento forzoso del Sr. A. J. en el caso de haberlo considerado preciso.

El TEDH estima que el procedimiento de vigilancia aplicado a los pacientes internados con su consentimiento, que suponía el establecimiento de una pauta regular y la comprobación de su presencia en las horas de las comidas, así como de la toma de los medicamentos, era suficiente.

Los tribunales internos tuvieron en cuenta que el régimen al que estaba sujeto el Sr. A. J. estaba orientado a respetar su vida privada. Por otro lado, el propio TEDH, en casos precedentes, ha considerado que las medidas excesivamente restrictivas aplicadas a las personas con enfermedades mentales puede plantear problemas en relación con los arts. 3, 5 y 8 CEDH. En fin, si el médico del Sr. A. J. lo hubiera estimado preciso, se le podría haber aplicado un régimen más restrictivo.

La mayoría del TEDH comparte la conclusión de los tribunales internos, conforme a la que el protocolo de urgencia del hospital, consistente en avisar al médico de guardia, a la policía y a la familia de paciente, era el adecuado.

La demandante gozó igualmente de acceso a un proceso judicial, ante la Corte administrativa y ante la Corte suprema administrativa; por lo que, a parte de lo atinente a la duración del procedimiento, no hay nada que indique un fallo sistémico que haya privado a la demandante del examen efectivo de su demanda de responsabilidad civil.

Además, las autoridades portuguesas adoptaron cautelarmente las medidas operativas necesarias en lo que se refiere al Sr. A. J., el cual —a su entender— no presentaba un riesgo real e inmediato de suicidio.

El hospital sabía que A. J. padecía problemas mentales desde hacía mucho tiempo y que en determinadas ocasiones estaba en situación de riesgo de suicidio. Sin embargo, A. J. estaba familiarizado con el hospital y era libre de circular dentro de su perímetro, había pasado fines de semana con la familia, y cuando había sido preciso, el régimen de vigilancia había sido reforzado. El TEDH concluye, por todo ello, que no se ha acreditado que las autoridades supieran o hubieran debido saber que en los días anteriores al suicidio existía un riesgo real e inmediato para la vida de A. J. Por tanto, el TEDH no considera que haya infracción del art. 2 en su vertiente material.

Acto seguido, el TEDH se centra en el aspecto procedimental del art. 2, que implica un examen efectivo de los errores eventualmente cometidos en la prestación de cuidados médicos y que se refiere a la cuestión de la reparación.

El TEDH observa que el procedimiento de responsabilidad civil por daños y perjuicios duró más de 11 años. El Gobierno reconoce que dicha duración es excesiva, sin proporcionar una justificación convincente y plausible para explicarlo. El TEDH señala que los testigos no han sido interrogados hasta 8 o 9 años después de la interposición de la demanda.

Todo ello supone la violación del art. 2 CEDH en su vertiente procesal, por razón de la dilación en el proceso.

2.1.2. *Extractos del voto particular de Paulo Pinto*[142]

«*1. He votado a favor de constatar la existencia de vulneración del art. 2 de la Convención europea de los derechos del hombre ("la Convención"), en sus vertientes material y procesal. Si bien coincido en general con las conclusiones de la mayoría sobre el segundo aspecto, no puedo compartir su opinión sobre el primero, por razones fácticas y jurídicas. En el plano fáctico, demostraré que el voto mayoritario parte de hechos presuntos, que simplemente no se han producido y, peor aún, se articula en torno a un marco legal basado en una "filosofía general" sobre la protección del derecho a la vida de las personas hospitalizadas con problemas psiquiátricos que resulta a todas luces inexistente. Para decirlo lisa y llanamente, el voto mayoritario contempla un país que no es Portugal en el momento de los hechos. La presente sentencia es el resultado de un ejercicio de valoración judicial creativa respecto de un país imaginario.*
2. Desde la perspectiva jurídica, demostraré que el voto mayoritario sigue el mismo enfoque minimalista teñido de ideología que mantuvo en la sentencia Lopes de Sousa Fernandes[143]*, en lo que se refiere a las obligaciones positivas del Estado en el marco de los cuidados de salud, aplicándolo esta vez a la categoría particularmente vulnerable de las personas hospitalizadas por problemas psiquiátricos, que se hallan bajo la responsabilidad del Estado. Esta deriva produce como efecto la reducción del nivel de protección de la Convención por la inaceptable inacción del Estado.*"

La obligación de establecer un marco normativo

3. La obligación positiva que corresponde al Estado en al ámbito de la salud, implica que el mismo debe establecer un marco normativo que imponga a los hospitales, sean públicos o privados, la adopción de medidas adecuadas para asegurar la protección de la vida de sus pacientes[144]*. Conforme a la sentencia Lopes de Sousa Fernandes c Portugal, la obligación del Estado derivada del art. 2 de la Convención en el marco de la salud, comprende la de establecer un marco normativo para proteger al paciente. La mayoría sigue esta línea jurisprudencial*[145]*. Aún admitiendo que tal obligación, en el sentido restrictivo que se define en la sentencia, deriva de la Convención, considero que el gobierno demandado la ha incumplido.*

---

[142] Fundamentos 1-3, 12-14, 19-21 y 56.
[143] STEDH 19 diciembre 2017, Caso Lopes de Sousa Fernandes c. Portugal.
[144] STEDH 17 enero 2002, Caso Calvelli y Ciglio c. Italia.
[145] Párrafos 106 y 107 de la Sentencia.

(…)

12. El primer programa nacional de prevención del suicidio (2013-2017) se basa en el documento "Acción de salud pública para la prevención del suicidio: un marco de trabajo", publicado por la Organización Mundial de la Salud ("OMS") en 2012. Esta fue la primera vez en que se elaboró una estrategia nacional de lucha contra el suicidio, formulando recomendaciones concretas dirigidas a determinados grupos o individuos de riesgo, entre los que cuentan las personas con deficiencias mentales, así como las instrucciones de seguimiento y las líneas directrices para evaluar la aplicación.

13. En otros términos, en el año 2000 Portugal estaba en la prehistoria en materia de prevención frente al suicidio de pacientes hospitalizados en establecimientos psiquiátricos. No existía ni legislación, ni reglamentación que indicara las clases de regímenes aplicables y precisara quién podía aplicarlos, en qué circunstancias y por cuánto tiempo. El protocolo rector de las medidas dirigidas a proteger a los pacientes, aplicable en todos los establecimientos o servicios psiquiátricos, data de 2011, y no se tradujo en la creación de reglamentos a nivel de cada centro hospitalario, como debería haber sido el caso. El citado protocolo es manifiestamente insuficiente, a la vista de las normas internacionales definidas por el CPT[146]. De esta forma, ni existía ni existe un marco legal claro en lo que se refiere a la obligación que incumbe al Estado de proteger la vida de los enfermos mentales hospitalizados con su consentimiento en los establecimientos públicos como el HSC[147]. Dicho de otra forma, en 2000, el HSC se hallaba inmerso en una laguna jurídica.

14. El voto mayoritario ha ignorado los hechos tal y como tuvieron lugar, de forma que ha excusado al Estado basándose en dos argumentos: sostiene que el enfoque adoptado por el HSC en lo que se refiere a la ausencia de vallas y de muros de cerramiento era conforme a las disposiciones de la ley sobre la salud mental que estaba entonces vigente y que la misma era adecuada a los estándares internacionales. Ello es simplemente inexacto. Como he demostrado más arriba, las normas internacionales definidas por la instancia competente, el CPT, no fueron debidamente respetadas antes de 2011, e incluso entonces, sólo se cumplían parcialmente. De esta forma, no se puede afirmar que "el marco normativo contemplaba con claridad los medios terapéuticos necesarios para que el HSC pudiera responder a las necesidades de A. J., en los planos médico y psiquiátrico[148], sin ignorar gravemente el sentido del mensaje reiteradamente dirigido a Portugal por el CPT. Además, el argumento según el que la ley sobre la salud mental preveía la posibilidad de una hospitalización de oficio y por tanto cubría las necesidades médicas y psiquiátricas eventuales de A. J. no responde a la tesis de la demandante. Ella jamás sostuvo que su hijo debiera ser internado. Al contrario, lo que afirmó es que no necesitaba un régimen de vigilancia estricto, sino un régimen de cuidados específico y personalizado, dotado de medidas de conten-

---

[146] Comité para la prevención de la Tortura.
[147] Hospital Sobral Cid.
[148] Párrafo 117 de la sentencia.

ción, adecuado para satisfacer apropiadamente sus necesidades en el plano médico y en el de seguridad[149].

(...)

La obligación de adoptar preventivamente medidas de carácter práctico

19. La mayoría propone el examen de la obligación positiva de adoptar preventivamente medidas de orden práctico a la luz del criterio definido en la sentencia Osman[150]. Según el mismo, debe tenerse en cuenta la extrema vulnerabilidad de la víctima[151]. El criterio Osman a sido aplicado por primera vez a un supuesto de suicidio en el caso "Keenan c. Reino Unido[152].

En un caso posterior, en el que una denuncia de violación del artículo 2 se planteó en el contexto del suicidio de un paciente hospitalizado con su consentimiento en un establecimiento psiquiátrico, la Corte ha concluido que existió violación del art. 13, en relación con el art. 2, a causa la ausencia de acción civil para exigir responsabilidad y obtener reparación[153].

El presente caso es el primero en el que la Corte ha establecido la obligación positiva del Estado en virtud del artículo 2 de tomar las medidas de orden práctico en lo que se refiere a los enfermos mentales hospitalizados con su consentimiento y con riesgo de suicidio.

20. La mayoría no solo afirma la existencia de esta obligación positiva, sino que la ciñe al marco de la hospitalización forzosa, indicando que la Corte "puede (...) aplicar un criterio de control más estricto" concerniente a la obligación de adoptar medidas razonables para impedir que una persona se suicide[154]. Es evidente que ello implica, en sentido contrario, que la Corte adopta un enfoque no intervencionista en el caso de pacientes con riesgo de suicidio hospitalizados con su consentimiento. Sin embargo, no veo la razón que motive esta diferencia de trato, sin que el voto mayoritario se haya esforzado en expresarla. La Gran Sala debiera haber justificado tal diferencia, aunque solo fuera porque se aparta del criterio unánime de la Sala. Ésta había acogido el punto de vista opuesto, es decir, que los pacientes hospitalizados, con o sin su consentimiento, debían ser tratados de la misma forma.

"que la hospitalización haya sido o no consentida, o la medida en la que el paciente admita con su consentimiento y bajo su responsabilidad la vigilancia del hospital, no alteran las obligaciones del Estado. Afirmar lo contrario supondría privar a

---

[149] Párrafo 88 de la sentencia.

[150] STEDH 28 octubre 1998, Caso Osman c. Reino Unido. Me he pronunciado en favor de una revisión del criterio Osman; STEDH 26 marzo 2013, Caso Valiulene c. Lituania; y Lopes de Sousa Fernandes, antes citado (63). En el caso que nos ocupa, no reincidiré en este debate en aras de la brevedad.

[151] STEDH 13 noviembre 2012, Caso Van Colle. c. Reino Unido (f.92).

[152] STEDH 3 abril 2001, Caso Keenan c. Reino Unido.

[153] STEDH 13 marzo 2012, Caso Reynolds c. Reino Unido.

[154] Párrafo 124 de la sentencia.

los pacientes hospitalizados con su consentimiento de la protección del art. 2 de la Convención"[155].

21. El argumento conforme al que se impone una tendencia orientada al tratamiento de las personas con problemas mentales en un régimen "abierto" no es decisivo. En primer lugar, el mismo sólo refleja uno de los puntos de vista sobre esta cuestión, puesto que también se da la tendencia opuesta, que reclama reforzar las obligaciones del Estado en materia de prevención del suicidio; tendencia ésta que la mayoría obvia por completo, como demostraré acto seguido[156]. *Hoy en día, el problema de fondo radica precisamente en la articulación de ambas tendencias divergentes en el derecho y la práctica internacional en el marco de la salud, articulación que la mayoría ni siquiera intenta abordar.*

Es más, como la juez Julia Antoanella Motoco dijo en su voto particular en el caso Hiller, "la obligación de proteger el derecho a la vida no debe sucumbir al intento de seguir la tendencia reciente en materia de salud mencionada más arriba"[157] *El derecho a la vida prima sobre el derecho a la libertad, en particular cuando el estado psicopatológico de la persona afectada limita su capacidad de autodeterminación. En efecto, resulta hipócrita defender que el Estado debería dejar a los pacientes suicidas vulnerables hospitalizados en los hospitales públicos la libertad de acabar con su vida, simplemente para respetar su derecho a la libertad…"*

(…)

Conclusión

56. En resumen, en este caso la Corte transmite, una vez más, un mensaje decepcionante en lo que se refiere a las obligaciones que atañen al Estado de proporcionar los cuidados de salud a una categoría de personas vulnerables, como son los pacientes hospitalizados en establecimientos psiquiátricos. Partiendo de una mala apreciación

---

[155] STEDH 28 marzo 2018, Caso Fernandes de Oliveira c. Portugal (f.73). El grado de respeto por esta decisión deriva igualmente del hecho de que la mayoría no la menciona ni siquiera en el pasaje en el que aborda este punto, en el párrafo 124 de la presente sentencia.

[156] Las normas a las que me refiero se han definido en los siguientes documentos: "Practice manual for etablishing and maintaining surveillance systems for suicide attemps and self-harm". Organización Mundial de la Salud. Genova, 2014; "Plan de acción para la salud mental 2013-2010". Organización munidal de la Salud, Génova 2013; La prevención del suicidio, indicaciones par los médicos generalistas" Organización Mundial de la Salud, 2000 (contiene indicaciones precisas sobre la admisión de pacientes), "Preimary prevention of mental, neurological and psychosocial disorders". (Prevención primaria de los problemas mentales, neurlógicos y psicosociales) capítulo 4, dedicado al suicidio, Organización Mundial de la Salud, 1998, y "Prevención del Suicidio: guía para la formulación e implementación de las estrategias Nacionales "organización de Naciones Unidas, New York, 1996.

[157] Voto particular de la juez Julia Anrtoanella Motoc en STEDH 22 noviembre 2016, Caso Hiller c. Austria.

del contexto jurídico y fáctico del caso, así como de una lectura errónea de la jurisprudencia de la propia Corte, la mayoría aplica al caso del desafortunado A. J. un tratamiento diferente del que había dispensado en los casos Renolde y De Donder u De Clippel[158], causando la poderosa impresión de que se utilizan dos varas de medir. Peor aún, la parcialidad del enfoque sobre el derecho y la practicas internacionales en el marco de la salud es patente, en la medida en que la mayoría toma en consideración la tendencia favorable a la libertad de los pacientes afectados de problemas mentales, pero sin embargo olvida tener en cuenta las voces contrarias, que legitiman una mayor implicación del Estado en la prevención del suicidio, en particular en relación con las personas que están bajo su control, y más especialmente, con los pacientes que son internados en establecimientos psiquiátricos.

En el contexto político actual en Europa, es posible que esta sentencia no sorprenda a nadie. Sin embargo, albergo la esperanza de que algún día, cuando los vientos políticos hayan cambiado, la misma sea revocada. Sin embargo, me temo que mientras ello no acontezca, muchos enfermos mentales en riesgo de suicidio morirán pudiéndose haber evitado, como ha ocurrido en el caso de A. J.»

2.1.3. Doctrina del TEDH sobre la obligación positiva de proteger la vida frente a conductas suicidas

El TEDH viene entendiendo que el art. 2 CEDH, en circunstancias muy concretas, puede imponer a las autoridades la **obligación positiva de adoptar medidas de prevención de carácter práctico para proteger a las personas de sí mismas.** Así, en la STEDH 16 octubre 2008, Caso Renolde c. Francia (f.81):

"81 El Tribunal recuerda también que el artículo 2 implica la obligación positiva para los Estados de adoptar preventivamente todas las medidas necesarias para proteger a las personas dependientes de su jurisdicción contra los hechos de los demás o, en ciertas circunstancias, contra ellas mismas"[159].

Dentro de esta obligación, se han incluido las **personas privadas de libertad en situación de vulnerabilidad** [STEDH 3 abril 2001, Caso Keenan c. Reino Unido (f.91)]. En estos casos las autoridades penitenciarias deben cumplir sus obligaciones de forma compatible con los derechos y

---

[158] STEDH 16 octubre 2008, Caso Renolde c. Francia; STEDH 6 diciembre 2011, Caso De Donder y de Clippel c. Bélgica.

[159] STEDH 27 abril 2006, Caso Ataman c. Turquía (f.54); STEDH 16 noviembre 2000, Caso Tanribilir c.Turquía (f. 70); STEDH 3 abril 2001, Caso Keenan c. Reino Unido (f.90).

libertades del individuo en cuestión. Pueden tomarse medidas y precauciones generales para reducir los riesgos de autolesión sin impedir la autonomía individual. Para saber si es preciso tomar medidas más estrictas y si es razonable aplicarlas en el caso de la persona en cuestión, hay que estar a las circunstancias del caso concreto. [STEDH 16 octubre 2008, Caso Renolde c. Francia (f.83)].

También se han incluido dentro de la obligación positiva de proteger la vida de las personas frente a ellas mismas, en el caso de las **personas que cumplen el servicio militar obligatorio,** pues al igual que los privados de libertad, están bajo el control exclusivo de las autoridades [STEDH 24 marzo 2009, Caso Beker c. Turquía, (f. 41-42); STEDH 17 enero 2013, Caso Mosendz c. Ucrania, (f. 92)].

En cuanto al **alcance de esta obligación positiva,** en aplicación del "Test Osman" hay que **determinar si las autoridades sabían o debían haber sabido en el momento oportuno que la vida de una persona en concreto corría peligro inmediato y real**, y en caso afirmativo, hay que establecer si han adoptado, en el marco de sus competencias, las medidas que, desde un punto de vista razonable, hubieran sin duda disminuido el riesgo. (DTEDH 21 marzo 2000, Caso Younger c. Reino Unido). Esta obligación ha de interpretarse de manera que no imponga una carga desproporcionada o de imposible cumplimiento a las autoridades [STEDH 16 noviembre 2000, Caso Tanribilir c. Turquía (f.70-71)].

En el ámbito de la **obligación positiva de adoptar medidas de prevención de carácter práctico para proteger a las personas de sí mismas**, el TEDH ha incluido a las **personas con enfermedades mentales,** a las que se considera un grupo especialmente vulnerable al que proteger de las autolesiones [STEDH 16 octubre de 2008, Caso Renolde c. Francia (f.84)].

En los casos de internamientos psiquiátricos voluntarios o forzosos, hay que tener en cuenta fundamentalmente dos casos:

– **STEDH 13 marzo 2012, Caso Reynolds c. Reino Unido**: se trata de un supuesto de internamiento voluntario que termina con el suicidio del paciente, que rompió una ventana y se lanzó desde una sexta planta. El paciente no tenía ningún historial de autolesión o intento de suicidio, pero había oído voces que le ordenaban terminar con su propia vida y tal extremo era conocido por el personal del Hospital.

El TEDH consideró que la recurrente (madre del paciente) tenía razón al denunciar que la obligación positiva del art. 2 CEDH imponía la adopción de medidas razonables para proteger a su hijo de un real e inmediato riesgo de suicidio y que esa obligación fue incumplida.

– **STEDH 22 noviembre 2016, Caso Hiller c. Austria.** En el F. 48 de esta sentencia se establece que "Los Estados deben establecer un marco reglamentario que imponga a los hospitales, tanto públicos como privados, la adopción de medidas que aseguren la protección de la vida de sus enfermos y la obligación de instaurar un sistema judicial eficaz e independiente que permita establecer la causa del fallecimiento de una persona que se halle bajo la responsabilidad de profesionales sanitarios, tanto aquellos que actúan en el sector público como los que lo hacen en el privado, y en su caso, obligar a éstos a responder de sus actos"[160].

Cuando las **autoridades deciden privar de libertad a personas con discapacidad**, deben demostrar un especial cuidado en garantizar unas condiciones adecuadas a las necesidades que derivan de dicha discapacidad. [STEDH 21 diciembre 2010, Caso Jasinskis v. Latvia (f. 59)].

Lo mismo se aplica a las **personas involuntariamente internadas en instituciones psiquiátricas.** En el caso de **personas con enfermedades mentales, debe tenerse en cuenta su especial vulnerabilidad.** [Vid. STEDH 3 abril 2001, Caso Keenan c. Reino Unido Caso (f. 111); STEDH 11 julio 2006, Caso Rivière c. Francia (f. 63), y STEDH 17 julio 2014, Caso Centre for Legal Resources on behalf of Valentin Câmpeanu c. Romania (f.49-73)].

La **STEDH 17 enero de 2002, Caso Calvelli y Ciglio c. Italia**, establece que los Estados no sólo deben abstenerse de los atentados a la vida intencionados, sino que "deben dar los pasos apropiados para salvaguardar las vidas de aquellos que se encuentran bajo su jurisdicción". Estos principios se aplican a la esfera de la salud pública y exigen "requerir a los Estados para que adopten legislación que obligue a los hospitales, sean públicos o privados, a adoptar medidas apropiadas para la protección de la vida de los

---

[160] STEDH 17 enero 2008, Caso Dodov c. Bulgaria (f. 80), STEDH 17 enero 2002, Casso Calvelli y Ciglio c. Italia (f.49).

pacientes" y, además, disponer de un sistema judicial efectivo que permita determinar la causa de la muerte y que se determinen las responsabilidades.

La STEDH 17 enero 2008, Caso Dodov c. Bulgaria, versa sobre una ciudadana con Alzheimer ingresada en una residencia. Con motivo de una revisión médica fuera del establecimiento asistencial, la afectada quedó un momento sola sin atención de los trabajadores del citado centro. La paciente se fugó y nunca más fue localizada. El TEDH estimó que el personal la dejó desatendida con grave riesgo para la vida, hasta el punto de tener que presumir su muerte y aplicó la doctrina sentada en el caso Calvelli y Ciglio contra Italia. El Estado fue condenado porque los procedimientos penal, civil y disciplinario no aseguraron "la efectiva posibilidad de establecer los hechos que rodearon la desaparición de la madre de la demandante" y determinar la responsabilidad de las personas o instituciones que infringieron sus deberes. Finaliza señalando que las deficiencias en la regulación aplicable, sin lugar a dudas, contribuyeron al resultado.

2.1.4. *Proyección en España: la tutela de la vida frente al suicidio de las personas con problemas mentales en centros hospitalarios*

La tutela de la vida frente al suicidio de las personas con problemas mentales en centros hospitalarios en España centrará las reflexiones finales sobre el caso Fernandes de Oliveira. Abordaremos primero los aspectos estadísticos, para después considerar con la brevedad que exige la naturaleza de la obra, los aspectos penales de la tutela; incidiendo, en fin, en los aspectos civiles y sanitarios.

Como primera aproximación, hay que tener en cuenta que en el mundo, más de 800 000 personas mueren al año por suicidio, siendo ésta la segunda causa principal de muerte entre personas de edades comprendidas entre los 15 y los 29 años. Hay indicios de que, por cada adulto que se suicidó, posiblemente más de otros 20 intentaron suicidarse[161]. En España se producen cada año entre 3.500 y 4.000 suicidios[162]. En el año 2010 se publicaron

---

[161] Informe de la OMS de 2014. Resumen ejecutivo. WHO/MSD/MER/14.2. Puede consultarse en: http://www.who.int/mental_health/suicide-prevention/exe_summary_spanish.pdf?ua=1

[162] Fuente: INE: http://www.ine.es/jaxiT3/Datos.htm?t=7947

datos donde se puso de manifiesto que en 2008, el suicidio en España fue la primera causa de muerte violenta, superando a los accidentes de tráfico[163].

El suicidio se ha asumido por la OMS como **un problema de salud pública**.

Desde **enfoque estrictamente jurídico**, el suicidio ha sido **definido** como "muerte querida por una persona imputable"[164]. Es importante esta precisión conceptual, por que no toda muerte autoinfligida será un suicidio jurídicamente hablando. No lo será la muerte de un menor o de una persona incapaz, ni cuando el consentimiento es obtenido por violencia, engaño o cualquier otro vicio. Por ello, en todos estos, la inducción de un inimputable o a quien actúa por error para que proceda a darse muerte ella misma es un homicidio en autoría mediata y no una inducción al suicidio. (Vid. SAP Vizcaya núm. 28/2009 de 23 abril. JUR 2009\321290).

Partiendo de esta precisión, en nuestro derecho constitucional el **suicidio no se incluye dentro del derecho a la vida**. El TC ha reiterado que "el derecho fundamental a la vida tiene «un contenido de protección positiva que impide configurarlo como un derecho de libertad que incluya el derecho a la propia muerte». En definitiva, la decisión de arrostrar la propia muerte no es un derecho fundamental sino únicamente una manifestación del principio general de libertad que informa nuestro texto constitucional"[165]. En esta línea se mueve en la actualidad el TEDH: vid. STEDH 29 julio 2002, Caso Pretty c. Reino Unido, (f.39).

En este sentido, en la STC 120/1990, de 27 de junio (F.7), el TC considera que "siendo la vida un bien de la persona que se integra en el círculo de su libertad, pueda aquélla fácticamente disponer sobre su propia muerte, pero esa disposición constituye una manifestación del *agere licere*, en cuanto que la privación de la vida propia o la aceptación de la propia muerte es un

---

[163] Guía de Práctica Clínica de prevención y Tratamiento de la Conducta Suicida. Ministerio de Sanidad, Política Social e Igualdad. Ed 2012. Puede consultarse en: https://www.sergas.es/Docs/Avalia-t/avalia-t2010-02GPC-conducta-suicidaR.pdf

[164] TORÍO LÓPEZ, A. "La noción jurídica de suicidio" en Estudios de Derecho Público y Privado. Homenaje a D. Ignacio Serrano y Serrano, I, Valladolid, 1965, pp. 653-668, p. 663.

[165] STC 154/2002, de 18 de julio, STC 120/1990, de 27 de junio, F. 7, y 137/1990, de 19 de julio, F. 5.

acto que la ley no prohíbe y no, en ningún modo, un derecho subjetivo que implique la posibilidad de movilizar el apoyo del poder público para vencer la resistencia que se oponga a la voluntad de morir, ni, mucho menos, un derecho subjetivo de carácter fundamental en el que esa posibilidad se extienda incluso frente a la resistencia del legislador, que no puede reducir el contenido esencial del derecho."

El suicidio se configura, de esta forma, como un **acto de libertad.**

Partiendo de tal naturaleza, como acto de libertad, hay que empezar por dejar sentado que e**l suicidio —o su intento— no son conductas sancionadas por la ley penal en España**. Se **castiga**n en el art. 143 CP la **inducción, la cooperación al suicidio y la eutanasia activa directa**, existiendo desde hace ya años una viva polémica social sobre la necesidad de despenalizar la eutanasia, como también lo es en el ámbito del Consejo de Europa[166]. En España ha habido varios casos, de ellos, los más conocidos el de Ramón San Pedro (Vid. DTEDH 26 octubre 2000, Caso Manuela Sanles c. España), y más recientemente el caso de María José Carrasco, enferma de esclerosis múltiple desde hacía 3 décadas, a la que por voluntad expresa su marido la ayudó a terminar con su vida y el sufrimiento que le conllevaba[167]. Sin embargo, siendo éste un tema que suscite un debate de innegable calado, deberemos dejarlo en el tintero de la brevedad, pues no atañe a las obligaciones de cuidado del estado respecto de la vida de las personas con enfermedades psíquicas frente a sus propios actos; sino a la muerte digna y, por tanto, a los límites de las obligaciones estatales de proteger la vida, incluso en contra de la voluntad y a costa del sufrimiento de quienes, firme, seria y decididamente han decidido poner fin a sus días.

Centrándonos pues en la tutela penal de la vida frente a su propio titular en los supuestos de personas con enfermedades mentales, y por ello, especialmente vulnerables, el **Derecho penal español** tutela los supuestos más graves de atentados contra la vida derivados de negligencia médica, a través —en lo que aquí interesa— de la figura del homicidio por imprudencia profesional grave (art. 142.1 CP). La falta de homicidio por imprudencia

---

[166] STEDH 29 julio 2002, Caso Pretty c. Reino Unido, (f.39); STEDH 5 junio 2015, Caso Lambert y otros c. Francia; DTEDH 3 julio 2017, Caso Gard y otros c. Reino Unido.

[167] https://elpais.com/sociedad/2019/10/02/actualidad/1570042605_217979.html

profesional leve (art. 621.2 CP), ha desaparecido —como todas las faltas— en la reforma operada por la LO 1/15, de 30 de marzo, castigándose ahora el delito el homicidio por imprudencia menos grave del art. 142.2 CP, perseguible sólo previa denuncia de la persona agraviada o del Ministerio Fiscal.

Partiendo de ello, no es difícil hallar en la práctica judicial casos de **homicidios por imprudencia** médica grave o menos grave se han incluido **los suicidios de enfermos con problemas mentales ingresados en centros psiquiátricos**[168] **o en centros penitenciarios**[169].

En este sentido, el TS (II), en diversas sentencias, ha afirmado la obligación de custodia de los pacientes en casos de riesgo de suicidio[170]**; y ha sostenido que:**

> *«al ingresar un paciente en el establecimiento psiquiátrico surge un deber legal de custodia sobre la persona del interno con objeto de evitar los males que de su incontrolada conducta pudiera seguirse, siendo así que todo quebrantamiento en la diligencia vigilante, determina la culpa porque la obligación de custodia de los enfermos por los vigilantes del Hospital está fuera de toda duda. La omisión de esa diligencia debida, la omisión de la culpa «in vigilando», constituye "per se" la culpa y la negligencia (penal).»*

La muerte suicida de pacientes psiquiátricos en hospitales se considera incardinada en el tipo **homicidio imprudente en comisión por omisión** (art. 11 CP), equiparándola a su causación cuando existe un deber de garante derivado de la relación médico-paciente, que imponga el deber de evitar el resultado de muerte, deber que surge, como hemos visto, por el ingreso del paciente en un establecimiento psiquiátrico.

El Derecho penal como *ultima ratio* y su carácter fragmentario, limitan los supuestos de tutela a los casos más graves de imprudencia médica, que se definen como sigue por la jurisprudencia [STS (II) 5 julio 1989, STS (II) 4 septiembre 1991, STS 3 octubre 1998 (nº 1188/1996), etc.] hay que recordar lo siguiente:

---

[168] AAP Madrid (Sección 1ª) 26 abril 2012, nº 290/2012.
[169] AAP Girona (Seccion 3ª), de 17 de marzo, nº 146/2003.
[170] SSTS 6 octubre 1989, nº 1533/94, de 15 de julio y 638/1992, de 16 de marzo.

1) Que, por regla general, el error en el diagnóstico no es tipificable como infracción penal, salvo que por su entidad y dimensiones constituya una equivocación inexcusable.

2) Queda también fuera del ámbito penal por la misma razón, la falta de una extraordinaria o excepcional pericia.

3) Que la determinación de la responsabilidad médica ha de hacerse en contemplación de las situaciones concretas y específicas sometidas al enjuiciamiento penal huyendo de todo tipo de generalizaciones".

En definitiva, «la imprudencia nace cuando el tratamiento médico o quirúrgico incide en comportamientos descuidados, de abandono y de omisión del cuidado exigible, atendidas las circunstancias del lugar, tiempo, personas, naturaleza de la lesión o enfermedad, que olvidando la "*lex artis*" conduzcan a resultados lesivos para las personas».

Es interesante remarcar que la **culpabilidad en la imprudencia médica** radica en que el facultativo *pueda evitar el comportamiento causante del resultado de lesivo* (STS 5 febrero y 8 de junio 1981, entre otras). De ahí que la responsabilidad penal del facultativo siga el mismo criterio que hemos visto en materia de nacimiento de la obligación positiva del Estado respecto de la tutela del derecho a la vida, que sólo nace cuando *las autoridades sabían o debían haber sabido en el momento oportuno que la vida de una persona en concreto corría peligro inmediato y real.* No cabe la responsabilidad objetiva en el ámbito penal (art. 5 CP).

Así, par determinar la existencia de imprudencia, será relevante el **conocimiento del historial del paciente** y su conducta suicida previa, determinando el riesgo concreto de suicidio (AAP Soria 8 febrero 2008, nº 34/2008), lo que hará nacer la previsibilidad del resultado y la responsabilidad del médico o personal sanitario que lo atienda.

También juega un papel determinante, **la adopción de los protocolos de prevención adecuados** a la situación de riesgo previamente advertida, con la prescripción de las medidas coherentes con cada nivel de riesgo previamente detectado (AAP Madrid 26 abril 2012, nº 290/12).

Dejando el plano de tutela penal, en **el ámbito civil** hay que tener en cuenta diversas normas, partiendo de que **la obligación de custodia de los pacientes en casos de riesgo de suicidio** ha sido afirmada en numerosas sentencias, de la Sala I, así: SSTS nº 446/1996, de 3 de junio; nº 237/1998, de; nº 433/2001, de 8 de mayo.

En la última se trata de un enfermo de esquizofrenia paranoide con anteriores tentativas de autolisis que se fuga de centro municipal psiquiátrico y se arroja por una ventana, evidenciándose la omisión de las necesarias medidas de seguridad y vigilancia y declarándose por ello la responsabilidad solidaria del director del centro y del Ayuntamiento. En estos supuestos se descarta que la muerte auto infligida por el paciente suponga una ruptura del nexo causal con la conducta negligente del Hospital generadora de responsabilidad.

En este sentido, cabe destacar que la **obligación positiva del Estado y de los responsables sanitarios de velar por la vida del paciente psiquiátrico frente a** él mismo **e, incluso, sin o en contra de su consentimiento**, se contempla en la Ley 41/2002 de 14 de noviembre, de autonomía del paciente establece en su art. 9, como excepción a la obligación de obtener el consentimiento informado de todo paciente, aquellos casos en que (art. 9.2b) existe riesgo inmediato grave para la integridad física o psíquica del enfermo y no es posible conseguir su autorización, consultando, cuando las circunstancias lo permitan, a sus familiares o a las personas vinculadas de hecho a él.

En esta línea, el riesgo de autolisis, y más concretamente de suicidio, suele ser uno de los supuestos de **internamiento no voluntario por razón de trastorno psíquico,** que más se da en la práctica, El mismo se regula en el art. 763 LEC[171], del que se ha ocupado el TC: STC 132/2016, de 18 de

---

[171] La redacción originaria del precepto fue declara inconstitucional por la STC 132/2011, de 2 de diciembre, por ser una norma que no tener rango de ley orgánica. La LO 872015, de 22 de julio dio cumplimiento a dicha sentencia y en la actualidad el redactado de la norma es el que sigue:

Artículo 763. Internamiento no voluntario por razón de trastorno psíquico.

1. El internamiento, por razón de trastorno psíquico, de una persona que no esté en condiciones de decidirlo por sí, aunque esté sometida a la patria potestad o a tutela, requerirá autorización judicial, que será recabada del tribunal del lugar donde resida la persona afectada por el internamiento.

La autorización será previa a dicho internamiento, salvo que razones de urgencia hicieren necesaria la inmediata adopción de la medida. En este caso, el responsable del centro en que se hubiere producido el internamiento deberá dar cuenta de éste al

julio, 34/2016, de 29 de enero, STC 141/2012, de 2 de julio, STC 129/99 de 1 de julio, entre otras muchas, en las que destaca que resulta imprescindible que la medida se acuerde previamente por el Juez y siempre respecto de una persona que ha de encontrarse en ese momento en libertad. En este segundo caso, el internamiento no urgente podrá solicitarse por los trámi-

---

tribunal competente lo antes posible y, en todo caso, dentro del plazo de veinticuatro horas, a los efectos de que se proceda a la preceptiva ratificación de dicha medida, que deberá efectuarse en el plazo máximo de setenta y dos horas desde que el internamiento llegue a conocimiento del tribunal.

En los casos de internamientos urgentes, la competencia para la ratificación de la medida corresponderá al tribunal del lugar en que radique el centro donde se haya producido el internamiento. Dicho tribunal deberá actuar, en su caso, conforme a lo dispuesto en el apartado 3 del artículo 757 de la presente Ley.

2. El internamiento de menores se realizará siempre en un establecimiento de salud mental adecuado a su edad, previo informe de los servicios de asistencia al menor.

3. Antes de conceder la autorización o de ratificar el internamiento que ya se ha efectuado, el tribunal oirá a la persona afectada por la decisión, al Ministerio Fiscal y a cualquier otra persona cuya comparecencia estime conveniente o le sea solicitada por el afectado por la medida. Además, y sin perjuicio de que pueda practicar cualquier otra prueba que estime relevante para el caso, el tribunal deberá examinar por sí mismo a la persona de cuyo internamiento se trate y oír el dictamen de un facultativo por él designado. En todas las actuaciones, la persona afectada por la medida de internamiento podrá disponer de representación y defensa en los términos señalados en el artículo 758 de la presente Ley.

En todo caso, la decisión que el tribunal adopte en relación con el internamiento será susceptible de recurso de apelación.

4. En la misma resolución que acuerde el internamiento se expresará la obligación de los facultativos que atiendan a la persona internada de informar periódicamente al tribunal sobre la necesidad de mantener la medida, sin perjuicio de los demás informes que el tribunal pueda requerir cuando lo crea pertinente.

Los informes periódicos serán emitidos cada seis meses, a no ser que el tribunal, atendida la naturaleza del trastorno que motivó el internamiento, señale un plazo inferior.

Recibidos los referidos informes, el tribunal, previa la práctica, en su caso, de las actuaciones que estime imprescindibles, acordará lo procedente sobre la continuación o no del internamiento.

Sin perjuicio de lo dispuesto en los párrafos anteriores, cuando los facultativos que atiendan a la persona internada consideren que no es necesario mantener el internamiento, darán el alta al enfermo, y lo comunicarán inmediatamente al tribunal competente.

tes del art. 763 LEC y sin el condicionante de las 72 horas para que el Juez resuelva, siempre que la adopción de dicha medida constituya el objeto exclusivo de tutela que se pretende en favor del afectado. Por el contrario, si existen datos que desde el principio permitan sostener que el padecimiento mental que sufre la persona, por sus características y visos de larga duración o irreversibilidad, deben dar lugar a un régimen jurídico de protección más completo, declarando su discapacidad e imponiendo un tutor o curador para que complete su capacidad, con los consiguientes controles del órgano judicial en cuanto a los actos realizados por uno u otro, el internamiento podrá acordarse como medida cautelar (art. 762.1 LEC), o como medida ejecutiva en la sentencia (art. 760.1 LEC), en un proceso declarativo instado por los trámites del art. 756 y ss. LEC (RCL 2000, 34)»[172].

El incumplimiento de la obligación de velar por la vida del que padece enfermedad mental con riesgo de suicidio generará la consiguiente responsabilidad civil médica, que puede acompañar a la responsabilidad penal, o exigirse civilmente cuando no concurran los requisitos de aquélla.

En materia de **responsabilidad civil médica**, en general el TS (l) ha venido sosteniendo que «la obligación contractual o extracontractual del médico, y en general del profesional sanitario, no es la de obtener en todo caso la recuperación del enfermo como obligación del resultado, sino más bien una obligación de medios, es decir, está obligado a proporcionar al paciente todos los cuidados que requiera según el estado de la ciencia, pudiendo añadirse que en la conducta de los profesionales sanitarios queda descartada toda clase de responsabilidad más o menos objetiva, sin que opera la inversión de la carga de la prueba, estando a cargo del presunto perjudicado la demostración de la existencia de una acción culposa o negligente». (Sentencias de 8 de mayo de 1991 y de 14 de abril de 1999, entre otras muchas).

Y más concretamente, en **materia de suicidio, la responsabilidad civil médica** discurre por los cauces de la responsabilidad subjetiva o por culpa, y de la determinación de la misma en función de la previsibilidad del suicidio y la adopción de las medidas necesarias para evitarlo. Veamos algunos ejemplos de ello:

---

[172] Vid. Circular de la FGE nº 2/2071 de 6 de julio

- **STS (I) 11 marzo 1995. Rec 3687/1991**, "si la referida joven fue ingresada en la Clínica como consecuencia de un intento de suicidio (lo que ya había pretendido en dos ocasiones anteriores y muy próximas en el tiempo a la aquí enjuiciada), la más elemental prudencia, no ya sólo sanitaria, sino incluso estrictamente humana, aconsejaba ingresar a dicha enferma en una habitación o departamento específico en que no existieran medios que le facilitaran la repetición, fácilmente previsible, de sus propósitos suicidas, lo que, en el caso que nos ocupa, no se verificó por el personal sanitario correspondiente, pues fue ingresada en una habitación no idónea para enfermos psíquicos, ya que el cuarto de baño de la referida habitación disponía de una ventana abierta (o fácilmente abrible) y sin reja de hierro, por donde se arrojó la infortunada joven, como era fácilmente previsible, repetimos, dada la pertinacia de la misma en sus propósitos suicidas, que constaban en el historial clínico que de ella se tenía en dicho Centro sanitario, lo que evidencia la negligencia con que actuó el personal facultativo que le asistió y la responsabilidad, por tanto, del Instituto Nacional de la Salud, a cuyas órdenes trabajaba dicho personal sanitario."

- La **STS (I) 9 marzo 1998, Rec 439/1994,** determina que los centros hospitalarios deben proceder de forma individualizada en la adopción de las medidas o medios materiales y personales en orden al caso particular de que se trate. Así, se declara responsabilidad civil del INSALUD, en el caso de suicidio de paciente ingresado en centro hospitalario para ser tratado de sus tendencias suicidas, al precipitarse a la calle desde saliente del tejado. El paciente ingresó en habitación con acceso al tejado y cesó la vigilancia al tiempo de retirarse para descansar. El TS concluye que faltaron los demás mecanismos de vigilancia y custodia a tener en cuenta, pues para ello hubiera sido preciso que la habitación asignada al enfermo careciera de la posibilidad de acceder al tejado desde el que se precipitó a la calle y, en cualquier caso, que la vigilancia no hubiera cesado al tiempo de retirarse aquél a la habitación para descansar, medidas las indicadas que, indudablemente, no se adoptaron. La carencia de las susodichas precauciones, abstracción hecha del personal individualizado a quien debiera haber correspondido la adopción de las mismas, es evidente que, por vía de omisión, ha de ser atribuida al Centro hospitalario y, por tanto, al INSALUD.

- La **STS (I) 8 mayo 2001, Rec 1089/1996,** declara la existencia de responsabilidad extracontractual, por el suicidio de paciente, enfermo de esquizofrenia paranoide con anteriores tentativas de autolisis que se fuga de centro municipal psiquiátrico y se arroja por una ventana. La omisión de las necesarias medidas de seguridad y vigilancia suponen la responsabilidad solidaria del director del centro y del Ayuntamiento.

En la determinación de la existencia de culpa civil por el suicidio de pacientes psiquiátricos hospitalizados, resultará imprescindible, —como en todo supuesto de responsabilidad médica— averiguar el cumplimiento de la "*lex artis*", que en estos casos vendrá dada por los protocolos. Entre ellos, cabe destacar la **Guía de práctica clínica de prevención y tratamiento de la conducta suicid**a[173]. En la misma, se relacionan los más importantes programas clínicos de intervención sobre la conducta suicida en España, como Programa de Intervención Intensiva en Conducta Suicida del Área Sanitaria de Ourense, el Programa de Prevención de la Conducta Suicida (PPCS) desarrollado en el distrito de la Dreta de l'Eixample de Barcelona, o el Programa de intervención en personas que han realizado intentos de suicidio, Áreas de Salud de Valladolid Este y Oeste, entre otros muchos.

En dicha guía hay que destacar que se fijan los parámetros para la evaluación y manejo del paciente con conductas suicidas, tanto en atención primaria como especializada y también en el servicio de urgencias. Así mismo se contemplan un conjunto de herramientas para la evaluación del riesgo suicida que, como hemos dicho, resulta trascendental a la hora de exigir responsabilidad civil o penal a las instituciones sanitarias. En este punto, la mencionada guía destaca la importancia de **la entrevista clínica** para la evaluación del riesgo y proporciona una serie de instrumentos psicométricos como las escalas de desesperanza, ideación o intencionalidad suicida de Beck, los ítems de conducta suicida del Inventario de depresión de Beck y de la Escala de valoración de la depresión de Hamilton. Tales herramientas psicométricas pueden coadyuvar, pero nunca sustituir la entrevista clínica del profesional con el paciente.

Para terminar, y en cierto paralelismo con el voto particular que comentamos, no podemos dejar de denunciar los **perniciosos efectos que las**

---

[173] Guía de Práctica Clínica de prevención y Tratamiento de la Conducta Suicida. Ministerio de Sanidad, Política Social e Igualdad. Ed 2012. Puede consultarse en: https://www.sergas.es/Docs/Avalia-t/avalia-t2010-02GPC-conducta-suicidaR.pdf

políticas de recortes en sanidad producen en la protección de la vida de las personas con enfermedades mentales hospitalizadas. Ello evidencia, una vez más, la interdependencia de los derechos humanos (art. 5 de la Declaración de Viena de DDHH de 1993), en este caso la sanidad y la vida, como característica esencial de tales derechos[174].

En esta línea, basta traer el siguiente ejemplo, que ilustra a la perfección las consecuencias de la degradación d los servicios públicos sanitarios. Nos referimos a la STS (I) 19 julio 2007, núm. 877/2007, en que se trata del suicidio de paciente afectado por un brote psicótico, con ideas delirantes y de autoagresión, en la habitación de un hospital donde ingresó profundamente dormido por efecto de los fármacos administrados. El TS declara la responsabilidad del centro hospitalario, por carencia de médico de guardia, y declara la inexistencia de culpa en el facultativo de urgencias que puso su recepción en conocimiento del psiquiatra y de la enfermera y auxiliar al cargo de veintiún pacientes.

Se trata, qué duda cabe, de un claro caso de desbordamiento del personal sanitario por falta de plantilla suficiente y adecuada, que va en la línea de la crisis del Estado Social que asola Europa y que se vio agravada en 2008.

En este punto, **ese enfoque minimalista teñido de ideología** — que denuncia con acierto P. Pinto— supone blanquear con la capa **hipócrita de la libertad del paciente**, una verdadera desprotección —cuando no abandono— de éste por falta de recursos sanitarios. Sin embargo, qué duda cabe, es un enfoque claramente funcional a las políticas de recortes y desballestamiento de los servicios públicos. Por eso no podemos cerrar este comentario sino compartiendo dicha crítica.

2.1.5. Índice de casos

STEDH 28 octubre 1998, Caso Osman c. Reino Unido
DTEDH 21 marzo 2000, Caso Younger c. Reino Unido
DTEDH 26 octubre 2000, Caso Manuela Sanles c. España
STEDH 16 noviembre 2000, Caso Tanribilir c.Turquía
STEDH 3 abril 2001, Caso Keenan c. Reino Unido
STEDH 17 enero 2002, Caso Calvelli y Ciglio c. Italia

---

[174] PRECIADO DOMÈNECH, C.H. "Teoría General de los Derechos Fundamentales en el contrato de Trabajo". Ed. Thomson Reuters-Aranzadi. 2018. p. 79 y ss.

STEDH 29 julio 2002, Caso Pretty c. Reino Unido
STEDH 27 abril 2006, Caso Ataman c. Turquía
STEDH 11 julio 2006, Caso Rivière c. Francia
STEDH 17 enero 2008, Caso Dodov c. Bulgaria
STEDH 16 octubre 2008, Caso Renolde c. Francia
STEDH 24 marzo 2009, Caso Beker c. Turquía
STEDH 21 diciembre 2010, Caso Jasinskis v. Latvia
STEDH 6 diciembre 2011, Caso De Donder y de Clippel c. Bélgica
STEDH 13 marzo 2012, Caso Reynolds c. Reino Unido
STEDH 13 noviembre 2012, Caso Van Colle. c. Reino Unido
STEDH 17 enero 2013, Caso Mosendz c. Ucrania
STEDH 26 marzo 2013, Caso Valiulene c. Lituania
STEDH 5 junio 2015, Caso Lambert y otros c. Francia
STEDH 22 noviembre 2016, Caso Hiller c. Austria
DTEDH 3 julio 2017, Caso Gard y otros c. Reino Unido
STEDH 19 diciembre 2017, Caso Lopes de Sousa Fernandes c. Portugal

2.1.6. *Bibliografía*

GARCÍA ROCA, J., SANTOLAYA, P. (Coord.) "La Europa de los Derechos. El Convenio Europeo de Derechos Humanos Ed. CEC. 2ª Edición. 2009.

LASAGABASTER HERRARTE, I. "Convenio Europeo de Derechos Humanos. Comentario Sistemático. 2ª edición. Ed. Civitas Thomson-Reuters 2009.

MONEREO ATIENZA, C.; MONEREO PÉREZ, J. L. "La Garantía Multinivel de los Derechos Fundamentales en el Consejo de Europa". Ed. Comares. 2017.

PINTO DE ALBUQUERQUE, P. "I Diritti umani in una prospettiva europea. Opinini concrrenti e dissenzienti (2011-2015)". A cura e con un saggio di Davide Galliani prefaziine di Paola Bilancia. Ed. B. Giappichelli Editori- 2016.

PRECIADO DOMÈNECH, C. H. "Teoría General de los Derechos Fundamentales en el contrato de Trabajo". Ed. Thomson Reuters-Aranzadi. 2018.

QUERALT JIMÉNEZ, A. "La interpretación de los derechos: del Tribunal de Estrasburgo al Tribunal Constitucional". Ed. CEC. 2008.

SÁNCHEZ ROBLES, C. "Prevención e intervención de la conducta suicida en las unidades de agudis de los hospitales generales"; en ANSEÁN, A. "Suicidios: manual de prevención, intervención y postvención de la conducta suicida. 2ª Edición. 2014. Fundación Salud Mental España.

SARMIENTO,D.; MIERES MIRES, L. J.; PRESNO LINERA, M. "Las sentencias básicas del Tribunal Europeo de Derechos Humanos. Ed. Thomson Cititas. 2007.

TORÍO LÓPEZ, A. "La noción jurídica de suicidio" en Estudios de Derecho Público y Privado. Homenaje a D. Ignacio Serrano y Serrano, I, Valladolid, 1965, pp. 653-668, p. 663.

Webgrafía

Guía de Práctica Clínica de prevención y Tratamiento de la Conducta Suicida. Ministerio de Sanidad, Política Social e Igualdad. Ed 2012. Puede consultarse en: https://www.sergas.es/Docs/Avalia-t/avalia-t2010-02GPC-conducta-suicidaR.pdf

2.2. CASO LOPES DE SOUSA FERNANDES C. PORTUGAL (STEDH 19 diciembre 2017): Derecho a la asistencia médica. Negligencia médica en hospitales públicos

2.2.1. Resumen del caso

En el caso resuelto por la **STEDH 19 diciembre 2017, Caso Lopes de Sousa Fernandes c. Portugal,** el TEDH decide, por 15 votos a 2, que no ha habido violación del art. 2 (derecho a la vida) en su aspecto material; y por unanimidad, que ha habido violación de la vertiente procesal (investigación efectiva) de dicho derecho.

a) Resumen de los hechos

El caso trata sobre la muerte del Sr. M. Fernandes, marido de la demandante, Sra. Lopes de Sousa Fernandes, con ocasión de una serie de problemas médicos surgidos tras una operación.

En noviembre de 1997, a consecuencia de una intervención quirúrgica de extirpación de los pólipos nasales, el marido de la demandante contrajo una meningitis bacteriana que no se le detectó hasta dos días después de su alta hospitalaria. Posteriormente fue hospitalizado en diversas ocasiones, porque sufría dolores abdominales agudos y diarrea. Murió al cabo de tres meses, a consecuencia de una septicemia causada por una peritonitis y una perforación visceral.

En 1998, la demandante dirigió una reclamación a las autoridades por no haber recibido respuesta alguna del hospital que explicase la agravación repentina del estado de salud de su marido que terminó con su muerte.

En respuesta a la misma, el inspector general de salud ordenó la realización de una investigación y después, en 2006, la apertura de un procedimiento disciplinario frente a uno de los médicos. Este procedimiento, sin embargo, se suspendió a la espera de la resolución del proceso penal incoado en 2002. Dicho proceso terminó en 2009 con la absolución del médico de los cargos de homicidio por imprudencia grave.

En el marco de otro proceso, un consejo disciplinario regional del Colegio de Médicos decidió desestimar la denuncia de la demandante, razonando que no había prueba alguna de negligencia o imprudencia médica.

Para terminar, por sentencia recaída en 2012, confirmada después en última instancia por el Tribunal Supremo administrativo en 2013, se desestimó acción de responsabilidad civil por daños y perjuicios derivados de la muerte de su marido, que la demandante había entablado en 2003.

En el plano del CEDH, la demandante denunció, al amparo del art. 2 CEDH, que su marido había fallecido en el hospital a consecuencia de una infección nosocomial derivada de la negligencia y la imprudencia del personal médico; y alegó, por otro lado, que las autoridades disciplinarias, penales y civiles a las que había acudido no habían determinado con precisión la causa del empeoramiento repentino del estado de salud de su marido. Denunció también la duración excesiva del procedimiento interno.

b) Resumen de la sentencia

- *Vertiente material del art. 2 CEDH*

Después de resumir la jurisprudencia precedente en **materia de negligencia médica** (f.162-184), el TEDH considera **necesario clarificar el criterio** que había mantenido hasta el momento de la siguiente forma.

En el marco de denuncias sobre negligencia médica, las **obligaciones positivas materiales de los Estados en materia de tratamiento médico** se limitan al **deber de disponer de normas**, es decir, de **aplicar un marco normativo efectivo** que obligue a los establecimientos hospitalarios, sean públicos o privados, a adoptar las medidas apropiadas **para proteger la vida de sus pacientes.**

Incluso en los supuestos en que exista negligencia médica, el TEDH no considera que se vulnere el art. 2 CEDH, salvo en los casos en los que el marco normativo aplicable no proteja debidamente la vida del paciente.

Desde el momento en que un Estado contratante haya adoptado las disposiciones necesarias para garantizar un nivel alto de competencia de los profesionales de la salud, así como para asegurar la protección de la vida de los pacientes, **no puede admitirse** que **cuestiones como un error de apreciación de un profesional sanitario o la mala coordinación entre dichos profesionales** en el marco del tratamiento de un paciente en concreto, sean por sí solas **suficientes para generar la responsabilidad del Estado** parte en virtud de la obligación positiva de proteger el derecho a la vida que le incumbe en términos del art. 2 CEDH.

La **determinación de si el Estado ha incumplido** su **obligación de reglamentar se refiere a una valoración concreta, no abstracta**, de los fallos que se invocan. En este sentido, normalmente el TEDH no tiene la función de examinar en abstracto la legislación y la práctica correspondientes, sino de determinar si la manera en que aquellas han sido aplicadas o han afectado al demandante ha supuesto una violación del CEDH. Por tanto, el mero hecho de que el marco normativo pueda presentar fallos en ciertos aspectos, no es suficiente por si mismo para generar responsabilidad desde la perspectiva del art. 2. Hay que demostrar, además, que ese fallo ha causado un daño al paciente.

Por otro lado, hay que subrayar que **la obligación de los Estados de establecer un marco normativo, ha de entenderse en sentido amplio**, es decir, abarcando el deber de actuar de forma que ese marco normativo funcione correctamente. Por tanto, los Estados también están obligados a adoptar las **medidas precisas para asegurar la aplicación de las reglas** que establecen, en particular, las medidas de aplicación y control.

Partiendo de esta interpretación amplia de la obligación de los Estados de establecer un marco normativo, el TEDH ha admitido que, en las circunstancias efectivamente excepcionales, antes descritas, **la responsabilidad del Estado en la vertiente material del art. 2 de la CEDH puede derivar de acciones u omisiones de los servicios de salud,** a saber:

a) En el supuesto en que, **a sabiendas, ha puesto en peligro la vida de un paciente denegándole el acceso a un tratamiento de urgencia vital;** esta excepción no comprende el caso en que se considere que un paciente ha sido tratado de forma incorrecta, errónea o tardía; o

b) en el caso en que **el paciente no haya tenido acceso a un tratamiento de urgencia vital por razón de un fallo sistémico o estructural de los servicios hospitalarios;** y en el que las autoridades **conociendo o debiendo conocer tal peligro no adoptasen las medidas necesarias** para evitar su materialización, de forma que pusieran así en riesgo la vida de los pacientes en general, y la del paciente concreto en particular.

El TEDH es consciente de que los hechos no siempre permiten distinguir con facilidad los casos de simple negligencia médica, de aquellos otros en que ha habido una denegación de acceso a un tratamiento de urgencia vital, fundamentalmente porque a veces los factores que se combinan para conducir a la muerte del paciente son múltiples.

Para que un caso se considere de la segunda categoría (fallo estructural) deben concurrir los siguientes requisitos:

– Es necesario que las acciones u omisiones de los profesionales sanitarios hayan supuesto algo más que un mero error o negligencia médica, es decir, que estos profesionales hayan denegado, incumpliendo sus obligaciones profesionales, tratamiento médico de urgencia a un paciente, conscientes de que tal denegación ponía en peligro la vida del paciente.

– Para ser imputable a las autoridades del Estado, el fallo en cuestión debe ser objetiva y verdaderamente reconocible como sistémico o estructural y no solo debe incluir aquellos casos concretos en que algo o no ha funcionado o ha funcionado mal.

– Debe haber una relación entre el fallo sistémico en cuestión y el daño sufrido por el paciente.

– El fallo debe derivarse del incumplimiento por el Estado de su obligación de establecer un marco normativo, en el sentido amplio que se ha indicado.

Partiendo de lo expuesto, **en el caso en cuestión el TEDH considera que no concurren elementos suficientes** para demostrar que:

a) ha habido denegación de tratamiento;

b) existía un fallo sistémico o estructural relativo a los hospitales en los que el marido de la denunciante fue tratado, o

c) que el error supuestamente cometido por los profesionales de la salud haya ido más allá de un simple error o negligencia médica o que los profesionales sanitarios hayan incumplido sus obligaciones profesionales consistentes en dispensar tratamiento médico de urgencia.

Por tanto, el presente caso se refiere a una denuncia de negligencia médica, lo que significa que las obligaciones positivas materiales que corresponden a Portugal se limitan al establecimiento de un margo normativo adecuado que imponga a los hospitales, públicos o privados, la adopción de medidas apropiadas para proteger la vida de los pacientes. Teniendo en cuenta las reglas y normas precisas previstas en cuestión en el derecho y práctica internas del Estado demandado, el TEDH considera que el marco normativo vigente no revela ningún incumplimiento estatal de su obligación de proteger el derecho a la vida del marido de la demandante.

Por todo ello, con los votos particulares de los Magistrados Paulo Pinto y A. Serghides, el TEDH **concluye que no ha habido violación del art. 2 CEDH en su vertiente material.**

- Vertiente procesal del art. 2 CEDH

La Gran Sala recuerda que la obligación procesal derivada del art. 2 en el ámbito de la salud impone especialmente que el proceso se desarrolle en un plazo razonable.

Además de la cuestión del respeto de los derechos enunciados en el art. 2 en un caso concreto, es importante que haya un examen rápido de los casos de negligencia médica ocurridos en el ámbito hospitalario para asegurar la seguridad de los usuarios del sistema sanitario en su conjunto. Sin embargo, la duración de los tres procesos tramitados en Portugal en el caso de la denunciante (disciplinario, penal y civil) no ha sido razonable.

Por otro lado, a fin de respetar la obligación procesal que deriva del art. 2, **no puede considerarse que el alcance de una investigación** llevada a cabo sobre las cuestiones complejas que se plantan en el contexto médico, **pueda limitarse al momento y a la causa directa de la muerte del individuo.** En presencia de una alegación defendible a primera vista, conforme a la que una negligencia puede desencadenar una sucesión de acontecimientos que contribuyan a la muerte de un paciente, en concreto cuando se alega una infección nosocomial, cabe esperar de las autoridades que examinen la cuestión de forma exhaustiva.

Sin embargo, esto no ha sido lo que ha ocurrido en el caso: en lugar de realizar una valoración de conjunto, las autoridades portuguesas han considerado la cadena de acontecimientos como una sucesión de problemas médicos aislados, sin detenerse a examinar la relación que puedan guardar entre ellos.

En suma, frente a una demanda verosímil en la que la denunciante alegó que una negligencia médica había causado la muerte de su marido, el sistema nacional en su conjunto no ha proporcionado una respuesta adecuada y suficientemente inmediata de acuerdo con lo que le impone el art. 2 CEDH al Estado.

Por todo ello, el TEDH, por unanimidad, concluye que ha habido violación de dicho precepto en su aspecto procesal.

2.2.2. *Extractos del voto particular de Paulo Pinto*

«*I. Introducción (§§ 1-2)*

1. Estoy de acuerdo con la mayoría en que se ha producido una vulneración del aspecto procesal del artículo 2 CEDH porque el Estado demandado no ha ofrecido ninguna explicación razonable a la muerte del marido de la demandante, ni tampoco ha tramitado satisfactoriamente y en tiempo útil una demanda plausible sobre un error médico.

Lamento que la mayoría no haya examinado las consecuencias de ese error desde el punto de vista de la vertiente material del art. 2. Por otro lado, no comparto en absoluto el criterio restrictivo que establece la mayoría en orden a determinar la responsabilidad internacional de los Estados parte en los casos de negligencia médica: a mi entender este criterio se opone tanto a la jurisprudencia anterior del TEDH, como a las normas establecidas en el derecho internacional, en particular a las del Consejo de Europa.

Discrepo también de la lamentable apreciación que la mayoría hace de los datos del expediente, ignorando por completo las pruebas claras y aplastantes de la presencia de un fallo sistémico y estructural en la asistencia sanitaria de esa época en Portugal.

2. El presente voto se compone de dos partes. En la primera parte revisaré los orígenes del derecho a la protección de la salud, tanto el derecho internacional en general como en el marco del CEDH[175]. En concreto, centraré mi atención en el análisis de la jurisprudencia del TEDH relativa al derecho a la protección de la salud de determinados grupos de población. Partiendo de este estudio, en la segunda parte me ocuparé

---

[175] En el presente voto, la expresión «asistencia médica» debe entenderse en el sentido que define el pfo. 24 del Infomre explicativo a la Convención para la protección de los Derechos del Hombre y la Dignidad del Ser Humano en relación a las aplicaciones de la biología y la medicina (STE nº 164»La Confención de Oviedo). El art. 10 del Código Europeo de Seguridad Social (revisado) de 1990 (STE nº 139) precisa que se considera «asistencia médica» la asistencia por profesionales de medicina general, especialistas, el suministro de productos farmacéuticas, la medicina dental y hispitalaria, la rehabilitación y el trasnporte médico.»

de construir un enfoque pro persona del derecho a la protección de la salud derivado del CEDH.

Esta lectura del Convenio, que prioriza el efecto útil de su texto y un razonamiento fundado en los principios, pretende demostrar que existe un derecho material a la protección de la salud tutelado por el CEDH y que este derecho genera una obligación de respetar y proteger la salud que impone la prestación de servicios razonables dentro de un marco coherente de obligaciones fundamentales respetuosas con el contenido esencial del derecho a la protección de la salud.

En caso de muerte o de malos tratos, los Estados parte tienen la obligación de proporcionar una explicación convincente en lo que atañe las circunstancias que rodearon los hechos y, con este fin, investigar sobre lo ocurrido y perseguir a los responsables. Siendo ello evidente, me siento no solo legitimado, sino también obligado a extraer todas las consecuencias jurídicas correspondientes del caso que nos ocupa, para finalmente concluir que también ha habido una violación del artículo 2 del CEDH en su vertiente material. (…)

Segunda parte. El derecho a la protección de la salud, en serio (§§ 6091)
IV. Conceptualización de un enfoque pro persona del derecho a la protección de la salud en virtud del CEDH (§§ 60-72)
(…)

C) Conclusión preliminar (71-72)

71. El derecho a la protección de la salud está consagrado en el CEDH. Como cualquier otro derecho, impone obligaciones negativas y obligaciones positivas.

Su contenido esencial incluye la prestación a las personas necesitadas de atención primaria y urgente, así como de medicamentos básicos. En este sentido, tanto el imperativo de la dignidad humana[176], como una interpretación de la CEDH respetuosa con el derecho internacional consuetudinario, imponen un enfoque estandarizado.

El contenido esencial del derecho no puede ser derogado en virtud del art. 15 del CEDH ni limitado conforme a la cláusula del art. 8 CEDH[177]. Las medidas de recorte no pueden afectarlo. No debería haber un nivel, doble, triple o múltiple de protección en lo que se refiere a las necesidades humanas fundamentales, ya que una protección a distintos niveles significaría que la vida no tiene el mismo valor en una u otra región de Europa.

Un enfoque de ese tipo, sin duda alguna, contravendría el "principio del carácter sagrado de la vida", principio que, según las propias palabras del TEDH; "es particularmente evidente en el caso de la profesión médica, cuyo oficio consiste en salvar vidas humanas y que debe actuar en interés de sus pacientes".

72. Más allá de los límites del contenido esencial del derecho a la protección de la salud, los Estados tienen una obligación de realización progresiva, en cuyo ámbito hay que tener en cuenta las limitaciones en materia de recursos.

---

[176] Vid. mutatis mutandi, STEDH 10 abril 2001, Caso Tanl c. Turquía (f.111).

[177] Vid. las Directivas de Maastricht relativas a las violaciones de los derechos económicos, sociales y culturales susodichas §§ 6 et 8.

La estimación de tales recursos debe hacerse bajo un criterio de proporcionalidad. El Estado debe ofrecer una explicación razonable a la denegación o a la prestación insuficiente de cuidados sanitarios en un hospital púbico o por parte de un médico u otro profesional sanitario que sea un empleado público. Cuando no esté en situación de hacerlo, se generará responsabilidad internacional. También producirá responsabilidad internacional del Estado la ausencia de la vía penal para las presuntas víctimas o sus parientes, en aquellos casos en los que la violación del derecho a la protección de la salud amparado por el CEDH tenga consecuencias fatales o graves.

V. Aplicación del enfoque pro persona al presente caso (§§ 7391)
1. Un enfoque que restringe la jurisprudencia del TEDH (§§ 73-78)

73. Si consideramos que la decisión Powell[178] es la reina de cierta línea doctrinal, entonces, en la sentencia Lopes de Sousa Fernandes, el Tribunal ha sido más monárquico que la propia reina.

De entrada, el contenido ideológico de la sentencia se evidencia desde el mismo momento en que la mayoría afirma, sin ambages, que en el caso concreto la vía apropiada era la civil[179] —y ello sin ofrecer justificación alguna para tal afirmación, ni desde la perspectiva nacional ni desde la del CEDH—.

Sin embargo, a la vista del derecho portugués, tal afirmación es sencillamente errónea. En derecho portugués la vía civil no es la prioritaria a la vía penal —ni a ninguna otra vía— para denunciar una negligencia médica. Desde la perspectiva del CEDH, la cuestión no se había decidido hasta ahora[180], pero en principio, el TEDH ha venido considerando las vías penal, administrativa y civil como opciones todas ellas posibles. Lo que demuestra esta afirmación de la mayoría, es la adopción de una postura ideológica en favor de la privatización de las demandas de negligencia médica[181], que deja indefensos a los pacientes comunes y a sus familiares, y en particular a las familias de clase media o baja, desde el mismo instante en que deben defender su demanda por negligencia médica contra los profesionales sanitarios y sus aseguradoras. Ni los pacientes ordinarios ni sus familias, ni sus abogados, generalmente del turno de oficio, están a la altura para luchar contra tan poderosos magnates.

La exención del Estado de la obligación de investigar en los casos de violación del derecho a la vida o de violaciones graves del derecho a la integridad física y de perseguir a sus responsables, reduce estos derechos hasta el punto mismo de anularlos. Dado que en la gran mayoría de casos, los pacientes comunes y sus familias carecen de los medios (financieros, logísticos, científicos y otros) para investigar los casos de

---

[178] DTEDH 4 mayo 2000, Caso Powell c. Reino Unido.

[179] Vid. párafo 138 de la sentencia.

[180] En la STEDH 8 julio 2004, Caso Vo c. Francia el TEDH ha estimado la vía contencioso-administrativa como preferible en general; pero en la STEDH 17 enero 2002, Caso Calvelli et Ciglio, ha considerado que el mejor medio de determinar la responsablidad médica derivada de la muerte del hijo de los demadnantes era la vía cívil.

[181] Voir la critique formulée par le requérant dans l'arrêt *Dodov* (précité, § 76).

muerte o daño corporal grave por negligencia médica y para llevar a los responsables ante la justicia, resulta sencillamente imposible establecer la relación de causalidad entre la conducta de los profesionales y el daño causado o de determinar el grado de conocimiento que tenía el profesional de la situación médica del paciente.

En definitiva, no se da ninguna explicación por la muerte o por un daño corporal grave que a veces supone consecuencias que trastocan completamente la vida del paciente. El Estado practica la política del avestruz.

74. Siendo todo ello grave, este impulso a la privatización de los casos de negligencia médica no es el mayor de los defectos de la sentencia Lopes de Sousa Fernandes. El mayor defecto de la sentencia es el esfuerzo hercúleo que despliega la mayoría para restringir todo lo posible la jurisprudencia anterior, con el fin de limitar la competencia del TEDH. Las consecuencias inmediatas de tal opción ideológica no son en absoluto inocuas para las víctimas, ya que esta opción exime al Estado de su responsabilidad derivada del CEDH en caso de muerte o de daño corporal grave causados por una negligencia médica, y de esta forma, se arroja a las víctimas y a sus familias al olvido y a una victimización secundaria, también conocida como victimización post-delito. Además, al otorgar un peso excesivo a determinados intereses gubernamentales de privatización y de restricción de los derechos humanos, el TEDH levanta a su alrededor los muros de la prisión de la irrelevancia[182].

Cuando las consideraciones político-económicas conducen a la mercantilización de los servicios de salud y al fin de la asistencia sanitaria, el derecho a la vida se desvanece para la mayoría. Llegado al punto en que el margen de apreciación reduce el CEDH a una innoble carta de privilegios reservada a una élite, de tal manera que el destino trágico del hombre medio es ignorado, incluso, en algunos casos, al precio de la vida de los afectados, podemos concluir que los ideales de los padres fundadores han caído en el olvido.

Un enfoque excesivamente restrictivo de la subsidiariedad centrado en apaciguar a determinados Estados, y la admisión de una política de eliminación de prestaciones sociales de tal calibre que el Estado se reduzca a un papel mínimo de guardián nocturno, pone en peligro la aplicación efectiva del derecho a la protección de la salud en todos los Estados miembros. En apoyo de esta tesis, examinaré en primer lugar los términos utilizados por la mayoría, y después el fondo de su argumentación.

En enfoque mayoritario se basa en una distinción lingüística alambicada entre "la denegación de acceso a un tratamiento de urgencia vital" y "la simple negligencia médica"; distinción respecto de la que, en efecto, en el párrafo 193 de la sentencia se reconoce su artificiosidad. Además, en los párrafos 183 y 184, sitúa en le mismo plano los supuestos de denegación de tratamiento de urgencia en los que el personal médico era plenamente consciente del riesgo de muerte, y los casos de mal funcionamiento en que las autoridades médicas "sabían o debían haber sabido" (criterio

---

[182] Similar crítica se ha vertido por el Comité de Derechos Económicos, Sociales y Culturales y por el Comité de los derechos de niño, que han recordado que las partes contratantes conservan sus obligaciones internacionales a pesar de la privatización del sector de la salud. (voir l'ouvrage de Tobin, *op. cit.*, 222-223).

Osman). Obrando así, se da el mismo trato situaciones en las que la "mens rea" es completamente distinta, confundiendo modos de infracción completamente dispares. Para complicar aún más las cosas, el primer grupo de supuestos, que cita en el párrafo 191 (denegación de acceso a tratamiento de urgencia vital), está ligado a un grado de consciencia distinto, menor (a sabiendas). Resulta incomprensible tal falta de rigor en el uso de los términos.

La mayoría admite que la obligación de los Estados de reglamentar abarca "en sentido amplio" el deber de establecer una especie de marco normativo que "funcione bien", así como el de asegurar su aplicación.

Ello supone, y este es un enfoque asombroso, colocar en un mismo plano los problemas de la prestación de atención médica concreta y los problemas de la reglamentación general sobre la cuestión, suprimiendo toda distinción entre ambos niveles. Sin embargo, este enfoque amplio, previsto en el párrafo 189, es inmediatamente restringido en el párrafo 190, para no aplicarse más que a "circunstancias efectivamente excepcionales". De esta manera, la formulación empleada por la mayoría no sólo carece de rigor, sino también de coherencia.

(…)

C. Conclusión preliminar (§§ 90-91)

90. El sufrimiento atroz que ha padecido el marido de la demandante, un hombre joven con buena salud, desde noviembre de 1997 a marzo de 1998, es indescriptible. El trato odioso que recibió sólo es comparable al desprecio al que se enfrentó la propia demandante en su dolorosa y constante búsqueda de la verdad.

Una cultura del silencio ha rodeado este drama, que no se ha explicado por ninguna de las múltiples instancias que han examinado el caso. Nadie ha respondido por la conducta de unos médicos que, en tanto que ejercían en hospitales públicos, eran agentes estatales.

91. La mayoría tiene razón cuando afirma que las disfunciones sistémicas o estructurales privan al paciente del acceso a una asistencia sanitaria adecuado y pone en peligro otras vidas, generando la responsabilidad del Estado por violación del art. 2 en su aspecto material.

En caso de disfunción sistémica o estructural de la que la autoridad supo o debió saber, es preciso matizar el criterio Osman, en la medida en que el criterio del "riesgo inmediato" debería reducirse a un criterio de "riesgo actual". Esto es lo que debería haberse hecho en este caso. Los hechos revelan una disfunción sistémica o estructural en el CHVNG, que supone un riesgo actual para el Sr. Fernandes el 3 de febrero de 1998, data en la que se le da el alta hospitalaria. Este riesgo era conocido de las autoridades sanitarias, que fueron advertidas en varias ocasiones por el Colegio de Médicos y en particular por la sección de enfermedades infecciosas, y podría haber sido evitado creando con la necesaria celeridad un servicio de enfermedades infecciosas en el CHVNG, tal y como habían propuesto los expertos.

Ante la materialización de este riesgo, actual, conocido y evitable, que fue un riesgo inmediato de muerte el 6 de marzo de 1998 y que se concretó en la muerte del paciente dos días más tarde, la Gran Sala habría debido considerar que hubo una violación del art. 2 en su vertiente material.

VI. Conclusión (§§ 92-94)

92. En muchos aspectos, el CEDH no ha pasado de ser una promesa incumplida. El TEDH aún no ha adoptado medidas concretas para trasladar la cuestión de la protección de la salud del campo de la retórica inútil al de la aplicación concreta de los derechos humanos.

No basta con lamentarse de la muerte o de las lesiones graves que sean evitables y que son causadas por el desentendimiento del Estado de sus responsabilidades en materia de salud pública y por el comportamiento negligente de los empleados públicos, y en particular de los profesionales sanitarios.

*Es peor aún mirar hacia otro lado. Esta actitud empaña la reputación del TEDH, que debe defender sin descanso la dignidad humana. Los progresos han sido lentos y el resultado está por debajo del que cabía esperar, dada la naturaleza consuetudinaria del **derecho a la protección de la salud** en el derecho internacional y del **principio "Airey"**[183], establecido desde hace mucho tiempo, **conforme al que los derechos humanos son interdependientes y están interconectados, lo que significa que el derecho a la vida carece de sentido si el Estado no garantiza las condiciones efectivas de su realización para los pacientes que tienen una necesidad imperiosa de asistencia sanitaria.***

93. Hubo un tiempo en Europa en que el derecho no entraba en las prisiones ni en las casernas militares, en que los vigilantes y los oficiales eran dioses intocables, mientras que los prisioneros y los soldados eran seres insignificantes. Este tiempo se ha terminado, después de muchos años, en las prisiones y en las casernas. Lo lamentable es que aún no haya terminado en los hospitales. Para la mayoría, el CEDH debe quedarse en la puerta del hospital.

94. Este asunto podía haber marcado un punto de inflexión. Sin embargo, la Gran Sala ha querido que no sea así. Lamento que, al rechazar una lectura del CEDH basada en los principios y considerando el efecto útil que debe tener el CEDH, la Corte no haya hecho justicia en absoluto (…)»

---

[183] STEDH 9 octubre 1979, Caso Airey c. Irlanda (f.26) Sobre asistencia jurídica gratuita y derecho a la vida privada: imposibiliidad de separarse por carencia de recursos para abonar las costas.

26. (…)El Tribunal no ignora que el desarrollo de los derechos sociales y económicos depende de la situación de cada Estado, y sobre todo de su situación económica.

Por otro lado, el Convenio debe interpretarse a la luz de las condiciones de vida de cada momento (Sentencia anteriormente citada Marckx, p. 19, ap. 41), y dentro de su campo de aplicación tiende a lograr una protección real y efectiva del individuo (apartado 24 supra). Porque, si bien el Convenio recoge derechos esencialmente civiles y políticos, gran parte de ellos tienen implicaciones de naturaleza económica y social. Por eso el Tribunal estima, como lo hace la Comisión, que el hecho de que una interpretación del Convenio pueda extenderse a la esfera de los derechos sociales y económicos no es factor decisivo en contra de dicha interpretación; no existe una separación tajante entre esa esfera y el ámbito del Convenio.

2.2.3. *Doctrina del TEDH en materia de protección de la salud y negligencias médicas*

El **derecho a la protección de la salud no es parte de los derechos garantizados por CEDH** o sus protocolos, sin embargo, **se deriva de diversos de sus preceptos,** como el art. 2[184].

Las obligaciones positivas del art. 2 CEDH y del art. 8 CEDH, obligan a los Estados a **tener normativas que impongan tanto a los hospitales públicos como privados**, la adopción de medidas para la protección de la integridad física de sus pacientes y, en segundo lugar, a **asegurar a la víctimas de negligencia médica, el acceso a procedimientos judiciales en los que puedan, en los casos que proceda, obtener la compensación por los daños**[185].

Veremos ahora un breve resumen de la doctrina sobre el derecho a la protección de la salud en el CEDH.

A pesar de que el TEDH ha estimado en alguna ocasión que los Estados tienen una obligación de diligencia en materia **protección de la salud en el medio hospitalario, el TEDH ha solido bascular hacia la vertiente procesal** del art. 2 CEDH, y muy raramente se ha apartado de las conclusiones de los tribunales internos y de los peritos[186].

En estos supuestos, **el examen del TEDH es más limitado,** dado que se ciñe al aspecto procesal de los art. 2 ó 3 y muy raramente recae sobre el aspecto material de tales disposiciones; de esa forma, busca solo la presencia de **fallos estructurales dentro del sistema sanitario**, como la falta de legislación o de recursos técnicos adecuados, lo que contrasta con el **exhaustivo examen, tanto en el ámbito material, como procesal,** que de-

---

[184] STEDH 17 marzo 2016, Caso Vasileva c. Bulgaria, (F.63).

[185] STEDH 15 noviembre 2007, Caso Benderskiy c. Ucrania (f.61-62); STEDH 2 junio 2009, Caso Codarcea c. Rumanía (f.102-103); STEDH 5 enero 2010, Caso Yardımcı c. Turquía, (f. 55-57); STEDH 25 septiembre 2012, Caso Spyra y Kranczkowski c. Polonia, (f. 86-87); STEDH 15 enero 2013, Caso Csoma c. Rumanía, (f. 41) STEDH 23 septiembre 2014, Caso S.B. c. Rumanía.

[186] STEDH 26 octubre 1999, Caso Erikson c. Italia; STEDH 17 enero 2002, Caso Calvelli et Ciglio c. Italia, seguido luego por la DTEDH 4 mayo 2000, Caso Powell c. Reino Unido).

sarrolla el TEDH en caso de asistencia sanitaria de **colectivos concretos, como personas privadas de libertad**[187], **militares**[188] **o menores**[189].

Fuera de estos colectivos especiales, en numerosos casos en que los demandantes alegaban que el **Estado debía financiar un tratamiento o un medicamente que no podían pagarse,** sus **pretensiones han sido casi invariablemente desestimadas**[190].

En efecto, ante las **alegaciones de negligencia médica** en el tratamiento de un paciente, el TEDH ha señalado que cuando el Estado parte ha adoptado **un marco normativo adecuado para garantizar un alto nivel de competencia** de los profesionales sanitarios y **para garantizar la vida de sus pacientes,** las cuestiones como el error de diagnóstico de un profesional sanitario, o la descoordinación entre profesionales sanitarios en el curso del tratamiento de un paciente en concreto, no son suficientes por si mismas para generar responsabilidad del Estado por incumplimiento de su obligación positiva de proteger el derecho a la vida del art. 2[191].

A tal efecto, sólo en m**uy raras ocasiones el TEDH ha apreciado fallos en el marco normativo de los Estados**[192].

---

[187] STEDH 15 julio 2002, Caso Kalashnikov c. Rusia; (f. 95 y 100); STEDH 1 junio 2006, Caso Taïs c.Francia; STEDH 9 diciembre 2008, Caso Dzieciak c. Polonia, (f. 91); STEDH 29 noviembre 2007, Caso Hummatov. c. Azerbaidjan, STEDH 18 diciembre 2008, Caso Oukhan c. Ucrania, STEDH 21 octubre 2010, Caso Pettukhov c. Ucrania.

[188] STEDH 24 marzo 2009, Caso Beker c. Turquía. (f.41-43).

[189] STEDH 10 abril 2012, Caso Ibeyi Kemaloğlu et Meriye Kemaloğlu c. Turquie, (f.35); STEDH 24 abril 2012, Caso Iliya Petrov c. Bulgarie, (f. 62-63); STEDH 2 septiembre 2010, Caso Fedina c. Ukraine, (f. 54); STEDH 4 febrero 2014, Caso Oruk c. Turquie, (f.64).

[190] STEDH 21 marzo 2002 Caso Nitecki c. Pologne; STEDH 8 julio 2003, Caso Sentges c. Pays-Bas; STEDH 4 enero 2005, Caso Pentiacova y otros 48 c. Moldova; STEDH 22 septiembre 2005, Caso Gheorghe c. Roumanie.

[191] DTEDH 4 mayo 2000, Caso Powell c. Reino Unido; STEDH 14 abril 2009, Caso Sevim Güngör c. Turquie).

[192] STEDH 13 noviembre 2012, Caso Z c. Polonia; STEDH 5 diciembre 2013, Caso Arskaya c. Ucrania; STEDH 30 junio 2015, Caso Altuğ et autres c. Turquía, STEDH 18 marzo 2013, Caso Glass c. Reino Unido.

En otro buen número de casos, el TEDH **no ha considerado que hubiera infracción del Estado, atendiendo a que los tribunales internos y los peritos** no habían determinado la existencia de negligencia alguna[193].

En general, el **TEDH ha apreciado las cuestiones fácticas desde el ángulo procesal del art. 2,** afirmando que hay que **examinar los hechos que han conducido a la muerte del paciente y la responsabilidad de los profesionales** sanitarios implicados, determinando si los **mecanismos existentes permiten arrojar luz sobre el curso de los acontecimiento**s, y si ha sido posible someter los hechos de la causa a **un control público** en favor de los denunciantes[194].

Conviene ahora detenernos sobre la **jurisprudencia sobre denegación de asistencia sanitaria.**

El TEDH ha sostenido que resulta de aplicación el art. 2 CEDH cuando se acredita que las autoridades de un Estado parte han puesto en peligro la vida de una persona denegándole los cuidados médicos que están obligadas a proporcionar al conjunto de la población[195].

Bajo este principio se han planteado casos en que los demandantes exigían que el **Estado financiase una forma concreta de tratamiento** convencional al que no tenían acceso por los elevados costes[196]; o bien casos en que se pedía el **acceso a medicamentos no autorizados**[197].

En la jurisprudencia reciente del TEDH, ha habido diversos casos en que el TEDH **ha condenado a los Estados** por la **denegación de prestación de atención de urgencia, fundamentalmente en el contexto pre o post-natal**[198].

---

[193] STEDH 6 abril 2000, Caso Skraskowski c. Polonia; STEDH 29 marzo 2001, Caso Sieminska c. Polonia, STEDH 31 mayo 2016, Caso Buksa c. Polonia, STEDH 1 marzo 2016, Caso Mihu c. Rumanía.

[194] DTEDH 13 septiembre 2011, Caso Trzepalko c. Polonia, STEDH 21 julio 2015, Zafer Öztürk c. Turquía, entre otras.

[195] STEDH 10 mayo 2001, Caso Chipre c. Turquía (f.219).

[196] STEDH 21 marzo 2002, Caso Nitecki c. Polonia; DTEDH 22 septiembre 2005, Caso Gheorghe c. Rumanía, DTEDH 15 mayo 2012, Caso Wiater c. Polonia.

[197] STEDH 13 noviembre 2012, Caso Hristozov y otros c. Bulgaria.

[198] STEDH 9 abril 2013, Caso Mehmet Şentürk y Bekir Şentürk c. Turquía; STEDH 27 enero 2015, Caso *Asiye Genç c. Turquía*.

Como conclusión, compartimos la apreciación de que la jurisprudencia del TEDH anterior a Lopes de Sousa es poco coherente.

Los **presupuestos de la responsabilidad internacional del Estado en los casos de asistencia sanitaria no pueden ser más inseguros**. En situaciones que no presentan diferencias de calado, se llega a conclusiones dispares. La negligencia, la imprudencia, la ignorancia consciente, el error de diagnóstico o la falta de coordinación de los profesionales sanitarios en el caso de detenidos o militares, son por sí mismos suficientes para generar responsabilidad del estado bajo el prisma del art. 2 CEDH.

Lo contrario ocurre, sin embargo, en el caso del ciudadano común, en los que la negligencia, la imprudencia, la ignorancia consciente, el error de diagnóstico o la falta de coordinación de los profesionales sanitarios no son suficientes para generar la responsabilidad del art. 2 CEDH.

La sentencia que comentamos, **Lopes de Sousa (f.191-196)**, ha venido a intentar poner orden en esta doctrina insegura, sin embargo, lo ha hecho restringiendo excesivamente los supuestos de responsabilidad del Estado desde la vertiente material del art. 2 CEDH, al **imponer unos requisitos muy exigentes**, que cristalizan en el siguiente **estándar:**

–   En primer lugar, es preciso que las acciones y omisiones de los servicios de salud hayan ido más allá de un simple error o negligencia médica, es decir, que estos servicios, con infracción de sus deberes profesionales, hayan denegado asistencia médica de urgencia a un paciente a sabiendas de que dicha denegación pone la vida del paciente en peligro

–   En segundo lugar, para que el Estado sea responsable, se exige que la disfunción en cuestión sea real y objetivamente reconocible como sistémica o estructural.

–   En tercer lugar, debe haber una relación entre la disfunción denunciada y el daño sufrido por el paciente.

–   En fin, la disfunción ha de tener su origen en el incumplimiento por el Estado de su obligación de establecer un marco normativo en sentido amplio.

STEDH 22 marzo 2016, Caso Elena Cojocaru c. Rumanía.
STEDH 30 agosto 2016, Caso Aydoğdu c. Turquía.

2.2.4. Proyección en España: Derecho a la vida y derecho a la protección de la salud y asistencia médica en Hospitales

España está en el puesto 23 de 188 en el "ranking" mundial de sistemas de salud[199], y aunque ha descendido 17 puestos en los últimos años -lo que no deja de ser una importante señal de alerta-, ello no impide afirmar que aún continúa siendo un sistema de referencia en muchos aspectos, (historia clínica electrónica, trasplantes de órganos, etc.)[200]. El propósito de este comentario no va ser —no podría— un análisis de nuestro sistema de protección de salud que, comparativamente, está entre los más garantistas, sino que nos limitaremos a la cuestión de la responsabilidad médica, y la relación de la salud con el derecho a la vida en España; lo que constituye el hilo conductor del tema de fondo en *Lopes de Sousa*.

En el ámbito internacional la salud es "un derecho humano fundamental e indispensable para el ejercicio de los derechos humanos" (Observación General nº 14 del CDESC), reconocido en el art. 25.1 DUDH, art. 12 PIDESC, arts. 11,13 y 19.2 CSE, art. 35 y 31.1 CDFUE. Se trata de un **derecho social**, que por ello **no viene recogido de forma expresa en el CEDH**.

Sin embargo, en este punto, hay que decir que en pocos supuestos **la indivisibilidad e interdependencia, como característica de los DDHH**, se muestra tan evidente como en **el caso de vida y salud**. El TEDH ya dio cuenta de este carácter en la STEDH 9 octubre 1979, caso Airey c. Irlanda[201], que comporta la imposibilidad de separar de forma tajante los dere-

---

[199] Revista médica "The Lancet": puede consultarse el ránking en: https://www.the-lancet.com/action/showPdf?pii=S0140-6736%2817%2932336-X

[200] JIMENA QUESADA, L., "Artículo 43"; en PÉREZ TREMPS, P.; SAIZ ARNAIZ, A., "Comentario a la Constitución Española. 40 aniversario 1979-2018. Libro homenaje a Luis López Guerra. Ed. Tirant Lo Blanch; pp. 829 y ss.

[201] F.26 "(…) El Tribunal no ignora que la progresiva realización de los derechos sociales y económicos depende de la situación de cada Estado, y sobre todo de su situación económica. Por otro lado, el Convenio debe interpretarse a la luz de las condiciones de vida de cada momento (la anteriormente citada sentencia Marckx, p. 19, § 41), y dentro de su campo de aplicación tiende a lograr una protección real y efectiva del individuo (ver más arriba apartado 24). Porque, si bien el Convenio recoge derechos esencialmente civiles y políticos, gran parte de ellos tienen implicaciones de naturaleza económica y social. Por eso, el Tribunal estima, como lo hace la

chos civiles y los derechos sociales, en la línea del punto 5 de la Declaración de Viena de DDHH de 1993.

En efecto, el Comité Europeo de Derechos Sociales[202], ha reconocido que el **derecho a la protección de la salud** del art. 11 de la CSE[203] **completa** los arts. 2 CEDH (**derecho a la vida**) y el art. 3 CEDH (**prohibición de las penas o tratos inhumanos y degradantes**)", en el sentido que han sido interpretados por la jurisprudencia del TEDH, al imponer una serie de obligaciones positivas dirigidas a garantizar el ejercicio efectivo de dicho derecho[204]. Los derechos proclamados por ambos Tratados (CEDH y CSE) en el ámbito de la salud son indisociables, puesto que *"la dignidad humana representa el valor fundamental que está en el corazón del derecho positivo de los derechos humanos, sea la CSE o el CEDH; y la protección de la salud constituye un requisito esencial para la preservación de la dignidad humana"*[205].

No podemos detenernos a examinar el complejo entramado de obligaciones positivas que para el Estado representa el derecho a la protección de la salud[206], sin embargo, en lo que atañe al asunto *Lopes de Sousa*, conviene subrayar que según la doctrina del Comité Europeo de Derechos Sociales,

---

Comisión, que el hecho de que una interpretación del Convenio pueda extenderse a la esfera de los derechos sociales y económicos no es factor decisivo en contra de dicha interpretación; no existe una separación tajante entre esa esfera y el campo cubierto por el Convenio (…)".

[202] Digesto de Jurisprudencia del Comité Europeo de Derechos Sociales. Diciembre 2018. Consejo de Europa.

[203] Art. 11.1 CSE Derecho a la protección de la salud. Toda persona tiene el derecho de gozar de todas las medidas que le permiten disfrutar del mejor estado salud posible.

[204] Conclusions 2005, Observation interprétative de l'article 11.

[205] Fondation Internationale des Ligues des Droits de l'Homme (FIDH) c. France, réclamation n° 14/2003, décision sur le bien-fondé du 3 novembre 2004, §31.

[206] Conclusions 2005, Observation interprétative de l'article 11; Defence for Children International (DCI) v. Belgium, Complaint No. 69/2011, décision sur le bien-fondé de 23 octobre 2012, §28). International Federation of Human Rights Leagues (FIDH) v France, Complaint No.14/2003, §31, 8 Dec 2004; International Federation of Human Rights Leagues (FIDH) v France, Complaint No.14/2003, §31, 8 Dec 2004; Conclusions I (1969), Observation interprétative de l'article 11; Conclusions XV-2 (2001), Addendum, Chypre; Conclusions 2013, Géorgie; Conclusions XVII-2 (2005), Portugal; Conclusions 2005, Observation interprétative de l'article 11; Conclusions XV-2 (2001), Royaume-Uni; Conclusions 2013, Pologne.

el art. 11 CSE incluye en el derecho a la protección de la salud, que los profesionales e instalaciones sanitarias sean suficientes. Con respecto a las camas de hospital, el objetivo de la OMS para los países en desarrollo de tres camas por cada 1000 habitantes debería ser la meta a alcanzar[207]. Una baja densidad de camas de hospital junto con la existencia de una lista de espera podría constituir un obstáculo para el acceso al cuidado de la salud por la mayoría de población[208]. Las condiciones de residencia en los hospitales, incluidas las instituciones psiquiátricas, deben ser adecuadas y garantizar una vida en armonía con la dignidad humana[209].

En el **nivel eurounitario,** vida y salud se recogen como derechos fundamentales en la CDFUE (arts. 2 y 35), siendo la salud una competencia compartida entre la UE y los Estados miembros (art. 4.2F) TFUE, y regulándose la salud pública en el art. 168 TFUE, y existiendo reglamentos de coordinación en materia de Seguridad Social y asistencia sanitaria (Reglamentos nº 883/2004 y 987/2009).

En nuestra CE la protección de la salud no recibe la consideración de derecho fundamental, sino de **principio rector de la política social y económica,** en su **art. 43**[210], que tiene su precedente inmediato en el art. 46.2 de la Constitución Republicana de 1931. Se distingue así de otros ordenamientos, como el Italiano (art. 32 Constitución 1947)[211], en que se reconoce como derecho fundamental. Su condición de principio rector, según el TC, (SSTC 236/2007 y 139/2016, de 21 de julio), lo caracteriza como un

---

[207] Conclusions XV-2 (2001), Addendum, Turquie.

[208] Conclusions XV-2 (2001), Danemark.

[209] Conclusions 2005, Observation interprétative de l'article 11; Conclusions 2005, Roumanie.

[210] Art. 43 CE: 1. Se reconoce el derecho a la protección de la salud.

2. Compete a los poderes públicos organizar y tutelar la salud pública a través de medidas preventivas y de las prestaciones y servicios necesarios. La ley establecerá los derechos y deberes de todos al respecto.

3. Los poderes públicos fomentarán la educación sanitaria, la educación física y el deporte. Asimismo facilitarán la adecuada utilización del ocio.

[211] Art. 32 CI: La república tutela la salud como derecho fundamental de individuo y garantiza el tratamiento médico gratuito a los indigentes. No puede obligarse a nadie a un determinado tratamiento sanitario sino por disposición de la ley, la cual en ningún caso podrá violar los límites impuestos por el respeto de la persona humana".

derecho de configuración legal, susceptible de ser modulado y, por tanto, limitado en su aplicación, por ejemplo a las personas extranjeras.

En el **nivel legislativo**, Ley 14/1986, de 25 de abril, General de Sanidad, desarrolla el art. 43 CE, y es la norma de referencia, pues establece la estructura y el funcionamiento del sistema sanitario público, orientado prioritariamente a la promoción de la salud y a la prevención de las enfermedades. Según su artículo 1, su objeto consiste en la regulación general de todas las acciones que permitan hacer efectivo el derecho a la protección de la salud reconocido en el artículo 43 y concordantes de la Constitución. La ley tiene la condición de norma básica, en el sentido del artículo 149.1.16.ª de la Constitución, y es de aplicación en todo el territorio nacional. Existen, sin embargo, una constelación de normas que integran el derecho sanitario, o que están relacionadas con él, como la Ley 41/2002, de 14 de noviembre, básica reguladora de la autonomía del paciente y de derechos y obligaciones en materia de información y documentación clínica, que resulta fundamental en materia de responsabilidad médica, como Ley 29/2006, de 26 de julio, de garantías y uso racional de los medicamentos y productos sanitarios, la Ley 33/211 de 4 de octubre, General de salud Pública, la ley 14/2007, de 3 de julio de investigación biomédica, la LO 2/2010, de 3 de marzo, de salud sexual y reproductiva y de la interrupción voluntaria del embarazo, etc.

Dentro del panorama legislativo merece es**pecial cita el RD 1030/2006, de 15 de septiembre** por el que se establece la cartera de servicios comunes del Sistema Nacional de Salud y el procedimiento para su actualización, en cuyo art. 4.3 contempla los supuestos de **asistencia sanitaria urgente, inmediata y de carácter vital**, que hayan sido atendidos fuera del Sistema Nacional de Salud (SNS), como casos de **asistencia sanitaria reembolsable** (una vez comprobado que no se pudieron utilizar oportunamente los servicios de aquél y que no constituye una utilización desviada o abusiva de esta excepción). Desde la **perspectiva del derecho fundamental** a la **vida en relación con el derecho a la protección de la salud**, podríamos decir que nos hallamos ante un supuesto de **auto tutela del derecho, en su contenido esencial**, de forma que es el Estado a quien corresponde asumir el coste económico de dicha protección.

Esbozado el mapa —forzosamente incompleto[212]— del desarrollo del art. 43 de la CE, conviene ahora centrarnos en **cómo el TC salva la incoherencia del constituyente al no dotar a un derecho humano fundamental, como la salud, de la naturaleza constitucional de derecho fundamental**, dejándolo como simple principio rector, no alegable ante la jurisdicción ordinaria sino "sólo" de acuerdo con lo que dispongan las leyes que los desarrollen" (art. 53.3 CE), privando, por tanto, de eficacia directa.

Pues bien, el TC, consciente de la **indivisibilidad ontológica y jurídica de vida y salud**, en la línea del CEDS, ha establecido una **relación entre el derecho fundamental a la vida** y el derecho a la integridad física del art. 15 CE **y el principio rector de la protección de la salud** del art. 43, diciendo que el derecho a que no se dañe o perjudique la salud personal queda también comprendido en el derecho a la integridad personal[213], aunque no todo supuesto de riesgo o daño para la salud implique una vulneración del derecho fundamental, sino tan sólo aquel que genere un peligro grave y cierto para la misma[214].

Una vez hemos **fijadas las coordenadas del derecho a la vida y el derecho a la protección de la salud**, tanto en el ámbito internacional como en el eurounitario y constitucional, procede hace ahora una breve mención a las responsabilidad médica y la protección de vida y salud en España frente a las negligencias médicas, que es de lo que trata Lopes de Sousa.

La protección frente a los ataques más graves a vida y salud viene de la mano, como no podía ser de otro modo, **del Código Penal**, que tipifica el homicidio y lesiones por imprudencia grave y menos grave (art. 142 y 152 CP, habiéndose destipificado las faltas de homicidio y lesiones por imprudencia leve (antiguo art. 621 CP), que eran constitutivos de falta, por la LO 1/2015, pues al decir de su exposición de motivos *"no toda actuación culposa de la que se deriva un resultado dañoso debe dar lugar a responsabilidad penal, sino que el principio de intervención mínima y la consideración del sistema pu-*

---

[212] El art. 149.1.16 y art. 148.21 CE generan un sistema descentralizado de gestión de la Salud, que cristaliza en normas autonómicas de imposible cita en un trabajo de estas características.

[213] STC 35/1996, de 11 de marzo, F. 3.

[214] SSTC 119/2001, de 24 de mayo, F. 6 y 5/2002, de 14 de enero, F. 4 ; STC 37/2011, de 28 de marzo, F. 3.

nitivo como última ratio, determinan que en la esfera penal deban incardinarse exclusivamente los supuestos graves de imprudencia"

La **imprudencia grave**, cuando es imprudencia profesional se sanciona además con la inhabilitación especial para ejercicio de profesión oficio o cargo de 3 a 6 años (art. 142.1 CP). El delito de homicidio por **imprudencia menos graves** (art. 142.2 CP), no contempla la imprudencia profesional y es perseguible sólo mediante denuncia de la persona agraviada o el Ministerio Fiscal. En este caso, se puede perseguir penalmente al profesional de la sanidad que obra con imprudencia menos grave con resultado de muerte, pero no se le sancionará con pena de inhabilitación especial.

La doctrina de la Sala II ha venido exigiendo los siguientes **requisitos para entender la imprudencia como penalmente relevante:**

1º) existencia de una acción u omisión, voluntaria pero no maliciosa; 2º) un elemento psicológico consistente en el poder o facultad del agente de poder conocer y prevenir un riesgo o peligro susceptible de determinar un daño; 3º) un factor normativo que consiste en la infracción de un deber objetivo de cuidado en el cumplimiento de reglas sociales establecidas para la protección de bienes social o individualmente valorados, y que es la base de la antijuridicidad de la conducta imprudente; 4º) causación de un daño; y 5º) relación de causalidad entre la conducta descuidada e inobservante de la norma objetiva de cuidado, como originario y determinante del resultado lesivo sobrevenido (STS 14 de febrero de 1997, STS 29 noviembre 2000, núm. 2252/2001, entre otras).

La imprudencia grave requiere el olvido u omisión de los cuidados y atención más elementales lo que se traduce, en el caso de la **culpa médica profesional, en impericia inexplicable y fuera de lo corriente**.

Una vez examinado el sistema de tutela penal de la vida frente a las negligencias médicas, conviene ahora hacer un breve esbozo del **sistema de responsabilidad civil**.

La **responsabilidad civil por muerte derivada de negligencia médica** podrá exigirse conjuntamente o por separado, en el caso de concurrir responsabilidad pena, sin que la extinción de la acción penal comporte la de la acción civil, ni viceversa. Si se opta por su ejercicio separado, el pleito civil habrá de restar suspendido hasta que concluya el proceso criminal (vid. arts. 109 CP y art. 112, 114, 116 y 117 LECrim).

En cuanto a **la responsabilidad patrimonial de los Hospitales Públi-cos por negligencias médicas con resultado de muerte**, hay que estar a lo que dispone el art. 32 a 34 de la Ley 40/2015, de 1 de octubre 6 arts. 24, 35h, 61.4, 65, 67 de la Ley 39/2015 de 1 de octubre, en que se regula la responsabilidad patrimonial de las Administraciones Públicas. Conforme al art. 32 Ley 40/15, "Los particulares tendrán derecho a ser indemniza-dos por las Administraciones Públicas correspondientes, de toda lesión que sufran en cualquiera de sus bienes y derechos, siempre que la lesión sea consecuencia del funcionamiento normal o anormal de los servicios públi-cos salvo en los casos de fuerza mayor o de daños que el particular tenga el deber jurídico de soportar de acuerdo con la Ley".

Se trata de una responsabilidad objetiva, que exige que "que se acredite y pruebe por el que la pretende": a) la existencia del daño y perjuicio cau-sado económicamente evaluable e individualizado; b) que el daño o lesión sufrido por el reclamante es consecuencia del funcionamiento normal o anormal de los servicios públicos "en relación directa, inmediata y exclusiva de causa a efecto sin intervención extraña que pudiera interferir alterando al nexo casual"; y c) ausencia de fuerza mayor[215].

Por tratarse de una responsabilidad objetiva de la Administración es por tanto necesaria la concurrencia de esos elementos precisos que configuran su nacimiento y han de ser probados por quien los alega.

La STS (III) 26 abril 2018, n° 700/2018, con cita de la de la misma Sala de 22 de Diciembre de 2001 entiende que "el elemento de la responsabi-lidad desaparece frente al elemento meramente objetivo del nexo causal entre la actuación del servicio público y el resultado lesivo ó dañoso pro-ducido, si bien, **cuando del servicio sanitario o medico se trata, el empleo de una técnica correcta es un dato de gran relevancia para decidir si hay o no relación de casualidad,** ya que cuando el acto médico ha sido acorde con el estado del saber, resulta extremadamente complejo deducir si, a pesar de ello, causó el daño o más bien este obedece a la propia enfermedad o a otras dolencias del paciente." Dicha sentencia, tras considerar que el daño producido no ha sido antijurídico, une el concepto de infracción de *lex artis* con el relativo a la antijuridicidad de daño y considera que si la interven-

---

[215] [SSTS (III) de 25 de septiembre de 1984, 27 de septiembre de 1985, 17 de di-ciembre de 1987, 21 de junio y 4 de julio de 1988, etc].

ción estaba indicada y se ha realizado con arreglo al estado del saber del momento de que se trate, el resultado dañoso que pueda producirse no es antijurídico."

Siendo **particularmente relevante en este punto para medir la adecuación a la "***lex artis*** «de** la asistencia practicada **la existencia de protocolos de actuación:**

"Con la instauración de los protocolos se establecen unas pautas seriadas de diagnostico y tratamiento terapéutico con lo que se facilita extraordinariamente la determinación de la lex artis de cada caso admitiendo siempre que las circunstancias de cada caso puedan servir para valorar la corrección de la prestación asistencial."

Por otro lado, existe una **cierta flexibilización en el reparto de la carga que incumbe a cada una de las partes en aplicación del principio de facilidad probatoria:**

*«Nos encontramos con un problema que reside en la prueba de que lo actuado en este caso ha sido lo indicado en términos médicos o no. Por otro lado, se aprecia en este ámbito una moderación de la carga de la prueba impuesta al paciente en aplicación del principio de facilidad probatoria, invirtiéndose aquella al imponerse a la Administración la prueba de que su actuación fue en todo caso conforme a las exigencias de la lex artis. Así la STS de 9 de diciembre de 2008), establece: "En materia de prestación sanitaria se modera tal exigencia de prueba del nexo causal en aplicación del principio de facilidad de la prueba, a que alude la jurisprudencia (Ss. 20-9-2005, 4-7-2007, 2-11-2007), en el sentido que la obligación de soportar la carga de la prueba al perjudicado, no empece que esta exigencia haya de atemperarse a fin de tomar en consideración las dificultades que normalmente encontrará el paciente para cumplirla dentro de las restricciones del ambiente hospitalario, por lo que habrá de adoptarse una cierta flexibilidad de modo que no se exija al perjudicado una prueba imposible o diabólica, principio que, como señala a citada sentencia de 4 de julio de 2007, "obliga a la Administración, en determinados supuestos, a ser ella la que ha de acreditar, precisamente por disponer de medios y elementos suficientes para ello, que su actuación fue en todo caso conforme a las exigencias de la **lex artis, pues no sería objetiva la responsabilidad que hiciera recaer en todos los casos sobre el administrado la carga de probar que la Administración sanitaria no ha actuado conforme a las exigencias de una recta praxis médica**».*

De esta forma, el particular, siguiendo el principio general de la carga de la prueba que resulta del art. 217 LEC, deberá acreditar solamente la existencia del daño, la relación de causalidad y, en su caso la violación del criterio de normalidad representado por la *lex artis*; la Administración, si considera que en un caso concreto no hay responsabilidad por aplicación de la cláusula del artículo 141,1 Ley 30/92 (actual art. 34 Ley 40/15). deberá acreditar que no le fue posible a la administración sanitaria evitar la producción del daño y que la actuación de la Administración fue acorde a la *lex artis* del momento de prestación de la asistencia sanitaria (STS (III) de fecha 31 de Mayo de 1999)."

En estos casos, la doctrina considera que parece **razonable invertir la carga de la prueba del mal funcionamiento del servicio siempre que dicha prueba resulte mucho más costosa para la víctima que para la Administración**. Ello sucederá a menudo en el ámbito sanitario, donde la prueba de la vulneración de la *lex artis* suele requerir gran cantidad de información y conocimientos técnico-científicos al alcance de la Administración, pero inasequibles para la víctima profana en medicina. De esta forma, una vez probados por la víctima el daño sufrido y la existencia de relación de causalidad entre la atención médica recibida y aquél, corresponderá a la Administración acreditar que la asistencia procurada se ajustó a los protocolos existentes y a la lex artis. Con ello se incentiva, de paso, que la Administración documente como es debido sus actuaciones asistenciales, documentación que no sólo es importante desde la óptica de la responsabilidad, sino también para llevar a cabo un seguimiento eficaz de las enfermedades y afecciones de los pacientes[216].

La Sala 3ª del TS admite en ocasiones dicha inversión, condenando a la Administración por no haber logrado acreditar que su actuación respetó la *lex artis*. Cabe citar, en este sentido, entre otras, las SSTS (III) de 10 octubre 2007, y de 23 octubre 2007 [27].

Una vez examinado el régimen general de la responsabilidad civil por muerte derivada de negligencia médica en Hospitales públicos en el ámbito penal y contencioso no podemos cerrar este comentario sin hacer referencia a la legislación de crisis que, en buena parte, ha sido muestra del deterioro del sistema de protección de la salud. Nos referimos al **RD-ley 16/2012, de 20 de abril de medidas urgentes,** que modificó la Ley 16/2003 de 28 de mayo de cohesión y calidad del SNS, a través de la cuál se **limita el acceso**

---

[216] MIR PUIGPELAT, O. "Responsabilidad objetiva vs. funcionamiento anormal de a Administración Pública Sanitaria". Revista de Derecho Administrativo nº 140/2008, parte Estudios. Ed. Civitas. 2008.

a las personas inmigrantes en situación irregular[217], de forma que ello supone una modificación del sistema de protección de la salud del que venían disfrutando los inmigrantes en nuestro país, modificación que contraviene el mandato de universalización de la asistencia sanitaria que deriva del art. 43 CE. Dicha limitación ha sido paliada por el RD-ley 7/2018, de 27 de julio (art. 3bis)[218].

---

[217] Artículo 3 ter. Asistencia sanitaria en situaciones especiales.

Los extranjeros no registrados ni autorizados como residentes en España, recibirán asistencia sanitaria en las siguientes modalidades:

a) De urgencia por enfermedad grave o accidente, cualquiera que sea su causa, hasta la situación de alta médica.

b) De asistencia al embarazo, parto y postparto.

En todo caso, los extranjeros menores de dieciocho años recibirán asistencia sanitaria en las mismas condiciones que los españoles.»

[218] Artículo 3 ter. Protección de la salud y atención sanitaria a las personas extranjeras que encontrándose en España no tengan su residencia legal en el territorio español.

1. Las personas extranjeras no registradas ni autorizadas como residentes en España tienen derecho a la protección de la salud y a la atención sanitaria en las mismas condiciones que las personas con nacionalidad española, tal y como se establece en el artículo 3.1.

2. La citada asistencia será con cargo a los fondos públicos de las administraciones competentes siempre que dichas personas cumplan todos los siguientes requisitos:

a) No tener la obligación de acreditar la cobertura obligatoria de la prestación sanitaria por otra vía, en virtud de lo dispuesto en el derecho de la Unión Europea, los convenios bilaterales y demás normativa aplicable.

b) No poder exportar el derecho de cobertura sanitaria desde su país de origen o procedencia.

c) No existir un tercero obligado al pago.

2. La asistencia sanitaria a la que se refiere este artículo no genera un derecho a la cobertura de la asistencia sanitaria fuera del territorio español financiada con cargo a los fondos públicos de las administraciones competentes, sin perjuicio de lo dispuesto en las normas internacionales en materia de seguridad social aplicables.

3. Las comunidades autónomas, en el ámbito de sus competencias, fijarán el procedimiento para la solicitud y expedición del documento certificativo que acredite a las personas extranjeras para poder recibir la prestación asistencial a la que se refiere este artículo.

En aquellos casos en que las personas extranjeras se encuentren en situación de estancia temporal de acuerdo con lo previsto en la Ley Orgánica 4/2000, de 11 de enero, sobre Derechos y Libertades de los Extranjeros en España y su Integración So-

Sin embargo, el TC, de forma criticable, validó dicha modificación, en su STC 139/2016 de 21 de julio (F.8) considerando, en suma, que la universalidad es un mero propósito o tendencia, y que el legislador goza de un amplio margen.

No hay referencia alguna, por supuesto, al límite del contenido esencial del derecho a la vida en su relación con la salud, y menos aún del contenido esencial del derecho a la protección de la salud, que en tanto principio rector, carece de dicha garantía:

> *«Supone un giro en la anterior política de progresiva extensión de la asistencia sanitaria gratuita o bonificada, a partir de la creación del SNS. Sin embargo, ya hemos señalado que la universalización legislativamente proclamada ha sido más bien un objetivo a conseguir, atendiendo a las circunstancias, entre las que ocupan un lugar destacado las económicas (en el mismo sentido, el ya citado ATC 96/2011, FJ 6). La **pretensión de universalidad acogida por el art. 43 CE se ha articulado de acuerdo con las previsiones legales existentes en cada momento,** sin que hasta el **momento haya significado el derecho incondicionado de toda persona residente o transeúnte que se halle en España a obtener gratuitamente todo tipo de prestaciones sanitarias.** La universalidad, en lo que significa como derecho de acceso y la correlativa obligación de los servicios sanitarios del SNS de atender a los usuarios que reclaman atención sanitaria, no puede, en suma, confundirse con un derecho a la gratuidad en las prestaciones y los servicios sanitarios. Esta consecuencia **no se deriva de manera inmediata de la CE, sino que ha de ser, en su caso, apreciada por el legislador atendiendo** a las circunstancias concurrentes (en un sentido similar, para el sistema de Seguridad Social, SSTC 41/2013, de 14 de febrero, y 49/2015, de 5 de marzo. Este Tribunal se ha pronunciado reiteradamente sobre los condicionantes económicos y, en concreto, respecto del modelo de la Seguridad Social (art. 41 CE) (SSTC 65/1987, de 21 de mayo (RTC 1987, 65), FJ 17; 37/1994, de 10 de febrero), FJ 3, o 78/2004, de 29 de abril, FJ 3). Además, ha señalado que "la sostenibilidad del sistema sanitario público impone a los poderes públicos la necesidad de adoptar medidas de racionalización del gasto sanitario, necesarias en una situación caracterizada por una exigente reducción del gasto público, de manera que las administraciones públicas competentes tienen la obligación de distribuir equitativamente los recursos públicos disponibles y favorecer un uso racional de este Sistema» (ATC 96/2011, de 21 de junio, FJ 6).*

---

cial, será preceptiva la emisión de un informe previo favorable de los servicios sociales competentes de las comunidades autónomas.

4. Las comunidades autónomas deberán comunicar al Ministerio de Sanidad, Consumo y Bienestar Social, mediante el procedimiento que se determine, los documentos certificativos que se expidan en aplicación de lo previsto en este artículo.

Se trata de un **argumentario economicista del derecho de la salud** y, en conexión con él, del derecho a la vida, que obvian su nexo con la dignidad y que, en nuestro derecho constitucional se apoya en la **concepción de la salud como un mero principio rector** sin contenido esencial. Sin embargo, en tanto en cuanto la infra dotación de médicos o las restricciones del concepto de asegurado y beneficiario del SNS afecten a la vida de las personas, se estará vulnerando el derecho a la vida de las mismas. Desgraciadamente, esta misma tendencia neoliberal y restrictiva que apreciamos en la citada norma española, es la que, en *Lopes de Sousa*, marca también el rumbo en Estrasburgo.

2.2.5. *Índice de casos*

STEDH 9 octubre 1979, Caso Airey c. Irlanda
STEDH 6 abril 2000, Caso Skraskowski c. Polonia
DTEDH 4 mayo 2000, Caso Powell c. Reino Unido
STEDH 29 marzo 2001, Caso Sieminska c. Polonia
STEDH 10 abril 2001, Caso Tanl c. Turquía
STEDH 17 enero 2002, Caso Calvelli et Ciglio
STEDH 21 marzo 2002, Caso Nitecki c. Polonia
STEDH 15 julio 2002, Caso Kalashnikov c. Rusia
STEDH 8 julio 2003, Caso Sentges c. Holanda
STEDH 8 julio 2004, Caso Vo c. Francia
STEDH 4 enero 2005, Caso Pentiacova y otros 48 c. Moldova
DTEDH 22 septiembre 2005, Caso Gheorghe c. Rumanía
STEDH 1 junio 2006, Caso Taïs c. Francia
STEDH 15 noviembre 2007, Caso Benderskiy c. Ucrania
STEDH 29 noviembre 2007, Caso Hummatov. c. Azerbaidjan
STEDH 9 diciembre 2008, Caso Dzieciak c. Polonia
STEDH 18 diciembre 2008, Caso Oukhan c. Ucrania
STEDH 24 marzo 2009, Caso Beker c. Turquía
STEDH 14 abril 2009, Caso Sevim Güngör c. Turquie
STEDH 2 junio 2009, Caso Codarcea c. Rumanía
STEDH 5 enero 2010, Caso Yardımcı c. Turquía
STEDH 2 septiembre 2010, Caso Fedina c. Ukraine
DTEDH 13 septiembre 2011, Caso Trzepalko c. Polonia
STEDH 10 abril 2012, Caso lbeyi Kemaloğlu et Meriye Kemaloğlu c. Turquie
STEDH 24 abril 2012, Caso Iliya Petrov c. Bulgarie
DTEDH 15 mayo 2012, Caso Wiater c. Polonia
STEDH 25 septiembre 2012, Caso Spyra y Kranczkowski c. Polonia
STEDH 13 noviembre 2012, Caso Hristozov y otros c. Bulgaria
STEDH 13 noviembre 2012, Caso Z c. Polonia
STEDH 15 enero 2013, Caso Csoma c. Rumanía

STEDH 18 marzo 2013, Caso Glass c. Reino Unido
STEDH 9 abril 2013, Caso Mehmet Şentürk y Bekir Şentürk c. Turquía
STEDH 5 diciembre 2013, Caso Arskaya c. Ucrania
STEDH 4 febrero 2014, Caso Oruk c. Turquie
STEDH 23 septiembre 2014, Caso S.B. c. Rumanía
STEDH 27 enero 2015, Caso Asiye Genç c. Turquía
STEDH 30 junio 2015, Caso Altuğ et autres c. Turquía
STEDH 21 julio 2015, Zafer Öztürk c. Turquía
STEDH 1 marzo 2016, Caso Mihu c. Rumanía
STEDH 22 marzo 2016, Caso Elena Cojocaru c. Rumanía
STEDH 31 mayo 2016, Caso Buksa c. Polonia
STEDH 30 agosto 2016, Caso Aydoğdu c. Turquía
STEDH 19 diciembre 2017, Caso Lopes de Sousa Fernandes c. Portugal

2.2.6. Bibliografía

ASÚA GONZÁLEZ, C. I. "Responsabilidad civil médica", en REGLERO CAMPOS, L. R. (Coordinador). "Tratado de Responsabilidad civil. Ed. Aranzadi 2002. pp. 959 y ss.

GARCÍA ROCA, J., SANTOLAYA, P. (Coord.) "La Europa de los Derechos. El Convenio Europeo de Derechos Humanos Ed. CEC. 2ª Edición. 2009.

LASAGABASTER HERRARTE, I. "Convenio Europeo de Derechos Humanos. Comentario Sistemático. 2ª edición. Ed. Civitas Thomson-Reuters 2009.

MIR PUIGPELAT, O. "Responsabilidad objetiva vs. funcionamiento anormal de a Administración Pública Sanitaria". Revista de Derecho Administrativo nº 140/2008, parte Estudios. Ed. Civitas. 2008.

MONEREO ATIENZA, C.; MONEREO PÉREZ, J. L. "La Garantía Multinivel de los Derechos Fundamentales en el Consejo de Europa". Ed. Comares. 2017.

JIMENA QUESADA, L., "Artículo 43"; en PÉREZ TREMPS, P.; SAIZ ARNAIZ, A., "Comentario a la Constitución Española. 40 aniversario 1979-2018. Libro homenaje a Luis López Guerra. Ed. Tirant Lo Blanch; pp. 829 y ss.

PINTO DE ALBUQUERQUE, P. "I Diritti umani in una prospettiva europea. Opinini concrrenti e dissenzienti (2011-2015)". A cura e con un saggio di Davide Galliani. Prefazine di Paola Bilancia. Ed. B. Giappichelli Editori-2016.

PRECIADO DOMÈNECH, C. H. "Teoría General de los Derechos Fundamentales en el contrato de Trabajo". Ed. Thomson Reuters-Aranzadi. 2018.

QUERALT JIMÉNEZ, A. "La interpretación de los derechos: del Tribunal de Estrasburgo al Tribunal Constitucional". Ed. CEC. 2008.

RIPOL CARULLA, S., VELÁZQUEZ GARDETA, J.M. y AAVV "España en Estrasburgo. Tres Décadas bajo la Jurisdicción del Tribunal Europeo de Derechos Humanos. Ed… Aranzadi. Primera edición. 2010.

SARMIENTO,D.; MIERES MIRES, L. J.; PRESNO LINERA, M. "Las sentencias básicas del Tribunal Europeo de Derechos Humanos. Ed. Thomson Cititas. 2007.

2.3. CASO MOCANU Y OTROS C. RUMANÍA
(STEDH 17 septiembre 2014): la naturaleza la prescripción en la ley penal. La obligación estatal de castigar los crímenes contra la humanidad sin sujeción a prescripción

2.3.1. Resumen del caso

En la STEDH de 17 septiembre 2014, Caso Mocanu y otros c. Rumanía, la Gran Sala del TEDH resolvió por mayoría que en el caso de la Sra. Mocanu hubo vulneración del art. 2 CEDH (derecho a la vida) en su aspecto procesal; en el caso del Sr. Stoica, hubo violación del art. 3 CEDH(prohibición de tortura y de tratos inhumanos o degradantes), en su aspecto procesal; y consideró por unanimidad que en el caso de la asociación "21 Diciembre 1989" hubo violación del art. 6.1 CEDH (derecho a un proceso justo en un plazo razonable).

El caso trata sobre la investigación y la duración del proceso que tuvo por objeto la violenta represión de las manifestaciones que se desarrollaron contra el régimen de Nicolae Ceausescu en junio de 1990, en Bucarest.

Resumen de los hechos: en junio de 1990, el gobierno rumano inició el desalojo de la Plaza de la Universidad, ocupada durante varias semanas por manifestantes que protestaban contra el régimen vigente de Ceausescu.

El 13 de junio de 1990, intervino la policía arrestando a numerosos manifestantes, lo que produjo como reacción un incremento de las manifestaciones.

Mientras que el ejército fue enviado a zonas sensibles, desde el Ministerio del interior, que estaba rodeado de manifestantes, se produjeron disparos y uno de ellos alcanzó la cabeza de M.Mocanu (esposo de la primera demandante), causándole la muerte.

Por la noche, el Sr. Stoica (segundo demandante) y otros fueron arrestados y maltratados por policías uniformados y hombres de paisano en la sede de la televisión estatal. La investigación criminal sobre esta represión comenzó en 1990 en el contexto de un gran número de casos individuales, que posteriormente se acumularon, remitiéndose después a la oficina del fiscal militar en 1997.

El 18 de junio de 2001, es decir, más de once años después de los hechos denunciados, el Sr. Stoica interpuso denuncia ante la Fiscalía Militar de la Corte Suprema de Justicia. La investigación sobre los malos tratos infligidos al segundo demandante el 13 de junio de 1990 se cerró mediante auto de sobreseimiento dictado el 17 de junio de 2009 y confirmado por una sentencia del Tribunal Superior de Casación y Justicia dictada el 9 de marzo de 2011.

El proceso penal relacionado con el homicidio del marido de la primera demandante todavía estaba pendiente cuando se dictó la sentencia del TEDH.

Mediante sentencia de 13 de noviembre de 2012, la Sala del TEDH ha resuelto, por unanimidad, que hubo violación del aspecto procesal del artículo 2 con respecto a la Sra. Mocanu y por cinco votos contra dos, ninguna violación de la parte procesal del Art. 3 con respecto al Sr. Stoica.

Resumen del voto mayoritario: *Cuestión preliminar de incompetencia ratiome temporis.*

Art. 35.3 CEDH: Ante la Gran Sala, el gobierno demandado no ha planteado la incompetencia *ratione temporis* del TEDH. Sin embargo, sostiene que el TEDH sólo puede conocer de los casos planteados frente al Estado que sean posteriores a 29 de junio de 1994, fecha de entrada en vigor del CEDH en Rumanía.

La Gran Sala se ha declarado competente *ratione temporis* para conocer de la alegación de la violación del aspecto procesal de los arts.2 y 3 CEDH. En efecto, considera que las denuncias por vulneración de la vertiente procesal de dichos preceptos se refieren a la investigación de la represión armada llevada a cabo los días 13 y 14 de junio de 1990 contra las manifestaciones antigubernamentales, una represión que costó la vida del marido de la Sra Mocanu y dañó la integridad física del Sr. Stoica. Esta investigación se inició en 1990, poco después de estos hechos, dando lugar, entre otras cosas, a medidas de investigación dirigidas principalmente a la identificación de las víctimas asesinadas a tiros, incluido el marido de la Sra. Mocanu.

Transcurrieron cuatro años desde los hechos investigados hasta la entrada en vigor del CEDH en Rumania, que tuvo lugar el 20 de junio de 1994. Este período de tiempo es relativamente corto. Son menos de diez años y menos que los transcurridos en otros casos similares examinados por el TEDH. Además, la mayor parte del procedimiento y las medidas procesales más importantes son posteriores a la fecha de entrada en vigor del CEDH.

En consecuencia, el TEDH concluye que tiene competencia *ratione temporis* para conocer de las demandas presentadas por la Sra. Mocanu y el Sr. Stoica en lo que se refiere al aspecto procesal de los artículos 2 y 3 CEDH, en tanto que las mismas se refieran a la Investigación criminal desarrollada tras la entrada en vigor del CEDH en Rumania.

Cuestión preliminar de demanda interpuesta fuera de plazo

Artículo 35 § 1: La Gran Sala consideró apropiado examinar conjuntamente la objeción preliminar, planteada por la demora en la presentación de la segunda denuncia penal del Sr. Stoica ante las autoridades competentes; con el examen del fondo de la denuncia de vulneración del aspecto procesal del artículo 3 de CEDH, concluyendo que dicha vulneración tuvo lugar.

La Gran Sala razona que la cuestión de la diligencia exigible al Sr. Stoica está estrechamente vinculada a la de la posible demora en la incoación de un proceso penal en el ordenamiento jurídico interno. En conjunto, estos argumentos constituyen una excepción basada en el incumplimiento del período de seis meses previsto en el artículo 35 § 1 CEDH[219].

La vulnerabilidad del segundo demandante, junto a su sentimiento de impotencia, como el de otras muchas víctimas que también esperaron mucho antes de interponer denuncia, representan una explicación plausible y aceptable de su inactividad de 1990 a 2001. Por lo tanto no faltó en su deber de cuidado a la hora de denunciar.

Por otro lado, varias circunstancias apuntan a que las autoridades conocieron o hubieron podido conocer sin mucha dificultad, los nombres de al menos algunas de las víctimas de los abusos perpetrados durante el 13 de junio de 1990 y la noche siguiente.

---

[219] Art. 35.1 CEDH Al Tribunal no podrá recurrirse sino después de agotar las vías de recursos internas, tal como se entiende según los principios de derecho internacional generalmente reconocidos y en el plazo de seis meses a partir de la fecha de la decisión interna definitiva.

En esas circunstancias, no se puede concluir que la demora Sr. Stoica en presentar su denuncia pudiera poner en peligro la eficacia de la investigación.

En cualquier caso, tal denuncia se incluyó en el expediente de investigación, que se refería a un gran número de víctimas de los sucesos del 13 al 15 de junio de 1990, y la decisión del 29 de abril de 2008 de la sección militar de la oficina del fiscal contiene los nombres de más de mil víctimas. Se trata, por tanto, de una investigación llevada a cabo en un contexto ciertamente excepcional.

Además, desde 2001, ha habido un verdadero contacto entre el Sr. Stoica y las autoridades en relación a su denuncia, mediante solicitudes de información, que él mismo personalmente cursó todos los años ante la fiscalía para interesarse sobre el curso de la investigación. De añadido, había pruebas evidentes de que la investigación estaba progresando.

Dada la evolución de la investigación después de 2001, su alcance y complejidad, el Sr. Stoica, tras interponer denuncia ante las autoridades nacionales, podía confiar legítimamente que la investigación era efectiva y que daría resultado, siempre que hubiera alguna probabilidad de que la misma avanzase.

El Sr. Stoica presentó su demanda ante el TEDH el 25 de junio de 2008, más de siete años después de presentar una denuncia penal ante las autoridades públicas. En ese momento, la investigación aún estaba pendiente y se habían llevado a cabo medidas de investigación. Por las razones anteriores, no puede atribuírsele demora en la interposición de la demanda. Además, la decisión interna definitiva del caso del Sr. Stoica es la sentencia del 9 de marzo de 2011. Por lo tanto, la demanda no está fuera de plazo.

En conclusión se rechaza la excepción preliminar, por 14 votos contra 3.

Violación del derecho a la vida y la prohibición de torturas y tratos inhumanos o degradantes (art. 2 aspecto procesal).

Poco después de los hechos de junio de 1990 se abrió una investigación penal de oficio, que desde su inicio tenía por objeto los homicidios por arma de fuego del marido de la Sra. Mocanu y otras personas, y que aún no se ha cerrado.

La parte del proceso referido al Sr. Stoica que incriminaba a 37 altos responsables civiles y militares no ha concluido hasta la sentencia recaída el 9 de marzo de 2011, por la Alta Corte de Casación.

La competencia *ratione temporis* del TEDH le impide entrar en el análisis de hechos relativos a la investigación que sean anteriores a 20 de junio de 1994, fecha de entrada en vigor del CEDH en Rumanía.

En lo que se refiere al carácter independiente de la investigación, la misma se encomendó a fiscales militares, que al igual que los acusados, estaban sujetos al principio de dependencia jerárquica, lo que ya ha llevado al TEDH en anteriores casos contra Rumanía a concluir que ha habido violación del art. 2 y 3 del CEDH en su aspecto procesal.

En cuanto a la celeridad y la adecuación de la investigación: respecto de la Sra. Mocanu, hay que señalar que dicha investigación está pendiente pasados 23 años de los hechos; y más de 19 años después de la ratificación del CEDH por Rumanía; y respecto del Sr. Stoica el proceso concluyó por sentencia de 9 de marzo de 2011, 21 años después del inicio de las investigaciones y 10 años después de la interposición de denuncia y la unión de la misma al expediente de la investigación.

Partiendo de que el caso presenta una innegable complejidad, el problema político y social que el mismo supone, invocado por el Gobierno, no justifica un retraso tan excesivo. Al contrario, precisamente la importancia de este caso para la sociedad rumana, debería haber incitado a las autoridades internas a tramitar el proceso con agilidad, a fin de evitar toda apariencia de tolerancia o complicidad con tales crímenes.

Sin embargo, la investigación llevada a cabo respecto de la Sra. Mocanu sufrió importantes períodos de paralización. Además, incluso las propias autoridades nacionales constataron varias lagunas en dicha investigación.

Por otro lado, la investigación sobre las agresiones infligidas al Sr. Stoica terminaron con un auto de sobreseimiento de 17 de junio de 2009, confirmado después por una sentencia de 9 de marzo de 2011, es decir, 10 años después de haberse interpuesto denuncia.

Sin embargo, a pesar de lo extenso del período de investigación y de los actos de investigación practicados a petición del denunciante, ninguna de las decisiones logró establecer las circunstancias en que se produjeron los malos tratos que el interesado y otras personas alegan haber sufrido en la sede de la televisión pública. Esta pieza de la investigación se cerró por prescripción de la responsabilidad penal.

Sin embargo, difícilmente pueden entenderse cumplidas las obligaciones procesales derivadas de los arts. 2 y 3 CEDH cuando, como es el caso, se archiva una investigación por prescripción derivada de la inacción de las autoridades. Parece que las autoridades responsables de la investigación no han adoptado todas las medidas que razonablemente les hubieran permitido identificar y castigar a los responsables.

En lo que se refiere al ofrecimiento de acciones a los familiares de las víctimas en el proceso, la Sra. Mocanu no fue informada del curso de la investigación antes de la decisión de 18 de mayo de 2000, que abrían el juicio oral contra los acusados de matar a su marido. Es más, la demandante ha sido oída por primera vez por el fiscal el 14 de febrero de 2007, 17 años después de los hechos y, según la sentencia de la Alta Corte de Csación de 17 de diciembre de 2007, ella no ha recibido ninguna información más sobre la evolución de la investigación. Partiendo de ello, el TEDH no cree que el interés de la demandante de participar en la investigación haya sido suficientemente protegido.

Por tanto, en vista de cuanto antecede, la Sra. Mocanu no ha gozado de una investigación efectiva conforme al art. 2 CEDH, y el Sr. Stoica, ha sido privado de una investigación efectiva, conforme al art. 3 CEDH.

En conclusión, se estima la violación del art. 2 en su vertiente procesal (6 votos contra uno) y la violación del art. 3 en su vertiente procesal (14 votos contra 3).

El TEDH concluye por unanimidad que hubo violación del art. 6.1 en lo que se refiere al tercer demandante, la asociación "21 Diciembre 1989", que agrupa a personas que resultaron heridas durante la represión violenta de manifestaciones organizadas en contra del régimen. En diciembre de 1989 y a los padres de los que allí perdieron su vida, considerando que la duración del procedimiento en cuestión ha sido excesiva.

2.3.2. Extractos del voto particular de Paulo Pinto al que se adhiere el Juez Vucinic

«1. La cuestión principal que plantea el caso Mocanu y otros c. Rumanía, es la aplicación de la prescripción a los hechos acontecidos durante el período de transición a la democracia, y más concretamente a los ocurridos en Bucarest en el mes de junio de 1990.

Considero que el Tribunal Europeo de Derechos Humanos ("el Tribunal") es competente ratione temporis para este caso, y que las excepciones planteadas por el Gobierno, a saber, la de falta de agotamiento de los recursos internos y la de interposición de la demanda fuera de plazo, en el caso de M. Stoica; son ambas infundadas[220].

Comparto también las críticas vertidas por la Gran Sala a propósito de las disfunciones del proceso interno en lo que se refiere a la muerte de M. Mocanu, la detención ilegal y las torturas infligidas a M. Stoica, así como los daños sufridos por la asociación demandante (saqueo de su sede y requisa ilegal de sus bienes y documentos).

---

[220] Sobre la competencia del Tribunal *ratione temporis* respecto a los sucesos ocurridos durante el período de transición en Rumania, ver: STEDH 20 octubre 2009, Caso Agache y otros c. Turquía; STEDH 8 diciembre 2009, Caso Şandru y otros c. Rumanía y STEDH 24 mayo 2011, Caso Asociación "21 de diciembre de 1989" y otros c. Rumania, con base en el fallo en STEDH 9 abril 2009, Caso Šilih c. Rumania. Dado que el CEDH impone a los Estados obligaciones de procedimiento que son distintas e independientes de las obligaciones sustantivas que establece, de ello resulta que el TEDH tiene competencia *ratione temporis*, ya que esas obligaciones de procedimiento se aplican o deberían haberse aplicado después de la fecha de entrada en vigor del CEDH. Esta jurisprudencia no es nueva a la luz del principio establecido por la Corte Permanente de Justicia Internacional en las Concesiones de Mavrommatis Palestina (1924, PCIJ, Serie A, No. 2, p. 35) y el caso de Sofía y Bulgaria (objeción preliminar) (1939, PCIJ, Serie A/B, No. 77, p. 82), y por la Corte Internacional de Justicia en el caso del Derecho de paso sobre el territorio indio (fondo) (sentencia de 12 de abril 1960, ICJ Reports 1960, p.35). "Así, la Corte Permanente ha distinguido entre las situaciones o hechos que constituyen la fuente de los derechos reclamados por una de las partes y las situaciones o hechos que dan lugar al litigio.. Sólo estos últimos deben considerarse a los fines de la declaración de competencia de la Corte ", y en el caso relativo a la Aplicación de la Convención para la Prevención y la Sanción del Delito de Genocidio (Objeciones Preliminares) (Sentencia, ICJ Reports 1996, § 34). Por lo tanto, la sentencia Šilih no está muy alejada del principio establecido por el derecho internacional general. Y, al igual que los hechos en el caso Šilih, la muerte del Sr. Mocanu, los malos tratos infligidos al Sr. Stoica y el saqueo de la sede de la asociación demandante constituyen la "fuente de los derechos reclamados" por los solicitantes, y no los "hechos que dan lugar a la disputa", por lo que son competencia *ratione temporis* del Tribunal

En este voto particular, me limitaré a señalar que la persecución de las violaciones masivas de los derechos humanos ocurridas en Rumanía durante su transición a la democracia —concretamente las cometidas en junio de 1990— no han prescrito, y que por tanto es preciso continuar de oficio la investigación de tales violaciones, perseguirlas y sancionarlas de acuerdo con las normas de derecho internacional y de derecho interno. Por lo tanto, se tratará de concretar los términos un tanto reservados que la Gran Sala ha empleado en los párrafos 346 y 347 de su sentencia.

La naturaleza de la prescripción penal

2. La prescripción penal impide la persecución y codena de los acusados, así como la ejecución de las penas impuestas a los condenados por sentencia firme. Al contrario de lo que pueda parecer a primera vista, no se trata sólo de una excepción procesal. La prescripción se yuxtapone con igual fuerza a las condiciones de existencia del delito.

Por esa razón, la prescripción participa de la naturaleza material de los elementos constitutivos del delito, y conlleva en buena lógica la plena aplicación del art. 7 CEDH (el Convenio) en lo que se refiere al principio de interpretación estricto de las normas de las prescripción desfavorables al acusado, y a la obligación de aplicar retroactivamente las reglas de prescripción que le sean favorables. En otras palabras, desde la perspectiva de la Convención, la prescripción tiene una doble naturaleza, a la vez procesal y material[221].

3. En teoría, sólo un sistema penal retribucionista puro, dirigido a castigar a cualquier precio al autor del delito, no contendría regla alguna de prescripción. Al contrario, los sistemas penales fundados en la prevención especial positiva (la reinserción social del penado), que tienen como finalidad preparar al autor del delito para, que una vez sea puesto en libertad, lleve una vida en sociedad respetuosa con la ley, optarían por la solución opuesta[222]. A la vista de esta finalidad, es contra productivo imponer

---

[221] Ver: STEDH 22 marzo 2001, Caso K.-H.W. c. Alemania; STEDH 17 mayo 2010, Caso Kononov c. Letonia y el voto particular parcialmente disidente de los jueces Pinto de Albuquerque y Turković adjunto a la STEDH 27 marzo 2014, Caso Matytsina c. Italia.

Para conocer la doctrina, consúltese el Sr. Delmas-Marty, "Responsabilidad penal en caso de incumplimiento (prescripción, amnistía, inmunidades)", en A. Cassese y M. Delmas-Marty (editores), International Jurisdictions and International Crimes, 2002, p. 617, y E. Lambert Abdelgawad y K. Martin-Chenut, "Prescripción en el derecho internacional: hacia la imprescriptibilidad de ciertos delitos", en H. Ruiz Fabri et al., Clemency by Law, 2007, p. 151.

[222] En la STEDH 9 julio 2013, Caso Vinter y otros c. Reino Unido, el se ha sumado al consenso internacional sobre la obligación de trabajar para reinserciónde los condenados a prisión, que se basa, entre otras cosas, en el artículo 10 § 3 del Pacto Internacional de Derechos Civiles y Políticos, el artículo 5 § 6 de la Convención Americana sobre los Derechos del Niño. y el artículo 40 § 1 de la Convención de las Naciones Unidas sobre los Derechos del Niño.

una pena al autor de un delito transcurridos muchos años desde los hechos, puesto que su situación personal ha cambiado. Por otro lado, el castigo tardío del acusado es en sí mismo incompatible con el objetivo de la prevención especial negativa (la neutralización del autor del delito), que consiste en impedir la reincidencia, aislando al condenado de la sociedad. Además, carece de cualquier efecto disuasorio para los delincuentes potenciales, y sirve menos aún para reforzar la autoridad social de la norma infringida.

El paso del tiempo no sólo produce una reducción del efecto disuasorio de la pena, sino que lo reduce a la nada.

Por lo tanto, ni la prevención general positiva (el reforzamiento de la norma infringida), que pretende promover el respeto y el acatamiento de la norma infringida, ni la prevención general negativa (la disuasión de los delincuentes potenciales) justifican que un delito pueda castigarse de forma indefinida.

Si las finalidades legítimas de la pena en una sociedad democrática no son compatibles con la noción misma de delito imprescriptible, el principio de seguridad jurídica, que está en el núcleo mismo de todo sistema jurídico en una sociedad democrática, refuerza aún más la exigencia de que, pasado cierto tiempo, el sospechoso no sea ya molestado, debiendo desaparecer la amenaza permanente de la acción penal dirigida contra el mismo.

Sea cual sea el grado de responsabilidad del Estado en la dilación sufrida por una instrucción penal, el derecho de la sociedad a perseguir al sospechoso pierde su legitimidad tarde o temprano. Sostener lo contrario, le convertiría en un mero objeto del poder ejecutivo, sacrificado en el altar de la justicia absoluta e ilusoria, que no reflejaría otra cosa que un retribucionismo ciego.

Toda injerencia del Estado en la libertad debe estar limitado por los principios de proporcionalidad y necesidad, siendo uno de sus corolarios el principio de intervención mínima. Excede con creces de dicho principio la persecución perpetua de una persona sospechosa, por lo que la misma es constitutiva de una injerencia desproporcionada en la libertad.

En fin, la persecución y condena de un sospechoso pasados muchos años de la comisión de los hechos que se le imputan, presenta numerosas aristas desde la perspectiva del principio proceso justo, debido fundamentalmente las insuperables dificultades prácticas que plantea el paso del tiempo en todo lo que concierne a la fiabilidad de las pruebas[223]. Estas dificultades probatorias afectan no sólo a las acusaciones, sino también a la posibilidad de plantear una defensa eficaz.

4. En resumen, los principios de seguridad jurídica, del proceso justo y de reinserción de los penados, son incompatibles con el hecho de poder perseguir y sancionar las infracciones penales sin límite temporal. Las infracciones penales deben poder perseguirse y castigarse dentro de plazos razonables. Los susodichos principios de seguridad jurídica y reinserción del penado aplicados a las sentencias firmes significa que las penas deben ejecutarse en un plazo razonable a contar desde el pronunciamiento

---

[223] STEDH 22 octubre 1996, Caso Stubbings y otros c. Reino Unido y STEDH 27 noviembre 2007 Caso Brecknell c. Reino Unido.

de la sentencia firme. Los plazos aplicables a la persecución de las infracciones y a la ejecución de las penas han de ser proporcionales a la gravedad de las infracciones. Es obvio que el cómputo de la prescripción puede suspenderse cuando es imposible determinar la responsabilidad y no existe un recurso judicial efectivo[224].

Así mismo, determinados actos procesales, como la comunicación de los cargos al acusado, pueden interrumpir el plazo de prescripción. En tal caso, el tiempo que ha transcurrido no cuenta y empieza a correr un nuevo plazo de prescripción, a contar desde el día de la interrupción. En todo caso, la ley debe contemplar una duración máxima de la prescripción sea cual fuere el número de interrupciones y suspensiones del plazo.

(…)

La imprescriptibilidad de la obligación internacional de castigar los crímenes

5. Sin embargo, existe recientemente un amplio consenso que sugiere que el principio de la imprescriptibilidad de los crímenes contra la humanidad puede entenderse como un principio de derecho consuetudinario internacional que se impone a todos los Estados[225].

Este principio del derecho penal internacional se contempla en el art. 29 del Estatuto de Roma del Tribunal Penal Internacional (1988)[226], disposición que se inspira en normas análogas a las que prevé el Convenio sobre la Imprescriptibilidad de los crímenes de guerra y de los crímenes contra la humanidad (1968)[227]; el Convenio

---

[224] Véase el Artículo 17 § 2 de la Declaración sobre la protección de las personas contra las desapariciones forzadas, adoptada por la Resolución No. 47/133 de la Asamblea General de las Naciones Unidas de 18 de diciembre de 1992, y el Principio 23 de la Asamblea General. Principios actualizados para la protección y promoción de los derechos humanos a través de la lucha contra la impunidad (E/CN.4/2005/102/Add.1, 8 de febrero de 2005).

[225] Véase el voto particular los jueces Vučinić y Pinto de Albuquerque adjunto a la STEDH 17 diciembre 2013, Caso Perinçek c. Suiza La doctrina comparte este punto de vista (W. Bourdon, The International Criminal Court, 2000, 125. C. Van den Wyngaert y J. Dugard, "No aplicabilidad del estatuto de limitaciones", en Cassese et al., The Rome Estatuto de la Corte Penal Internacional, comentario A, 2002, 879, y E. Lambert Abdelgawad y K. Martin-Chenut, supra, en 120.

[226] Este estatuto fue adoptado el 17 de julio de 1998 por la Conferencia Diplomática de Plenipotenciarios de las Naciones Unidas sobre el Establecimiento de una Corte Penal Internacional, y se abrió a la firma ese mismo día. Entró en vigor el 1 de julio de 2002. Rumania lo firmó el 7 de julio de 1999 y lo ratificó el 11 de abril de 2002. Actualmente cuenta con 122 estados miembros.

[227] Esta Convención fue adoptada el 26 de noviembre de 1968 mediante la Resolución No. 2391 (XXIII) de la Asamblea General de las Naciones Unidas. Rumania lo ratificó el 15 de septiembre de 1969. Entró en vigor el 11 de noviembre de 1970. Actualmente cuenta con 54 Estados miembros.

europeo sobre la imprescriptibilidad de los crímenes contra la humanidad y crímenes de guerra (1974)[228] y en la resolución ECOSOC 1158 (XLIV) adoptada en 1966[229]. Después de haber evidenciado algunas dudas a lo largo de los años 1970 y 1980, a finales del S XX los Estados han aceptado masivamente el principio de imprescriptibilidad del crimen de genocidio y de los crímenes contra la humanidad[230].

Las Cartas de Nuremberg y de Tokyo, los estatutos de los tribunales ad hoc y el Tribunal especial para Sierra Leona no contienen ninguna norma sobre la prescripción. El art. 29 del Tratado de Roma tiene como precedente el artículo II § 5 de la ley n° 10 del Consejo de control, que establecía de forma expresa que "el acusado no puede beneficiarse de prescripción alguna en lo que se refiere al período de 1933 a 1 de julio de 1945"[231].

En los últimos años, la práctica estatal ha reafirmado la elección hecha en Roma, ya que se han introducido cláusulas análogas en el art. 17.1 del Reglamento 2000/15 de la ATNUTO[232], en el art. 17d) del Estatuto del Tribunal especial iraquí (2003)[233], así como en los arts. 4 y 5 de la ley relativa a la creación de Salas extraordinarias en

---

[228] Este Convenio se abrió a la firma el 25 de enero de 1974. Entró en vigor el 27 de junio de 2003. Rumania lo firmó el 20 de noviembre de 1997 y lo ratificó el 8 de junio de 2000. Actualmente cuenta con siete Estados miembros. La Convención de la ONU de 1968 establece que es retroactiva, mientras que la Convención Europea de 1974 y el Estatuto de Roma han optado por lo contrario.

[229] Esta resolución afirmaba "el principio de imprescriptibilidad de crímenes de guerra y crímenes de lesa humanidad" en el derecho internacional e instaba a todos los Estados a "tomar todas las medidas necesarias para evitar la aplicación del plazo de prescripción a los crímenes de guerra" y crímenes de lesa humanidad ".

[230] Esto resulta de aplicación también a los crímenes de guerra, al menos a algunos de ellos. El Comité Internacional de la Cruz Roja (CICR) presentó en 2005 un estudio sobre el derecho internacional humanitario consuetudinario (J.-M. Henckaerts y L. Doswald-Beck (eds.), Derecho internacional humanitario consuetudinario, 2 volúmenes, Cambridge). Prensa universitaria y CICR, 2005). Este estudio contiene una lista de normas de derecho internacional humanitario consuetudinario. La regla 160 se titula "Los crímenes de guerra son imprescriptibles". El resumen adjunto indica que, de acuerdo con la práctica estatal, esta norma constituye una norma de derecho internacional consuetudinario aplicable a los crímenes de guerra cometidos en conflictos armados internacionales y no internacionales.

[231] El Tribunal de Casación francés enunció este principio en su decisión: Federación Nacional de deportados e internos, resistentes y patrióticos, et *al. c. Barbie (1984)*.

[232] La persecución del crimen de genocidio, crímenes de guerra, crímenes de lesa humanidad y tortura es imprescriptible. [Traducción del registro].

[233] La persecución del crimen de genocidio, crímenes de lesa humanidad, crímenes de guerra y delitos según ciertas leyes iraquíes enumeradas en el Artículo 14 de este Estatuto es imprescriptible. [Traducción del registro].

el seno de los tribunales de Camboya para la persecución de los crímenes cometidos durante el período de Kampuchea democrática (2004)[234]:

(...)

La valoración de los hechos en relación con el derecho internacional

10. La represión perpetrada contra la sociedad civil rumana del 13 al 15 de junio de 1990 fue salvaje y bárbara. Numerosos manifestantes, transeúntes y residentes fueron matados y otros gravemente maltratados. Un centenar de personas perdió la vida en el curso de los acontecimientos, y más de un millar fueron víctimas de abusos (párrafos 142 y 143 de la sentencia).

Estos hechos constan en la decisión de la fiscalía de 17 junio 2009, que describe con detalle "actos de una extrema crueldad", "violencia que recae indistintamente sobre manifestantes y habitantes de la capital completamente ajenos a las manifestaciones", y cargas brutales contra los manifestantes (párrafos 63 y 154 de la sentencia). **La masacre, la tortura, las persecuciones y los actos inhumanos contra víctimas civiles constan en este caso**[235].

11. M. Stoica fue agredida sin razón y sufrió lesiones graves, como lo demuestran los informes médicos obrantes en el expediente, que hablan de una discapacidad del 72% y de una incapacidad total para el trabajo derivadas de un "deterioro global acentuado". Estas heridas le fueron causadas por agentes armados del Estado demandado, a los que se relaciona con el director de la televisión pública de la época, policías y militares (párrafo 50 de la sentencia). **La agresión sufrida por M. Stoica se inscribe en el marco de una represión organizada por el Estado y perpetrada por "equipos mixtos" de civiles y militares (párrafo 63 de la sentencia)**[236]. **Lo mismo puede decirse del homicidio del Sr. M. Mocanu, del saqueo de la sede de la asociación**

---

[234] La persecución del crimen de genocidio y crímenes de lesa humanidad es imprescriptible. Los plazos de prescripción para el asesinato, la tortura y la persecución religiosa se prolongan en veinte años.

[235] El asesinato, la tortura, la persecución y los actos inhumanos siempre se han considerado como elementos constitutivos del concepto de crimen de lesa humanidad: el Artículo 6 (c) del Estatuto del Tribunal Militar Internacional (IMT), el Artículo 5 (c) del Estatuto del Tribunal Militar Internacional para el Lejano Oriente (TMIEO), Artículo 2 § 1 (c) de la Ley Núm. 10 del Consejo de Control Aliado, Artículo 5 del Estatuto del TPIY, Artículo 3 del Estatuto del Tribunal Penal Internacional para Ruanda (TPIR), El Artículo 18 del Proyecto de Código de Crímenes contra la Paz y la Seguridad de la Humanidad de 1996 y el Artículo 7 § 1 del Estatuto de la Corte Penal Internacional (Estatuto de Roma). El Estatuto de Roma agregó crímenes sexuales, además de la violación, así como las desapariciones forzadas y el apartheid a la lista clásica.

[236] Atacar a civiles se describe como el elemento fundamental del concepto de crimen de lesa humanidad, al menos desde la declaración conjunta hecha por Francia, el Reino Unido y Rusia el 24 de mayo de 1915, sobre ataques contra civiles, perpetrado por el gobierno turco contra su población de origen armenio. Este elemento ha sido codificado

demandante, de las palizas propinadas a sus dirigentes y de la requisa ilegal de sus bienes y documentos (párrafos 65 y 65 de la sentencia).

(...)

14. Con independencia de su calificación jurídica en derecho interno en el momento oportuno, los sucesos descritos constituyen violaciones masivas del derecho a la vida, a la integridad física y sexual, del derecho a la propiedad y otros derechos fundamentales de los ciudadanos y personas jurídicas rumanas víctimas de la política represiva del Estado dirigida contra los opositores al Gobierno de ese momento. En la terminología jurídica sólo existe una calificación aplicable a los hechos en cuestión: **los sucesos de junio de 1990 son constitutivos de un crimen contra la humanidad perpetrado en el marco de un ataque generalizado y sistemático lanzado contra la población civil.**

17. Resta ahora por calificar correctamente los hechos del caso en derecho penal, tarea que han incumplido las más altas autoridades internas de investigación y enjuiciamiento hasta la fecha. El hecho de manipular la calificación jurídica de los hechos litigiosos con la finalidad de sujetarlos a plazos de prescripción que no resultarían aplicables si los hechos hubieran sido correctamente calificados va en contra del sentido y finalidad de los arts.2 y 3 del CEDH y del art. 1 del Convenio sobre la imprescriptibilidad de los crímenes de guerra y crímenes contra la humanidad. Este es el nudo gordiano del caso. Como hemos visto más arriba, todas las pruebas que obran en el expediente apuntan a la existencia de la totalidad de elementos constitutivos de un crimen contra la humanidad, perpetrado por los dirigentes del Estado rumano, concretamente por los miembros del gobierno de esa época y los oficiales superiores del ejército. Corresponde al Estado cumplir con la obligación que le impone el derecho internacional y llevar ante la justicia a los responsables del ataque generalizado y sistemático lanzado contra la población civil rumana, en particular de aquellos que han cometido crímenes en el ejercicio de funciones de autoridad civil o mando militar.

Por otro lado, a la vista de la plena y completa ejecución de la sentencia de la Gran Sala, el Estado demandado debe implementar un mecanismo efectivo de indemnización, dirigido a reparar los daños sufridos por las víctimas y sus familiares respectivos

---

en el Artículo 6 (c) del Estatuto de las IMT, el Artículo 5 (c) del Estatuto de la TMOE, el Artículo 2 (1) (c) de la Ley Nº 10 del Consejo de Control Aliado, el Artículo 5 del Estatuto de la TPIY, el artículo 3 del Estatuto del TPIR y el artículo 7 § 1 del Estatuto de Roma. La noción de ataque contra la población civil por razones nacionales, políticas, étnicas, raciales o religiosas se ha interpretado como no excluyendo los ataques contra civiles sin intención discriminatoria, excepto en el caso de persecución (ver, por ejemplo, STEDH 14 julio 1999, Caso Duško Tadić, 15 (f. 283, 292 y 305); STEDH 3 marzo 2000, Caso Tihomir Blaškić, (f. 244 y 260), y STEDH 26 febrero 2001, Caso Dario Kordić y Mario Čerkez, (f 186). El ataque puede apuntar a cualquier población civil, incluidos terceros en el conflicto, STEDH 22 febrero 2001, Caso Dragoljub Kunarac (f. 423).

a causa de las violaciones masivas de los derechos humanos ocurridas en el período de transición, a la vista de las numerosas demandas pendientes ante el Tribunal, y del considerable número de otras víctimas de violaciones[237].

(…)

Conclusión

18. El paso del tiempo no exime al Estado rumano de cumplir con sus obligaciones internacionales ni exonera a los autores de las violaciones de su responsabilidad penal individual. Las obligaciones procesales derivadas de los arts. 2 y 3 de la Convención exigen un proceso justo a los responsables de crímenes contra la humanidad cometidos contra los civiles rumanos durante el agitado período de transición a la democracia. Si es imposible sancionar a cada uno de los autores de estos crímenes contra la humanidad, la sustanciación de procesos penales, en particular contra las personas que desarrollaban funciones que implicaban ejercicio de poder civil o de mando militar, evidencia la madurez del poder judicial y su capacidad de corregir los errores del pasado y reforzar así su reputación a los ojos de la ciudadanía y de las organizaciones internacionales. No se trata solo de hacer justicia a la Sra. Mocanu, cuyo marido fue asesinado sin ir armado y sin siquiera participar en las manifestaciones, y cuyos dos hijos de dos meses y de dos años en el momento de los hechos, no han conocido a su padre (párrafos 44 y 135 de la sentencia); o a M. Stoica, un simple transeúnte, al que en el marco del procedimiento interno se califica de víctima de tratos inhumanos por los que 5 oficiales superiores fueron investigados y acusados (párrafo 168 de la sentencia). y, en último lugar, pero no menos importante, a la asociación demandante, cuyos locales fueron saqueados y sus documentos expoliados sin seguir las formalidades legales (párrafos 75-76 de la sentencia). La cuestión es mucho más importante: se trata de hacer justicia a todos los ciudadanos rumanos que, por instaurar un régimen plenamente democrático, tuvieron que sufrir por parte del Estado una represión organizada e inhumana en el curso de un período de transición difícil.»

---

[237] En la sentencia de la Asociación "21 de diciembre de 1989" y otras (citada anteriormente, § 194), el Tribunal ya había ordenado al Estado demandado que "pusiera fin a la situación encontrada en el presente caso, juzgada por ella como contraria a la Convención". Según la ley de muchas personas afectadas, como los solicitantes individuales, a una investigación efectiva, que no termina con el efecto de la prescripción de responsabilidad penal, también teniendo en cuenta la importancia para la sociedad rumana de saber La verdad de los acontecimientos de diciembre de 1989. El Estado demandado debe, por lo tanto, ofrecer una reparación adecuada para cumplir con los requisitos del artículo 46 de la Convención. Esta conclusión también se aplica a los acontecimientos de junio de 1990.

2.3.3. *Doctrina del TEDH en materia de prescripción de delitos contra la humanidad y las torturas*

El problema del caso, la **imprescriptibilidad de los crímenes contra la humanidad,** plantea la cuestión de la **tensión entre el principio de legalidad del art. 7 CEDH**[238], —**que incluye la prescripción**— y el **principio de derecho internacional de imprescriptibilidad de los delitos contra la humanidad,** enunciado en el art. 29 del Estatuto de Roma de la corte Penal Internacional de 1998[239], así como en la Convención sobre la imprescriptibilidad de los crímenes de guerra y crímenes contra la humanidad de 26 de noviembre 1968[240], y la Convención europea sobre imprescriptibilidad de los crímenes contra la humanidad y los crímenes de guerra de 25 de enero de 1974[241].

Empecemos por comentar brevemente la **institución de la prescripción y su naturaleza en la doctrina del TEDH. En la STEDH 22 junio 2000, Caso Coëme y otros c. Bélgica** (f.146) el TEDH sostiene que "La prescripción puede definirse como el derecho otorgado por la ley al autor de un delito a no ser procesado o juzgado después de transcurrido un cierto período de tiempo desde que acontecieron de los hechos. La prescripción, que es una institución común a los sistemas jurídicos de los Estados

---

[238] Art. 7 CEDH: 1. Nadie podrá ser condenado por una acción o una omisión que, en el momento en que haya sido cometida, no constituya una infracción según el derecho nacional o internacional. Igualmente no podrá ser impuesta una pena más grave que la aplicable en el momento en que la infracción haya sido cometida.

2. El presente artículo no impedirá el juicio o la condena de una persona culpable de una acción o de una omisión que, en el momento de su comisión, constituía delito según los principios generales del derecho reconocido por las naciones civilizadas.

[239] Art. 29 Imprescriptibilidad: Los crímenes de la competencia de la Corte no prescribirán.

[240] Adoptada y abierta a la firma, ratificación y adhesión por la Asamblea General en su resolución 2391 (XXIII), de 26 de noviembre de 1968.

[241] Vigentes desde 27 de junio de 2003. Establece la imprescriptibilidad de crímenes contra la humanidad, pero únicamente los previstos en la Convención relativa a la Prevención y a la Represión del Crimen de Genocidio, de 9 de diciembre de 1948, y los crímenes de guerra, considerados como las infracciones graves de los Convenios de Ginebra de 1949 o todas las violaciones análogas de las leyes y las costumbres de la guerra vigentes en el momento de la entrada en vigor de la presente Convención que no son infracciones graves de los Convenios de Ginebra de 1949.

contratantes, tienen varios propósitos, entre ellos, garantizar la seguridad jurídica mediante la fijación del plazo de acción y la prevención de una violación de los derechos de la defensa, que podría verse comprometida si los tribunales hubieran de pronunciarse en base a pruebas incompletas por el paso del tiempo" [STEDH 22 octubre 1996, Caso Stubbings y otros c. Reino Unido (f 51)].

En esta sentencia, el TEDH **consideró que la prescripción tenía una naturaleza procesal** y que, por tanto, no le sería de aplicación el principio de irretroactividad de las penas (f.147,148).

Pero este enfoque de la prescripción como institución procesal fue abandonado en **STEDH 22 marzo 2001, Caso K–H–V c. Alemania y STEDH 17 mayo 2010, Caso Kononov c. Letonia**. El enfoque actual del Tribunal es claro e inequívoco. Se puede resumir de la siguiente manera: la **prescripción se equipara con igual fuerza a las condiciones de la existencia de un delito y, por lo tanto, comparte la naturaleza sustantiva de los elementos constitutivos del delito**, con la consecuencia lógica de la **plena aplicabilidad del artículo 7, incluida la prohibición de la aplicación retroactiva** de leyes penales con disposiciones más severas en materia de prescripción en detrimento del acusado. Por lo tanto, la **prescripción tiene**, a la luz de la Convención, un **carácter mixto,** que es a la vez **procesal y sustantivo.**

Así, la evolución de la concepción de las prescripción en la doctrina del TEDH, se sintetiza en el voto particular de **STEDH 27 marzo 2014, Caso Matytsina c. Rusia** donde se desgranan las consecuencias de dicha naturaleza (vid. V:P 14-16).

La **naturaleza de la prescripción** como institución no sólo procesal, sino también **sustantiva**, tiene varias **consecuencias legales**. En primer lugar, los tribunales están facultados, e incluso obligados, a decidir sobre la aplicación de la prescripción de oficio, en vista de las razones primordiales de orden público en que se basa la prescripción. En segundo lugar, dado que la prescripción se relaciona con el derecho del Estado a procesar, juzgar, y condenar a los ciudadanos, el principio de legalidad se aplica plenamente a su régimen. Los motivos de limitación, suspensión o interrupción del efecto del lapso de tiempo, y cualquier excepción o extensión de la prescripción, son competencia del legislador y no pueden ser determinados por los tribunales ni manipulados por el acusado. En tercer lugar, no se puede renunciar a la prescripción: la prescripción extingue la competencia del tribunal para juzgar el caso y castigar al acusado, y ninguna renuncia por parte de éste puede conferir la competencia al tribunal. En un Estado donde rige el principio del estado de derecho y los derechos humanos, la jurisdicción penal no puede ser atribuida a un tribunal por un acto unilateral del acusado. Cualquier castigo por un delito prescrito, incluso cuando su autor exprese su deseo de ser juzgado, no solo es irrevocablemente desproporcionado, sino que además es contrario a los requisitos del principio de legalidad. La prescripción no es una mera excepción renunciable, sino una garantía sustantiva de un uso racional del poder del Estado para hacer cumplir la ley penal.

Por otro lado, cabe recordar que **la garantía que consagra el** art. **7** es un elemento esencial de la preeminencia del Derecho, ocupa un lugar primordial en el sistema de protección del Convenio, como atestigua el hecho de que el **artículo 15 no autoriza ninguna derogación a él en tiempo de guerra u otro peligro público**. Como se deriva de su objeto y de su finalidad, debe ser interpretado y aplicado de manera que se garantice una protección efectiva contra las diligencias, las condenas y las sanciones arbitrarias.

En cuanto a la **imprescriptibilidad de los crímenes contra la humanidad**, crímenes de guerra, genocidio o torturas, la misma se ha venido imponiendo con un amplio consenso de la comunidad internacional y, evidentemente, está en **conflicto con el aspecto sustantivo de la prescripción y el principio de legalidad,** en el sentido que hemos analizado.

El art. 7.2 CEDH dispone que "El presente artículo no impedirá el juicio o la condena de una persona culpable de una acción o de una omisión que, en el momento de su comisión, constituía delito según los principios generales del derecho reconocido por las naciones civilizadas." Por medio del mismo se admitió, tras la segunda guerra mundial la aplicación retroactiva de las leyes que por crímenes de guerra fueron aprobadas tras la contienda[242], como aconteció en los tribunales de Núremberg y Tokyo.

Así, la aplicación del derecho internacional como soporte de la tipicidad tuvo lugar en **STEDH 22 marzo 2001, Caso Streletz, Kessler y Krenz c. Alemania,** en la que se valida la condena a antiguos dirigentes de la Ale-

---

[242] LASAGABASTER HERRARTE, I. "Convenio Europeo de Derechos Humanos. Comentario Sistemático". 2ª edición. Ed. Civitas Thomson-Reuters 2009.

mania del Este por inducción al asesinato de quienes intentaban atravesar el muro de Berlín. Se valida aplicación por los tribunales de la RFA del derecho penal de la RDA, aplicable en la época de los hechos. Las órdenes de aniquilar a quienes intentaban cruzar el "muro de Berlín" y garantizar la protección de la frontera a cualquier precio, constituían delitos definidos con la suficiente accesibilidad y previsibilidad tanto en derecho interno como internacional, por lo que la condena no se consideró arbitraria ni contraria al art. 7 CEDH.

En la STEDH 22 marzo 2001, Caso K-H- V c. Alemania, se trata de la condena a un antiguo policía fronterizo de Alemania del Este por asesinato de persona que intentaba atravesar el muro de Berlín. En este caso se produce la aplicación por los tribunales de la RFA del derecho penal de la RDA, aplicable en la época de los hechos. Se considera que aniquilar a quienes intentaban cruzar la frontera y garantizar la protección de ésta a cualquier precio violaba los derechos fundamentales recogidos en la Constitución de la RDA, ello era un acto imputable al demandante a título individual contra el que no cabía alegar obediencia debida, desconocimiento ni prescripción y que constituye un delito definido con la suficiente accesibilidad y previsibilidad tanto en derecho interno como internacional.

En este caso el TEDH **se planteó de oficio la prescripción** de delitos que si fueran calificables como homicidio intencional prescribían a los 15 años, sin embargo, los hechos caían dentro del ámbito de los delitos contra los derechos humanos a los que el art. 84 del CP de la RD de 1968 declaraba imprescriptibles. El TEDH razona que esta disposición, que garantizaba la imprescriptibilidad de ciertas categorías de delitos, incluidas las violaciones de los derechos humanos, ya estaba en vigor en el momento del acto impugnado. De manera similar, en ese momento, el derecho a la vida ya era parte de los derechos humanos, violaciones de las cuales el artículo 84 del código penal de la RDA garantizaba la imprescriptibilidad, incluso si la consagración convencional de este derecho por parte de la RDA no se produjo hasta 1974. Por lo tanto, concluye el TEDH, incluso si el solicitante hubiera invocado el plazo de prescripción, tal argumento no hubiera prosperado.

STEDH 19 septiembre 2008, Caso Korbely c. Hungría, se trata de un capitán condenado en 2001 por crímenes contra la humanidad ocurridos en 1956, consistente en la muerte de un insurgente en el ataque a la escuela militar durante la Revolución Húngara de octubre de 1956. El demandante plantea que, si bien del art. 7 de la Constitución húngara y de la jurisprudencia constitucional se deriva la imprescriptibilidad de los crímenes de guerra, dicha disposición no entró en vigor hasta 1989; mientras que en 1956 los crímenes de guerra y contra la humanidad estaban sujetos a la prescripción. Añade que las Convención de NY de 1968 no otorgó carácter retroactivo a la prescripción y que, en conclusión, en el momento de los hechos, en 1956, el condenado no podía prever que los actos en cuestión fueran de crímenes contra la humanidad imprescriptibles.

Sin embargo el TEDH, que considera accesible y previsible el derecho penal contenido en las convenciones de Ginebra, considera que se infringe el art. 7 en el caso de autos —no por la prescripción— sino porque los tribunales nacionales obviaron examinar la concurrencia de los elementos típicos del crimen contra la humanidad, como son si la muerte del sujeto formaba parte de una práctica masiva y sistemática que se inscribiese en una política orquestada por el Estado (f.83-85).

En la **STEDH 17 mayo 2010, Caso Kononov c. Letonia.** En este caso se trata de uno sucesos que tuvieron lugar en Letonia en mayo de 1944. el recurrente lidero un grupo de partisanos rusos en una acción especial en que asesinaron 9 personas y quemaron sus propiedades en el pueblo de Mazie Bati como represalia por haber delatado a una unidad de partisanos ante los nazis que ocupaban la zona. En 1998 se iniciaron investigaciones por los sucesos y se condenó al recurrente por crímenes de guerra.

En este caso, el TEDH (f.228-233), observa que los procesamientos por crímenes de guerra a nivel nacional en 1944 habrían requerido el recurso al derecho internacional, no sólo para la definición de estos crímenes, sino también para la determinación del plazo de prescripción aplicable. La cuestión esencial a tratar por el Tribunal es, por tanto, saber si, en algún momento antes del inicio de las actuaciones contra el demandante, tales actuaciones debían considerarse prescritas en virtud del derecho internacional. Considera que en 1944 no había fijado ningún plazo de prescripción por parte del derecho internacional sobre la prescripción de crímenes de guerra, y en su evolución posterior a 1944, el derecho internacional jamás estableció normas en virtud de las cuales los crímenes de guerra atribuidos al demandante habrían prescrito. En resumen, el Tribunal estima, en primer lugar, que ninguna de las disposiciones del derecho interno relativas a la prescripción eran aplicables y, en segundo lugar, que las acusaciones en contra del demandante jamás prescribieron en virtud del derecho internacional. Considera el TEDH, por tanto, que las actuaciones dirigidas contra el demandante no habían prescrito.

Por ello, la Gran Sala considera que no hubo violación del art. 7 CEDH, revocando así la sentencia de la Sala de 24 de julio de 2008.

En la **STEDH 17 diciembre 2013 Caso Perinçek c. Suiza,** se trata de una **condena por un delito de discriminación racial al cuestionar la veracidad del genocidio armenio. El TEDH considera que la condena tuvo efecto disuasorio y que la misma adolecía de una motivación insuficiente, consistente en la protección del honor y sentimientos de los descendientes de las víctimas: violación existente.** El Voto particular de los magistrados Vučinić y Pinto de Albuquerque contiene interesantes apreciaciones sobre las fuentes y resoluciones de tribunales internacionales relativas a la imprescriptibilidad de los crímenes contra la humanidad (f.7 y 8), y también a la imposibilidad de que los mismos sean amnistiados[243].

Para terminar, en la **DTEDH 17 enero 2016, Caso Kokl and Kislyviy c. Estonia,** el TEDH recuerda que el CEDH no prohíbe castigar a una

---

[243] Vid. F. 7 Voto Particular: "Sobre la imprescriptibilidad de la persecución por genocidio y crímenes de lesa humanidad, véase el artículo 29 del Estatuto de Roma de la Corte Penal Internacional (1998), que cuenta con 122 Estados partes, incluida Suiza, la Convención sobre la no aplicabilidad de los estatutos de limitaciones de guerra y crímenes de lesa humanidad (1968, 54 Estados Partes), el Convenio Europeo sobre la no aplicabilidad de la limitación legal de los crímenes de lesa humanidad y los crímenes de guerra (1974, 7 Estados Partes) y el párrafo 6 de los Principios básicos y Directrices sobre el derecho a una reparación y reparación para las víctimas de violaciones graves del derecho internacional de los derechos humanos y violaciones graves del derecho internacional humanitario adoptadas por la Asamblea General de las Naciones Unidas en su Resolución 60/147, de 16 de diciembre 2005. En su informe de 23 de agosto de 2004, titulado "Restauración del estado de derecho y la administración de justicia durante el período de transición en sociedades con experiencia. conflicto o posconflicto ", el secretario general de la ONU, Kofi Annan, recomendó que los acuerdos de paz, así como las resoluciones y los mandatos del Consejo de Seguridad aprobados por él" condenen cualquier medida que autorice la amnistía por actos de genocidio, crímenes de guerra o crímenes de lesa humanidad "[§ 64 (c)]. Repitió esta recomendación en su informe de seguimiento sobre el tema del 12 de octubre de 2011 (§§ 12 y 67). (...)"

persona por un acto que, en el momento de su comisión, fuera delito a la luz de los principios generales del derecho reconocidos por las naciones civilizadas, como por ejemplo los crímenes contra la humanidad para los que la Carta del Tribunal Internacional de Nüremberg establece la imprescriptibilidad.

2.3.4. *Proyección en España: los crímenes del franquismo, amnistía y olvido vs. memoria histórica*

La proyección en España del Caso Mocanu exige referirse a los crímenes del franquismo. El dictador acometió una política de represión contra todo individuo susceptible de representar una amenaza para su régimen. Miles de republicanos/as fueron sumariamente ejecutados o encarcelados y un elevado número fue sometido a diversas formas de sanción política o económica. Las pruebas sobre las violaciones numerosas y graves de los Derechos Humanos y del derecho humanitario durante la cruel dictadura, incluidas ejecuciones, torturas, desapariciones, trabajo forzosos de presos o exilio están hoy fuera de toda cuestión, y han sido asumidas por el propio Consejo de Europa[244] y la ONU[245].

Sin embargo, **desde la perspectiva de las víctimas de la dictadura, la respuesta judicial ha sido decepcionante**, por la falta de condena a los autores de los crímenes contra la humanidad, crímenes de guerra y desapariciones forzadas cometidas durante la misma. En este sentido, la Ley 46/1977, de 15 de octubre, de Amnistía[246]; por un lado; y la apreciación de

---

[244] Puede consultarse en traducción española en: https://www.nodo50.org/republica/docs/condena-franquismo.pdf

[245] Observaciones finales del Comité contra la Desaparición Forzada, sobre el informe presentado por España en virtud del art. 29.1 de la Convención Internacional para la protección de todas las personas contra las desapariciones forzadas. Puede consultarse en: https://tbinternet.ohchr.org/_layouts/15/treatybodyexternal/Download.aspx?symbolno=CED/C/ESP/CO/1&Lang=Sp

[246] En su artículo primero se dice. "I. Quedan amnistiados:

a) Todos Ios actos de intencionalidad política, cualquiera que fuese su resultado, tipificados como delitos y faltas realizados con anterioridad al día quince de diciembre de mil novecientos setenta y seis.

b) Todos los actos de la misma naturaleza realizados entre el quince de diciembre de mil novecientos setenta y seis y el quince de junio de mil novecientos setenta y

la prescripción por los tribunales respecto de dichos crímenes; han sido las piedras angulares sobre las que se ha asentado la falta de condena por los tribunales españoles de los crímenes del franquismo. El marco jurídico de las desapariciones forzadas en el ordenamiento interno, aún no conforme con los Convención Internacional para la protección de todas las personas contra las desapariciones forzadas también ha sido un factor que ha influido en la falta de respuesta judicial a las legítimas expectativas de las víctimas del franquismo. En materia de prescripción el Comité contra la Desaparición Forzada[247], recomienda a España (el subrayado es nuestro):

*"El Comité, **teniendo en consideración el régimen de prescripción vigente en España** en relación con los delitos de carácter permanente, **insta al Estado parte a que vele por que los plazos de prescripción se cuenten efectivamente a partir del momento en que cesa la desaparición forzada, es decir, desde que la persona aparece con vida, se encuentran sus restos o se restituye su identidad.** Asimismo, lo exhorta a que asegure que todas las desapariciones forzadas sean investigadas de manera exhaustiva e imparcial, independientemente del tiempo transcurrido desde el inicio de las mismas y aun cuando no se haya presentado ninguna denuncia formal; que se adopten las medidas necesarias, legislativas o judiciales, con miras a superar los obstáculos jurídicos de orden interno que puedan impedir tales investigaciones, en particular la interpretación que se ha dado a la ley de amnistía; que los presuntos autores sean enjuiciados y, de ser declarados culpables, sancionados de conformidad con la gravedad de sus actos; y que las víctimas reciban reparación adecuada que incluya los medios para su rehabilitación y sea sensible a cuestiones de género".*

En fin, una tan tardía como insuficiente ley de memoria histórica (Ley 52/2007, de 26 de diciembre, por la que se reconocen y amplían derechos y se establecen medidas en favor de quienes padecieron persecución o violencia durante la guerra civil y la

---

siete, cuando en la intencionalidad política se aprecie además un móvil de restablecimiento de las libertades públicas o de reivindicación de autonomías de los pueblos de España.

c) Todos los actos de idéntica naturaleza e intencionalidad a los contemplados en el párrafo anterior realizados hasta el seis de octubre de mil novecientos setenta y siete, siempre que no hayan supuesto violencia grave contra la vida o la integridad de las personas.

[247] Vid. Observaciones finales sobre el informe presentado por España en virtud del artículo 29, párrafo 1, de la Convención por el Comité contra la Desaparición Forzada en su 74ª sesión, celebrada el 13 de noviembre de 2013.

dictadura), que no derogó la ley de amnistía, no ha hecho sino contribuir a una débil reparación, que aún así sigue suscitando polémicas abiertas entre quienes, a fecha de hoy, continúan considerando la dictadura franquista como un gobierno legítimo.

En el Informe de la Asamblea Parlamentaria del Consejo de Europa firmado en París el 17 de marzo de 2006[248] en el que se denunciaron las graves violaciones de Derechos Humanos cometidas en España entre los años 1939 y 1975, en relación con la ley de amnistía, se constata que *"Las elites franquistas han aceptado la transición y el retorno de la democracia a cambio de una amnistía política de hecho, que descansa en un "pacto del silencio". Nadie sería llamado a rendir cuentas ante la justicia y no se crearía una Comisión de "Verdad y reconciliación "Y* así ha continuado siendo hasta la fecha.

Partiendo de lo expuesto, y con la brevedad que exige el formato de este trabajo, en las siguientes líneas comentaremos las siguientes cuestiones que relacionan el caso Mocanu con el ordenamiento español: **la naturaleza de la prescripción en España, la imprescriptibilidad de los crímenes contra la humanidad y la actuación de los tribunales españoles ante la denuncia de crímenes contra la humanidad perpetrados por la dictadura franquista.**

En cuanto a la **naturaleza de la prescripción** en España, la doctrina ha subrayado que se trata de una cuestión problemática[249] cuya naturaleza sustantiva o procesal es un debate aún abierto[250]. El TC[251] se ha pronunciado en diversas ocasiones, pudiéndose resumir su doctrina como sigue, en su STC 63/2005, de 14 de marzo (F.2)[252].

> *«...la **prescripción penal**, institución de larga tradición histórica y generalmente aceptada, supone una **autolimitación o renuncia del Estado al ius puniendi** por el*

---

[248] Puede consultarse en traducción española en: https://www.nodo50.org/republica/docs/condena-franquismo.pdf

[249] MEDINA CEPERO, J. R. "Algunas cuestiones sobre la prescripción en derecho penal". Ed. Aranzadi. Sentencias de TSJ y AP y otros Tribunales núm 20/2003. Parte Comentario. Bib. 2004/99.

[250] HERNÁNDEZ GARCÍA, J. "La prescripción de los delitos y de las penas"; en Tratado de Derecho Penal Económico". Ed. Tirant lo Blanch 2019.

[251] SSTC, por todas, 63/2005, de 14 de marzo, F. 3; 29/2008, de 20 de febrero, FF. 7 y 10; 195/2009, de 28 de septiembre, F. 2; 207/2009, de 23 de noviembre, F. 2, y 37/2010, de 19 de julio, F. 2.

[252] El resaltado es nuestro.

*transcurso del tiempo, que encuentra también **fundamentos en principios y valores constitucionales**, pues toma en consideración la función **de la pena y la situación del presunto inculpado**, su **derecho a que no se dilate indebidamente** la situación que supone la virtual amenaza de una sanción penal»; a lo que añadíamos que dicho instituto "en general, encuentra **su propia justificación constitucional en el principio de seguridad jurídica**", si bien, por tratarse de una institución de libre configuración legal, no cabe concluir que su establecimiento suponga una merma del derecho de acción de los acusadores (STEDH de 22 de octubre de 1996, caso Stubbings, § 46 y ss.), ni que las peculiaridades del régimen jurídico que el legislador decida adoptar —delitos a los que se refiere, plazos de prescripción, momento inicial de cómputo del plazo o causas de interrupción del mismo— afecten, en sí mismas consideradas, a derecho fundamental alguno de los acusados.*

*El cuadro de análisis de nuestra doctrina se completa con las afirmaciones contenidas en la STC 12/1991, de 28 de enero, F. 2, en la que nos planteamos la **disyuntiva consistente en otorgar a la prescripción una naturaleza meramente procesal**, "fundada en razones de seguridad jurídica y no de justicia intrínseca", o una **naturaleza sustantiva o material**, "fundada en principios de orden público, interés general o de política criminal que se reconducen al principio de necesidad de pena, insertado en el más amplio de intervención mínima del Estado en el ejercicio de su ius puniendi"».*

El TC **se decanta por una consideración sustantiva** de la prescripción, en la línea del TS lo que supone la sujeción al principio de legalidad(art. 25 CE), con las consecuencias de interpretación estricta, prohibiendo analogía *in malam partem*, y prohibición de aplicación retroactiva en perjuicio del reo y su apreciación de oficio, aún cuando no haya sido oportunamente alegada por las partes. En efecto, el TS (II) señala que «la opinión mayoritaria de la doctrina y la jurisprudencia estima que la prescripción tiene **una naturaleza sustantiva** y que se trata de una institución que pertenece al derecho material penal y concretamente a la noción del delito, lo que viene avalado por su regulación en el ámbito del CP y no en LECrim, ya que el efecto verdaderamente producido es la prescripción del delito y no de la acción penal" (STS (II) 28 febrero 1992).

En coherencia con ello, la STC 81/2014, de 28 de mayo (f.3), sostiene que "De este modo, el control de la prescripción penal en sede de jurisdicción constitucional se funda en el **derecho a la tutela efectiva y en la conexión de la prescripción en el ámbito punitivo con el derecho a la libertad** (art. 17.1 CE), **sin posibilidad de interpretaciones *in malam partem*** en virtud del artículo 25.1 CE (STC 29/2008, de 20 de febrero, FJ 12), lo que determina el control de la resolución impugnada bajo un canon de motivación reforzada, resultando conculcado el derecho a la libertad 'tanto cuando se actúa bajo la cobertura improcedente de la ley, como cuando se proceda contra lo que la misma dispone'[253] y, por ello, los términos en los que el instituto de la prescripción penal venga regulado deben ser interpretados con particular rigor "en tanto que perjudiquen al reo"[254].

En relación a la **imprescriptibilidad de los crímenes contra la humanidad,** hay que señalar que, en primer lugar, los delitos de genocidio y de lesa humanidad, En España, los delitos de Lesa Humanidad, regulados en el Capítulo 11 bis del Título XXIV del Libro 11, fueron añadidos por LO 15/2003, de 25.11 (vigente desde 1 octubre de 2004), por la que se modifica el CP tipificando en el artículo 607 bis el delito de Lesa Humanidad, entrando en vigor dicha norma a partir del 01 octubre 2004. El delito tiene en la actualidad la redacción operada por Ley Orgánica 1/2015. El delito de genocidio se introdujo en el CP 1995, con inicio de vigencia el 24 mayo 1996. El art. 131.3 CP (en la redacción vigente desde 01/07/15), establece que "Los delitos de lesa humanidad y de genocidio y los delitos contra las personas y bienes protegidos en caso de conflicto armado, salvo los castigados en el artículo 614, **no prescribirán en ningún caso.**" El genocidio se declaró imprescriptible ya en la redacción original del CP 1995 (vid. art. 131.4 CP en su redacción original).

Por otro lado, debe señalarse que **España no ha ratificado la Convención sobre la imprescriptibilidad de los crímenes de guerra y de los crímenes de lesa humanidad de las N.U.** de 26 noviembre 1968 por lo que no puede ser aplicable este texto internacional. Ello, según algunos Tribunales (Vid. JCI nº 5 de la AN. Auto de 22 de octubre 2018) impide la persecución en España de los hechos susceptibles de ser calificados como delito de Lesa Humanidad cuya comisión es anterior al 1 de octubre de 2004.

En cambio, España sí ha ratificado la Convención Internacional para la protección de todas las personas contras las desapariciones forzadas[255].

---

[253] SSTC 127/1984, de 26 de diciembre, FJ 4; 28/1985, de 27 de marzo, FJ 2; 241/1994, de 20 de julio, FJ 4; 322/2005, de 12 de diciembre, FJ 3; y 57/2008, de 28 de abril, FJ 2.

[254] SSTC 29/2008, de 20 de febrero, FFJJ 10 y 12; y 37/2010, de 19 de julio, FJ 5; y 192/2013, de 18 de noviembre, FJ 3.

[255] Instrumento de Ratificación de la Convención Internacional para la protección de todas las personas contra las desapariciones forzadas, hecha en Nueva York el 20 de diciembre de 2006. (BOE 18 febrero 2011).

Partiendo de ello, el abordaje judicial de los crímenes del franquismos puede resumirse en 3 fases[256]:

- En la primera se plantearon varias denuncias por víctimas, familiares y asociaciones de memoria histórica que fueron todas ellas archivadas[257], justificando la no apertura de investigaciones en que los hechos no eran constitutivos de delito, o que los delitos habían prescrito o no sería posible identificar a los autores.

- En fecha 16 de octubre de 2008, el magistrado B. Garzón dicta un auto en el que asume la competencia para el conocimiento de los hechos. En esta resolución dispone cuál es el objeto de la instrucción que acomete: "Quienes se alzaron o rebelaron contra el gobierno legítimo y cometieron, por tanto, un delito contra la Constitución entonces vigente y contra Altos Organismos de la Nación, indujeron y ordenaron las previas, simultáneas y posteriores matanzas y detenciones ilegales sistemáticas y generalizadas de los opositores políticos y provocaron el exilio forzoso de miles de personas. A fecha de hoy se desconoce el paradero de esos detenidos". Añadiendo que la calificación jurídica que se acoge es la de "un delito permanente de detención ilegal, sin ofrecerse el paradero de la víctima en el marco de crímenes contra la humanidad, a los que añadirá delitos contra las personas y contra Altos Organismos de la Nación". También fijó el ámbito temporal de su indagación judicial señalando tres épocas de investigación: "la represión masiva a través de los Bandos de 17 de julio de 1936 a febrero de 1937; la de los Consejos de Guerra, desde marzo de 1937, hasta los primeros meses de 1945; y la acción represiva desde 1945 hasta 1952.

En auto de 18 de noviembre de 2008, el mismo juzgado declara extinguida la responsabilidad penal por fallecimiento de los acusados respecto

---

[256] SÁEZ VALCÁRCEL, J.R. "La aplicación por España de sus obligaciones internacionales en derechos humanos. Especial referencia a las desapariciones forzadas". Cuadernos digitales de formación CENDOJ. CGPJ. nº 34. 2015.

[257] Puede consultarse el curso judicial de estos procesos en el informe de Amnistía internacional: "Casos cerrados, heridas abiertas. El desamparo de las víctimas de la Guerra Civil y el franquismo en España": https://doc.es.amnesty.org/ms-opac/doc?q=*%3A*&start=0&rows=1&sort=fecha%20desc&fq=norm&fv=*&fo=and&fq=mssearch_fld13&fv=EUR4110112&fo=and&fq=mssearch_mlt98&fv=gseg01&fo=and

de los delitos contra Altos Organismos de la Nación y la Forma de Gobierno y respecto del delitos de detención ilegal con desaparición forzada de personas, en el contexto de crímenes contra la humanidad y acuerda la inhibición de la causa a los Juzgados de Instrucción de las localidades a las que pertenezcan los lugares en los que estén ubicadas las fosas identificadas.

– La STS (II) 27 febrero 2012 nº 101/2012 (Rec. 20048/2009), absuelve del delito de prevaricación al magistrado que había abierto la causa contra los crímenes del franquismo. Esta resolución cerró definitivamente el acceso de las víctimas del franquismo a una reparación judicial.

En efecto, la misma cierra toda posible rendija a una interpretación favorable a la persecución penal de los crímenes cometidos por el franquismo. Para ello, se basa en la ley de amnistía y en la prescripción.

En cuanto a los razonamientos relativos a la prescripción, el TS razona que los hechos objeto de la indagación judicial se remontan a la guerra civil, de 1936 a 1939, y continúan durante la posguerra hasta 1952. Las diligencias penales se originan en 2006 por lo que han transcurrido entre 54 y 70 años, tiempo que supera con creces el de la prescripción señalado en el art. 131 y siguiente del CP.

El TS, razona en contra del auto del magistrado encausado, que consideró no producida la prescripción por tratarse de delitos imprescriptibles, que, "*la argumentación sobre la permanencia del delito no deja de ser una ficción contraria a la lógica jurídica. No es razonable argumentar que un detenido ilegalmente en 1936, cuyos restos no han sido hallados en el 2006, pueda racionalmente pensarse que siguió detenido más allá del plazo de prescripción de 20 años, por señalar el plazo máximo. De hecho no se ha puesto de manifiesto ningún caso que avale esa posibilidad. Esa construcción supondría considerar que este delito se sustrae a las normas de prescripción previstas en el Código penal.*"

Argumento que, como hemos visto, no se acepta por el Comité contra las desapariciones forzadas de la ONU, que en el punto 12 del informe sobre España de su 74ª sesión "*insta al Estado parte a que vele por que los plazos de prescripción se cuenten efectivamente a partir del momento en que cesa la desaparición forzada, es decir, desde que la persona aparece con vida, se encuentran sus restos o se restituye su identidad.*"

Un segundo escollo apuntado por el TS (II), **la declaración de imprescriptibilidad prevista en los Tratados Internacionales** que han sido ratificados por España e incorporados a nuestro ordenamiento, **no puede ser aplicada retroactivamente, precisamente, debido a la naturaleza sustantiva de la prescripción,** por ello *"aún cuando los Tratados Internacionales sobre la materia fijaran la imprescriptibilidad de los delitos contra la humanidad, esa exigencia que ha sido llevada a nuestro ordenamiento jurídico interno, tiene una aplicación de futuro y no es procedente otorgarle una interpretación retroactiva por impedirlo la seguridad jurídica y el art. 9.3 de la CE y arts. 1 y 2 del CP."*

En cuanto a la Ley de amnistía, el TS reconoce que una ley de amnistía, que excluya la responsabilidad penal, puede ser considerada como una actuación que restringe e impide a la víctima el recurso efectivo para reaccionar frente a la vulneración de un derecho. Ahora bien, las exigencias del principio de legalidad a los que nos venimos refiriendo, hacen que estos derechos sean exigibles frente a las vulneraciones sufridas con posterioridad a la entrada en vigor del Pacto y el Convenio, y así lo ha interpretado el Comité encargado de su vigilancia en sus decisiones (véanse, las resoluciones 275/1988 y 343, 344 y 345 de 1988 en las que el Comité de Derechos Humanos de Naciones Unidas recuerda que el Pacto "no puede aplicarse retroactivamente").

Para apoyar toda esta construcción, el TS se apoya en una **visión "dualista"** del derecho internacional, ciertamente discutible en nuestro ordenamiento.

«… que en orden a la aplicación del Derecho Internacional Penal "es necesaria una precisa transposición operada según el derecho interno, al menos en aquellos sistemas que, como el español, no contemplan la eficacia directa de las normas internacionales". En este sentido, la Constitución española (RCL 1978, 2836) prevé, en los arts. 93 y siguientes, la forma de incorporación al derecho interno de los Tratados Internacionales para desplegar sus efectos conforme al art. 10.2 de la Carta magna. Concluye la Sentencia de esta Sala que "el Derecho Internacional consuetudinario no es apto según nuestras perspectivas jurídicas para crear tipos penales completos que resulten directamente aplicables por los tribunales españoles"; ello sin perjuicio de su consideración como criterio de interpretación y como elemento contextual en orden a la perseguibilidad internacional y a la individualización de la pena impuesta sobre la declaración de concurrencia de tipos penales del Código penal vigentes al tiempo de la comisión de los hechos. Esto es, la contextualización de los hechos en los delitos contra la humanidad permite un efecto procesal, la perseguibilidad internacional, y

otro que atiende a las facultades de individualización de la pena, sin permitir una nueva tipicidad.»

Se basa, para ello, en el principio de legalidad: *"la vigencia en nuestro ordenamiento del principio de legalidad exige que el derecho internacional sea incorporado a nuestro ordenamiento interno en la forma dispuesta en la Constitución y con los efectos dispuestos en la misma."*

La Sala II introduce un añadido *de futuro*, difícilmente relacionable con el delito de prevaricación judicial que se enjuiciaba en el caso (FJ.3. pfo. 4º), y claramente fuera de su marco competencial:

*"... la prohibición de una amnistía dispuesta por una costumbre, posteriormente introducida a un Convenio Internacional, plantearía un nuevo problema, el de la posibilidad de que un tribunal español pudiera declarar nula, por contraria a derecho, la ley de amnistía. Ello no está previsto en los Pactos que se consideran de aplicación a los hechos, ni lo consideramos procedente, pues el incumplimiento del Tratado da lugar a su denuncia por parte de los órganos vigilantes del Pacto. **Los jueces, sujetos al principio de legalidad no pueden, en ningún caso, derogar leyes cuya abrogación es exclusiva competencia del poder legislativo.**"*

Ello no puede ser entendido, como parece aventurar la Sala II, **como una vinculación del juez ordinario a las leyes que sean contrarias a los Tratados internacionales.** En efecto, de hacerse así se estaría razonando en contra de la doctrina constitucional consolidada, pues el TC ha dicho, en su STC 148/2018, de 20 de diciembre (f.6, pfo. 5º), dice (el resaltado es nuestro):

"El marco jurídico constitucional existente erige, pues, al control de convencionalidad en el sistema español en una mera regla de selección de derecho aplicable, que corresponde realizar, en cada caso concreto, a los jueces y magistrados de la jurisdicción ordinaria. Como viene estableciendo de forma incontrovertida la jurisprudencia previa, la determinación de cuál sea la norma aplicable al caso concreto es una cuestión de legalidad que no le corresponde resolver al Tribunal Constitucional sino, en principio, a los jueces y tribunales ordinarios en el ejercicio de la función jurisdiccional que, con carácter exclusivo, les atribuye el artículo 117.3 CE (por todas SSTC 49/1988, de 22 de marzo, FJ 14 y 180/1993, de 31 de mayo, FJ 3; 102/2002, FJ 7). En síntesis, la facultad propia de la jurisdicción para determinar la norma aplicable al supuesto controvertido se proyecta también a la interpretación de lo dispuesto en los tratados internacionales

(STC 102/2002, FJ 7), así como al análisis de la compatibilidad entre una norma interna y una disposición internacional. Ello supone que, **en aplicación de la prescripción contenida en el artículo 96 CE, cualquier juez ordinario puede desplazar la aplicación de una norma interna con rango de ley para aplicar de modo preferente la disposición contenida en un tratado internacional, sin que de tal desplazamiento derive la expulsión de la norma interna del ordenamiento, como resulta obvio, sino su mera inaplicación al caso concreto. La admisión de la posibilidad de que una norma con rango legal sea inaplicada por órganos de la jurisdicción ordinaria ha sido admitida por este Tribunal en aplicación del principio de prevalenc**ia (SSTC 102/2016, de 25 de mayo; 116/2016, de 20 de junio, y 127/2016, de 7 de julio), **en lo que hace al control de constitucionalidad de normas preconstitucionales** (STC 11/1981, de 8 de abril), y a la hora de determinar las relaciones entre las fuentes internas de rango legal y las normas de derecho comunitario derivado (por todas SSTC 28/1991, de 14 de febrero, FJ 5; 64/1991, de 22 de marzo, FJ 4; 180/1993, de 31 de mayo, FJ 3; 145/2012, de 2 de julio, FJ 2, y 118/2016, de 23 de junio, FJ 3). Incluso, en un*obiter dictum* contenido en el FJ 3 de la STC 118/2016, de 23 de junio, se dijo expresamente que «es a los órganos judiciales ordinarios a quienes corresponde el control, entonces, tanto de la eventual contradicción entre una norma foral fiscal y una disposición de un tratado o convenio internacional firmado y ratificado por España (SSTC 270/2015, de 17 de diciembre, FJ 5, y 29/2016, de 18 de febrero, FJ 5), como de la adecuación de las normas forales fiscales a las normas de armonización fiscal de la Unión Europea [SSTC 64/2013, de 14 de marzo, FJ 4, y 44/2015, de 5 de marzo, FJ 5 b)]."

Esta postura no es nueva, como resulta de los propios razonamientos del TC y viene reforzada por la nueva Ley 25/14 de Tratados internacionales, en cuyo art. 31 dispone: ***Prevalencia de los tratados.***

"Las normas jurídicas contenidas en los tratados internacionales válidamente celebrados y publicados oficialmente prevalecerán sobre cualquier otra norma del ordenamiento interno en caso de conflicto con ellas, salvo las normas de rango constitucional."

Todo ello sugiere que, en palabras de la propia Sala II *"Una ley de amnistía, que excluya la responsabilidad penal, puede ser considerada como una actuación que restringe e impide a la víctima el recurso efectivo para reaccionar frente a la vulneración de un derecho."* (STS nº 101/2012, FJ 3º, pfo. 2º) el juez ordinario tiene la obligación de inaplicarla al caso, por más que no tenga competencia para derogarla, y ello, precisamente, por la sumisión del juez a la ley (art. 117.1 CE), término que no ha de entenderse en sentido formal, sino comprensivo también de los Tratados y Convenios internacionales como normas que forman parte del ordenamiento interno (art. 96.1 CE).

Ello supone que, si como hemos visto, desde el punto de vista del art. 7 CEDH, el principio de legalidad, no sólo puede colmarse mediante legislación interna, sino también mediante los tratados o costumbres internacionales, el juez español tenga la obligación de inaplicar a los casos de personas desaparecidas la ley de amnistía.

Sin embargo, más difícil resulta salvar el escollo de la irretroactividad de las normas penales (art. 9.3 CE y art. 25.1 CE), pues las exigencias del principio de legalidad hacen que estos derechos sean exigibles frente a las vulneraciones sufridas con posterioridad a la entrada en vigor del Pacto y el Convenio, y —como afirma el TS— así lo ha interpretado el Comité encargado de su vigilancia en sus decisiones (véanse, las resoluciones 275/1988 y 343, 344 y 345 de 1988 en las que el Comité de Derechos Humanos de Naciones Unidas recuerda que el PIDCP "no puede aplicarse retroactivamente).

Por otro lado, y en relación a la posibilidad de aplicar normas de derecho penal internacional consuetudinario, el TS (II), con cita del art. 7.2 CEDH, niega dicha posibilidad (STS (II), 1 octubre 2009, Caso Scilingo (FJ 6º.4)

"el artículo 7.2 del Convenio Europeo para la Protección de los Derechos Humanos y las Libertades Fundamentales (CEDH), luego de establecer en el apartado 1 el principio de legalidad de delitos y penas conforme al «derecho» nacional o internacional, viene a reconocer que una condena basada en los principios generales del derecho reconocidos por las naciones civilizadas no sería contraria al Convenio. Establece así un mínimo de carácter general. Pero no impide que cada Estado formule el principio de legalidad de manera más exigente en relación con la aplicación de sus propias normas penales por sus propios Tribunales nacionales.

De todos modos, el Derecho Internacional Penal de carácter consuetudinario, que sería aplicable en esta materia, no contiene una descripción de los tipos penales que permita su aplicación directa. No solo porque las conductas no siempre han sido formuladas de igual forma en su descripción típica, sino especialmente porque cuando han sido incorporadas al derecho interno, tampoco han mantenido una total homogeneidad con las normas internacionales preexistentes. Como referencia, pueden tenerse en cuenta las diferencias que presentan entre sí la descripción típica que se contiene en el artículo 607 bis del Código Penal y la que aparece en el artículo 7 del Estatuto de la CPI.

Además, las normas internacionales consuetudinarias no contienen previsión específica sobre las penas, lo que impide considerarlas normas aplicables por sí mismas en forma directa.

De ello cabe concluir que el Derecho Internacional consuetudinario no es apto según nuestras perspectivas jurídicas para crear tipos penales completos que resulten directamente aplicables por los Tribunales españoles."

Esta falta de aptitud del derecho internacional consuetudinario para colmar las exigencias del principio de legalidad, ha sido posteriormente reiterado por la AN (JCI nº 5 Auto 22 octubre 2018, rec.29/2016 entre otros), junto a la irretroactividad de las leyes que en nuestro ordenamiento tipifican los delitos de lesa humanidad (desde 01/10/2004) para denegar el auxilio internacional a las autoridades judiciales Argentinas, en la investigación de la detención y homicidio del poeta Federico García Lorca, acecido en los últimos días de julio y primeros de agosto de 1936, en Granada.

En definitiva, al menos de momento, y a la vista de la postura de nuestros tribunales, puede concluirse que el caso de los crímenes contra la humanidad cometidos en el franquismo es hoy un **caso desgraciadamente cerrado** que, sin embargo, deja **muchas heridas abiertas**, con una Ley de Memoria Histórica insuficiente a los propósitos de "justicia, verdad, reparación y reforma institucional" que las víctimas de tan atroces crímenes merecen.

Por ello, en el caso Español, la conclusión del voto particular de Paulo Pinto en el caso Mocanu c. Rumanía podría ser exactamente la misma: *no se trata de hacer justicia a una u otra víctima del franquismo, se trata de hacer justicia a todos los ciudadanos/as españoles que, por defender un régimen plenamente democrático como fue el de la República Española, tuvieron que sufrir por parte del Estado una represión organizada e inhumana.*

2.3.5. Índice de casos

STEDH 22 marzo 2001, Caso Streletz, Kessler y Krenz c. Alemania
STEDH 27 noviembre 2007 Caso Brecknell c. Reino Unido
STEDH 19 septiembre 2008, Caso Korbely c. Hungría
STEDH 20 octubre 2009, Caso Agache y otros c. Turquía
STEDH 8 diciembre 2009, Caso Şandru y otros c. Rumanía
STEDH 9 abril 2009, Caso Šilih c. Rumania
STEDH 17 mayo 2010, Caso Kononov c. Letonia
STEDH 24 mayo 2011, Caso Asociación "21 de diciembre de 1989" y otros c. Rumania
STEDH 9 julio 2013, Caso Vinter y otros c. Reino Unido
STEDH 17 diciembre 2013 Caso Perinçek c. Suiza
STEDH 27 marzo 2014, Caso Matytsina c. Italia
STEDH 17 septiembre 2014, Caso Mocanu y otros c. Rumanía
DTEDH 17 enero 2016, Caso Kokl and Kislyviy c. Estonia

2.3.6. Bibliografía

AGUILAR CAVALLO, G. "Crímenes internacionales y la imprescriptibilidad de la acción penal y civil: referencia al caso chileno". Puede consultarse en: https://revistaschilenas. uchile.cl/handle/2250/60270

GARCÍA ROCA, J., SANTOLAYA, P. (Coord.) "La Europa de los Derechos. El Convenio Europeo de Derechos Humanos Ed. CEC. 2ª Edición. 2009.

HERNÁNDEZ GARCÍA, J. "La prescripción de los delitos y de las penas"; en Tratado de Derecho Penal Económico". Ed. Tirant lo Blanch 2019.

JIMÉNEZ CORTÉS, C. "La lucha contra la impunidad de los crímenes internacionales en España: de la persecucion a Pinochet a la inculpación del juez Garzón". Institut català internacional per la pau. 2011.

LASAGABASTER HERRARTE, I. "Convenio Europeo de Derechos Humanos. Comentario Sistemático. 2ª edición. Ed. Civitas Thomson-Reuters 2009.

MEDINA CEPERO, J. R. "Algunas cuestiones sobre la prescripción en derecho penal". Ed. Aranzadi. Sentencias de TSJ y AP y otros Tribunales núm. 20/2003. Parte Comentario. Bib. 2004/99.

MONEREO ATIENZA, C.; MONEREO PÉREZ, J. L. "La Garantía Multinivel de los Derechos Fundamentales en el Consejo de Europa". Ed. Comares. 2017.

PÉREZ TREMPS, P.; SAIZ ARNAIZ, A., "Comentario a la Constitución Española. 40 aniversario 1979-2018. Libro homenaje a Luis López Guerra. Ed. Tirant Lo Blanch.

PINTO DE ALBUQUERQUE, P. "I Diritti umani in una prospettiva europea. Opinini concrrenti e dissenzienti (2011-2015)". A cura e con un saggio di Davide Galliani prefaziine di Paola Bilancia. Ed. B. Giappichelli Editori- 2016.

PRECIADO DOMÈNECH, C.H. "Teoría General de los Derechos Fundamentales en el contrato de Trabajo". Ed. Thomson Reuters-Aranzadi. 2018.

QUERALT JIMÉNEZ, A. "La interpretación de los derechos: del Tribunal de Estrasburgo al Tribunal Constitucional". Ed. CEC. 2008.

RIPOL CARULLA, S., VELÁZQUEZ GARDETA, J.M. y AAVV "España en Estrasburgo. Tres Décadas bajo la Jurisdicción del Tribunal Europeo de Derechos Humanos. Ed. Aranzadi. Primera edición. 2010.

SÁEZ VALCÁRCEL, J. R. "La aplicación por España de sus obligaciones internacionales en derechos humanos. Especial referencia a las desapariciones forzadas". Cuadernos digitales de formación CENDOJ. CGPJ. Nº 34. 2015.

SARMIENTO,D.; MIERES MIRES, L. J.; PRESNO LINERA, M. "Las sentencias básicas del Tribunal Europeo de Derechos Humanos. Ed. Thomson Cititas. 2007.

Webgrafía

Informe de la Asamblea Parlamentaria del Consejo de Europa de 16 de marzo de 2006 condenando la dictadura franquista. Puede consultarse en traducción española en: https://www.nodo50.org/republica/docs/condena-franquismo.pdf

Observaciones finales del Comité contra la Desaparición Forzada, sobre el informe presentado por España en virtud del art. 29.1 de la Convención Internacional para la protección de todas las personas contra las desapariciones forzadas. Puede consultarse en: https://tbinternet.ohchr.org/_layouts/15/treatybodyexternal/Download.aspx?symbolno=CED/C/ESP/CO/1&Lang=Sp

Informe de Amnistía internacional: "Casos cerrados, heridas abiertas. El desamparo de las víctimas de la Guerra Civil y el franquismo en España": https://doc.es.amnesty.org/ms-opac/doc?q=*%3A*&start=0&rows=1&sort=fecha%20desc&fq=norm&fv=*&fo=and&fq=mssearch_fld13&fv=EUR4110112&fo=and&fq=mssearch_mlt98&fv=gseg01&fo=and

2.4. CASO TREVALEC C. BELGIUM
(STEDH 14 junio 2011): La legítima defensa putativa y el exceso en la defensa

2.4.1. Resumen del caso

a) Resumen de los hechos

El demandante, reportero, fue contratado por una productora que había obtenido una autorización policial para él y para un colega periodista para filmar las operaciones de unidad especial, conocida como el pelotón anti bandas (PAB).

El 12 de enero de 2003, sobre la 1 de la mañana, a consecuencia de la llamada de un vecino, el operador de radio de la policía avisó a los agentes de policía, entre ellos los agentes M.S. e Y.M. que se hallaban en un polígono industrial. La operación policial tenía como objetivo la detención de dos individuos que se comportaban de forma extraña y parecían estar armados. Justo después de la detención e inmovilización de los sospechosos por otros dos policías, el recurrente apareció por la espalda de los agentes M.S e Y.M, a escasos metros de ellos. Con la tensión propia del momento y guiados por un reflejo defensivo, ambos agentes confundieron en la oscuridad la cámara del reportero con un arma, se sintieron amenazados y dispararon al demandante, hiriéndole gravemente en ambas piernas.

Los responsables de la operación fueron inmediatamente localizados e informados del accidente, y se remitió una comunicación a la fiscalía 10 minutos después. La juez de instrucción adoptó de inmediato diversas medidas dirigidas al esclarecimiento de los hechos y a la conservación de las fuentes de prueba.

b) Resumen de la sentencia

- *Artículo 2 CEDH (vertiente material)*

M.S. e Y.M, al creer de buena fe que su vida corría peligro, hicieron uso de su arma con finalidad de legítima defensa, pensando que de tal forma actuaban dentro de los límites legalmente establecidos. Dado el objeto del reportaje, parece obvio que el demandante podía exponerse a situaciones de riesgo para su vida o integridad física. En este contexto, su seguridad dependía de la policía, que había aceptado esta responsabilidad al autorizar su presencia. Sin un marco reglamentario, este tipo de situaciones ha de analizarse caso a caso. Las autoridades policiales tuvieron la precaución de que el demandante pidiese una autorización para filmar, que le libró el jefe de la policía bajo la condición de sujetarse a las instrucciones de seguridad proporcionadas por los inspectores.

Por otro lado, se facilitaron al demandante y a su compañero chalecos anti balas y acudieron a una reunión de preparación, recibiendo las instrucciones correspondientes.

Sin embargo, la transcripción de las comunicaciones llevadas a cabo esa noche por la "central de radio" demuestra que la presencia del denunciante y su colega en un equipo PAB no se comunicó a los equipos que se hallaban sobre el terreno.

Los autores de los disparos y sus compañeros de equipo, que pertenecían al "servicio 101" y a la brigada canina, han confirmado que si bien sabían que un equipo de televisión estaba realizando un reportaje, sin embargo, no habían sido informados ni de las modalidades de filmación, ni de la presencia del demandante sobre el terreno esa noche. La autorización de filmar concedida por el jefe de la policía se expuso en el local del jefe de puesto de PAB y en la "central radio" de la comisaría con la mención "información-turno de 9 a 13 de enero", pero dicho documento no concretaba las horas de presencia de los dos periodistas sobre el terreno. Además, hay que subrayar que los jefes de puesto y los inspectores que dirigían el "servicio 101", así como los responsables de la brigada canina, ni el día antes, ni el de los hechos recibieron nota alguna u hoja de servicio que mencionase dicha información y tampoco les avisaron por otros cauces.

La cuestión de determinar si M.S e Y.M estaban al corriente o no de que la intervención policial era seguida por un reportero es un elemento esencial a la vista del art. 2 CEDH, desde el momento mismo que no puede excluirse que hubieran actuado de forma distinta y que los sucesos trágicos, tal y como se produjeron, podrían haberse evitado de haberlo sabido.

Sin embargo, resulta de cuanto se ha dicho que la causa de su desconocimiento se deriva de fallos en el circuito de información imputables a las autoridades. Incluso considerando que el demandante, que no podía ignorar los peligros de la situación, no ha actuado aparentemente con la diligencia que le era exigible, no recibió ninguna instrucción de seguridad el día del accidente, ni tampoco orden alguna de quedarse atrás una vez llegados al lugar de los hechos.

A la vista de las carencias de la situación del demandante, imputables a la autoridades, y de los errores en el circuito de información, no puede afirmarse que la conducta imprudente del demandante sea la causa determinante del accidente.

De esta forma las autoridades, que eran las responsables de la seguridad del reportero en un contexto en que su vida estaba potencialmente en peligro, no desplegaron toda la diligencia que razonablemente cabía esperar de ellas.

Esta falta de diligencia es la causa esencial del recurso equivocado a la fuerza potencialmente letal que expuso al interesado a un riesgo serio para su vida y le causó las graves heridas de que fue víctima.

Por todo ello, el recurso al uso de la fuerza no fue absolutamente necesario para "asegurar la defensa de una persona frente a una violencia ilegal", en el sentido del art. 2.2a) CEDH.

En conclusión, el TEDH considera por unanimidad que hubo violación del art. 2 del CEDH en su vertiente material.

- *Derecho a la vida (Vertiente procesal)*

Las autoridades reaccionaron a los hechos con prontitud y diligencia. Se adoptaron numerosas medidas dirigidas al esclarecimiento de los hechos y a la determinación de la responsabilidad, y las investigaciones se desarrollaron bajo la dirección de una juez de instrucción, cuya independencia e imparcialidad están fuera de toda cuestión.

Del expediente se deriva que el demandante ha participado en la investigación. Además, la juez de instrucción estimó la petición del perjudicado de que se llevara a cabo una segunda reconstrucción de los hechos, y sólo por petición del interesado la misma no tuvo lugar.

Por otro lado, la investigación se desarrolló en las condiciones pertinentes para determinar si el recurso al uso de la fuerza estaba o no justificado, así como para identificar a los responsables. Es cierto que puntualmente hubo algunas demoras y que, sin lugar a dudas, hubiera sido deseable que se hubiera cerrado con más premura. Sin embargo, ello no impide la efectividad de dicha investigación, a la vista de las circunstancias del caso y de las medidas adoptadas.

Por ello, el TEDH concluye unánimemente que no ha habido violación del art. 2 en su vertiente procesal.

2.4.2. *Extractos del voto particular de Paulo Pinto*

«*2. El asunto Trévalec es un caso clásico de* **legítima defensa putativa***, con una percepción errónea, pero culpable, de las circunstancias fácticas.*

La situación de legítima defensa putativa viene caracterizada por la ausencia de agresión real e inminente: el autor de los hechos objeto de imputación cree ser víctima de una agresión e incurre en un error en la apreciación de la realidad del peligro. De hecho, los policías Y.M y M.S dispararon contra el demandante al creer que les estaba atacando.

(…)

5. Las solución escogida por el derecho belga es compatible con el artículo 2 del Convenio. En el supuesto de legítima defensa putativa propia o de tercero, el Tribunal aplica un criterio de evaluación de la acción defensiva que no es ni completamente objetivo (el del hombre medio en las circunstancias de hecho vividas por el acusado), ni exclusivamente subjetivo (el del acusado en las circunstancias de hecho vividas por él mismo). Así, la valoración de la conducta de la persona que se cree en situación de legítima defensa se basa en la "convicción honesta apreciada por buenas razones como válida en el momento de los hechos, pero que después se revela equivocada" [Vid. STEDH 27 septiembre 1995, Caso McCann y otros c. Reino Unido (f.200), STEDH 9 octubre 1997, Caso Andronicou y Constantinou c. Chipre (f.192); STEDH 3 abril 2001, Caso Brady c. Reino Unido; STEDH 17 marzo 2005, Caso Bubbins c. Reino Unido, (f.138-139), y, más recientemente STEDH 24 marzo 2011, Caso Giuliani et Gaggio c. Italia (f. 178-179)]

La convicción del agente no es el único elemento a considerar para apreciar el carácter justificado o no de la acción defensiva: esa cualidad depende, a los ojos del Tribunal, del carácter razonable ("buenas razones") de la convicción, o, más precisamente, de su compatibilidad con las normas profesionales comúnmente admitidas en una situación tal como la vivida por el mismo.

De esta forma, el Tribunal ha aplicado un criterio de imputación funcional: el del hombre que, con el perfil profesional del autor de los hechos, se sitúa en las mismas circunstancias que éste.

6. Sin embargo, en el presente caso, hay cinco "buenas razones" para censurar la percepción errónea de los policías M.S e Y.M:

1) El periodista estuvo en todo momento alumbrado por las luces de neón.

2) No iba encapuchado, y los policías sabían que los sospechosos sí lo iban.

3) No iba armado, y una cámara del tamaño de la que llevaba no puede razonablemente confundirse con un arma.

4) Los policías M.S e Y.M. sabían que sus colegas ya habían identificado y detenido a los dos sospechosos, porque se lo había indicado otro policía a través de la radio. Los policías del PAB buscaban dos personas, y no tres, como defiende el Estado. Por tanto, el individuo que se aproximaba no podía ser uno de los sospechosos que buscaban.

5) Para terminar, los policías sabían que sus actividades se cubrían por dos periodistas, y el propio demandante había coincidido el día antes (11 enero 2003), con miembros de la brigada canina en un control de tráfico, así como con miembros del equipo 101 en un control de sospechosos. Por tanto, la persona que se aproximó, podía ser uno de los periodistas. En conclusión, el error sufrido por los policías M.S e Y.M fue un error vencible.

*7. Además los policías actuaron con un exceso en la **legítima defensa:** su reacción fue excesiva a la vista de los Principios fundamentales de las Naciones Unidas sobre el recurso al uso de la fuerza y de la utilización de armas de fuego por los agentes de la autoridad. (vid. sobre la aplicabilidad de tales principios Hervé Vlamynck, Droit de la police, deuxième édition, Paris, Vuibert, 2009, pp. 290 et 291). M.S e Y.M dispararon siete veces en todas direcciones, dispararon a muy corta distancia de la víctima y en 2 segundos. M.S disparó a la vez que decía "No se mueva", sin respetar un mínimo intervalo entre la comunicación y el disparo. Y.M continuó disparando cuando el periodista estaba ya en el suelo. En resumen, reaccionaron de manera completamente incontrolada y caótica. Por otro lado, ellos mismos han reconocido haber disparado sin saber a qué apuntaban, de forma que si no han matado y solo han herido al demandante, ha sido por pura suerte. Considerando todas estas circunstancias en su conjunto procede concluir que sus disparos no fueron de neutralización, sino dirigidos a abatir al agresor presunto.*

8. En virtud Principios fundamentales de las Naciones Unidas sobre el recurso al uso de la fuerza y de la utilización de armas de fuego por los agentes de la autoridad, los policías deben "asegurarse de que las armas de fuego no se utilizan más que en circunstancias apropiadas y de forma que se minimice el riesgo de daños inútiles". Tienen una pericia técnica en el manejo de las armas de fuego y una experiencia profesional en su utilización, que a la vez que les proporcionan un mayor poder sobre los ciudadanos, les impone una mayor contención en su uso. (vid. mutatis mutandi STEDH 13 septiembre 2005, Caso Kakoulli c. Turquía, STEDH 20 diciembre 2003, Caso Makaratzis c. Grecia).

Por tanto, los policías deben mantenerse al control de la situación y no dejarse superar por los acontecimientos, puesto que han sido entrenados para aplicar sus conocimientos técnicos y su experiencia profesional en situaciones de estrés, cosa que los policías M.S e Y.M no han hecho. La forma incontrolada y caótica con la que ambos dispararon al demandante en esa inafortunado noche de enero de 2003 no se ajustaba en absoluto a tales exigencias.

*9. En conclusión, **la legítima defensa putativa por error vencible del agente es una violación del derecho a la vida protegido por el art. 2 CEDH. El carácter vencible del error del agente que se cree en situación de legítima defensa es apreciado desde una*** *perspectiva funcional, que no es ni estrictamente objetiva ni completamente subjetiva. Así mismo, el exceso en la legítima defensa, frente a un riesgo real o putativo, comporta también la vulneración de ese derecho.*

Teniendo en cuenta el conjunto de las circunstancias del caso, la reacción defensiva de los policías M.S e Y.M frente a los hechos, permite descartar el dolo, pero no justifica el delito, puesto que subsiste la imprudencia. Por tanto, es forzoso concluir que no han actuado conforme al art. 2.2a) del CEDH.

(...)

12. En definitiva, no puede considerarse que la conducta del demandante haya sido la causa determinante de sus heridas. Es cierto que fue una de las causas objetivas de los hechos, pero tales heridas fueron causadas tanto por su conducta como por la de los policías M.S e Y.M. Es caso típico de causas concurrentes por conductas del acusado y la víctima. Según la jurisprudencia del Tribunal, el factor principal de exclusión de la responsabilidad penal del agente es la imprevisibilidad de la conducta de la víctima. (Vid. STEDH 1 marzo 2005, Caso Bone c. Francia (f.90), STEDH 27 julio 2004, Caso, A.A y otros c. Turquía). Cuando su conducta es imprevisible, la víctima soporta la responsabilidad exclusiva de las consecuencias de sus actos, porque se interrumpe la relación de causalidad entre la conducta del acusado y el resultado. Al contrario, cuando la conducta de la víctima es previsible, puede haber responsabilidad penal del acusado. Es precisamente lo que ha ocurrido en este caso: un periodista que no había recibido el día de los hechos instrucción de seguridad alguna, ni orden de permanecer detrás de los agentes o de no salir del vehículo en tanto la zona no estuviera asegurada, era previsible que siguiera a los policías a donde fueran para obtener las mejores imágenes de la operación. En consecuencia, su conducta no exime de responsabilidad al Estado demandado conforme al art. 2 del Convenio.»

2.4.3. *Doctrina del TEDH sobre la legítima defensa*

El art. 2.2 a) CEDH dispone:

"2. La muerte no se considerará como infligida en infracción del presente artículo cuando se produzca como consecuencia de un recurso a la fuerza que sea absolutamente necesario:
a) en defensa de una persona contra una agresión ilegítima."

Se trata, por tanto, de determinar la doctrina del TEDH en materia de derecho a la vida, concretamente de los supuestos muertes derivadas del de uso de la fuerza por agentes estatales que tienen por finalidad la defensa de una persona contra una agresión ilegítima de otra.

*En primer lugar, el texto del art. 2 en su conjunto **no ampara sólo el caso de muertes dolosas**, sino también cubre las situaciones en los que es posible que se* acuda al *"uso de la fuerza", que puede terminar con alguna muerte involuntaria.*

En este sentido el recurso a la fuerza de que habla e l art. 2.2 CEDH debe ser **"absolutamente necesaria"***, que es un estándar mucho más exigente y riguroso de necesidad que el criterio común de intervención del Estado, es decir, que sea "necesario en una sociedad democrática", previsto en el pfo.2 de los arts.8 a 11 CEDH.*

Además, la **fuerza empleada debe ser estrictamente proporcionada** *a los objetivos legítimos para los que se utiliza [STEDH 27 septiembre 1995, Caso McCann y otros c. Reino Unido (f.148-149), STEDH 24 marzo 2011, Caso Giuliani et Gaggio c. Italia, f.175-176)].*

No hace falta decir que debe existir un **equilibrio entre el propósito y los medios empleados en su búsqueda** (STEDH 27 julio 1998 Caso Güleç c. Turquía, § 71).

Por ejemplo, el TEDH considera que el objetivo legítimo de hacer un arresto común no puede justificar poner en peligro vidas humanas, excepto en casos de absoluta necesidad. Por lo tanto, en principio, no puede haber tal necesidad cuando se sabe que la persona que va a ser arrestada no representa una amenaza para la vida o la integridad física de nadie y no se sospecha que haya cometido un delito de naturaleza violenta, aunque resulte imposible arrestar al fugitivo [*STEDH 13 septiembre 2005, Caso Kakoulli c. Turquía (f.108);* STEDH 6 julio 2005, Caso Nachova y otros contra Bulgaria].

El **uso de la fuerza por parte de agentes estatales** para lograr uno de los objetivos establecidos en el art. 2.2 CEDH **puede justificarse** en virtud del mismo cuando dicho uso se *base en una convicción honesta apreciada por buenas razones como válida en el momento de los hechos, pero que después se revela equivocada.* Argumentar lo contrario impondría una carga poco realista sobre el Estado y sus funcionarios encargados de hacer cumplir la ley que podrían ser a costa de sus vidas y las de otros[258].

---

[258] STEDH 27 septiembre 1995, Caso McCann y otros c. Reino Unido (f.200); STEDH 9 octubre 1997, Caso Andronicou y Constantinou c. Chipre (f.192); STEDH 17 marzo 2005, Caso Bubbins c. Reino Unido, (f.138-139) STEDH 13 marzo 2007, Caso Huohvanainen c. Finlandia, (f.96).

El TEDH considera además, que sin estar en contacto directo con los hechos, no puede imponer su propia apreciación de la situación, sobre la valoración que hizo el oficial que tuvo que reaccionar al calor de la situación, para evitar la percepción honesta de un peligro para su vida o la de otros [STEDH 17 marzo 2005, Caso Bubbins c. Reino Unido, (f.139); STEDH 13 marzo 2007, Caso Huohvanainen c. Finlandia, (f.97)].

Cuando el TEDH examina las acciones de los agentes del Estado, la pregunta principal es **si la persona creía honesta y sinceramente que era necesario usar la fuerza**. Para responder a esa pregunta, el Tribunal debe verificar la naturaleza subjetivamente razonable de la condena, teniendo plenamente en cuenta las circunstancias en que se produjeron los hechos. Si concluye que la creencia no fue subjetivamente razonable (es decir, que no se basó en razones subjetivamente válidas), es probable que tenga dificultades para admitir el carácter honesto y sincero [STEDH 30 marzo 2016, Caso Armani Da Silva c. Reino Unido (f.248)].

Como hemos dicho, el Tribunal aplica un **criterio de evaluación de la acción defensiva** que no es **ni completamente objetivo** (el del hombre medio en las circunstancias de hecho vividas por el acusado), **ni exclusivamente subjetivo** (el del acusado en las circunstancias de hecho vividas por él mismo). Así, la valoración de la conducta de la persona que se cree en situación de legítima defensa se basa en la "convicción honesta apreciada por buenas razones como válida en el momento de los hechos, pero que después se revela equivocada"[259].

Sin embargo **dicho criterio fue sustituido en el caso** concreto resuelto por la **STEDH 30 marzo 2016, Caso Armani Da Silva c. Reino Unido, por un criterio mucho menos garantista, el criterio exclusivamente subjetivo.**

Se trataba de un brasileño residente en Londres, sospechoso de terrorismo que fue seguido por la policía británica hasta el metro donde le dispararon varias veces en la cabeza, causándole la muerte.

---

[259] Vid. STEDH 27 septiembre 1995, Caso McCann y otros c. Reino Unido (f.200), STEDH 9 octubre 1997, Caso Andronicou y Constantinou c. Chipre (f.192); STEDH 3 abril 2001, Caso Brady c. Reino Unido; STEDH 17 marzo 2005, Caso Bubbins c. Reino Unido, (f.138-139), y, más recientemente STEDH 24 marzo 2011, Caso Giuliani et Gaggio c. Italia (f. 178-179).

El TEDH razona lo siguiente: La Corte observa que el principal problema para determinar si el uso de la fuerza letal estaba justificado en virtud del CEDH es si la persona que afirma haber actuado en defensa propia creía honesta y sinceramente que era necesario actuar como lo hizo. Para responder a esta pregunta, el Tribunal debe determinar la *naturaleza subjetivamente razonable* (y *no objetivamente razonable*) de la condena, teniendo en cuenta las circunstancias en que se produjeron los hechos. Si concluye que la creencia no fue subjetivamente razonable (es decir, no se basó en razones subjetivamente válidas), es probable que le resulte difícil admitir que fue honesta y sincera.

Esta reducción de garantías, excluyendo el criterio objetivo en la valoración de la existencia de legítima defensa putativa exculpante fue contundentemente respondido en **el voto particular de Luis López Guerra**, que con completo acierto señala:

> *"Incluso suponiendo que los dos agentes de élite hubieran tenido la impresión subjetiva de que estaban en grave peligro, y hubieran creído sincera y justificadamente que actuaban en defensa propia, la pregunta fundamental continúa sin respuesta en lo que se refiere a la responsabilidad de las otras personas involucradas en la operación: ¿la percepción subjetiva de los agentes de élite que les impulsó a usar fuerza letal, fue el resultado de las acciones u omisiones precedentes de otras personas, así como de las instrucciones erróneas o equivocadas que estos agentes recibieron debido a una mala gestión de las graves circunstancias en las que estaban en juego vidas humanas y sobre las cuales se había dicho desde el inicio de la reunión preparatoria que quizás sería preciso "disparar a matar" (ver el párrafo 26 de la sentencia)?"*

Siguiendo con los criterios en el uso de la fuerza por los agentes de la autoridad, el **principio de minimización de riesgos en el uso de la fuerza** ha sido reiterado por el TEDH.

Para determinar si el uso de la fuerza es compatible con el Artículo 2, puede ser útil saber si el funcionamiento de las fuerzas de seguridad se ha preparado y controlado de tal manera que se minimice en la medida de lo posible el uso de la fuerza letal y las muertes accidentales [STEDH 17 marzo 2005, Caso Bubbins c. Reino Unido, (f. 136), Caso Huohvanainen c. Finlandia, (f. 94)].

El TEDH analiza la fase de preparación y dirección de la operación conforme al Artículo 2 del Convenio, con especial referencia al contexto en el que ocurrió el incidente y la forma en que evolucionó la situación [STE-

DH 9 octubre 1997, Caso Andronicou y Constantinou c. Chipre, STEDH 15 febrero 2007, Caso Yüksel Erdoğan and Others c. Turquía, (f. 86)].

En los siguientes casos, el TEDH consideró que el **uso de la fuerza no era estrictamente proporcional o absolutamente necesario** para el cumplimiento de cualquiera de los propósitos establecidos en el artículo 2, párrafo 2, de la Convención:

- STEDH 27 julio 1998 Caso Güleç c. Turquía: en que el hijo del demandante fue asesinado durante una manifestación durante la cual las fuerzas de seguridad se enfrentaron a actos de violencia y sin tener porras, escudos ni cañones de agua, balas de goma o gas lacrimógeno, usaron ametralladoras.

- STEDH 4 noviembre 2008 Evrim Öktem c. Turquía: en que un resultó gravemente herido por una bala perdida disparada con el arma de un oficial de policía durante una operación de dispersión de una manifestación.

- STEDH 13 septiembre 2005, Caso Kakoulli c. Turquía, en que soldados turcos mataron a tiros a un grecochipriota desarmado, que había entrado en la zona de seguridad entre el norte y el sur de Chipre.

- STEDH 23 febrero 2013, Caso Wasilewska y Kałucka c. Polonia, (f. 57), en que un sospechoso fue asesinado a tiros durante una operación policial.

- STEDH 18 junio 2013, Caso Natchova y otros v. Bulgaria (f. 109), en que dos fugitivos romaníes desarmados fueron abatidos a tiros por policías militares que intentaban arrestarlos.

- STEDH 13 abril 2017. Caso Tagayeva y otros c. Rusia, (f. 611), donde los rehenes fueron asesinados durante una operación de rescate en relación con terroristas que tomaron un número considerable de rehenes en una escuela en Beslan, Osetia del Norte.

Por otra parte, en los siguientes **casos, el Tribunal determinó que el uso de la fuerza era estrictamente proporcional a uno de los propósitos establecidos en el art. 2.2** CEDH:

- STEDH 17 marzo 2005, Caso Bubbins c. Reino Unido (f. 141), en que el hermano del demandante fue abatido a tiros por la policía en su apartamento después de un asedio de dos horas.

- STEDH 24 marzo 2011, Caso Giuliani et Gaggio c. Italia (f. 194), en que un manifestante en la cumbre del G8 fue asesinado a tiros por un miembro de las fuerzas de seguridad.

- STEDH 28 marzo 2006, Caso Perk y otros c. Turquía, (f. 73), en que los familiares de los recurrente fueron abatidos a tiros durante una operación policial dirigida contra un movimiento armado radical.

- STEDH 27 septiembre 2018, Caso Mendy c. Francia (f. 31-33), en que un oficial de policía mató a tiros a una persona demente que amenazó la vida de un hombre con un cuchillo durante su arresto.

2.4.4. *La legítima defensa putativa en España*

En el CP 1995 la legítima defensa putativa recibe el tratamiento del error de prohibición, contemplado en el art. 14.3 CP, que dispone que: *"El error invencible sobre la ilicitud del hecho constitutivo de la infracción penal excluye la responsabilidad criminal. Si el error fuera vencible, se aplicará la pena inferior en uno o dos grados."*

La doctrina polemizó en torno a la figura de la legítima defensa putativa, basculando las posturas entre la **teoría del dolo y de la culpabilidad**, sobre todo antes de la reforma del CP de 1973 operada en 1983 en el art. 6 bis a) 3 del CP[260]. Para los partidarios de la teoría del dolo, propia del causalismo, el conocimiento de la antijuridicidad correspondía al tipo del injusto (*dolus malus*), por lo que su ausencia determinaba la sanción como imprudente de la conducta, si existía la tipificación como culposa de la misma. Al contrario, los partidarios de la teoría de la culpabilidad, ubican el conocimiento de la antijuridicidad, junto a la imputabilidad y la inexigibilidad de otra conducta en el juicio de culpabilidad, por lo que la ausencia de conocimiento de antijuridicidad determina que la conducta antijurídica sea no culpable, en caso de tratarse de un error invencible; y tratándose de error vencible, la culpabilidad de aprecia en menor grado.

---

[260] Artículo 6 bis a (…) La creencia errónea e invencible de estar obrando lícitamente excluye la responsabilidad criminal. Si el error fuere vencible se observará lo dispuesto en el artículo 66.

Dicha polémica, como apuntábamos, quedó zanjada, al menos en sus principales argumentos[261], con la reforma de 1983 del CP, que al igual que el CP vigente en su art. 14.3, trata el error de prohibición como una causa de exclusión (invencible) o reducción de la culpabilidad (vencible).

El error sobre una causa de justificación (RODRÍGUEZ MOURULLO)[262], puede analizarse en 3 modalidades:

1) Error sobre los presupuestos objetivos de la causa de justificación.

2) Error sobre los límites de la causa de justificación.

3) Error sobre la existencia de la causa de justificación.

En el primer supuesto, el autor yerra sobre elementos fácticos, en el segundo y el tercero, sobre elementos jurídicos; sin embargo, en los tres casos, el autor cree —equivocadamente— que su conducta es ajustada a derecho.

Por eso, según el citado autor, cuya opinión comparto, nos hallaríamos ante una causa de exclusión de la culpabilidad, como sostiene la mayoría de la doctrina[263].

Otros, sin embargo, como MIR PUIG[264], califican de error de tipo (—excluye el dolo—) la suposición errónea de que concurren los presupuestos objetivos de la causa de justificación, línea que alguna jurisprudencia menor aún sostiene[265].

---

[261] CASTELLLÓ FOZ, M. "Legítima defensa putativa: consideraciones doctrinales y jurisprudenciales". Revista Jurídica de Catalunya. nº 3-2015, pp. 665-690.

[262] RODRÍGUEZ MOURULLO, G. "La legítima defensa real y putatibva en la doctrina penal del Tribunal Supremo". Civitas Madrid. 1976. 00. 77-79 y 98-99, citado por CASTELLLÓ FOZ, M. "Legítima defensa putativa: consideraciones doctrinales y jurisprudenciales". Revista Jurídica de Catalunya. nº 3-2015, pp. 665-690.

[263] MIR PUIG cita como partidarios de la teoría de la culpabilidad en "Derecho Penal. Parte General. Ed. Reppertor. 6º Edición. p. 546; a: TORÍO, HUERTA TOCILDO, ZUGALDÍA, ROMEO CASABONA, MAQUEDA, CEREZO, OCTAVIO DE TOLEDO, LUZÓN, entre otros/as.

[264] MIR PUIG, S. "Derecho Penal. Parte General. Ed. Reppertor. 6º Edición. pp. 542 y ss.

[265] SAP Barcelona 13 noviembre 2018, Tribun jurado 23/2018 "F.4.2" Ahora bien, esa sola inclusión no implica que se haya reunido la base empírica suficiente para pretender la aplicación de la eximente de legítima defensa putativa, pues ésta se produce cuando el sujeto cree erróneamente que concurren todos los presupuestos objetivos

A nivel jurisprudencial, la doctrina más reciente ha decantado la interpretación del art. 14.3 CP, hacia la teoría de la culpabilidad, considerando que el error de prohibición indirecto, como **la legítima defensa putativa, es una causa de exculpación** y no una causa de justificación.

Así, por ejemplo, la STS 22 julio 2001, (FD.5º).

"En tales condiciones la interpretación lógica es que la creencia de que iba a ser objeto de un ataque contra su vida o su integridad física, determina la existencia de una legítima defensa putativa, a la que se ha de aplicar lo dispuesto en el artículo 14.3 del Código Penal, habiendo podido ser aclarado el error cuando observó el cambio de actitud del portador del arma blanca e inició la huida, momento en que ya había comenzado a defenderse de la que creyó ser una agresión ilegítima, elemento fundamental imprescindible para la apreciación de toda legítima defensa, ya sea como eximente o como atenuante por ser la eximente, incompleta. En este segundo sentido, con el carácter de error vencible, se ha decantado la sentencia del tribunal del jurado pero, en tales circunstancias optó por la solución correcta ante el carácter de vencible del error, a más de apreciarse también exceso en la defensa utilizando con ánimo de matar un arma muy superior en poder mortífero a la simple navaja que empuñaba al víctima."

- STS 15 enero 2003, (FD 3º): en la que la Sala, pese a apreciar la existencia de dudas doctrinales sobre la calificación del error sobre los presupuestos fácticos de la causa de justificación parece decantarse por considerarla un error de prohibición:

"Esta Sala de casación estima, por tanto, que los hechos probados se acomodan a la situación prevista en el art. 14.3º del CP, error de prohibición, que deberá ser delimitada jurídicamente.
*La doctrina científica (también la jurisprudencial) viene estableciendo ciertas distinciones dogmáticas, relativas al **error** acerca de la significación antijurídica de la conducta. Puede ser:*
*a) **Directo**, cuando el autor ignora la desvalorización que el derecho atribuye al hecho cometido.*
*b) **Indirecto**, cuando conociendo la desvalorización del derecho el sujeto cree erróneamente que se halla desvirtuado por la concurrencia de una causa de justificación. Dicho error indirecto puede, a su vez, versar:*
–sobre la virtualidad justificante de una determinada situación de hecho, es decir, sobre la existencia jurídica de una determinada causa de justificación.

---

de la legítima defensa, por lo que su traducción jurídico penal sería su consideración como error sobre los presupuestos típicos de la causa de justificación, lo que excluiría el dolo.

–sobre la concurrencia de los hechos que determinan la justificación.

Son de todos conocidas las teorías que se han ensayado sobre esta materia (teoría del dolo y de la culpabilidad), con las divergentes consecuencias respecto al error vencible de prohibición.

*Nosotros, hemos de limitarnos a calificar el error ante el que nos hallamos, que no puede ser otro que el **vencible**. (…).*

6. Partiendo de que nos hallamos ante un error vencible de prohibición en que el sujeto activo yerra sobre los presupuestos fácticos que dan pie a la estimación de la legítima defensa, *todavía surge otra duda, no definitivamente resuelta por la doctrina científica. Nos referimos a la posibilidad de que el error sobre los presupuestos fácticos de una causa de justificación, puedan considerarse un error sobre los elementos del tipo (error de hecho) o sobre la prohibición, habida cuenta de la falta de precisión o de mayor concreción por parte del art. 14 del CP.*

Esta Sala, en los últimos tiempos, ha venido aceptando la aplicación realizada por los Tribunales inferiores en casos similares al presente, como error vencible de prohibición del p. 3 del art. 14, *rebajado en uno o dos grados la pena aplicable (véase, por todas, la S. núm. 421 de 15 de marzo de 2001)."*

En el mismo sentido, pueden consultarse —STS 28 mayo 2003; STS 10 diciembre 2004; y la **STS 18 abril 2006 Rec 735/2005, en la que, al igual que el TEDH, se fija un criterio mixto, subjetivo y objetivo, para apreciar la concurrencia de un error de prohibición.**

*"En realidad, lo que aquí se suscita es el tema de la legítima defensa putativa, que, por su propia naturaleza, se encuentra estrechamente vinculada al error, que afecta a la culpabilidad y que consiste en la creencia del agente de obrar lícitamente, determinada bien por recaer sobre la norma prohibitiva –lo que constituye lo que se llama error de prohibición directo–, bien por incidir sobre una causa de justificación, como es la legítima defensa, y que se denomina error de prohibición indirecto y, en uno y otro caso el efecto que se determina, de acuerdo con el párrafo 3 del artículo 14 del Código Penal es la exclusión de la responsabilidad criminal si el error es invencible, o una disminución en uno o dos grados de la pena si es vencible. La jurisprudencia ha venido marcando la precisión de que se pruebe la existencia del error **y que se atienda, cuando la existencia de error se alegue, a las circunstancias de cada caso concreto refiriéndose a las circunstancias culturales y psicológicas concurrentes en quién pretenda haber obrado con error, cuya invocación por otra parte, es inadmisible cuando se refiera a infracciones que son generalmente conocidas como patentemente ilícitas** y, por otro lado, sin que sea preciso para excluir el error que **el agente del hecho haya de tener plena seguridad de que actúa ilícitamente, bastando con que sea consciente de existir un alto grado de probabilidad de que su conducta sea antijurídica** (véanse SSTS de 17 de mayo de 1999, 1 de marzo de 2001 y 10 de diciembre de 2004)."*

Así, en cuanto **al estándar a valorar el error de prohibición en la legítima defensa putativa,** el TS (ST 13 octubre 2005, Rec 596/2004), sostiene que para que pueda apreciarse, hay que valorar **desde un punto de vista objetivo**, la existencia de hechos que razonablemente permitan esa creencia, los cuales han de ser valorados **en relación a las circunstancias del sujeto** en cada caso. Sus características y efectos, deben reconducirse a la esfera del error. En este punto, por lo tanto, España goza de un nivel de protección frente a las muertes causadas por agentes de la autoridad presuntamente amparados en legítima defensa putativa, más garantista que el que muestra el TEDH, al menos en la **STEDH 30 marzo 2016, Caso Armani Da Silva c. Reino Unido,** que ya hemos examinado. Criterio, en suma, más garantista que cumple con la cláusula de mínimos del art. 53 CEDH.

En el caso de **agentes de la autoridad como sujetos beneficiados por la legítima defensa putativa,** puede citarse, entre otras, la STS 9 marzo 1993 Rec 1731/1991:

"El Guardia Civil, según la Audiencia (y la defensa nada ha hecho para rectificar este aserto), obró en la **creencia de un ataque** por parte o desde el interior del coche porque llegó a ese instante final **imbuido y presionado por su propia responsabilidad**. Pero lo que tampoco puede admitirse es la catalogación del error como invencible. Los conocimientos técnicos y la preparación (fuere buen o mal tirador con la pistola) del procesado lo impiden. Medios a su alcance tenía para vencer la equivocación mental en la que estaba sumido."

En los casos de agentes de la autoridad, el TS ha considerado **compatible la legítima defensa (art. 20.4 CP) y el cumplimiento de un deber (art. 20.7 CP),** considerando que entre ambas se da un concurso de normas, que ha de resolverse por el **principio de especialidad, conforme al art. 8 CP**.

"Parece del todo evidente que la posibilidad de defenderse o defender a extraños que nuestro CP reconoce a los particulares frente a agresiones ilegítimas ha de reconocerse también a los agentes de la autoridad cuando obran en el cumplimiento de un deber, como bien dice la Sentencia de esta Sala de 20 octubre 1993 (RJ 1993\7813). Aplicar en estos casos una u otra causa de justificación parece que puede tener escasa relevancia práctica, porque lo que es indudable es que los funcionarios de policía, ya actúen como reacción a una agresión ilegítima, ya lo hagan incluso cuando tal clase de agresión no ha existido, bien se les aplique la eximente 11 del artículo 8, bien la 4.ª del mismo artículo, en todo caso, en sus actuaciones han de obrar conforme a los principios de congruencia, oportunidad y proporcionalidad a que se refiere el antes

mencionado artículo 5.2.c) y d) de la LO 2/1986 aplicable de una manera general a toda clase de intervenciones de las tan repetidas Fuerzas y Cuerpos de Seguridad. Parece que se trata simplemente de un concurso de normas a resolver por el criterio de la especialidad como pone de manifiesto la doctrina. En tales casos de agresión ilegítima que provoca la actuación defensiva por parte de un funcionario de policía, como ya hizo la Sentencia de esta Sala de 13 mayo 1982, parece lo más correcto aplicar la eximente de cumplimiento de un deber por ser más específica de acuerdo con los autores que recientemente se han ocupado de este tema."

En el caso de las fuerzas de seguridad, los parámetros de profesionalidad a que se refiere el TEDH en el uso de la fuerza potencialmente letal, vienen recogidos en el art. 5.2 c) y d) de la LO 2/1986:

*"c) En el ejercicio de sus funciones deberán actuar con la decisión necesaria, y sin demora cuando de ello dependa evitar un daño grave, inmediato e irreparable; rigiéndose al hacerlo por los **principios de congruencia, oportunidad y proporcionalidad** en la utilización de los medios a su alcance.*

d) Solamente deberán utilizar las armas en las situaciones en que exista un riesgo racionalmente grave para su vida, su integridad física o las de terceras personas, o en aquellas circunstancias que puedan suponer un grave riesgo para la seguridad ciudadana y de conformidad con los principios a que se refiere el apartado anterior".

2.4.5. Índice de casos

STEDH 27 septiembre 1995, Caso McCann y otros c. Reino Unido
STEDH 9 octubre 1997, Caso Andronicou y Constantinou c. Chipre
STEDH 27 julio 1998 Caso Güleç c. Turquía
STEDH 3 abril 2001, Caso Brady c. Reino Unido
STEDH 20 diciembre 2003, Caso Makaratzis c. Grecia
STEDH 27 julio 2004, Caso, A.A y otros c. Turquía
STEDH 1 marzo 2005, Caso Bone c. Francia
STEDH 17 marzo 2005, Caso Bubbins c. Reino Unido
STEDH 6 julio 2005, Caso Nachova y otros contra Bulgaria
STEDH 13 septiembre 2005, Caso Kakoulli c. Turquía
STEDH 28 marzo 2006, Caso Perk y otros c. Turquía
STEDH 15 febrero 2007, Caso Yüksel Erdoğan and Others c. Turquía
STEDH 13 marzo 2007, Caso Huohvanainen c. Finlandia
STEDH 4 noviembre 2008 Evrim Öktem c. Turquía
STEDH 24 marzo 2011, Caso Giuliani et Gaggio c. Italia
STEDH 23 febrero 2013, Caso Wasilewska y Kałucka c. Polonia
STEDH 18 junio 2013, Caso Natchova y otros v. Bulgaria
STEDH 30 marzo 2016, Caso Armani Da Silva c. Reino Unido
STEDH 13 abril 2017. Caso Tagayeva y otros c. Rusia

2.4.6. *Bibliografía*

CASTELLLÓ FOZ, M. "Legítima defensa putativa: consideraciones doctrinales y jurisprudenciales". Revista Jurídica de Catalunya. nº 3-2015, pp. 665-690.

GARCÍA ROCA, J., SANTOLAYA, P. (Coord.) "La Europa de los Derechos. El Convenio Europeo de Derechos Humanos Ed. CEC. 2ª Edición. 2009.

JIMÉNEZ DÍAZ, M. J. "El exceso intensivo en la legítima defensa". Ed. Comares 2007.

LASAGABASTER HERRARTE, I. "Convenio Europeo de Derechos Humanos. Comentario Sistemático. 2ª edición. Ed. Civitas Thomson-Reuters 2009.

MIR PUIG, S. "Derecho Penal. Parte General. Ed. Reppertor. 6º Edición. pp. 542 y ss.

MONEREO ATIENZA, C.; MONEREO PÉREZ, J. L. "La Garantía Multinivel de los Derechos Fundamentales en el Consejo de Europa". Ed. Comares. 2017.

MUÑOZ CONDE, F. "Un caso límite entre justificación y exculpación: la legítima defensa putativa". Revista Penal nº 24- julio 2009.

PÉREZ TREMPS, P.; SAIZ ARNAIZ, A., "Comentario a la Constitución Española. 40 aniversario 1979-2018. Libro homenaje a Luis López Guerra. Ed. Tirant Lo Blanch.

PINTO DE ALBUQUERQUE, P. "I Diritti umani in una prospettiva europea. Opinini concurrenti e dissenzienti (2011-2015)". A cura e con un saggio di Davide Galliani prefaziine di Paola Bilancia. Ed. B. Giappichelli Editori- 2016.

PRECIADO DOMÈNECH, C. H. "Teoría General de los Derechos Fundamentales en el contrato de Trabajo". Ed. Thomson Reuters-Aranzadi. 2018.

QUERALT JIMÉNEZ, A. "La interpretación de los derechos: del Tribunal de Estrasburgo al Tribunal Constitucional". Ed. CEC. 2008.

RIPOL CARULLA, S., VELÁZQUEZ GARDETA, J. M. y AAVV "España en Estrasburgo. Tres Décadas bajo la Jurisdicción del Tribunal Europeo de Derechos Humanos. Ed… Aranzadi. Primera edición. 2010.

RODRÍGUEZ MOURULLO, G. "La legítima defensa real y putatibva en la doctrina penal del Tribunal Supremo". Civitas Madrid. 1976. 00. 77-79 y 98-99.

SARMIENTO,D.; MIERES MIRES, L. J.; PRESNO LINERA, M. "Las sentencias básicas del Tribunal Europeo de Derechos Humanos. Ed. Thomson Cititas. 2007.

3. PROHIBICIÓN DE TORTURA (ART. 3 CEDH)

3.1. CASO KHOROSHENKO C. RUSSIA
(STEDH 30 junio 2015): La resocialización como la finalidad principal de la pena de prisión. La obligación del Estado de prever un plan individualizado de ejecución

3.1.1. Resumen del caso

Prohibición de visitas familiares de larga duración a un preso condenado a prisión permanente. Derecho a la vida privada: violación existente.

a) Resumen de los hechos

El recurrente cumple en la actualidad pena de prisión permanente.

Durante los diez primeros años de su pena de prisión en el establecimiento penitenciario de régimen especial, el demandante estuvo sometido a un régimen estricto que implicaba restricciones de la frecuencia y duración de las visitas en prisión, la limitación del número de visitantes, así como diversas medidas de vigilancia de tales encuentros. El demandante podía mantener correspondencia con el mundo exterior, pero tenía absolutamente prohibido hacer llamadas telefónicas, salvo en caso de urgencia.

b) Resumen de la sentencia

Las medidas relativas a las visitas de que el recurrente ha podido gozar durante los 10 años que ha pasado en prisión bajo un régimen restringido, suponen una injerencia en su derecho a la vida privada y familiar en el sentido del art. 8 CEDH.

La prisión del recurrente en el establecimiento penitenciario de régimen especial en condiciones de régimen restringido tuvo una base legal clara, accesible y suficientemente precisa.

Durante 10 años, el recurrente pudo mantener contactos con el mundo exterior por correspondencia, sin embargo, toda otra forma de contacto estaba sujeta a restricciones. No podía efectuar llamadas telefónicas, salvo en caso de urgencia y no podía recibir más que **una visita de 2 personas adultas cada 6 meses de 4 horas de duración**. Estaba separado de sus familiares por un panel de cristal y controlado por un guardia que podía escuchar todas sus conversaciones.

Las restricciones objeto de controversia, que resultaban directamente de la ley, se impusieron al recurrente únicamente en virtud de su condena a prisión permanente, sin tener en consideración cualquier otro factor.

Este régimen fue aplicable durante un período fijo de 10 años, que podía prolongarse en caso de mala conducta durante el cumplimiento, pero que, sin embargo, no podía reducirse.

Las restricciones se aplicaron conjuntamente en el marco del mismo régimen durante un período fijo y no podían modificarse.

En Rusia, una pena de prisión permanente sólo puede imponerse por un número determinado de delitos extremamente graves y peligrosos y, en el caso concreto, las autoridades tuvieron que procurar un difícil equilibrio entre los diferentes intereses públicos y privados en juego. Los Estados parte gozan de un amplio margen de apreciación en lo que se refiere a política penal. Por tanto, en principio no debería poder excluirse la fijación de una determinada relación, al menos en cierta medida, entre la gravedad de la pena y el tipo de régimen penitenciario.

Según la normativa europea sobre derecho de visitas de los presos, incluidos los que cumplen prisión permanente, las autoridades nacionales están obligadas a evitar la ruptura de sus vínculos familiares y a permitir a los presos sujetos a prisión permanente gozar de un nivel de contacto razonablemente bueno con sus familias por medio de visitas organizadas de manera tan frecuente y normalizada como sea posible.

A pesar de que en la práctica, en el ámbito de los Estados partes, existe una considerable diversidad en las normas sobre visitas a los presos, las visitas a los condenados a prisión permanente como mínimo son bimensuales.

De este modo, la mayoría de los Estados parte no establecen distinción alguna entre los presos por razón de la pena, de manera que la frecuencia mínima generalmente admitida es de, al menos, una visita al mes.

En este contexto, parece ser que la Federación Rusa es el único Estado miembro del Consejo de Europa que regula las visitas en prisión a los presos condenados a prisión permanente, imponiéndoles, en tanto que colectivo, y durante un prolongado período de tiempo, un régimen de visitas caracterizado por su extrema infrecuencia.

Ello comporta una disminución del margen de apreciación de la que goza el Estado demandado, al analizar en este ámbito los límites admisibles de injerencia en la vida privada y familiar.

Al contrario de lo decidido por la Corte Constitucional rusa en junio de 2005, el TEDH considera que el régimen en cuestión ha implicado un conjunto de restricciones que han agravado considerablemente la situación del demandante en relación a la de un preso ordinario que se halle cumpliendo una pena de larga duración. Estas restricciones tampoco pueden considerarse como inevitables o inherentes a la noción misma de la pena de prisión.

El Gobierno sostiene que tales restricciones se orientan a "el restablecimiento de la justicia, la corrección del delincuente y la prevención de nuevas infracciones".

El demandante sólo podía tener un compañero de celda durante todo este periodo y estaba clasificado en la categoría de presos condenados a prisión permanente con cumplimiento separado de otros reclusos.

El TEDH se muestra impresionado por el rigor y la duración de las restricciones sufridas por el demandante y, más concretamente, por el hecho de que el mismo, durante todo un decenio, sólo ha gozado de 2 visitas cortas anuales.

Conforme a la doctrina del TEDH, en términos generales, las personas presas continúan disfrutando de todos los derechos y libertades fundamentales garantizados por el CEDH, excepto del derecho a la libertad, ya que la prisión ordinaria está expresamente incluida en el ámbito de aplicación del art. 5 CEDH, y el preso no puede ser despojado de los derechos que le garantiza el CEDH, por el simple hecho de que se halle en prisión a consecuencia de una sentencia de condena.

En este sentido, la legislación rusa aplicable no garantiza como es debido los intereses del condenado, sus padres y parientes, tal y como exigen el art. 8 CEDH, los disposiciones de otros instrumentos de derecho internacional relativos a visitas familiares y la práctica de las Cortes y tribunales internacionales; todos los cuales indefectiblemente reconocen al conjunto de los presos, sin distinción alguna por razón del tipo de condena, el derecho a gozar de un mínimo de nivel de contactos aceptables o razonablemente buenos con sus familias.

Al amparo de las sentencias del Tribunal constitucional, el Gobierno mantiene que las restricciones tienen como finalidad la enmienda de los delincuentes. El régimen penitenciario aplicado al demandante no tiene como objetivo su reinserción, sino más bien su aislamiento. Sin embargo, el código de ejecución de penas prevé la posibilidad que todo preso condenado a prisión permanente pida su liberación condicional tras haber cumplido 25 años de condena.

Así mismo, el carácter excesivamente restrictivo del régimen de los presos condenados a prisión permanente como el recurrente les impide mantener las relaciones con sus familias y, por tanto, en lugar de facilitar o favorecer su reinserción en la sociedad y su corrección, las compromete seriamente.

Ello también es contrario a las recomendaciones del Comité Europeo para la prevención de la tortura y de los tratos o penas inhumanos o degradantes (CPT) en este ámbito y al art. 10.3 del PIDCP, en vigor en Rusia desde 1973, así como a otros varios instrumentos.

En conclusión, la injerencia en la vida privada y familiar del recurrente derivada de la aplicación de un régimen caracterizado por la extrema infrecuencia de las visitas, durante tan largo tiempo, y por la única razón de la gravedad de la pena, resulta en sí misma desproporcionada a los fines que aduce el Gobierno.

El efecto de esta medida se ha amplificado tanto por la duración extremadamente larga del período en que ha sido aplicada, como por diversas reglas relativas a las modalidades de visitas en prisión, como la prohibición de contactos físicos directos, la separación de los visitantes del preso por un panel de cristal o por barrotes metálicos, la presencia constante de guardias durante las visitas y el límite del número visitantes adultos.

Por esas razones, ha sido particularmente difícil para el recurrente mantener contacto con su hijo y con sus padres ya mayores, en una época en que el mantenimiento de las relaciones familiares resultaba particularmente importante para todas las partes implicadas. Además, ciertos parientes y miembros de la familia extensa del recurrente se han visto ante la completa imposibilidad de visitarlo a lo largo de todo este período.

Teniendo en cuenta la combinación de las diversas restricciones severas y prolongadas sobre la posibilidad del recurrente de recibir visitas en prisión y el hecho de que el régimen controvertido en este caso no toma debidamente en consideración el principio de proporcionalidad y los imperativos de corrección y reinserción de los presos de larga duración, la medida en cuestión no ha observado un justo equilibrio entre el derecho del recurrente a la protección de su vida privada y familiar, por un lado; y los objetivos invocados por el gobierno demandado, por otro. Por tanto, en este caso el Estado demandado ha excedido de su margen de apreciación.

3.1.2. *Extractos del voto particular conjunto de los Jueces Paulo Pinto y Turkovic*

«(...)

2. El primer motivo de nuestro desacuerdo con el razonamiento de la Gran Sala se debe al hecho de que haya decidido dejar de valorar la legitimidad de las disposiciones del código ruso de ejecución de las penas, vigente desde 8 de enero de 1997, que resultan de aplicación a los presos condenados a prisión permanente, y sujetos al régimen ordinario o al régimen restrictivo en una establecimiento penitenciario de régimen especial, a saber, el art. 125.1,3 y 4 así como el art. 127.3 de dicho código. La Gran Sala ha preferido sortear este punto, dejándolo abierto en los párrafos 114 y 115 de la sentencia. Sin embargo, entendemos que esta cuestión no debería haber quedado sin respuesta.

3. La pena impuesta a los reos puede tener uno varios de los seis objetivos siguientes:

1) La prevención especial positiva (resocialización del delincuente), es decir, la preparación de su reinserción en el seno de la sociedad para que lleve una vida respetuosa con las leyes tras su puesta en libertad.

2) La prevención especial negativa (neutralización del delincuente), es decir, la evitación de futuras violaciones de la ley por la persona condenada, aislándolo de la sociedad.

3) La prevención general positiva (reafirmación de la norma jurídica infringida), es decir, la reafirmación de la norma violada para reforzar su aceptación y su respeto social.

4) La prevención general negativa (disuasión de los delincuentes potenciales), es decir, las medidas dirigidas a disuadir a la población de que incurra en conductas similares a las del delincuente.

5) La retribución, esto es, el castigo del acto punible del delincuente; y

6) la reparación (justicia reparativa), consistente en resarcir, en la medida de lo posible a las víctimas del delito en la misma situación que se hallaban antes de cometerse.

4. En la STEDH 9 julio 2013, Caso Vinter y otros c. Reino Unido, la Gran Sala ha admitido que las políticas penales modernas priorizan el objetivo de reinserción de la pena de prisión, y ha concluido justamente que "una pena de prisión perpetua real" (es decir una pena de prisión de por vida sin posibilidad de reducción) atenta indefectiblemente contra el art. 3 CEDH, al ir en contra del objeto de resocialización[266].

El TEDH (el Tribunal) ha adoptado una postura bien clara en lo que se refiere al objetivo principal de la pena de prisión: la prevención especial positiva (resocialización del delincuente).

La obligación del Estado de establecer un plan individualizado de ejecución de la pena

(…)

10. El fundamento de una política penal orientada a la reinserción de las personas presas en la sociedad descansa sobre el plan individualizado de cumplimiento de la pena, en cuyo marco han de evaluarse el peligro que representa la persona penada, así como sus necesidades de asistencia sanitaria, actividades, trabajo, ejercicio, formación y contactos con la familia y el mundo exterior. Este principio fundamental de la ciencia penológica ha sido reconocido y defendido en las declaraciones emitidas por las más altas autoridades políticas europeas y mundiales[267].

---

[266] STEDH 9 julio 2013, Caso Vinter y otros c. Reino Unido. (f. 111-116) Desde este punto de vista, una prisión permanente sin posibilidad de remisión equivale a un trato inhumano en vista de los efectos deshumanizantes y, por tanto, deshumanizantes, de la prisión de larga duración. De hecho, esto es válido para todo tipo de penas de duración indeterminada sin un término concretamente definido o de penas que son más largas de lo normal o extremadamente largas.

[267] Regla 69 de las Reglas mínimas de las Naciones Unidas para el tratamiento de los reclusos (1955), Regla 27 de las Reglas de las Naciones Unidas para la protección de los menores privados de libertad (1990) y Reglas 40 y 41 (b) y (c)) las Reglas de las Naciones Unidas sobre el tratamiento de las reclusas y las medidas no privativas de la libertad para las delincuentes (las Reglas de Bangkok de 2010); en Europa, las Reglas 7.a, 60.2, 67.4 y 70 de la Resolución (73) 5 sobre las Reglas mínimas para el tratamiento de los reclusos, las Reglas 10.1, 66.c, 68, 70.2 y 78 de las Reglas europeas de prisiones 1987, párrafos 3, 8-11 de la Recomendación Rec (2003) 23 del Comité de Ministros a los Estados miembros sobre la gestión por las administraciones penitenciarias de los condenados a cadena perpetua y otros presos de larga duración, Normas del Comité para la Prevención de la Crueldad a la Vida tortura (CPT), pp. 28, 34, 51 y

En palabras del Comité de Ministros del Consejo de Europa, "Hay que poner una especial atención en el plan de ejecución de la pena y en el régimen de los presos condenados a prisión permanente o a pena de prisión de larga duración"[268].

En el caso del Estado demandado, el CPT ha sido aún más preciso y le ha exigido que se aplique una "evaluación exhaustiva y un seguimiento de los riesgos y necesidades, basada en un plan de cumplimiento individualizado de la pena"[269].

11. De este modo, constituye una obligación positiva de los Estados partes, que se basa en el art. 3 CEDH, aplicar un plan individualizado de cumplimiento de la pena, que incluya una evaluación exhaustiva y permanente de los riesgos y las necesidades, al menos para los presos condenados a prisión permanente y para los sometidos a penas de larga duración[270].

El objetivo principal de dicho plan es ayudar al preso a superar el periodo de encarcelamiento y prepararse para llevar una vida respetuosa con las leyes en el seno de la sociedad[271].

---

87 (CPT/Inf/E (2002) 1 - Rev. 2011), y las Reglas 103 y 104.2 de las Reglas Europeas de Prisiones de 2006.

[268] Regla 103.8 de las Reglas Europeas de Prisiones de 2006. Vid. también el comentario a la regla 103 en el informe explicativo correspondiente: «[La Regla] enfatiza la necesidad de proporcionar un tratamiento y capacitación lo suficientemente tempranos para que la persona presa pueda participar en la planificación de su permanencia en prisión y, por lo tanto, obtener el mayor beneficio de los programas e instalaciones ofrecidos. La planificación de la sentencia es un elemento esencial; sin embargo, se reconoce que tales planes deben establecerse para los reclusos a corto plazo».

[269] Apartado 68 de la sentencia. Es muy desafortunado que la Gran Sala haya citado el informe del CPT de 2013 sobre Rusia en el párrafo 144 (en la sección «Evaluación de la Corte») sin mencionar la parte más importante de ese informe, es decir, aquella en la que se menciona la obligación del Estado de establecer un plan de cumplimiento individualizado, que se reproduce en el párrafo 68 de la sentencia, en la sección «Textos internacionales relevantes».

[270] Según las normas del Consejo de Europa, un condenado a pena de prisión de larga duración es una persona que cumple una o más penas de prisión de una duración total de cinco años o más. (Recomendación Rec (2003) 23 del Comité de Ministros a los Estados miembros sobre la gestión por las administraciones penitenciarias de cadena perpetua y otros presos de larga duración).

[271] Es importante tener en cuenta que un plan de cumplimiento individualizado para la re-socialización de un interno en particular es una propuesta hecha al individuo. La terminología de la enmienda no debe tener ninguna connotación de tratamiento forzado. De hecho, el término «tratamiento penal» es utilizado por el Consejo de Europa para indicar en un sentido muy amplio todas las medidas (en términos de trabajo, formación social, educación, formación profesional, educación física y preparación para la liberación, etc.) para mantener o restaurar la salud física y psiquiátrica de los presos, su reintegración

Como ha afirmado el TEDH, una valoración coherente, a intervalos regulares del progreso de la persona presa hacia la corrección y el logro de cambios positivos en el caso de los condenados a pena de prisión permanente basado en un "enfoque proactivo por parte de las autoridades penitenciarias" resulta indispensable para atenerse a las obligaciones previstas en los arts. 3 y 8, incluida la obligación de mantener la vida familiar de la persona presa[272].

Los Estados deberían tomarse en serio su obligación internacional de permitir a las personas presas cumplir su pena de prisión de una manera constructiva y orientada a su corrección.

El derecho de la persona presa a las visitas familiares en el derecho internacional.
12. Nuestro tercer punto de discrepancia con los razonamientos de la sentencia se centra en la conclusión alcanzada por la Gran Sala, según la cual que la infrecuencia de las visitas familiares (una visita cada 6 meses) se deba exclusivamente a la gravedad de la pena, supone por sí solo la desproporcionalidad de la medida respecto de los objetivos invocados por el Gobierno[273].

La Gran Sala, con esta conclusión, da la vaga y preocupante impresión de que un régimen tan restrictivo de las visitas familiares podría eventualmente aceptarse si se vinculase a elementos no precisados combinados con la gravedad de la pena impuesta. Sin embargo, los factores que de esta forma justificarían tal restricción del régimen de visitas no se precisan en parte alguna de la sentencia.

(…)

16. Considerando que en el caso concreto el régimen penitenciario controvertido se ha extendido de 1999 a 2009, entendemos que es importante remitirnos a las Reglas penitenciarias europeas de 2006 y de 1987, así como a las reglas mínimas para el tratamiento de presos publicadas por el Consejo de Europa en 1973 y al Compendio de Reglas mínimas para el tratamiento de presos adoptadas por Naciones Unidas en

---

social y las condiciones generales de su detención (véase, para una definición más completa, el informe de 1983 del Consejo Europa sobre la detención y el tratamiento de presos peligrosos). Cabe agregar que hoy, la resocialización no se entiende, como en la analogía médica clásica, como un «tratamiento» o «cuidado» que buscaría enmendar la personalidad del preso, sino como una tarea menos ambiciosa pero más realista: prepararse para una vida respetuosa con la ley después de la prisión. Hay tres razones para esto: primero, es cuestionable que un estado tenga la legitimidad para «enmendar» la personalidad de un adulto; en segundo lugar, es dudoso que tal enmienda sea factible; y tercero, es aún menos seguro que tal enmienda pueda ser apoyada por medios objetivos.

[272] STEDH 8 de julio 2014, Caso Harakshiev y Tolumov c. Bulgaria (f.266); y también STEDH 18 septiembre 2012, Caso James, Wells y Lee c. Reino Unido (f.211), STEDH 4 noviembre 2014, Caso Dillon c. Reino Unido (f.50-54) y STEDH 4 noviembre 2014, Caso Thomas c. Reino Unido (f.51-54).

[273] Párrafo 146 de la sentencia.

1955, así como a otros varios instrumentos internacionales de primer orden que la Gran Sala ha obviado[274].

En todos estos textos de innegable autoridad, las normas sobre la cuestión de las visitas están muy claras.

En los términos de las Reglas penitenciarias de 2006, "Debe autorizarse a los presos a comunicarse con tanta frecuencia como sea posible —por carta, teléfono u otros medios de comunicación— con su familia, con terceros y con los representantes de instituciones externas, así como a recibir las visitas de dichas personas. Toda restricción o vigilancia de las comunicaciones y de las visitas debe ser necesaria para la investigación y enjuiciamiento del delito, el mantenimiento del buen orden, la seguridad y la protección, así como la prevención de delitos y la protección de las víctimas, incluido el cumplimiento de una orden concreta emitida por una autoridad judicial; sin embargo, debe permitir un nivel mínimamente aceptable de contactos".

Hay que subrayar que el comentario al respecto explica que "el término "familia" debe entenderse en sentido amplio, a fin de abarcar la relación que el preso haya podido establecer con una persona, que sea comparable a la de los miembros de una familia, incluso en aquellos casos en que no se haya podido formalizar(…)."

De conformidad con los límites establecidos en el art. 8.2 CEDH sobre la injerencia de una autoridad pública en el ejercicio del derecho al respeto de la vida privada, familiar y a la correspondencia, las restricciones a las comunicaciones deben reducirse al mínimo (…) Las restricciones deber ser lo menos intrusivas posible, considerando el riesgo y motivando su imposición (…) Las visitas no deben (…) prohibirse cuando exista un riesgo en materia de seguridad, sino que deben ser objeto de una vigilancia incrementada de forma proporcionada. Incluso los presos que son objeto de restricciones (están) autorizados a mantener ciertos contactos con el mundo exterior. Sería recomendable que el derecho nacional precisara el número mínimo de visitas (…). La regla 24.4 subraya la importancia particular de las visitas, no sólo para las personas presas, sino también para sus familias. Siempre que ello sea posible, las visitas familiares han de ser de larga duración (hasta 72 horas, por ejemplo), como es el caso de numerosos Estados de Europa del Este[275].

---

[274] El Tribunal ha declarado en varias ocasiones que concede una importancia considerable a las Reglas Penitenciarias Europeas y a la Recomendación 2003 (23) sobre la gestión de las penas de prisión permanente y las de otros presos de larga duración, a pesar de que su carácter no vinculante [Harakchiev y Tolumov, citado anteriormente, § 204, y, mutatis mutandis; STEDH 11 julio 2006, Caso Riviere c. France (f. 72,) y STEDH 18 diciembre 2007, Caso Dybeku c. Albania, (f. 48)].

[275] Las Reglas Europeas de Prisiones de 1987 ya estipulaban que «a los individuos se les permitirá comunicarse con sus familias y, con sujeción a los requisitos de su tratamiento, la seguridad y el buen orden de la institución, con personas o representantes y organizaciones, y recibir visitas de estas personas a intervalos regulares. El comentario indicó que «[l] a visita familiar o la disponibilidad de los términos y condiciones de prisión para los detenidos merecen alta prioridad en la asignación de recursos y en

El mismo mensaje se deriva de la Recomendación de 2003 del Comité de Ministros de los Estados miembros, relativo a la gestión por las administraciones penitenciarias de los condenados a prisión permanente y a penas de larga duración, que dispone que "los Estados deberían esforzarse en especial en evitar una ruptura de los vínculos familiares, y a tal fin: —las personas presas deberían ser destinadas, en la medida de lo posible, en prisiones situadas cerca de sus familiares o parientes;— la correspondencia, las llamadas telefónicas y las visitas deberían autorizarse con la mayor frecuencia posible. Si tales disposiciones comprometen la seguridad o si la evaluación de riesgos así lo justifica, tales contactos pueden ir acompañados de medidas de seguridad razonables como el control de la correspondencia y los registros antes y después de las visitas."

En el marco de Naciones Unidas, las Reglas de Naciones Unidas de 2010 relativas al tratamiento de personas presas y a la imposición de medidas no privativas de libertad a los delincuentes (Reglas de Bangkok) disponen que "las autoridades penitenciarias deben promover y, si es posible, facilitar, las visitas a las personas presas, puesto que son muy importantes para garantizar su salud mental y su reinserción social (Regla 43). Las Reglas de Naciones Unidas de 1990 para la protección de menores privados de libertad ya habían establecido que "todo menor debe tener derecho de recibir las visitas regulares y frecuentes de los miembros de su familia, en principio una vez por semana y nunca menos de una vez al mes, en condiciones que tengan en cuenta la necesidad del menor de hablar sin temor, tener contactos y comunicarse sin restricciones con los miembros de su familia y sus abogados". (Regla 60).

---

el programa de actividades diarias. Los permisos penitenciarios son particularmente importantes para fortalecer los lazos familiares y para la reintegración social de los prisioneros. También contribuyen a mejorar la atmósfera general y a humanizar las cárceles, y deberían otorgarse lo más ampliamente posible, ya sea en régimen cerrado o abierto. Es importante que la política adoptada en esta área se implemente en estrecha colaboración con el personal externo y las agencias para permitir una mejor comprensión de sus objetivos y aumentar su efectividad en el sistema de tratamiento. Siempre que sea posible, las visitas a la prisión deben ser al menos sin supervisión, solo sujetas a vigilancia visual. En caso de que se considere necesario escuchar la conversación, se debe obtener la autorización de la autoridad competente. Anteriormente, las Reglas mínimas para el tratamiento de los reclusos, adoptadas por el Consejo de Europa en 1973, ya habían establecido que «a los presos se les debería permitir comunicarse con su familia y cualquier persona o representante de organizaciones y recibir visitas periódicas de dichas personas, sujetas únicamente a las restricciones y la supervisión necesarias por el bien de su tratamiento, la seguridad y el buen orden del establecimiento. (…) Desde el comienzo de la ejecución, se debe tener en cuenta el futuro del prisionero después de su liberación. Debería alentarse a él/ella a mantener o establecer relaciones con padres, individuos u organizaciones externas que puedan promover sus intereses familiares y su propia reintegración social».

Los principios para la protección de todas las personas sujetas a cualquier forma de detención o prisión de 1988 indican igualmente, en su principio 19 que "toda persona detenida o presa tiene derecho a recibir visitas, en particular de los miembros de su familia y de mantener correspondencia con ellos, debiendo disponer de las posibilidades adecuadas de comunicarse con el mundo exterior, sin perjuicio de las condiciones y restricciones razonables que se puedan contemplar la ley o los reglamentos adoptados conforme a la ley. En fin, las Reglas mínimas para el tratamiento de presos, adoptadas por Naciones Unidas en 1955, contemplan que "Las personas presas deben ser autorizadas, con la vigilancia precisa, para comunicarse con su familia y con sus amigos de confianza, a intervalos regulares tanto por correspondencia como recibiendo visitas".

17. Nosotros sostenemos que, en principio, a la luz de la obligación del Estado de ofrecer a las personas presas, incluidos los condenados a penas de prisión permanente y a penas de larga duración, los medios para reinsertarse en la sociedad, teniendo en cuenta la importancia crucial de las visitas familiares para lograr dicho fin[276], *cada persona presa tiene el derecho de recibir visitas familiares "con tanta frecuencia como sea posible". En virtud del art. 8, las visitas familiares regulares constituyen un derecho, y no un privilegio, de las personas presas y de los miembros de sus familias. La ley debe prever un número mínimo, y no un número máximo de visitas familiares. No debe hacerse distinción alguna entre las personas presas condenadas a prisión permanente o a penas largas de prisión y las otras personas presas en lo que a derechos de visitas familiares se refiere"[277].*

Además, toda restricción del derecho de una persona presa a las visitas familiares debería fundarse exclusivamente en consideraciones de tratamiento y de seguridad concernientes a cada persona presa. Aún cuando se impongan restricciones justificadas a las visitas, las mismas deberían limitarse a un número que entrañe una injerencia mínima en el derecho a la vida familiar, y en todo caso deberían permitir a las personas presas poder acudir a vías alternativas de contacto oral o escrito con sus familias.

---

[276] Según estudios recientes, existe una fuerte correlación entre la extensión de los derechos de visita, la disminución de la reincidencia y la mejora de los resultados penológicos (véase, por ejemplo, el interesante estudio de Boudin, Stutz & Littman, Políticas de visitas en prisión A Fifty State Survey, 2012, disponible en http://ssrn.com/abstract=2171412.

[277] Estamos completamente de acuerdo con el párrafo 134 de la Sentencia, pero observamos que las Reglas de Prisiones reconocen una diferencia en el procesamiento de las solicitudes de visitas familiares para los detenidos que aún no han sido juzgados, quienes, de acuerdo con la Regla 99, deberían beneficiarse de un régimen más generoso de "visitas adicionales". Las restricciones particularmente limitadas, llegado el caso, deben basarse en cada caso en una prohibición específica por parte de una autoridad judicial por un período concreto.

Así como enfatiza también el CPT, la evaluación de estas peticiones debería basar-se en una valoración individualizada de los riesgos y necesidades de cada persona presa[278].

18. El principio al que se refiere al párrafo anterior tiene su reflejo en la jurisprudencia constante de la Comisión y el TEDH, según la cual siendo una parte esencial del derecho de una persona presa al respeto de su vida familiar, la obligación de las autoridades penitenciarias de ayudar a mantener los contactos con su familia próxima, no son admisibles las restricciones a dicho derecho si no están fundadas en el párrafo 2 del art. 8 CEDH[279]. Otros varios instrumentos internacionales corroboran este principio[280]. Por ejemplo, el Reglamento de procedimiento de la Corte Penal Internacional contempla la posibilidad de visitas familiares habituales[281], mientras que según el Reglamento del Tribunal especial para Sierra Leona, toda persona presa tiene el derecho de recibir la visita de su familia y de otras personas "a intervalos regulares" sin perjuicio de las restricciones y de las medidas de vigilancia que pueda imponer el Comandante del cuartel penitenciario, previa consulta con el Secretario, en interés de la administración de justicia, así como para preservar el buen orden y la seguridad de la prisión y del cuartel penitenciario[282].

19. En definitiva, no podemos compartir la tímida interpretación que hace la Gran Sala de los elementos de derecho comparado que se citan en los párrafos 135 y 136 de la sentencia, por tres razones: en primer lugar, no creemos que las normas esta-

---

[278] Vid. las referencias muy concretas mencionadas en los párrafos 65-67 de la sentencia.

[279] STEDH 18 marzo 2014, Caso Öcalan c. Turquie (nº 2), (f.154-164),

Trosin, précité, §§ 43-47, *Messina c. Italie (nº 2)*, (f. 61); Decisión de la Comisión 12 marzo 1990, Caso *Ouinas c. France*, Decisiones e informes 14, p. 246. Una mayoría exigua en el caso Oçalan (núm. 2) aceptó que el artículo 25 de la Ley núm. 5275, de 13 de diciembre de 2004, sobre la ejecución de penas y medidas preventivas (citado en el párrafo 67 de la sentencia), según el cual el solicitante podría recibir una visita cada quince días, incluso si, en la práctica, solo se autorizaron catorce visitas en 2005, trece en 2006, siete en 2007 y dos entre enero y octubre de 2011 —no era incompatible con los derechos del recurrente conforme al artículo 8.

[280] . Vid., por ejemplo, las Reglas 100 y 101 de las Reglas de la Corte Penal Internacional (ICC-BD/01-01-04); Artículos 61-64 y 64bis de las Reglas del Tribunal Penal Internacional para la ex Yugoslavia (TPIY) sobre la detención de personas en espera de juicio o apelación ante el Tribunal o detenidas por orden del Tribunal (UN Doc IT/38/Rev.4 (1995), posteriormente enmendado varias veces, y los artículos 33-51 del Reglamento de la Unidad de Detención de las Naciones Unidas dentro del TPIY que rige la supervisión de las visitas y comunicaciones de los detenidos.

[281] Véanse los artículos 177, 179 y 180 del Reglamento del Registro de la Corte Penal Internacional (ICC-BD/03-01-06).

[282] Vid. el artículo 41 de las Reglas del Tribunal Especial para Sierra Leona (TPIY) sobre el régimen de detención de personas en espera de juicio o apelación ante el Tribunal o detenidas por orden del Tribunal.

blecidas en el CEDH se deban traducir en la norma mínima y excepcional de 1 visita familiar cada dos meses para los presos sometidos a prisión permanente, como es el caso de Azerbaïdjan y Lituania; en segundo lugar, conferimos una enorme importancia al hecho de que sólo una pequeña minoría de los países examinados, 6 sobre un total de 35, establecen una distinción entre los derechos de visitas de los hijos de los condenados a prisión permanente y otras penas de larga duración, en contraste con las del resto de personas presas; en tercer lugar, consideramos que es particularmente importante el hecho de que una gran mayoría de países autoricen más de una visita familiar al mes a los presos condenados y que 11 países autoricen visitas semanales.

*20. **Concluimos que existe un creciente consenso europeo según el cual no debería establecerse distinción alguna entre los derechos de visitas familiares de los presos condenados a prisión permanente o penas largas de prisión y los mismos derechos de otros condenados, y que a las personas condenadas se les concede en general un derecho a visitas familiares que oscila entre 1 y 4 visitas al mes.***

Este consenso europeo está obviamente influenciado por el formidable trabajo de la CPT al aplicar sus propias normas así como las Reglas penitenciarias europeas, cuyo importante impacto habría podido y debido reconocer la Gran Sala en este caso, en particular en lo que atañe al derecho de visitas familiares, subrayando que las restricciones a estas visitas deberían estar estrictamente enmarcadas en la realización de los objetivos legítimos definidos por las Reglas penitenciarias europeas.

Conclusión

21. Los objetivos de la legislación rusa objeto de controversia sobre el derecho de las personas presas a las visitas familiares, son ilegítimos, puesto que su única finalidad consiste en el castigo y aislamiento de los las personas presas.

A parte de este aspecto, la legislación en cuestión es igualmente desproporcionada, teniendo en cuenta la extrema infrecuencia de las visitas autorizadas. Todos los demás elementos que integran el régimen de visitas no hacen sino agravar esta violación, el Estado demandado no sólo debe indemnizar al demandante, sino que además debe facilitarle un plan individualizado de cumplimiento de la pena, en el marco del cual han de valorarse los riesgos y sus necesidades personales, especialmente en lo que se refiere a los contactos con su familia y con el mundo exterior. Teniendo en cuento el efecto sistémico de la presente sentencia sobre el sistema nacional ruso, es igualmente importante que el Estado demandado revise su legislación sobre los derechos de visitas de las personas presas para adaptarla a las exigencias de la normativa internacional».

3.1.2. La doctrina del TEDH sobre los fines de la pena y sobre el derecho de las personas presas a mantener contactos con sus familias desde la óptica del art. 8 CEDH

a) Los derechos de las personas presas

El punto de partida para analizar la doctrina del TEDH sobre los fines de la pena, no es otro que recordar que **las personas condenadas a penas**

de prisión gozan de todos los derechos humanos, excepto de la libertad de que se hallan privados conforme a derecho. Así lo sostiene el TEDH en:

STEDH 6 octubre 2005, Caso Hist c. Reino Unido (f.69).

"Con respecto al presente caso, el Tribunal enfatiza en primer lugar que los presos en general continúan disfrutando de todos los derechos y libertades fundamentales garantizados por el CEDH, con la excepción del derecho a la libertad cuando su privación legal se efectúe de conformidad del artículo 5 del CEDH".

Por ejemplo, los detenidos **no pueden ser sometidos a malos tratos** ni a tratos o penas inhumanos o degradantes, prohibidos por el artículo 3 CEDH (véase, entre otras: STEDH 15 julio 2002, Caso Kalashnikov c. Rusia; STEDH 4 febrero 2003, Caso Van der Ven v. Países Bajos, No. 50901/99, CEDH 2003-II); continúan disfrutando del **derecho al respeto de la vida familiar** (STEDH 12 noviembre 2002, Caso Płoski v. Polonia, DCEDH 8 octubre 1982, Caso, X v. Reino Unido, (f.113); el **derecho a la libertad de expresión** (STEDH 11 diciembre 2003, Caso Yankov v. Bulgaria (f. 126-145); Informe de la Comisión de 12 de octubre de 1983, Caso T. v. el Reino Unido, (f. 44-84): el **derecho a practicar su religión** (STEDH 29 abril 2003, Caso Poltoratski c. Ucrania; el **derecho de acceso efectivo a un abogado o tribunal a los efectos del Art. 6** (STEDH 28 junio 1984, Caso Campbell y Fell c. Reino Unido,: STEDH 21 febrero 1975 Caso Golder c. Reino Unido); el **derecho al respeto de la correspondencia** (Silver y otros contra el Reino Unido, sentencia de 25 de marzo de 1983, Serie A no. 61) y **el derecho a casarse** (Informe de la Comisión 13 diciembre 1979, Caso Hamer contra el Reino), etc.

Por tanto, concluye el TEDH, el simple hecho de hallarse en prisión no priva a la persona de los derechos garantizados por el CEDH.

b) La reinserción como fin de la pena

En la **STEDH 9 julio 2013, Caso Vinter y otros c. Reino Unido, tras citar en su** f.76 y ss., los instrumentos internacionales relativos al derecho penitenciario, mantiene en su F. 115 que:

"El TEDH ya ha tenido la oportunidad de señalar que, si bien el castigo sigue siendo uno de los objetivos de la prisión, en la actualidad, las políticas penales en Europa se centran en el objetivo de reinserción de la pena, particularmente en las últimas fases de cumplimiento de las penas largas de prisión (...)".

"Las reglas penitenciarias europeas son el instrumento jurídico del Consejo de Europa que lo explica más claramente: la regla nº 6 dispone que toda pena de prisión debe gestionarse de forma que facilite la reinserción en sociedad de las personas privadas de libertad, y la regla nº 102.1 prevé que el régimen penitenciario de los condenados a prisión deba entenderse de forma que les permita llevar una vida responsable al margen del delito (...)".

Este objetivo de reinserción, según los instrumentos del Consejo de Europa, vale también para las personas presas condenadas a prisión permanente, dado que en tanto que tales personas se corrijan, deben también poder esperar alcanzar la libertad condicional.

En la **STEDH 4 diciembre 2007, Caso Dickson c. Reino Unido** (f.75), también se resuelve sobre el goce de los derechos de las personas condenadas a prisión (derecho a concebir niños). En este caso el Gobierno aducía como justificación para su restricción que la confianza del público en el sistema penitenciario se vería comprometido si los elementos retributivos y disuasivos de la pena pudieran ser anulados por el hecho de autorizar a los culpables de determinadas infracciones graves a concebir hijos.

En este caso, la Gran Sala recuerda que **no tiene cabida en el sistema del CEDH,** que reconoce la tolerancia y el pluralismo como características de una sociedad democrática, **una privación automática de los derechos de las personas presas que se funde únicamente en lo que pueda molestar a la opinión pública.**

El TEDH termina considerando que si bien **es cierto que el castigo o la retribución puede ser una de las finalidades de la prisión,** no es menos cierto que las **políticas penales en Europa están evolucionando en el sentido de dar cada vez más una importancia mayor al objetivo de la reinserción de la pena,** especialmente en las etapas finales de las penas de prisión de larga duración.

Así mismo, la Gran Sala, en la STEDH 3 abril 2013, Caso Boulois c. Luxemburgo (f.83), dice "El Tribunal ha tenido igualmente la ocasión de reconocer el objeto legítimo de una política de reinserción social progresivo de las personas condenadas a penas de prisión".

Esta idea se repite, admitiendo siempre la combinación de diversos fines de la pena con el de reinserción y resocialización, en particular la protección de la sociedad frente a los delitos, y debiendo efectuarse una ponderación entre los mismos. Así, por ejemplo, en **STEDH 24 octubre 2002, Caso Mastromatteo c. Italie** (f. 72) "Una de las funciones esenciales de una pena de prisión es la de proteger a la sociedad, por ejemplo, impidiendo que un criminal reincida y, por tanto, que cause más daño". Al mismo tiempo, el TEDH reconoce el objetivo legítimo de una política de reinserción social progresiva de las personas condenadas a prisión. Desde esta perspectiva, considera fundadas las medidas, como permisos de salida, que permiten la reinserción social del preso, incluso en los casos en que haya sido condenado por crímenes violentos.

En la **STEDH 15 diciembre 2009, Caso Maiorano y otros c. Italia**, (f.108), citando el precedente de Mastromatteo, el TEDH considera que el sistema italiano de concesión de permisos de salida a personas que cumplen penas de prisión, contempla las garantías suficientes para asegurar la protección de la sociedad.

En este caso se consideró que las personas condenadas a prisión permanente, no pueden gozar de un régimen de semi-libertad hasta que hayan transcurrido al menos 20 años desde el inicio del cumplimiento de la pena, y sólo si la persona presa ha observado un buen comportamiento y si se cumplen las condiciones de reinserción social progresiva.

El **derecho de las personas presas a un plan individualizado de ejecución de la pena deriva del art. 3 CEDH**, (STEDH vinter y otros c. Reino unido, **STEDH 26 abril 2016, Caso Murray c. Países Bajos (VP Paulo Pinto) (f.2)** *"La Gran Sala concluye en el presente caso que las Partes Contratantes de la Convención tienen la obligación positiva de promover la re-socialización de los prisioneros (véase el párrafo 109 de la sentencia), en particular proponiendo a cada uno de ellos un plan individualizado para su oración (párrafo 103). Esta es la primera vez que la Corte reconoce la importancia crucial de la implementación de planes de sentencia individualizados para promover la re-socialización de los prisioneros, y el alcance del mensaje se ve reforzado por el hecho de que aparece en una declaración de principios de la Gran Sala. La obligación de promover la resocialización de los presos deriva del artículo 3, que impone al Estado la obligación de actuar o, en palabras de la Gran Sala, "la. En consecuencia, para la Gran Sala, las obligaciones legales contraídas por el Estado, por un lado, para promover la re-socialización de los prisioneros y, por otro lado, para proponer e implementar para cada uno un plan de cumplimiento individualizado de su penas, constituyen las dos caras de la misma moneda."*

Para terminar, y en relación con las visitas familiares y la reinserción social, la STEDH 18 octubre 2005, Caso Schemkamper c. France,§ 31.

Si bien las restricciones a las visitas familiares en la prisión son la injerencia más numerosa en la jurisprudencia del Tribunal, la negativa un recluso a abandonar el mundo penitenciario a través de permisos de salida temporales por ejemplo, como en el caso de la conservación del vínculo familiar también, debe analizarse como una injerencia en el derecho a su vida familiar garantizado por el Art. 8 del Convenio (vid. STEDH 12 noviembre 2002, Caso Ploski v. Polonia). En el contexto de otros preceptos, el Tribunal ha reconocido el objetivo legítimo de una política progresiva de reinserción social para las personas condenadas a prisión y, a este respecto, ha apreciado que los permisos de salida pueden contribuir la reintegración social de la persona presa incluso cuando ha sido condenado por crímenes violentos.

El derecho de las personas presas a mantener contactos familiares desde el prisma del art. 8 CEDH.

El TEDH considera que **es esencial para el respeto de la vida familiar** que la administración penitenciaria **ayude a la persona presa a mantener contacto con su familia inmediata** (STEDH 28 septiembre 2000, Caso Messina c. Italia (núm. 2), (f. 61), STEDH 9 abril 2013, Caso Kurkowski v. Polonia, (f.95); STEDH 23 octubre 2014, Caso Vintman c. Ucraina.

El Tribunal concede una importancia remarcable a las recomendaciones del Comité Europeo para la Prevención de la Tortura y los tratos o penas o inhumanos o degradantes (CPT), que indican que los planes propuestos a los presos que cumplen largas penas "deberían ser tales que compensen los efectos de la desocialización de de manera positiva y proactiva" (Khoroshenko c. Rusia (f.144).

Las restricciones tales como limitar el número de visitas familiares, monitorear dichas visitas y someter al prisionero a un régimen penitenciario específico o a regímenes específicos de visitas, suponen una injerencia en el ejercicio del derecho a la vida privada y familiar del art. 8 CEDH [STEDH 17 abril 2012, Caso Piechowicz v. Polonia, (f. 212); STEDH 4 febrero 2003, Caso Van der Ven c. Países Bajos; STEDH 23 febrero 2016, Caso Mozer c. República de Moldavia y Rusia (f.193-195), STEDH 15 marzo 2016, Caso Vidish c. Rusia, (f 40)].

Del mismo modo, el TEDH apreció que la negativa de transferir al solicitante a una prisión más cercana a la casa de sus padres constituía una violación del Artículo 8 [STEDH 14 enero 2016, Caso Rodzevillo c. Ucrania, (f.86-87), STEDH 31 mayo 2011, Caso Khodorkovskiy y Lebedev c. Rusia, (f. 831-851)]. En la STEDH 7 marzo 2017, Caso Polyakova y otros c. Rusia, el Tribunal apreció una violación del art. 8 debido a la falta de garantías suficientes en la legislación nacional contra posibles abusos en la distribución geográfica de los presos (f. 116).

Para terminar, en cuanto a las relaciones familiares de las personas condenadas a penas de prisión, el TEDH ha apreciado que la denegación a un prisionero de asistir al entierro de sus padres constituía una injerencia en el ejercicio del derecho a la vida privada y familiar (STEDH 12 noviembre 2002, Caso Płoski c. Polonia (f. 39).

Sin embargo, la restricción del derecho de visitas de las personas presas en casos determinados puede resultar proporcional a la necesidad de un régimen especial de prisión vigente en aquel momento. STEDH 17 septiembre 2009, Caso Enea c. Italia. (f.131).

3.1.3. *La resocialización como fin de la pena en España. El plan individualizado de ejecución de la pena y las visitas familiares*

En las próximas líneas trataremos de desarrollar las implicaciones que el caso Khoroshenko tiene en España. Para ello, hablaremos primero de los fines de la pena, en particular la resocialización, y su interpretación por el TC; continuaremos con la obligación del Estado de proveer un plan individualizado de ejecución de la pena de prisión y, en fin, comentaremos brevemente el régimen de visitas de las personas condenadas a penas de prisión y sus implicaciones con la resocialización.

España adopta en 1978 la forma de Estado Social (art. 1 CE), que sitúa la dignidad humana, los derechos fundamentales y el libre desarrollo de la personalidad, como fundamento del orden político y la paz social (art. 10 CE).

En coherencia con ello, el sistema penal constitucional gira en torno a dichos valores, derechos y principios, de forma que el art. 25.2 CE orienta las penas privativas de libertad y las medidas de seguridad hacia finalidades resocializadoras.

En un sistema constitucional basado en tales premisas, **no caben teorías absolutas de la pena,** es decir, las que partiendo de Kant y Hegel consideran la pena como fin en sí misma, de forma que, en palabras de Kant, *"aún en el caso de que el estado se disuelva voluntariamente, deba ser antes ejecutado el último asesino para que "cada uno sufra lo que sus hechos valen"*[283]. Podemos resumir la crítica a las mismas como sigue. La aplicación de la pena es, para las teorías absolutas, una necesidad ética, una exigencia de la justicia, un imperativo categórico, por tanto, los posibles efectos preventivos que se pretendan atribuir a la pena son artificiales y ajenos a su esencia[284]. Es obvio el rechazo de dichas teorías en nuestro sistema, pues la dignidad humana impide considerar al ser humano como simple moneda o instrumento de mero castigo y, por otro lado, en un Estado Social, el Estado ha de remover los obstáculos que impiden la plenitud en el goce de los derechos de los grupos sociales desfavorecidos (art. 9.2 CE), tanto víctimas como delincuentes, por lo que la pena no puede agotarse en sí misma, sino que ha de orientarse, al menos en parte, a una finalidad resocializadora y reparadora.

Partiendo de ello, **las teorías relativas,** preventivo generales o especiales, encuentran entre nosotros mayor aceptación, si bien están siempre limitadas por la dignidad humana, que impide los excesos de la prevención general (terror penal) y de la especial (tratamientos no voluntarios).

Por otro lado, como bien apunta ROXIN[285], no se trata de optar por una u otra teoría de la pena de forma excluyente (teorías monistas), sino que todas tienen su relevancia en los distintos momentos del derecho penal (teoría unificadora dialéctica). Así, mientras que la prevención general destaca en el momento legislativo, la retribución o castigo resalta en la sentencia y, en fin, la prevención especial predomina en la ejecución de la pena. Se trata de lo que el autor alemán bautizó como "teoría unificadora dialéctica".

---

[283] KANT, I. "Metafísica de las costumbres".

[284] WELZEL, H. "Derecho Penal Alemán". Trad. Juan Bustos Ramírez y Sergio Yáñez Pérez. Ed. Jurídica de Chile. pp. 283 y ss.

[285] ROXIN, C. "Problemas básicos del derecho penal". Trad. Manuel Luzón Peña. Biblioteca jurídica de autores españoles y extranjeros. pp. 20 y ss.

Es obvio, por tanto, que en un Estado Social y de derecho en sentido sustancial, la resocialización va a ser un factor determinante en la ejecución de la pena, y que el tratamiento penitenciario va a ser la herramienta fundamental, en un sistema de individualización científica de la ejecución de las penas privativas de libertad como el que consagra nuestro ordenamiento penitenciario (art. 72.1 LGP).

a) La resocialización en la Constitución y su interpretación por el TC

La **resocialización como fin** de la pena de prisión en España se contempla **en la Constitución misma**, en la Sección 1ª del Capítulo II, del Título I, en su art. 25.2 dispone que "*Las penas privativas de libertad y las medidas de seguridad estarán orientadas hacia la reeducación y reinserción social y no podrán consistir en trabajos forzados. El condenado a pena de prisión que estuviere cumpliendo la misma gozará de los derechos fundamentales de este Capítulo, a excepción de los que se vean expresamente limitados por el contenido del fallo condenatorio, el sentido de la pena y la ley penitenciaria. En todo caso, tendrá derecho a un Trabajo remunerado y a los beneficios correspondientes de la Seguridad Social, así como al acceso a la cultura y al desarrollo integral de su personalidad*".

En cuanto a su **interpretación por el TC**, éste ha considerado que la **finalidad reeducadora y reinsertadora de la pena no es un derecho fundamental**, sino un mandato al legislador para orientar la política penal y penitenciaria (STC 28/1988, de 23 de febrero). Ahora bien, aún siendo ello así, dicha **finalidad es vinculante para el legislador**, y, por tanto, puede servir de parámetro de inconstitucionalidad de las leyes (STC 88/1998, de 21 de abril).

El TC ha degradado la resocialización considerando que no es siquiera un derecho subjetivo, sino un **mero principio orientador**. Así, el ATC 3/2018, de 23 de enero (f.5) "el referido precepto constitucional **no otorga, (…), un derecho subjetivo a la resocialización**, sino que tiene, antes bien, el valor de **principio orientador de la ejecución** de las penas privativas de libertad, sin integrar en ningún caso el derecho fundamental a la legalidad penal contemplado en el apartado primero del mismo precepto[286].

---

[286] Desde el ATC 486/1985, de 10 de julio, este Tribunal ha venido afirmando, así, que el artículo 25.2 CE no contiene un derecho fundamental, sino un mandato cons-

Por otro lado, en su STC 161/1997, de 2 de octubre, el TC sostiene que las finalidades del art. 25.2 **no tienen un carácter prioritario** sobre otras —de prevención general u otras de prevención especial—; es más, resulta discutible el presupuesto de que la propia imposición de la sanción no despliega ninguna función resocializadora (STC 1971988, 150/1991 y 55/1996, f.3).

Así, en la STC 161/1997, de 2 de octubre se sugieren la **pluralidad de fines posibles de la pena,** que generalmente se clasifican bajo **las categorías de la prevención general y la prevención especial:**

"la relación de proporción que deba guardar un comportamiento penalmente típico con la sanción que se le asigna será el fruto de un complejo juicio de oportunidad" que no supone una mera ejecución o aplicación de la Constitución, y para el que "ha de atender no sólo al fin esencial y directo de protección al que responde la norma, sino también a **otros fines legítimos que puede perseguir con la pena** y a las diversas formas en que la misma opera y que podrían catalogarse como sus funciones o fines inmediatos a las diversas formas en que la conminación abstracta de la pena y su aplicación influyen en el comportamiento de los destinatarios de la norma -**intimidación, eliminación de la venganza privada, consolidación de las convicciones éticas generales, refuerzo del sentimiento de fidelidad al ordenamiento, resocialización,** etc. —y que se clasifican doctrinalmente bajo las denominaciones de prevención general y de prevención especial. Estos efectos de la pena dependen a su vez de factores tales como la gravedad del comportamiento que se pretende disuadir, las posibilidades fácticas de su detección y sanción, y las percepciones sociales relativas a la adecuación entre delito y pena" (STC 55/1996, fundamento jurídico 6º).

Así lo recuerda el TC en su ATC 3/2018, de 23 de enero, diciendo que "el artículo 25.2 CE **no establece que la reeducación y la reinserción social sean la única finalidad legítima** de la pena privativa de libertad"[287]; sin que haya de considerarse contraria a la Constitución "la aplicación de una pena que pudiera no responder exclusivamente a dicha finalidad"[288].

Así, respecto de las **penas privativas de libertad de corta duración,** se ha planteado si las mismas podrían —por su propia naturaleza— cumplir

---

titucional dirigido al legislador para orientar la política penal y penitenciaria (SSTC 2/1987, de 21 de enero, FJ 2; 28/1988, de 23 de febrero, FJ 2; 79/1998, de 1 de abril, FJ 4, y 120/2000, de 10 de mayo, FJ 4).

[287] SSTC 167/2003, de 29 de septiembre, FJ 6, y 299/2005, de 21 de noviembre, FJ 2.

[288] SSTC 19/1988, de 16 de febrero, FJ 9, citando el ATC 780/1986, de 19 de noviembre; 167/2003, de 29 de septiembre, FJ 6, y 299/2005, de 21 de noviembre, FJ 2.

con el fin de reinserción social. El TC, en su STC 120/2000, de 10 de mayo (f.4), recuerda que el art. 25.2 CE contiene un **mandato dirigido al legislador y a la Administración Penitenciaria** para orientar la ejecución de las penas privativas de libertad[289]. El TC considera que el art. 25.2 CE "...**opera como parámetro de ponderación del completo sistema de ejecución** de las penas y de las instituciones que lo integran. De manera que **no se trata tanto de la valoración aislada de una concreta pena privativa de libertad**, como de su ponderación en el marco de un sistema del que son piezas claves instituciones como la condena o remisión condicional, las formas sustitutivas de la prisión, o, por último, los distintos regímenes de cumplimiento de la pena de prisión".

También se planteó el carácter desproporcionado de la pena impuesta para la objeción de conciencia al servicio militar, y su evidente carencia de efectos resocializadores, al sancionar una conducta irrepetible. Así, en la STC 55/1996, de 28 de marzo, (f.4), el TC considera que "**la Constitución no «erige a la prevención especial como única finalidad de la pena (...); el art. 25.2 CE no resuelve sobre la cuestión referida al mayor o menor ajustamiento de los posibles fines de la pena al sistema de valores de la Constitución ni, desde luego, de entre los posibles** —prevención especial; retribución, reinserción, etc.— **ha optado por una concreta función de la pena en el Derecho penal.**

Por otro lado, la **finalidad resocializadora** de la pena tiene una innegable proyección en la **institución de la suspensión de la ejecución** de la pena (art. 80-87 CP)[290]. En este punto, sostiene el TC, una vez que la regulación del instituto tiene un contenido determinado, que el legislador ha decidido en uso de su legitimación democrática, no puede ignorarse que la eficacia del artículo 25.2 CE se proyecta **sobre la interpretación judicial de dicha regulación,** exigiéndose al juez el cumplimiento de un **deber de motivación reforzada** (art. 24.1 CE en conexión con el art. 25.2 CE). Es,

---

[289] STC 150/1991, de 4 de julio, F. 4; en el mismo sentido, SSTC 19/1988, de 16 de febrero, F. 9; 28/1988, de 23 de febrero, F. 2; 55/1996, de 28 de marzo, F. 4 y 234/1997, de 18 de diciembre, F. 7; en sentido similar SSTC 79/1998, de 1 de abril, F. 2 y 88/1998, de 21 de, F. 3.

[290] SSTC 160/2012, de 20 de septiembre, FJ 3; STC 110/2003, de 16 de junio, FJ 4; 248/2004, de 20 de diciembre, FJ 4; 320/2006, de 15 de noviembre, FJ 2, y 57/2007, de 12 de marzo, FJ 2.

pues, en ese estadio de aplicación judicial de la regulación discrecionalmente decidida por el legislador donde **el juez ha de proyectar los efectos del principio resocializador,** pues éste «opera como parámetro de ponderación del completo sistema de ejecución de las penas y de las instituciones que lo integran» (STC 120/2000, de 10 de mayo, FJ 4). En esa motivación del juez, habrá de tener en cuenta **la finalidad principal de la institución, la reeducación y reinserción social,** y las otras **finalidades, de prevención general, que legitiman la pena privativa de libertad»**[291].

Para concluir con el comentario de la doctrina del TC, la finalidad resocializadora de la pena y las medidas cobra especial relevancia en el ámbito de la legislación reguladora de la **responsabilidad penal de los menores** (STC 160/2012, de 20 de septiembre), una de las particulares características del sistema penal de menores, que lo diferencia del de adultos, radica precisamente en la prioridad que el legislador ha otorgado al cometido de resocialización y reinserción social frente a otras finalidades que pueda conllevar la aplicación de sus medidas, las cuales —como establece la exposición de motivos de la Ley Orgánica 5/2000— «fundamentalmente no pueden ser represivas, sino preventivo-especiales, orientadas a la efectiva reinserción y el superior interés del menor».

b) La obligación del Estado de proveer un plan individualizado de ejecución de la pena

A nivel legislativo, el art. 1 de la Ley Orgánica General Penitenciaria (LOGP) de 1/1979, de 26 de septiembre, dispone que "**Las instituciones penitenciarias** reguladas en la presente Ley tienen como **fin primordial la reeducación y la reinserción social de los sentenciados a penas y medidas penales privativas de libertad,** así como la retención y custodia de detenidos, presos y penados. Igualmente tienen a su cargo una labor asistencial y de ayuda para internos y liberados.

Para el logro del fin de reinserción social se establece el **Tratamiento Penitenciario** (Tít. III LOGP, arts. 59-72). Así, el art. 59.1 LOGP dispone que "*El tratamiento penitenciario consiste en el conjunto de actividades*

---

[291] STC 110/2003, de 16 de junio, F. 4; 248/2004, de 20 de diciembre, F. 4; 320/2006, de 15 de, F. 2; 57/2007, de 12 de marzo, F. 2.

directamente dirigidas a la consecución de la reeducación y reinserción social de los penados".

El tratamiento penitenciario se desarrolla en el Título IV del RGP, en los arts. 110-153).

En el art. 72 LOGP se establece que:

"El tratamiento se inspirará en los siguientes principios:
a) Estará basado en el estudio científico de la constitución, el temperamento, el carácter, las aptitudes y las actitudes del sujeto a tratar, así como de su sistema dinámico-motivacional y del aspecto evolutivo de su personalidad, conducente a un enjuiciamiento global de la misma, que se recogerá en el protocolo del interno.
b) Guardará relación directa con un diagnóstico de personalidad criminal y con un juicio pronostico inicial, que serán emitidos tomando como base una consideración ponderada del enjuiciamiento global a que se refiere el apartado anterior, así como el resumen de su actividad delictiva y de todos los datos ambientales, ya sean individuales, familiares o sociales, del sujeto.
c) Será individualizado, consistiendo en la variable utilización de métodos médico-biológicos, psiquiátricos, psicológicos, pedagógicos y sociales, en relación a la personalidad del interno.
d) En general será complejo, exigiendo la integración de varios de los métodos citados en una dirección de conjunto y en el marco del régimen adecuado.
e) Será programado, fijándose el plan general que deberá seguirse en su ejecución, la intensidad mayor o menor en la aplicación de cada método de tratamiento y la distribución de los quehaceres concretos integrantes del mismo entre los diversos especialistas y educadores.
f) Será de carácter continuo y dinámico, dependiente de las incidencias en la evolución de la personalidad del interno durante el cumplimiento de la condena."

c) El derecho a visitas de las personas presas

El derecho a visitas familiares de las personas presas constituye, por un lado, una manifestación del derecho a la vida familiar y a la privacidad; y por otro, es una pieza clave en su resocialización. Este derecho constituye una evidencia de la inherencia de los derechos fundamentales, de forma que ni la justicia (ni los derechos) se detienen en la puerta de las prisiones [STEDH 28 junio 1984, Caso Campbell y Fell (f.69)], razón por la que el derecho a la vida familiar y a la intimidad de las personas presas no pueden verse limitados más allá de lo estrictamente necesario para cumplir la pena privativa de libertad, sea ésta de la duración que sea, pues es un derecho fundamental no afectado por la sentencia (vid. ej. STC 170/1996, de 29 de octubre)[292]. A esta condición de derecho fundamental de las visitas familiares de la persona presa, hay que añadir la finalidad resocializadora de la pena, que impone su potenciación como medio para alcanzar la completa reinserción en el medio social, llevando una vida respetuosa con la ley. Por ello, toda restricción del régimen de visitas exige una motivación judicial reforzada.

El derecho a visitas se regula en el art. 51 de la LOGP y se desarrolla en los arts. 41-49 del RD 190/1996, por el que se aprueba el Reglamento General Penitenciario.(RGP).

El **Artículo 45 RGP bajo la rúbrica "Comunicaciones íntimas, familiares y de convivencia", dispone:**

"1. Todos los establecimientos penitenciarios dispondrán de locales especialmente adecuados para las visitas familiares o de allegados de aquellos internos que no disfruten de permisos ordinarios de salida.
2. Los Consejos de Dirección establecerán los horarios de celebración de estas visitas.
3. Los familiares o allegados que acudan a visitar a los internos en las comunicaciones previstas en este artículo no podrán ser portadores de bolsos o paquetes, ni llevar consigo a menores cuando se trate de comunicaciones íntimas.

---

[292] Art. 3 LOGP.

La actividad penitenciaria se ejercerá respetando, en todo caso, la personalidad humana de los recluidos y los derechos e intereses jurídicos de los mismos no afectados por la condena, sin establecerse diferencia alguna por razón de raza, opiniones políticas, creencias religiosas, condición social o cualesquiera otras circunstancias de análoga naturaleza.

En consecuencia:

Uno. Los internos podrán ejercitar los derechos civiles, políticos, sociales, económicos y culturales, sin exclusión del derecho de sufragio, salvo que fuesen incompatibles con el objeto de su detención o el cumplimiento de la condena.

Dos. Se adoptarán las medidas necesarias para que los internos y sus familiares conserven sus derechos a las prestaciones de la Seguridad Social, adquiridos antes del ingreso en prisión.

Tres. En ningún caso se impedirá que los internos continúen los procedimientos que tuvieren pendientes en el momento de su ingreso en prisión y puedan entablar nuevas acciones.

Cuatro. La Administración penitenciaria velará por la vida, integridad y salud de los internos.

Cinco. El interno tiene derecho a ser designado por su propio nombre.

4. Previa solicitud del interno, se concederá una comunicación íntima al mes como mínimo, cuya duración no será superior a tres horas ni inferior a una, salvo que razones de orden o de seguridad del establecimiento lo impidan.

5. Previa solicitud del interesado, se concederá, una vez al mes como mínimo, una comunicación con sus familiares y allegados, que se celebrará en locales adecuados y cuya duración no será superior a tres horas ni inferior a una.

6. Se concederán, previa solicitud del interesado, visitas de convivencia a los internos con su cónyuge o persona ligada por semejante relación de afectividad e hijos que no superen los diez años de edad. Estas comunicaciones, que serán compatibles con las previstas en el artículo 42 y en los apartados 4 y 5 de este artículo, se celebrarán en locales o recintos adecuados y su duración máxima será de seis horas.

7. En las comunicaciones previstas en los apartados anteriores se respetará al máximo la intimidad de los comunicantes. Los cacheos con desnudo integral de los visitantes únicamente podrán llevarse a cabo por las razones y en la forma establecidas en el artículo 68 debidamente motivadas. En caso de que el visitante se niegue a realizar el cacheo, la comunicación no se llevará a cabo, sin perjuicio de las medidas que pudieran adoptarse por si los hechos pudieran ser constitutivos de delito."

La finalidad de la reinserción social de los internos en centros penitenciarios exige que éstos sean considerados no como seres eliminados de la sociedad, sino como personas que continúan formando parte de la misma, si bien sometidos a un particular régimen jurídico, motivado por el comportamiento antisocial en que incurrieron y encaminado a preparar su vida en libertad en las mejores condiciones posibles para el ejercicio responsable de su libertad. Por esta razón, se convierte en un elemento fundamental del régimen penitenciario el intento de conseguir que el interno no rompa de forma definitiva sus contactos con el mundo exterior y, en definitiva, que no se sienta temporalmente excluido de horma absoluta de la sociedad a la que debe reintegrarse, y ello supone que se reconoce el derecho de los internos a relacionarse con el mundo exterior dentro de los establecimientos penitenciarios por medio de las comunicaciones y visitas. (AAP Madrid 14 diciembre 2004, nº 3782).

De ahí la necesidad de motivación reforzada en los casos de restricción del derecho a vistas, que no puede conceptuarse como un privilegio o un premio. En efecto, la STC 112/1996, de 24 junio (Ponente: Vives Antón), (f.4) el TC exige a los órganos jurisdiccionales una motivación específica, apegada a los fines de resocialización, en materia de denegación de **permisos de salida que, al igual que las visitas de familiares, constituyen pieza clave en la resocialización de la persona presa.** Por tanto, "No se pueden considerar (…) como un derecho o una recompensa, sino como un instrumento resocializador"[293].

*"La posibilidad de conceder permisos de salida se conecta con una de las finalida-des esenciales de la pena privativa de libertad, la reeducación y reinserción social (art. 25.2 de la Constitución) o como han señalado la STC 19/1988, la «corrección y readaptación del penado», y se integra en el sistema progresivo formando parte del tratamiento. Este Tribunal ha reiterado en varias ocasiones que el art. 25.2 de la Constitución no contiene un derecho fundamental, sino un mandato al legislador para orientar la política penal y penitenciaria; se pretende que en la dimensión penitenciaria de la pena privativa de libertad se siga una orientación encaminada a esos objetivos, sin que éstos sean su única finalidad (AATC 15/1984, 486/1985, 303/1986 y 780/1986 y SSTC 2/1987 y 28/1988. Pero **que este principio constitu-cional no constituya un derecho fundamental no significa que pueda desconocerse en la aplicación de las leyes, y menos aún cuando el legislador ha establecido,** cumpliendo el mandato de la Constitución, **diversos mecanismos e instituciones en la legislación penitenciaria precisamente dirigidos y dirigidas a garantizar di-cha orientación resocializadora,** o al menos, **no desocializadora** precisamente fa-cilitando la preparación de la vida en libertad a lo largo del cumplimiento de la condena.***
***Todos los permisos cooperan potencialmente a la preparación de la vida en libertad del interno,** pueden fortalecer los vínculos familiares, reducen las tensiones propias del internamiento y las consecuencias de la vida continuada en prisión que siempre conlleva el subsiguiente alejamiento de la realidad diaria. Constituyen un estímulo a la buena conducta, a la creación de un sentido de responsabilidad del interno, y con ello al desarrollo de su personalidad. Le proporcionan información sobre el medio social en el que ha de integrarse e indican cuál es la evolución del penado. Pero, al mismo tiempo, constituyen una vía fácil de eludir la custodia, y por ello su concesión no es automática una vez constatados los requisitos objetivos previstos en la Ley. No basta entonces con que éstos concurran, sino que además no han de darse otras circunstancias que aconsejen su denegación a la vista de la perturbación que puedan ocasionar en relación con los fines antes expresados.*
La presencia o no de dichas circunstancias ha de ser explicitada al pronunciarse sobre la concesión o denegación de un permiso de salida. Múltiples factores pueden ser te-nidos en cuenta para hacer esta valoración, mas todos ellos han de estar conectados con el sentido de la pena y las finalidades que su cumplimiento persigue: el deficiente medio social en el que ha de integrarse el interno, la falta de apoyo familiar o econó-mico, la falta de enraizamiento en España, anteriores quebrantamientos de condena o la persistencia de los factores que influyeron en la comisión del delito, entre otros, pueden ser causa suficiente, en cada caso concreto, que aconseje la denegación del permiso de salida".

---

[293] AAP Barcelona 8 noviembre 2018, nº 1779. Rec. 1303/2018.

3.1.4. Índice de casos

STEDH 21 febrero 1975 Caso Golder c. Reino Unido
DCEDH 8 octubre 1982, Caso , X v. Reino Unido
STEDH 28 junio 1984, Caso Campbell y Fell c. Reino Unido
STEDH 28 septiembre 2000, Caso Messina c. Italia
STEDH 12 noviembre 2002, Caso Płoski c. Polonia
STEDH 29 abril 2003, Caso Poltoratski c. Ucrania
STEDH 4 febrero 2003, Caso Van der Ven c. Países Bajos
STEDH 6 octubre 2005, Caso Hist c. Reino Unido
STEDH 18 octubre 2005, Caso Schemkamper c. France
STEDH 11 julio 2006, Caso Riviere c. France
STEDH 4 diciembre 2007, Caso Dickson c. Reino Unido
STEDH 18 diciembre 2007, Caso Dybeku c. Albania
STEDH 17 septiembre 2009, Caso Enea c. Italia
STEDH 15 diciembre 2009, Caso Maiorano y otros c. Italia
STEDH 31 mayo 2011, Caso Khodorkovskiy y Lebedev c. Rusia
STEDH 17 abril 2012, Caso Piechowicz c. Polonia
STEDH 18 septiembre 2012, Caso James, Wells y Lee c. Reino Unido
STEDH 3 abril 2013, Caso Boulois c. Luxemburgo
STEDH 9 abril 2013, Caso Kurkowski v. Polonia
STEDH 9 julio 2013, Caso Vinter y otros c. Reino Unido
STEDH 8 julio 2014, Caso Harakshiev y Tolumov c. Bulgaria
STEDH 4 noviembre 2014, Caso Thomas c. Reino Unido
STEDH 23 febrero 2016, Caso Mozer c. República de Moldavia y Rusia
STEDH 15 marzo 2016, Caso Vidish v. Rusia
STEDH 7 marzo 2017, Caso Polyakova y otros c. Rusia

3.2. CASO VALIULIENE C. LITUANIA
(STEDH de 26 marzo 2013): La obligación del estado de tipificar y castigar de forma efectiva la violencia doméstica. Revisión del "Test Osman" en los casos de violencia doméstica, interés público en la persecución de la violencia doméstica

3.2.1. Resumen del caso

a) Resumen de los hechos

En febrero de 2001, la demandante interpuso denuncia ante un tribunal municipal para iniciar un proceso privado, en que pedía que se declarase que su compañero la había golpeado en 5 ocasiones entre enero y febrero de 2001. En enero de 2001, el tribunal dio traslado de la denuncia a la fiscalía y ordenó que abriera una investigación preliminar. El compañero de la demandante fue acusado de atentados leves y habituales contra la integridad física de la interesada.

Posteriormente, la investigación se suspendió hasta en dos ocasiones por falta de pruebas, pero se reabrió otras tantas veces, al prosperar las apelaciones interpuestas, que concluyeron que las investigaciones no habían sido suficientemente exhaustivas.

El Fiscal archivó la investigación en junio de 2005 argumentando que una reforma legislativa de mayo de 2003 suponía que los atentados leves contra la integridad física debían perseguirse a partir de entonces a instancia de la propia víctima, salvo si el caso presentaba un interés general o la víctima no podía preservar sus derechos con la persecución privada de los hechos. El tribunal municipal confirmó dicha decisión.

Cuando la denunciante inicio otro proceso penal a instancia de parte, el caso fue archivado definitivamente, por razón de la prescripción.

b) Resumen de la sentencia

Art. 3 CEDH (prohibición de torturas y de tratos inhumanos y degradantes).

La demandante sufrió malos tratos de suficiente gravedad como para alcanzar el nivel mínimo exigible para que nazca la obligación positiva del

Estado conforme al art. 3 CEDH. Para alcanzar esta conclusión, el TE-DH toma en cuenta las lesiones físicas que sufrió (esquimosis y rasguños en cara y cuerpo), la circunstancia agravante de que las agresiones se prolongaron durante cierto período de tiempo, con 5 episodios en 1 mes, y el sentimiento de miedo e impotencia que sufrió la demandante.

Sobre este último punto, el TEDH considera que el impacto psicológico constituye un aspecto importante de la violencia doméstica.

Acto seguido, el TEDH indaga si el sistema jurídico interno y, en particular, el derecho penal aplicable, ha fracasado en orden a dispensar una protección práctica y efectiva de los derechos garantizados por el art. 3 CEDH.

El TEDH considera que en el momento de los hechos el derecho lituano tenía un marco legal suficiente, en tanto que tipificaba como delito los atentados leves contra la integridad física. Si bien tras el 1 de mayo de 2003, tales delitos sólo son perseguibles previa denuncia de la víctima, y el fiscal sólo puede abrir una investigación si la infracción afecta al interés general o si la víctima no está en situación de proteger sus propios intereses.

En cuanto a la forma en que se ha aplicado el marco jurídico a la demandante, ésta compareció ante el tribunal municipal casi inmediatamente, a fin de entablar la acción privada, y proporcionó una descripción precisa de todos los incidentes, así como el nombre de varios testigos. Si las autoridades hubieran actuado sin dilaciones indebidas, el asunto se hubiera remitido a un fiscal después de que la pareja de la demandante evitó comparecer en diversas ocasiones ante el tribunal.

A continuación, la investigación se archivó en dos ocasiones por insuficiencia de pruebas, y no se reabrió sino hasta que los fiscales superiores apreciaron que no había sido lo suficiente diligente. Ello denota una seria deficiencia en la actuación del Estado.

Además, aunque la legislación fue modificada en mayo de 2003, el fiscal no decidió remitir el caso a la demandante para su enjuiciamiento privado hasta junio de 2005, dos años después de la reforma legislativa. La decisión fue confirmada, a pesar del riesgo de que la acción prescribiera, y a pesar del hecho de que, incluso después de la reforma legislativa, un fiscal todavía tenía la oportunidad de investigar actos que constituían atentados menores contra la integridad física, en casos en que el asunto fuera de interés general. Como resultado de esta decisión, y aunque la demandante actuó sin demora, su acción privada fue desestimada por haber prescrito.

Por lo tanto, las prácticas en cuestión en este caso y la forma en que se implementaron los mecanismos de derecho penal no garantizaron a la demandante la protección adecuada.

El TEDH llega a la conclusión, por todo ello, de que ha habido violación del art. 3 CEDH.

3.2.2. *Extractos del voto particular de Paulo Pinto*

«En Valiuliene, el Tribunal se enfrenta nuevamente al atroz problema de la violencia doméstica. La relevancia jurídica de las formas menores de violencia, como el abuso verbal y las lesiones corporales leves, la falta de reconocimiento del interés público en perseguir esta forma de malos tratos y el archivo definitivo de la causa por prescripción, proporcionan a este caso de todos los ingredientes de un lead-case, que plantea problemas jurídicos fundamentales que no han sido tratados adecuadamente por la mayoría. Con el debido respeto, la mayoría dijo demasiado en algunos aspectos y, sin embargo, no lo suficiente en otros. Por eso he votado a favor de la parte dispositiva de la sentencia, pero no puedo adherirme a su motivación.

La violencia doméstica como violación de los derechos humanos
La Convención sobre la eliminación de todas las formas de discriminación contra la mujer de 1979 (CEDAW) tenía en un principio por objetivo prevenir la discriminación contra la mujer en el ámbito público y privado, no la violencia contra la mujer[294].

---

[294]No fue hasta 1989 que el Comité de la CEDAW incluyó la violencia contra las mujeres dentro de su competencia. Recomendación general no. 12 consideró que los Estados partes tenían que proteger a las mujeres contra la violencia dentro de la familia, en el lugar de trabajo y en cualquier otra área de la vida social y debían incluir en sus informes periódicos al Comité información sobre diversos temas relacionados con este tema. Tres años después, la Recomendación general no. 19 confirmó que la violencia de género violaba la igualdad de género y que la "plena implementación de la Convención requería que los Estados tomaran medidas positivas para eliminar todas las formas de violencia contra las mujeres". En *AT v. Hungría*, Comunicación no. 2/2003, 26 de enero de 2005, el Comité de la CEDAW determinó que los derechos de la demandante en virtud de los artículos 5 (a) y 16 de la Convención de 1979 habían sido violados debido a que, después de haber sido maltratada por su ex pareja de hecho, ella no había podido, sea a través de procedimientos civiles o penales, expulsarlo temporal o permanentemente del piso donde ella y sus hijos continuaron viviendo. El Comité basó su conclusión en la obligación positiva del Estado de garantizar la igualdad efectiva entre los sexos.

En 1984, el Consejo Económico y Social de la ONU aprobó la Resolución 1984/14 sobre la violencia en la familia. Con base en esta resolución, la Asamblea General de la ONU adoptó la Resolución 40/36 sobre violencia doméstica un año después, invitando a los Estados a tomar medidas específicas con urgencia para prevenir la violencia doméstica y prestar la asistencia adecuada a las víctimas de la misma. En 1990, la AGNU aprobó la Resolución 45/114, que aborda la respuesta pública y, si es necesario, penal a la violencia doméstica. En 1993, la Declaración de la AGNU sobre la eliminación de la violencia contra la mujer[295] definió este tipo de violencia como «Todos los actos de violencia dirigidos contra el sexo femenino, que causa o pueden causar a las mujeres un daño o sufrimiento físico, sexual o psicológico, incluido la amenaza de tales actos, la restricción o privación arbitraria de libertad, sea en la vida pública o privada», y exhortó a los Estados a emplear la diligencia debida para prevenir, investigar y sancionar los actos de violencia contra la mujer, ya sea cuando tales actos sean perpetrados por el Estado como cuando lo sean por personas privadas. Por primera vez, un instrumento internacional se refirió a la violencia contra las mujeres como una violación de los derechos humanos y consagró formalmente la cláusula de diligencia debida como la norma aplicable para la prevención y protección del derecho de las mujeres a la integridad física y el bienestar psicológico.

En el mismo año, la Asamblea genera de la OAS adoptó la Convención interamericana sobre la prevención, sanción y eliminación de la violencia contra las mujeres (Convención de Belém do Para), que establece las obligaciones estatales en materia de erradicación de la violencia de género[296].

Esta lectura fue confirmada en *Goecke v. Austria*, Comunicación no. 5/2005, 6 de agosto de 2007; *Fatma Yıldırım v. Austria*, Comunicación no. 6/2005, 1 de octubre de 2007; *VK v. Bulgaria*, Comunicación no. 20/2008, 17 de agosto de 2011; *Cecilia Kell v. Canadá*, Comunicación no. 19/2008, 26 de abril de 2012; e *Isatou Jallow v. Bulgaria*, Comunicación no. 32/2011, 28 de agosto de 2012. El tema de la violencia doméstica también se ha abordado en muchas observaciones finales de la CEDAW (por ejemplo, en Nueva Zelanda, 2012, párrs. 22-24, México, 2012, párrs. 11-12, Mauricio, 2011, párrs.20-23, y Australia, 2010, párrs. 28-29).

[295] AGNU RES 48/104. A/48/49

[296] En *Maria da Penha Maia Fernandes v. Brasil*, Caso 12.051, Informe no. 54/01, 16 de abril de 2001, la Comisión Interamericana de Derechos Humanos determinó que el Estado brasileño no había actuado con la debida diligencia para prevenir e investigar una denuncia de violencia doméstica, y este fallo justificaba una determinación de responsabilidad del Estado en virtud de la Convención Americana y Convención de Belém do Pará. Más recientemente, en *Jessica Lenahan (Gonzales) et al. v. Estados Unidos*, Caso 12.626, Informe no. 80/11, 21 de julio de 2011, la Comisión responsabilizó a los Estados Unidos por la violación sistemática de su obligación internacional de proteger a las personas de la violencia doméstica. La Corte Interamericana también encontró, en *Gonzales et al. ("Campo de algodón") v. México*, 16 de noviembre de 2009, que las autoridades mexicanas no habían logra-

En 1995, la Cuarta Conferencia Mundial sobre la Mujer convirtió la eliminación de la violencia contra la mujer en uno de sus doce objetivos estratégicos y sugirió acciones concretas a adoptar tanto por los Estados como por las organizaciones no estatales. En 2000, la observación general no. 28 del Comité de Derechos Humanos sobre la igualdad de derechos entre hombres y mujeres interpretó que el artículo 3 del Pacto Internacional de Derechos Civiles y Políticos requería una conducta proactiva por parte de los Estados para garantizar a hombres y mujeres por igual, el disfrute de todos los derechos previstos en el Pacto, tanto en el ámbito público como privado; y para garantizar el respeto de los artículos 7 y 24 del Pacto, instó a los Estado parte a facilitar información sobre las leyes y prácticas nacionales con respecto a la violencia doméstica y otros tipos de violencia contra la mujer[297].

El mismo año, el Comité para la Eliminación de la Discriminación Racial emitió la Recomendación general no. 25 sobre la perspectiva de género en la discriminación racial, admitiendo que ciertas formas de discriminación racial afectan a las mujeres más intensamente que a los hombres.

En 2002, en su Primer Informe Mundial sobre Violencia y Salud, la Organización Mundial de la Salud discutió las consecuencias económicas y de salud y las respuestas a la violencia doméstica como una violación de los derechos humanos.

En 2003 se aprobó un Protocolo adicional a la Carta Africana sobre los Derechos Humanos y de los Pueblos sobre los Derechos de las Mujeres, que incluye nuevas formas estructurales o económicas de violencia contra las mujeres, como los derechos desiguales en el matrimonio, la poligamia, las campañas negativas en los medios de comunicación, las campañas tradicionales y prácticas religiosas que tratan a las mujeres como ciudadanas de segunda clase.

En 2005, el Comité de Derechos económicos, sociales y culturales ha publicado la Observación general no. 16 sobre "La igualdad de derechos de hombres y mujeres al disfrute de todos los derechos económicos, sociales y culturales", declarando que la violencia de género es una forma de discriminación que inhibe la capacidad de disfrutar de los derechos y libertades, incluidos los derechos económicos, sociales y culturales, en pie de igualdad. Los Estados parte deben adoptar las medidas necesarias para eliminar la violencia contra hombres y mujeres y actuar con la debida diligencia para prevenir, investigar, mediar, sancionar y reparar los actos de violencia cometidos por particulares, así como "garantizar a las víctimas de violencia domés-

---

do prevenir e investigar la violación y el asesinato de alrededor de 600 mujeres en Ciudad Juárez.

[297] Por lo tanto, según el Comité, la violencia doméstica podría constituir una violación del derecho a no ser maltratado en virtud del artículo 7. La violencia doméstica ha sido una preocupación importante del Comité, como lo demuestran numerosas observaciones finales, como en la Federación de Rusia, 2010, párr. 10, Moldavia, 2009, párr. 16, Dinamarca, 2008, párr. 8, Mauricio, 2005, párr. 10, Uzbekistán, 2005, párr. 23, Islandia, 2005, párr. 12, Benin, 2005, párr. 9, Albania, 2004, párr. 10, Polonia, 2004, párr. 11, Marruecos, 2004, párr. 28, y Yemen, 2002, párr. 6)

tica, que son principalmente mujeres, acceso a viviendas seguras, indemnización y reparación por daños físicos, mentales y emocionales".

En su tercer informe, de 20 de enero de 2006, la relatora especial sobre la violencia contra las mujeres, Yakin Ertürk, consideró que existe una costumbre en derecho internacional "que obliga a los Estados a actuar con la diligencia debida para prevenir y perseguir los actos de violencia contra las mujeres[298].

En 2008, el Consejo de la Unión Europea adoptó las "Directrices de la UE sobre la violencia contra las mujeres y las niñas y la lucha contra todas las formas de discriminación contra ellas". En su primer informe, de 23 de abril de 2010, la Relatora Especial sobre la violencia contra la mujer, Rashida Manjoo, consideró que la obligación de proporcionar tutela adecuada a las víctimas implica garantizar el derecho de las mujeres a acceder a procesos penales y civiles estableciendo una protección efectiva, con servicios de apoyo y rehabilitación para las supervivientes de la violencia[299].

---

[298] El criterio de la diligencia debida, en tanto que o herramienta para la eliminación de la violencia contra la mujer, Informe de la Relatora Especial sobre la violencia contra la mujer, E/CN.4/2006/61, párr. 29, citando la Recomendación general CEDAW no. 19, párr. 9; la Declaración sobre la eliminación de la violencia contra la mujer, artículo 4 (c); la Plataforma de Acción de Beijing de 1995, párrafo 125 (b); y la Convención Interamericana para Prevenir, Sancionar y Erradicar la Violencia contra la Mujer, Artículo 7 (b). Según el Relator Especial, la diligencia debida requiere que los Estados utilicen el mismo nivel de compromiso en la prevención, investigación, sanción y reparación de actos de violencia contra la mujer que con otras formas de violencia (párr. 35).

[299] Reparaciones a mujeres que han sido sometidas a violencia, Informe de la Relatora Especial sobre la violencia contra la mujer, A/HRC/14/22 (2010). Esta posición corresponde al consenso general de la comunidad internacional, como resultado de la Recomendación general no. 28 sobre las obligaciones básicas de los Estados partes en virtud del artículo 2 de la Convención, párr. 34; CEDAW, Recomendación general no. 19, citado anteriormente, párr. 23 (t), (iii); la Declaración sobre la eliminación de la violencia contra la mujer, artículo 4 (g); la Plataforma de Acción de Beijing de 1995, párr. 125 (a); Informe de la Relatora Especial sobre la violencia contra la mujer, Yakin Ertürk, párr. 83; la Convención Interamericana para Prevenir, Sancionar y Erradicar la Violencia contra la Mujer, Artículo 7 (f) y (g); El Protocolo Adicional a la Carta Africana de Derechos Humanos y de los Pueblos sobre los derechos de la mujer, artículo 4 (2) (f); Directrices de la UE sobre la violencia contra las mujeres y las niñas, párr. 3.2.7.1.; el Convenio del Consejo de Europa sobre prevención y lucha contra la violencia contra la mujer y la violencia doméstica, artículos 20 y 23; WAVE, "Más que un techo sobre su cabeza: una encuesta de estándares de calidad en refugios europeos para mujeres, 2002; Observaciones finales del CDH sobre la Federación de Rusia, 2009, párr. 10, sobre Moldavia, 2009, párr. 16, y sobre Croacia, 2009, párrafo 8, y las críticas

Para terminar, en 2011, el Comité de Ministros del Consejo de Europa adoptó la Convención sobre la prevención y la lucha contra la violencia contra las mujeres y la violencia doméstica, que no solo distingue ambos conceptos, sino que incluye entre las víctimas de la violencia doméstica a cualquier persona física que esté sujeta a conducta violenta[300]. La cláusula de diligencia debida está diseñada como una obligación de medios, no de resultado[301].

---

sobre la falta de refugios para las víctimas en los casos de una investigación sobre estándares de calidad en refugios europeos para mujeres, 2002; HRC Observaciones finales sobre la Federación de Rusia, 2009, párr. 10, sobre Moldavia, 2009, párr. 16, y en Croacia, 2009, párr. 8, y las críticas sobre la falta de refugios para las víctimas en los casos de una investigación sobre estándares de calidad en refugios europeos para mujeres, 2002; HRC Observaciones finales sobre la Federación de Rusia, 2009, párr. 10, sobre Moldavia, 2009, párr. 16, y en Croacia, 2009, párr. 8, y las críticas sobre la falta de refugios para las víctimas en los casos de *AT v. Hungría* y *Goecke v. Austria*.

[300] ETS No. 210. Este nuevo instrumento de derecho internacional es crucial para interpretar las obligaciones de los Estados partes en virtud del Convenio Europeo de Derechos Humanos, a pesar de que solo ha sido ratificado por tres de ellos hasta ahora, sin incluir al Estado demandado (para una justificación sobre este método de interpretación, ver mis opiniones separadas en *De Souza Ribeiro v. France (GC)*, nota al pie 10, y *Tautkus v. Lituania*, nota al pie 16). Esto es particularmente obvio ya que este instrumento fue aprobado tras un llamamiento del llamado del Grupo de Trabajo del Consejo de Europa para Combatir la Violencia contra las Mujeres para una convención legalmente vinculante sobre, *inter alia*, violencia doméstica (Informe Final de Actividades, 2008) y la emisión de varias recomendaciones del Comité de Ministros, como la Recomendación No. R (85) 4 sobre violencia en la familia, la Recomendación No. R (90) 2 sobre medidas sociales relacionadas con violencia en la familia, y la Recomendación Rec (2002) 5 del 30 de abril de 2002 sobre la protección de las mujeres contra la violencia. Por último, el nuevo instrumento también tuvo en cuenta la jurisprudencia del Tribunal sobre una obligación positiva exigible y justiciable de proteger a las mujeres de la violencia doméstica, establecida en *Kontrova v. Eslovaquia*, no. 7510/04, 24 de septiembre de 2007; *Bevacqua y S v. Bulgaria*, no. 71127/01, 12 de septiembre de 2008; *Branko Tomasic y otros v. Croacia*, no. 46598/08, 14 de octubre de 2010; *Opuz v. Turquía*, No. 33401/02, 9 de septiembre de 2009; *ES y otros v. Eslovaquia*, no. 8227/04, 15 de diciembre de 2009; *A. v. Croacia*, no. 55164/08, 14 de octubre de 2010; y *Hajduova v. Eslovaquia*, no. 2660/03, 30 de noviembre de 2010.

[301] Convención sobre la prevención y la lucha contra la violencia contra la mujer, artículo 5 (2) e informe explicativo, párr. 59.

*En el contexto de esta evolución del derecho internacional, que está respaldada por los descubrimientos de la psicología moderna[302], se puede concluir que **la violencia doméstica ha surgido como una violación autónoma de los derechos humanos que consiste en la causación de daños físicos, sexuales o psicológicos, o la amenaza o intento de los mismos, en la vida privada o pública, por un compañero íntimo, un ex compañero, un miembro del hogar o un ex miembro del hogar**[303].*

Sin embargo, un enfoque procesal de derechos humanos a la violencia doméstica se topa con tres obstáculos conceptuales fuertes, todos ellos muy bien arraigados en la historia de las sociedades democráticas: el respeto a la privacidad, la tolerancia frente a diferentes culturas y la defensa de los derechos de los acusados. El enfoque clásico de derechos humanos se centra en las violaciones que ocurren en el ámbito público,

---

[302] Con respecto a las causas y los efectos de la violencia doméstica, así como a los programas disponibles de prevención, divulgación y reparación, ver, *entre otros*, Judd, Libro de consulta sobre violencia doméstica, Detroit, Omnigraphics, 2012; Prevención de la pareja y la violencia sexual contra las mujeres: tomar medidas y generar evidencia. Ginebra, Organización Mundial de la Salud, 2010; Walker, El síndrome de la mujer maltratada, Nueva York, Springer, 2009; Estimación de los costos e impactos de la violencia de pareja en los países en desarrollo: una guía de recursos metodológicos, Washington, Centro Internacional de Investigación sobre la Mujer, 2009; McCue, Violencia doméstica: un manual de referencia, Santa Bárbara, ABC-CLIO, 2008; Shipway, violencia doméstica: un manual para profesionales de la salud, Londres, Routledge, 2004; Violencia contra la mujer: impacto de la violencia en la salud de la mujer, Ottawa, Health Canada, 2002; Tjaden y Thoennes, Alcance, naturaleza y consecuencias de la violencia de pareja: resultados de la encuesta nacional de violencia contra la mujer, Departamento de Justicia de los Estados Unidos, 2000; Jacobson y Gottman, When Men Batter Women, New Insights to Ending Abusive Relationships, Nueva York, Simon & Schuster, 1998; y Jasinski y Williams (eds.), Partner Violence: A Comprehensive Review of 20 Years of Research, Thousand Oaks, CA, Sage, 1998. El Tribunal utilizó los resultados de la psicología moderna para apoyar un estándar europeo común, por ejemplo, en *MC v. Bulgaria*, no. 39272/98, § 164, 4 de diciembre de 2003. Seguí ese enfoque también en mi opinión separada en *Konstantin Markin* [GC], nota 21.

[303] El concepto de "violencia doméstica" es, por lo tanto, más amplio que la "violencia de pareja", ya que incluye los malos tratos a niños o ancianos, o el maltrato por parte de cualquier miembro de un hogar. También abarca la violencia que ocurre en las relaciones formales o informales, incluidas las parejas del mismo sexo, y después del cese de la relación (ver *Kalucza v. Hungría*, no. 57693/10, § 67, 24 de abril de 2012). La violencia puede asumir la forma de un continuo o un incidente único. Evidentemente, la violencia contra la mujer puede ocurrir dentro y fuera del contexto de la violencia doméstica. El caso en cuestión radica en la intersección de estas dos formas de violencia, es decir, violencia doméstica contra las mujeres.

lo que claramente perjudica a las víctimas de la violencia doméstica, ya que la misma se desarrolla con frecuencia en la esfera privada y oculta de la familia u otras formas de relación íntima[304]. Con respecto a algunos grupos étnicos, esa desventaja se agrava por un relativismo cultural pretencioso, según el cual ciertas prácticas tradicionales deben ser toleradas en nombre del respeto a las diferentes culturas, a pesar de que esas prácticas puedan constituir formas de discriminación e incluso malos tratos[305]. Además, los tribunales y los académicos están tradicionalmente más atentos a garantizar la efectividad de los derechos del acusado que a proteger los de las víctimas, ya que la creencia común es que siempre se debe priorizar a los primeros[306].

Estos obstáculos solo pueden superarse rompiendo la clásica brecha público-privada y reconociendo la obligación positiva del Estado de actuar contra la violencia doméstica. Los Estados tienen la obligación no solo de llevar ante la justicia a los presuntos delincuentes y empoderar a las víctimas de violencia doméstica con un papel activo en el proceso penal, sino también de evitar que los particulares cometan o reiteren el delito y de garantizar las medidas elementales de apoyo social a las víctimas, tales como cuidado postraumático y refugio. Tal obligación positiva internacional debe reconocerse, en vista del consenso amplio y duradero mencionado anteriormente, como un principio del derecho internacional consuetudinario, vinculante para todos los Estados. Esto es a fortiori cierto en el caso de la violencia contra la mujer. La violencia doméstica es básicamente violencia contra la mujer[307]. Todos los datos disponibles

---

[304] Véase, por ejemplo, el informe Yakin Ertürk, citado anteriormente, párr. 59).

[305] Nuevamente, el informe Yakin Ertürk, citado anteriormente, párr. 66, e informe explicativo del Convenio del Consejo de Europa sobre prevención y lucha contra la violencia contra la mujer, párr. 216.

[306] Para la postura opuesta, ver *Opuz*, citado anteriormente, § 147: «los derechos de los perpetradores no pueden reemplazar los derechos de las víctimas a la vida y la integridad física y mental». Esta declaración también se puede encontrar en *Fatma Yildirim*, citado anteriormente, párr. 12.1.5.

[307] Como lo expresó la Relatora Especial sobre la violencia contra la mujer, "aunque todas las mujeres corren el riesgo de sufrir violencia, no todas son igualmente susceptibles a los actos de violencia" (Informe de Rashida Manjoo sobre formas múltiples e interseccionadas de discriminación y violencia contra la mujer, A/HRC/17/26 (2011). Las mujeres embarazadas, discapacitadas, de menor edad, ancianas, desplazadas, migrantes, refugiadas o analfabetas son particularmente vulnerables (véase una lista no exhaustiva en el párrafo 87 del Informe explicativo de la Convención del Consejo de Europa para prevenir y combatir la violencia contra las mujeres), cualquier otra mujer también puede ser vulnerable si se enfrenta a un compañero violento y hostigador. Además, el Tribunal ha subrayado, en términos generales, la "vulnerabilidad particular de las víctimas de violencia doméstica "desde los primeros juicios sobre violencia doméstica (ver *Bevacqua y S.*, citado anteriormente, § 65, y *Opuz*, citado anteriormente, § 132). Por lo tanto, no puedo aceptar la línea de razonamiento presentada en el párrafo 69 de la sentencia.

muestran que en todo el mundo la violencia doméstica es en la gran mayoría de los casos la violencia perpetrada por hombres contra mujeres, y la violencia de mujeres contra hombres representa un porcentaje muy pequeño de la violencia doméstica[308]. Por lo tanto, el pleno efecto útil del Convenio Europeo de Derechos Humanos (la Convención) sólo puede lograrse mediante una interpretación y aplicación de sus disposiciones con perspectiva de género, que tome en cuenta las desigualdades de hecho entre mujeres y hombres y la forma en que repercuten en la vida de las mujeres[309]. En ese sentido, es evidente que el acto mismo de violencia doméstica inherentemente reviste un carácter vejatorio y degradante para la víctima, que es exactamente el objetivo perseguido por el delincuente. El dolor físico es solo uno de los efectos previstos. Una patada, una bofetada o un escupitajo también tienen como objetivo menospreciar la dignidad de la pareja, transmitiendo un mensaje de humillación y degradación[310]. Es precisamente este elemento intrínseco de la humillación lo que

---

[308] Según la Recomendación CEDAW no. 19, se ha reconocido ampliamente que la violencia entre parientes afecta a las mujeres de manera desproporcionada, demarcando a las mujeres como un grupo que necesita protección proactiva del Estado. Se llegó a la misma conclusión, por ejemplo, en el Estudio en profundidad del Secretario General de las Naciones Unidas sobre todas las formas de violencia contra la mujer, 2006, y el informe de UNICEF sobre la violencia doméstica contra las mujeres y las niñas, Innocenti Digest, volumen 6, 2000.

[309] Como afirma el Informe de la ONU sobre la violencia contra las mujeres en la familia ya había declarado en 1989, y la Plataforma de Acción de Beijing de 1995, párr. 118, ya citada, la violencia contra las mujeres es una manifestación de relaciones de poder históricamente desiguales entre hombres y mujeres. Esta desigualdad es alimentada por prejuicios pasados de moda sobre el papel de la mujer en la sociedad, como se ha señalado repetidamente (por ejemplo, la Recomendación general CEDAW n.° 19, párrafo 11, y la Comisión Interamericana de Derechos Humanos, Acceso a la justicia para las mujeres). Víctimas de la violencia en las Américas, OEA/Ser.l/V/II, Doc. 68, 20 de enero de 2007, párr. 147). Dado que su objetivo es contrarrestar estas desigualdades de hecho reales, dicha interpretación con perspectiva de género no puede ser tildada de paternalista con las mujeres como un grupo estereotipado de personas incapaces de protegerse por sí mismas y que necesitan protección pública. Caso *lingüístico belga* («ciertas desigualdades legales tienden solo a corregir las desigualdades de hecho»; ver la misma idea subyacente en el Artículo 4 (4) del Convenio del Consejo de Europa sobre prevención y lucha contra la violencia contra las mujeres y la violencia doméstica, Comentario General del Consejo de Derechos Humanos n° 18). sobre no discriminación, párrafo 10, y comentario CESR n.° 16, párrs. 7 y 8). Por el contrario, una interpretación de la Convención con perspectiva de género solo reforzaría las desigualdades prevalecientes que afectan a las mujeres.

[310] Según lo confirmado por algunas de las investigaciones enumeradas en la nota 9.

impone la aplicación del artículo 3 de la Convención[311]. *La apreciación de una violación del Artículo 8 no comprendería el significado real y completo de la violencia en el contexto doméstico y, por lo tanto, no se calificaría como una «comprensión de la violencia con perspectiva de género»*[312].

La revisión del "test Osman" en materia de violencia doméstica

*Uno de los aspectos más problemáticos de las obligación positivas del Estado es la definición del alcance exacto de su deber de prevenir y proteger. El Tribunal ha desarrollado el denominado "test de Osman", que permite comprobar si las autoridades conocían o deberían haber conocido, la existencia de un riesgo real e inmediato para la vida de una persona o personas identificadas, derivado de actos criminales de un particular y, aún así, no adoptaron las medidas que tenían a su alcance y que, razonablemente, cabía esperar que hubieran evitado tal riesgo. En pocas palabras, **el Estado responde por la conducta criminal de los particulares cuando la misma era***

---

[311] La mayoría ha perdido la oportunidad de formular un razonamiento de principio para atribuir una violación del artículo 3, y no del artículo 8 al Estado demandado, prefiriendo una vez más permanecer apegado a las particularidades propias del caso. Sin embargo, ese razonamiento era muy necesario en vista de la disparidad de la jurisprudencia actual. En *Bevacqua, Sandra Jankovic y A. v. Croacia*, el Tribunal apreció una violación del Artículo 8 (lesiones corporales), así como en *Hadjuova* (amenazas), pero en *Opuz* apreció una violación del derecho del Artículo 2 de la madre del solicitante (asesinato) y el derecho del solicitante del artículo 3 (lesiones corporales) y del artículo 14 en relación con los artículos 2 y 3, y en *Kontrova* una violación de los artículos 2 y 13 (asesinato). En *ES y otros v. Eslovaquia*, se estimó una violación de los artículos 3 y 8 (violencia física). Finalmente, *Kalucza* parece ser un caso especial de violación del Artículo 8, ya que hubo lesiones corporales mutuas y maltrato verbal. Estas diferentes interpretaciones de la Convención obviamente no son irrelevantes, para compensación y otros propósitos. Además, al rechazar la declaración unilateral del Gobierno demandado, que reconocía una violación del artículo 8, la Corte tenía el deber adicional de proporcionar un razonamiento completo de su conclusión de una violación del artículo 3.

[312] La expresión se utiliza en el artículo 18 (3) del Convenio del Consejo de Europa sobre prevención y lucha contra la violencia contra las mujeres y la violencia doméstica. Es importante señalar que el Tribunal protege a las víctimas de violencia doméstica y a las mujeres víctimas de violencia, independientemente de cualquier intento discriminatorio del delincuente. Esa es la razón por la que normalmente no se aprecia ninguna violación adicional del artículo 14 en casos de mujeres víctimas. Sin embargo, puede haber situaciones en las que la violencia doméstica y la violencia contra las mujeres se cometan también con una intención discriminatoria específica con respecto a la víctima, por ejemplo, denigrando su raza u origen étnico. En estos casos, habrá una violación de los artículos 3 y 14.

previsible y evitable mediante el ejercicio de los poderes del Estado[313]. El núcleo de la controversia en el presente caso, radica en la adecuación de ese test a las situación particular de la violencia doméstica. Siendo realistas, en el momento en que se da el "riesgo inmediato" para la víctima, es frecuentemente demasiado tarde para que el Estado intervenga. Además, la recurrencia y la escalada inherentes en la mayoría de los casos de violencia doméstica hacen que sea de alguna manera artificial, incluso perjudicial, exigir una inmediatez del riesgo. Aunque el riesgo puede no ser inminente, ya es un riesgo grave cuando está presente. Es especialmente necesario un nivel de diligencia más riguroso en el contexto de ciertas sociedades, como la sociedad lituana, que se enfrentan a un problema grave, duradero y generalizado de violencia doméstica. Así, el estándar emergente en materia de la diligencia debida en los casos de violencia doméstica, es más riguroso que el clásico "test Osman", en la medida en la que el deber del Estado surge desde el momento en que el riesgo está presente, aunque no sea inminente[314].

Si un Estado sabe o debería saber que una parte de su población, como las mujeres, está sujeta a violencia reiterada y no evita que el daño recaiga sobre los miembros de ese grupo de personas cuando se enfrentan a un riesgo presente (pero aún no inminente), el Estado puede ser considerado responsable por omisión, de las violaciones de derechos humanos resultantes. *La construcción de un deber anticipado de prevenir y proteger es el reverso del contexto de abuso y violencia generalizados ya conocidos por las autoridades estatales.*

El interés público en el enjuiciamiento de la violencia doméstica.

El segundo gran problema planteado por presente caso, conforme a los sucesivos regímenes de enjuiciamiento aplicables del antiguo y nuevo Código de Procedimiento Penal (2003), es la falta de reconocimiento del "interés público" en la persecución de esta forma de malos tratos, que termina con el archivo de la causa por prescripción. Si bien el Tribunal ya ha rechazado que el derecho a la integridad física de la Convención solo pueda garantizarse mediante la persecución pública de todos los casos de violencia doméstica, también ha censurado una ley búlgara que permitía la persecución pública de la violencia doméstica solo en "casos excepcionales[315]". De

---

[313] *Osman v. El Reino Unido*, 28 de octubre de 1998, § 116, Informes 1998-VIII. El Tribunal ha aplicado esta norma en casos de violencia doméstica (véase, por ejemplo, *Opuz*, citado anteriormente, § 130, y *Hajduova*, citado anteriormente, § 50). La Corte Interamericana ha adoptado exactamente el mismo criterio al otro lado del Atlántico (véase el caso *Cotton Field*, citado anteriormente, párr. 282, y el *caso de la sentencia de la Masacre de Pueblo Bello*, 31 de enero de 2006, párr. 152).

[314] La afirmación de que las autoridades nacionales deben ejercer un "mayor grado de vigilancia" en vista de la "vulnerabilidad particular de las víctimas de la violencia doméstica", formulada en *Hajduova*, citado anteriormente, § 50, corresponde en esencia a este estándar más estricto.

[315] *Bevacqua*, citado anteriormente, § 82, y *Sandra Jankovic v. Croacia*, no. 38478/05, § 50, 5 de marzo de 2009. En la misma línea, el TJCE concluyó, en su

*hecho, tanto el nuevo Convenio del Consejo de Europa sobre violencia doméstica, el Artículo 55, como la Recomendación anterior Rec (2002), párrafos 38 y 39, así como la Recomendación general CEDAW No. 28 sobre las obligaciones de los Estados parte en virtud del artículo 2 de la Convención, párrafo 34, decantan su preferencia por un delito público que no dependa totalmente de la voluntad de la víctima, ya sea con respecto al inicio del proceso o con respecto a la retirada de la denuncia. La razón es clara: en la mayoría de los casos, colocar a la víctima de violencia doméstica en el insoportable dilema de tener que decidir por sí misma si quiere dañar la relación familiar/íntima a través la persecución privada del delito es perpetuar la posición subordinada de la víctima y, por lo tanto, la violencia misma[316]. En otras palabras, **la exigencia a la víctima de que actúe como fiscal privado, que refleja la idea errónea de la violencia entre los miembros de una relación familiar/íntima como "empresa privada", no es compatible con la obligación internacional de proteger mencionada anteriormente.***

(...)

Conclusión

¡Pobre Loreta, que tuvo que soportar los repetidos ataques de su compañero acosador e intemperante, y no obtuvo justicia![317], La nueva Ley de protección contra la violencia doméstica llegó demasiado tarde para ella. Ya es hora de hacer valer sus derechos humanos. Teniendo en cuenta la obligación internacional de prevenir y proteger contra la violencia doméstica, el test revisado de Osman y el interés público en el enjuiciamiento del caso, así como el incumplimiento por parte del Estado demandado de sus obligaciones, considero que hubo una violación del aspecto procesal del artículo 3.»

---

sentencia sobre los casos *acumulados Magette Gueye* y *Valentin Salmeron Sanchez* (C-483/09 y C-1/10), que la obligación de imponer medidas cautelares para mantenerse alejado por un período mínimo de ciertas personas que cometen actos de violencia en el seno de la familia, no violó la Decisión Marco 2001/220/JAI sobre la posición de las víctimas en los procesos penales, incluso cuando las víctimas se opusieron a ellas.

[316] El Tribunal ya ha considerado que es de interés público enjuiciar incluso en un caso en el que la víctima retira la denuncia (*Opuz*, citado anteriormente, § 139).

[317] Me inspiro, una vez más, en el juez Blackmun, que alzó la voz por "¡Pobre Joshua! Víctima de repetidos ataques de un padre irresponsable, intimidante, cobarde e intemperante" en su famosa opinión disidente unida al atroz caso del fracaso del Estado antes de la violencia doméstica *DeShaney v. Winnebago Cty. DSS*, 489 US 189 (1989).

3.2.3. Doctrina del TEDH sobre violencia de género y el art. 3 CEDH

En la STEDH de Konstantin Markin c. Rusia (f.127), el TEDH hace referencia a la igualdad de género en los siguientes términos: "*El avance en la igualdad de género es en la actualidad un objetivo fundamental de los Estados parte del Consejo de Europa, de forma que deberían aducirse razones verdaderamente poderosas para poder considerar conforme al CEDH una diferencia de trato como ésa... En particular, la referencia a las tradiciones, la tolerancia general o la prevalencia social de determinadas actitudes, son insuficientes para justificar una diferencia de trato basada en el sexo*".

Dentro del campo de la igualdad de género, la violencia de género y la violencia doméstica ocupan un papel de enorme relevancia desde el punto de vista de los DDHH, puesto que afectan a diversos derechos humanos, no sólo la igualdad y la prohibición de discriminación (art. 14 CEDH), sino también el derecho a no sufrir tratos inhumanos o degradantes, consagrado en el art. 3 CEDH...

No obstante, antes de ubicar la violencia de género como una vulneración del art. 3 (tortura, trato inhumano o degradante), y el art. 14 (prohibición de discriminación), el TEDH siguió una línea jurisprudencial en que situó los supuestos de violencia doméstica y violencia de género en el seno del art. 8 (vida privada). Así, por ejemplo: STEDH 5 marzo 2009, Caso Sandra Jankovic c. Croacia; STEDH 30 noviembre 2010, Caso Hajduová c. Esovaquia; STEDH 24 abril 2012, Caso Kalucza c. Hungría, y *STEDH 24 julio 2012, Caso* Dordevic c. Croacia.

No obstante, ya en el marco del art. 8 el TEDH se había perfilado una obligación positiva exigible y justiciable de proteger a las mujeres de la violencia doméstica[318], salvo en los casos de muerte o peligro de muerte de la víctima, en que dicha obligación positiva se situaba en el art. 2 CEDH[319].

Resumiremos en las siguientes líneas los principales hitos doctrinales del TEDH a partir del Caso Opuz, en que comienza a **decantar la comprensión del fenómeno de la violencia de género desde una visión privatista** (art. 8 CEDH), **hacia una conceptuación como tortura o trato inhumano o degradante** (art. 3 CEDH), lo que arrastra un conjunto de

---

[318] STEDH 12 septiembre 2008, Caso *Bevacqua y S v. Bulgaria.*
[319] STEDH 24 septiembre 2007, Caso *Kontrova v. Eslovaquia.*

consecuencias nada desdeñables: pues la protección frente a la violencia doméstica deviene ahora una norma de costumbre internacional, surge el interés público en su persecución (descartándola como delito privado) y, lo más importante, obligaciones positivas (legislación penal con tipificación autónoma, órdenes de protección, protección social de las víctimas....) de los Estados de proteger a las víctimas. De esta forma, el TEDH se alinea con las exigencias de los más modernos instrumentos en materia de protección de las mujeres frente a la violencia de género como el Convenio de Estambul del propio Consejo de Europa de 2011.

a) Doctrina del TEDH sobre violencia doméstica como tortura o trato inhumano o degradante

STEDH 9 junio 2009, Caso Opuz c. Turquía. Se trata de un caso de asesinato de la madre de la demandante por su marido. El TEDH aprecia violación del art. 2 (derecho a la vida), art. 3 (prohibición de trato inhumano o degradante) por el incumplimiento del Estado a la hora de proteger a la demandante. Por **primera vez en un caso de violencia doméstica, se mantiene que hay violación del art. 14 (prohibición de discriminación), en relación con el art. 2 y 3 CEDH.**

Se apunta que la violencia doméstica afecta principalmente a las mujeres, ante la pasividad judicial general y discriminatoria en Turquía, que conduce precisamente a esa violencia. En consecuencia, la violencia sufrida por la demandante y su madre puede enfocarse como violencia de género basada en la discriminación contra las mujeres. A pesar de las reformas llevadas a cabo recientemente por Turquía, la generalizada falta de respuesta del sistema judicial y la impunidad de que gozan los agresores, como en este caso, indican un compromiso insuficiente por parte de las autoridades a la hora de tomar medidas para erradicar la violencia doméstica.

STEDH 15 septiembre 2009. Caso E.S c. Eslovaquia. Tras divorciarse, E.S presentó una denuncia contra su ex-esposo, alegando que la había mal tratado a ella y a sus hijos y que había abusado sexualmente de una de sus hijas. Dos años después el acusado fue sentenciado a cuatro años de prisión por malos tratos, violencia y abuso sexual. En mayo de 2001, E.S. solicitó una medida cautelar mediante la cual se le ordenaría a su ex esposo que abandonara la vivienda social de la que compartía con ella y sus hijos

Los tribunales nacionales rechazaron dicha petición, aduciendo que con la ley aplicable no eran competentes para limitar el derecho del marido a disfrutar de la vivienda. El TEDH concluye que Eslovaquia incumple su obligación de proteger a los demandantes de malos tratos y, por tanto, aprecia la existencia de violación del art. 3 y 8 CEDH.

STEDH 14 octubre 2010, Caso A. c. Croacia. Se declara inadmisible la demanda conforme al art. 14 CE y se aprecia vulneración del art. 8 (derecho a la vida privada). La demandante denunciaba que las autoridades incumplieron su deber de protegerla frente a la violencia doméstica de su ex marido, que sufría una enfermedad mental, y que le profirió diversas amenazas de muerte y le causó malos tratos físicos. La inadmisión de la alegación de discriminación, se basa en que no hay suficientes pruebas (como informes o estadísticas) que acrediten que las medidas o prácticas adoptadas en Croacia contra la violencia doméstica o los efectos de dichas medidas o prácticas sean discriminatorias. Sin embargo, se aprecia la vulneración del art. 8 porque las autoridades Croatas fallaron a la hora de aplicar muchas de las medidas que los tribunales dispusieron para proteger a la demandante o para gestionar la enfermedad mental de su marido, en la que radicaba el origen de su comportamiento violento.

STEDH 28 mayo 2013, Caso Eremia y otros c. Moldavia. La demandante y sus dos hijas denuncian que las autoridades moldavas incumplieron su deber de protegerlas frente al comportamiento violento y abusivo de su marido y padre, un oficial de policía.

El TEDH aprecia vulneración del art. 3 CEDH respecto de la primera demandante, porque, a pesar de que las autoridades conocían el maltrato, no adoptaron medidas efectivas contra su marida para protegerla de nuevas violencias domésticas. Se aprecia también vulneración del art. 14 en relación con el art. 3, por considerar que la actuaciones de las autoridades no fueron una simple negligencia o retraso en la gestión de la protección de la primera demandante, sino que habían repetidamente perdonado los malos de forma que se evidenciaba una actitud discriminatoria contra las mujeres. Las conclusiones de la Relatora especial de NU sobre violencia contra la mujeres no hicieron sino corroborar la impresión de que las autoridades no valoraron en la extensión y seriedad que merecía el problema de la violencia doméstica y sus efectos discriminatorios contra las mujeres en Moldavia[320].

STEDH 27 mayo 2014, Caso Rumor c. Italia. La demandante denunció que las autoridades italianas incumplieron el deber de protegerla tras un serio incidente de violencia doméstica contra ella, o de protegerla frente a futuras violencias. También denunció que estos incumplimientos eran el resultado de un marco legislativo inadecuado en el ámbito de la violencia doméstica, y que ello era constitutivo de discriminación contra ella en tanto que mujer.

El TEDH niega que haya violación del art. 3 CEDH, ni solo, ni en concordancia con el art. 14 CEDH. Considera que las autoridades italianas han implementado un marco legislativo que les permite adoptar medidas contra los acusados de violencia doméstica y que ese marco ha resultado efectivo a la hora de castigar al autor del crimen del que la demandante fue víctima y de prevenir la reiteración de los atentados violentos contra su integridad física.

STEDH 22 marzo 2016, Caso M.G c. Turquía. El caso trata sobre la violencia doméstica sufrida por la demandante durante su matrimonio y las amenazas que padeció tras su divorcio y los procesos posteriores. La demandante denuncia que las autoridades nacionales incumplen su deber de prevenir la violencia de que fue objeto, y denuncia la permanente y sistemática discriminación en relación con la violencia de género en Turquía.

El TEDH concluye que hubo violación del art. 3 CEDH porque la forma en que las autoridades turcas tramitaron los procesos penales no puede calificarse como acorde con el art. 3 CEDH. También considera que hay violación del art. 14 en relación con el art. 3, puesto que tras la sentencia de divorcio y hasta la entrada en vigor de la nueva ley nº 6284 el 20 de marzo de 2012, el marco legislativo aplicable no garantizaba que la demandante, una divorciada, pudiera acceder a las medidas de protección, y subraya que a pesar de llevar muchos años litigando ante los tribunales nacionales, se vio forzada a vivir bajo u estado permanente de miedo a su ex marido.

---

[320] Vid. También: STEDH 16 julio 2013, Caso B. c. República de Moldavia; STEDH 16 julio 2013, Caso Mudric c. República de Moldavia; STEDH 24 septiembre 2013, Caso N.A c. República de Moldavia, STEDH 28 enero 2014, Caso T.M y C.M c. República de Moldavia.

STEDH 28 junio 2016, Caso Halime Kilic c. Turquía. El caso trata sobre la muerte de la hija de la denunciante a manos de su marido, a pesar de haber interpuesto 4 denuncias y obtenido 3 ordenes de protección. El TEDH concluye que hay violación del art. 2 y del art. 14 en concordancia con el art. 2 CEDH. En concreto, considera que los procedimientos penales fueron insuficientes para cumplir con las exigencias del art. 2 CEDH en orden a proporcionar protección a la hija de la demandante. Al no cumplir con la obligación de sancionar al ex marido por el incumplimiento de las órdenes de protección, las autoridades nacionales privaron a las órdenes de protección de toda efectividad, creando de esa forma un contexto de impunidad que permitió al agresor atacar de formar reiterada a la hija de la denunciante sin sufrir por ello consecuencia alguna. El TEDH considera también inaceptable que las autoridades dejaran a su hija sin recursos ni protección a la hora de afrontar la violencia de su marido y que mirasen hacia otro lado en relación con los actos repetidos de violencia y amenazas de muerte sufridos por la víctima, de forma que fueron las propias autoridades las que crearon un clima propicio para la violencia doméstica.

STEDH 2 marzo 2017, Caso Talpis c. Italia. El caso trata sobre la violencia de género que la demandante sufría por parte de su marido, que resulto en el asesinato de su hijo y en la tentativa de matarla a ella. El TEDH considera que ha habido violación del art. 2 del CEDH en relación a la muerte del hijo y al intento de matarla a ella. También aprecia violación del art. 3 por el incumplimiento de las autoridades de su deber de proteger a la demandante contra los actos de violencia doméstica. En fin, el TEDH sostiene que ha habido violación del art. 14 en relación con los arts. 2 y 3, al considerar que la violencia infligida a la demandante puede considerarse basada en el sexo y en consecuencia equivale a una discriminación contra la mujer. En este sentido el TEDH subraya que la demandante fue víctima de discriminación por razón de sexo por la inactividad de las autoridades, que subestimaron la violencia en cuestión y, en consecuencia, básicamente la propiciaron.

STEDH 23 mayo 2017, Caso Balsan c. Rumanía. La denunciante alega que las autoridades incumplieron su deber de protegerla frente a la violencia doméstica habitual, al no sancionar a su marido, a pesar de sus numerosas denuncias. También denuncio que la tolerancia de las autoridades con tales actos de violencia la hicieron sentir degradada e indefensa. El TEDH aprecia la violación del art. 3 por el incumplimiento del deber de proteger a la denunciante frente a su marido, y también violación del art. 14 en relación con el art. 3, porque la violencia estaba basada en el género. El TEDH considera que el marido de la denunciante la sometió a violencia y que las autoridades debieron estar bien informadas de dicho maltrato, dadas sus reiteradas llamadas de ayuda tanto a la policía como a los tribunales. Además, aunque es cierto que había un marco jurídico en Rumanía que permitía denunciar la violencia doméstica y pedir la protección de las autoridades, del que la denunciante se había valido en su totalidad, no es menos cierto que las autoridades infringieron normas de relevancia en su caso. Las autoridades llegaron a sostener que la denunciante había provocado la violencia doméstica contra ella y consideraron que no era lo suficientemente grave como para considerarse de relevancia penal. Un enfoque como ese privo al marco jurídico nacional de su propósito y estaba en discordancia con los estándares internacionales sobre violencia contra la mujeres. En efecto, la pasividad de las autoridades en el presente caso refleja una actitud discriminatoria contra la denunciante en tanto que mujer, y demuestra una falta de compromiso para erradicar la violencia doméstica en Rumanía.

Para concluir, mención aparte merece la **STEDH 9 julio 2019, Caso Volodina c. Rusia,** en la que se trata sobre el abordaje de la violencia doméstica desde una perspectiva de género, y el voto particular de Paulo Pinto, subraya —como en Valiuliene— la **necesidad de revisar el test Osman en los casos de violencia doméstica.**

En este caso la pareja de la denunciante, tras terminar con su relación, empezó con la violencia y la amenazó de muerte si rechazaba volver a vivir con él. Entre enero de 2016 y marzo de 2018, la Sra. Volodina denunció 7 episodios de violencia grave o amenazas por parte de su ex pareja, mediante llamadas de urgencia a la policía o mediante querellas criminales. En cada ocasión, compareció ante la policía o en el hospital, donde se constató que presentaba contusiones y abrasiones.

La demandante denuncia que las autoridades rusas han incumplido el deber de protegerla frente a actos reiterados de violencia doméstica (agresiones, secuestro, acecho y amenazas). Denuncia así mismo que el régimen jurídico vigente en Rusia no permite dar una respuesta adecuada a este tipo de violencia y, por tanto, es discriminatorio para las mujeres.

El TEDH constata que el denunciante sufrió violencias físicas y morales por parte de su ex pareja y que las autoridades incumplieron su obligación de protegerla conforme les impone el CEDH.

Se subraya en particular que el derecho ruso no reconoce la violencia conyugal y no permite la adopción de órdenes de alejamiento o de protección. Tales lagunas demuestran claramente que las autoridades son reticentes a reconocer la gravedad del problema de la violencia doméstica en Rusia y sus efectos discriminatorios sobre las mujeres.

En el caso Volodina, el TEDH concluye que hubo **vulneración del art. 3 CEDH**, en síntesis, porque los malos tratos físicos y el impacto psicológico del comportamiento coactivo de su ex pareja superan el límite de gravedad preciso para que se aplique el art. 3 CEDH y general la obligación positiva de las autoridades de protegerla frente a los malos tratos y la violencia. Para llegar a tal conclusión, el TEDH aprecia que el derecho ruso no contempla la violencia doméstica, ni como tipo de delito, ni como agravante, tampoco contempla la persecución de oficio por razón de malos tratos y lesiones leves, sino que los configura como delitos privados, que pueden cerrarse si la víctima retira la denuncia.

En segundo lugar, las autoridades rusas, que estaban al tanto de las graves violencias y malos tratos que sufría la Sra Volodina, no adoptaron media alguna para protegerla o para sancionar al autor, de forma que su pasividad permitió la continuación de las amenazas y agresiones con total impunidad.

Además, Rusia es uno de los raros Estados cuya legislación no ofrece a las víctimas de violencia doméstica ninguna medida como las órdenes de alejamiento.

En tercer lugar, Rusia incumplió su obligación de investigar los actos de malos tratos.

El TEDH también aprecia **vulneración del art. 14 combinado con el art. 3 CEDH**. En este punto el TEDH observa que la violencia doméstica afecta de una forma desproporcionada a las mujeres en Rusia. Constatada la presencia de un desequilibrio estructural masivo, no es preciso que la demandante pruebe que ella misma también ha sido lesionada.

A pesar de la naturaleza generalizada del problema, las autoridades rusas no han adoptado medidas generales para luchar contra el trato discriminatorio de las mujeres y protegerlas contra los malos tratos y la violencia doméstica.

Con la tolerancia durante años de un clima propicio a la violencia doméstica, las autoridades rusas han incumplido la obligación de garantizar las condiciones de una igualdad real entre sexos que permita a las mujeres vivir sin miedo a los malos tratos o a los atentados contra su integridad física y gozar de la misma protección legal que los hombres.

En el voto particular de Paulo Pinto a Volodina, *se destacan las cuatro contribuciones de interés de esta sentencia:*

1) **La interpretación del CEDH con perspectiva de género**, que reconoce las "desigualdades de hecho entre mujeres y hombres" y se esfuerza por lograr una igualdad de género efectiva y sustantiva respondiendo a las vulnerabilidades particulares de las víctimas de violencia doméstica. Para ello es necesario tener en cuenta los estereotipos de género que definen percepciones, relaciones e interacciones entre hombres y mujeres dentro de las sociedades para identificar las desventajas reales que sufren las mujeres (Vid. Valiuliene, F.111).

2) **La obligación de luchar contra la violencia de género como costumbre de derecho internacional.** La naturaleza particularmente humillante de la violencia doméstica, cuyo objetivo es degradar la dignidad de las mujeres a través de la "violencia física, sexual, psicológica o económica", supone la aplicación de la prohibición de la tortura, los tratos inhumanos o degradantes en virtud del artículo 3 CED

3) **La ponderación de instrumentos de "soft law":** además del Convenio de Estambul, que no vincula a Rusia, el TEDH tiene en cuenta para interpretar el CEDH las conclusiones e informes de: Comité de la CEDAW, el Relator Especial de NU sobre tortura y otros tratos crueles, inhumanos y degradantes, y el Relato Especial de NU sobre violencia contra la mujer.

4) **El uso de las estadísticas para identificar el problema estructural subyacente de la violencia doméstica en Rusia.**

Al contrario, ese mismo Voto particular subraya *los tres aspectos negativos de Volodina,* que resumimos como sigue:

1) **La violencia doméstica en Volodina es tortura:** y no solo trato degradante. En STEDH 13 diciembre 1977, Caso *Irlanda c. Reino Unido*, el TEDH distinguió la tortura del trato inhumano o degradante al establecer que la tortura consiste en «un trato inhumano deliberado que causa un sufrimiento muy grave y cruel»», y en Volodina concurren todos los elementos para calificar los hechos como tortura.

La distinción entre tortura y trato inhumano es crucial en el contexto de la violencia doméstica. Si el Estado se enfrenta a una condena por permitir que sus mujeres sean sometidas a tortura, la obligación positiva de proteger es aún más estricta. Además, el Estado tendrá un nivel más alto de responsabilidad cuando se trate de otorgar daños y reparaciones apropiadas a la víctima.

2) **El test Osman no funciona en casos de violencia doméstica:** El voto particular de Paulo Pinto reitera esta idea en Valiuliene y en Volodina, como ya hemos apuntado con anterioridad. En síntesis, si un Estado sabe o debería saber que una parte de su población, como las mujeres, está sujeta a violencia reiterada y no evita que el daño recaiga sobre los miembros de ese grupo de personas cuando se enfrentan a un riesgo presente (pero aún no inminente), el Estado puede ser considerado responsable por omisión, de las violaciones de derechos humanos resultantes.

A diferencia del test Osman en casos de violencia doméstica, la inmediatez del riesgo no ha de ser exigible para generar la obligación positiva del Estado, pues ello frustraría la mayor parte de las veces todas las posibilidades de protección eficaz. Como bien argumenta Paulo Pinto *"la recurrencia y la escalada inherentes en la mayoría de los casos de violencia doméstica hacen que sea de alguna manera artificial, incluso perjudicial, exigir una inmediatez del riesgo".*

3) **Necesidad de mandatos claros a los Estados condenados conforme al art. 46 CEDH.** En concreto, el voto particular señala los 3 puntos que debe cumplir un Estado para ser respetuoso con el CEDH en materia de violencia doméstica:

   – La violencia doméstica debe tipificarse como *delito autónomo.*

   – La ley debe equiparar el *castigo de la violencia doméstica con el de las formas más graves maltrato agravado.* La clasificación de la violencia doméstica como un delito menor o administrativo no hace justicia al daño grave sufrido por las mujeres que sufren violencia doméstica.

– La ley debe reflejar *el "interés público" en el enjuiciamiento* de la violencia doméstica, incluso en los casos en que las mujeres eligen no presentar una denuncia o posteriormente retirar una denuncia.

3.2.4. *Proyección en España: la violencia sobre la mujer en España. Casos de interés. Presunción de inocencia y derechos de la víctima*

En el presente epígrafe veremos, en primer lugar, la evolución legislativa del régimen jurídico de la violencia doméstica y de género en España; en segundo lugar, comentaremos tres casos emblemáticos, por recientes y por significativos en el tema que nos ocupa; y finalmente abordaremos el delicado equilibrio entre derechos de la víctima y la presunción de inocencia del acusado en el seno del proceso penal, para formular una serie de conclusiones propositivas en ese ámbito.

En el derecho español los primeros avances legislativos en materia de lucha contra la violencia de género, se iniciaron con la Ley Orgánica 11/2003, de 29 de septiembre, de Medidas Concretas en Materia de Seguridad Ciudadana, Violencia Doméstica e Integración Social de los Extranjeros; la Ley Orgánica 15/2003, de 25 de noviembre, por la que se modifica la Ley Orgánica 10/1995, de 23 de noviembre, del Código Penal, o la Ley 27/2003, de 31 de julio, reguladora de la Orden de Protección de las Víctimas de la Violencia Doméstica; además de las leyes aprobadas por diversas Comunidades Autónomas, dentro de su ámbito competencial.

Sin embargo, fue la **LO 1/2004, de 28 de diciembre** la que introdujo las **medidas de protección integral contra la Violencia de Género**, modificando en su Título IV (arts. 33-42) el Código Penal, para introducir tipos específicos que protegen a las mujeres contra las lesiones (art. 148 CP), los malos tratos (art. 153 CP), las amenazas (art. 171.4,5 y 6 CP) las coacciones (art. 172.2 CP), el quebrantamiento de condena (art. 468 CP), las vejaciones leves (art. 620 CP —en la actualidad prevista en el art. 173.4 CP—). Con dicha ley se crearon los juzgados de Violencia Sobre la mujer, competentes para conocer de la instrucción de los procesos para exigir responsabilidad penal por los delitos recogidos en los títulos del Código Penal relativos a homicidio, aborto, lesiones al feto, delitos contra la libertad, delitos contra la integridad moral, contra la libertad e indemnidad sexuales o cualquier otro delito cometido con violencia o intimidación, siempre que se hubiesen cometido contra quien sea o haya sido su esposa, o mujer que esté o haya estado ligada al autor por análoga relación de afectividad, aun sin convivencia, así como de los cometidos sobre los descendientes, propios o de la esposa o conviviente, o sobre los menores o incapaces que con él convivan o que se hallen sujetos a la potestad, tutela, curatela, acogimiento o guarda de hecho de la esposa o conviviente, cuando también se haya producido un acto de violencia de género, de los delitos contra los derechos y deberes familiares, de la adopción de órdenes de protección a las víctimas y de determinados procesos civiles de naturaleza familiar, cuando —entre otros requisitos (vid. art. 87 ter LOPJ)— cuando se hayan iniciado ante el Juez de Violencia sobre la Mujer actuaciones penales por delito a consecuencia de un acto de violencia sobre la mujer, o se haya adoptado una orden de protección a una víctima de violencia de género.

El carácter integral de la LOVIGE, supone que la misma contemple medidas de sensibilización prevención y detección, en el ámbito educativo, de publicidad, sanitario (art. 3-16); establezca un catálogo de derechos de las mujeres victimas de violencia de género (arts. 17-28) y garantice la tutela institucional con órganos especializados como el observatorio estatal de VIMU y la Delegación Especial del Gobierno contra la VIMU.

Además, la ley contempla una serie de medidas judiciales de protección y seguridad de las víctimas (arts. 61-69), como las órdenes de protección, las medidas de salida del domicilio, etc.

La **LOVIGE fue validada por el TC, destacando las STC 59/2008,** de 14 de mayo, la STC 49/2009, de 19 de febrero y la STC 127/2009, de 26 de mayo, entre otras. En ellas se resolvieron numerosas cuestiones de inconstitucionalidad por establecer la LOVIGE tipos penales agravados en función del "sexo" de la víctima y del agresor. En dichas sentencias se razona que *"No resulta irrazonable entender, en suma, que en la agresión del varón hacia la mujer que es o fue su pareja se ve peculiarmente dañada la libertad de ésta; se ve intensificado su sometimiento a la voluntad del agresor y se ve peculiarmente dañada su dignidad, en cuanto persona agredida al amparo de una arraigada estructura desigualitaria que la considera como inferior, como ser con menores competencias, capacidades y derechos a los que cualquier persona merece".*

El TC marca con claridad la distinción sexo y género: "Como el término *'género' que titula la Ley y que se utiliza en su articulado pretende comunicar, no se trata una discriminación por razón de sexo. No es el sexo en sí de los sujetos activo y pasivo lo que el legislador toma en consideración con efectos agravatorios, sino —una vez más importa resaltarlo— el carácter especialmente lesivo de ciertos hechos a partir del ámbito relacional en el que se producen y del significado objetivo que adquieren como manifestación de una grave y arraigada desigualdad.* **La sanción no se impone por razón del sexo del sujeto activo ni de la víctima ni por razones vinculadas a su propia biología. Se trata de la sanción mayor de hechos más graves, que el legislador considera razonablemente que lo son por constituir una manifestación específicamente lesiva de violencia y de desigualdad".**

Sin embargo, **15 años después de la LO 1/2004, la realidad continúa siendo desoladora**[321]. El número de víctimas mortales de violencia de género fue de 72 en 2004, de 73 en 2010, y de 48 en 2018. El número medio de denuncias recibidas van desde 126.293 en 2007 a 142.993 en 2016, con una media diaria que de 346 a 391 en el mismo período.

El total de víctimas de violencia de género, entre 2011 y 2016 va desde 32.242 a 28.281, esto es, una disminución en 5 años del 12,3%.

Todo ello evidencia que **queda aún mucho por hacer**, y que la **respuesta penal, aún cuando necesaria, no es por si sola suficiente** para afrontar una realidad que se halla empapada de estereotipos de género culturalmente aceptados de forma generalmente inconsciente, con la consiguiente asignaciones de roles, actitudes y valoraciones hacia las mujeres, que parten de una educación con valores patriarcales.

Como muestras de ese largo camino que aún queda por recorrer, **traeremos a colación tres casos** que han trascendido internacionalmente, y que nos limitaremos a reseñar y comentar con suma brevedad. Su importancia deriva de que revelan la necesidad de implementar medidas de formación en todos los ámbitos institucionales que tratan con la violencia de género,

---

[321] Vid. X Informe Anual del Observatorio Estatal de violencia sobre la mujeres de 2016. Puede consultarse en: http://www.violenciagenero.igualdad.mpr.gob.es/violenciaEnCifras/observatorio/informesAnuales/informes/cap_X/Cap2_2016.pdf

desde la policía, pasando por la judicatura y los servicios sociales, y terminando por los particulares.

El primer de ellos es el **Caso de Ángela González Carreño**, que fue objeto de la Comunicación nº (CEDAW/C/58/D/47/2012), emitida conforme al art. 7 del Protocolo Facultativo[322].

Se trata de un caso en que la denunciante se separó por malos tratos de su marido, F.R.C, y tras la separación siguió siendo objeto de acoso e intimidación por el marido, incluidas amenazas de muerte. Los episodios de violencia y amenazas fueron numerosos, de forma que la autora interpuso entre diciembre de 1999 y noviembre de 2001 hasta 30 denuncias ante la Guardia Civil, solicitando reiteradamente el alejamiento del agresor respecto de ella y su hija. También solicitó un régimen de visitas vigilado. El agresor incumplió además la obligación de abonar la pensión de alimentos para la menor en reiteradas ocasiones.

En el marco del procedimiento sobre la guardia y custodia de la menor, la madre hizo valer que las visitas con su padre le estaban afectando negativamente. En 2001, el Juzgado de PI nº 1 de Navalcarnero estableció un régimen de visitas provisional bajo vigilancia de los servicios sociales. En el centro de los servicios sociales, un informe de una trabajadora social sugirió aumentar la interacción padre-hija en otro contexto, a lo que se opuso la Sra. González. Finalmente, en noviembre de 2001 se dictó sentencia de separación que, ignorando las múltiples denuncias por maltrato, acordó un régimen de visitas vigilado, de forma temporal, por un período de 3 meses, disponiendo su gradual ampliación en función de la conducta del marido. A pesar de los continuos incidentes violentos protagonizados por F.R.C. durante el año y medio de visitas vigiladas, el Juzgado núm. 1 de Navalcarnero emitió una orden el 6 de mayo de 2002 autorizando las visitas no vigiladas. El 24 de abril de 2003, tres años después de que la autora solicitara el uso de la vivienda familiar, tuvo lugar una audiencia judicial por este asunto. Al término de la misma, cuando la autora salía del edificio, F.R.C. se acercó a ella y le dijo que le quitaría lo que más quería. En la tarde de ese mismo día la autora acudió a los servicios sociales con Andrea para la visita prevista con su padre. Cuando acudió a recogerla horas más tarde

---

[322] Puede consultarse en: http://web.icam.es/bucket/Dictámen%20CEDAW%20Ángela%20González%20Carreño.pdf

no habían llegado. Después de esperar durante una hora, y ante la falta de respuesta de F.R.C. a sus llamadas telefónicas, la autora acudió a la policía a denunciar los hechos y pedir que un agente se personara en el domicilio de F.R.C. Cuando los agentes se personaron en el domicilio encontraron los cuerpos sin vida de Andrea y F.R.C. Este tenía un arma en la mano. La investigación policial concluyó que F.R.C. había disparado a la niña antes de darse la muerte. El 12 de junio de 2003 el Juzgado de Instrucción núm. 3 de Navalcarnero exoneraba a F.R.C. de responsabilidad penal por la muerte de Andrea al haber cometido suicidio.

La Sra. González reclamó ante el Estado por anormal funcionamiento de la administración de justicia, alegando negligencia por las autoridades administrativas y judiciales. Sus demandas fueron desestimaran en todas las instancias, y acudió en amparo al TC, que desestimó su demanda por no presentar relevancia constitucional.

El Comité concluye que España ha infringido los derechos de la autora y su hija fallecida en virtud de los artículos 2 a), b), c), d), e) y f); 5 a); y 16, párrafo 1 d), de la CEDAW, leídos conjuntamente con el artículo 1 de la Convención y la recomendación general núm. 19 del Comité, y formula al Estado parte las siguientes recomendaciones:

- *Con respecto a la autora de la comunicación:*

  - Otorgar a la autora una reparación adecuada y una indemnización integral y proporcional a la gravedad de la conculcación de sus derechos.

  - Llevar a cabo una investigación exhaustiva e imparcial con miras a determinar la existencia de fallos en las estructuras y prácticas estatales que hayan ocasionado una falta de protección de la autora y su hija.

- *En general*

  - Tomar medidas adecuadas y efectivas para que los antecedentes de violencia doméstica sean tenidos en cuenta en el momento de estipular los derechos de custodia y visita relativos a los hijos, y para que el ejercicio de los derechos de visita o custodia no ponga en peligro la seguridad de las víctimas de la violencia, incluidos los hijos. El interés superior del niño y el derecho del niño a ser escuchado deberán prevalecer en todas las decisiones que se tomen en la materia.

– Reforzar la aplicación del marco legal con miras a asegurar que las autoridades competentes ejerzan la debida diligencia para responder adecuadamente a situaciones de violencia doméstica.

– Proporcionar formación obligatoria a los jueces y personal administrativo competente sobre la aplicación del marco legal en materia de lucha contra la violencia doméstica que incluya formación acerca de la definición de la violencia doméstica y sobre los estereotipos de género, así como una formación apropiada con respecto a la Convención, su Protocolo Facultativo y las recomendaciones generales del Comité, en particular la recomendación general núm. 19.

El segundo caso es un supuesto de **multidiscriminación, por razón de género, raza y profesión**: **STEDH 24 julio 2012, Caso B.S. C. España.** En este caso España fue condenada por violación del art. 3 y del art. 3 en relación con el art. 14 CEDH. Se trata de un supuesto de una mujer nigeriana que ejercía la prostitución y que denunció que fue objeto de maltrato por la policía mientras ejercía la prostitución en las afueras de Palma de Mallorca. Denunció que fue discriminada a causa de su profesión de prostituta, su color de piel y por el hecho de ser mujer, como lo demuestran los comentarios racistas realizados por los agentes de policía en violación del artículo 14 en relación con el artículo 3 CEDH. Ella afirmó que otras mujeres en la misma área que realizaban la misma actividad pero con un "fenotipo europeo" no habían sido detenidas por la policía.

El TEDH rechaza los argumentos del Gobierno, que sostiene la levedad de las lesiones, y adopta tácitamente una perspectiva de género de la citada violación. Concluye que, si bien las lesiones sufridas por la denunciante no son graves, cuando se combinan con las expresiones racistas y degradantes proferidas por los oficiales de policías, revisten la gravedad suficiente para superar el umbral necesario para la aplicación del art. 3 CEDH. Por otro lado, el TEDH considera que las resoluciones de los tribunales españoles obviaron la vulnerabilidad particular de la denunciante, derivada de ser mujer, africana y de trabajar como prostituta. De ello se sigue, conforme al TEDH, que las autoridades no cumplieron con su deber derivado del art. 3 y 14 CEDH, por el que debían adoptar las medidas posibles para determinar si una actitud discriminatoria fue decisiva en el devenir de los hechos. A pesar de que el TEDH podría haber solventado el caso desde la óptica de las obligaciones procesales derivadas del art. 3 CEDH, hay que subrayar que puso un especial énfasis en la discriminación por razón de raza y sexo bajo la égida del art. 14 CEDH.

Más recientemente, el caso de **"la manada" y otros varios**[323], han atraído la atención de la **Relatora Especial sobre la Violencia contra la mujer de Naciones Unidas** del Grupo de Trabajo sobre la cuestión de la discriminación contra la mujer en la legislación y en la práctica, de conformidad con las resoluciones 32/19 y 32/4 del Consejo de Derechos Humanos.

En este conocido caso, los hechos consistieron, en una apretada síntesis, en que el 7 de julio de 2016, en la ciudad de Pamplona, donde se estaba celebrando un concierto con motivo de las fiestas de San Fermín, la denunciante tuvo contacto con los denunciados en la Plaza del Castillo y posteriormente se desplazaron al portal de un inmueble, lugar donde sufrió una actuación atentatoria contra su libertad sexual. Según lo determina la sentencia de la Audiencia Provincial de Navarra en la descripción de los hechos probados, los acusados conocieron y aprovecharon la situación de la denunciante en el cubículo al que fue llevada para realizar con ella diversos actos de naturaleza sexual, con ánimo libidinoso, actuando de común acuerdo. Durante el desarrollo de los hechos dos de los acusados grabaron videos y tomaron fotos con sus teléfonos móviles sin el consentimiento de la denunciante, y sin que estos le manifestaran que estaban captando imágenes. La denunciante sostuvo en sus declaraciones que fue obligada a realizar diversos actos de naturaleza sexual con los acusados y que estos se valieron de su superioridad física y numérica y de la imposibilidad de la denunciante de ejercer resistencia ante el temor a sufrir un daño mayor y la imposibilidad de huir del lugar. En el acto de juicio oral, la denunciante describió la vivencia de los hechos como una situación de bloqueo psicológico —estado de shock— en el que no podía pensar y en consecuencia reaccionar. La AP no calificó los hechos como agresión sexual, al no consi-

---

[323] Sentencia No. 00022/2018 –Audiencia Provincial Sección N. 3 Zaragoza -2018; Sentencia No. 00010/2017 – Sala Civil y Penal del Tribunal Superior de Justicia del principado de Asturias -2017; Sentencia No. 77/2017 –Audiencia Provincial de Cantabria (Sección Tercera) 2017, Sentencia No. 776/2015 –Tribunal Supremo, Sala de lo Penal, Madrid-2015.

derar probada la violencia o la intimidación y entendió, sin embargo, que se dio un abuso sexual con prevalimiento, previsto en el art. 181.3 CP.

El TS, en su STSJ nº 344/2019, de 4 de julio, casó la sentencia del TSJ, que había desestimado el recurso de apelación y condeno a los autores por un delito continuado de violación del art. 178 y 179 CP con las agravaciones específicas del art. 180.1.1 y 2 a las penas de prisión de 15 años a cada uno, entre otras. Sobre la existencia de intimidación (negada en instancia y apelación), la Sala II razona que (vid. FJ 5º, Rec. del Ministerio Fiscal):

"la situación descrita en el relato fáctico conlleva en sí misma un fuerte componente intimidatorio: el ataque sexual a una chica joven, tal y como era la víctima que solo contaba con 18 años de edad, y en un lugar solitario, recóndito, angosto y sin salida, al que fue conducida asida del brazo por dos de los acusados y rodeada por el resto, encontrándose la misma abordada por los procesados, y embriagada, ello sin duda le produjo un estado de intimidación, que aunque no fuera invencible, sí era eficaz para alcanzar el fin propuesto por los acusados, que paralizaron la voluntad de resistencia de la víctima, tal y como describe el relato fáctico, sin que en momento alguno existiera consentimiento por parte de la misma, y sin que sea admisible forzar el derecho hasta extremos de exigir de las víctimas actitudes heroicas que inexorablemente las conducirán a sufrir males mayores, como ha dicho esta Sala en múltiples ocasiones."

En el citado informe de la Relatora Especial sobre la Violencia contra la Mujer de 20 de junio de 2019, se pide al Estado Español que "indique las medidas específicas han sido tomadas por el Estado para asegurar que los operadores de justicia implementen la legislación de forma no discriminatoria y sin recurrir a prejuicios y estereotipos de género que en la práctica obstaculizan a las mujeres el acceso a la justicia."

Y también se pide proporcionar información sobre las medidas adoptadas para asegurar que las cuestiones de género son integradas en los programas de formación de los miembros de la judicatura y otros operadores de justicia.

En general, en dicho informe se muestra la preocupación porque *"los estereotipos y prejuicios de género así como la ausencia de una perspectiva de género y de un análisis interseccional de la discriminación contra la mujer obstaculicen el acceso a la justicia por parte de las mujeres y niñas víctimas de delitos sexuales impidiéndoles obtener un recurso efectivo"*.

Por otro lado, el centro de atención social se ha centrado, al socaire de casos mediáticos como el de "la manada" en el proceso penal, revelando

manifestaciones sociales de descontento con la motivación de las sentencias y los estándares en la valoración de la prueba que han cristalizado en el lema *"yo sí te creo"*. Se denuncia así la existencia de estereotipos de género que contaminan el juicio racional valorativo de la prueba y que impregnan las motivaciones probatorias de arbitrariedad.

En este punto cabe incidir en **la necesidad de encontrar el justo equilibrio entre presunción de inocencia, *in dubio pro reo* y el derecho al acceso a la justicia de las víctimas**[324].

La indivisibilidad e interdependencia de los derechos humanos impide que unos puedan realizarse vulnerando los otros, por lo que ni puede garantizarse el derecho de las víctimas al acceso a la justicia a costa de la presunción de inocencia y el *in dubio pro reo*, ni, al contrario; tampoco puede sacrificarse el derecho de las víctimas en aras de una presunción de inocencia hipertrofiada que desborde sus límites naturales y se asiente en exigencias de suficiencia probatoria en que la victimización secundaria o la "inquisición" sobre la víctima supongan un efecto disuasorio en el ejercicio de sus derechos.

Muestra de esta **interdependencia entre los derechos de la víctima y la presunción de inocencia**, se da en el régimen de los procesos penales de violencia de género, que establece el Convenio de Estambul de 11 de mayo de 2011, en cuyo art. 49.2 dispone que (el subrayado es nuestro): "Las Partes adoptarán las medidas legislativas o de otro tipo necesarias, *de conformidad con los principios fundamentales de los derechos humanos* y teniendo en cuenta la perspectiva de género en este tipo de violencia, *para garantizar una investigación y un procedimiento efectivos por los delitos previstos en el presente Convenio*".

Por tanto la **garantía de la eficacia de la investigación y el procedimiento en los delitos de violencia de género encuentra,** como no podía ser de otro modo, su **límite en el resto de los derechos humanos, entre ellos la presunción de inocencia.**

---

[324] RAMÍREZ ORTIZ, J. L. "El testimonio único de la víctima en el proceso penal desde la perspectiva de género": Quaestio facti. Revista internacional sobre razonamiento probatorio Vol. 1 | 2019 1-46 (paginación provisional). Madrid, 2019.

En este sentido, conviene subrayar que **el art. 54 Convenio Estambul**, dispone que "*Las Partes adoptarán las medidas legislativas o de otro tipo necesarias para que en cualquier procedimiento, civil o penal, las pruebas relativas a los antecedentes sexuales y al comportamiento de la víctima no sean admitidas salvo que sea pertinente y necesario*".

Se pretende así **evitar que en los procesos de violencia de género se conviertan en un "juicio a la víctima"**, a menudo nutrido de estereotipos de género inadmisibles: la promiscuidad de la víctima como elemento de duda sobre el consentimiento, la personalidad de la víctima, su modo de vestir, etc.

Hay que recordar que con gran frecuencia en los procesos de violencia de género, más aún tratándose de los supuestos de delitos contra la libertad o indemnidad sexuales, suele existir un testigo único de los hechos, que no es otro que la propia víctima.

En este sentido, la doctrina clásica ha admitido que **la testifical de la víctima** cuando es la única prueba, **pueda ser suficiente para enervar la presunción de inocencia,** exigiendo para ello la concurrencia de las siguientes notas o requisitos:

1) *Ausencia de incredibilidad subjetiva,* derivada de las relaciones acusador/acusado, que pudieran conducir a la deducción de la existencia de un móvil de resentimiento, enemistad, venganza, enfrentamiento, interés o de cualquier índole que prive a la declaración de la aptitud necesaria para generar certidumbre.

2) Verosimilitud, es decir, constatación de la concurrencia de corroboraciones periféricas de carácter objetivo, que avalen lo que no es propiamente un testimonio – declaración de conocimiento prestada por una persona ajena al proceso – sino una declaración de parte, en cuanto que la víctima puede personarse como parte acusadora particular o perjudicada civilmente en el procedimiento (artículo 109 y 110 de la Ley de Enjuiciamiento Criminal); en definitiva, es fundamental la constatación objetiva de la existencia del hecho.

3) *Persistencia en la incriminación;* ésta debe ser prolongada en el tiempo, plural, sin ambigüedades ni contradicciones, pues constituyendo la única prueba enfrentada a la negativa del acusado, que proclama su inocencia, prácticamente la única posibilidad de evitar la indefensión

de éste es permitirle que cuestione eficazmente dicha declaración, poniendo de relieve aquellas contradicciones que señalen su inveracidad[325].

Como colofón a lo expuesto ha reconocido reiteradamente tanto el Tribunal Constitucional como el Tribunal Supremo[326], que las declaraciones de la víctima o perjudicado tiene valor de prueba testifical siempre que se practiquen con las debidas garantías, y también que son hábiles, por sí solas, para desvirtuar la presunción constitucional de inocencia[327] y de manera específica en los delitos contra la libertad sexual, en los que por las circunstancias en que se cometen no suele concurrir la presencia de otros testigos (SSTS de 28 de enero y 15 de diciembre de 1995).

De no aceptarse la declaración de la víctima como prueba de cargo suficiente para enervar el principio de presunción de inocencia, con los requisitos expuestos, se llegaría a la más absoluta impunidad de innumerables ilícitos penales, y así específicamente en los delitos que normalmente se desenvuelven bajo el absoluto secreto, en parajes o lugares solitarios, buscados o aprovechados por el agente para la realización o, cuando menos facilitación del proyecto criminoso concebido[328].

Siendo ésta la doctrina clásica del TS (II), más recientemente la Sala II ha parecido decantar con sus STS 2003/2018, de 24 de mayo y STS 2182/2018, de 13 de junio, hacia la **consideración de la víctima como un testigo cualificado o privilegiado,** lo que ha sido objeto de crítica por parte de la doctrina. En efecto, una cosa es no victimizar secundariamente al testigo-víctima y no convertir el juicio penal en un "juicio a la víctima", (que es lo que pretende el Convenio de Estambul), pero otra bien distinta

---

[325] (SSTS de 28 de septiembre de 1.988, 26 de mayo y 5 de junio de 1.992, 8 de noviembre de 1994, 27 de abril y 11 de octubre de 1995, 3 y 15 de abril de 1996 y 29 de diciembre de 1.997); STC de 28 de febrero de 1994).

[326] (SSTC 201/1989, 173/1990 o 229/1991; SSTS de 21 de enero, 18 de marzo o 25 de abril de 1988, 16 y 17 de enero de 1991, entre otras muchas)

[327] (SSTS de 19 y 23 de diciembre de 1991, 26 de mayo y 10 de diciembre de 1.992, 10 de marzo de 1993).

[328] (STC de 28 de noviembre de 1.991 y SSTS de 8 de julio de 1991, 25 de mayo, 8 de junio, 8 de julio, 9 de septiembre y 28 de octubre de 1992, así como la de 17 de noviembre y 26 de mayo de 1993).

es privilegiar un determinado tipo de testigo, dotándole de una presunción de credibilidad incompatible con la presunción de inocencia.

Sin embargo, **dicha doctrina no está exenta de riesgos** en un **proceso regido por la presunción de inocencia,** en el que no puede haber víctima, en sentido propio, hasta que así lo afirme una sentencia firme, y tras un proceso con todas las garantías[329], y ello sin perjuicio de los derechos asistenciales, sociales o laborales que quien afirma ser víctima de un delito de violencia de género pueda tener.

En este sentido, si bien es cierto que el TEDH ha sostenido, entre otros en Falk c. Países Bajos que "*El **derecho de todo acusado a la presunción de inocencia** y a que la acusación soporte la carga de probar las acusaciones formuladas contra él no es absoluto en un sistema jurídico que prevea presunciones de hecho o de derecho, que no están prohibidas, en principio, por el Convenio* (DTEDH 19 octubre 2004, Caso Falk c. Países Bajos), con lo que se admiten presunciones de hecho "razonables" sin que se vulnere la presunción de inocencia; sin embargo, nuestro **TC ha prohibido las presunciones de hecho sobre elementos constitutivos del delito o de la autoría:**

> *"En ningún caso el derecho a la presunción de inocencia tolera que alguno de los elementos constitutivos del delito se presuma en contra del acusado, sea con una presunción iuris tantum sea con una presunción iuris et de iure» (por todas, STC 92/2006, de 27 de marzo, F. 2, STC 87/2001, de 2 de abril, F. 8). Como recientemente ha sostenido en la STC 8/2006, de 16 de enero, F. 2, no cabe condenar a una persona sin que tanto el elemento objetivo como el elemento subjetivo del delito cuya comisión se le atribuye hayan quedado suficientemente probados, por más que la prueba de este último sea dificultosa y que, en la mayoría de los casos, no quepa contar para ello más que con la existencia de prueba indiciaria."*

En este punto, cabe sostener, que **nuestro derecho es más garantista que el estándar fijado por el TEDH, por lo que, conforme al art. 53 del propio CEDH, es el estándar nacional el que debe prevalecer.**

De esta forma, si en nuestro derecho no puede establecerse norma alguna que establezca una presunción *iuris et de iure o iuris tantum* sobre la

---

[329] RAMÍREZ ORTIZ, J. L. "El testimonio único de la víctima en el proceso penal desde la perspectiva de género" Boletín Comisión Penal de Juezas y Jueces para la Democracia. Perspectiva de Género en el Proceso Penal. Volumen 2. 10 diciembre 2018.

culpabilidad o la autoría del acusado, tampoco ocurre ello en materia de violencia de género.

Por ello, establecer una presunción de credibilidad del testigo-víctima (y de cualquier otro medio de prueba), excluyéndola de todo análisis racional y accediendo al cuadro valorativo revestida de dicha presunción, pugnaría con la presunción de inocencia.

Por tanto, no cabe la presunción de veracidad, ni en el caso de las víctimas de violencia ni en el de otros testigos (señaladamente los miembros de los cuerpos policiales), a los que se atribuye en ocasiones una credibilidad acrítica.

Como conclusión, en mi opinión, en aras de lograr el difícil y justo equilibrio entre los derechos de la víctima y la presunción de inocencia que ha de regir todo proceso penal, **lo que reclama el Convenio de Estambul y el cumplimiento del deber del estado de garantizar el acceso de las víctimas a la justicia**, puede tener diversas plasmaciones prácticas en el proceso penal:

1) En la admisión de pruebas: un **aumento del rigor en la apreciación de la necesidad, —incluso pertinencia— de pruebas que tengan "por objeto "a la víctima** (periciales del testimonio, testificales sobre conducta sexual previa o posterior) y que sean innecesarias para que el acusado pueda ejercitar con plenitud su derecho de defensa, provocando además una victimización secundaria tan evidente como innecesaria.

2) **Una revisión del estándar de razonabilidad de la duda en la aplicación del** *in dubio pro reo* como paradigma de valoración de la prueba en el proceso penal. Las dudas han de ser, en efecto, razonables, para que ante pruebas de cargo y descargo la sentencia decante una absolución. Es precisamente ahí donde los estereotipos de género (y cualquier otro), destruyen la razonabilidad de la duda. De este modo, una duda asentada en un estereotipo resulta una motivación arbitraria. Ejemplos de sobra conocidos (referencias a la ropa de la víctimas como indicios del consentimiento para mantener relaciones sexuales). Probablemente sea éste el campo que mayor recorrido ofrece en materia de perspectiva de género.

3) **Una mayor diligencia en las investigaciones**, para lograr elementos probatorios periféricos corroborantes de la versión de la víctima,

cuando ésta es testigo único, como la consignación de testificales indirectas que puedan apuntalar la fiabilidad del testimonio.

4) En el **ámbito de la instrucción y de las órdenes de protección**, resulta sumamente interesante la **revisión del test Osman** que propone Paulo Pinto, en relación con la valoración objetiva del riesgo para la víctima que se exige por el art. 544 ter LECRim, puesto que **dicho riesgo objetivo no exigiría la concurrencia de la inminencia** de su materialización como requisito para la adopción de la orden, sino que sería suficiente con la **mera presencia** de ese riesgo objetivo.

5) **Un contraste crítico de las testificales únicas y su valoración en otros procesos en que no hay violencia de género**: existen delitos como los hurtos, robos en casa habitada, etc., en que la conducta se desarrolla al abrigo de la intimidad y en los que, sin embargo, el cuestionamiento de la víctima no alcanza, ni mucho menos, las cotas propias y habituales de los delitos contra la libertad sexual, lo que reclama una seria reflexión sobre la incidencia de los estereotipos en el cuestionamiento de la veracidad de las testificales, más allá incluso de lo que exige la presunción de inocencia o la igualdad de armas en el proceso penal.

3.2.5. *Índice de casos*

STEDH 13 diciembre 1977, Caso Irlanda c. Reino Unido
STEDH 5 marzo 2009, Caso Sandra Jankovic c. Croacia
STEDH 9 junio 2009, Caso Opuz c. Turquía
STEDH 15 septiembre 2009. Caso E.S c. Eslovaquia
STEDH 14 octubre 2010, Caso A. c. Croacia
STEDH 30 noviembre 2010, Caso Hajduová c. Esovaquia
STEDH 24 julio 2012, Caos Dordevic c. Croacia
STEDH 28 mayo 2013, Caso Eremia y otros c. Moldavia
STEDH 16 julio 2013, Caso B. c. República de Moldavia
STEDH 16 julio 2013, Caso Mudric c. República de Moldavia
STEDH 24 septiembre 2013, Caso N.A c. República de Moldavia
STEDH 28 enero 2014, Caso T.M y C.M c. República de Moldavia
STEDH 27 mayo 2014, Caso Rumor c. Italia
STEDH 22 marzo 2016, Caso M.G c. Turquía
STEDH 28 junio 2016, Caso Halime Kilic c. Turquía
STEDH 2 marzo 2017, Caso Talpis c. Italia
STEDH 23 mayo 2017, Caso Balsan c. Rumanía
STEDH 9 julio 2019, Caso Volodina c. Rusia

3.2.6. Bibliografía

COMISIÓN PENAL DE JUEZAS Y JUECES PARA LA DEMOCRACIA. Perspectiva de Género en el Proceso Penal. Volumen 1 y 2. 10 diciembre 2018.

GARCÍA ROCA, J., SANTOLAYA, P. (Coord.) "La Europa de los Derechos. El Convenio Europeo de Derechos Humanos Ed. CEC. 2ª Edición. 2009.

LASAGABASTER HERRARTE, I. "Convenio Europeo de Derechos Humanos. Comentario Sistemático. 2ª edición. Ed. Civitas Thomson-Reuters 2009.

MONEREO ATIENZA, C.; MONEREO PÉREZ, J. L. "La Garantía Multinivel de los Derechos Fundamentales en el Consejo de Europa". Ed. Comares. 2017.

PÉREZ TREMPS, P.; SAIZ ARNAIZ, A., "Comentario a la Constitución Española. 40 aniversario 1979-2018. Libro homenaje a Luis López Guerra. Ed. Tirant Lo Blanch.

PINTO DE ALBUQUERQUE, P. "I Diritti umani in una prospettiva europea. Opinini concrrenti e dissenzienti (2011-2015)". A cura e con un saggio di Davide Galliani prefaziine di Paola Bilancia. Ed. B. Giappichelli Editori-2016.

PRECIADO DOMÈNECH, C.H. "Teoría General de los Derechos Fundamentales en el contrato de Trabajo". Ed. Thomson Reuters-Aranzadi. 2018.

QUERALT JIMÉNEZ, A. "La interpretación de los derechos: del Tribunal de Estrasburgo al Tribunal Constitucional". Ed. CEC. 2008.

RAMÍREZ ORTIZ, J. L. "El testimonio único de la víctima en el proceso penal desde la perspectiva de género": Quaestio facti. Revista internacional sobre razonamiento probatorio Vol. 1 2019 1-46 (paginación provisional). Madrid, 2019.

RAMÍREZ ORTIZ, J. L. "El testimonio único de la víctima en el proceso penal desde la perspectiva de género" Boletín Comisión Penal de Juezas y Jueces para la Democracia. Perspectiva de Género en el Proceso Penal. Volumen 2. 10 diciembre 2018.

RIPOL CARULLA, S., VELÁZQUEZ GARDETA, J. M. y AAVV "España en Estrasburgo. Tres Décadas bajo la Jurisdicción del Tribunal Europeo de Derechos Humanos. Ed. Aranzadi. Primera edición. 2010.

SARMIENTO,D.; MIERES MIRES, L. J.; PRESNO LINERA, M. "Las sentencias básicas del Tribunal Europeo de Derechos Humanos. Ed. Thomson Cititas. 2007.

4. PROHIBICIÓN DE ESCLAVITUD Y TRABAJO FORZADO (ART. 4 CEDH)

Artículo 4 CEDH. Prohibición de la esclavitud y del trabajo forzado
1. Nadie podrá ser sometido a esclavitud o servidumbre.
2. Nadie podrá ser constreñido a realizar un trabajo forzado u obligatorio.
3. No se considera como "trabajo forzado u obligatorio" en el sentido del presente artículo:
a) todo trabajo exigido normalmente a una persona privada de libertad en las condiciones previstas por el artículo 5 del presente Convenio, o durante su libertad condicional;
b) todo servicio de carácter militar o, en el caso de objetores de conciencia en los países en que la objeción de conciencia sea reconocida como legítima, cualquier otro servicio sustitutivo del servicio militar obligatorio;
c) todo servicio exigido cuando alguna emergencia o calamidad amenacen la vida o el bienestar de la comunidad;
d) todo trabajo o servicio que forme parte de las obligaciones cívicas normales.

4.1. CASO J. Y OTROS C. AUSTRIA
(STEDH 17 enero 2017): prohibición de esclavitud, trabajos forzados y trata de personas con dichos fines

4.1.1. Resumen del caso

Decisión de la Fiscalía de cerrar la investigación por presuntos delitos de trata de seres humanos, que habrían sido cometidos en el extranjero por personas extranjeras. Prohibición de esclavitud, servidumbre o trabajos forzados (art. 4 CEDH): violación inexistente.

a) Resumen de los hechos

Las demandantes que son originarias de Filipinas, fueron contratadas en su país para trabajar para diferentes familias en Dubai como empleadas del hogar o niñeras. En julio de 2010 acompañaron a sus empleadores a Austria. Durante su estancia, abandonaron a las familias para las que trabajaban e interpusieron una denuncia ante la policía austriaca, en la que alegaban que eran víctimas de trata de seres humanos y trabajos forzados.

La fiscalía decidió posteriormente archivar la investigación porque los delitos se habían cometido en el extranjero por personas extranjeras. No se había cometido delito alguno en Austria. El tribunal penal regional confirmó la decisión de la fiscalía.

Las demandantes, que consideran que son víctimas de trata de seres humanos, denuncian ante el TEDH que las autoridades austriacas han incumplido las obligaciones positivas que derivan de la vertiente procesal del art. 4 CEDH.

b) Resumen del voto mayoritario

El asunto plantea dos cuestiones. En primer lugar, hay que determinar si las autoridades austriacas han cumplido sus obligaciones positivas de identificar a las demandantes en tanto que potenciales víctimas de trata de seres humanos y de proporcionales asistencia y, en segundo lugar, si dichas autoridades han cumplido su obligación positiva de investigar las infracciones denunciadas.

- *Obligaciones positivas de identificar a las demandantes como víctimas potenciales de trata de seres humanos y de facilitarles asistencia*

Desde que las demandantes se dirigieron a la policía, fueron de inmediato consideradas como víctimas potenciales de trata de seres humanos. Fueron atendidas por policías especialmente formados, su estancia en Austria fue regularizada, otorgándoles un permiso de trabajo y residencia, y se prohibió al registro civil la divulgación de sus datos personales, a fin de que fuera imposible su localización.

En el marco del proceso interno, las demandantes gozaron de la ayuda de una ONG subvencionada por el Estado cuya misión consistía en la ayuda a víctimas de trata de seres humanos.

Las demandantes también recibieron asistencia jurídica, información relativa a las reglas procesales y una ayuda para su integración en Austria. Por tanto, el dispositivo jurídico y administrativo de Austria en materia de protección de víctimas potenciales de trata de seres humanos, es adecuado. Además, las autoridades austriacas adoptaron todas las medidas que razonablemente cabía esperar, dadas las circunstancias del caso.

- *Obligación positiva de investigar las denuncias de trata de seres humanos*

Una vez las demandantes hubieron declarado ante la policía, la fiscalía abrió una investigación, la cual se cerró, porque consideraron que se trataba de la denuncia de un delito imputado a los empleadores de las denunciantes y que no habría tenido lugar en Austria, por lo que no se hallaba en el ámbito de aplicación de las normas jurídicas correspondientes. Según la fiscalía, la infracción denunciada de trata de seres humanos se cometió en el extranjero, y los acusados eran personas extranjeras, por lo que no había interés alguno en juego por parte de Austria. El tribunal penal regional confirmó la decisión de archivar la investigación, precisando que no habría razón alguna para incoar un procedimiento si, de acuerdo con las conclusiones de la fiscalía, una condena no era más probable que una absolución, y que el derecho internacional no impone que se continúe una investigación abierta sobre hechos que habrían sido cometidos en el extranjero.

En cuanto a las obligaciones positivas de Austria, la cuestión que se plantea es la de si este país tenía la obligación de investigar delitos presuntamente cometidos en el extranjero y si la investigación llevada a cabo sobre los hechos acontecidos en Austria fue suficiente. El art. 4 CEDH desde su vertiente procesal no impone a los Estados que asuman una competencia universal sobre los delitos de trata de seres humanos cometidos en el extranjero. El Protocolo de las Naciones Unidas para la prevención, represión y sanción de la trata de personas, en particular de mujeres y niños, no se pronuncia sobre la cuestión de la competencia y la Convención del Consejo de Europa sobre la lucha contra la trata de seres humanos exige solo a los Estados parte que acepten su competencia sobre los delitos cometidos en su propio territorio o contra uno de sus nacionales.

En este caso, Austria tampoco tenía la obligación de investigar sobre la contratación de las demandantes en Filipinas ni sobre la explotación de la que fueron víctimas en los Emiratos Árabes Unidos.

Las demandantes han podido realizar un relato detallado de los hechos a agentes de policía especialmente formados, que han recogido sus declaraciones a lo largo de más de 30 páginas. Partiendo de los hechos relatados por las demandantes, las autoridades han concluido que los mismos no eran constitutivos de delito.

Considerando los hechos conocidos por las autoridades y los elementos de prueba de que disponían, no es arbitrario por su parte concluir que el delito en cuestión no se había cometido. Las autoridades no tuvieron conocimiento de los hechos sino hasta un año después de los hechos ocurridos en Austria, cuando hacía ya mucho tiempo que los empleadores de las denunciantes habían abandonado el país volviendo con toda probabilidad a Dubai.

La única medida que las autoridades podrían haber adoptado además de las ya llevadas a cabo, hubiera sido pedir auxilio judicial internacional a los Emiratos Árabes Unidos para tratar de interrogar a los empleadores de las demandantes por la vía de comisiones rogatorias o de librar un mandato de búsqueda y localización de los mismos. Sin embargo, las autoridades no podían razonablemente esperar poder contrastar la versión de los empleadores de los hechos denunciados, porque no existía ningún acuerdo de cooperación judicial entre Austria y los Emiratos Árabes Unidos. Estas medidas, que habrían sido posibles en teoría, no habrían ofrecido perspectiva razonable alguna de éxito y por tanto era innecesario adoptarlas. En conclusión, en el caso concreto la investigación llevada a cabo por las autoridades austriacas fue suficiente desde la perspectiva del art. 4 CEDH.

Conclusión: no hubo violación del art. 4 (unanimidad).

El TEDH concluye también unánimemente que no se vulneró el art. 3 CEDH. En efecto, el criterio relativo a las obligaciones positivas que la vertiente procesal del art. 3 CEDH impone a los Estados es muy similar al del art. 4. Sin embargo, en el caso concreto, el TEDH ya ha efectuado un examen exhaustivo desde la perspectiva del art. 4 y no ha apreciado violación alguna.

4.1.2. Extractos del voto particular de Paulo Pinto al que se adhirió la Juez Tsotsoria

«I. Introducción (f.1)

"1. Estoy de acuerdo con la Sala, pero no comparto el razonamiento de la sentencia por dos motivos. En primer lugar, no entra a valorar los elementos constitutivos del tipo del delito de trata de seres humanos y sus notas distintivas con la esclavitud, la servidumbre y el trabajo forzado.

En segundo lugar, no analiza adecuadamente las obligaciones internacionales del Estado demandado en el caso concreto.

Este voto particular tiene como propósito lograr esos objetivos, en el marco de una reflexión crítica sobre la respuesta global y regional a la lacra del trabajo forzado y al tráfico de seres humanos con ese fin. La reflexión se desarrollará en el punto de intersección del derecho internacional de los derechos humanos, el derecho internacional del trabajo y el derecho internacional penal y humanitario, con una visión general comparada de los sistemas interamericano, africano, y asiático.

(...)

III. La respuesta regional al trabajo forzado y la trata con ese fin (§§ 22-40)
A. En general (§§ 22-26)

22. El artículo 6 de la CADH prohíbe toda forma de esclavitud, servidumbre involuntaria, trata de esclavos, trata de mujeres y trabajo forzado u obligatorio. En aquellos países en los que la pena establecida para ciertos delitos es la de privación de libertad junto a trabajos forzados, la ejecución de dicha pena impuesta por un tribunal competente está permitida, pero "el trabajo forzado no afectará negativamente la dignidad o la capacidad física o intelectual del prisionero". Este precepto también excluye ciertas formas de trabajo o servicios del significado del trabajo forzado u obligatorio[330]. El Artículo 27.2 no permitía ninguna excepción a esta prohibición, incluso en tiempo de guerra, peligro público u otra emergencia que amenace la independencia o seguridad de un Estado Parte.

23. En el artículo 7 de la Convención Interamericana sobre Tráfico Internacional de Menores, los Estados Partes se comprometieron a adoptar medidas efectivas, de conformidad con su legislación interna, para prevenir y castigar severamente el secuestro, traslado o retención, o el intento de secuestro, traslado o retención, de un menor con fines ilegales o por medios ilegales. Los "fines ilegales" incluyen, entre otros, la prostitución, la explotación sexual, la servidumbre o cualquier otro propósito ilegal ya sea en el Estado de residencia habitual del menor o en el Estado Parte donde se encuentra el menor. "Medios ilegales" incluye, entre otros, el secuestro, consentimiento fraudulento o forzado, la entrega o recepción de pagos o beneficios ilegales para lograr el consentimiento de los padres, personas o instituciones que cuidan al niño, o cualquier otro medio ilegal en el Estado de residencia habitual del menor o en el Estado Parte donde se encuentra el menor. La conducta con fines ilegales no exige el empleo de medios ilegales, y viceversa.

24. El artículo 5 de la Carta Africana de los derechos prohíbe todas las formas de explotación y degradación del hombre, en particular la esclavitud, la trata de esclavos,

---

[330] Ver SCIDH 1 julio 2006, Caso de las Masacres de Ituango c. Colombia (f.154-168(que aplicó los criterios del artículo 2 (1) del Convenio núm. 29 de la OIT, y la Comisión Interamericana de Derechos Humanos, Comunidades cautivas: situación de los pueblos indígenas guaraníes y las formas contemporáneas de esclavitud en el Chaco boliviano, OEA/SER.L/v/ii, doc. 58, 24 de diciembre de 2009, p. 27, que se refería a los mismos criterios en sustancia.

la tortura, el castigo y el trato cruel, inhumano o degradante[331]. En una sentencia sobre la práctica consuetudinaria de *wahiya o sadaka,* el Tribunal de Justicia de la Comunidad Económica de los Estados de África Occidental *(TJCEEAO) declaró lo siguiente:*

"En el derecho penal nigeriano, igual que en los instrumentos internacionales, la prohibición y la represión de la esclavitud son absolutas y de orden público. Conforme a lo declarado por la SCJI 5 febrero 1970, Caso Barcelona Traction "la ilegalización de la esclavitud es una obligación erga omnes impuesta a todos los órganos del Estado"[332].

El artículo 15 de la Carta Africana sobre los Derechos y el Bienestar del Niño protegió a todo niño/a frente a cualquier forma de explotación económica y de realizar cualquier trabajo que pueda ser peligroso o interferir con su desarrollo físico, mental, espiritual, moral o social. Además, impuso a los Estados Partes la adopción de todas las medidas legislativas y administrativas apropiadas para garantizar la plena aplicación de este artículo, que abarca tanto el sector formal como el informal del empleo. Teniendo en cuenta las disposiciones pertinentes de los instrumentos de la OIT relacionados con los niños, los Estados Partes deberán, en particular (a) proporcionar, a través de la legislación, salarios mínimos para la admisión a todo trabajo; (b) prever una regulación adecuada de las horas y condiciones de trabajo; (c) establecer penas apropiadas u otras sanciones para garantizar la aplicación efectiva de este Artículo; (d) promover la difusión de información sobre los riesgos del trabajo infantil a todos los sectores de la comunidad. Más recientemente, el artículo 9 de la Carta Árabe de Derechos Humanos prohibió el tráfico de órganos humanos y el tráfico para el uso de experimentación médica y el artículo 10 "todas las formas de esclavitud y tráfico de seres humanos"[333]. *Finalmente, el Artículo 9 (1) (d) de la Convención de la Unión Africana para la Protección y Asistencia de los Desplazados Internos en África amparó el derecho de estas personas a no ser sometidas a trabajo forzado.*

25. El artículo 4 de la Convención de Estados Independientes (CEI) prohíbe la esclavitud, la servidumbre y el trabajo forzado u obligatorio, pero excluye del significado de este término ciertas formas de trabajo o servicio. El artículo 35 no permite ninguna ex-

---

[331] *Ver Asociación Africana de Malawi y otros v. Mauritania,* Comisión Africana de Derechos Humanos y de los Pueblos, Comm. Nos. 54/91, 61/91, 98/93, 164/97 à 196/97 y 210/98 (2000), párr. 135, donde hubo una violación del artículo 5 de la Carta debido a prácticas análogas a la esclavitud. La Comisión enfatizó que el trabajo no remunerado equivale a una violación del derecho al respeto de la dignidad inherente al ser humano.

[332] Tribunal de Justicia de la CEDEAO, Hadijatou Mani Koraou c. República de Níger, ECW/CCJ/JUD/06/08 [(27 de octubre de 2008), párr. 81].

[333] *El Consejo de Ministros Árabes de Justicia en 2005 y el Consejo de Ministros Árabes del Interior en 2006, ya habían aprobado la Ley de orientación árabe sobre la trata de personas (Ley modelo para combatir el delito de trata de personas), que seguía la definición de tráfico contenido en el Protocolo de Palermo.*

cepción al artículo 4 (párrafo 1): la prohibición de la tortura y la servidumbre. La CEI también aprobó el Programa de cooperación para combatir la trata de seres humanos para 2010-2012 y el modelo de legislación de la CEI[334]. En abril de 2012, el Consejo de Europa, la Organización para la Seguridad y la Cooperación en Europa (OSCE), la Asamblea Interparlamentaria de la CEI y el Comité Ejecutivo de la CEI organizaron conjuntamente una mesa redonda sobre la lucha contra la trata de personas. Petersburgo, Federación de Rusia[335]. La Mesa Redonda creó una nueva plataforma para desarrollar la cooperación entre el Consejo de Europa, la OSCE y la CEI, con miras a recopilar e intercambiar buenas prácticas.

El artículo 5 de la Convención de las Naciones Asiáticas contra la trata de personas, especialmente mujeres y niños, que aún no está en vigor, establece la obligación de penalizar la trata de seres humanos con el mismo alcance que el Protocolo de Palermo[336].

26. Los compromisos políticos de la Organización de Cooperación y Seguridad Europea (OSCE) contra la trata, adoptados desde 2000 por consenso en las reuniones anuales del Consejo de Ministros de la OSCE y acordados por los Estados participantes constituyen un marco político integral para la acción contra la trata de seres humanos[337]. En 2003, la OSCE aprobó un Plan de Acción para Combatir la Trata de Seres Humanos y estableció la Oficina y el puesto de Representante Especial y Coordinador para Combatir la Trata de Seres Humanos para ayudar a los Estados participantes a desarrollar e implementar políticas efectivas.

B. En el ámbito de la Unión Europea (§§ 27-31)

27. Dentro de la Unión Europea, la trata de seres humanos se asoció inicialmente con la prostitución forzada y la explotación sexual de menores. El anexo del Convenio[338] Europol ya contenía la siguiente definición de trata con fines de explotación sexual: «trata de seres humanos: significa someter a una persona al dominio real e ilegal de otras personas mediante el uso de violencia o amenazas o mediante el abuso de

---

[334] Los Estados miembros de la CEI son Azerbaiyán, Armenia, Bielorrusia, Kazajstán, Kirguistán, Moldavia, Rusia, Tayikistán y Uzbekistán. Turkmenistán y Ucrania son Estados asociados.

[335] Las Actas de la Mesa Redonda fueron publicadas y están disponibles en línea.

[336] En Asia, la lucha contra la trata de personas se había centrado hasta hace poco en la trata para la prostitución forzada (véase la Convención de la SAARC sobre prevención y lucha contra la trata de mujeres y niños para la prostitución, y la Comisión Económica y Social de las Naciones Unidas para Asia y el Pacífico, Combatir la trata de personas). en Asia: una guía de recursos para instrumentos jurídicos internacionales y regionales, compromisos políticos y prácticas recomendadas, 2003). Como se mencionó anteriormente, este tema queda fuera del alcance de esta opinión.

[337] La OSCE tiene 57 Estados participantes de Europa, Asia Central y América del Norte

[338] Acto del Consejo de 26 de julio de 1995 relativo al establecimiento del Convenio por el que se crea una Oficina Europea de Policía. (Convenio Europol).

autoridad o engaño con la finalidad de explotación de la prostitución, las formas de explotación sexual y la agresión de menores o el comercio de niños abandonados".
28. El 18 de enero de 1996, el Parlamento Europeo adoptó una Resolución sobre la trata de seres humanos. Al año siguiente, el Consejo de la Unión Europea adoptó la **Acción Común 97/154/JAI el 24 de febrero de 1997** *sobre medidas para combatir la trata de seres humanos y la explotación sexual de niños, que se refería a "cualquier comportamiento que facilite la entrada, tránsito, residencia o salida del territorio de un Estado miembro con fines lucrativos con vistas a la explotación sexual o el abuso de los adultos o niños involucrados".*
29. Conforme a la prohibición de la trata de seres humanos establecida en el **artículo 5, apartado 3, de la CDFUE**[339]*, el Consejo de la Unión Europea aprobó la Decisión marco de 19 de julio de 2002 sobre la lucha contra la trata de seres humanos, que sustituyó la Acción común*[340]*. La obligación de criminalizar la trata se basó en el*

---

[339] Según las explicaciones relacionadas con el texto de la Carta del Praesidium a la Convención, "El derecho en el Artículo 5 (1) y (2) corresponde al Artículo 4 (1) y (2) del CEDH, que tiene el mismo fraseología. Por lo tanto, tiene el mismo significado y alcance que el artículo del CEDH, en virtud del artículo 52 (3) de la Carta. En consecuencia, ninguna limitación puede afectar legítimamente el derecho previsto en el párrafo 1. "Comentario de la Carta de la Red de Expertos Independientes de la UE sobre Derechos Fundamentales, 2006:" En contraste con la esclavitud y la servidumbre, que son estados continuos, el trabajo forzado puede surgir incidentalmente o sobre una base más temporal.

[340] Decisión Marco 2002/629/JAI del Consejo, de 19 de julio de 2002, sobre la lucha contra la trata de seres humanos, seguida del Plan de la UE de 2005 sobre mejores prácticas, normas y procedimientos para combatir y prevenir la trata de seres humanos y las respuestas de medición a la trata de seres humanos en la Unión Europea: un Manual de evaluación, Dirección General de Libertad, Seguridad y Justicia de la CE, 2007. La Conferencia Europea sobre Prevención y Lucha contra la Trata de Seres Humanos - Desafío Global para el Siglo XXI presentó la Declaración de Bruselas sobre Prevención y Lucha contra la Trata de Seres Humanos, 29 de noviembre de 2002, 14981/02.

30. Algunos años después, la Directiva 2004/81/CE estableció el marco legal para otorgar permisos de residencia a víctimas de trata no pertenecientes a la UE [87] y la Directiva 2009/52/CE describió el marco para que los Estados miembros emitan sanciones contra los empleadores que emplean a sabiendas permanencia ilegal de trabajadores de terceros países[88]. En 2010, la Comisión Europea nombró un Coordinador de la UE contra la trata de personas con el fin de mejorar la coordinación entre las instituciones de la UE, sus agencias, los Estados miembros y los actores internacionales en la implementación de la legislación y la política de la UE contra la trata de seres humanos, tras un llamado de la Resolución del Parlamento Europeo sobre prevención de la trata de seres humanos, aprobado ese mismo año

Protocolo de Palermo, con las siguientes diferencias relevantes: la vulnerabilidad se definió como una situación «tal que la persona no tiene otra alternativa real y aceptable que la de someterse al abuso en que se halla "; la lista exhaustiva de propósitos de la acción incluía trabajo obligatorio y pornografía, pero no extracción de órganos; se insertó una regla sobre el carácter proporcional y disuasorio de las sanciones; y también se previeron delitos agravados.

*30. Años después, la **Directiva 2004/81/CE** estableció el marco legal para otorgar permisos de residencia a víctimas de trata no pertenecientes a la UE[341] y la **Directiva 2009/52/CE** estableció el marco para que los Estados miembros impusieran sanciones a los empleadores que emplean a sabiendas trabajadores de terceros países en situación de residencia ilegal[342]. En 2010, la Comisión Europea nombró un Coordinador de la UE contra la trata de personas con el fin de mejorar la coordinación entre las instituciones de la UE, sus agencias, los Estados miembros y los actores internacionales en la implementación de la legislación y la política de la UE contra la trata de seres humanos, siguiendo la recomendación de la Resolución del Parlamento Europeo sobre prevención de la trata de seres humanos, aprobada ese mismo año[343].*

*31. Finalmente, la **Directiva 2011/36/UE sobre prevención y lucha contra la trata de seres humanos y protección de sus víctimas** sustituyó a la Decisión Marco, adoptando un enfoque integral, holístico y de norma mínima de derechos humanos para la lucha contra la trata de seres humanos y una comprensión contextual, sensible al género y al niño de las diferentes formas de trata y con el objetivo de garantizar que cada forma se aborde mediante las medidas más eficientes[344]. La novedad más importante de la Directiva fue su concepto más amplio de la trata de seres humanos*

---

[341] Directiva 2004/81/CE del Consejo, de 29 de abril de 2004, sobre el permiso de residencia expedido a nacionales de terceros países que son víctimas de la trata de seres humanos o que han sido objeto de una acción para facilitar la inmigración ilegal, que cooperan con las autoridades competentes.

[342] Directiva 2009/52/CE del Parlamento Europeo y del Consejo, de 18 de junio de 2009, que establece normas mínimas sobre sanciones y medidas contra los empleadores de nacionales de terceros países en situación de residencia ilegal.

[343] Véase también la resolución del Parlamento Europeo de 17 de enero de 2006 sobre estrategias para prevenir la trata de mujeres y niños vulnerables a la explotación sexual; y la recomendación del Parlamento Europeo al Consejo sobre la lucha contra la trata de seres humanos: un enfoque integrado y propuestas para un plan de acción [2006/2078 (INI)].

[344] Directiva 2011/36/UE del Parlamento Europeo y del Consejo, de 5 de abril de 2011, sobre la prevención y la lucha contra la trata de seres humanos y la protección de sus víctimas, y la sustitución de la Decisión marco 2002/629/JAI del Consejo. Vid. el muy útil Comentario conjunto de las Naciones Unidas sobre la Directiva de la UE: un enfoque basado en los derechos humanos, 2011, sobre el "enfoque de umbral bajo" para abordar las necesidades de asistencia y protección de las víctimas en los casos en que el sistema de justicia penal no puede probar la trata.

en comparación con el de la Decisión Marco, que incluía formas adicionales de explotación intencional, como la mendicidad forzada, actividades criminales forzadas (como en el caso de, entre otras cosas), robo de carteras, robo de tiendas, tráfico de drogas y otras actividades similares que están sujetas a sanciones e implican ganancias financieras), extracción forzosa de órganos, adopción ilegal o matrimonio forzado. Inmediatamente después de la publicación de la Directiva, se lanzó la **Estrategia de la UE para la erradicación de la trata de seres humanos 2012-2016.**

C. En el ámbito del Consejo de Europa (§§ 32-40)

32. **El CEDH** *prohíbe la esclavitud y la servidumbre[345]. También prohíbe el trabajo forzado y obligatorio al tiempo que excluye ciertas formas de trabajo y servicios de este concepto[346]. En la sentencia de referencia del caso* **Van der Müssele**[347]*, el Tribunal señaló que este párrafo:*

"No pretende 'limitar' el ejercicio del derecho garantizado por el párrafo 2, sino 'delimitar' el contenido mismo de ese derecho, ya que forma un todo con el párrafo 2 e indica lo que el término 'forzado u obligatorio' no debe incluir. Siendo esto así, el párrafo 3 sirve como auxilio para interpretar el párrafo 2. Los cuatro subpárrafos del párrafo 3, a pesar de su diversidad, se basan en las ideas que rigen el interés general, la solidaridad social y lo que es normal en el curso ordinario de las cosas".

El Tribunal reconoció la influencia del Convenio núm. 29 de la OIT sobre el artículo 4 del Convenio y consideró que la definición del término "trabajo forzado u obligatorio" como "todo trabajo o servicio que se exija a cualquier persona bajo la amenaza de una pena y para el cual dicha persona no se ha ofrecido voluntariamente "podría proporcionar un punto de partida para la interpretación del artículo 4 de la Convención[348]. Después de admitir que el trabajo no se limita de ninguna manera al trabajo manual[349], el Tribunal evaluó si había habido trabajo «forzado u obligatorio». En opinión del Tribunal, "El primero de estos adjetivos nos recuerda la idea de restricción física o mental, un factor que ciertamente estaba ausente en el presente caso. En cuanto al segundo adjetivo, no puede referirse a cualquier forma de obligación u obligación legal. (…) Lo que tiene que ser es un trabajo «exigido … bajo la amenaza

---

[345] En los Trabajos preparatorios del art. 4 CEDH, DH (62) 10, 16 de noviembre de 1962, p. 16, se hace referencia a la servidumbre como "una idea más general que abarca todas las formas posibles de dominación del hombre sobre el hombre". Este pasaje está tomado del comentario al borrador del PIDCP preparado por el Secretario General de la ONU en 1955.

[346] En los Trabajos preparatorios, se hizo referencia a la definición del Convenio de la OIT de 1930, que "no se consideró totalmente satisfactorio para su inclusión en el pacto". Este pasaje fue tomado del comentario al borrador del PIDCP.

[347] STEDH 23 noviembre 1983, Caso Van der Müssele c. Bélgica, sentencia de 23 de noviembre de 1983, Serie A, No.70, § 38.

[348] Van der Müssele, citado anteriormente, § 32.

[349] Van der Müssele, citado anteriormente, § 33.

de cualquier castigo» y también realizado en contra de la voluntad de la persona interesada, que es un trabajo para el cual «no se ha ofrecido voluntariamente»[350].

En las circunstancias del caso, el mero hecho del consentimiento previo del solicitante no justificaba la conclusión de que las obligaciones que le incumbían con respecto a la asistencia jurídica no constituían trabajo obligatorio a los efectos del artículo 4 § 2 del Convenio. Para el Tribunal, necesariamente deben tenerse también en cuenta otros factores, incluido si la carga impuesta al solicitante fue desproporcionada. Si bien el trabajo remunerado también puede calificarse como trabajo forzado u obligatorio, la falta de remuneración y de reembolso de gastos constituye un factor relevante cuando se valora lo que es proporcional. Ese test de proporcionalidad no se encontraba entre los criterios del Convenio de 1930 de la OIT. A pesar de la falta de remuneración y de reembolso de gastos, el Tribunal consideró que no había trabajo forzado a la vista del número limitado de horas de trabajo y no abordó la cuestión de si el concepto de "obligaciones cívicas normales" se aplica a las obligaciones que incumben a una concreta categoría de ciudadanos, definidos por la posición que ocupan o las funciones que deben desempeñar en la comunidad.

33. El artículo 1 (2) de la **Carta Social Europea** también prohíbe el trabajo forzado, con el mismo alcance que el artículo 4 del Convenio y el artículo 2 del Convenio 29 de la OIT sobre trabajo forzado[351]. El trabajo forzado se entiende como "coacción de cualquier trabajador para que realice un trabajo en contra de sus deseos y sin su consentimiento expresamente manifestado"[352]. La prohibición de la Carta del trabajo forzado u obligatorio puede infringirse, por ejemplo, mediante sanción penal a los marineros que abandonan su puesto, incluso cuando la seguridad de un barco o la vida o la salud de las personas a bordo no están en juego[353]; obligación de los *oficiales del ejército de carrera* que han recibido varios períodos de entrenamiento para completar un período de servicio obligatorio que puede durar hasta veinticinco años[354]o la negativa del derecho a solicitar la terminación anticipada de su comisión a menos que paguen al estado al menos parte del costo de su educación y capacitación[355]; poderes de movilización *definidos de forma excesivamente amplia* de la población civil en un estado de emergencia, es decir, "en cualquier situación imprevista que cause la interrupción de la economía y la

---

[350] Van der Müssele, citado anteriormente, § 34.

[351] Conclusiones II de la CEDS, Declaración de interpretación sobre el artículo 1 § 2, p. 4.

[352] Conclusiones de la CEDS III, p. 5.

[353] Decisión sobre el fondo del 5 de diciembre de 2000, Caso Federación Internacional de Ligas de Derechos Humanos (FIDH) c. Grecia, Queja No. 7/2000,, § 22.

[354] Federación Internacional de Ligas de Derechos Humanos (FIDH), citado anteriormente, § 21.

[355] Conclusiones CECA 2004, Irlanda, p. 260. También se señaló que la decisión de conceder la jubilación anticipada se dejaba a discreción del Ministro de Defensa.

sociedad del país"[356]*; la duración irrazonable del servicio para reemplazar el servicio militar*[357]*; el empleo de prisioneros por empresas privadas, sin el consentimiento de los prisioneros y en condiciones muy alejadas de aquellas normalmente asociadas con una relación de empleo privada*[358]*; la imposición de mano de obra no remunerada a los empleados que se niegan a cumplir con sus obligaciones profesionales*[359]*; y «esclavitud doméstica»*[360]*.*

*34. El **artículo 19 del Convenio de 2005 del Consejo de Europa sobre la actuación contra la trata de seres humanos** exige la penalización de la conducta tal como se define en el artículo 4, inspirado en el artículo 3 del Protocolo de Palermo*[361]*. El delito de trata se reconoce explícitamente como una violación de los derechos humanos y se aplica a todas las formas de trata de seres humanos, ya sean nacionales o transnacionales, con o sin entrada y permanencia legal en los países de tránsito o destino, estén o no relacionados con el crimen organizado*[362]*. Se incluye una disposición sobre sanciones y formas agravadas del delito. Otra característica distintiva es la obligación de criminalizar a quienes utilizan los servicios de las víctimas a sabiendas.*

La Convención contra la trata de personas se adoptó con el objetivo de promover un enfoque de la trata de personas más centrado en los derechos humanos y sensible al género y la infancia que el Protocolo de Palermo, imponiendo normas más estrictas a los Estados Partes sobre la prevención de la trata de personas. La cooperación entre los Estados partes y la protección de los derechos de las víctimas de la trata, incluido el período de recuperación y reflexión, el no castigo, la indemnización y la reparación que deberían otorgarse y la concesión de un permiso de residencia a dichas víctimas[363]*. También instituyó un observatorio de trata (GRETA).*

*35. El **artículo 37 del Convenio del Consejo de Europa de 2011 sobre prevención y lucha contra la violencia contra las mujeres y la violencia doméstica** establece la obligación de penalizar el matrimonio forzado intencional y la conducta intencional de atraer a un adulto o un niño al territorio de una Parte o Estado que el que él o ella reside para ese propósito*[364]*. El **Convenio del Consejo de Europa de 2014 sobre el tráfico de órganos humanos** se desvía del enfoque del Protocolo de Palermo al abordar el "tráfico de órganos humanos" en lugar de la trata de personas para la extracción de*

---

[356] Conclusiones del CEDS XVI-1, Grecia, p. 283. Véanse también las Conclusiones de la CECA 2012 - Moldavia - artículo 1-2.

[357] Consejo Cuáquero para Asuntos Europeos (QCEA) v. Grecia, Queja No. 8/2000, Decisión sobre el fondo del 25 de abril de 2001, §§ 23-25.

[358] Conclusiones del CEDS XVI-1, Alemania, pp. 242-243.

[359] Conclusiones XX-1 de la CEDS - Países Bajos Aruba - Artículo 1-2.

[360] Conclusiones CEDS 2012 - Francia - Artículo 1-2.

[361] *Informe explicativo de la Convención, párr. 72.*

[362] *Ibidem*, párr. 80.

[363] *Informe explicativo de la Convención, párr. 87).*

[364] CETS no 210.

órganos[365]. Además de estos instrumentos de ley, tanto el Comité de Ministros[366]*como la Asamblea Parlamentaria del Consejo de Europa*[367] centraron su atención en los delitos de esclavitud doméstica, matrimonio forzado y trata de seres humanos, e insistieron en la necesidad de incluirlos en los códigos penales de los Estados Partes. *36. En total coherencia con estas normas, el TEDH ha enfatizado más recientemente la importancia vital de combatir tanto el trabajo forzado como la trata con ese fin. En la* **STEDH 26 octubre 2005, Caso Siliadin c. Francia**[368]*, la Sala dedujo del artículo 4 de la Convención una obligación positiva que incumbe a los Estados Partes de adoptar disposiciones de derecho penal para penalizar las prácticas mencionadas en esa disposición y aplicarlas en la práctica*[369]*. El artículo 4 no solo implica un efecto vertical sobre los Estados partes, sino también un efecto horizontal en el ámbito privado. En una situación en la que el solicitante debía realizar trabajos forzados, casi quince horas al día, siete días a la semana, la Sala concluyó que el caso en cuestión no era una situación de esclavitud "en el sentido correcto, en otras palabras, que el Sr. y la Sra. B. ejerciese un derecho genuino de propiedad legal sobre ella, reduciéndola así a la condición de un objeto*[370]*". Por lo tanto, la Sala interpretó la Convención sobre la Esclavitud 1926 de forma restringida, ya que esta convención no restringe el concepto de la esclavitud a la de iure "verdadero derecho de propiedad legal" sobre otra persona, sino que incluye también la de facto: "Condición" de ser sometido al ejercicio de un poder similar a la propiedad. Más allá de esto, la privación de la au-*

---

[365] CETS No. 216. El Relator Especial de la ONU sobre la trata de personas ha expresado su preocupación por el hecho de que esta convención no integre las prácticas relevantes dentro del marco conceptual y normativo más amplio del Protocolo contra la trata de personas y la posible reducción de las normas de protección y asistencia a las víctimas como consecuencia (UN Doc. A/68/256, 2 de agosto de 2013, párrs.64, 65, 100).

[366] Véase la Recomendación núm. R (91) 11 sobre explotación sexual, pornografía y prostitución y tráfico de niños y adultos jóvenes; y la Recomendación núm. R (2000) 11 sobre medidas contra la trata de seres humanos con fines de explotación sexual.

[367] Véase la Recomendación 1325 (1997) sobre el tráfico de mujeres y la prostitución forzada en los Estados miembros del Consejo de Europa; Recomendación 1523 (2001) sobre la esclavitud doméstica; Recomendación 1526 (2001) sobre la campaña contra la trata de menores para detener la ruta de Europa del Este: el ejemplo de Moldavia; Recomendación 1545 (2002) sobre una campaña contra la trata de mujeres; Recomendación 1610 (2003) sobre la migración relacionada con la trata de mujeres y la prostitución; y la Recomendación 1663 (2004) de PACE sobre la esclavitud doméstica: servidumbre, personas au pair y cónyuges comprados por correo.

[368] *Siliadin c. Francia*, no. 73316/01, CEDH 2005-VII.

[369] *Siliadin*, citado anteriormente, §§ 89 y 112.

[370] *Siliadin*, citado anteriormente, §§ 122 y 124. Véase también *CN*, citado anteriormente, § 66, *CN y V*, citado anteriormente, § 105, y *Kawogo v. Reino Unido (dec.)*, 3 de septiembre de 2013.

tonomía personal de la recurrente fue identificada por la Sala como servidumbre[371]. *El elemento de dependencia resultó del hecho de que "a la recurrente, que temía ser arrestada por la policía, en ningún caso se le permitió salir de la casa, excepto llevar a los niños a sus clases y diversas actividades. Por lo tanto, no tenía libertad de movimiento ni tiempo libre*[372]*."*

37. En la **STEDH 7 enero 2010, Caso Rantsev y Chipre c. Rusia**[373], *la Sala concluyó que la trata en sí misma, en el sentido del Artículo 3 (a) del Protocolo de Palermo y el Artículo 4 (a) de la Convención contra la Trata, entra dentro del ámbito de aplicación del Artículo 4 CEDH*[374]. *La definición establecida en el derecho internacional del concepto de trata de seres humanos está acogida por el CEDH.*

38. *Cabe señalar que este pronunciamiento innovador no estuvo acompañado de una explicación de qué párrafo del Art. 4 CEDH es aplicable a la trata de seres humanos, lo que podría ser relevante para los fines del Art. 15, ya que este Artículo solo se refiere al párrafo 1 del Art. 4. El silencio de la Sala sobre este punto solo puede entenderse completamente a la luz de su otra muy audaz declaración de que el Art. 4 "no prevé excepciones y no se permite ninguna derogación en virtud del Artículo 15-2 incluso en el supuesto de una emergencia pública que amenaza la vida de la nación"*[375]. *En una interpretación loable y progresiva de la Convención, la Sala rechazó cualquier jerarquía normativa interna entre los párrafos (1) y (2) del Artículo 4 y cualquier diferencia de trato de estos párrafos en un estado de emergencia o cualquier otra circunstancia excepcional. Al hacerlo, la Sala no solo amplió el alcance de la norma prohibitiva del Artículo 4 a la trata de seres humanos, sino que sometió esta*

---

[371] La Comisión Europea de Derechos Humanos había considerado la servidumbre como tener que vivir y trabajar en la propiedad de otra persona y realizar ciertos servicios para ellos, ya sean remunerados o no, junto con la incapacidad de alterar su condición (Solicitud No.7906/77, DR17, p 59; véase también el informe de la Comisión en el caso Van Droogenbroeck de 9 de julio de 1980, Serie B, Vol. 44, p. 30, párrafos 78 a 80). La Sala se adhirió a esta concepción en el párrafo 123 de Siliadin, pero añadido en el § 124, esa servidumbre se caracterizó como "una obligación de proporcionar los servicios que se impone mediante el uso de la coerción, y se debe vincular con el concepto de" esclavitud "" y, por lo tanto, abandonar el elemento espacial de la Europa Concepto de la comisión. El Informe explicativo al Convenio de lucha contra la trata del Consejo de Europa, párr. 95, toma una posición ligeramente diferente, afirmando que esta "forma particularmente grave de denegación de libertad" debe considerarse como "una forma particular de esclavitud, que difiere menos en carácter que en grado".

[372] *Siliadin*, citado anteriormente, § 123.

[373] Rantsev v Chipre y Rusia, no. 25965/04, CEDH 2010 (extractos). Al supervisar a las partes en la Convención contra la trata de personas, GRETA tiene en cuenta las conclusiones de esta sentencia en su evaluación (Conclusiones de la 5ª reunión de GRETA, 2010, párr. 15).

[374] Rantsev, citado anteriormente, § 282.

[375] *Rantsev*, citado anteriormente, § 279.

nueva regla prohibitiva al régimen del Artículo 15. La interpretación de la Sala siguió, sin citarlo, el Comentario General del CDHNU No 29 interpretación progresiva del Artículo 4 (2) del PIDCP a la luz de la reciente codificación de crímenes contra la humanidad en el Estatuto de Roma[376]. *El delito de esclavitud, que incluye el trabajo forzado y la trata con ese fin, es uno de esos delitos.*

39. Basado en el Protocolo de Palermo y en el enfoque transversal de la Convención contra la trata del Consejo de Europa, que incluye medidas para prevenir la trata y proteger a las víctimas, además de medidas para castigar a los traficantes, la Sala fue más allá de la obligación de criminalización de Siliadin, afirmando que:

"De las disposiciones de estos dos instrumentos se desprende que los Estados parte, incluidos casi todos los Estados miembros del Consejo de Europa, han expresado la opinión de que solo una combinación de medidas que aborden los tres aspectos puede ser efectiva en la lucha contra trata ... El alcance de las obligaciones positivas derivadas del Artículo 4 debe considerarse dentro de este contexto más amplio[377] *".*

La Sala explicó las obligaciones del Estado de proteger a las víctimas. El Artículo 4 comporta que un Estado tome medidas operativas para proteger a las víctimas, o posibles víctimas, de la trata cuando, en las circunstancias de un caso concreto, se haya demostrado que las autoridades estatales estaban al tanto, o deberían haber estado al tanto, de "circunstancias de las que deriva la sospecha creíble de que un individuo identificado había estado o estaba en riesgo real e inmediato de ser traficado o explotado"[378]. *Sin embargo, la obligación de tomar medidas operativas debe interpretarse de manera que no imponga una carga imposible o desproporcionada a las autoridades*[379].

En la interpretación de la Sala, el Art. 4 también conlleva la obligación procesal de investigar de oficio situaciones de posible trata[380]. *Finalmente, a la luz del preámbulo del Protocolo de Palermo, los Estados miembros también están sujetos a la obligación, en los casos de tráfico transfronterizo, de cooperar efectivamente con las autoridades relevantes de otros Estados involucrados en la investigación de eventos que ocurrieron fuera de sus territorios*[381].*La Sala subrayó que esta obligación es válida no solo para los estados anfitriones, como Chipre, y los estados de origen, como Rusia, sino también para los estados de tránsito. Dicha cooperación, en el formato de acuerdos bilaterales o multilaterales, es particularmente crítica entre países involucrados en diferentes etapas de la cadena de tráfico*[382].

---

[376] *Comentario general 29 del CDHNU, citado anteriormente, párrs. 11-12*

[377] *Rantsev*, citado anteriormente, § 285.

[378] Rantsev, citado anteriormente, § 286.

[379] Rantsev, citado anteriormente, § 287.

[380] *Rantsev*, citado anteriormente, § 288. Sobre el emp*oderamiento de las víctimas*, vid. *STEDH 21 enero 2016, Caso LE v. Grecia, y STEDH 18 febrero 2014, Caso OGO v. Reino Unido*

[381] *Rantsev*, citado anteriormente, § 289.

[382] Como ya lo señaló la Oficina del Alto Comisionado para los Derechos Humanos, Principios y directrices recomendados, citados anteriormente.

*40. En resumen, **los Estados Partes en el CEDH tienen el deber de penalizar el trabajo forzado u obligatorio y la trata de seres humanos**. A los efectos del art. 4 CEDH,
el trabajo o los servicios forzados y obligatorios se interpretarán en el sentido del artículo 2 del Convenio de la OIT de 1930, como todo trabajo o servicio que se exija a
cualquier persona bajo la amenaza de una pena y para que dicha persona no se haya
ofrecido voluntariamente o, una vez comprometida, descubra que no puede abandonarlo. El concepto comprende dos elementos definitorios: la amenaza de una sanción
del empleador y la involuntariedad del trabajador*[383]. *No hay requisitos con respecto
a la legalidad, duración o severidad del trabajo exigido. Por lo tanto, el trabajo forzado
incluye trabajos forzados permanentes, contingentes, temporales, ocasionales, inci-
dentales, intermitentes, irregulares o a tiempo parcial, así como prostitución forzada,
mendicidad forzada, actividad criminal forzada, uso forzado de una persona en un
conflicto armado, ritual o servidumbre ceremonial, uso forzado de mujeres como
madres sustitutas, embarazo forzado y realización ilícita de investigación biomédica
en una persona. Las conductas descritas en el Artículo 4 (3) del Convenio delimitan
el concepto del Convenio de trabajo forzado u obligatorio y, por lo tanto, deben interpretarse de manera restrictiva, a la luz de la prohibición imperativa del Artículo 1
del Convenio sobre la abolición del trabajo forzado de 1957.*

*El **trabajo forzado y la trata con ese fin no deben confundirse con la esclavitud, las
instituciones o prácticas similares a la esclavitud o la servidumbre**. No "todo el trabajo forzado es trata", como tampoco "toda trata es esclavitud". Deben evitarse estas
dos manifestaciones de lo que se ha denominado el "arrastre de la explotación"*[384]*. El
proceso de trata en sí mismo es una etapa preparatoria de la explotación subsiguiente
y, por lo tanto, está vinculado a cada una de las tres conductas prohibidas en el Artículo 4. Pero **puede haber trata de seres humanos sin explotación posterior y puede
haber explotación sin trata previa**.*

*La trata con fines de trabajo forzado está prohibida por el artículo 4 (2) del CEDH,
ya que es un delito preparatorio de la conducta prohibida. La expulsión a un país
donde la persona afronta el riesgo de trabajo forzado o trata con ese fin se analiza
desde esta disposición. A los efectos del artículo 4 CEDH la trata de seres humanos
se interpretará en el sentido del artículo 3 (a) del Protocolo de Palermo, el artículo 4
(a) del Convenio contra la trata del Consejo de Europa y el artículo 2 del Directiva de
la Unión Europea sobre prevención y lucha contra la trata de seres humanos y la protección de las víctimas. Ni el trabajo forzado ni la trata con ese fin incluyen per se un*
elemento comercial, lucrativo, un componente transnacional de cruce de fronteras o
una conexión del crimen organizado.

---

[383] Los órganos de control de la OIT han enfatizado que, cuando el trabajo o los
servicios se imponen (por ejemplo, al explotar la vulnerabilidad del trabajador) bajo la
amenaza de consecuencias perjudiciales, dicha explotación deja de ser simplemente una
situación de malas condiciones de empleo y desencadena la protección del Convenio de
la OIT No. 29 (ONUDD, El concepto de "explotación, citado anteriormente, p. 31).

[384] Janie Chuang, "La fluencia de la explotación y la desarticulación de la ley de trata
de personas", 108 (4) American Journal of International Law (2014).

*A los efectos del artículo 4 CEDH, **la esclavitud** debe interpretarse en el sentido del artículo I de la Convención sobre la esclavitud, es decir, la posesión de iure o el ejercicio de facto de poderes sobre una persona que derivan del derecho de propiedad. La trata con fines de esclavitud (incluida la trata de esclavos) está prohibida por el artículo 4 (1) de la Convención. La expulsión a un país donde la persona afronta el riesgo de esclavitud o de trata con ese fin se comprende en esta disposición[385].*

*A los efectos del artículo 4 CEDH, **la servidumbre** debe interpretarse en el sentido del artículo 7 (b) de la Convención suplementaria sobre la abolición de la esclavitud de 1956, que identifica a las víctimas de "prácticas similares a la esclavitud" (servidumbre por deudas, servidumbre, formas serviles de matrimonio y venta o adopción de niños para explotación) como "personas de estado servil". La adopción ilegal de un niño con intención de explotación, ya sea por recompensa o no, se incluye entre estas prácticas, a la luz de las Notas interpretativas para los trabajos preparatorios del Protocolo de Palermo, el Informe explicativo del Convenio contra la trata de personas del Consejo de Europa y la Directiva de la UE 2011/36/UE. La trata con el propósito de someter a una persona a un estado servil (es decir, prácticas similares a la esclavitud) está prohibida por el Artículo 4 (1) CEDH. La expulsión a un país donde la persona corre el riesgo de ser sometida a dicho estado de servil o de ser traficada con ese propósito debe analizarse bajo esta disposición.*

*En el contexto de la **aplicación horizontal de la Convención**, los Estados tienen la obligación no solo de penalizar el trabajo forzado y la trata con ese fin, llevar ante la justicia a los presuntos delincuentes y empoderar a las víctimas con un papel activo en el proceso penal, sino también prevenir que los sujetos privados cometan o reiteren el delito. Tal obligación positiva internacional debe reconocerse como un reflejo de un principio de derecho internacional consuetudinario, vinculante para todos los Estados, a la vista de la práctica consensual amplia y de larga data y la opinio iuris ya mencionada, como la Declaración de la OIT de 1998 y las Directrices de la Encuesta de 2011 y otros instrumentos de "soft law" mencionados anteriormente. Además, esta obligación es una norma de ius cogens con el efecto de que ninguna otra norma de derecho internacional o nacional puede derogarla, como la Corte avanzó en Rantsev, la CADH determina y el ACNUR reconoce[386]. Por lo tanto, la pasividad del Estado frente al trabajo forzado o la trata de seres humanos con ese fin representa una violación de la obligación del Estado Parte. La definición del TEDH de las obligaciones positivas para combatir la explotación va más allá del marco de la trata de personas, ya que las autoridades nacionales deben tomar medidas razonables "para sacar al individuo de esa situación o riesgo" de ser traficado o explotado y "para evitar un riesgo de maltrato[387]".*

---

[385] En la DTEDH 19 enero 1999, Caso Barar v. Suecia (dec.), el Tribunal sostuvo que la expulsión de una persona a un Estado donde sería sometido a esclavitud podría plantear un problema en virtud del Artículo 4, pero el riesgo no había sido confirmado.

[386] Comentario General del ACNUR No. 29, citado anteriormente, párrs. 11-12. Véase también el párrafo 3 de la Declaración de Miami, citada anteriormente.

[387] Ver Osman, citado anteriormente, § 115-117; y STEDH 28 marzo 2000, Caso Mahmut Kaya v. Turquía, no. 22535/93, § 115, CEDH 2000-III. Cabe señalar que el

VI. Conclusión (F60-61)

60. Al igual que con la lucha contra la esclavitud y la trata de esclavos a principios del siglo XX, la lucha contra el trabajo forzado y la trata con ese fin ha estado en la primera línea de la agenda internacional de derechos humanos desde principios de siglo. Austria ha avanzado considerablemente en esta lucha, especialmente en términos del apoyo social brindado a las víctimas. Sin embargo, el marco del derecho penal austriaco sigue siendo deficiente, a pesar de la reforma de 2013. Este caso podría y debería proporcionar un nuevo impulso a la reforma legislativa.

61. Al parecer, las denunciantes fueron obligadas a trabajar en Austria y en el extranjero y fueron objeto de trata con ese mismo fin en suelo austriaco. Las autoridades nacionales cuestionaron este hecho, pero de todos modos les brindaron apoyo social como si hubieran sido víctimas de la trata. Esta posición contradictoria es un ejemplo de las fortalezas y debilidades del sistema austriaco: eficaz en la protección de las víctimas, ineficaz en el castigo de los autores[388]. Para terminar, las autoridades nacionales no lograron en el presente caso investigar a fondo los hechos denunciados y, finalmente, llevar a los responsables ante la justicia. Sin embargo, las denunciantes también tienen una gran cota de responsabilidad en tal fracaso, a la vista de la tardanza en denunciar ante las autoridades nacionales. Poco más se podía hacer en ese momento y en las circunstancias específicas del caso que activar los sistemas de aviso de alerta nacional e internacional. Es por eso que, con todo, voté por no apreciar violación del art. 4 del CEDH.»

4.1.3. La prohibición de la esclavitud, la servidumbre, el trabajo forzado y la trata de seres humanos en la doctrina del TEDH

El art. 4 CEDH establece en su primer apartado que nadie puede ser sometido a esclavitud o servidumbre; en el segundo apartado, que nadie

---

Relator Especial sobre la tortura amplió la definición de tortura para incluir la trata como forma de tortura en el ámbito privado (A/HRC/7/3, 15 de enero de 2008, párrs. 56-58).

[388] Consultar las recomendaciones del Informe de 2016 del Departamento de Estado de Estados Unidos sobre la trata de personas en Austria: "Sentenciar a los traficantes condenados en proporción a la gravedad del delito; expandir y mejorar los esfuerzos para identificar víctimas entre migrantes irregulares, solicitantes de asilo e individuos en prostitución; continuar sensibilizando a los jueces sobre los desafíos que enfrentan las víctimas de la trata para testificar contra sus explotadores"; y en la misma línea, las recomendaciones muy útiles de Arbeitsgruppe "Menschenhandel zum Zweck der Arbeitsausbeutung" Bericht 2012-2014, citado anteriormente, pp. 25-27, y Bericht des Menschenrechtsbeirates, citado arriba, pp. 81-83.

puede ser constreñido a realizar un trabajo forzado u obligatorio y en el tercer apartado lista cuatro supuestos que no se consideran trabajo forzado u obligatorio[389].

El citado precepto no menciona la trata de seres humanos (TSH), sin embargo, la trata de seres humanos en el ámbito del Consejo de Europa se ha calificado como la forma moderna del comercio mundial de esclavos, razón por la cual, la doctrina del TEDH la ha incluido en el ámbito de aplicación del art. 4 CEDH.

Diciendo que la trata, en sí misma, en el sentido del art. 3a)[390] del Protocolo de Palermo[391] y del art. 4 a) de la Convención contra la Trata de seres humanos del Consejo de Europa[392], entra en el campo de aplicación del art. 4 del CEDH [STEDH 7 enero 2010, Caso Rantsev c. Chipre y Rusia, F. 281; STEDH 31 julio 2012, Caso M. y otros c. Italia y Bulgaria (f.151)].

---

[389] a) todo trabajo exigido normalmente a una persona privada de libertad en las condiciones previstas por el artículo 5 del presente Convenio, o durante su libertad condicional;

b) todo servicio de carácter militar o, en el caso de objetores de conciencia en los países en que la objeción de conciencia sea reconocida como legítima, cualquier otro servicio sustitutivo del servicio militar obligatorio;

c) todo servicio exigido cuando alguna emergencia o calamidad amenacen la vida o el bienestar de la comunidad;

d) todo trabajo o servicio que forme parte de las obligaciones cívicas normales.

[390] Art. 3a) Protocolo de Palermo: Por "trata de personas" se entenderá la captación, el transporte, el traslado, la acogida o la recepción de personas, recurriendo a la amenaza o al uso de la fuerza u otras formas de coacción, al rapto, al fraude, al engaño al abuso de poder o de una situación de vulnerabilidad o a la concesión o recepción de pagos o beneficios para obtener el consentimiento de una persona que tenga autoridad sobre otra, con fines de explotación. Esa explotación incluirá, como mínimo, la explotación de la prostitución ajena u otras formas de explotación sexual, los trabajos o servicios forzados, la esclavitud o las prácticas análogas a la esclavitud, la servidumbre o la extracción de órganos.

[391] Protocolo de Palermo. Puede consultarse en: https://www.ohchr.org/Documents/ProfessionalInterest/ProtocolTraffickingInPersons_sp.pdf

[392] Convenio del Consejo de Europa sobre la lucha contra la trata de seres humanos (Convenio nº 197 del Consejo de Europa), hecho en Varsovia el 16 de mayo de 2005. Puede consultarse en: https://www.boe.es/buscar/doc.php?id=BOE-A-2009-14405

a) Los derechos del art. 4.1 CEDH como derechos absolutos

El art. 4 CEDH, consagra, junto a los arts. 2 y 3 CEDH, uno de los valores fundamentales de las sociedades democráticas. La prohibición de esclavitud y servidumbre no admite excepciones, lo que contrasta con la mayoría de las cláusulas normativas del CEDH, y conforme al art. 15.2 CEDH no puede suspenderse ni en caso de peligro público que amenace la vida de la nación [STEDH 7 julio 2011, Caso Stummer c. Austria (f.116), STEDH 11 octubre 2012, Caso C.N. c. Reino Unido, f. 65)].

Las excepciones que lista el apartado 3 del art. 4 no son supuestos de restricción del derecho a no sufrir trabajo forzoso u obligatorio, sino que son delimitaciones del derecho, es decir, definen lo que no puede considerarse como trabajo forzoso u obligatorio. [STEDH 17 julio 2011, Caso Stummer c. Austria (f.120)].

Por otro lado, el art. 15 CEDH se refiere a la imposibilidad de derogar o suspender el párrafo 1 del art. 4 (esclavitud y servidumbre), por lo que deja abierta la puerta a la **posibilidad de derogación de la prohibición de trabajo forzoso.**[STEDH 26 mayo 1993, Caso Branningan y McBride c. Reino Unido, f. 43 y STEDH 18 enero 1978, Caso Irlanda c. Reino Unido, (f.207)].

En estos casos se exige una información plena al Secretario General del Consejo de Europa, tanto de las medidas tomadas como de las razones que las han motivado, así como la fecha en que las medidas perderán su vigencia[393].

b) Principios de interpretación del art. 4 CEDH

Partiendo de cuanto se ha dicho, hay que subrayar la necesidad de distinguir esclavitud, servidumbre, trabajos forzados y la TSH según la doctrina del TEDH, para lo que hay que indagar, con carácter previo, los **medios de interpretación** con lo que ha abordado el propio tribunal la hermenéutica del art. 4 CEDH.

---

[393] LÓPEZ RODRÍGUEZ, Josune. "Prohibición de la esclavitud y del trabajo forzado. art. 4 CEDH; en MONEREO ATIENZA, C.; MONEREO PÉREZ, J. L. "La Garantía Multinivel de los Derechos Fundamentales en el Consejo de Europa". Ed. Comares. 2017. pp. 35-46.

Para interpretar los conceptos previstos en el art. 4 CEDH el TEDH se basa en instrumentos internacionales como los que pasamos a referir:

- La Convención de 25 septiembre 1926 sobre la esclavitud enmendada por el Protocolo de la ONU de y diciembre de 1953[394]. [STEDH 26 julio 2005, Caso Siliadin c. Francia (f.122)]

- La Convención suplementaria relativa a la abolición de la esclavitud, da trata de esclavos y las instituciones o prácticas análogas a la esclavitud de abril 1956[395] [STEDH 11 octubre 2012, Caso C.N. y V. c. Francia. (f.90)]

- El Convenio nº 29 de la OIT sobre trabajo forzoso[396], [STEDH 23 noviembre 1983, Caso Var der Mussele c. Bélgica (f.32)]. Al que hay que añadir su Protocolo de 21 diciembre de 2017[397].

- Convenio nº 197 del Consejo de Europa sobre la lucha contra la TSH, hecho en Varsovia el 16 de mayo de 2005[398].

- Protocolo para prevenir, reprimir y sancionar la trata de personas especialmente mujeres y niños, que complementa la Convención ONU contra la Delincuencia Organizada Transnacional (protocolo de Palermo de 2000)[399]. (STEDH 7 enero 2010, Caso Rantsev c. Chipre y Rusia, F. 282).

c) Delimitación conceptual

- *Esclavitud*

El concepto de "esclavitud" contemplado en el art. 4 CEDH se interpreta por el TEDH en el sentido clásico que define la Convención de Ginebra de 1926 *"la esclavitud es el estado o condición de un individuo sobre el cual se*

---

[394] Ratificada por España: Gaceta de Madrid de 22 de diciembre de 1927 y BOE de 4 de enero de 1977.

[395] Ratificada por España: BOE de 29 diciembre 1967.

[396] Ratificado por España por Ley de 8 de abril de 1932 («Gaceta» núm. 105, de 14 de abril).

[397] Ratificado por España: BOE 21 diciembre 2017.

[398] Ratificado por España: BOE 10 septiembre 2009.

[399] Ratificado por España: BOE de 11/12/2003

ejercen todos o algunos de los atributos del derecho de propiedad" [STEDH 26 julio 2005, Caso Siliadin c. Francia (f.122)]. Así, por ejemplo, el TEDH no consideró que hubiera esclavitud en el caso Siliadin c. Francia, en que la víctima era una mujer togolesa de 18 años que había sido obligada a trabajar durante años como empleada de hogar sin remuneración ni descansos, porque no se ejercieron sobre ella los atributos de la propiedad, sino que lo que apreció fue servidumbre y trabajo forzado.

En otro supuesto de matrimonio forzado de una menor, el TEDH apreció que había trata, pero no esclavitud, a pesar de que el padre de la menor había recibido una suma de dinero en el marco de dicho matrimonio (STEDH 31 julio 2012, Caso M. y otros c. Italia y Bulgaria, F.161), porque no se habían ejercito atributos propios del derecho de propiedad.

La expulsión a un país donde la persona afronta el riesgo de esclavitud o de trata con ese fin se comprende en esta disposición. En la DTEDH 19 enero 1999, Caso Barar v. Suecia, el Tribunal sostuvo que la expulsión de una persona a un Estado donde sería sometido a esclavitud podría plantear un problema en virtud del Artículo 4, pero el riesgo no había sido confirmado.

- *Servidumbre*

La servidumbre, tal y como se considera en el CEDH consiste en **una obligación de prestar servicios bajo coacción**, relacionada con la esclavitud

Consiste en una forma particularmente grave de privación de libertad "[véase el informe de la Comisión en STEDH 9 julio 1989, Caso Van Droogenbroeck c. Bélgica, (f. 78-80). Incluye, "además de la obligación de proporcionar ciertos servicios a otros, (…) la obligación del siervo/a de vivir bajo propiedad de otros y la imposibilidad de cambiar su condición". (DTEDH 7 marzo 2000, Caso Seguin c. Francia) y Siliadin c. Francia (f.124)].

La servidumbre se considera como una **especie agravada de trabajo forzoso, que se diferencia** del trabajo forzoso u obligatorio en el **"sentimiento de las víctimas de que su condición es inmutable y que su situación no es probable que mejore",** siendo suficiente que dicho sentimiento se base en elementos objetivos generados o mantenidos por los autores de los

hechos. (STEDH 11 octubre 2012, Caso C.N. y V. c. Francia (f.91).) Así, por ejemplo, en Siliadin, el TEDH considera que hay servidumbre porque, además de que la mujer estaba obligada a efectuar un trabajo forzoso, se trataba de una menor sin recursos, vulnerable y aislada sin otros medios de vida alternativos que la casa para la que trabajaba, de la que dependía por completo, sin gozar de libertad de circulación ni de tiempo libre.

Dentro de la servidumbre **destaca la servidumbre doméstica**, que el TEDH ha distinguido de la trata y de la explotación, tratándose de una situación que entraña una dinámica compleja con formas expresas de coacción y otras más sutiles, dirigidas a lograr la docilidad de la víctima (STEDH C.N. y V. c. Francia f.80). En materia de servidumbre doméstica, la doctrina del TEDH es particularmente relevante:

– STEDH 26 julio 2005, Caso Siliadin c. Francia.

– STEDH 11 octubre 2012, Caso C.N. y V. c. Francia.

– STEDH 13 noviembre 2012, Caso C.N. c. Reino Unido.

– STEDH 3 septiembre 2013, Caso Kawogo c. Reino Unido.

Por otro lado, el art. 2 de la Convención Suplementaria de 1956 sobre la abolición de la esclavitud, la trata de esclavos y las instituciones y prácticas análogas a la esclavitud:

a) La servidumbre por deudas, o sea, el estado o la condición que resulta del hecho de que un deudor se haya comprometido a prestar sus servicios personales, o los de alguien sobre quien ejerce autoridad, como garantía de una deuda, si los servicios prestados, equitativamente valorados, no se aplican al pago de la deuda, o si no se limita su duración ni se define la naturaleza de dichos servicios.

b) La servidumbre de la gleba, o sea, la condición de la persona que está obligada por la ley, por la costumbre o por un acuerdo a vivir y a trabajar sobre una tierra que pertenece a otra persona y a prestar a ésta, mediante remuneración o gratuitamente, determinados servicios, sin libertad para cambiar su condición.

c) Toda institución o práctica en virtud de la cual:

– Una mujer, sin que la asista el derecho a oponerse, es prometida o dada en matrimonio a cambio de una contrapartida en dinero o en especie entregada a sus padres, a su tutor, a su familia o a cualquier otra persona o grupo de personas.

- El marido de una mujer, la familia o el clan del marido tienen el derecho de cederla a un tercero a título oneroso o de otra manera.

- La mujer, a la muerte de su marido, puede ser transmitida por herencia a otra persona.

d) Toda institución o práctica en virtud de la cual un niño o un joven menor de dieciocho años es entregado por sus padres, o uno de ellos, o por su tutor, a otra persona, mediante remuneración o sin ella, con el propósito de que se explote la persona o el trabajo del niño o del joven.

- *Trabajo forzoso*

El TEDH en la STEDH 23 noviembre 1983, Caso Van Der Mussele c. Bélgica, tomó el concepto de trabajo forzado del Convenio nº 29 de la OIT —art. 2.1—, conforme a al cuál, la expresión "trabajo forzoso u obligatorio" significa *"todo trabajo o servicio exigido a un individuo bajo la amenaza de cualquier pena y para el cual dicha persona no se ha ofrecido voluntariamente"*.

[Vid. Van Der Mussele, f. 3; STEDH 18 octubre 2011, Caso Graziani-Weiss c. Austria; STEDH 7 julio 2011, Caso Stummer c. Austria (f.118); DTEDH 6 febrero 2018, Caso Adigüzel c. Turquía (f. 26-27)].

No todo trabajo exigido a un individuo bajo la amenaza de una pena es trabajo forzoso, hay que tener en cuenta el volumen y naturaleza del trabajo exigido a fin de distinguir el trabajo forzoso de aquel otro que puede razonable exigirse a título de ayuda mutua familiar o de convivencia. Por ello en STEDH 23 noviembre 1983, Caso Van der Mussele c. Bélgica (f.39) el TEDH introduce **el estándar de la "carga desproporcionada".** En este caso se trataba de un abogado en prácticas que debía prestar gratuitamente el turno de oficio, el TEDH concluye que no fue sometido a una carga desproporcionada, por el hecho de haber prestado dichos servicio gratuito durante 750 horas en 3 años, ya que le quedaba tiempo libre para su trabajo remunerado y que solo un desequilibrio importante y no razonable entre el objetivo perseguido (acceder a la condición de socio) y las obligaciones asumidas para alcanzarlo, podría suponer la existencia de trabajo forzoso. [Vid. STEDH 11 octubre 2012, Caso C.N. c. Francia, (f.78)].

El **concepto de "forzoso"** evoca la idea de coacción física o moral; mientras que **"obligatorio"**, no se refiere a una obligación jurídica cualquiera. Así, al trabajo ejercido en virtud de un contrato libremente pactado no se le aplica el art. 4 CEDH por el solo hecho de que uno de los contratantes se haya vinculado con el otro a su cumplimiento bajo sanción en caso de incumplir su compromiso. De be tratarse de un trabajo exigido bajo la amenaza de una pena cualquiera y, además en contra de la voluntad del interesado,, para el que éste no se haya ofrecido voluntariamente (Van Der Mussele, f. 34)

La **noción de pena se considera en sentido amplio**, (cualquier pena), por tanto, no sólo la violencia o la coacción física, sino formas más sutiles como las amenazas de denunciar a trabajadores en situación irregular a la policía o a los servicios de inmigración (STEDH 11 octubre 2012, Caso C.N. c. Francia, F.77). Veamos varios **ejemplos de "pena cualquiera"**:

- Abogado que puede ser eliminado de la lista de pasantes o de colegiados por el Colegio de abogados (vid. Van Der Mussele, f.35).

- Sanciones disciplinarias que pueden imponerse a un abogado que se niega a ser tutor (STEDH 18 enero 2012, Caso Graziani-Weiss c. Austria (f.39).

- Amenaza de devolución al país de origen a persona migrante (C.N. c. Francia (f.78).

- Amenaza de ser detenido/a por la policía (Siliadin c. Francia —f.118—).

Al contrario **no se considera "cualquier pena"**:

- La amenaza de despido por negarse a hacer horas extras no remuneradas [STEDH 24 enero 2018, Caso Tibet Mentes y otras c. Turquía (f.68)].

- La amenaza de sanción disciplinaria o cese en el caso de negativa por un médico forense a hacer horas sin indemnización fuera del horario de trabajo, cuando existía la posibilidad —no utilizada— de compensar dichas horas con descanso. (DTEDH 6 febrero 2018, Caso Adigüzel c. Turquía).

En cuanto a los criterios para determinar **si la persona se ha ofrecido o no voluntariamente**, en primer lugar, el TEDH otorga un "**valor relativo**" **no determinante, al consentimiento expresado por el trabajador**, y adopta un enfoque casuístico para determinar si hubo o no verdadero consentimiento. En este sentido, hay que **valorar el conjunto de las circunstancias del caso** a la luz de los fines del art. 4 CEDEH, teniendo en cuenta, entre otros criterios manejados por el TEDH: (STEDH 18 enero 2012, Caso Graziani-Weiss c. Austria; DTEDH 8 junio 2011, Caso Mihal c. Eslovaquia):

– si los servicios prestados están fuera de las actividades profesionales normales de la persona interesada;

– si los servicios son remunerados o no o si implican cualquier otra forma de compensación;

– si la obligación se basa en una concepción de solidaridad social; y

– si la carga impuesta es desproporcionada.

En uso de tales criterios, a título de ejemplo, el **TEDH ha considerado que no había voluntariedad y que había trabajo forzoso y trata** en STEDH 30 junio 2017, Caso Chowdury y otros c. Grecia: se trata del caso de unos inmigrantes en situación irregular que trabajaban en la recogida de la fresa en Grecia, sin remuneración, en condiciones de trabajo duras y bajo la vigilancia de guardias armados.

Al contrario, el **TEDH ha considerado** que había voluntariedad y, por tanto, **no se apreciaba trabajo forzoso** conforme al art. 4 CEDH:

– Trabajador impagado que realizó voluntariamente el trabajo y cuyo derecho al salario resulta indiscutible (DTEDH 26 noviembre 2002, Caso Sokur c. Ucrania);

– transferencia del trabajador a otra empresa con peores condiciones de remuneración (DTEDH 3 noviembre 2005, Caso Antonov c. Rusia);

– obligación de desempleado de aceptar ofertas de empleo, de su gusto o no, bajo sanción de reducir las prestaciones de desempleo en caso de rechazo (DTEDH 4 mayo 2010, Caso Schuitemaker c. Holanda);

– condiciones de trabajo y salariales menos favorables que el Estado impone a las personas con discapacidad que trabajan como asistentes personales (DTEDH 5 enero 2016, Caso Rhadi y Gherghina c. Rumanía).

- *Definición negativa de trabajo forzoso u obligatorio (art. 4.3 CEDH)*

   a) Todo trabajo exigido normalmente a una persona privada de libertad en las condiciones previstas por el artículo 5 del presente Convenio, o durante su libertad condicional.

Para definir la esta exclusión, el TEDH **acude a las normas vigentes en los Estados miembros** [STEDH 7 julio 2011, Caso Stummer c. Austria (f.128). Así, por ejemplo en la DTEDH 24 junio 1982, Caso Van Droogenbroeck c. Bélgica (f.59)], el TEDH considera que no hubo trabajo forzoso, porque no fue más allá de los límites "normales" en esta ámbito y porque tendió a ayudar al recurrente a reinsertarse en la sociedad y se basó en textos legales cuyo equivalente se encuentra en otros estados miembros del Consejo de Europa.

En cuanto a **la remuneración del trabajo en prisión**, si bien es recomendable la remuneración justa del trabajo de las personas presas [STEDH 9 enero 2013, Caso Zhelyazkov c. Bulgaria (f.36) y DTEDH 12 marzo 2013, Caso Floroiu c. Rumanía (f.34)], sin embargo no considera que el simple hecho de que el trabajo en prisión no sea remunerado no impide por si mismo que se aplique la exclusión del art. 4.3 a) CEDH [DTEDH 12 marzo 2013, Caso Floroiu c. Rumanía (f.33)].

Por otro lado, se ha admitido como "remuneración", por el TEDH la reducción de pena por trabajo, en DTEDH 12 marzo 2013, Caso Floroiu c. Rumanía.

Para terminar, en cuanto a la **inclusión del trabajo en prisiones en los sistemas de Seguridad Social**, en el caso STEDH 7 julio 2011, Caso Stummer c. Austria (f.131), el TEDH considera que la mayoría de países del Consejo de Europa afilian a los presos de una u otra forma al sistema de Seguridad social, que proteja frente a accidentes, enfermedad y desempleo, lo cierto es que no existe un consenso tan amplio en lo que atañe a hacerles beneficiarios de una pensión de jubilación. Quizás por esa misma falta de consenso, el TEDH ha considerado que no es trabajo forzoso el trabajo de las personas presas después de haber alcanzado la edad legal de jubilación [STEDH 9 febrero 2016, Caso Meier c. Suiza (f.72-79)].

b) Todo servicio de carácter militar o, en el caso de objetores de conciencia en los países en que la objeción de conciencia sea reconocida como legítima, cualquier otro servicio sustitutivo del servicio militar obligatorio.

En el caso resuelto por la STEDH 19 julio 1968, Caso "W.,X.,Y., y Z. c. Reino Unido, se consideró que no había trabajo forzoso u obligatorio aún tratándose de personas que se habían enrolado siendo menores con el consentimiento de sus padres en la armada británica. En la misma sentencia consideró que el deber de un soldado cuando es mayor de edad de respetar los términos de su alistamiento y la restricción a la libertad y a los derechos personales que de ello se derivan no son ni esclavitud ni servidumbre en el sentido del art. 4 CEDH.

Por otro lado, en la STEDH 19 octubre 2015, Caso Chitos c. Grecia, se ha considerado que si bien los Estados pueden imponer períodos de servicio militar obligatorio a los oficiales de la armada cuando concluyen sus estudios, así como el abono de una suma en caso de dimisión anticipada, de forma que se reembolsen los gastos de estudios, debe no obstante efectuarse una ponderación caso a caso, de forma que no se imponga al individuo una carga desproporcionada. (DTEDH 12 enero 2016, Caso Lazaridis c. Grecia)

c) Todo servicio exigido cuando alguna emergencia o calamidad amenacen la vida o el bienestar de la comunidad

Por ejemplo, la obligación de gasear madrigueras de zorros, que se impuso al arrendatario de una zona de caza para luchar contra una epizootia. (DCEDH 4 octubre 1984, Caso S. C. Alemania) o bien la obligación de servir durante 1 año en el servicio de odontología público (DCEDH 17 diciembre 1963, Caso I. c. Noruega).

d) Todo trabajo o servicio que forme parte de las obligaciones cívicas normales

Por ejemplo, imponer a un médico su participación en los servicios de urgencias, no se considera como trabajo forzoso u obligatorio (DTEDH 14 septiembre 2010, Caso Stiendel c. Alemania); tampoco lo es la obligación de servir como jurado (STEDH 20 junio 2006, Caso Zarb Adami c. Malta); o la obligación impuesta a los empresarios de calcular y retener determinados impuestos, cotizaciones de la seguridad social, etc, sobre los salarios de sus empleados (DTEDH 27 septiembre 1976; Caso Sociedades W.,X.,Y., y Z. c. Austria).

- *Trata de seres humanos*

La TSH no se contempla en el art. 4 CEDH, sin embargo, el TEDH en STEDH 7 enero 2010, Caso Rantsev c. Chipre y Rusia, la ha incluido en el ámbito de aplicación del art. 4, por tratarse de un "régimen moderno de esclavitud" (f.282), y ello sin necesidad de determinar si en el caso concreto se trata de esclavitud, servidumbre o trabajo forzado, pues la trata en sí misma se prohíbe por el art. 4 CEDH. (STEDH 17 diciembre 2012, Caso M. y otros c. Italia y Bulgaria, F. 151)

> *«En virtud de su naturaleza y del propósito de explotar a otros, la trata de seres humanos se basa en el ejercicio de poderes derivados del derecho de propiedad. En este sistema, los seres humanos son tratados como cosas que se pueden vender y comprar y están sujetos a trabajos forzados, que a menudo realizan por poco o nada de dinero, generalmente en la industria del sexo, pero también en otros sectores (véanse los párrafos 101 y 161 supra). Ello implica una estrecha vigilancia de las actividades de las víctimas y, en muchos casos, la restricción de su libertad de movimientos (véanse los párrafos 85 y 101 anteriores), están sujetas a violencia y amenazas y sometidas a condiciones de vida y de trabajo espantosas (párrafos 85, 87, 88 y 101 anteriores). Interights y los autores del Informe explicativo para la Convención contra la trata del Consejo de Europa describieron la trata de esclavos moderna como una trata de esclavos (véase el párrafo 161 supra). Asimismo, el Defensor del Pueblo chipriota cree en su informe que la explotación sexual y la trata constituyen un "régimen moderno de esclavitud" (véase el párrafo 84 supra)».*

No cabe duda de que la TSH atenta contra la dignidad humana y los derechos fundamentales de las personas víctimas de la misma, y que no puede considerarse compatible con una sociedad democrática ni con los valores del CEDH (Vid. Rantsev).

Las principales sentencias y decisiones en las que **el TEDH se ha pronunciado en materia de TSH**, son:

- STEDH 29 noviembre 2011, Caso V.F. c. Francia.
- STEDH 31 julio 2012, Caso M. y otras c. Italia y Bulgaria.
- DTEDH 10 septiembre 2013, Caso F.A. c. Reino Unido.
- STEDH 21 enero 2016, Caso L.E. c. Grecia.

- STEDH 17 enero 2017, Caso J. y otras c. Austria.

- STEDH 30 marzo 2017, Caso Chowdury y otros c. Grecia.

- STEDH 18 julio 2019, Caso T.I y otras contra Grecia.

Por otro lado, y dada la importancia estadística de los colectivos afectados por la trata (mujeres y niñas en su mayor parte, particularmente en el marco de la trata con fines de explotación sexual y matrimonios forzados), **la perspectiva del interés del menor y la perspectiva de género** habrán de ser tenidas en cuenta.

Muestra de ello es el caso resuelto por la STEDH 24 julio 2012, Caso B.S. c. España (f.71), en un caso de denuncia de malos tratos policiales a mujer africana que ejercía la prostitución, el TEDH considera que:

> *"A la luz de los elementos de prueba proporcionados en este caso, el Tribunal estima que las decisiones dictadas por los Órganos Jurisdiccionales internos, **no tuvieron en cuenta la vulnerabilidad específica de la demandante, inherente a su condición de mujer africana ejerciendo la prostitución**. Las Autoridades faltaron así a la obligación que les incumbía, en virtud del artículo 14 del Convenio combinado con el artículo 3, de adoptar todas las medidas posibles para ver si una actitud discriminatoria hubiera podido, o no, desempeñar algún papel en los sucesos."*

- *Obligaciones positivas del Estado*

1) *Obligación de establecer un marco jurídico y reglamentario adecuado:*

El art. 4 exige que los Estados sancionen efectivamente toda conducta dirigida a reducir a una persona a la esclavitud o la servidumbre; o a someterla a un trabajo forzado u obligatorio, para ello, los Estados deben articular un marco jurídico y reglamentario que prohíba y castigue tales actos. (STEDH 7 enero 2010, Caso Rantsev c. Chipre y Rusia, f. 285; STEDH 26 julio 2005, Caso Siliadin c. Francia, f. 112, etc.).

En el marco de la Trata de Seres Humanos, el TEDH ha subrayado en Rantsev (f.285), que el Protocolo de Palermo y el Convenio de Varsovia imponen la adopción de un **enfoque transversal** para luchar contra la TSH, aplicando, además de **medidas punitivas** contra los traficantes, **medidas preventivas** y de **protección de las víctimas**. Sólo una combinación de las tres medidas: preventivas, represivas y de protección, permite una lucha eficaz contra la TSH. En este sentido, el conjunto de las garantías previstas por la legislación nacional debe ser suficiente para asegurar una protección práctica y efectiva de los derechos de las víctimas reales o potenciales de TSH. (STEDH 7 enero 2010, Caso Rantsev c. Rusia (f. 284).

2) *Obligación de adoptar medidas concretas:*

Para que surja la obligación positiva de tomar medidas concretas en un caso dado, debe constar que las autoridades estatales sabían o debían haber sabido de las circunstancias que dieron lugar a sospechas razonables de que un individuo era o estaba en peligro real e inmediato de ser objeto de un trato contrario al art. 4 CEDH. Si tal es el caso y no adoptan las medidas apropiadas dentro de sus posibilidades para sacar al individuo de la situación o riesgo en cuestión, existe una violación del art. CEDH (ver, mutatis mutandis). STEDH 18 marzo 2000, Caso, Mahmut Kaya c. Turquía, (f. 115-116); STEDH 28 octubre 1998, Caso Osman c. Reino Unido (f.116-117).

3) *Obligación procesal de investigar:*

El art. 4 CEDH impone la obligación positiva y procesal de abrir una investigación cuando existan indicios racionales para creer que los derechos de una persona garantizados por dicho precepto han resultado violados STEDH 7 enero 2010, Caso Rantsev c. Rusia (f.288) y STEDH C.N. c. Reino Unido (f.69).

Esta obligación de investigar no depende de la denuncia de la víctima o de un familiar: una vez los hechos son conocidos por las autoridades, éstas han de actuar de oficio (STEDH 14 marzo 2002, Caso *Paul* y *Audrey Edwards* (f. 69)

Para que la investigación sea efectiva, debe ser independiente de las personas implicadas en los hechos. Además, debe permitir identificar y sancionar a los responsables. No es una obligación de resultados, sino de medios. La exigencia de celeridad y diligencia razonables están implícitas en todos los casos, sin embargo, cuando puede sacarse a la víctima de una situación perjudicial, la investigación ha de ser urgente. La víctima y sus familiares deben estar en contacto con el proceso en la medida de la posible para proteger sus intereses legítimos. (STEDH 21 enero 2016, Caso L.E. c. Grecia).

4.1.4. La prohibición de las esclavitud, la servidumbre y el trabajo forzado y la trata de personas en España

Hay que empezar por **descartar la idea comúnmente extendida de que la esclavitud es cosa del pasado**. Al contrario, la misma se desenvuelve hoy bajo el manto de nuevas formas de cosificación de las personas y explotación de las mismas, entre las que destaca la trata de seres humanos.

En 2016, según los **datos que proporciona la OIT**[400], se estima que 40,3 millones de personas están en situación de lo que conocemos como esclavitud moderna, incluidos 24.9 millones en trabajos forzados y 15,4 millones en matrimonios forzados. Ello significa que hay 5.4 víctimas de la esclavitud moderna por cada 1.000 personas en el mundo. Una de cada cuatro víctimas de la esclavitud moderna son niños/as.

De los 24,9 millones de personas sometidas a trabajos forzados, 16 millones de personas son explotadas en el sector privado, como el trabajo doméstico, la construcción o la agricultura; 4.8 millones de personas están sometidas a la explotación sexual forzada, y 4 millones de personas realizan trabajos forzados impuestos por las autoridades estatales. Las mujeres y las niñas se ven desproporcionadamente afectadas por el trabajo forzado, puesto que representan el 99% de las víctimas en la industria del sexo comercial y el 58% en otros sectores.

Las cifras, por sí mismas, sugieren la necesidad de una **perspectiva de derechos de la infancia y de género**, pues mujeres y niñas son, con diferencia, los colectivos más afectados por las modalidades modernas de esclavitud.

Partiendo de tales cifras, veremos ahora el **tratamiento jurídico en España de la prohibición de esclavitud, servidumbre, trabajos forzados y la trata de personas**. Para ello, y con un obligado esfuerzo de síntesis, trataremos primero las normas internacionales que vinculan a España para después examinar brevemente la tutela penal, administrativa y laboral de todas estas formas de explotación del ser humano por él mismo.

– **Nivel internacional:**

　• Declaración Universal de Derechos Humanos (art. 1 y 4).

---

[400] Datos sobre esclavitud moderna de la OIT: https://www.ilo.org/global/topics/forced-labour/lang--en/index.htm

- Pacto Internacional de Derechos Civiles y Políticos (art. 8) (Ratificado por España el 13 de abril de 1977 (BOE 30 abril 1977).

- Pacto Internacional de Derechos Económicos, Sociales y Culturales (art. 6). Ratificado por España el 13 de abril de 1977 (BOE 30 abril 1977).

- La Convención Internacional sobre la esclavitud se firma en Ginebra en 25 septiembre 1926 y fue ratificada por España el 12 de septiembre de 1927[401].

- Convenio de Naciones Unidas para la represión de la Trata de Personas y la Explotación de la Prostitución Ajena, de 21 marzo 1950 (Adhesión de España el 18 septiembre 1962 (BOE 25 septiembre 1962).

- Protocolo para modificar la Convención sobre la Esclavitud (Ginebra, 23 octubre 1953).

- Convención suplementaria sobre la abolición de la esclavitud, la trata de esclavos y las instituciones y prácticas análogas a la esclavitud (1956) (España se adhiere por instrumento de 21 noviembre 1967 (BOE 29 diciembre 1967).

- Convenio Europeo de Derechos Humanos, de 1950.(art. 4) (Ratificado por España el 26 septiembre 1979, (BOE 10 octubre 1979).

- Convención sobre la eliminación de todas las formas de discriminación contra la mujer (1979).

- Estatuto de Roma de la Corte Penal internacional, arts. 7 y 8 (Ratificado por España: BOE 27 mayo 2002).

- Convención de las Naciones Unidas contra la delincuencia organizada transnacional, realizada en Nueva York el 5 de noviembre de 2000. (Instrumento de ratificación de 21/02/2002 publicado en BOE de 29/09/2003).

- Protocolo para prevenir, reprimir y sancionar la trata de personas especialmente mujeres y niños, que complementa la Convención

---

[401] Puede consultarse en: http://www.ohchr.org/SP/ProfessionalInterest/Pages/SlaveryConvention.aspx

de las Naciones Unidas contra la Delincuencia Organizada Transnacional. (Instrumento de ratificación de 21/02/2002 publicado en BOE de 11/12/2003).

- Protocolo contra el tráfico ilícito de emigrantes por tierra, mar y aire, que complementa la Convención de las Naciones Unidas contra la Delincuencia Organizada Transnacional. (Instrumento de ratificación de 21/02/2002 publicado en BOE de 10/12/2003).

– **Nivel Especializado (OIT):**

- Convenio núm. 29, aprobado en la Conferencia de Ginebra de 10 de junio de 1929. Supresión del trabajo forzoso u obligatorio. Ratificado por Ley de 8 de abril de 1932 («Gaceta» núm. 105, de 14 de abril).

- Convenio núm. 105, de 5 de junio de 1957. Abolición del trabajo forzoso. Instrumento de ratificación de 26 de octubre de 1967 («BOE» núm. 29 1, de 4 de diciembre de 1968).

– **Nivel del Consejo de Europa:**

- Convenio Europeo de Derechos Humanos de 1950 (art. 4).

- Convenio nº 197 del Consejo de Europa de 16 de mayo de 2005, para la acción contra la trata de seres humanos. (Convenio de Varsovia) (instrumento de ratificación de 23 de febrero 2009, BOE 10 septiembre 2009).

– **Unión Europea:**

- Carta de los Derechos Fundamentales de la Unión Europea (arts.5 y 19.2).

- Decisión Marco del Consejo de la Unión Europea, de 19 de julio de 2002, relativa a la lucha contra la trata de seres humanos.

- Directiva 2004/81/CE del Consejo de 29 de abril, relativa a la expedición de un permiso de residencia a nacionales de terceros países que sean víctimas de la trata de seres humanos o hayan sido objeto de una acción de ayuda a la inmigración ilegal que cooperen con las autoridades competentes.

La Directiva 2011/36/UE, relativa a la prevención y lucha contra la trata de seres humanos y a la protección de las víctimas.

- **Constitución Española**

La CE no prohíbe la esclavitud, si bien en su art. 10.1 consagra la dignidad humana como fundamento del orden político y la paz social, en su art. 25.2 prohíbe la pena de trabajos forzados, y, por otro lado establece que la persona condenada a pena de prisión "En todo caso, tendrá derecho a un trabajo remunerado y a los beneficios correspondientes de la Seguridad Social, así como al acceso a la cultura y al desarrollo integral de su personalidad".

En fin, en el art. 35.1 CE se proclama el derecho y el deber de trabajar y el derecho a la libre elección de profesión u oficio.

a) LOGP 1/1979 y RGP (RD 190/96): El trabajo en prisión

Sobre el trabajo en prisiones, hay que estar a lo que dispone el Cap II LOGP (arts.26-35) y en los arts. 132-152 que integran el Cap IV del RGP dedicado a la relación laboral especial penitenciaria. El trabajo en prisión tiene la naturaleza de derecho-deber de la persona interna, es parte del régimen y del tratamiento, y está condicionado, como sigue:

a) No tendrá carácter aflictivo ni será aplicado como medida de corrección.
b) No atentará a la dignidad del interno.
c) Tendrá carácter formativo, creador o conservador de hábitos laborales, productivo o terapéutico, con el fin de preparar a los internos para las condiciones normales del trabajo libre.
d) Se organizará y planificará, atendiendo a las aptitudes y cualificación profesional, de manera que satisfaga las aspiraciones laborales de los reclusos en cuanto sean compatibles con la organización y seguridad del establecimiento.
e) Será facilitado por la administración.
f) Gozará de la protección dispensada por la legislación vigente en materia de Seguridad Social.
g) No se supeditará al logro de intereses económicos por la Administración.

Ahora bien, el derecho a un trabajo remunerado en prisión no es un derecho subjetivo que emane de la CE directamente. Se trata de un derecho que puede ejercerse en el marco de la «organización prestacional existente» (STC 172/1989), es decir, derecho de configuración legal: el legislador tiene un amplio margen de libertad para regular su contenido y modalidades de ejercicio, según cuál sea en cada momento su visión del sistema penitenciario y cuáles sean las correspondientes disponibilidades financieras; pero, una vez que ha fijado esa organización prestacional, el artículo 25. 2 CE da al recluso el derecho a beneficiarse de ella. En segundo lugar, "como derecho a la actividad laboral dentro de la organización prestacional existente, que debe reconocerse una situación jurídica plenamente identificable con un derecho fundamental del interno, con la doble condición de derecho subjetivo y elemento esencial del ordenamiento jurídico -SSTC 25/1981 y 163/1986 exigible frente a la Administración Penitenciaria en las condiciones legalmente establecidas (STC 172/89, de 19 de octubre).

El TC, en **STC 116/2002, de 20** de mayo en un caso en que se denunciaba trabajo forzoso por el deber de los internos de colaborar en la limpieza de la prisión:

> *"lo que **la LOGP en su art. 26 y el RP en el art. 4.2 f)** reconocen, es el derecho al trabajo, no la prohibición constitucional de exigir al interno determinadas prestaciones, ni siquiera la consideración del trabajo como un deber que figura también en el referido art. 26 de la LOGP. La prestación que se le exigió al recurrente debe entenderse, no tanto como un trabajo a los efectos del art. 26 de la LOGP, sino como una prestación personal obligatoria justificable por la especial intensidad con la que opera la relación especial de sujeción del interno, de la que se deduce su deber de colaboración en las tareas comunes del Centro Penitenciario. Esa relación de sujeción especial, que en todo caso debe ser entendida en un sentido reductivo compatible con el valor preferente de los derechos fundamentales*[402] *origina un entramado de derechos y deberes recíprocos de la Administración Penitenciaria y el recluido. De ese entramado destaca, a los efectos que a este amparo interesa, de un lado, la obligación esencial de la institución penitenciaria de garantizar y velar, como repetidamente se cuida de señalar la legislación penitenciaria, por la seguridad y el buen orden que deben regir en el Centro, y, de otro lado, el correlativo deber del interno de acatar y observar las normas de régimen interior reguladoras de la vida del establecimiento."*

b) La pena de trabajos en beneficio de la comunidad

El Código Penal regula **la pena de trabajos en beneficio de la comunidad,** (art. 39.i) y asrt.49 CP y RD 840/2011, de 17 de junio), que no puede imponerse sin consentimiento del penado, y que le obliga a prestar

---

[402] SSTC 120/1990, de 27 de junio, F. 6; 137/1990, de 19 de julio, F. 4; 11/1991, de 17 de enero, F. 2; 57/1994, de 28 de febrero, F. 3; 35/1996, de 11 de marzo, F. 2; 170/1996, de 29 de octubre, F. 4; 175/1997, de 27 de octubre, F. 2; 58/1998, de 16 de marzo, F. 5; 188/1999, de 25 de octubre, F. 5; 175/2000, de 26 de junio, F. 2 y 27/2001, de 29 de enero, F. 3, entre otras.

su cooperación no retribuida en determinadas actividades de utilidad pública, que podrán consistir, en relación con delitos de similar naturaleza al cometido por el penado, en labores de reparación de los daños causados o de apoyo o asistencia a las víctimas, así como en la participación del penado en talleres o programas formativos o de reeducación, laborales, culturales, de educación vial, sexual y otros similares. Al exigir la voluntad del penado, para evitar incurrir en la prohibición de pena de trabajos forzados, **puede actuar como pena alternativa o sustitutiva**. Como pena sustitutiva se utiliza para evitar las penas de prisión de corta duración en sujetos con pronósticos favorables de no reincidencia, evitando los efectos perversos de la pena de prisión de corta duración, al igual que el instituto de la suspensión, subrayando el Tribunal Constitucional que la condena condicional está concebida para evitar el posible efecto corruptor de la vida carcelaria en los delincuentes primarios y respecto de las penas privativas de libertad de corta duración, finalidad explícita en el momento de su implantación (SSTC 224/92, de 14 de diciembre y 209/93 de 28 de junio) (AAP Soria 124/2006, de 23 de mayo).

c) La sanción penal de la esclavitud, servidumbre, trabajos forzados o trata de seres humanos

En cuanto a la **sanción penal de la esclavitud, servidumbre, trabajo forzado o trata de seres humanos,** en primer lugar, cabe subrayar que el CP **no castiga la esclavitud, prácticas similares a la esclavitud, servidumbre o trabajo forzado, en un tipo específico,** aunque se refiere a esclavitud, prácticas análogas y servidumbre como **finalidad asociada a la trata de personas** (art. 177bis a) CP[403]; en los delitos de **lesa humanidad** (art. 607bis).10 CP); y en fin, como parte de un ataque generalizado o sistemático contra la población civiles o una parte de ella; o en los **delitos contra las personas y bienes protegidos en caso de conflicto armado** (art. 611.9 CP).

En cambio, **sí tipifica de forma específica la trata de seres humanos** en el Título VII bis del Libro II en su art. 177bis CP, introducido por la LO

---

[403] Se añade por el art. único.39 de la Ley Orgánica 5/2010, de 22 de junio. Ref. BOE-A-2010-9953.

5/2019, cuya Exposición de motivos afirma que el art. 177 bis *"tipifica un delito en el que prevalece la protección de la dignidad y la libertad de los sujetos pasivos que la sufren. Por otro lado, resulta fundamental resaltar que no estamos ante un delito que pueda ser cometido exclusivamente contra personas extranjeras, sino que abarcará todas las formas de trata de seres humanos, nacionales o trasnacionales, relacionadas o no con la delincuencia organizada.*

En cambio, el delito de inmigración clandestina siempre tendrá carácter trasnacional, predominando, en este caso, la defensa de los intereses del Estado en el control de los flujos migratorios".

Por otro lado, en sede de tipificación de los **delitos contra los derechos de los trabajadores del Título XV, Libro II CP** (arts. 311-318) cabe destacar el tipo básico del art. 311.1 que castiga a los que mediante engaño o abuso de situación de necesidad, impongan a los trabajadores a su servicio condiciones laborales o de Seguridad social, que perjudiquen, supriman o restrinjan los derechos que tengan reconocidos por disposiciones legales, convenios colectivos o contrato individual.

Dentro de la órbita de este precepto se han sancionado casos como por ejemplo:

- Trabajadores obligados a soportar condiciones de trabajo perjudiciales y vejatorias a consecuencia de la vinculación de su contratación a la prestación de una fianza con la excusa de darles formación o garantizar plazo de permanencia en la empresa, con una cláusula que determina que a la resolución de la relación laboral se produce la perdida de la fianza entregada por el trabajador (STS II 29 diciembre 2005, núm. 1613/2005).

- No dar de alta en la Seguridad Social a mujeres que desempeñan labores de alterne con clientes: actividad en la que concurren las notas tipificadoras de toda relación laboral; (STS II 26 marzo 2019, núm. 162/2019).

También se han sancionado **claros casos de trata de seres humanos**:

- Supuesto en que los acusados pidieron a la víctima extranjera que les entregara el pasaporte y 400 dólares que aquélla no tenía a cambio de encontrarle un trabajo, ante lo cual, la tuvieron trabajando sin remuneración alguna durante mes y medio como empleada de hogar y, simultáneamente como mujer de la limpieza en un local de copas regentado por dos de los acusados. (STS II 24 febrero 2005, núm. 221/2005).

- Someter a mujeres extranjeras sin permiso de trabajo a ejercer la prostitución en condiciones de trabajo sin descanso semanal y sin entregarles la remuneración acordada. (STS II 29 marzo 2004, núm. 438/2004).

También se ha producido el tipo de trata en relación con el art. 312.2 CP, en relación con la prostitución: Así en el supuesto de mujeres extranjeras provenientes de zonas pobres que ejercían la prostitución en locales sin contrato laboral ni seguros médicos, con horarios de nueve horas, seis días a la semana y bajo normas de comportamiento cuya infracción conllevaba la pérdida del 50% de las ganancias del día (STS II 5 abril 2016, núm. 270/2016).

Desde el **punto de vista contractual, de la relación laboral,** la característica común de esclavitud, servidumbre, trabajo forzado y trata para la explotación laboral, el factor común a todos estos supuestos es la ausencia de consentimiento, o la invalidez del mismo, lo que determina la inexistencia misma de relación laboral. (art. 1.1 ET). En efecto, El trabajo objeto del Derecho del Trabajo se presta voluntariamente, como no podía ser de otro modo en un sistema social en el que las instituciones laborales forzosas o coactivas (esclavitud, servidumbre) han sido relegadas al pasado por la generalización del principio de libertad de trabajo, ampliamente consagrado en el Derecho constitucional[404].

El proceso de abolición de la esclavitud se inicia en el S XVIII y no termina hasta bien entrado el S XX. La revolución de Haití contra la esclavitud y el control colonial (1791-1804) fue uno de los primeros hitos en la lucha abolicionista, junto a los movimientos abolicionistas de 1787 en Inglaterra, donde el Acta de 1807 le puso fin. Francia la abolió en 1848, España la abolió en 1837, pero la mantuvo en las colonias, por las presiones de la burguesía colonial. En la Declaración de 8 de febrero de 1815 del Congreso de Viena se consideró una ofensa la trata a los principios de

---

[404] MONTOYA, A. "Derecho del Trabajo. 21ª edición. Madrid. Tecnos, 2001, p. 34; citado por CAVAS MARTÍNEZ, F. "Trabajo libre, trabajo digno: revisando viejas ideas a propósito de un reciente informe de la OIT sobre el trabajo forzoso en el mundo." Revista Doctrinal Aranzadi Social nº 6/2001. Parte Tribunal Ed. Aranzadi.

humanidad y de la moral universal[405]. Todavía el 12 de junio de 1924 la Sociedad de naciones nombra una Comisión informativa sobre el estado de la esclavitud y, finalmente, la Convención Internacional sobre la esclavitud se firma en Ginebra en septiembre 1926 y fue ratificada por España el 12 de septiembre de 1927[406].

Sin embargo, en lo que a lo que la OIT[407] ha definido como nuevas formas de esclavitud, singularmente la trata de seres humanos, **todavía queda mucho camino por recorrer, también en España**. Baste para ello reproducir **algunas de las recomendaciones** de la Segunda Ronda de Evaluaciones del **informe relativo a la aplicación del Convenio Del Consejo de Europa par la acción contra la Trata de Seres Humanos en España de 23 de marzo de 2018 (GRETA)**.

Así, en dicho informe se identifican como algunos de los problemas urgentes:

• GRETA una vez más insta a las autoridades españolas a adoptar con carácter prioritario un plan de actuación nacional integral que incluya medidas para:

  • Fortalecer **la acción para combatir la THB con fines de explotación laboral** y mejorar la **identificación y la asistencia a las víctimas** de esta forma de trata, **involucrando a la sociedad civil, los sindicatos, las inspecciones de trabajo y el sector privado;**

  • cubrir a todas las víctimas de la trata de personas para todas las formas de explotación, incluidos los matrimonios forzados, la mendicidad forzada, la criminalidad forzada y la extracción de órganos, **teniendo en cuenta la perspectiva de género de la trata y la vulnerabilidad particular de los niños;**

---

[405] FERNÁNDEZ LIESA, C. R. "El derecho internacional de los derechos humanos en perspectiva histórica". Ed. Civitas. 2013. pp. 82-85.

[406] Puede consultarse en: http://www.ohchr.org/SP/ProfessionalInterest/Pages/SlaveryConvention.aspx

[407] Global Estimates of Modern Slavery. Forced Labour and forced marriage. Puede consultarse en: https://www.ilo.org/global/publications/books/WCMS_575479/lang--en/index.htm

- priorizar la identificación de víctimas de trata entre solicitantes de asilo y migrantes irregulares (párrafo 45).

– GRETA insta a las autoridades españolas a finalizar el desarrollo de un **sistema estadístico integral y coherente sobre medidas para proteger y promover los derechos de las víctimas de la trata**, así como sobre la investigación, el enjuiciamiento y la adjudicación de casos de THB. Las estadísticas sobre las víctimas deben recopilarse de todos los actores principales y permitir la desagregación en relación con el sexo, la edad, el tipo de explotación, el país de origen y/o destino. Esto debería ir acompañado de todas las medidas necesarias para respetar el derecho de los interesados a la protección de datos personales, incluso cuando se solicita a las ONG que trabajan con las víctimas que proporcionen información para la base de datos nacional (párrafo 64).

– GRETA insta a las autoridades españolas a intensificar sus esfuerzos para prevenir la THB con fines de explotación laboral, en particular:

  - **ampliar la capacidad y el mandato de los inspectores del trabajo** para que puedan participar activamente en la prevención de THB, incluso en hogares privados;

  - **abordar los riesgos de THB en el sector agrícola y garantizar que los inspectores del trabajo dispongan de recursos suficientes para cumplir su mandato,** incluso en lugares remotos en riesgo de THB;

  - **capacitar a los inspectores del trabajo en todo el país, así como a los funcionarios encargados de hacer cumplir la ley, los fiscales y los jueces, en la lucha contra la trata de personas con fines de explotación laboral y los derechos de las víctimas**[408];

  - revisar los sistemas reglamentarios relativos a los migrantes que trabajan como trabajadores de atención domiciliaria y garantizar

---

[408] En este punto se ha elaborado el 8/11/2018 en el seno del CGPJ una "Guía de Criterios de Actuación Judicial Frente a la Trata de Seres Humanos". Puede consultarse en: http://www.poderjudicial.es/cgpj/es/Poder-Judicial/En-Portada/El-CGPJ-presenta-una-Guia-de-criterios-de-actuacion-judicial-para-detectar-e-investigar-la-trata-de-seres-humanos-con-fines-de-explotacion

que las inspecciones puedan realizarse en hogares privados con el fin de prevenir el abuso de los trabajadores domésticos y detectar casos de trata de personas;

- reforzar la supervisión de las agencias de contratación y de trabajo temporal y las cadenas de suministro y revisar el marco legislativo para detectar posibles lagunas que puedan limitar la protección o las medidas preventivas;

- sensibilizar al público en general, así como, de manera selectiva, entre los trabajadores migrantes, sobre los riesgos de THB con fines de explotación laboral;

- trabajando en estrecha colaboración con los sindicatos, la sociedad civil y el sector privado para crear conciencia sobre la trata con fines de explotación laboral, prevenir la trata en las cadenas de suministro y fortalecer la responsabilidad social de las empresas, basándose en los Principios Rectores sobre las empresas y los derechos humanos y la Recomendación CM/Rec (2016) 3 sobre derechos humanos y empresas (párrafo 90).

Refiriéndose al Artículo 5, párrafo 5, de la Convención, según el cual las Partes en la Convención tomarán medidas específicas para reducir la vulnerabilidad de los niños a la trata, en particular mediante la creación de un entorno protector para ellos, GRETA insta a las autoridades españolas a garantizar que no estén acompañados y separados los niños se benefician de arreglos de cuidado efectivos, que incluyen alojamiento, acceso a educación y atención médica, para que no estén expuestos a riesgos de trata (párrafo 99).

- GRETA insta a las autoridades españolas a tomar medidas adicionales para mejorar la identificación oportuna de las víctimas de THB y, en particular, a:

- garantizar que, en la práctica, la identificación formal de las víctimas de THB no dependa de la presencia de pruebas suficientes para iniciar el proceso penal;

- continuar fortaleciendo la participación de múltiples organismos en la identificación de las víctimas de la trata mediante el reconocimiento formal del papel de las ONG especializadas en el proceso de toma de decisiones que conducen a la identificación;

- aumentar los esfuerzos para identificar de manera proactiva a las víctimas de la trata con fines de explotación laboral, reforzando la capacidad y la capacitación de los inspectores del trabajo e involucrando a los sindicatos;

- prestar más atención a la detección proactiva de víctimas de trata entre los solicitantes de asilo y las personas detenidas por inmigrantes, así como a los migrantes que llegan a las ciudades autónomas de Ceuta y Melilla, lo que permite suficiente tiempo para reunir la información necesaria y tener en cuenta su experiencia traumática. En este contexto, se debe proporcionar capacitación sobre la identificación de víctimas de THB y sus derechos a los oficiales de asilo y al personal que trabaja en los centros donde se ubican a dichas personas (CIE, CETI);

4.1.5. Índice de casos

DCEDH 17 diciembre 1963, Caso I. c. Noruega
STEDH 19 julio 1968, Caso "W.,X.,Y., y Z. c. Reino Unido
DTEDH 27 septiembre 1976; Caso Sociedades W.,X.,Y., y Z. c. Austria
STEDH 23 noviembre 1983, Caso Van der Mussele c. Bélgica
STEDH 9 julio 1989, Caso Van Droogenbroeck c. Bélgica
STEDH 28 octubre 1998, Caso Osman c. Reino Unido
STEDH 19 enero 1999, Caso Barar c. Suecia
DTEDH 7 marzo 2000, Caso Seguin c. Francia
STEDH 18 marzo 2000, Caso, Mahmut Kaya c. Turquía
STEDH 14 marzo 2002, Caso Paul y Audrey Edwards
DTEDH 26 noviembre 2002, Caso Sokur c. Ucrania
STEDH 26 julio 2005, Caso Siliadin c. Francia
DTEDH 3 noviembre 2005, Caso Antonov c. Rusia
STEDH 20 junio 2006, Caso Zarb Adami c. Malta
STEDH 7 enero 2010, Caso Rantsev c. Chipre y Rusia
DTEDH 4 mayo 2010, Caso Schuitemaker c. Holanda
DTEDH 14 septiembre 2010, Caso Stiendel c. Alemania
DTEDH 8 junio 2011, Caso Mihal c. Eslovaquia
STEDH 7 julio 2011, Caso Stummer c. Austria
STEDH 18 octubre 2011, Caso Graziani-Weiss c. Austria
STEDH 29 noviembre 2011, Caso V.F. c. Francia
STEDH 18 enero 2012, Caso Graziani-Weiss c. Austria
STEDH 31 julio 2012, Caso M. y otras c. Italia y Bulgaria
STEDH 11 octubre 2012, Caso C.N. y V. c. Francia
STEDH 13 noviembre 2012, Caso C.N. c. Reino Unido
STEDH 17 diciembre 2012, Caso M. y otros c. Italia y Bulgaria
STEDH 3 septiembre 2013, Caso Kawogo c. Reino Unido

DTEDH 10 septiembre 2013, Caso F.A. c. Reino Unido
STEDH 18 febrero 2014, Caso OGO v. Reino Unido
STEDH 19 octubre 2015, Caso Chitos c. Grecia
DTEDH 5 enero 2016, Caso Rhadi y Gherghina c. Rumanía
DTEDH 12 enero 2016, Caso Lazaridis c. Grecia
STEDH 21 enero 2016, Caso L.E. c. Grecia
STEDH 9 febrero 2016, Caso Meier c. Suiza
STEDH 17 enero 2017, Caso J. y otras c. Austria
STEDH 30 junio 2017, Caso Chowdury y otros c. Grecia
STEDH 24 enero 2018, Caso Tibet Mentes y otras c. Turquía
DTEDH 6 febrero 2018, Caso Adigüzel c. Turquía
STEDH 18 julio 2019, Caso T.I y otras contra Grecia

4.1.6. *Bibliografía*

CAVAS MARTÍNEZ, F. "Trabajo libre, trabajo digno: revisando viejas ideas a propósito de un reciente informe de la OIT sobre el trabajo forzoso en el mundo." Revista Doctrinal Aranzadi Social nº 6/2001. Parte Tribunal Ed. Aranzadi.

GARCÍA ROCA, J., SANTOLAYA, P. (Coord.) "La Europa de los Derechos. El Convenio Europeo de Derechos Humanos Ed. CEC. 2ª Edición. 2009.

LASAGABASTER HERRARTE, I. "Convenio Europeo de Derechos Humanos. Comentario Sistemático. 2ª edición. Ed. Civitas Thomson-Reuters 2009.

LÓPEZ RODRÍGUEZ, Josune. "Prohibición de la esclavitud y del trabajo forzado. art. 4 CEDH; en MONEREO ATIENZA, C.; MONEREO PÉREZ, J. L. "La Garantía Multinivel de los Derechos Fundamentales en el Consejo de Europa". Ed. Comares. 2017. pp. 35-46

MONEREO ATIENZA, C.; MONEREO PÉREZ, J.L. "La Garantía Multinivel de los Derechos Fundamentales en el Consejo de Europa". Ed. Comares. 2017.

MONTOYA, A. "Derecho del Trabajo. 21ª edición. Madrid. Tecnos, 2001, p. 34.

PÉREZ TREMPS, P.; SAIZ ARNAIZ, A., "Comentario a la Constitución Española. 40 aniversario 1979-2018. Libro homenaje a Luis López Guerra. Ed. Tirant Lo Blanch.

PINTO DE ALBUQUERQUE, P. "I Diritti umani in una prospettiva europea. Opinini concrrenti e dissenzienti (2011-2015)". A cura e con un saggio di Davide Galliani prefaziine di Paola Bilancia. Ed. B. Giappichelli Editori- 2016.

PRECIADO DOMÈNECH, C.H. "Teoría General de los Derechos Fundamentales en el contrato de Trabajo". Ed. Thomson Reuters-Aranzadi. 2018.

QUERALT JIMÉNEZ, A. "La interpretación de los derechos: del Tribunal de Estrasburgo al Tribunal Constitucional". Ed. CEC. 2008.

RIPOL CARULLA, S., VELÁZQUEZ GARDETA, J. M. y AAVV "España en Estrasburgo. Tres Décadas bajo la Jurisdicción del Tribunal Europeo de Derechos Humanos. Ed... Aranzadi. Primera edición. 2010.

SARMIENTO,D.; MIERES MIRES, L. J.; PRESNO LINERA, M. "Las sentencias básicas del Tribunal Europeo de Derechos Humanos. Ed. Thomson Cititas. 2007.

Webgrafía

Protocolo de Palermo. Puede consultarse en: https://www.ohchr.org/Documents/ProfessionalInterest/ProtocolTraffickingInPersons_sp.pdf

Convenio del Consejo de Europa sobre la lucha contra la trata de seres humanos (Convenio nº 197 del Consejo de Europa), hecho en Varsovia el 16 de mayo de 2005. Puede consultarse en: https://www.boe.es/buscar/doc.php?id=BOE-A-2009-14405

- Guía de Criterios de Actuación Judicial Frente a la Trata de Seres Humanos". Puede consultarse en: http://www.poderjudicial.es/cgpj/es/Poder-Judicial/En-Portada/El-CGPJ-presenta-una-Guia-de-criterios-de-actuacion-judicial-para-detectar-e-investigar-la-trata-de-seres-humanos-con-fines-de-explotacion

Datos sobre esclavitud moderna de la OIT:

- https://www.ilo.org/global/topics/forced-labour/lang--en/index.htm
- Global Estimates of Modern Slavery. Forced Labour and forced marriage. Puede consultarse en: https://www.ilo.org/global/publications/books/WCMS_575479/lang--en/index.htm

5. DERECHO A LA LIBERTAD Y SEGURIDAD (ART. 5 CEDH)

Artículo 5 CEDH. Derecho a la libertad y a la seguridad

1. Toda persona tiene derecho a la libertad y a la seguridad. Nadie puede ser privado de su libertad, salvo en los casos siguientes y con arreglo al procedimiento establecido por la ley:

a) Si ha sido privado de libertad legalmente en virtud de una sentencia dictada por un tribunal competente;

b) Si ha sido detenido o privado de libertad, conforme a derecho, por desobediencia a una orden judicial o para asegurar el cumplimiento de una obligación establecida por la ley;

c) Si ha sido detenido y privado de libertad, conforme a derecho, para hacerle comparecer ante la autoridad judicial competente, cuando existan indicios racionales de que ha cometido una infracción o cuando se estime necesario para impedirle que cometa una infracción o que huya después de haberla cometido;

d) Si se trata de la privación de libertad de un menor en virtud de una orden legalmente acordada con el fin de vigilar su educación o de su detención, conforme a derecho, con el fin de hacerle comparecer ante la autoridad competente;

e) Si se trata de la privación de libertad, conforme a derecho, de una persona susceptible de propagar una enfermedad contagiosa, de en enajenado, de un alcohólico, de un toxicómano o de un vagabundo;

f) Si se trata de la detención o de la privación de libertad, conforme a derecho, de una persona para impedir su entrada ilegal en el territorio o contra la cual esté en curso un procedimiento de expulsión o extradición.

2. Toda persona detenida debe ser informada, en el plazo más breve posible y en una lengua que comprenda, de los motivos de su detención y de cualquier acusación formulada contra ella.

3. Toda persona detenida o privada de libertad en las condiciones previstas en el párrafo 1 c), del presente artículo deberá ser conducida sin dilación ante un juez u otra autoridad habilitada por la ley para ejercer poderes judiciales y tendrá derecho a ser juzgada en un plazo razonable o a ser puesta en libertad durante el procedimiento. La puesta en libertad puede ser condicionada a una garantía que asegure la comparecencia del interesado a juicio.

4. Toda persona privada de su libertad mediante arresto o detención tendrá derecho a presentar un recurso ante un órgano judicial, a fin de que se pronuncie en breve plazo sobre la legalidad de su detención y ordene su puesta en libertad si dicha detención fuera ilegal.

5. Toda persona víctima de un arresto o detención contrarios a las disposiciones de este artículo tendrá derecho a una reparación o en la medida en que sea considerado estrictamente necesario por el tribunal, cuando en circunstancias especiales la publicidad pudiera ser perjudicial para los intereses de la justicia.

5.1. CASO ABDULLAHI ELMI Y AWEYS ABUBAKAR C. MALTA (STEDH 22 noviembre 2016): La tendencia a criminalizar la migración *"crimigración"*, la detención de solicitantes de asilo como una violación del estatuto internacional del refugiado y las leyes europeas de Derechos Humanos

5.1.1. Resumen del caso

El caso trata sobre la detención de dos menores no acompañados solicitantes de asilo durante ocho meses, a la espera de la resolución del procedimiento de asilo y, en particular, del resultado del procedimiento para determinar si eran o no menores de edad.

Los demandantes, Burhaan Abdullahi Elmi y Cabdulaahi Aweys Abubakar, son ambos somalíes, nacidos en 1996 y 1995 respectivamente. En el momento de la presentación de sus peticiones de asilo, ambos fueron detenidos en el centro de detención de Safi Barracks (Malta).

Los dos solicitantes llegaron en barco a Malta en agosto de 2012 de forma irregular. Fueron inmediatamente registrados por la policía de inmigración. Se les dieron documentos en inglés (una resolución de devolución y una orden de expulsión), informándoles que su estancia había concluido y que permanecerían detenidos hasta su regreso.

Poco después de su llegada los dos demandantes pidieron asilo, indicando en sus formularios que tenían 16 y 17 años respectivamente. Fueron remitidos a la agencia para el bienestar de los solicitantes de Asilo (AWAS), una instancia gubernamental, para practicar una evaluación de la edad, consistente en una o dos entrevistas y una radiografía del hueso de la muñeca.

Burhaan Abdullahi Elmi fue interrogado y se le sometió a un examen óseo unas semanas después de su llegada. Según él, se le comunicó informalmente alrededor de octubre de 2012, que se le consideraba menor de edad y que sería puesto en libertad. Sin embargo, no fue liberado hasta seis meses más tarde, en que se ordenó su remisión a un centro abierto para menores no acompañados. A continuación, huyó a Alemania, donde actualmente está esperando el resultado de un procedimiento judicial que resuelva si es necesario enviarlo de regreso a Malta para que examinen la solicitud de asilo que formuló allí.

Cabdulaahi Aweys Abubakar también fue interrogado unas semanas después de su llegada y sometido a un examen óseo unos cinco meses después. Así mismo, alega que se le comunicó informalmente (en marzo de 2013) que se le consideraba menor de edad y que sería liberado. Sin embargo, no se le dejó en libertad hasta dos meses y medio más tarde ordenándose su remisión a un centro abierto para menores no acompañados. En Septiembre de 2013 se le concedió la protección subsidiaria.

Al amparo del art. 3 CEDH (prohibición de tratos inhumanos o degradantes), ambos demandantes denunciaron las condiciones de su detención durante ocho meses, en particular el hacinamiento, la falta de luz y ventilación, la falta de actividades organizadas y un ambiente tenso y violento. Según ellos, estas condiciones se hicieron aún más difíciles debido a su situación de vulnerabilidad en tanto que solicitantes de asilo; de hecho, denunciaron que no había mecanismo de apoyo alguno a su disposición y que ello, junto a la falta de información sobre lo que les iba a pasar o cuánto tiempo estarían detenidos, incrementó sus temores. Al amparo también el art. 5.1 CEDH (derecho a la libertad y seguridad); denunciaron que su detención derivaba de una política general aplicada a todos los migrantes en una situación irregular sin distinción o control y, por lo tanto, había sido arbitraria e irregular; también denunciaron que habían sido detenidos a pesar de que afirmaban ser menores de edad.

En virtud del Artículo 5 § 4 (derecho a obtener prontamente una decisión de un tribunal sobre la legalidad de su detención), afirmaron que carecían de acción para cuestionar la legalidad de su detención.

El TEDH considera que hubo infracción del art. 3 CEDH (trato degradante), del art. 5.1 y del art. 5.4 del CEDH. Así, el TEDH concluye que se produjo un trato degradante por el efecto acumulado de las condiciones de los menores: hacinamiento, falta de luz y ventilación, falta de actividades organizadas y ambiente tenso y violento, condiciones que han de considerarse más gravosas por la especial vulnerabilidad de los menores, que con 16 y 17 años, eran aún más vulnerables por razón de su edad que cualquier otro solicitante de asilo adulto.

5.1.2. *Extractos del voto particular de Paulo Pinto*[409]

"1. He votado a favor de las conclusiones de la presente sentencia. No obstante, disiento de su motivación en la medida en que aprecia una violación del Artículo 5 § 1 (f) del CEDH sobre la base, in concreto, de la duración excesiva de la detención y las "serias dudas sobre la buena fe de las autoridades", sin embargo, acepta que la detención tenía una base jurídica suficientemente clara y estaba cubierta por la primera parte del Artículo 5.1 (f) "hasta la decisión sobre la solicitud de asilo"[410]. En mi opinión, la razón de la violación dada es mucho más profunda, ya que radica en la forma en que se formula la ley nacional en sí misma, a la que encuentro en evidente conflicto con el Artículo 5 § 1. El caso fue, en última instancia, y correctamente, decidido sobre el base del principio de necesidad, como demostraré a continuación. Con ese fin, primero describiré el contexto de la tendencia mundial contemporánea a la crimigración[411], contra la cual debe entenderse el presente caso, y describiré el marco legal internacional general relacionado con la detención de solicitantes de asilo. En ese

---

[409] Véanse también las siguientes resoluciones citadas en el voto: STEDH 29 enero 2008, Caso Saadi c. El Reino Unido [GC], f. 50 y 64; STEDH 5 abril 2011, Caso Rahimi v. Grecia, f. 108.; STEDH 15 noviembre 1996, Caso Chahal c. El Reino Unido, f. 130, STEDH 5 febrero 2002, Caso Čonka c. Bélgica, f.44-45, STEDH 8 octubre 2009, Caso Mikolenko v. Estonia, párrafos 52 y 54. STEDH 26 noviembre 2008, Caso Tabesh v. Grecia, no. 8256/07, f. 38 a 44, STEDH 19 enero 2010, Caso Muskhadzhiyeva y otros c. Bélgica, STEDH 27 julio 2010, Caso *Abdolkhani y Karimnia c. Turquía* (No. 2), STEDH 22 julio 2010, Caso *AA v. Grecia,* STEDH 26 noviembre 2015, Caso Mahamed Jamaa c. Malta, f-150, STEDH 23 julio 2013, Caso Suso Musa c. Malta, f. 79, STEDH 12 febrero 2013, Caso Amie y otros c. Bulgaria, f.72STEDH 28 mayo 1985, Caso Ashingdane c. El Reino Unido, f.57. STEDH 19 febrero 2009, Caso A. y otros contra el Reino Unido (GC), f. 164STEDH 27 julio 2010, Caso Louled Massoud c. Malta f.68STEDH 23 julio 2013, Caso Suso Musa c. Malta STEDH 5 abril 2011, Caso Rahimi c. GreciaSTEDH 11 febrero 2010, Caso Raza c. Bulgaria f.74STEDH 8 octubre 2009, Caso Mikolenko c. Estonia.f.67STEDH 19 enero 2012, Caso Popov c. Francia. STEDH 19 enero 2010, Caso *Muskhadzhivyeva y otros* c. Bélgica. *STEDH 27 mayo 2008, Caso N. v. El Reino Unido;* STEDH 19 marzo 2015, Caso a *SJ c. Bélgica* STEDH 23 julio 2013, Caso Aden Ahmed v. Malta, § 33.

[410] Véanse los apartados 142 y 146 de la sentencia.

[411] Como introducción a este concepto, ver Hernández, Ley de Crimmigración, American Bar Association, 2015; Guia *et al*, Social Control and Justice: Crimmigration in the Age of Fear, La Haya, 2013, Majcher, "Crimmigration" en la Unión Europea a través de la perspectiva de la detención de inmigrantes, Documento de trabajo del Proyecto de Detención Global No. 6, Ginebra, 2013; Wilsher, Detención de Inmigración, Derecho, Historia, Política, Cambridge, 2011; y Stumpf, The Crimmigration Crisis, 56 am. UL Rev. 367 (2006).

punto, el voto se basa en una variedad de jurisprudencia, normas legales y prácticas relacionadas con la detención de solicitantes de asilo. Posteriormente, compararé las normas del derecho internacional de los refugiados y el derecho internacional de los derechos humanos con la interpretación actual que la Gran Sala y las Salas hacen del Artículo 5 § 1 (f) CEDH. Finalmente, analizaré la ley y la práctica maltesas con respecto a la detención de refugiados y solicitantes de asilo en general y de los demandantes en particular[412].

La tendencia a la crimigración

2. La migración irregular hacia Europa ha aumentado en las últimas dos décadas. Muchos de los migrantes potenciales tienen derecho a solicitar el estatuto de refugiado. La respuesta de Europa a este aumento se ha centrado principalmente en el papel del derecho penal, como ha sido reiteradamente reconocido por el Secretario General de las Naciones Unidas (el Secretario General)[413], el Alto Comisionado de las Naciones Unidas para los Refugiados (ACNUR)[414], el Alto de las Naciones Unidas El Comisionado para los Derechos Humanos (ACNUDH)[415], el Comité de Derechos Humanos de las Naciones Unidas (ACNUR)[416], el Grupo de Trabajo sobre la Detención Arbitraria (WGAD)[417], el Relator Especial de

---

[412] A los efectos de esta opinión, la detención significa el confinamiento dentro de un lugar restringido, donde se restringe la libertad de movimiento, y donde la única oportunidad de abandonar este lugar es abandonar el territorio. Los términos solicitante de asilo y refugiado se utilizan en esta opinión con el alcance descrito en mi opinión adjunta a la sentencia *Hirsi Jamaa y otros v. Italia* [GC], no. 27765/09, 23 de febrero de 2012.

[413] Véase el Secretario General, Informe del 7 de agosto de 2014, Doc. ONU. A/69/277, párrafos 20 a 26.

[414] Ver ACNUR más allá de la detención: una estrategia global para ayudar a los gobiernos a poner fin a la detención de solicitantes de asilo y refugiados, 2014; Directrices de detención del ACNUR, Directrices sobre los criterios y estándares aplicables relacionados con la detención de solicitantes de asilo y alternativas a la detención, 2012; y las Directrices del ACNUR sobre criterios y normas aplicables en relación con la detención de solicitantes de asilo, 1999.

[415] ACNUDH, Situación de los migrantes en tránsito, doc. A/HRC/31/35, párrafos 39 a 48.

[416] *ACNUR, Celeplic. Suecia,* Comunicación No. 456/1991, CCPR/C/51/D/456/1991 (1994), 18 de julio de 1994, párrafo 9.2.

[417] Ver WGAD, Informe anual 2009, 15 de enero de 2010, UN Doc. A/HCR/13/30, párrafos 54 a 65; Informe anual 2008, 16 de febrero de 2009, doc. A/HRC/10/21, párrafos 65 a 68; Informe anual 2007, 10 de enero de 2008, doc. A/HRC/7/4, párrafos 41 a 54; Informe anual 1999, 28 de diciembre de 1999, doc. E/CN.4/2000/4, anexo II (la deliberación núm. 5 sobre derechos humanos garantiza que los solicitantes de asilo y los inmigrantes detenidos deben disfrutar); Informe anual 1998, 18 de diciembre de 1998, doc. E/CN.4/1999/63, párrafos 62 a 70; e Informe Anual 1997, UN Doc. E/CN.4/1998/44, 19 de diciembre de 1997, párrafos 28 a 42.

las Naciones Unidas sobre los derechos humanos de los migrantes (el Relator Especial)[418], el Asamblea Parlamentaria (PACE)[419] y el Comité de Ministros del

---

[418] Véase el Relator Especial, Confiando en la movilidad durante una generación: seguimiento del estudio regional sobre la gestión de las fronteras exteriores de la Unión Europea y su impacto en los derechos humanos de los migrantes, UN Doc. A/HRC/29/36, 8 de mayo de 2015, párrafos 24 a 84; Estudio regional: gestión de las fronteras exteriores de la Unión Europea y su impacto en los derechos humanos de los migrantes Doc. ONU. A/HRC/23/46, 24 de abril de 2013, párrafos 47 a 54; Detención de migrantes en situación irregular, doc. A/HRC/20/24, 2 de abril de 2012, párrafos 5 a 67; Recapitulación de los principales temas temáticos (migración irregular y criminalización de los migrantes; protección de los niños en el proceso de migración; derecho a la vivienda y la salud de los migrantes), doc. A/HRC/17/33, 21 de marzo de 2011, párrafos 11 a 33; Informe a la Asamblea General, UN Doc. A/65/222, 3 de agosto de 2010 (sobre el impacto de la criminalización de la migración en la protección y el disfrute de los derechos humanos), p. 5 a 16; Informe a la undécima sesión del Consejo de Derechos Humanos, UN Doc. A/HRC/11/7, 14 de mayo de 2009, párrafos 18 a 80 (Protección de los niños en el contexto de la migración); Informe a la séptima sesión del Consejo de Derechos Humanos, doc. A/HRC/7/12, 25 de febrero de 2008, párrafos 13 a 59 (Criminalización de la migración irregular); Informe a la Comisión de Derechos Humanos, doc. E/CN.4/2003/85, 30 de diciembre de 2002, párrafos 12 a 64 (Los derechos humanos de los migrantes privados de libertad). párrafos 18 a 80 (Protección de los niños en el contexto de la migración); Informe a la séptima sesión del Consejo de Derechos Humanos, doc. A/HRC/7/12, 25 de febrero de 2008, párrafos 13 a 59 (Criminalización de la migración irregular); Informe a la Comisión de Derechos Humanos, doc. E/CN.4/2003/85, 30 de diciembre de 2002, párrafos 12 a 64 (Los derechos humanos de los migrantes privados de libertad). párrafos 18 a 80 (Protección de los niños en el contexto de la migración); Informe a la séptima sesión del Consejo de Derechos Humanos, doc. A/HRC/7/12, 25 de febrero de 2008, párrafos 13 a 59 (Criminalización de la migración irregular); Informe a la Comisión de Derechos Humanos, doc. E/CN.4/2003/85, 30 de diciembre de 2002, párrafos 12 a 64 (Los derechos humanos de los migrantes privados de libertad).

[419] Ver PACE y Asociación para la Prevención de la Tortura, Centros de detención de inmigrantes visitantes, Guía para parlamentarios, 2013; Resolución 1707 de PACE (2010), La detención de solicitantes de asilo y migrantes irregulares en Europa; Recomendación PACE 1900 (2010) 1, Detención de solicitantes de asilo y migrantes irregulares en Europa; Resolución PACE 1637 (2008), La gente de los botes de Europa: flujos migratorios mixtos por mar hacia el sur de Europa; Recomendación 1850 de PACE (2008), "gente de barco" de Europa: flujos migratorios mixtos por mar hacia el sur de Europa; Resolución PACE 1521 (2006), Llegada masiva de migrantes irregulares a las costas del sur de Europa; Resolución PACE 1509 (2006), Derechos humanos de los migrantes irregulares; Recomendación PACE 1755 (2006), Derechos humanos de los migrantes irregulares; Resolución PACE 1471 (2005) sobre los

Consejo de Europa[420], el Comité para la Prevención de la Tortura (CPT)[421], el Comisionado de Derechos Humanos del Consejo de Europa (el Comisionado)[422], el Parlamento Europeo y el Consejo de Europa Unión[423] y la Agencia de los Derechos Fundamentales de la Unión Europea (FRA)[424].

Por un lado, el mecanismo de derecho penal del Estado, incluida la detención, el enjuiciamiento y la condena a prisión, se utiliza con el fin de hacer cumplir la normativa de inmigración[425] y, por otro lado, las medidas de expulsión y deportación, así como

---

procedimientos acelerados de asilo en los Estados miembros del Consejo de Europa; Recomendación 1727 (2005) de PACE sobre los procedimientos acelerados de asilo en los Estados miembros del Consejo de Europa; Recomendación 1645 (2004) de PACE sobre el acceso a la asistencia y protección para los solicitantes de asilo en los puertos marítimos europeos y las zonas costeras; Recomendación 1547 (2002) de PACE sobre procedimientos de expulsión de conformidad con los derechos humanos y aplicada con respeto a la seguridad y la dignidad; Recomendación PACE 1475 (2000) sobre la llegada de solicitantes de asilo a los aeropuertos europeos; Recomendación 1467 (2000) de PACE sobre inmigración clandestina y lucha contra los traficantes; Recomendación 1440 (2000) de PACE sobre restricciones al asilo en los Estados miembros del Consejo de Europa y la Unión Europea.

[420] Directrices sobre protección de los derechos humanos en el contexto de los procedimientos acelerados de asilo adoptados por el Comité de Ministros el 1 de julio de 2009; Recomendación del Comité de Ministros (Rec) (2003) 5 sobre medidas de detención de solicitantes de asilo; y la Recomendación núm. R (99) 12 del Comité de Ministros a los Estados miembros sobre el retorno de los solicitantes de asilo rechazados.

[421] Consúltense los Estándares CPT, CPT/Inf/E (2002) 1 - Rev.2015, páginas 64 a 82.

[422] El Comisionado, Criminalización de la migración en Europa: implicaciones para los derechos humanos, 2010, y Los derechos humanos de los migrantes irregulares en Europa, 2007.

[423] Véase la Directiva 2013/33/UE del Parlamento Europeo y del Consejo, de 26 de junio de 2013, que establece normas para la recepción de solicitantes de protección internacional, la Directiva 2008/115/CE del Parlamento Europeo y del Consejo, de 16 de diciembre de 2008, sobre normas y procedimientos comunes en los Estados miembros para el retorno de nacionales de terceros países en situación irregular, y la Directiva 2005/85/CE del Consejo, de 1 de diciembre de 2005, sobre normas mínimas sobre los procedimientos en los Estados miembros para conceder o retirar el estatuto de refugiado.

[424] Ver FRA, Manual sobre la legislación europea en materia de asilo, fronteras e inmigración, 2014, pp. 141 a 178; Detención de nacionales de terceros países en procedimientos de retorno, 2014; y Criminalización de los migrantes en situación irregular y de las personas que interactúan con ellos, 2014.

[425] Muy ejemplar de esta tendencia, *Saadi v. El Reino Unido* [GC], no. 13229/03, §§ 50 y 64, CEDH 2008 I, que sitúa la detención de solicitantes de asilo en el contexto

la detención con ese fin se imponen como métodos de control de la delincuencia[426]. A esto se le ha bautizado como la tendencia a la crimigración. Teñida del innoble legado del racismo y la xenofobia del siglo XX, esta política percibe al migrante como el nuevo "enemigo", un paria social cuya presencia ya no es una contribución valiosa al crisol europeo y su economía en auge, sino que pone en peligro orden social, el equilibrio presupuestario de la seguridad social y la organización del mercado laboral, si no el mismísimo tejido étnico y religioso del continente. Los hechos de la presente sentencia son ilustrativos de esta estrategia de control social fuertemente armada que demoniza a los migrantes irregulares como delincuentes[427]. Esa tendencia está en disonancia con las obligaciones del derecho internacional de los derechos humanos. Aprovecho esta oportunidad para remarcar mi desacuerdo con dicha tendencia y su reflejo en la jurisprudencia del Tribunal.

3. No existe foco mejor para iluminar la confusión actual de las leyes penales y de inmigración que la detención de personas migrantes. El número de refugiados, solicitantes de asilo, solicitantes de asilo rechazados, apátridas, víctimas de trata y migrantes irregulares que han sido encarcelados se encuentra en niveles sin precedentes en Europa[428]. En algunos Estados, la detención es obligatoria o se basa en presunciones en favor de la misma[429]. Cuando el marco legal interno es vago y abierto, las autoridades de inmigración se apoyan en prácticas administrativas discrecionales[430]. Además, la detención se aplica con frecuencia como parte de una política para disuadir a los futuros solicitantes de asilo o para disuadir a quienes han iniciado sus trámites para

---

del control de inmigración; y Tribunal de Justicia de la Unión Europea, *Hassen El Dridi Soufi Karim*, asunto C-61/11 PPU, 28 de abril de 2011, párrafos 58 a 62.

[426] WGAD, *Sr. Mustafa Abdi v. Reino Unido,* Opinión No. 45/2006, UN Doc. A/HRC/7/4/Add.1 en 40 (2007), párrafos 27 a 29, es paradigmático.

[427] En su Resolución 1509 (2006), citada anteriormente, el PACE destacó la importancia del lenguaje utilizado: "la Asamblea prefiere usar el término 'migrante irregular' a otros términos como""migrante ilegal" o "migrante sin papeles". Este término es más neutral y no conlleva, por ejemplo, la estigmatización del término 'ilegal'. También es el término cada vez más favorecido por las organizaciones internacionales que trabajan en temas de migración". El Relator Especial, Informe a la Asamblea General, citado anteriormente, párrafos 28 y 29, hizo lo mismo.

[428] Relator Especial, Estudio regional: gestión de las fronteras exteriores, citado anteriormente, párrafos 37 y 47.

[429] Por ejemplo, *Rahimi v. Grecia*, no. 8687/08, § 108, 5 de abril de 2011; y Normas CPT, citadas anteriormente, página 71. Fuera de Europa, ver UNHRC, *C v. Australia*, Comunicación No. 900/1999, CCPR/C/76/D/900/1999 (2002), 28 de octubre de 2002, párrafo 8.2, y *A v. Australia*, Comunicación No. 560/1993, CCPR/C/59/D/560/1993 (1997), 3 de abril de 1997, párrafo 9.2.

[430] Resolución 1707 (2010) de PACE, citada anteriormente, párrafo

solicitarlo[431]. *A veces, se utiliza incluso como medida sancionadora por la entrada o presencia irregular en el país, la falta de documentación o el incumplimiento de los requisitos administrativos u otras restricciones relacionadas con la residencia en el país anfitrión[432]. El acceso al asesoramiento legal es prácticamente imposible, lo que afecta decisivamente a la capacidad del solicitante de asilo para defender su caso[433]. Las posibilidades de revisión judicial son, en términos prácticos, muy limitadas, si es que están disponibles[434]. Este escenario conlleva únicamente detenciones en masa e innecesarias[435]. El costo humano de la —así llamada— «fortaleza Europa» no necesita de demostración científica alguna; se evidencia sin descanso en las noticias diarias.*
4. Los solicitantes de asilo son detenidos por períodos de tiempo indefinidos o muy prolongados, colocados en el mejor de los casos en centros de detención especiales de seguridad media, y en el peor, en comisarías de policía e instalaciones penitenciarias comunes pero, en cualquier caso, son tratados como si fueran criminales convictos[436]. Algunos Estados recurren al doble discurso, etiquetando los centros de detención migratoria como «centros de admisión y alojamiento de extranjeros», «centros de tránsito» o «casas de alojamiento" y denominando "retención" a la detención[437]. No existen disposiciones legales claras que establezcan el procedimiento para ordenar y prorrogar la detención con miras a la deportación y que señalen plazos para dicha detención[438]. Cuando los períodos máximos de detención se establecen por ley o regulación administrativa, se eluden al ordenar la liberación de los solicitantes de

---

[431] En ciertos países, la ley limita el plazo para presentar una solicitud de asilo a varios días a partir de la fecha de llegada al país o en un centro de detención; las solicitudes presentadas después de la fecha límite no se consideran (Normas CPT, citadas anteriormente, p. 74.

[432] Directriz 4.1.4 de las Directrices de detención de ACNUR 2012, párrafo 32; Directriz 3 de las Directrices de detención de ACNUR de 1999, p. 5.

[433] Por ejemplo, *Chahal v. El Reino Unido*, 15 de noviembre de 1996, § 130, *Reports* 1996 V, y *Čonka v. Belgium*, no. 51564/99, §§ 44-45, CEDH 2002-I.

[434] Véase, por ejemplo, en Europa, *Amuur v. Francia*, 25 de junio de 1996, § 43, Reports 1996-III, y *Louled Massoud v. Malta*, no. 24340/08, § 71, 27 de julio de 2010, y fuera de Europa, UNHRC, *Danyal Shafiq v. Australia*, Comunicación No. 1324/2004, CCPR/C/88/D/1324/2004 (2006), 13 de noviembre de 2006, párrafo 7.4, y *C. v. Australia*, citado anteriormente, párrafo 8.3.

[435] Resolución 1707 (2010) de PACE, citada anteriormente, párrafo 3.

[436] Normas CPT, citadas anteriormente, páginas 70 y 71; Relator Especial, Estudio regional: gestión de las fronteras exteriores, citado anteriormente, párrafos 49 y 50; y Detención de migrantes, citada anteriormente, párrafos 21, 31, 33 y 38.

[437] Por ejemplo, *Abdolkhai y Karimnia v. Turquía*, no. 30471/08, § 127, 22 de septiembre de 2009, y Relator Especial, Informe a la séptima sesión del Consejo de Derechos Humanos, citado anteriormente, párrafo 47.

[438] De nuevo como ejemplo, *Abdolkhai y Karimnia*, citados anteriormente, § 135.

asilo solo para volver a detenerlos por los mismos motivos poco después[439]. *No es inusual detener a alguien cuando no hay posibilidad de expulsión al país de origen*[440].
5. Lo más preocupante es que en algunos países existe una práctica de mercantilización y deshumanización de los migrantes en general y de los solicitantes de asilo en particular[441]. *Los estados son indiferentes o incluso toleran los graves efectos nocivos de dicha política sobre la salud o el bienestar de los migrantes, causando daños psicológicos duraderos, entre otros, especialmente en el caso de los niños*[442].
(...)

Detención de solicitantes de asilo como violación del derecho europeo de derechos humanos

16. En Europa, como en otros lugares, la tendencia de la crimigración ha llevado al exceso en las detenciones de los solicitantes de asilo. Lamentablemente, el Tribunal tampoco ha podido resistir esta tendencia. Saadi v. El Reino Unido[443] *es el hito lamentable en esta tendencia en la jurisprudencia del Tribunal. Según esa sentencia, un Estado puede detener a un solicitante de asilo para evitar la entrada no autorizada y acelerar la solicitud de asilo, y no es relevante si la detención es necesaria para evitar esa entrada irregular. Consideraciones de eficiencia prevalecen sobre la libertad, en opinión de la Gran Sala.*
17. De hecho, la Gran Sala en Saadi extrajo del Artículo 5 § 1 (f) un requisito de no arbitrariedad, que supuestamente reemplazaría el criterio de necesidad. Para evitar ser calificada de arbitraria, la detención amparada en el Artículo 5 § 1 (f) debe llevarse a

---

[439] Consulte la Directriz 6 de las Directrices de detención de ACNUR 2012, citadas anteriormente, párrafo 46.

[440] Por ejemplo, *Mikolenko v. Estonia*, no. 10664/05, § 65, 8 de octubre de 2009, y Relator Especial, Estudio regional: gestión de las fronteras exteriores, citado anteriormente, párrafos 52 y 54.

[441] *Tabesh v. Grecia*, no. 8256/07, §§ 38 a 44, 26 de noviembre de 2009; ACNUR, *Danyal Shafiq*, citado anteriormente, párrafo 7.3; *C. v. Australia*, citado anteriormente, párrafos 8.4 y 8.5; y Relator Especial, Recapitulación de las principales cuestiones temáticas, citadas anteriormente, párrafo 17 («una tendencia a considerar a los migrantes como productos»).

[442] Entre muchos otros casos atroces, ver *Muskhadzhiyeva y otros v. Bélgica*, no. 41442/07, 19 de enero de 2010; *Abdolkhani y Karimnia v. Turquía* (No.2), no. 30471/08, 27 de julio de 2010; y *AA v. Grecia*, no. 12186/08, 22 de julio de 2010; ACNUR 2014 Más allá de la detención, citado anteriormente, párrafo 50; Relator Especial, Banca sobre movilidad, citado anteriormente, párrafo 42; Detención de migrantes, citada anteriormente, párrafo 48; Informe a la Asamblea General, citado anteriormente, párrafos 47 a 51; y Jesuit Refugee Services Europe, Convertirse en vulnerable en detención, Informe de la sociedad civil sobre la detención de solicitantes de asilo vulnerables y migrantes irregulares en la Unión Europea (Proyecto DEVAS), Bruselas, 2010.

[443] *Saadi*, citado anteriormente.

cabo de buena fe; debe estar estrechamente relacionada con el motivo de detención invocado por el Gobierno; el lugar y las condiciones de detención deberían ser apropiados; y la duración de la detención no debe exceder lo razonablemente requerido para el propósito perseguido[444]. *Sin embargo, el requisito de no arbitrariedad no proporciona el mismo nivel de protección que el criterio de necesidad. El divorcio entre el motivo de detención y su necesidad da un cheque en blanco a las autoridades estatales para detener cuando quieran, sin tener que evaluar posibles alternativas menos intrusivas, adecuadas para cada solicitante de asilo. La supuesta estrecha conexión con el motivo de la detención ni siquiera evita la aplicación automática de la detención a los solicitantes de asilo*[445], *simplemente porque no requiere una evaluación individualizada de la peligrosidad del solicitante para la seguridad nacional o el riesgo para el orden público. El requisito de que la detención sea de duración "razonable" no tiene en cuenta la urgencia del asunto y la necesidad de procedimientos acelerados para los solicitantes de asilo detenidos. El requisito de mala fe del criterio de arbitrariedad empeora aún más la situación legal del solicitante de asilo, ya que deja la protección del solicitante de asilo en manos de la evaluación del Tribunal sobre elementos subjetivos de las autoridades de detención. Salvo supuestos muy especiales, las autoridades públicas siempre estarán en condiciones de argumentar que actuaron de buena fe al detener a los solicitantes de asilo.*

18. La Gran Sala en Saadi consideró que el criterio de arbitrariedad debería aplicarse al amparo de la primera parte del Artículo 5 § 1 (f) de la misma manera que se aplica a la detención bajo la segunda parte, porque sería artificioso someter a un test de proporcionalidad distinto los casos de detención en el punto de entrada, y aquellos otros de deportación, extradición o expulsión de una persona que ya se encuentra en el país En Chahal, la Gran Sala también interpretó que el Artículo 5 § 1 (f) no exige que la detención sea necesaria[446]. *En consecuencia, no existe el requisito de que la detención se considere razonablemente necesaria, por ejemplo, para evitar que la persona afectada cometa un delito o huya. La Gran Sala sostuvo además en Chahal que el principio de proporcionalidad se aplica a la detención en virtud del Artículo 5 § 1 (f) solo en la medida en que la detención no debe continuar más allá de un plazo razonable. Por lo tanto, sostuvo que «cualquier privación de libertad bajo el Artículo 5 § 1 (f) estará justificada solo mientras los procedimientos de deportación estén en curso. Si dichos procedimientos no se tramitan con la debida diligencia, la detención dejará de estar permitida*[447]*». En otras palabras, la duración de la detención no de-*

---

[444] *Saadi*, citado anteriormente, § 74.

[445] Ver, por ejemplo, *Mahamed Jamaa v. Malta*, no. 10290/13, § 150, 26 de noviembre de 2015, donde se consideró que la detención automática de un solicitante de asilo, que duró siete meses y dos semanas, estaba estrechamente relacionada con su base. En *Suso Musa v. Malta*, no. 42337/12, § 79, 23 de julio de 2013, el mismo Gobierno demandado incluso argumentó que no tenía sentido decidir los casos caso por caso.

[446] *Chahal*, citado anteriormente, § 112.

[447] *Chahal*, citado anteriormente, § 113.

be exceder lo que exige razonablemente el fin perseguido[448]. *Por ejemplo, donde la deportación ya no es posible, dejaría de ser válida, incluso si la persona detenida no coopera en su expulsión*[449].

19. El Tribunal consideró que el Sr. Saadi, que había solicitado asilo antes de su detención, todavía no se encontraba regularmente en el territorio[450]. *Como se muestra arriba, esta interpretación contradice los principios básicos del derecho internacional de refugiados y trata a los solicitantes de asilo como a cualquier otro migrante. La misma crítica es válida para la interpretación del Tribunal de la segunda parte del Artículo 5 § 1 (f). El estándar de diligencia debida es mucho menos exigente que el criterio de necesidad. En resumen, la jurisprudencia actual del TEDH sobre el Artículo 5 § 1 (f) es contraria al derecho internacional de refugiados. Esta situación es inaceptable por varias razones, la primera es evidentemente que los Estados no deben asumir obligaciones contradictorias en virtud del derecho internacional de los derechos humanos y la ley interna sobre refugiados.*

20. Además, la interpretación estrictamente centrada en la eficiencia del Artículo 5 § 1 (f) va en contra de una interpretación sistemática de la Convención. El test de necesidad es una valoración inherente e incorporada a toda injerencia en los derechos del CEDH, incluido el derecho a la libertad. El principio de necesidad está consagrado en las normas básicas de la Convención y todas las normas sustantivas de la Convención deben leerse a la luz del mismo. Los derechos y libertades de la Convención solo pueden ser derogados en la medida estrictamente requerida por las exigencias de la situación (artículo 15). El derecho humano más importante, el derecho a la vida, solo puede restringirse cuando sea absolutamente necesario (Artículo 2 § 2). Las restricciones a los derechos y libertades garantizados por el CEDH deben ser necesarias en una sociedad democrática (artículos 8-11). Las restricciones permitidas al amparo del CEDH de sus derechos y libertades no deberían aplicarse a otros propósitos que aquellos para los que fueron establecidas (Artículo 18), lo que conlleva que las restricciones carentes de finalidad o aquellas que se apliquen a finalidades distintas de las propias de la Convención, no son necesarias.

21. Además, la interpretación actual de la Gran Sala difiere del propósito general del Artículo 5. Al proponerse una construcción no "demasiado estrecha" del Artículo 5 § 1 (7)[451]*, la Sala obvia la naturaleza excepcional del propio Artículo 5, que impone precisamente una interpretación estricta. La propuesta de la Gran Sala de que todos los no nacionales que busquen la entrada sean susceptibles de detención transforma el derecho «innegable» de los Estados soberanos de controlar sus fronteras territoriales en una autoridad ampliamente ilimitada para detener a los no nacionales cuando y durante el tiempo que deseen, lo que lleva a un diferenciación insostenible del trato entre detenidos en virtud de los distintos apartados del párrafo 1 del artículo 5 de la Convención.*

22. Finalmente, de acuerdo con una práctica constante e inveterada en Europa y en todo el mundo, las restricciones al derecho a la libertad solo son admisibles si, cuando

---

[448] *Amie y otros v. Bulgaria*, no. 58149/08 § 72, 12 de febrero de 2013.

[449] *Mikolenko*, citado anteriormente, § 65, y *Louled Massoud*, citado anteriormente, § 67.

[450] *Saadi*, citado anteriormente, § 65.

[451] *Saadi*, citado anteriormente, § 65.

y en la medida en que sean necesarias. El principio de necesidad y la priorización que el mismo exige de las medidas alternativas a la detención, más allá de la vulnerabilidad del solicitante de asilo, también han sido claramente explicadas por las instituciones y autoridades judiciales y no judiciales de las Naciones Unidas (la Asamblea General, el Secretario General, la Corte Internacional de Justicia, el ACNUR, el ACNUR, el WGAD, el Relator Especial[452]), el Consejo de Europa (PACE, el Comité de Ministros y el CPT[453]), la Unión Europea (el Parlamento Europeo, el Consejo de la Unión Europea, el Tribunal

---

[452]Las normas posteriores a *Saadi* se establecen en la Resolución 63/184 de la Asamblea General, citada anteriormente; el Secretario General, Informe, citado anteriormente; ACNUR 2014 Más allá de la detención, citado anteriormente; las Directrices detalladas 4.3 y 6 de las Directrices de detención de ACNUR 2012, citadas anteriormente, párrafos 35 a 42; WGAD, Informe anual 2008, citado anteriormente, párrafos 67 y 82; y Relator Especial, Detención de migrantes, citado anteriormente, párrafos 48 a 67. Pre-*Saadi* son las Directrices de detención de ACNUR de 1999, citadas anteriormente, p. 4 ("Por lo tanto, la detención solo debe tener lugar después de una consideración completa de todas las alternativas posibles"); WGAD, Informe anual 1998, citado anteriormente, párrafo 69, garantía 13; Informe sobre la visita al Reino Unido sobre la cuestión de los inmigrantes y los solicitantes de asilo, citado anteriormente, párrafo 33; y ya *C. v. Australia*, citado anteriormente, párrafo 8.2. El ACNUR considera que el Artículo 9 del PIDCP es aplicable a todas las privaciones de libertad, incluso como una medida para el control de la inmigración (Derecho a la libertad y seguridad de las personas (Artículo 9), Comentario General No. 8, 30 de junio de 1982, párrafo 1), y se aplica La gama completa de garantías, como el principio de necesidad para los solicitantes de asilo. Véase también la Corte Internacional de Justicia, en este sentido, *Ahmadou Sadio Diallo, República de Guinea c. República Democrática del Congo*, sentencia de 30 de noviembre de 2010, párrafo 77.

[453]Las normas posteriores a *Saadi* se establecen en las Normas CPT, CPT/Inf/E (2002) 1 - Rev. 2015, páginas 64 a 82; Visitar los centros de detención de inmigrantes, citados anteriormente, página 28; Directrices 5 a 7 de las normas y directrices del Consejo de Europa de 2011 en el ámbito de la protección de los derechos humanos de los migrantes irregulares; Resolución 1707 (2010) de PACE, citada anteriormente, párrafo 8 y principio 9.1.1; Recomendación PACE 1900 (2010) 1, citada anteriormente, párrafo 3; Resolución PACE 1637 (2008), citada anteriormente, párrafo 9.4; y la Directriz XI.4 de las Directrices del Comité de Ministros de 2009 sobre la protección de los derechos humanos en el contexto de los procedimientos acelerados de asilo. Pre *Saadi* son el punto 12.4 de la Resolución 1509 (2006) de PACE, citado anteriormente; Directriz 6 de las Veinte Directrices de 2005 del Comité de Ministros del Consejo de Europa sobre retorno forzoso; Principios 4 y 8 de la Recomendación del Comité de Ministros (Rec) (2003) 5, citada anteriormente, y el párrafo 13 de la Recomendación 1547 (2002) de PACE, citada anteriormente. Es importante señalar

de Justicia y la Agencia de los Derechos Fundamentales[454]), la Organización de los Estados Americanos (la Corte Interamericana de Derechos Humanos y la Comisión Interamericana de Derechos Humanos) Rights[455]), así como organizaciones legales y religiosas de renombre mundial como la Organización Internacional de Migración[456], la Coalición Internacional de Detención[457], la Comisión Internacional de Juristas[458], Amnistía Internacional[459], los Servicios Jesuitas a los Refugiados Europa[460] y la Inmigración Luterana y Servicio de refugiados[461].

---

que la Gran Sala *Saadi* ignoró la Resolución 1509 (2006) de PACE, las Veinte Directrices del Comité de Ministros de 2005 y la Recomendación 1547 (2002) de PACE.

[454] Artículo 15 de la Directiva 2008/115/CE del Parlamento Europeo y del Consejo, citada anteriormente, según la interpretación del Tribunal de Justicia, *Hassen El Dridi Soufi Karim*, citada anteriormente, apartados 37 a 39; y FRA, Handbook, citado anteriormente, pp. 141 a 178, Criminalización de migrantes, citado anteriormente, y Detención de nacionales de terceros países, citado anteriormente, pp. 21 a 38.

[455] En *Vélez Loor v. Panamá (Excepciones Preliminares, Fondo, Reparaciones y Costas)*, sentencia del 23 de noviembre de 2010, párrafo 171, la Corte Interamericana declaró que «esas políticas migratorias cuyo foco central es la detención obligatoria de migrantes irregulares, sin ordenar Las autoridades competentes para verificar en cada caso particular y mediante una evaluación individualizada, la posibilidad de utilizar medidas menos restrictivas para lograr los mismos fines, son arbitrarias". Ver en la misma línea, la *Familia Pacheco Tineo v. Estado Plurinacional de Bolivia (Excepciones preliminares, fondo, reparaciones y costas)*, sentencia de 25 de noviembre de 2013, párrafo 131. Impulsada por la aprobación de la Directiva de retorno de la UE, la Resolución 03/08 de la Comisión Interamericana de Derechos Humanos ya había declarado que "las normas internacionales establecen que la detención debe aplicarse solo como una medida excepcional y después de haber analizado la necesidad en cada caso".

[456] Organización Internacional para las Migraciones, Nota informativa sobre normas internacionales sobre detención de inmigrantes y medidas no privativas de la libertad, 2011.

[457] International Detention Coalition, Hay alternativas, Un manual para prevenir la detención innecesaria de inmigrantes (edición revisada), 2011.

[458] Comisión Internacional de Juristas, Migración y Derecho Internacional de los Derechos Humanos, versión actualizada, Ginebra, 2014, pp. 175 a 225.

[459] Detención relacionada con la migración: una guía de investigación sobre las normas de derechos humanos relevantes para la detención de migrantes, solicitantes de asilo y refugiados, 2007.

[460] Jesuit Refugee Services Europe, Becoming Vulnerable, citado anteriormente, pp. 14 y 15.

[461] Servicio Luterano de Inmigración y Refugiados, Bloqueo de valores familiares, nuevamente, 2014, y Desbloqueo de la libertad: una nueva forma de avanzar para la política de detención de inmigrantes de Estados Unidos, 2012.

23. En resumen, teniendo en cuenta los estándares fijados por estas instituciones y autoridades, el principio de necesidad solo se cumple cuando concurren las siguientes condiciones acumulativas:

1. una lista redactada con claridad de los motivos individualizados de detención y de las alternativas a la detención; por ejemplo: peligro para la seguridad nacional, el orden público y la salud pública;

2. el requisito de que se pueda ordenar la detención, sobre la base de una evaluación individualizada de la peligrosidad del solicitante, cuando sea necesario lograr dichos propósitos y no se disponga de otra alternativa menos intrusiva;

3. debe haber una graduación de las alternativas a la detención, desde la retirada de documentos hasta el arresto domiciliario.

4. límites de tiempo máximos estrictos para la detención y alternativas a la detención antes de que se registre la solicitud de asilo, durante el procedimiento de asilo y durante el procedimiento de expulsión (después de una decisión de rechazar una solicitud de asilo);

5. el requisito de que cualquier período de detención o arresto domiciliario anterior al registro de la solicitud de asilo y durante el procedimiento de asilo tenga que descontarse del período de detención o de arresto domiciliario con el propósito de extinción del asilo;

6. el requisito de que, cuando los motivos exigidos ya no concurran, la detención y las alternativas a la misma cesen de inmediato; y

7. un procedimiento acelerado para los solicitantes de asilo detenidos o en arresto domiciliario.

24. El test de necesidad no debe confundirse el de proporcionalidad[462]. El primero evalúa si la interferencia con el derecho a la libertad promueve adecuadamente la "necesidad social" pretendida (como la protección del orden público, la seguridad nacional y la salud pública) y no va más allá de lo necesario para satisfacer dicha "necesidad social"[463]. Para alcanzar el objetivo del menoscabo mínimo del derecho o la libertad en juego, se debe dar prioridad a las medidas menos intrusivas, cuestionando si existe un medio igualmente efectivo pero menos restrictivo, disponible para satisfacer la misma necesidad social. El test de proporcionalidad evalúa si se ha logrado un equilibrio justo entre el derecho a la libertad y los intereses legales de protección del orden público, la seguridad nacional y la salud pública, al tiempo que garantiza que la esencia (o núcleo mínimo) del derecho a la libertad es respetado[464].

---

[462] Directriz 4.2 para las Directrices de detención de ACNUR 2012, citadas anteriormente.

[463] La prueba de "adecuación" verifica si existe una "conexión racional" entre la injerencia y la necesidad social, al establecer una relación instrumental plausible entre ellos, como el Tribunal declaró por primera vez en *Ashingdane v. El Reino Unido*, 28 de mayo de 1985, § 57, Serie A no. 93).

[464] Sobre la protección de la "esencia" o el núcleo mínimo, ver *Ashingdane*, citado anteriormente, § 57.

La orientación de la Sala tras Saadi

25. En A. y otros contra el Reino Unido[465]*, la Gran Sala extendió la aplicabilidad del criterio arbitrario de Saadi a la segunda parte del Artículo 5 § 1 (f). Los solicitantes octavo y noveno fueron reconocidos como refugiados y los solicitantes quinto, décimo y undécimo solicitaron asilo, pero sus solicitudes fueron rechazadas. Sin embargo, tales circunstancias no se tuvieron muy en cuenta en los razonamientos del TEDH. El Tribunal prefirió abordar el caso desde otra perspectiva: "El Tribunal no acepta el argumento del Gobierno de que el Artículo 5 § 1 permite establecer un equilibrio entre el derecho del individuo a la libertad y el interés del Estado en proteger a su población de la amenaza terrorista.*

Este argumento es incompatible no solo con la doctrina del Tribunal sobre el art. 5.1, sino también con el principio de que los párrafos (a) a (f) constituyen un numerus clausus de excepciones, que sólo pueden ser objeto de interpretación restrictiva de conformidad con el art. 5. Si la detención no es subsumible en el ámbito de ninguno de los párrafos en el sentido que los interpreta el TEDH, no puede serlo apelando a la necesidad de ponderar los intereses del estado y los de la persona detenida[466]*.*

De forma contradictoria, la Gran Sala pretendió una interpretación restrictiva del Artículo 5 § 1, pero al mismo tiempo admitió la aplicabilidad de la interpretación Saadi no «demasiado restrictiva» a la segunda parte del Artículo 5 § 1 (f), y esto por medio de un mutatis mutandis al final del párrafo 164.

26. En otras palabras, A. y otros actualizó el criterio Chahal, a la luz de Saadi. Ambas partes del Artículo 5 § 1 (f) de la Convención se sometieron al criterio interpretativo erróneo. Saadi no solo confunde el test de necesidad con el de proporcionalidad, sino que —aún peor— reduce el test de proporcionalidad a un mero test de arbitrariedad. La interpretación de la Gran Sala de la primera parte del Artículo 5 § 1 (f) es injusta situación para el caso particular de los solicitantes de asilo y, más aún, para el de los reconocidos como refugiados. A la luz de A. y otros, lo mismo debe decirse de su interpretación de la segunda parte del art. 5.

27. De forma ciertamente encomiable, algunas Salas del TEDH se han apartado de tal lógica en lo que ahora ya puede calificarse de una rebelión silenciosa pero creciente contra Saadi y su efecto indirecto sobre Chahal. En una serie de casos, varias Salas de la Corte han sostenido que la detención de solicitantes de asilo y, en general, de migrantes, viola el Artículo 5 § 1 (f) cuando se aplica automáticamente y no se busca ninguna otra medida menos drástica. En Louled Massoud, que trataba sobre una detención que duró más de dieciocho meses tras la presentación de la solicitud de asilo por el solicitante, el Tribunal consideró "difícil concebir que en una pequeña isla como Malta, donde escapar por el mar sin poner en peligro la vida es poco probable y huir por el aire está sujeto a controles estrictos, las autoridades no podrían haber dispuesto medidas distintas a la detención prolongada del solicitante para asegurar su eventual remoción a falta de cualquier perspectiva inmediata de su expulsión"[467]*.*

---

[465] A y otros contra el Reino Unido (GC), no. 3455/05, § 164, CEDH 2009.
[466] A y otros, citado más arriba. § 171.
[467] *Louled Massoud*, citado anteriormente, § 68.

En Suso Musa, la Sala citó la Recomendación Rec (2003) 5 del Comité de Ministros en referencia al "examen cuidadoso de su necesidad en cada caso individual", para concluir que tenía "reservas en cuanto a la buena fe del Gobierno al aplicar una política de detención transfronteriza (salvo para categorías vulnerables específicas) con una duración máxima de dieciocho meses[468]*." Curiosamente, el principio de necesidad entró en juego implícitamente en la evaluación de la buena fe del Gobierno y el Tribunal sostuvo que la detención del demandante hasta la fecha de la resolución de su solicitud de asilo no era compatible con la primera parte del Artículo 5 § 1 (f)*[469].

En Rahimi, un caso relacionado con la detención a la espera de expulsión de un menor no acompañado que había presentado una solicitud de asilo político, la Sala reprochó a las autoridades nacionales que «no [hubieran] [intentado] plantearse si el internamiento del menor en el centro de detención de Pagani había sido una medida de último recurso, o bien si con otra medida menos drástica hubiera sido suficiente para asegurar su deportación"[470]*. En Raza, un caso sobre detención de un adulto pendiente de deportación, el Tribunal señaló que "... también debe observarse que después de su liberación el 15 de julio de 2008, el Sr. Raza tenía la obligación de informar a su policía local periódicamente". ... Esto demuestra que las autoridades tenían a su disposición medidas distintas de la detención prolongada del solicitante para garantizar la ejecución de la orden de expulsión"*[471]*. En Mikolenko, otro asunto relacionado con la detención de un adulto pendiente de deportación, el Tribunal concluyó que los motivos de la detención del demandante, impuesta para asegurar su deportación, no subsistieron durante todo el período de su detención, porque las autoridades estonias tenían a su disposición medidas distintas de la detención prolongada del solicitante en el centro de deportación, ya que después de su liberación se vio obligado a informar a la Junta periódicamente*[472]*.

28. Si las Salas han reconocido explícitamente el papel primordial del principio de necesidad en la aplicación de la segunda parte del artículo 5 § 1 (f) de la Convención a la detención de solicitantes de asilo rechazados en Louled Massoud y Rahimi y, en general, de los migrantes en Raza y Mikolenko, a fortiori también debería afirmarse en la aplicación de su primer apartado cuando el solicitante de asilo ha sido detenido a la espera del procedimiento de evaluación de asilo, como ocurrió en Suso Musa. Ya es hora de que la Gran Cámara revise el infame enfoque de Saadi a la luz del derecho internacional de los refugiados y los derechos humanos y declare inequívocamente, como lo hizo la Sala en el presente caso[473] *y otras Salas lo han hecho anteriormente,*

---

[468] *Suso Musa*, citado anteriormente, § 100.

[469] *Suso Musa*, citado anteriormente, § 103.

[470] *Rahimi*, citado anteriormente, § 109, traducción no oficial.

[471] *Raza*, citado anteriormente, § 74.

[472] *Mikolenko*, citado anteriormente, § 67.

[473] Véase el apartado 146 de la sentencia. La sentencia se refiere, *mutatis mutandis*, al § 119 de *Popov v. Francia*, no. 39472/07 y 39474/07, § 119, 19 de enero de 2012, que a su vez se refiere a *Muskhadzhivyeva y otros*, citados anteriormente.

que la detención de los solicitantes de asilo es, en principio, una medida de último recurso y solo puede aplicarse cuando no sea posible una alternativa menos injerente. 29. Además, como en N. v. El Reino Unido[474], la lógica de Saadi, estrictamente utilitaria y enfocada a la eficiencia, resulta profundamente inhumana, y concibe la detención como un "beneficio para los solicitantes de asilo" y para "aquellos que están cada vez más en la cola"[475]. La lógica está profundamente arraigada en algunos sectores: solo hay que recordar el impactante logotipo "¿En el Reino Unido ilegalmente? Vete a casa o serás arrestado[476]". Tratar a los demandantes de asilo como delincuentes que acechan a la espera de la menor oportunidad para causar estragos en suelo europeo y, por lo tanto, que deben ser encerrados para seguridad de la población en general y, en general, retratar a los migrantes como una amenaza no blanca y no cristiana para las sociedades europeas y como un "veneno" que amenaza la vida misma, muestra que Europa aún no ha aprendido la lección de las dos guerras mundiales, y de las muchas otras que las siguieron, durante el siglo XX[477]. La difícil situación de las personas que huyen de la guerra y otros tipos de trato brutal e inhumano aún no es suficiente para tocar la conciencia de los europeos.

La situación maltesa

30. Los recurrentes denuncian de su detención después de solicitar asilo. En Malta, cualquier inmigrante en situación irregular sujeto a una orden de expulsión debe ser detenido hasta que sea expulsado de Malta[478]. La detención de inmigrantes indocu-

---

[474] *N. v. El Reino Unido*, no. 26565/05, 27 de mayo de 2008. Para un análisis de esta sentencia, ver mi opinión unida a *SJ v. Belgium* [GC], no. 70055/10, 19 de marzo de 2015.

[475] *Saadi*, antes citado, apartado 77.

[476] Este fue el mensaje de una campaña de Home Office en Londres, 2013, que causó revuelo en la sociedad y los medios de comunicación (ver, por ejemplo, The Guardian, 8 de septiembre de 2013 y 31 de octubre de 2013).

[477] Ver The Guardian, 27 de julio de 2016, refiriéndose a las declaraciones de un Primer Ministro europeo de que "cada migrante plantea un riesgo de seguridad pública y terror" y "Para nosotros la migración no es una solución sino un problema ... no un medicamento sino un veneno, no la necesitamos y no la tragaremos".

[478] La evaluación externa más reciente de la situación en Malta fue producida por el Informe del Relator Especial, A/HRC/29/36/Add.3, 12 de mayo de 2015, párrafo 70: "Las autoridades de inmigración en Malta emiten sistemáticamente órdenes de expulsión a todos los migrantes irregulares. Las órdenes de expulsión emitidas generalmente se refieren a la falta de medios para mantenerse o a su entrada irregular. Los migrantes irregulares generalmente no son informados de las consideraciones que conducen a la orden de expulsión, ni se les da la oportunidad de presentar información, documentación y/u otra evidencia en apoyo de una solicitud de un período de salida voluntaria. Por consiguiente, permanecen detenidos por un período máximo de 18 meses hasta que se les conceda el estado de refugiado o hasta que se los expulse de Malta". Véanse también los informes anteriores mencionados en los párrafos 45 a 57 de la sentencia.

mentados es la regla y no la excepción[479]. *La aplicación de la ley es ciega y no se lleva a cabo caso por caso. La privación de libertad no es una medida de último recurso, sino una medida de primer y único recurso.*

Además, un inmigrante irregular tiene derecho a solicitar el reconocimiento del estatuto de refugiado mediante una solicitud al Comisionado para los Refugiados dentro de los dos meses posteriores a la llegada. Mientras se procesa la solicitud, de acuerdo con la política de Malta, el solicitante de asilo permanecerá detenido por un período de hasta dieciocho meses, que puede extenderse si, al rechazar la solicitud, se niega a cooperar con respecto a su repatriación[480].

31. Un período de 18 meses es per se contrario al carácter excepcional de la detención en virtud del Artículo 5 § 1 (f), ya que no puede afirmarse que un procedimiento de deportación que dure tanto tiempo se haya llevado a cabo con la debida diligencia. Si se quieren aún más pruebas de la naturaleza excesiva del régimen legal maltés, la prolongación temporal de la detención, con posibilidades ilimitadas de prórroga en caso de solicitantes de asilo rechazados que no cooperaron, muestra al régimen maltés en su peor momento. Ha llegado el momento de que la legislación maltesa modifique el régimen de detención relacionado con la migración, entre otras cosas, deshaciéndose del infame Artículo 14 (2) del Capítulo 217 de las Leyes de Malta[481].

32. Los demandantes, menores de dieciséis y diecisiete años respectivamente cuando entraron en Malta, fueron sometidos a la detención de rutina por las autoridades de inmigración. Ni siquiera les fue de ayuda la inconcreta política gubernamental sobre migrantes irregulares "vulnerables". Al entrar en Malta como migrantes irregulares, todo estaba en su contra. Fueron detenidos en el centro de detención de los cuarteles de Safi. Su situación no era diferente de la de miles de otros migrantes en Malta, siendo en su caso la edad la circunstancia agravante. Este es el primer caso en el que el Tribunal considera que las condiciones de detención en el centro de detención mencionado anteriormente infringen el Artículo 3. Como en Suso Musa, el Tribunal también determinó que el internamiento en el centro violaba el Artículo 5, pero la novedad importante en el presente caso es que el Tribunal ha aplicado explícitamente la prueba de necesidad a la interpretación de la primera parte del Artículo 5 § 1 (f), cosa que no hizo en Suso Musa. Este es el valor agregado del presente caso.

Conclusión

33. El Gobierno de Malta tiene derecho a solicitar que el presente caso se remita a la Gran Sala. Tienen buenas razones para hacerlo, ya que el presente juicio contradice en apariencia la lógica de Saadi. De hecho, siguiendo el ejemplo de otros casos en

---

[479] Artículo 14 (2) del Capítulo 217 de las Leyes de Malta.

[480] *Aden Ahmed v. Malta*, no. 55352/12, § 33, 23 de julio de 2013.

[481] Ya en *Suso Musa*, citado anteriormente, § 99, el Tribunal solicitó una aclaración del marco legal maltés. El PACE también, al menos desde 2008, solicitó la reforma de la «política de períodos de detención sistemática y excesiva» de Malta (Resolución PACE 1637 (2008), citada anteriormente, párrafo 9.4). Ambas llamadas hasta ahora han sido ignoradas.

el pasado, este caso se decidió explícitamente sobre la base del principio de necesidad[482], que Saadi rechaza.

La Asamblea General de las Naciones Unidas, el Secretario General, la Corte Internacional de Justicia, el Comité de Derechos Humanos de las Naciones Unidas, el Alto Comisionado de las Naciones Unidas para los Refugiados, el Comisionado de las Naciones Unidas para los Derechos Humanos, el Grupo de Trabajo sobre la Detención Arbitraria, el Relator Especial por los Derechos Humanos de los Migrantes, la Asamblea Parlamentaria y el Comité de Ministros del Consejo de Europa, el Comité para la Prevención de la Tortura, el Parlamento Europeo, el Consejo de la Unión Europea, el Tribunal de Justicia de la Unión Europea y la Agencia de Derechos Fundamentales, la Corte Interamericana de Derechos Humanos y la Comisión Interamericana de Derechos Humanos, todos, han repudiado el completamente indignante razonamiento de Saadi. Incluso las Salas de la Corte se han embarcado en una rebelión silenciosa contra tal justificación. Una orden de detención por la única razón de la conveniencia burocrática del Estado equipara a las personas afectadas a mercancías. La interpretación de la Gran Sala del Artículo 5 (1) (f) de la Convención debe revisarse en aras de dar coherencia a la jurisprudencia caótica del TEDH y alinearla con el derecho internacional de los derechos humanos y los refugiados. El TEDH no puede hacer oídos sordos a la llamada mundial de que debe ponerse fin a Saadi».

5.1.3. Doctrina del TEDH sobre detención de menores no acompañados migrantes solicitantes de asilo

El problema central en el caso Abdullahi Elmi y Aweys Abubalar c.Malta no es otro que **la detención de menores no acompañados solicitantes de asilo** y la interpretación del art. 5.1f) CEDH[483].

En este sentido, trataremos de esbozar en las próximas líneas, en primer lugar, **la problemática de la detención de las personas extranjeras** para impedir su entrada irregular en un Estado; y en segundo lugar, la cuestión más específica de la **detención de los menores no acompañados**.

---

[482] Véase el apartado 146 de la presente sentencia.

[483] Art. 5.1 CEDH. Toda persona tiene derecho a la libertad y a la seguridad. Nadie puede ser privado de su libertad, salvo en los casos siguientes y con arreglo al procedimiento establecido por la ley: (…)

f) Si se trata de la detención o de la privación de libertad, conforme a derecho, de una persona para impedir su entrada ilegal en el territorio o contra la cual esté en curso un procedimiento de expulsión o extradición.

a) Detención de las personas extranjeras para impedir su entrada irregular en un Estado. [(Art. 5.1f) CEDH, parte primera]

- El art. 5.1f) permite al Estado restringir la libertad de las personas extranjeras en el marco del control de la inmigración [STEDH 15 diciembre 2016, Caso Khlaifia y otros c. Italia (f.89)].

- Partiendo que el primer párrafo del art. 5 permite la detención de un solicitante de asilo o de otro inmigrante que haya obtenido del Estado una autorización de entrada, tal detención debe ser acorde a la finalidad general del art. 5, que no es otra que proteger el derecho a la libertad y asegurar que nadie pueda ser privado de su libertad de forma arbitraria. [STEDH 29 enero 2008, Caso Saadi c. El Reino Unido (GC), (f. 50 y 64-66)].

En **Saadi,** el TEDH establece un **controvertido criterio de arbitrariedad**, mucho más laxo que el principio de necesidad. Veamos sintéticamente el razonamiento en Saadi: Si la regla general establecida en el Artículo 5.1 es que toda persona tiene derecho a la libertad, el párrafo (f) de esta disposición establece una excepción, al permitir a los Estados restringir la libertad de los extranjeros en el contexto del control de la inmigración. Como ya ha dicho el TEDH, sin perjuicio de cumplir con sus obligaciones derivadas del CEDH, *los Estados disfrutan del "derecho innegable de control soberano sobre la entrada y residencia de extranjeros en su territorio"* (STEDH 25 junio 1996, Caso Amuur c. Francia, f 41; STEDH 15 noviembre 1996, Caso Chahal c. Reino Unido, f. 73; STEDH 28 mayo 1985, Caso Abdulaziz, Cabales y Balkandali c. Reino Unido, f.67-68.

La capacidad de los Estados de detener a los solicitantes de inmigración que han solicitado permiso para entrar en el país a través de una solicitud de asilo o no es un corolario esencial de este derecho. Amuur deja claro que la detención de inmigrantes potenciales, incluidos los solicitantes de asilo, es conforme con el Artículo 5 § 1 (vid. Saadi f. 64).

El **concepto de arbitrariedad**, conforme al TEDH, es **variable según la letra del art. 5.1 CEDH que ampare la privación de libertad**. Reproducimos, por su importancia los f. 70-74 de Saadi, donde se expone este criterio:

*"70. La **noción de arbitrariedad en los contextos respectivos de los subpárrafos (b),**
(d) y (e) también implica que se busca determinar **si la detención fue necesaria para***

*lograr el propósito pretendido. La privación de libertad es tan grave que **solo se justifica como último recurso, cuando se han considerado otras medidas menos severas y se han encontrado insuficientes para salvaguardar el interés personal o público** en la detención (Witold Litwa, citado anteriormente, § 78, Hilda Hafsteinsdóttir v. Islandia, n.º 40905/98, § 51, 8 de junio de 2004, y Enhorn, citado anteriormente, § 44). Además, **el principio de proporcionalidad** significa que cuando la detención está destinada a garantizar el cumplimiento de una obligación legal, debe establecerse **un equilibrio entre la necesidad en una sociedad democrática de garantizar el cumplimiento inmediato de la obligación de la que es responsable y la importancia del derecho a la libertad** (Vasileva v. Dinamarca, No. 52792/99, § 37, 25 de septiembre de 2003). La duración de la detención es un factor en la búsqueda de este equilibrio (ibidem, y ver también McVeigh y otros v. Reino Unido, nos 8022/77, 8025/77, 8027/77, Informe de la Comisión de 18 Marzo de 1981, Decisiones e informes 25, pp. 60, 81 y 86).*

*71. El TEDH **adopta un enfoque diferente al principio de exclusión de la arbitrariedad en casos de privación de libertad basados en el Artículo 5 § 1 (a)** donde, **en ausencia de mala fe o cualquier otro motivo mencionado en el párrafo 69 anterior**, mientras la detención sea el resultado de una sentencia firme o tenga un vínculo causal suficiente, la decisión de imponer una sentencia de detención y la duración de la sentencia son asuntos que son responsabilidad de las autoridades nacionales y no de la Corte. bajo el Artículo 5 § 1 (ver T. v. Reino Unido [GC], No. 24724/94, § 103, 16 de diciembre de 1999, y también Stafford v. Reino Unido [GC], No. 46295/99, § 64, CEDH 2002-IV).*

*72. Del mismo modo, en un caso en el que una **persona había sido detenida en virtud del Artículo 5 § 1 (f), la Gran Sala, al interpretar la segunda parte del párrafo (f),** consideró que, siempre que un individuo fue detenido "en el contexto de" procedimientos de deportación ", es decir, siempre y cuando" los procedimientos de deportación [estuvieran] pendientes "en su contra, no existían requisitos razonables para creer la necesidad de detención, por ejemplo, para evitar que la persona cometa un delito o huya (Chahal, citado anteriormente, § 112). En el mismo caso, la Gran Sala también declaró que e**l principio de proporcionalidad se aplicaba a la detención en virtud del Artículo 5 § 1 (f) solo en la medida en que no se extendiera por un período de tiempo irrazonable** por lo tanto, sostuvo que "solo los procedimientos de expulsión justifican la privación de libertad sobre la base de esta disposición [y que] si los procedimientos no se llevan a cabo con la debida diligencia, la detención cesará [de] estar justificada (…)" (ibid., § 113, y ver también Gebremedhin [Gaberamadhien] v. Francia, No. 25389/05, § 74, CEDH 2007-II).*

*73. A la luz de lo anterior, el **Tribunal considera que el principio de que la detención no debe ser arbitraria debe aplicarse a la detención en virtud de la primera parte del artículo 5 § 1 (f)** de la misma manera que 'a la detención cubierta por la segunda parte. Dado que los **Estados disfrutan del derecho de controlar tanto la entrada como la estancia de un extranjero en su territorio** (véanse los casos mencionados en el párrafo 63 supra), **sería artificial sostener que los casos de detención de una persona que acaba de ingresar al territorio tiene un criterio de proporcionalidad diferente*** *del criterio para las medidas de expulsión, extradición o expulsión de un individuo que ya está presente en el país.*

*74. **Para no ser arbitrario, la implementación de dicha medida de detención debe realizarse de buena fe; también debe estar estrechamente relacionada, la con el propósito de evitar que una persona entre ilegalmente al territorio.** Además, el **lugar y las condiciones de detención deben ser apropiados,** porque "tal medida se aplica no a los autores de delitos penales sino a los extranjeros que, a menudo **temiendo por su vida, huyen de su propio país**" (Amuur, citado anteriormente, § 43); y, por último, la **duración de la detención no debe exceder el período de tiempo razonable necesario para lograr el propósito."***

El criterio para determinar en qué momento termina la aplicación de la primera parte del art. 5.1f) CEDH debido a que el interesado ha obtenido una autorización de entrada o de estancia, es algo que depende en gran medida del derecho interno (STEDH 23 julio 2013, Caso Suso Musa c. Malta, f.97)

En la STEDH 23 julio 2013, Caso Suso c. Malta (f.73), se fija la doctrina de que el principio según el cual la **detención no debe ser arbitraria**, se aplica **tanto a las detenciones previstas en parte primera del art. 5. 1f)** (impedir entrada ilegal en el territorial) **como a las de la parte segunda** (personas con procedimientos en trámite de extradición o expulsión).

La **garantía frente a la arbitrariedad** que ofrece la primera parte del art. 5.1f) significa que la detención:

– debe hacerse **de buena fe;**

– debe estar estrechamente **vinculada a la finalidad** de impedir a una persona entrar irregularmente en el territorio;

– el **lugar y las condiciones de detención** han de ser apropiados, puesto que dicha medida no se aplica a autores de infracciones penales, sino a personas extranjeras que, a menudo temiendo por sus vidas, huyen de su propio país;

– **la duración de la detención no debe superar el plazo razonable** para lograr la finalidad prevista (Suso c. Malta F. 74).

En la STEDH 4 abril 2017, Caso Thimothawes c. Bélgica (f.73), y en STEDH 26 noviembre 2015, Caso Mohamed Jama c. Malta, f.146, el TEDH recuerda que ya se ha pronunciado en el sentido de que las **decisiones generalizadas o automáticas de privar de libertad a los demandantes e**

asilo sin una valoración individual de sus necesidades particulares puede ser contrario al art. 5.1f) CEDH.

En Saadi, el TEDH ha estimado que las autoridades competentes no deben indagar si puede sustituirse detención por otra medida menos intrusiva en los derechos humanos. El TEDH adopta un enfoque diferente al principio de exclusión de la arbitrariedad quando hay que determinar si los interesados presentan una especial vulnerabilidad que impida la detención; por ejemplo:

- *en el caso de menores extranjeros acompañados*: STEDH 19 enero 2010, Caso *Muskhadzhivyeva y otros* c. Bélgica; STEDH 13 diciembre 2011, Caso Kanagaratnam y otros c. Bélgica, f. 94; STEDH 19 enero 2012, Caso Popov c. Francia, f.119, STEDH 12 julio 2016, Caso A.B. y otros c. Francia, f.123;

- *en el caso de menores extranjeros no acompañados:* STEDH 12 octubre 2006, Caso *Mubilanzila Mayeka et Kaniki Mitunga c. Bélgica*, f. 99-104, STEDH 5 abril 2011, Caso Rahimi c. Grecia, f.108-110, STEDH 24 octubre 2013, Caso *Housein c. Grecia;*

- *en el caso de personas extranjeras enfermas*: STEDH 20 diciembre 2011, Caso *Yoh-Ekale Mwanje c. Bélgica*, f. 124.

A la vista de las condiciones particulares de las personas especialmente vulnerables, **han de modularse las formas de ejecución** de la medida de detención. Así, en el caso de una demandante y sus tres hijos en un edificio cerrado destinado a adultos (STEDH 13 diciembre 2011, Caso Kanagaratnam y otros c. Bélgica, f.80); o en el caso de la aplicación automática de una medida de detención a un menor no acompañado (STEDH 5 abril 2011, Caso Rahimi v. Grecia, f.108).

b) Detención de los menores no acompañados

Hay que tener en cuenta que **la situación de extrema vulnerabilidad de un menor** es determinante y **prevalece sobre su condición de persona extranjera en situación irregular**: STEDH 12 octubre 2006, Caso Makeva y Kaniki Mitunga c. Bélgica,f 55.

Los **menores tienen necesidades específicas** lógicamente derivadas de su **edad y su dependencia**, pero también derivadas **de su estatuto de soli-**

citantes de asilo. El TEDH recuerda que la Convención relativa a los derechos del niño incita a los Estados a adoptar las medidas apropiadas para que un niño que pretende obtener el estatuto de refugiado, se beneficie de la protección y de la asistencia humanitaria, esté solo o acompañado por sus padres (STEDH 22 noviembre 2006,Caso Abdullahi Elmi y Aweys Abubakar c. Malta, f.103).

Veremos ahora, con brevedad, la *doctrina del TEDH sobre las condiciones de detención de las personas inmigrantes menores no acompañadas, que pueden afectar a los derechos del art. 3 (prohibición de tratos inhumanos o degradantes).*

- STEDH 12 octubre 2006,Caso Mubilanzila Maveka y Kaniki Mitunga c. Bélgica: existencia de trato inhumano o degradante (art. 3 CEDH): detención durante dos meses en un centro de tránsito para adultos, gestionado por la Oficina de extranjeros y situado cerca del aeropuerto de Bruselas, de un niño congolés de 5 años que se suponía que iba a reunirse con su madre, la cual había obtenido el estatuto de refugiada en Canadá, y la devolución posterior el niño a su país de origen.

- STEDH 5 abril 2011, Caso Rahimi c. Grecia: violación del art. 3 CEDH: menor afgano solicitante de asilo detenido durante 2 días, en un centro cuyas condiciones de alojamiento, higiene e infraestructura eran tan pésimas que atentaban a la dignidad humana. Además, las autoridades no valoraron la extrema vulnerabilidad del menor.

- STEDH 11 diciembre 2014, Caso Mohamad c. Grecia: violación del art. 13 en relación con el art. 3: menor no acompañado iraquí que es detenido en el puesto fronterizo de Soufli para su expulsión. Se aprecia trato inhumano y degradante por la detención durante más de 5 meses en condiciones inaceptables. y sin disponer de un recurso efectivo para denunciar las condiciones de su detención.

- STEDH 28 febrero 2019, Caso H.A. y otros c. Grecia: violación del art. 3 CEDH. Detención de nueve menores migrantes no acompañados en distintas comisarías de policía de Grecia, durante períodos que van de los 21 a los 33 días. Después fueron trasferidos al centro de acogida de Diaviata, y después a instalaciones de acogida de menores. Las condiciones que sufrieron en las distintas comisarías constituye un trato degradante, puesto que podía generar en los menores sentimientos de aislamiento del mundo exterior, con consecuencias potencialmente negativas para su bien estar físico y moral. Sin embargo, en cuanto las condiciones en el centro de Diavata, que dispone de una zona especial para menores no acompañados, las mismas no superaron el mínimo de gravedad exigible por el art. 3 CEDH.. Además, los menores carecieron de acceso a un recurso efectivo, (violación del art. 13). Para concluir, el TEDH aprecia la violación del art. 5.1 y 4,porque la detención en los puestos de guardia fronteriza y en las comisarías fueron una privación de libertad irregular.

— STEDH 13 junio 2019, Caso Sh.D. y otros, c. Grecia, Austria, Croacia, Hungría, Macedonia del Norte, Serbia y Eslovenia. Se aprecia vulneración del art. 3 y 5.1 CEDH. Es un caso de 5 menores migrantes afganos no acompañados. El Tribunal declaró inadmisibles las demandas contra Austria, Croacia, Hungría, el norte de Macedonia, Serbia y Eslovenia por ser manifiestamente infundadas. Al contrario, consideró que Grecia había violado el artículo 3 CEDH. Por un lado, el Tribunal consideró que las condiciones de detención a las que habían sido sometidos tres demandantes en diferentes puestos de policía equivalían a un trato degradante, y recordó que la detención en estos lugares puede generar sentimientos de aislamiento del mundo exterior con consecuencias potencialmente negativas en su bienestar físico y moral. Por otro lado, observó que las autoridades no habían hecho todo lo que razonablemente podía esperarse de ellas para cumplir con la obligación de cuidado y protección de cuatro demandantes, que habían vivido durante un meses en el campamento de Idomeni en un ambiente inadecuado para su condición de adolescentes, obligación que tenía el estado griego, en tanto que se trataba de personas particularmente vulnerables por razón de edad. El TEDH estima también que hay violación del art. 5.1 para tres demandantes, porque su internamiento en comisarías es una privación de libertad, sin que el Estado griego haya explicado por qué les detuvo ahí y no los ubicó en centros de alojamiento provisional, por lo que aprecia que la detención fue irregular.

5.1.4. Los menores no acompañados solicitantes de asilo en España

Nos adentramos ahora en el breve comentario del tan extenso como denso régimen jurídico de los menores no acompañados migrantes y solicitantes de asilo en España, para después efectuar una serie de consideraciones críticas, a la luz de la doctrina del TEDH que acabamos de desarrollar.

– **Normativa internacional:**

- **DUDH de 10 diciembre 1948. (*Art. 14*)**1. En caso de persecución, toda persona tiene derecho a buscar asilo, y a disfrutar de él, en cualquier país. 2. Este derecho no podrá ser invocado contra una acción judicial realmente originada por delitos comunes o por actos opuestos a los propósitos y principios de las Naciones Unidas.

- **Convención de Ginebra de 28 de julio de 1951 y del Protocolo de 31 de enero de 1967 sobre el Estatuto de los Refugiados**[484].

- **Convención sobre derechos del niño de 20 de noviembre de 1989,** *Artículo 22.*1. Los Estados Partes adoptarán medidas adecuadas para lograr que el niño que trate de obtener el estatuto de refugiado o que sea considerado refugiado de conformidad con el derecho y los procedimientos internacionales o internos aplicables reciba, tanto si está solo como si está acompañado de sus padres o de cualquier otra persona, la protección y la asistencia humanitaria adecuadas para el disfrute de los derechos pertinentes enunciados en la presente Convención y en otros instrumentos internacionales de derechos humanos o de carácter humanitario en que dichos Estados sean partes.

  2. A tal efecto los Estados Partes cooperarán, en la forma que estimen apropiada, en todos los esfuerzos de las Naciones Unidas y demás organizaciones intergubernamentales competentes u organizaciones no gubernamentales que cooperen con las Naciones Unidas por proteger y ayudar a todo niño refugiado y localizar a

---

[484] Instrumento de Adhesión de España a la Convención sobre el Estatuto de los Refugiados, hecha en Ginebra el 28 de julio de 1951, y al Protocolo sobre el Estatuto de los Refugiados, hecho en Nueva York el 31 de enero de 1967. (BOE nº 252, de 21 de octubre de 1978).

sus padres o a otros miembros de su familia, a fin de obtener la información necesaria para que se reúna con su familia. En los casos en que no se pueda localizar a ninguno de los padres o miembros de la familia, se concederá al niño la misma protección que a cualquier otro niño privado permanente o temporalmente de su medio familiar, por cualquier motivo, como se dispone en la presente Convención.

- **Observación General nº 6 (2005) del Comité de los Derechos del Niño 39ª período de sesiones 2005 (CRC/GC/2005/61o de septiembre de 2005)**[485].

– **Consejo de Europa:**

Convenio Europeo de Derechos Humanos: Art. 4 CEDH: prohíbe las torturas y tratos o penas inhumanos o degradantes.

Art. 5 CEDH: garantiza libertad y seguridad.

- **Protocolo nº 4 al CEDH de 16 de septiembre de 1963**[486]**; art. 4 prohíbe las expulsiones colectivas de extranjeros.**

- *Protocolo no 7 al CEDH, (Convenio no 117 del Consejo de Europa), hecho en Estrasburgo el 22 de noviembre de 1984*[487]. *art. 1, garantiza la tutela judicial efectiva a las personas extranjeras que residen legalmente en el territorio de un estado.*

– **Normativa eurounitaria:**

- El **artículo 18 de la Carta de los derechos fundamentales de la Unión Europea** Se garantiza el derecho de asilo dentro del respeto de las normas de la Convención de Ginebra de 28 de julio de 1951 y del Protocolo de 31 de enero de 1967 sobre el Estatuto de

---

[485]Puede consultarse en: https://www.acnur.org/fileadmin/Documentos/BDL/2005/3886.pdf

[486]Instrumento de Ratificación del Protocolo no 4 al Convenio para la protección de los Derechos Humanos y de las Libertades Fundamentales, reconociendo ciertos derechos y libertades, además de los que ya figuran en el Convenio y Protocolo Adicional al Convenio (Convenio no 46 del Consejo de Europa), hecho en Estrasburgo el 16 de septiembre de 1963. BOE nº 247 de 13 de octubre de 2009.

[487]Instrumento de Ratificación BOE nº 249; 15 octubre 2009.

los Refugiados y de conformidad con el Tratado Constitutivo de la Comunidad Europea.

- **Art. 67 TFUE**: 1. La Unión constituye un espacio de libertad, seguridad y justicia dentro del respeto de los derechos fundamentales y de los distintos sistemas y tradiciones jurídicos de los Estados miembros.

  2. (…) desarrollará una **política común de asilo, inmigración y control de las fronteras exteriores** que esté basada en la solidaridad entre Estados miembros y sea equitativa respecto de los nacionales de terceros países. A efectos del presente título, los apátridas se asimilarán a los nacionales de terceros.

- **Art. 78 TFUE** 1. La Unión desarrollará una **política común en materia de asilo**, protección subsidiaria y protección temporal destinada a ofrecer un estatuto apropiado a todo nacional de un tercer país que necesite protección internacional y a garantizar el respeto del principio de no devolución. Esta política deberá ajustarse a la Convención de Ginebra de 28 de julio de 1951y al Protocolo de 31 de enero de 1967 sobre el Estatuto de los Refugiados, así como a los demás tratados pertinentes.»

  El artículo 78.2 prevé entre otras cosas que el **legislador de la Unión adopte estatutos uniformes de asilo y protección subsidiaria**, así como «criterios y mecanismos de determinación del Estado miembro responsable del examen de una demanda de asilo

- **Directiva 2008/115/CE** del Parlamento europeo y del Consejo de 16 de diciembre de 2008 (llamada «Directiva retorno» relativa a normas y **procedimientos comunes en los Estados miembros para el retorno de los nacionales** de terceros países en situación irregular.

- **Directiva 2011/95/UE** del Parlamento europeo y del Consejo 13 de diciembre de 2011.por la que se establecen normas relativas a los **requisitos para el reconocimiento de nacionales de terceros países o apátridas como beneficiarios de protección internacional, a un estatuto uniforme para los refugiados** o para las personas con derecho a protección subsidiaria y al contenido de la protección concedida.

Artículo 31 Menores no acompañados

1. Tan pronto como sea posible después de la concesión de la protección internacional, los Estados miembros adoptarán las medidas necesarias para asegurar la representación de los menores no acompañados mediante un tutor legal o, en caso necesario, mediante una organización encargada del cuidado y bienestar del menor o cualquier otro tipo de representación adecuada, incluida la que fijen las disposiciones legales o una resolución judicial.

2. A laplicar la presente Directiva, los Estados miembros adoptarán las disposiciones necesarias para garantizar que el tutor o representante designado del menor atenderá debida mente a las necesidades de este. Las autoridades competentes efectuarán evaluaciones sobre el particular de forma periódica.

3. Los Estados miembros velarán porque los menores no acompañados sean acomodados, ya sea:

a) con parientes adultos, o

b) en una familia de acogida, o

c) en centros especializados en el alojamiento de menores, o

d) en otros alojamientos adecuados para menores.

A este respecto, se tendrá en cuenta la opinión del menor, atendiendo a su edad y grado de madurez.

4. En la medida de lo posible, se mantendrá juntos a los hermanos, teniendo en cuenta el interés superior del menor de que se trate y, en particular, su edad y grado de madurez. Los cambios de residencia de los menores no acompañados se limitarán al mínimo.

5. En caso de que se conceda protección internacional a un menor no acompañado y no se haya iniciado la búsqueda de los miembros de su familia, los Estados miembros empezarán a buscarlos lo antes posible tras la concesión de la protección internacional, atendiendo al mismo tiempo al interés superior del menor. Si se ha iniciado la búsqueda, los Estados miembros continuarán dicho proceso cuando proceda. En caso de que pueda existir una amenaza para la vida o la integridad del menor o de sus parientes

próximos, sobre todo si estos han permanecido en el país de origen, habrá que garantizar que la recogida, tratamiento y comunicación de la información referente a estas personas se realice de forma confidencial.

6. Las personas que se ocupen de los menores no acompañados deberán tener y seguir recibiendo la formación adecuada sobre sus necesidades.

- **Directiva 2013/32/UE del Parlamento Europeo y del Consejo de 26 de junio de 2013; sobre procedimientos comunes para la concesión o la retirada de la protección internacional (refundición):** *Artículo 25* **Garantías para los menores no acompañados**[488].

Artículo 26 Internamiento

1. Los Estados miembros no mantendrán a una persona internada por la única razón de que sea un solicitante de protección internacional. Los motivos y las condiciones de internamiento y las garantías de los solicitantes internados, serán conformes con la Directiva 2013/33/UE.

2. Cuando se mantenga internado a un solicitante, los Estados miembros velarán por que exista un procedimiento rápido de revisión judicial de conformidad con la Directiva 2013/33/UE.

- **Directiva 2013/33/UE del Parlamento y del Consejo de 26 de junio de 2013 por la que se aprueban normas para la acogida de los solicitantes de protección internacional (texto refundido).** *Artículo 11* Internamiento de personas vulnerables y de solicitantes con necesidades de acogida particulares, Apartado 3. Los menores no acompañados únicamente serán internados en circunstancias excepcionales. Se realizarán todos los esfuerzos necesarios para la puesta en libertad de los menores no acompañados lo más rápido posible.

---

[488] Puede consultarse en: https://eur-lex.europa.eu/legal-content/ES/TXT/PDF/?uri=CELEX:32013L0032&from=es)

Nunca se internará a los menores no acompañados en centros penitenciarios.

En la medida de lo posible, a los menores no acompañados se les acogerá en centros con personal e instalaciones que tengan en cuenta las necesidades propias de las personas de su edad.

Cuando se interne a menores no acompañados, los Estados miembros se asegurarán de que sean alojados separadamente de los adultos.

- **Reglamento 604/2013 del Parlamento Europeo y el Consejo. de 26 de junio de 2013 (Dublin III)** por el que se establecen los criterios y mecanismos de determinación del Estado miembro responsable del examen de una solicitud de protección internacional presentada en uno de los Estados miembros por un nacional de un tercer país o un apátrida (Texto refundido) (Art. 2j), art. 6)

- **Reglamento 603/2013 del Parlamento Europeo y el Consejo de 26 de junio de 2013 (Eurodac),** relativo a la creación del sistema «Eurodac» para la comparación de las impresiones dactilares para la aplicación efectiva del Reglamento (UE) no 604/2013, por el que se establecen los criterios y mecanismos de determinación del Estado miembro responsable del examen de una solicitud de protección internacional presentada en uno de los Estados miembros por un nacional de un tercer país o un apátrida, y a las solicitudes de comparación con los datos de Eurodac presentadas por los servicios de seguridad de los Estados miembros y Europol a efectos de aplicación de la ley, y por el que se modifica el Reglamento (UE) no 1077/2011, por el que se crea una Agencia europea para la gestión operativa de sistemas informáticos de gran magnitud en el espacio de libertad, seguridad y justicia (refundición).

- **Resolución del Consejo de la UE Menores no acompañados procedentes de terceros países, 26 junio 1997 (DOCE, núm. C 221, 19 julio 1997).**

- **Constitución Española:**

Art. 13.1 Los extranjeros gozarán en España de las libertades públicas que garantiza el presente Título en los términos que establezcan los tratados y la ley.(…)

4 La ley establecerá los términos en que los ciudadanos de otros países y los apátridas podrán gozar del derecho de asilo en España.

Art. 39.

1. Los poderes públicos aseguran la protección social, económica y jurídica de la familia.

2. Los poderes públicos aseguran, asimismo, la protección integral de los hijos, iguales éstos ante la ley con independencia de su filiación, y de las madres, cualquiera que sea su estado civil. La ley posibilitará la investigación de la paternidad.

3. Los padres deben prestar asistencia de todo orden a los hijos habidos dentro o fuera del matrimonio, durante su minoría de edad y en los demás casos en que legalmente proceda.

4. Los niños gozarán de la protección prevista en los acuerdos internacionales que velan por sus derechos.

– **Normas de desarrollo de rango legal y reglamentario:**

- **LO 1/1996, de 15 de enero, de Protección Jurídica del Menor**

  LO 4/2000, de 11 de enero, sobre derechos y libertades de os extranjeros en España y su integración social. Artículo 35. Menores no acompañados.

  1. El Gobierno promoverá el establecimiento de Acuerdos de colaboración con los países de origen que contemplen, integradamente, la prevención de la inmigración irregular, la protección y el retorno de los menores no acompañados. Las Comunidades Autónomas serán informadas de tales Acuerdos.

  2. Las Comunidades Autónomas podrán establecer acuerdos con los países de origen dirigidos a procurar que la atención e integración social de los menores se realice en su entorno de procedencia. Tales acuerdos deberán asegurar debidamente la protección del interés de los menores y contemplarán mecanismos para un adecuado seguimiento por las Comunidades Autónomas de la situación de los mismos.

  3. En los supuestos en que los Cuerpos y Fuerzas de Seguridad del Estado localicen a un extranjero indocumentado cuya minoría

de edad no pueda ser establecida con seguridad, se le dará, por los servicios competentes de protección de menores, la atención inmediata que precise, de acuerdo con lo establecido en la legislación de protección jurídica del menor, poniéndose el hecho en conocimiento inmediato del Ministerio Fiscal, que dispondrá la determinación de su edad, para lo que colaborarán las instituciones sanitarias oportunas que, con carácter prioritario, realizarán las pruebas necesarias.

4. Determinada la edad, si se tratase de un menor, el Ministerio Fiscal lo pondrá a disposición de los servicios competentes de protección de menores de la Comunidad Autónoma en la que se halle.

5. La Administración del Estado solicitará informe sobre las circunstancias familiares del menor a la representación diplomática del país de origen con carácter previo a la decisión relativa a la iniciación de un procedimiento sobre su repatriación. Acordada la iniciación del procedimiento, tras haber oído al menor si tiene suficiente juicio, y previo informe de los servicios de protección de menores y del Ministerio Fiscal, la Administración del Estado resolverá lo que proceda sobre el retorno a su país de origen, a aquel donde se encontrasen sus familiares o, en su defecto, sobre su permanencia en España. De acuerdo con el principio de interés superior del menor, la repatriación al país de origen se efectuará bien mediante reagrupación familiar, bien mediante la puesta a disposición del menor ante los servicios de protección de menores, si se dieran las condiciones adecuadas para su tutela por parte de los mismos.

6. A los mayores de dieciséis y menores de dieciocho años se les reconocerá capacidad para actuar en el procedimiento de repatriación previsto en este artículo, así como en el orden jurisdiccional contencioso administrativo por el mismo objeto, pudiendo intervenir personalmente o a través del representante que designen.

Cuando se trate de menores de dieciséis años, con juicio suficiente, que hubieran manifestado una voluntad contraria a la de quien ostenta su tutela o representación, se suspenderá el curso del procedimiento, hasta el nombramiento del defensor judicial que les represente.

7. Se considerará regular, a todos los efectos, la residencia de los menores que sean tutelados en España por una Administración Pública o en virtud de resolución judicial, por cualquier otra entidad. A instancia del organismo que ejerza la tutela y una vez que haya quedado acreditada la imposibilidad de retorno con su familia o al país de origen, se otorgará al menor una autorización de residencia, cuyos efectos se retrotraerán al momento en que el menor hubiere sido puesto a disposición de los servicios de protección de menores. La ausencia de autorización de residencia no impedirá el reconocimiento y disfrute de todos los derechos que le correspondan por su condición de menor.

8. La concesión de una autorización de residencia no será obstáculo para la ulterior repatriación cuando favorezca el interés superior del menor, en los términos establecidos en el apartado cuarto de este artículo.

9. Reglamentariamente se determinarán las condiciones que habrán de cumplir los menores tutelados que dispongan de autorización de residencia y alcancen la mayoría de edad para renovar su autorización o acceder a una autorización de residencia y trabajo teniendo en cuenta, en su caso, los informes positivos que, a estos efectos, puedan presentar las entidades públicas competentes referidos a su esfuerzo de integración, la continuidad de la formación o estudios que se estuvieran realizando, así como su incorporación, efectiva o potencial, al mercado de trabajo. Las Comunidades Autónomas desarrollarán las políticas necesarias para posibilitar la inserción de los menores en el mercado laboral cuando alcancen la mayoría de edad.

10. Los Cuerpos y Fuerzas de Seguridad del Estado adoptarán las medidas técnicas necesarias para la identificación de los menores extranjeros indocumentados, con el fin de conocer las posibles referencias que sobre ellos pudieran existir en alguna institución pública nacional o extranjera encargada de su protección. Estos datos no podrán ser usados para una finalidad distinta a la prevista en este apartado.

11. La Administración General del Estado y las Comunidades Autónomas podrán establecer convenios con organizaciones no gubernamentales, fundaciones y entidades dedicadas a la protección de menores, con el fin de atribuirles la tutela ordinaria de los menores extranjeros no acompañados.

Cada convenio especificará el número de menores cuya tutela se compromete a asumir la entidad correspondiente, el lugar de residencia y los medios materiales que se destinarán a la atención de los mismos.

Estará legitimada para promover la constitución de la tutela la Comunidad Autónoma bajo cuya custodia se encuentre el menor. A tales efectos, deberá dirigirse al juzgado competente que proceda en función del lugar en que vaya a residir el menor, adjuntando el convenio correspondiente y la conformidad de la entidad que vaya a asumir la tutela.

El régimen de la tutela será el previsto en el Código Civil y en la Ley de Enjuiciamiento Civil. Además, serán aplicables a los menores extranjeros no acompañados las restantes previsiones sobre protección de menores recogidas en el Código Civil y en la legislación vigente en la materia.

12. Las Comunidades Autónomas podrán llegar a acuerdos con las Comunidades Autónomas donde se encuentren los menores extranjeros no acompañados para asumir la tutela y custodia, con el fin de garantizar a los menores unas mejores condiciones de integración.

Véase también el RD 557/2011, de 10 de abril por el que se aprueba e Reglamento de la LOEX y su art. 215 regula el Registro de Menores Extranjeros No Acompañados

Ley 12/2009, de 30 de octubre, reguladora del derecho de asilo y de la protección subsidiaria.

Artículo 48. Menores no acompañados.

1. Los menores no acompañados solicitantes de protección internacional serán remitidos a los servicios competentes en materia de

protección de menores y el hecho se pondrá en conocimiento del Ministerio Fiscal.

2. En los supuestos en los que la minoría de edad no pueda ser establecida con seguridad, se pondrá el hecho en conocimiento inmediato del Ministerio Fiscal, que dispondrá lo necesario para la determinación de la edad del presunto menor, para lo que colaborarán las instituciones sanitarias oportunas que, con carácter prioritario y urgente, realizarán las pruebas científicas necesarias. La negativa a someterse a tal reconocimiento médico no impedirá que se dicte resolución sobre la solicitud de protección internacional. Determinada la edad, si se tratase de una persona menor de edad, el Ministerio Fiscal lo pondrá a disposición de los servicios competentes de protección de menores.

3. De forma inmediata se adoptarán medidas para asegurar que el representante de la persona menor de edad, nombrado de acuerdo con la legislación vigente en materia de protección de menores, actúe en nombre del menor de edad no acompañado y le asista con respecto al examen de la solicitud de protección internacional.

Véase también el RD 203/1996, de 10 de febrero.

Resolución del 13 de octubre de 2014, de la Subsecretaría, por la que se publica el Acuerdo para la aprobación del Protocolo Marco sobre determinadas actuaciones en relación con los Menores Extranjeros No Acompañados. (BOE 16 octubre 2014, nº 251).

5.1.5. *Consideraciones críticas sobre la situación de los menores migrantes no acompañados solicitantes de asilo en España*

Resulta difícil, si no imposible, imaginar una situación mayor de vulnerabilidad que la de quien es menor, se halla en país extranjero, huye del suyo en busca de refugio y carece de padres o familiares que le acompañen y asistan. Las razones de que un menor esté en situación de no acompañado o separado de su familia son variadas y numerosas y entre ellas figuran la persecución del menor o de sus padres, un conflicto internacional o una guerra civil, la trata en diversos contextos y manifestaciones, sin olvidar la venta por los padres y la búsqueda de mejores oportunidades económicas

En cuanto a las menores no acompañadas y separadas de sus familias, están particularmente expuestas a la violencia de género y, en particular, a la violencia doméstica[489].

España, en tanto que frontera exterior de la Unión Europea, es un país receptor de menores no acompañados, de forma que a final de 2018, España tiene acogidos o tutelados por los servicios de protección de menores de las comunidades autónomas a un total de 12.437 Menores Extranjeros No Acompañados. En 2017 el incremento de las cifras de menores no acompañados fue de un 398% respecto de 2016 y de un 566 % respecto de 2015, según la Memoria de 2018 de la Fiscalía General del Estado[490].

Existen **datos que resultan más que preocupantes sobre el trato que España dispensa a los menores no acompañados**. Muchos de ellos llegan en condiciones de riesgo para su propia vida (2.345 llegaron en patera en 2017). Hay un total de 1.293 menores, 95 niñas y 1.198 niños, que figuran como «en fuga» lo que significa que existe constancia de que en un momento han estado en contacto con un servicio de protección y lo han abandonado, ignorándose su paradero actual[491].

En el régimen jurídico que hemos examinado cabe criticar que su condición de extranjero prime sobre su condición de menores en situación de especial vulnerabilidad, de ahí que el grueso de su régimen jurídico se contemple en la normativa de extranjería y no en la de menores.

En este sentido, no podemos sino hacernos eco de las **observaciones del Comité de Derechos del Niño de 5 de marzo de 2018 sobre España (CRC/c/ESP/CO/5-6)**

Así, respecto de **los menores solicitantes de asilo**, en el punto 43 de dicho informe, se recomienda:

El Comité insta al Estado parte a facilitar el acceso a procedimientos de asilo equitativos y eficientes para los niños necesitados de protección inter-

---

[489] Observación General nº 6 (2005) del Comité de los Derechos del Niño 39ª período de sesiones 2005 (CRC/GC/2005/61o de septiembre de 2005).

[490] Puede consultarse en: https://www.fiscal.es/memorias/memoria2018/FISCALIA_SITE/recursos/pdf/capitulo_III/cap_III_4_7.pdf

[491] Puede consultarse en: https://www.fiscal.es/memorias/memoria2018/FISCALIA_SITE/recursos/pdf/capitulo_III/cap_III_4_7.pdf

nacional, independientemente de su país de origen, incluso proporcionando información a los niños sobre su derecho a la protección internacional. En particular, el Comité insta al Estado parte a:

a) Agilizar la aprobación de un decreto actualizado de aplicación de la Ley de Asilo, e incluir en el decreto el reconocimiento de los niños como solicitantes de protección internacional por derecho propio.

b) Impartir a todos los profesionales que intervienen en cuestiones de protección internacional y de migración formación sobre la Convención, los derechos del niño y el deber de proteger a los niños que solicitan protección internacional.

c) Establecer, principalmente en las ciudades autónomas de Ceuta y Melilla y para los niños que llegan por mar a Andalucía, centros de recepción apropiados, dotados de asistencia jurídica especializada, intérpretes con la formación pertinente y servicios adaptados a las necesidades de los niños, y agilizar la tramitación y la transferencia de los niños solicitantes de asilo y sus familias.

d) Desarrollar mecanismos eficaces para recibir y atender las denuncias de niños en los centros de protección, adoptar medidas para prevenir los casos de malos tratos e investigar efectivamente los casos denunciados.

e) Mejorar la capacidad de los guardias de fronteras y otros profesionales competentes para identificar adecuadamente a los niños y determinar sus necesidades de protección específicas, teniendo en cuenta su edad, género y diversidad, y asegurar una rápida transferencia a centros de recepción adecuados.

f) Establecer procedimientos y recursos diferenciados y rápidos para los niños, especialmente para prevenir la separación de los niños de sus familias, y agilizar los procedimientos de determinación de la condición de los niños en casos urgentes de búsqueda y reunificación de las familias, especialmente en la ciudad autónoma de Melilla.

g) Considerar la adhesión a la Convención para Reducir los Casos de Apatridia.

No menos preocupante resulta la *situación de los menores no acompañados*. En estos casos **el enfoque de la *crimigración*** que atinadamente denuncia Paulo Pinto, se hace particularmente evidente.

Valga como muestra la anulación, por la Sala III del TS, **STS (III) 10 febrero 2015, RJ 2015/1383, que** resuelve el recurso contencioso-administrativo interpuesto por la Asociación pro Derechos Humanos de Andalucía, la Federación de Asociaciones de S.O.S. Racismo del Estado Español y la Federación Andalucía Acoge contra el Real Decreto 162/2014, de 14 marzo, por el que por el que se aprueba el reglamento de funcionamiento y régimen interior de los centros de internamiento de extranjeros, en el que se anula —entre otros— el inciso "*Podrá solicitarse un nuevo internamiento del extranjero, por las mismas causas que determinaron el internamiento anterior, cuando habiendo ingresado con anterioridad no hubiera cumplido el plazo máximo de sesenta días, por el período que resta hasta cumplir éste*" del artículo 21.3 del Reglamento impugnado; se anulan, por conexión, los términos "Igualmente" y "en este caso", del segundo inciso del mismo apartado, cuya redacción queda de la siguiente manera: "Se podrán solicitar nuevos ingresos del extranjero si obedecen a causas diferentes, por la totalidad del tiempo legalmente establecido".

Es evidente, que con la norma reglamentaria se pretendía el internamiento indefinido de las personas extranjeras en Centros de Internamiento, al socaire de la burocracia estatal y las demoras de la misma, convirtiendo la libertad de las personas en moneda de cambio de la inoperancia del Estado en la tramitación de los procedimientos de expulsión de personas extranjeras.

En este sentido, volviendo al informe de 2018 del Comité de Derechos del Niño, en el punto 44 del informe se dice que "**El Comité está seriamente preocupado** por el hecho de que, con arreglo a la legislación española, el **Fiscal General está facultado para emprender procedimientos para la determinación de la edad de los niños extranjeros no acompañados.** Si bien observa la información facilitada al Comité por la delegación del Estado parte, el **Comité está preocupado por la utilización de métodos intrusivos de determinación de la edad, incluso en casos en que los documentos de identificación parecen ser auténticos,** particularmente en las ciudades autónomas de Ceuta y Melilla, y a pesar de que ha habido varias decisiones del Tribunal Supremo relativas a esa práctica". (Vid. STS(I)

18 junio 2015, STS (I) 23 mayo 2015, STS (I) 24 septiembre 2014, entre otras, en las que se reitera que la persona inmigrante de cuyo pasaporte o documento equivalente de identidad se desprenda su minoría de edad no puede ser considerado un extranjero indocumentado para ser sometido a pruebas complementarias de determinación de su edad, como viene haciendo la Fiscalía.

También **preocupan al Comité de derechos del Niño respecto de los menores no acompañados en España:**

a) Los niños no acompañados que quedan **excluidos del sistema de protección de la infancia como consecuencia de un procedimiento de determinación de la edad** y que por ello pueden acabar siendo víctimas de la trata.

b) Unos **niveles de protección de los niños no acompañados insuficientes y desiguales en las distintas comunidades autónomas**, incluidos los casos de falta de asistencia jurídica o de retraso en su prestación o de suministro de información insuficiente a los niños.

c) Los **niveles elevados de violencia, el carácter deficiente del trato y la protección que ofrecen los profesionale**s en los centros de recepción para niños, incluso las denuncias de prostitución de niñas y el **acceso insuficiente a la educación ordinaria y a actividades de esparcimiento, así como la falta de un mecanismo de denuncia.**

d) La práctica de la *devolución automática de los niños que buscan protección internacional en las ciudades autónomas de Ceuta y Melilla*, sin las garantías necesarias.

e) Un intercambio de información y una coordinación insuficientes con respecto al envío de niños no acompañados a los organismos de protección de la infancia por parte de la policía.

f) La situación de aproximadamente 100 niños extranjeros no acompañados que se encuentran en la calle en la zona portuaria de la ciudad autónoma de Melilla.

Partiendo de ello, y ubicándonos ahora en el ámbito del Consejo de Europa, hay que señalar que la **situación en España de las personas extranjeras y solicitantes de asilo, aunque no específicamente respecto de los menores no acompañados, ha llegado al TEDH.**

En la STEDH 22 abril 2014, Caso A.C. y otros c. España, España fue condenada por vulneración del art. 13 CEDH, con los arts. 2 y 3 CEDH, por ausencia de garantías del derecho de los solicitantes de asilo para recurrir de forma efectiva su devolución al país de origen, tras haber sido denegada por la Administración la petición de protección internacional. Los demandantes hicieron valer los recursos disponibles en el sistema español para hacer valer sus quejas al amparo de los artículos 2 y 3 del CEDH: presentaron las solicitudes de protección internacional ante la Oficina de asilo y de los refugiados del Ministerio del Interior, que fueron rechazadas, así como sus solicitudes de revisión. Los demandantes presentaron posteriormente recurso contencioso-administrativo contra las decisiones en su contra, solicitando al mismo tiempo la suspensión de la ejecución de la orden de expulsión, en base al artículo 135 de la ley núm. 29/1998 del 13 de julio de 1998, sobre la jurisdicción de lo contencioso-administrativo.

En este caso, la Audiencia Nacional había ordenado el 27 de enero de 2011 a la Administración suspender temporalmente las expulsiones, el tiempo para examinar las solicitudes de medidas provisionales presentadas. Al día siguiente, la Audiencia Nacional decidió sin embargo rechazar dichas solicitudes de suspensión de las órdenes de expulsión contra los demandantes, al considerar que los medios presentados en apoyo de sus recursos no permitían concluir en su caso ni la existencia de situaciones de urgencia especial susceptibles de justificar la suspensión de cualquier expulsión del territorio nacional, ni la pérdida objeto de los procedimientos sobre el fondo en el caso de la ejecución de las órdenes de expulsión en causa. El TEDH considera que desde el momento que un recurso no tiene efecto suspensivo (de la decisión de expulsión) o que se deniegue la suspensión, es esencial que en los casos de expulsión donde están en juego los artículos 2 y 3 CEDH y cuando el Tribunal ha aplicado el artículo 39 de su Reglamento, los tribunales demuestren especial rapidez y decidan sobre el fondo con rapidez. En caso contrario, los recursos perderían su efectividad.

Sobre la devolución automática de los niños que buscan protección internacional en las ciudades autónomas de Ceuta y Melilla, denunciada por el Comité de Derechos del Niño, también se ha pronunciado el TEDH.

En la STEDH 3 octubre 2017, Caso N.D y N.T. C España, se muestra una de las situaciones más dramáticas que se viven en España y que se han conocido y "normalizado" como las "expulsiones en caliente". En este caso España fue condenada por violación del art. 4 del Protocolo nº 4 del CEDH, que prohíbe las expulsiones colectivas de personas extranjeras y por violación del art. 13 CEDH.

Aunque la sentencia no se refiere expresamente a menores no acompañados, es obvio que la expulsión en la misma frontera (la valla de Melilla) de un menor no acompañado, al que no se da siquiera la opción de pedir protección internacional, es *una de las forma más grave de vulneración de los derechos humanos del menor extranjero.*

En este caso se trata sobre la prohibición de expulsiones colectivas de extranjeros, que tuvieron lugar en 2014 en valla de Melilla. La denominada expulsión en caliente de migrantes es una medida tomada en ausencia de toda intervención administrativa o judicial previa ni procedimiento de identificación por las autoridades, sin posibilidad de explicar su situación persona, por lo que es una práctica ilegal.

En este caso, igual que en los no menos lamentables supuestos de devoluciones en caliente de los extranjeros que viajan a Europa en pateras por el Mediterráneo (Vid. STEDH 23 febrero 2012, Caso Hirsi Jamaa y otros c. Italia, STEDH 11 diciembre 2018, Caso M.A y otros, c. Lituania), el TEDH, ante la alegación de falta de aplicación del CEDH por tratarse de territorios o zonas (marítimas) que están fuera de la jurisdicción del Estado parte, recuerda que "desde el momento en el que hay un control sobre los demás, se trata de un control *de jure* **ejercido por el Estado en cuestión sobre los individuos afectados (***Hirsi Jamaa,*** citada, ap. 77), es decir, un control efectivo de las autoridades de este Estado, estén en el interior del territorio del Estado o sobre las fronteras terrestres.** En opinión del Tribunal, a **partir del momento en el que los demandantes descienden de las vallas fronterizas, se encuentran bajo el control continuo y exclusivo, al menos de facto, de las autoridades españolas, por lo que se les aplica el CEDH.**

En cuanto a la violación del art. 4 del Protocolo nº 4 el TEDH (f.107), considera que hubo una expulsión colectiva, puesto que "El Tribunal señala que en este caso, las medidas de expulsión fueron adoptadas en ausencia de decisión administrativa o judicial previa. En ningún momento los demandantes fueron objeto de un proceso. En este caso, no se plantea la cuestión de las garantías suficientes atestiguando una consideración real y diferenciada de la situación de cada una de las personas afectadas, en ausencia de un examen de la situación personal de los demandantes, al no haber comprobado las autoridades españolas la identidad de éstos últimos. En estas circunstancias, el Tribunal estima que el proceso seguido no plantea dudas sobre el carácter colectivo de las expulsiones denunciadas". En cuanto a la vulneración del art. 13 CEDH, (f.121), teniendo en cuenta las circunstancias del presente asunto y el carácter inmediato de su expulsión de facto, el Tribunal estima que los demandantes fueron privados de toda vía de recurso que les hubiera permitido presentar ante una autoridad competente su queja planteada del artículo 4 del Protocolo núm. 4 y obtener un control atento y riguroso de su solicitud antes de su devolución.

En conclusión, la *crimigración*, es la tendencia adoptada por España respecto del fenómeno de la migración. Ello, en un país frontera de la UE, ha supuesto frecuentes incumplimientos de los derechos humanos de las personas migrantes. Dentro de este grupo, los menores no acompañados son uno de los colectivos más vulnerables, respecto de los que la falta de destino de recursos suficientes por las Administraciones y los recortes del Estado social han hecho que se hayan priorizado las políticas de identificación, control y expulsión, sobre las que deberían ser prioritarias de atender al interés superior del menor: educación, formación, acogida, atención sanitaria y psicológica, reagrupación familiar, etc. La tendencia a la crimigración se denuncia oportunamente por Paulo Pinto, en relación con el desmantelamiento de todo criterio de necesidad en la detención de las personas migrantes, privadas de libertad mediante un simple test de no arbitrariedad, y sometidas así a estándares de protección de su libertad menores que las personas detenidas por ser sospechosas de cometer delitos."

En España, sin embargo, el camino de la crimigración ha superado no ya los umbrales de la necesidad, sino también los de la no arbitrariedad. Las expulsiones en caliente son una buena muestra de cómo se cosifica a las personas migrantes. En palabras de Paulo Pinto en su voto particular en STEDH 11 diciembre 2018, Caso M.A y otros c. Lituania: *"Migrants are not cattle that can be driven away like this"*.

Tanto las **Naciones Unidas como el Consejo de Europa han dado sonoros toques de atención a España,** que debería **reconsiderar la orientación de la política pública** respecto de los menores no acompañados, **alejándola de su criminalización y tratando de favorecer su integración social** y el pleno y libre desarrollo de la personalidad. Detrás de cada niño/a que cruza una frontera sin sus padres hay una terrible historia, y también un sueño. Es responsabilidad del Estado de acogida, que se cumpla el sueño y que esa terrible historia que todos llevan a su espalda se haga una carga más llevadera. **Todos los niños/as tienen derecho a soñar y a luchar por un futuro mejor**, porque "*No hay causa que merezca más alta prioridad que la protección y el desarrollo del niño/a, de quien dependen la supervivencia, la estabilidad y el progreso de todas las naciones y, de hecho, de la civilización humana*". (Plan de Acción de la Cumbre Mundial a favor de la Infancia, 30 de septiembre de 1990).

5.1.6. *Índice de casos*

STEDH 28 mayo 1985, Caso Abdulaziz, Cabales y Balkandali c. Reino Unido
STEDH 25 junio 1996, Caso Amuur c. Francia
STEDH 15 noviembre 1996, Caso Chahal c. Reino Unido
STEDH 12 octubre 2006, Caso Mubilanzila Mayeka et Kaniki Mitunga c. Bélgica
STEDH 22 noviembre 2006,Caso Abdullahi Elmi y Aweys Abubakar c. Malta
STEDH 29 enero 2008, Caso Saadi c. El Reino Unido
STEDH 19 enero 2010, Caso Muskhadzhivyeva y otros c. Bélgica
STEDH 5 abril 2011, Caso Rahimi c. Grecia
STEDH 13 diciembre 2011, Caso Kanagaratnam y otros c. Bélgica
STEDH 20 diciembre 2011, Caso Yoh-Ekale Mwanje c. Bélgica
STEDH 19 enero 2012, Caso Popov c. Francia
STEDH 23 febrero 2012, Caso Hirsi Jamaa y otros c. Italia
STEDH 23 julio 2013, Caso Suso Musa c. Malta
STEDH 24 octubre 2013, Caso Housein c. Grèce
STEDH 11 diciembre 2014, Caso Mohamad c. Grecia
STEDH 26 noviembre 2015, Caso Mohamed Jama c. Malta
STEDH 12 julio 2016, Caso A.B. y otros c. Francia
STEDH 15 diciembre 2016, Caso Khlaifia y otros c. Italia
STEDH 4 abril 2017, Caso Thimothawes c. Bélgica
STEDH 11 diciembre 2018, Caso M.A y otros, c. Lituania
STEDH 28 febrero 2019, Caso H.A. y otros c. Grecia
STEDH 13 junio 2019, Caso Sh.D. y otros, c. Grecia, Austria, Croacia, Hungría, Macedonia del Norte, Serbia y Eslovenia

5.1.7. *Bibliografía*

GARCÍA ROCA, J., SANTOLAYA, P. (Coord.) "La Europa de los Derechos. El Convenio Europeo de Derechos Humanos Ed. CEC. 2ª Edición.2009
LASAGABASTER HERRARTE, I. "Convenio Europeo de Derechos Humanos. Comentario Sistemático. 2ª edición. Ed. Civitas Thomson-Reuters 2009

MONEREO ATIENZA, C.; MONEREO PÉREZ, J.L. "La Garantía Multinivel de los Derechos Fundamentales en el Consejo de Europa". Ed. Comares. 2017.

PÉREZ TREMPS, P.; SAIZ ARNAIZ, A., "Comentario a la Constitución Española. 40 aniversario 1979-2018. Libro homenaje a Luis López Guerra. Ed. Tirant Lo Blanch

PINTO DE ALBUQUERQUE, P. " I Diritti umani in una prospettiva europea. Opinini concrrenti e dissenzienti (2011-2015)". A cura e con un saggio di Davide Galliani prefaziine di Paola Bilancia. Ed. B. Giappichelli Editori- 2016.

PRECIADO DOMÈNECH, C.H. "Teoría General de los Derechos Fundamentales en el contrato de Trabajo". Ed. Thomson Reuters-Aranzadi. 2018.

QUERALT JIMÉNEZ, A. "La interpretación de los derechos: del Tribunal de Estrasburgo al Tribunal Constitucional". Ed. CEC. 2008

RIPOL CARULLA, S., VELÁZQUEZ GARDETA, J.M. y AAVV "España en Estrasburgo. Tres Décadas bajo la Jurisdicción del Tribunal Europeo de Derechos Humanos. Ed… Aranzadi. Primera edición. 2010.

SÁNCHEZ JIMÉNEZ, M.A. "Protección de los menores extranjeros no acompañados (MENA) y su situación tras el acceso a la mayoría de edad". Revista Aranzadi Doctrinal nº 8/2012, Ed. Aranzadi 2012.

SARMIENTO,D.; MIERES MIRES, L.J.; PRESNO LINERA, M. "Las sentencias básicas del Tribunal Europeo de Derechos Humanos. Ed. Thomson Cititas. 2007.

6. DERECHO A UN PROCESO EQUITATIVO (ART. 6 CEDH)

Artículo 6 CEDH

1. Toda persona tiene derecho a que su causa sea oída equitativa y públicamente y dentro de un plazo razonable, por un Tribunal independiente e imparcial, establecido por ley, que decidirá los litigios sobre sus derechos y obligaciones de carácter civil o sobre el fundamento de cualquier acusación en materia penal dirigida contra ella. La sentencia debe ser pronunciada públicamente, pero el acceso a la sala de audiencia puede ser prohibido a la prensa y al público durante la totalidad o parte del proceso en interés de la moralidad, del orden público o de la seguridad nacional en una sociedad democrática, cuando los intereses de los menores o la protección de la vida privada de las partes en el proceso así lo exijan.

2. Toda persona acusada de una infracción se presume inocente hasta que su culpabilidad haya sido legalmente declarada.

3. Todo acusado tiene, como mínimo, los siguientes derechos:

a) a ser informado, en el más breve plazo, en una lengua que comprenda y de manera detallada, de la naturaleza y de la causa de la acusación formulada contra él;

b) a disponer del tiempo y de las facilidades necesarias para la preparación de su defensa;

c) a defenderse por sí mismo o a ser asistido por un defensor de su elección y, si carece de medios para pagarlo, a poder ser asistido gratuitamente por un abogado de oficio, cuando los intereses de la justicia así lo exijan;

d) a interrogar o hacer interrogar a los testigos que declaren en su contra y a obtener la citación e interrogatorio de los testigos que declaren en su favor en las mismas condiciones que los testigos que lo hagan en su contra;

e) a ser asistido gratuitamente de un intérprete si no comprende o no habla la lengua empleada en la audiencia.

6.1. CASO KÁROLY NAGY C. HUNGRÍA
(STEDH 14 Septiembre 2017): Despido de un pastor de la Iglesia Húngara Reformada, derecho de acceso a un tribunal en relación a la pretensión indemnizatoria

6.1.1. *Resumen del caso*

a) Resumen de los hechos

El demandante era pastor en la iglesia reformada de Hungría. En 2005 fue cesado a consecuencia de unas declaraciones que había realizado en un periódico local. Interpuso acción de indemnización frente a la iglesia ante el tribunal de trabajo, el cual archivó el proceso por falta de competencia, dado que la relación entre el demandante y su empleador se regía por el derecho eclesiástico. Entonces, el demandante interpuso acción civil, que fue igualmente rechazada, puesto que el Tribunal Supremo consideró, partiendo de un análisis de la relación contractual, que los tribunales civiles tampoco eran competentes para conocer del caso.

Ante el TEDH, el demandante sostiene que la sentencia del Tribunal Supremo, que concluye que los tribunales del Estado no son competentes para conocer de su pleito, le ha privado del derecho al acceso a un tribunal que se garantiza en el art. 6.1 CEDH.

En sentencia de 1 diciembre de 2015, una Sala del TEDH, concluyó por 4 votos contra 3, que no hubo violación del art. 6.1 CEDH. Estimó que, aún cuando el Tribunal Supremo había establecido que los tribunales del Estado no eran competentes para examinar la pretensión del demandante, lo hizo valorando correctamente dicha pretensión a la luz de los principios jurídicos pertinentes del derecho interno de contratos y que, por tanto, el demandante no podía sostener que se le hubiera privado del derecho a obtener una decisión sobre el fondo. El 2 mayo 2016, el caso se reenvió a la Gran Sala.

b) Resumen del voto mayoritario

Para que el art. 6.1 CEDH sea aplicable en su vertiente civil, debe haber un conflicto sobre un "derecho" que pueda reclamarse de forma defendible y que esté reconocido por el derecho interno, esté o no dicho derecho protegido por el CEDH.

Excepto en supuestos de arbitrariedad evidente, el TEDH no es competente para cuestionar la interpretación de la legislación interna por sus tribunales. Es el derecho tal y como se ha invocado por el demandante en el proceso interno el que hay que tener en cuenta para apreciar la aplicabilidad del art. 6.1 CEDH.

Cuando a propósito de la existencia de dicho derecho haya un conflicto serio y real, la circunstancia de que los tribunales internos hayan apreciado que tal derecho no existe, no impide de forma retroactiva que la pretensión del demandante sea defendible.

En el caso concreto, no se discute que en virtud de la legislación húngara, los órganos estatales no pueden ejecutar frente a una Iglesia las deudas derivadas de las leyes y reglas internas de la misma. Tampoco se discute que, si los tribunales internos consideran que un proceso iniciado se refiere a una deuda de naturaleza eclesiástica, no susceptible de ejecución forzosa por los tribunales, deben archivar la causa. La principal cuestión que se plantea ente los tribunales internos consiste en la exacta naturaleza de la relación que existe entre el demandante y la Iglesia reformada.

Los servicios eclesiásticos del demandante se fijaron por la carta del sacerdote de la parroquia que le nombró pastor de la Iglesia reformada de Hungría. Según dicha carta, el demandante debía cumplir con las tareas "definidas por las leyes y disposiciones jurídicas eclesiásticas". Sin embargo, en lugar de plantear su litigio patrimonial ante los tribunales eclesiásticos, primero interpuso demanda ante la jurisdicción social. Al archivar el procedimiento el tribunal laboral el demandante interpuso demanda ante la jurisdicción civil.

Tras haber examinado en profundidad la cuestión de la competencia de los tribunales estatales y la del derecho de acceso a un tribunal para las personas que realizan servicios eclesiásticos, todos los jueces nacionales han archivado el proceso, considerando que no pueden ejecutar la deuda reclamada por el demandante, puesto que la misma deriva del derecho eclesiástico y no del derecho estatal. El Tribunal Supremo confirmó que la relación del demandante con la Iglesia era una relación de naturaleza eclesiástica.

El derecho interno no otorga a las Iglesias o a sus representantes una inmunidad ilimitada frente a toda acción civil. La acción del demandante no versaba sobre un derecho tutelado por la ley, sino que sostenía que una deuda patrimonial derivada de sus servicios eclesiásticos y regida por el derecho eclesiástico, debía considerarse, en realidad, como un derecho civil. Tras haber examinado cuidadosamente la naturaleza de dicha deuda, los tribunales internos, en tanto que se conocen del fondo del asunto, han concluido unánimemente que, conforme al derecho interno, no se trataba de una deuda derivada del derecho civil.

Partiendo del marco legal y doctrinal aplicable en su conjunto en Hungría cuando el demandante ejercitó la acción civil, la conclusión de los tribunales internos conforme a la que el servicio pastoral del interesado derivaba del derecho eclesiástico y su decisión de archivar el proceso, no pueden considerarse como arbitrarias o manifiestamente carentes de razonabilidad.

En conclusión, a la vista de la naturaleza de la pretensión formulada por el demandante, que se basaba en su servicio pastoral; y del derecho interno, tal y como se interpreta por los tribunales nacionales, es obligado para el TEDH concluir que el demandante no tenía un "derecho" reconocido por el derecho interno que pudieran pretender, al menos de manera defendible. En caso contrario, el TEDH crearía por la vía interpretativa del art. 6.1 CEDH un derecho sustantivo desprovisto de soporte legal en el Estado demandado. Por tanto, el TEDH considera que el art. 6.1 CEDH no es aplicable a los hechos del caso. Desde ese momento, la pretensión es incompatible *"ratio materiae"* con las disposiciones del CEDH, por lo que por 10 votos contra 7, la declara inadmisible. Al voto mayoritario se formularon votos particulares, uno conjunto de los jueces Sajó, López Guerra, Tostosria y Laffranque, y otro de Paulo Pinto.

6.1.2. *Extractos del voto particular de Paulo Pinto*

«(...) *Primera parte (§§ 5-21)*
II. Limitaciones al derecho de acceso a un tribunal (§§ 5-14)
(a) Los principios establecidos en la jurisprudencia del Tribunal (§§ 5-7)
5. En su jurisprudencia, el Tribunal ha señalado reiteradamente que, para que el artículo 6.1 CEDH en su aspecto civil sea aplicable, debe haber un conflicto sobre un "derecho" que pueda invocarse en juicio, al menos de forma defendible, y que esté reconocido en la legislación nacional, con independencia de que dicho derecho esté protegido por el CEDH. Debe tratarse de un conflicto real y serio; puede referirse tanto a la existencia misma de un derecho como a su alcance o modalidades de ejercicio; finalmente, el resultado del proceso debe ser trascendental para el derecho en cuestión, pues un vínculo débil o una afectación remota no bastan para poner en juego el Artículo 6 § 1[492].
6. El artículo 6.1 CEDH no garantiza a los "derechos y obligaciones" de naturaleza civil contenido material alguno determinado por el orden jurídico de los Estados contratantes. El TEDH no puede crear, a través de la interpretación del artículo 6.1, un derecho sustantivo que no cuente con un soporte jurídico en el Estado en cuestión[493].

---

[492] Ver, entre muchos otros, STEDH 23 junio 2016, Caso *Baka c. Hungría* [GC], (f.100); STEDH 3 abril 2012, Caso *Boulois c. Luxemburgo*, [STEDH 5 febrero 2015, Caso *Bochan c.Ucrania (núm. 2)*, (f. 42)]

[493] Ver, por ejemplo, *STEDH 21 febrero 1986, Caso James y otros c. Reino Unido (F.81), STEDH 8 julio 1986, Caso Lithgow y otros c. Reino Unido*, (f. 192), STEDH

Al decidir si el «derecho» invocado realmente tiene una base en la legislación nacional, es necesario tomar como punto de partida las disposiciones de la legislación nacional pertinentes y su interpretación por los tribunales nacionales[494]. Entre otros criterios que el TEDH puede considerar. se incluyen "el reconocimiento por parte de los tribunales nacionales, en situaciones similares, del derecho invocado, o el examen de la fundamentación de la pretensión"[495]. No es relevante la naturaleza de la ley conforme a la que ha de resolverse el litigio (derecho civil, mercantil, administrativo, etc.) ni de la de la autoridad competente para resolver (jurisdicción de derecho consuetudinario, órgano administrativo, etc.)"[496].

7. El TEDH debe tener muy buenas razones para contradecir a los tribunales supremos nacionales afirmando, en contra de su criterio, que el interesado podía invocar de forma defendible un derecho reconocido por la legislación nacional[497]. No obstante, el concepto de "derechos civiles" es autónomo, en el sentido de que tiene su propio significado a los efectos del CEDH, independientemente de cómo se interprete dicha expresión en el marco jurídico nacional. En su valoración, el TEDH, más allá de las apariencias y del lenguaje empleado, debe ceñirse a la realidad[498]. En caso contrario, los Estados podrían eludir la aplicación del art. 6 CEDH calificando las pretensiones de tal manera que se privase a los ciudadanos del acceso a un tribunal. Además, el TEDH ha de interpretar la Convención, incluido el derecho a un tribunal que la misma garantiza, a luz de las condiciones actuales, sin que la falta de un criterio europeo uniforme pueda impedir una interpretación progresiva[499]. Por último, para valorar si el artículo 6 § 1 CEDH es aplicable[500] es precisamente el derecho que ha invocado el demandante en el procedimiento interno, el que ha de tomarse en consideración.

---

9 diciembre 1994, Caso *Los santos monasterios c. Grecia*, (f.80), STEDH 19 octubre 2005, Caso *Roche c. Reino Unido* [GC], y *Boulois*, citado anteriormente, (f.91)

[494] Ver, para el ejemplo más reciente, STEDH 21 junio 2016, Caso *Al–Dulimi y Montana Management Inc. c. Suiza* (f.97).

[495] STEDH 19 abril 2007, Caso Vilho Eskelinen y otros c. Finlande [GC], (f.41),y Boulois, antes citado, (f. 94).

[496] STEDH 29 mayo 1997, Caso *Georgiadis c. Grecia*, (f.30), STEDH 15 octubre 2009, Caso *Micallef c. Malta* [GC] (f.74), STEDH 24 mayo 2005, Caso *JS y AS c. Alemania Polonia*, (f. 46).

[497] *Ibíd.*, § 91.

[498] *Boulois*, citado anteriormente, § 93.

[499] Ver, inter alia, STEDH 29 mayo 1986, Caso *Feldbrugge c. Países Bajos*, STEDH 29 mayo 1986, Caso *Deumeland v. Alemania, STEDH 26 febrero 1993, Caso Salesi c. Italia,*. De hecho, la ausencia de un punto de vista europeo uniforme es precisamente el argumento principal presentado por los jueces disidentes en las sentencias *Feldbrugge* y *Deumeland*. La mayoría consideró que estaban equivocados y la jurisprudencia posterior confirmó la opinión de la mayoría.

[500] STEDH 14 septiembre 20017, Caso *Stichting Madhers of Srebrenica y otros c. Países Bajos* (f. 120).

En presencia de un conflicto serio y real sobre la existencia del derecho invocado por el demandante, la circunstancia de que los tribunales internos hayan terminado por apreciar que tal derecho no existe, no impide de forma retroactiva que la pretensión del demandante sea defendible[501].

(b) Limitaciones materiales al derecho de acceso a un tribunal (§§ 8-14)

8. El derecho a un juicio justo, garantizado por el artículo 6.1 CEDH, debe interpretarse a la luz del principio del estado de derecho, que exige la tutela judicial efectiva de los derechos civiles[502]. *Toda persona tiene derecho a que un tribunal conozca de cualquier pretensión relativa a de sus derechos y obligaciones civiles. Así, el art. 6.1 CEDH consagra el "derecho a un tribunal", del cual el derecho de acceso, es decir, el derecho a un tribunal en materia civil, constituye uno de sus aspectos*[503]. *Aunque el TEDH no puede crear, a través de la interpretación del art. 6.1 CEDH, un derecho sustantivo que carezca de soporte jurídico en el Estado en cuestión*[504], *el art. 6 CEDH se aplica a los conflictos «reales y serios», bien sea respecto de la existencia de un «derecho», bien sea a su alcance y modos de ejercicio*[505]. *Si la controversia enfrenta un particular a una autoridad pública, no es decisivo que dicha autoridad haya actuado como particular o como titular de competencias públicas. Para determinar si una controversia tiene por objeto un derecho civil, hay que atender sólo la naturaleza del derecho en cuestión, es decir, a su contenido sustantivo y sus efectos, y no la caracterización legal del mismo en la legislación interna del Estado de que se trate*[506]. *En consecuencia, el hecho de que el demandado sea una autoridad pública y que el acto en disputa esté calificado en la legislación interna como público no es decisivo para resolver si la controversia se refiere o no a un derecho civil.*

9. Sin embargo, el TEDH siempre ha sostenido que el derecho de acceso a un tribunal, reconocido por el artículo 6.1 CEDH, no es un derecho absoluto; admite implícitamente limitaciones implícitamente porque "por su propia naturaleza exige una regulación estatal, que puede variar en el tiempo y el espacio dependiendo de las necesidades y recursos de la comunidad y los individuos»[507]. *Los Estados parte disfru-*

---

[501] STEDH 10 mayo 2001, Caso *Z y otros c. Reino Unido* [GC], (f.89).

[502] STEDH 12 noviembre 2002, Caso *Běleš y otros c. República Checa*, (f. 49).

[503] STEDH 23 marzo 2010, Caso *Cudak c. Lituania* [GC], (f. 54), STEDH 12 julio 2001, Caso *Príncipe Hans-Adam II de Liechtenstein c. Alemania*[GC], y STEDH 21 febrero 1975, Caso *Golder c. Reino Unido*, (f. 36),.Es significativo que en el caso *Golder*, el Reino Unido y los tres jueces disidentes argumentaron que una interpretación amplia del art. 6 CEDH, en el sentido de incluir el derecho de acceso a un tribunal, impondría nuevas obligaciones ilegítimas a los Estados contratantes.

[504] *Roche*, citado anteriormente, §§ 116-117.

[505] STEDH 14 diciembre 2006, Caso *Markovic y otros c. Italia* [GC], (F.98), con los casos allí citados.

[506] STEDH 28 junio 1987, Caso *König c. Alemania*, (f.89-90).

[507] *Golder*, citado anteriormente, § 38, *citando STEDH 23 julio 1968, Caso sobre ciertos aspectos del régimen de educación lingüística en Bélgica*(fondo), (f.32).

tan de un cierto margen de apreciación a este respecto. Por otro lado, corresponde al TEDH tomar una decisión final sobre el cumplimiento de las exigencias del CEDH; por lo que debe verificar que las limitaciones aplicadas no restrinjan el derecho de acceso de que goza el individuo de una manera o hasta un extremo tal que se afecte el contenido esencial del derecho. Además, dicha limitación del derecho de acceso a un tribunal solo es conciliable con el artículo 6.1 CEDH si persigue un objetivo legítimo[508] y si existe una relación razonable de proporcionalidad entre los medios empleados y el objetivo perseguido (Criterio de Ashingdane). El canon de proporcionalidad exige también una valoración de otros medios posibles para acceder a un proceso[509]. En última instancia, la ausencia de cualquier otro medio de acceso al proceso pondrá en peligro el contenido esencial del derecho, en lo que constituirá una denegación de justicia[510].

10. La doctrina del TEDH distingue entre limitaciones sustantivas y procesales al derecho de acceso a un tribunal. Esta distinción ha determinado en algunos casos, la aplicabilidad del art. 6 CEDH[511], mientras que en otros ha jugado un papel en la revisión del alcance de las garantías contenidas en el artículo 6[512]. Sin embargo, el TEDH recordó en todos estos casos que el artículo 6 CEDH no resulta en principio aplicable en los casos en que las limitaciones sustanciales del derecho están previstas

---

[508] En principio, el TEDH sostuvo que la inmunidad tenía una finalidad legítima [ver, para la inmunidad de las organizaciones internacionales, STEDH 18 febrero 1999, Caso *Waite y Kennedy c. Alemania* (GC), (f. 61), STEDH 17 diciembre 2002, Caso *A. v. Reino Unido*, (f. 77)]. Las "circunstancias únicas" del caso pueden determinar la evaluación del Tribunal, como en el *Príncipe Hans-Adam II von Liechtenstein*(citado anteriormente, f. 59). A veces, el Tribunal no responde con precisión al argumento de que el propósito de la inmunidad es ilegal, como en *Al-Adsani v. Turquía* [*no. Reino Unido* (GC), Nº 35763/97, § 47, TEDH 2001 XI, y STEDH 21 noviembre 2001, Caso *McElhinney c. Irlanda* (GC)].

[509] Definido en STEDH 28 mayo 1985, Caso *Ashingdane c. Reino Unido*, (f. 57),, y desde entonces seguido en muchos otros casos, como STEDH 23 octubre 1996, Caso *Servicios de Prestaciones de Levages c. Francia*, (f.40); *Waite y Kennedy*, citado anteriormente, (f.59); *Cudak*, citado anteriormente, (f.55), y *Stichting Mothers of Srebrenica y otros*, citado anteriormente, (f.139).

[510] Ver, entre otros, *Waite y Kennedy*, supra, §§ 68 y 73, y STEDH 18 febrero 1999, Caso *Beer y Regan c. Alemania* [GC], (f. 58 y 63).. En ocasiones, el Tribunal evita la cuestión de la protección del fondo del derecho (véase, por ejemplo, el enfoque adoptado en la sentencia *Príncipe Hans Adam II de Liechtenstein*, a quien Costa J. criticó en su opinión por separado como «heterodoxo e ilógico»).

[511] *Roche*, citado anteriormente, § 124, y *Z. et al.*, Citado anteriormente, § 100.

[512] *Markovic y otros*, citado anteriormente, § 114, y *Müller v. Alemania* (diciembre), n.° 12986/04, 6 de diciembre de 2011.

por la legislación nacional[513]. *Esto se desprende del hecho de que el TEDH no puede crear, a través de la interpretación del art. 6.1 CEDH una derecho sustantivo que no tenga base legal en el ordenamiento del Estado parte*[514].

11. De hecho, el primer caso en el que la Corte apreció una violación del art. 6 CEDH derivada de la falta de proporcionalidad de la inmunidad absoluta y automática prevista por la ley interna de una Parte Contratante, evidenció el carácter jurídicamente artificioso de la distinción establecida por el Tribunal y su permeabilidad a consideraciones extralegales[515]. *La reacción británica al caso Osman fue virulenta*[516]. *Básicamente se vertieron dos críticas contra el TEDH: que había entendido mal la ley británica porque no había reconocido el derecho de accionar por culpa frente a la policía por el ejercicio de sus funciones de investigación y represión; y que creó un nuevo derecho a reclamar daños a la policía a costa del erario público, excediéndose así en sus poderes sin respetar la autonomía del Parlamento británico. Estas críticas fueron acompañadas por la amenaza de una posible retirada del Tribunal de Estrasburgo, que busca «imponer una uniformidad de valores «Voltairiana» a todos los Estados parte»*[517]. *Lejos limitarse a este caso, estas críticas y amenazas se han hecho en muchas otras ocasiones. Fueron dirigidas claramente a un único objetivo, que se logró dos años más tarde: la revisión de la doctrina Osman, con la sentencia Z. y otros*[518],

---

[513] Esta ha sido la posición de la Comisión desde la DCEDH 17 diciembre 1976, Caso *Agee v. Reino Unido*, (f.164) y luego en DCEDH 9 octubre 1994, Caso *Dyer v. Reino Unido*, (f. 251). Según la Comisión, la inmunidad condujo a la extinción de la causa de acción a pesar de que el derecho reivindicado por el demandante podía estar previsto por la legislación nacional.

[514] *Roche*, citado anteriormente, §§ 116-117.

[515] STEDH 28 octubre 1998, Caso*Osman c. Reino Unido* (f. 151-152).

[516] Lord Hoffman, *Derechos Humanos y la Cámara de los Lores*, MLR 1999, p. 162, Barrett, *Negligencia y poderes discrecionales*, Public Law 1999, p. 630, Weir, *cuesta abajo, ¿todo el camino?* CLJ 1999, p. 4, Lunney, *Tort Law's View of* Osman v. Reino Unido, KCLJ 1999, p. 238, Gearty, *Unraveling Osman*, MLR 2001, p. 159, Lidbetter/George, *Autoridades públicas negligentes y derechos de convención - El legado de Osman*, EHRLR 2001, p. 599, y Kickman, *La "sombra incierta": arrojando luz sobre el derecho a un tribunal en virtud del artículo 6 (1) CEDH*, Public Law 2004, p. 122.

[517] Lord Hoffmann, supra, en p. 164.

[518] *Z y otros*, citados anteriormente, § 100 («el Tribunal debe concluir que la imposibilidad para los demandantes de demandar a la autoridad local surgió no de la inmunidad sino de los principios aplicables que rigen el derecho de acción en la legislación nacional» No hubo restricción en el acceso a un tribunal similar la del acusado en *Ashingdane*). Véase, para una contracrítica de esta inversión de la jurisprudencia, el voto parcialmente disidente de los jueces Rozakis y Palm ("En estas circunstancias, ¿cómo distingue entre el caso *Osman* y el presente caso?) Y el voto en parte disidente del juez Thomassen, a la que se adhirieron los jueces Casadevall y Kovler ("Las razones dadas por la mayoría para apartarse del caso *Osman* (véase el párrafo 100 de la presente sen-

que se refiere a las observaciones críticas de Lord Browne-Wilkinson en el caso Barret
v Enfield Londres BC[519].

12. Este caso demuestra nuevamente lo ilusoria que resulta la distinción entre limita-
ciones procesales y sustantivas al derecho de acceso a un tribunal. A pesar de que el
TEDH se ha empeñado en mantener esta distinción[520]*, la mayor parte de la Gran Sala*
decidió el caso sin pronunciarse sobre la naturaleza de la restricción sobre el derecho
de acceso del demandante ni sobre la existencia de dicha limitación. El Tribunal ha
obrado igual en otros casos[521] *en los que concluyó que un examen de la pretensión*
desde la óptica procesal conforme al Artículo 6 o un examen sustantivo al amparo del
Artículo 8 —ya que tiene jurisdicción para reclasificar una pretensión— plantearía los
mismos temas centrales tratándose de la legitimidad de la finalidad o de la propor-
cionalidad. Sin embargo, es importante señalar que en los dos casos en los que siguió
ese criterio, el TEDH no apreció violación del Artículo 6.

13. Además, el evidente carácter formal de la distinción entre las limitaciones proce-
sales y sustantivas de un derecho subjetivo en el derecho interno fue reconocido por
el propio TEDH cuando dijo: "explicar la limitación desde la perspectiva del derecho
o de la acción que debe acompañarle, en ocasiones no es más que una cuestión de

---

tencia) me parecen poco convincentes. El derecho de responsabilidad por negligencia no parece haber sufrido cambios significativos desde entonces, y todas las cuestiones relevantes relacionadas con el contenido de la ley nacional han sido señaladas a la Corte por las partes en el caso *Osman.* creo que las quejas en virtud del artículo 6, en este caso llaman a la misma conclusión. «).

[519] *Barrett v Enfield London BC* (1999) 3 WLR, p. 85.

[520] Véase el párrafo 61 de la sentencia, que se refiere al párrafo 100 de STEDH 29 noviembre 2016, Caso de la *parroquia católica griega Lupeni y otros c. Grecia.* De hecho, la mayoría incluso considera que esta distinción "determina" la aplicabilidad del artículo 6.

[521] STEDH 21 septiembre 1994, Caso *Fayed c. Reino Unido* (f. 67), y *A. c. Reino Unido,* citada anteriormente, (f.65=. En el último caso, el Gobierno demandado argumentó que el contenido sustantivo del derecho civil al respeto de la reputación estaba limitado en el derecho interno por las normas de inmunidad parlamentaria absoluta, de donde el resultado fue que, cuando un discurso pronunciado en el Parlamento socava la reputación de una persona, él o ella carece de pretensión que pueda dar lugar a acciones legales que puedan hacer efectivas las garantías procesales del artículo 6 § 1 del Convenio. En el caso de *Fayed* Dado que el informe de los inspectores no tenía inmunidad absoluta sino relativa, ni ellos ni el Ministro podían ser demandados por difamación con éxito por publicar el informe, a menos que pudiera probarse una intención clara de causar daño. Esto significa que el Tribunal ha colocado en el mismo plano un caso de inmunidad absoluta y un caso de inmunidad relativa y ha analizado ambos desde el punto de vista de los criterios de objetivo legítimo y proporcionalidad. De hecho, el Tribunal procedió de la misma manera que en el caso principal *Ashingdane,* citado anteriormente, § 54.

técnica legislativa"[522]. *El formalismo de la distinción trazada por el TEDH se evidencia acudiendo al argumento del absurdo basado en un ejemplo hipotético: si la legislación negara a todas las personas negras el derecho de emprender acciones legales contra una determinada autoridad pública, esta categoría de personas no tendría ningún derecho civil, y se deduce que cualquier demanda contra dicha legislación quedaría fuera del alcance del artículo 6 y que el artículo 14 no sería aplicable. Claramente, ningún Estado sujeto al principio del estado de derecho podría aceptar un resultado tan absurdo*[523]. *En consecuencia, el propósito legítimo y los criterios de proporcionalidad deben aplicarse a cualquier limitación del derecho de acceso a un tribunal. Como el propio Tribunal también ha reconocido:*

"Que un Estado pueda, sin reservas ni control de los órganos del CEDH, eliminar de la jurisdicción de los tribunales toda una serie de acciones civiles o exonerar de toda responsabilidad civil a grandes grupos o categorías de personas no sería conciliable con la preeminencia del derecho en una sociedad democrática, ni con el principio fundamental que subyace en el Artículo 6.1 – las demandas civiles deben poder plantearse ante un juez."[524]

14. Por lo tanto, se puede concluir que la distinción entre exención de responsabilidad e inmunidad de jurisdicción, lógicamente es engañosa[525] *porque busca privar a los ciudadanos de la tutela judicial efectiva frente a las infracciones y omisiones de ciertas autoridades públicas que gozan de inmunidad (como la policía o el ejército) en el orden jurídico interno de algunas Partes Contratantes, independientemente de la magnitud del daño sufrido y de la facilidad con la que podría haberse evitado. La filosofía utilitaria subyacente es que los individuos pueden ser sacrificados en aras de un bien mayor defendido por estas autoridades. Esta cuestión no es nueva en la*

---

[522] *Fayed*, citado anteriormente, § 67.

[523] Véase, para otro ejemplo, el voto particular del juez Pettiti en la decisión de *Ashingdane*: "En el límite, el conductor del autobús que transportaba a los cuidadores o enfermos, autor de un accidente de tráfico sin culpa por su parte, gozó de inmunidad y las víctimas no pudieron entablar efectivamente una acción por daños y perjuicios contra el Estado."

[524] *Fayed*, citado anteriormente, § 65, *Al-Adsani*, citado anteriormente, § 47, STE-DH 21 noviembre 2001, Caso *Fogarty c. El Reino Unido*, y *McElhinney*, citado anteriormente, § 24. En este último caso, el Tribunal no estuvo de acuerdo con el argumento del Gobierno de que, por inmunidad estatal, el demandante carecía de un derecho sustantivo en el derecho interno. Señaló que no había obstáculo *en limine* acción contra un Estado: si el Estado demandado decide renunciar a la inmunidad, la acción estará sujeta a revisión y decisión judicial. La inmunidad debe considerarse no como la regulación de un derecho sustantivo, sino como un obstáculo procesal a la competencia de los tribunales nacionales para decidir sobre ese derecho.

[525] Es significativo que la sentencia *Roche*, el caso principal que estableció la jurisprudencia del Tribunal en este ámbito, fue adoptada por la mayoría más corta posible.

historia jurídica europea[526]. *En la era romana, Celso definió la actio como el ius persequendi en judicio quod sibi debetur, quien funda la siguiente oración: nihil aliud
es actio quam ius quod sibi debeatur, iudicio persequendi*[527]. *Desde los autores que
representan la doctrina privatista más extrema, como Windscheid, que conciben los
derechos subjetivos individuales (Ansprüche) sin un derecho independiente de acceso a un tribunal, a aquellos situados en el otro polo, que representan la doctrina
publicista más extrema, como Pekelis, para quienes solo hay un derecho a la acción
legal y no derechos subjetivos individuales independientes, y autores que se sitúan
en medio, quienes, como Savigny, piensan que el derecho de acceso a un tribunal
depende del derecho subjetivo individual, o aquellos que, como Binder, sostienen
que el derecho subjetivo individual depende del derecho a una acción legal, la larga
historia del debate europeo sobre las relaciones entre el derecho subjetivo individual
y el derecho de acceso a un tribunal no debería haber sido ignorada por el Tribunal,
que actúa precisamente como la conciencia jurídica de Europa.*
*Un poco más de conciencia histórica no dañaría las sentencias de la Corte, especial-
mente en asuntos de tal profundidad histórica. En cierto modo, esto es precisamente
lo que el juez Zupančič le recordó al Tribunal cuando escribió brillantemente:*
*"Un derecho sin acción es solo una recomendación (una" obligación natural "). Re-
sulta que un derecho depende doblemente de la acción concomitante. Si la acción
no existe, el derecho en cuestión no es un derecho. Si la acción no se ejercita, no
se reclama el derecho. El derecho y su acción no solo son interdependientes; son
consustanciales. (…) Es doblemente paradójico que la mayoría hable sobre evitar las
meras apariencias y centrarse en la realidad (…), cuando la distinción en la que se
basa la sentencia es una pura ficción legal. Si resolvemos sin rigor, la premisa equivocada de la sentencia permanecerá. El dilema reaparecerá con seguridad. Para salir
de este dilema, obviamente es necesario dejar de mantener esta premisa errónea*[528].
*Dado que el propósito de la Convención es proteger derechos que no son teóricos o
ilusorios, sino reales y efectivos*[529], *lo que es especialmente predicable para el dere-*

---

[526] Es imposible, dentro de los límites de este voto particular, abordar el inmenso
debate teórico sobre la relación entre el derecho subjetivo individual y el derecho de
acceso a un tribunal. Para una introducción a este debate, ver Windscheid, *Der Actio
des Römischen Civilrechts von Standpunkt des heutigen Rechts*, 1856, Vass, *The Right to
Act in Justice*, 1914, Betti, *Ragione e Azione*, en Rivista di Diritto Processuale Civi-
le, 1932, I, Pekelis, *Azione*, en Nuovo Digesto Italiano, II, 1937 (en referencia a 38
conceptos y atributos diferentes de la *actio*), Calamandrei, *The Relatavità del Concetto
d'Azione*, en RDPC, 1939, I, Pugliese, *Actio e Diritto Subiettivo*, 1939, (refiriéndose a
14 significados diferentes de la palabra *actio*), Carnelutti, *Saggio di una Teoria Integrale
dell'Azione*, en Rivista di Diritto *Processale*, 1946, y Liebman, *L'azione nella Teoria del
Civil* Process, en Scritti Giuridici en Onore di Francesco Carnelutti, II, 1950.

[527] Dig. 44.7.51.

[528] Ver el voto particular del juez Zupančič adjunta a *Roche*, citada anteriormente.

[529] STEDH 13 mayo 1980, Caso *Artico c. Italia*, f. 3

cho de acceso a un tribunal en vista del lugar destacado que tiene el derecho a un proceso justo en toda sociedad democrática[530], ya es hora de que la Corte ponga fin a esta lógica falaz.

III. Limitación del derecho de acceso a un tribunal en litigios relativos al clero (§§ 15-21)

(a) La jurisprudencia limitada del Tribunal sobre la cuestión (§§ 15-18)

15. La jurisprudencia del TEDH en relación con los pleitos entre ministros del culto y las iglesias en virtud del artículo 6 CEDH es bastante limitada. En la mayoría de los casos, el Tribunal concluyó que el aspecto "civil" del artículo 6 no era aplicable porque no había un "derecho" reconocido, al menos de forma plausible, en la legislación interna. En estos casos, el TEDH se limitó a determinar si la medida adoptada por las autoridades eclesiásticas y sujeta a la ley eclesiástica era revisable por un tribunal nacional de acuerdo con el ordenamiento jurídico estatal y si esa circunstancia estaba establecida y era clara. En los casos en que el Tribunal concluyó que la medida no era susceptible de control judicial, estimó, al igual que los tribunales nacionales, que dicho control afectaría la autonomía de la Iglesia, independientemente de la naturaleza pecuniaria o no de las reclamaciones (como las consecuencias pecuniarias de la medida objeto de controversia, como el despido o la jubilación anticipada). Solo en un caso el Tribunal reconoció la existencia de un "derecho" en el derecho interno, teniendo en cuenta el alcance limitado de la revisión por el tribunal nacional. Sin embargo, incluso en este caso, el Tribunal consideró que dicho control limitado no violaba el derecho de acceso a un tribunal y, por lo tanto, declaró que la demanda era inadmisible por ser manifiestamente infundada, y ello, independientemente de la naturaleza pecuniaria o no de las reclamaciones (como las consecuencias pecuniarias de la medida impugnada, como el despido o la jubilación anticipada).

Solo en un caso el Tribunal reconoció la existencia de un "derecho" en la legislación nacional, teniendo en cuenta el alcance limitado del control por el tribunal nacional. Sin embargo, incluso en este caso, el Tribunal consideró que dicho control limitado no violaba el derecho de acceso a un tribunal y, por lo tanto, declaró que la demanda era inadmisible por ser manifiestamente infundada, a la vista del alcance limitado de la revisión llevada a cabo por el tribunal nacional.. Sin embargo, incluso en este caso, el Tribunal consideró que dicho control limitado no violaba el derecho de acceso a un tribunal y, por lo tanto, declaró que la demanda era inadmisible por ser manifiestamente infundada.

16. En la STEDH 30 enero 2001, Caso Dudová y Duda[531], la demanda fue presentada por dos ex sacerdotes de la Iglesia Hussite checoslovaca que habían entablado acción para declarar ilegal su despido y obtener el pago de sus atrasos salariales. Los tribunales checos acogieron la segunda parte de su demanda (atrasos salariales) pero se declararon incompetentes para conocer sobre el fondo del despido, considerando

---

[530] STEDH 28 octubre 1998, Caso *Ait-Mouhoub c. Francia*, f. 52.

[531] STEDH 30 enero 2001, Caso *Dudová y Duda c. República Checa* (diciembre), n. 40224/98.

que solo la Iglesia tenía jurisdicción en virtud de su estatuto de autonomía. El Tribunal sostuvo que los procedimientos iniciados por los demandantes en relación con la legalidad de su despido no se referían a un "derecho" que posiblemente se confirmara en la legislación interna, y que, por lo tanto, el artículo 6 era inaplicable.

En la STEDH 23 septiembre 2008, Caso Ahtinen c. Finlandia[532], el Tribunal llegó a la misma conclusión con respecto al procedimiento iniciado por el pastor de una parroquia para impugnar la decisión de trasladarle a otra parroquia que habían adoptado las autoridades de la Iglesia a la que pertenecía. El Tribunal tuvo en cuenta la situación de la Iglesia Evangélica Luterana según la ley finlandesa y señaló que el legislador no tenía la intención de proporcionar la posibilidad de que un juez resolviera sobre las demandas del clero que deseaba impugnar su traslado. Por lo tanto, concluyó que no existía una ley interna básica para decir que el solicitante tenía un "derecho" en el sentido del artículo 6.

En los casos Baudler[533]y Reuter[534], el Tribunal sostuvo que los procedimientos entablados por los demandantes contra las decisiones de la Iglesia Protestante de despedir a ambos, jubilando anticipadamente al segundo, no estaban amparados por un "derecho" reconocido en la ley alemana. El Tribunal observó que las medidas impugnadas, que se referían a los nombramientos eclesiásticos, se basaban en las disposiciones de cada una de las iglesias que rigen el servicio de su clero. Por lo tanto, estas medidas no se regían por la ley del Estado, sino solo por la ley eclesiástica. De acuerdo con su reiterada doctrina, los tribunales administrativos estimaron que las medidas controvertidas constituían con toda claridad un asunto interno de la Iglesia, que no podía ser objeto de control judicial. En cuanto a las pretensiones pecuniarias formuladas por el demandante ante los tribunales administrativos en el caso Reuter, éstos consideraron que los efectos automáticos de dichas medidas no eran de su competencia. El TEDH ha admitido dicha fundamentación, sin considerar con carácter previo la naturaleza pecuniaria de las pretensiones de los demandantes.

En el caso de Müller[535] el TEDH sostuvo que el art. 6 era aplicable a un conflicto entre oficiales del Ejército de Salvación y dicho ejército. Amparándose en la nueva jurisprudencia del Tribunal Federal de Justicia, los tribunales nacionales resolvieron que sólo tenían una competencia limitada para controlar la decisión de cesarle en el servicio del Ejército de Salvación. En estas circunstancias, el TEDH concluyó que los demandantes podían invocar un "derecho" reconocido en la legislación alemana, razón por la cual era aplicable el artículo 6 CEDH. En cuanto a la cuestión de si un control judicial tan limitado había violado el art. 6 CEDH, el Tribunal señaló que esta limitación se derivaba del derecho a la autonomía que el derecho constitucional alemán otorgaba a las iglesias y comunidades religiosas. Por lo tanto, los tribunales nacionales llevaron a cabo un control limitado de la decisión de cese de conformidad con la nueva jurisprudencia del Tribunal Federal de Justicia, y concluyeron que no

---

[532] *Ahtinen c. Finlandia,* no 48907/99, 23 de septiembre de 2008.

[533] STEDH 6 diciembre 2011, Caso *Baudler v. Alemania.*

[534] STEDH 6 diciembre 2011, Caso *Reuter c. Alemania.*

[535] *Müller,* Decisión citada anteriormente.

había razón para estimar que la decisión impugnada fuera arbitraria o contraria a la moral o el "orden público". En consecuencia, los demandantes no podían afirmar que se les hubiera privado del derecho a obtener una decisión sobre el fondo de su demanda, y el Tribunal declaró que su queja era manifiestamente infundada.

17. Finalmente, el TEDH tuvo la oportunidad de resolver sobre litigios laborales entre sacerdotes u otros empleados de la Iglesia y las iglesias, relacionados con otras disposiciones del CEDH, incluidos los artículos 8 y 9. A este respecto, el TEDH ha desarrollado una jurisprudencia interesante en la que el proceso de toma de decisiones por infracciones de los derechos del art. 8 por parte del clero u otros empleados de la Iglesia que tiene por finalidad otorgarles una tutela efectiva de sus intereses[536]. Esto significa que el TEDH debe tener en cuenta la calidad del control llevado a cabo por los tribunales internos que se han pronunciado sobre el litigio[537].

18. En el ámbito de los litigios laborales entre los empleados de la Iglesia y las iglesias, el TEDH también sugirió que el CEDH impone una obligación positiva a los Estados parte de establecer un sistema de tribunales (laborales) competentes para pronunciarse sobre conflictos laborales que afecten a derechos protegidos por los artículos 8 y 9 y que al mismo tiempo tengan en cuenta el derecho eclesiástico[538]. Dado que estos casos involucran principalmente a empleados de la iglesia y no a sacerdotes, el Tribunal debe aclarar si estos principios también pueden aplicarse a disputas relacionadas con el clero y sus reclamos pecuniarios.

(b) El Consenso europeo sobre el acceso a un tribunal en litigios pecuniarias relativas el clero (§§ 19-21)

19. Los Estados parte del CEDH tienen diferentes formas de abordar la cuestión de si los tribunales nacionales tienen jurisdicción para conocer sobre pretensiones pecuniarias derivadas del servicio de los miembros o ex clérigos, como los atrasos salariales o impagos. Aunque el Gobierno demandado ha planteado en la Sala y en la Gran Sala la falta de consenso europeo sobre la cuestión de las relaciones entre las Iglesias y el Estado[539], la mayoría de la Gran Sala no ha dicho una palabra en su fundamentación. Sin embargo, según la información disponible para el TEDH, el examen comparativo de los sistemas legales en Europa muestra claramente la existencia de un consenso europeo sobre el principio de la jurisdicción del TEDH[540].

---

[536] STEDH 12 junio 2014, Caso *Fernández Martínez c. España* [GC], No. 56030/07, F. 147.

[537] *Ibidem*, § 148.

[538] STEDH 23 septiembre 2010, Caso *Obst c. Alemania*, (f.45), STEDH 23 septiembre 2010, Caso *Schüth c. Alemania*, (f. 59), STEDH 3 febrero 2011, Caso *Siebenhaar c. Alemania*, (f. 42).

[539] Apartado 59 de la sentencia de la Sala y apartado 38 de las observaciones del Gobierno ante la Gran Sala de 20 de junio de 2016, página 22.

[540] Estos son los treinta y nueve Estados analizados: Albania, Alemania, Armenia, Austria, Azerbaiyán, Bélgica, Bosnia y Herzegovina, Bulgaria, Croacia, Dinamarca, España, Estonia, Finlandia, Francia, Grecia, Italia, Letonia, Liechtenstein, Lituania,

20. A la vista del objetivo de la comparación (por qué comparar y con qué propósito) y, en consecuencia, las fuentes y el nivel de comparación (comparar y cómo), parece apropiado clasificar los Estados y los tribunales en dos categorías objeto de estudio: primero, aquellos en las que una organización religiosa disfruta de una autonomía casi completa incluso en las demandas puramente pecuniarias dirigidas contra ella (y donde, como resultado, los tribunales estatales no son competentes para conocer de demandas del clero)[541] y, en segundo lugar, aquellas en las que es posible la deman-da judicial de pretensiones pecuniarias[542]. Los estados que pertenecen a la segunda

---

Luxemburgo, "la ex República Yugoslava de Macedonia", Moldavia, Montenegro, Noruega, los Países Bajos, Polonia, Portugal, la República Checa, Rumania, el Reino Unido, Rusia, San Marino, Serbia, Eslovaquia, Eslovenia, Suecia, Suiza, Turquía y Ucrania En vista de la situación legal especial en Suiza, donde las relaciones entre el Estado y la Iglesia son competencia de cada cantón. El estudio se centró en tres cantones principalmente francófonos: Friburgo, Ginebra y Valais, que representan tres modelos diferentes. El estudio no trató directamente sobre laicos empleados por organizaciones religiosas en asuntos no pecuniarios tales como nombramientos/con-tratación y despidos/despidos de clérigos y su traslado o medidas disciplinarias contra ellos, ya que estos temas generalmente están cubiertos por la autonomía de la Iglesia, ni por los demandas de cantidad por realizados por el clero empleado por las comuni-dades y organizaciones estatales o locales, por ejemplo, maestros religiosos, capellanes del ejército, capellanes de prisiones y hospitales, etc., en cuyo caso el demandado es la comunidad o agencia interesada y no la organización religiosa.

[541] Siete estados o jurisdicciones (Bosnia y Herzegovina, España, Lituania, Polo-nia, Rumania, San Marino y el cantón suizo de Friburgo) reconocen la autonomía completa de las organizaciones religiosas y la naturaleza totalmente *sui generis* de la relación entre una iglesia y su clero. Por lo tanto, incluso las demandas puramente pecuniarias de miembros del clero dirigidas contra su Iglesia caen fuera de la juris-dicción de los tribunales estatales (con la excepción, en el orden jurídico español, del clero católico y los ministros de otras religiones reconocidas, que se asimilan a los empleados con el único propósito de la seguridad social, es decir, con el propósito de su integración en el sistema general de seguridad social, y es en esta medida que los tribunales estatales son competentes).

[542] Algunos estados pueden pertenecer a más de una categoría al mismo tiempo. Fuera de Suiza, donde el sistema legal difiere mucho de un cantón a otro, otros cuatro estados se encuentran en una situación dual o "a caballo" entre varias categorías. Así ocurre en Bélgica, donde los ministros de religiones «reconocidas» son pagados por el estado y, en principio, sujetos al derecho público, mientras que todas las demás religio-nes se rigen por el derecho privado y celebran contratos de trabajo con los miembros de su clero; Francia, que tiene un sistema de separación estricta de la iglesia y el esta-do, excepto en dos jurisdicciones territoriales donde el asunto se rige por el derecho público; de Grecia, donde el clero de la La Iglesia Ortodoxa Griega y los Muttis de

categoría se subdividen en tres grupos: 1) Estados y tribunales en los que la relación entre una organización religiosa y sus ministros es, como tal, sui generis, pero donde los tribunales civiles aún pueden conocer de pretensiones puramente pecuniarias[543]; 2) Los Estados y tribunales en las que la relación como tal se basa en un contrato de trabajo o están relacionados con el contrato de[544]; y 3) los estados tribunales en las que la relación entre una organización religiosa y sus ministros se rige por el derecho público y donde se revisan las aplicaciones respectivas por los tribunales administrativos[545].

Tracia Occidental se consideran funcionarios públicos, mientras que todos los demás ministros de religión se rigen por el derecho privado; y de Turquía, donde los imanes sunitas y los muftíes que trabajan para asuntos religiosos también son funcionarios públicos, mientras que todas las demás organizaciones religiosas revisten la forma legal de fundaciones de derecho privado. Con el fin de ubicar los Estados o jurisdicciones en cada categoría, cada uno de estos cuatro países se cuenta solo una vez; se coloca en la categoría correspondiente al régimen legal de la religión dominante a la *lex generalis (religiones "oficiales" o "reconocidas" en Bélgica, Grecia y Turquía y la mayor parte del territorio metropolitano francés").*

[543] En quince estados (Austria, Croacia, Estonia, Francia, Italia, Letonia, Moldavia, Países Bajos, Portugal, República Checa, Reino Unido, Serbia, Eslovaquia, Eslovenia y Ucrania), la relación entre una iglesia y sus ministros, como regla general, no se considera como una relación de trabajo sino como un régimen *sui generis..* Esto significa que los tribunales estatales no son competentes para decidir sobre asuntos tales como nombramientos/contrataciones, despidos/despidos o disciplina interna del clero. Por otro lado, los tribunales estatales son normalmente competentes para escuchar demandas puramente pecuniarias, como las relacionadas con los atrasos salariales. En ciertos casos, la ley del Estado permite, pero no exige, el establecimiento de un contrato de trabajo entre la Iglesia y los miembros de su clero; la pregunta entonces cae dentro de la jurisdicción de los tribunales estatales solo si existe tal contrato.

[544] En siete estados o jurisdicciones (Armenia, Azerbaiyán, Bulgaria, "la ex República Yugoslava de Macedonia", Rusia, Suecia, así como en el cantón suizo de Ginebra), el clero está empleado en el sobre la base de contratos de trabajo ordinarios, principalmente porque la legislación exige dichos contratos. El caso de Bulgaria es un poco peculiar porque la Corte Suprema de Casación ha declarado en general que existe una relación de trabajo con el clero incluso en ausencia de un control formal del trabajo. Esto va en contra del deseo de la Iglesia Ortodoxa Búlgara, que continúa considerando que sus relaciones con su clero son *sui generis..* Finalmente, Bélgica y Turquía se pueden agregar a esta categoría como comunidades religiosas minoritarias (religiones "no reconocidas" en Bélgica, musulmanes no musulmanes y no sunitas en Turquía).

[545] En nueve estados o jurisdicciones (Bélgica, Dinamarca, Finlandia, Alemania, Grecia, Luxemburgo, Noruega, Turquía y el cantón suizo de Valais), las relaciones pecuniarias y similares entre las organizaciones religiosas mayoritarias y su clero, desde

21. *En conclusión, en respuesta a la pregunta de si los tribunales estatales pueden conocer de litigios puramente pecuniarios del clero o los ministros de religión contra una organización religiosa, el estudio de la legislación y la jurisprudencia nacional revela diferencias considerables en las soluciones adoptadas, no solo entre algunos Estados, sino también dentro de ellos. Solo en siete de las 39 jurisdicciones estudiadas, los tribunales estatales no son competentes para conocer de tales demandas. Todos los demás Estados prevén la posibilidad de control judicial, pero de diferentes maneras y en diferente grado. Quince jurisdicciones tienen un régimen sui generis que rige el nombramiento o la destitución de ministros de religión, pero los tribunales nacionales siguen siendo competentes para examinar las demandas de cantidad. En siete estados, el clero se emplea sobre la base de contratos de trabajo ordinarios (lo que significa que los tribunales estatales tienen jurisdicción), y en nueve estados el asunto se rige por el derecho público (esto significa que los tribunales administrativos son competentes en la mayoría de los casos). Finalmente, si los tribunales nacionales tienen jurisdicción para conocer de tales litigios, sus decisiones se ejecutan de acuerdo con las reglas generales aplicables a la ejecución de cualquier decisión judicial. (…)".*

(b) Otro razonamiento, fundado en principio (§§ 27-29)

27. *Cuando el TEDH indaga si existe un derecho civil defendible en el derecho interno, la cuestión pertinente que ha de plantearse no es si la limitación es material (absoluta) o procesal (relativa). Como ya he mostrado anteriormente, no es eso lo que hay que determinar. La pregunta correcta es más bien la siguiente: ¿el demandante habría gozado de acción si no hubiera sido por la limitación específica invocada por el demandado? Siempre que el derecho reclamado por el demandante pueda existir en general en la legislación nacional, existe un derecho civil que puede ejercitarse ante los tribunales de manera defendible, y la inmunidad no necesariamente conduce a la extinción de motivo de acción. Ese es el razonamiento fundado en principio ("al menos en principio") esgrimido por el juez Martens en su voto particular a la sentencia Fayed, que expresó como sigue:*

"… no había duda de que se vulneró el derecho de los demandantes a la protección de su honor. Si el artículo 8 consagra o no tal derecho es de poca importancia, ya que existe, al menos en principio, en todas nuestras leyes nacionales, sin que por el contrario se haya argumentado que la ley inglesa contemple una excepción que lo excluya completa y claramente. Tampoco puede haber duda alguna de que el derecho del respeto al honor es un derecho "civil" en el sentido autónomo que este concepto tiene en el Artículo 6 § 1. De ello resulta que, en caso de daño a su reputación, una persona tiene derecho al amparo de dicha norma a acceder a un tribunal que cumpla

---

el punto de vista del Estado, se rige por el derecho público. En la mayoría de los casos, las disputas correspondientes pueden llevarse ante los tribunales administrativos. En algunos estados, sin embargo, los tribunales ordinarios son competentes. Francia también entra en esta categoría en lo que respecta a dos partes especiales de su territorio: Alsacia-Mosela y la Guayana Francesa.

con las condiciones establecidas por esa disposición. En consecuencia, no hay necesidad de preguntar si, según la ley inglesa, la excepción de la inmunidad constituye una limitación material en la medida del derecho al respeto de la reputación de uno o un obstáculo procesal para acceder a un tribunal"[546].

Por lo tanto, el artículo 6 se aplica a todos los derechos generalmente reconocidos en el ordenamiento jurídico interno.

Una vez que se ha establecido la existencia de tal derecho general, el conflicto entre la inmunidad específicamente invocada y el derecho de acceso a un tribunal ya no es una cuestión relacionada con la aplicabilidad del Artículo 6, sino que se convierte en un problema que ha de analizarse desde el punto de vista de la finalidad legítima y los criterios de proporcionalidad.

28. La aplicación del criterio fijado por el Juez Martens a este caso proporciona una respuesta clara a la cuestión de la aplicabilidad del artículo 6 CEDH. La demanda de cantidad del actor se basó en las dietas correspondientes al período durante el cual había sido suspendido de sus funciones y en los atrasos del salario de maestro, y por lo tanto en derechos que generalmente se reconocen en el sistema legal húngaro como ejercitables ante los tribunales estatales[547]. Dado que el solicitante formuló una pretensión basada en derechos generalmente reconocidos en el ordenamiento jurídico interno, habría tenido acción si no hubiera sido por la limitación interna específica invocada por la Iglesia demandada. El hecho de que la retribución mensual de sus servicios pagado por la iglesia demandada se considerara oficialmente como ingreso del trabajo en el sentido de las secciones 24 a 27 de la Ley del Impuesto sobre la Renta claramente proporciona un indicio más de que la pretensión del demandante estaba relacionada con los derechos generalmente reconocidos en el derecho interno[548]. En consecuencia, el solicitante tenía un «derecho» a los efectos del artículo 6 CEDH.

29. En cuanto a si el derecho pretendido por el solicitante puede considerarse "civil", debe señalarse que el solo hecho de demostrar que una pretensión es "pecuniaria" no basta para considerar de aplicación el art. 6 § 1 en su aspecto "civil"[549], a pesar de que los litigios relativos puramente económicos, como el pago de salarios, se con-

---

[546] Opinión de Martens J. adjunta a *Fayed*, supra.

[547] Como el propio Gobierno admite en sus observaciones a la Gran Sala, supra, página 29 (respuesta a la pregunta 2): "En teoría, la ley húngara no impide que las iglesias y sus sacerdotes concluyan contratos de trabajo o derecho civil para el desempeño de tareas pastorales. La validez de tal contrato, sin embargo, dependería del consentimiento mutuo de las partes y la naturaleza de las obligaciones del pastor, en particular su conformidad con la ley del estado. Todos los aspectos de la relación de servicio se regirán por la ley estatal (ley laboral o civil, según el contrato celebrado por las partes con su consentimiento mutuo) y los tribunales del Estado serían competentes para saber disputas legales que puedan surgir entre las partes."

[548] Por lo tanto, el argumento mayoritario basado en "la autonomía del derecho fiscal" (párrafo 73 de la sentencia) simplemente está fuera de lugar.

[549] STEDH 12 julio 2001, Caso *Ferrazzini c. Italia*.

sidera que son civiles[550]*. Sin embargo, dado que ese punto constituía precisamente el núcleo de la controversia en el caso del demandante, se puede suponer, por la misma razón que antes, que el demandante podría, de forma defendible y desde el comienzo del procedimiento, afirmar que gozaba de un derecho «civil». Por lo tanto, el artículo 6 es aplicable a la acción interpuesta por el solicitante contra la Iglesia calvinista.»*

6.1.4. Doctrina del TEDH sobre el derecho de acceso a un tribunal y sus limitaciones, en particular en los litigios relativos a clérigos

a) El derecho de acceso a un tribunal

El derecho a un proceso equitativo, garantizado en art. 6.1 CEDH debe interpretarse a la luz del principio del Estado de derecho, que exige que exista una vía judicial efectiva que permita reivindicar los derechos civiles (STEDH 12 noviembre 2002, Caso Běleš y otros c. República Checa, F. 49).

Todos justiciable tienen derecho a que un tribunal conozca todos los litigios referentes a sus «derechos y obligaciones de carácter civil». De esta forma, el art. 6.1 CEDH, consagra el **«derecho a un tribunal»**, donde se **incluye el «derecho de acceso»**, es decir, el derecho a interponer una demanda ante un tribunal en los asuntos civiles (STEDH 21 febrero 1975, Caso Golder c. Reino Unido, f. 36). El «derecho a un tribunal al igual que el derecho de acceso a él, no tiene un carácter absoluto: ambos pueden dar lugar a limitaciones, pero estas no pueden restringir el acceso de que goza la persona de tal modo o en tal medida que se cercene la naturaleza misma del derecho [STEDH 27 agosto 1991, Caso Philis c. Grecia (n° 1), f. 59; STEDH 16 diciembre 1992, Caso De Geouffre de la Pradelle c. Francia, f. 28; y STEDH 17 enero 2012, Caso Stanev c. Bulgaria (GS), f.229].

Para terminar, el derecho de acceso a un tribunal, **ha de ser concreto y efectivo**, y para ello se requiera que la persona "goce de la posibilidad clara y concreta de impugnar un acto que constituya una injerencia en sus derechos" (STEDH 4 diciembre 1995, Caso Bellet c. Francia f. 36 y 38).

---

[550] Esta es la doctrina del Tribunal desde la STEDH 2 septiembre 1987, Caso *Nicodemo c. Italia* (f. 18).

La **normativa sobre formalidades y plazos**, ha de respetarse para asegurar la adecuada administración de justicia y la seguridad jurídica, si bien dicha normativa o la aplicación que de ella se haga, no debe impedir que los justiciables utilicen las vías de recurso disponibles[STEDH 15 octubre 2002, Caso Cañete de Goñi c. España, (f.36); STEDH 25 enero 2000, Caso Miragall Escolano y otros c. España; STEDH 12 noviembre 2002, Caso Zvolsky y Zvolska c. República Checa, f. 51].

b) Las limitaciones

El derecho de acceso a los tribunales no es absoluto, sino que se presta a limitaciones implícitas (Golder c. Reino Unido, f. 38; Stanev c. Bulgaria [GS], f. 230). Tal es el caso, especialmente, de las condiciones de admisibilidad de la acción, ya que, por su propia naturaleza, requiere la reglamentación por parte del Estado, que goza de cierto margen de apreciación al respecto (STEDH 17 julio 2003, Caso Luordo c. Italia, f.85).

El TEDH ha considerado que dado que el art. 6.1 CEDH exige, por su propia naturaleza, un desarrollo legislativo por el Estado (derecho de configuración legal), los Estados gozan de cierto margen de apreciación, que tampoco es ilimitado y que encuentra su límite en el contenido esencial del derecho. Por otro lado, las limitaciones del derecho a acceso a un tribunal se sujetan al principio de proporcionalidad, por lo que han de perseguir un objetivo legítimo y tiene que haber una relación de proporcionalidad entre los medios empleados y el objetivo perseguido. (vid. STEDH 28 mayo 1985, Caso Ashingdane c. Reino Unido).

La artificiosa distinción entre limitaciones procesales y materiales del derecho de acceso al proceso, que puede verse ya en la DCEDH 17 diciembre 1976, Caso Agee c. Reino Unido (f.26); y en la DCEDH 9 octubre 1984, Caso Dyer c. Reino-Unido y luego siguió en otras más recientes como STEDH 19 octubre 2005, Caso Roche c. Reino Unido (f.124), STEDH 10 mayo 2001, Caso Z y otros c. Reino Unido (f-100), que revisaron el criterio sentado en el Caso Osman sobre la vulneración del derecho al acceso por la exención de responsabilidad derivada de negligencia de que gozaban los agentes de la policía que actuaban en el marco de sus funciones de prevención y seguridad y consideraron que no había denegación del derecho al acceso, porque si bien no había inmunidad (procesal) existía un obstáculo a la acción de derecho material.

Ciertamente **dicha distinción es difícil de asumir y paradójica**, puesto que igual privación de acceso al tribunal sufre aquél a quien dicho acceso se lo impide una norma procesal que aquél a quien se lo impide una norma que le priva del derecho sustantivo. Ello, obviamente, nos llevaría a un debate —que el TEDH elude— sobre la relación entre derecho subjetivo y acción. Sea como fuere, lo cierto es que es una doctrina peligrosa, en tanto que la distinción entre la privación del derecho de acceso al proceso por carecer de "derecho" o por ser inadmisible la acción, dista de ser clara.

Partiendo de ello, **las inmunidades de jurisdicción son**, qué duda cabe, **una limitación al derecho a acceso al proceso.** Por ello, han de tener objetivos legítimos y resultar proporcionadas. Así, por ejemplo, respecto de la inmunidad de jurisdicción de las organizaciones internacionales: conforme a la doctrina del TEDH, esta regla convencional —que persigue un objetivo legítimo (STEDH 18 febrero 1999, Caso Waite y Kennedy c. Alemania), solo es admisible en lo que respecta al art. 6.1 CEDH, si la restricción que origina no resulta desproporcionada. De esta forma, es compatible con el CEDH si los justiciables disponen de otras vías razonables para proteger con eficacia los derechos que les garantiza el Convenio [STEDH 12 julio 2001, Caso Prince Hans-Adam II de Liechtenstein c. Alemania (GS) f. 48; DTEDH 5 marzo 2013, Caso Chapman c. Bélgica, (dec.) párrafos 51 al 56].

En efecto, en tanto que límites de derechos humanos, incluso **las normas de *ius cogens* habrán de interpretarse de forma restrictiva,** cuando afecten a **derechos laborales o a su garantía procesal.** Así lo ha entendido el TEDH, por ejemplo en casos de despidos de personal de embajadas: STEDH 23 marzo 2010, Caso Cudak c. Lituania; STEDH 29 junio 2011, Caso Sabeh El Leil c. Francia; y más recientemente las STEDH 25 octubre 2016, Caso Radunović y otros c. Monténégro, STEDH 8 noviembre 2016, Caso Naku c. Lituania y Suecia

c) Las limitaciones en el caso de litigios relativos a clérigos

En el caso de los ministros de determinadas religiones, como en el caso Karoly Nagy, el TEDH tiene también una línea doctrina establecida, que viene representada, fundamentalmente por los casos, que pasamos a relacionar y para cuyo comentario nos remitimos al voto particular de Paulo Pinto, donde han quedado suficientemente explicados.

- STEDH 30 enero 2001, Caso Dudová y Duda c. República Checa.
- STEDH 23 septiembre 2008, Caso Ahtinen c. Finlandia.
- STEDH 6 diciembre 2011, Caso Baudler c. Alemania.
- STEDH 6 diciembre 2011, Caso Reuter c. Alemania.
- STEDH 6 diciembre 2011, Caso Müller v. Alemania.
- STEDH 12 de junio de 2014, Caso Fernández Martínez c. España.

6.1.5. *La limitación en España del derecho al acceso al proceso de miembros de confesiones religiosas*

Dentro del análisis que se realiza por Paulo Pinto en su voto particular (vid. supra f.19 y ss.) del conjunto de 39 países y jurisdicciones en lo que a las relaciones entre los miembros de confesiones religiosas, España se halla entre aquellos que reconocen la autonomía completa de las organizaciones religiosas y la naturaleza totalmente *sui generis* de la relación entre una iglesia y su clero. Por lo tanto, incluso las demandas puramente pecuniarias de miembros del clero dirigidas contra su Iglesia caen fuera de la jurisdicción de los tribunales estatales, con la reseñable excepción en el orden jurídico español, del clero católico y los ministros de otras religiones reconocidas, que se asimilan a los empleados con el único propósito de la seguridad social, es decir, con el propósito de su integración en el sistema general de seguridad social, y es en esta medida que los tribunales estatales son competentes.

En las próximas líneas, y con la brevedad que exige el presente trabajo, trataremos de esbozar el régimen jurídico y las principales líneas doctrinales sobre el tema principal objeto del caso: **el derecho de acceso a un tribunal en el caso de miembros de confesiones religiosas en los procesos de despido.**

Para ello, hay que partir de la **CE, que en su art. 16** establece la **libertad religiosa,** que viene desarrollada por la LO 7/1980, de 5 de julio de Libertad Religiosa (LOLR). En el art. 6 LOLR se establece que:

"Artículo sexto.

Uno. Las Iglesias, Confesiones y Comunidades religiosas inscritas tendrán plena autonomía y podrán establecer sus propias normas de organización, régimen interno y régimen de su personal. En dichas normas, así como en las que regulen las instituciones creadas por aquéllas para la realización de sus fines, podrán incluir cláusulas de salvaguarda de su identidad religiosa y carácter propio, así como del debido respeto a sus creencias, sin perjuicio del respeto de los derechos y libertades reconocidos por la Constitución, y en especial de los de libertad, igualdad y no discriminación".

La **STS (III) 14 mayo 2001, RJ 2001/4253, en interpretación de dicho precepto, afirma lo siguiente:**

"No supone que cualquier relación jurídica que pudieran establecer tales entidades sea de carácter laboral, cosa que ciertamente sería limitar su libertad al imponerles necesariamente la constitución de una relación de dicha naturaleza. Tampoco supone que las entidades religiosas puedan por sí mismas decidir lo que es una relación laboral o lo que no lo es ni puedan tampoco definir cuál es el Régimen de la Seguridad Social que quieren para aquellas personas que ejerzan el culto religioso. La posibilidad de que puedan organizar su régimen del personal no quiere decir que tengan que ser relaciones laborales, sino que puedan establecer la relación que tengan por conveniente, que podrá ser laboral o no, según las características de la misma. Que puedan establecer su propio régimen de personal no significa que puedan decidir cuál debe ser el ámbito de cobertura del Régimen de la Seguridad Social que le resulte aplicable. Esta decisión corresponde exclusivamente al legislador y así se hace a través, entre otras, de la Ley General de la Seguridad Social.

Tampoco la posibilidad de establecer su propio régimen del personal supone que las entidades religiosas puedan decidir si la relación jurídica que establecen ha de ser o no calificada jurídicamente como relación laboral. Las relaciones establecidas serán calificadas de laborales no por la circunstancia de que así lo quieran tales entidades, sino por la circunstancia de que en tales relaciones jurídicas se den los requisitos establecidos por la Ley, esencialmente en el Estatuto de los Trabajadores y normas concordantes, para que la relación jurídica deba ser calificada como laboral."

Partiendo de ello, **la relación entre los ministros de la iglesia y ésta no se ha considerado laboral,** cuando se desarrolla en el ámbito que le es propio, pues no se trata de una relación de dependencia ni subordinación, ni se recibe salario. Así resulta del Código de Derecho Canónico, promulgado el 25 de enero de 1983, y de la doctrina del TC: STC 63/1994 de 28 de febrero.

*"**la relación entre religioso y comunidad no puede ser en modo alguno calificada como laboral, tal como de manera insistente viene afirmando la jurisprudencia ordinaria (entre otras, SS. del Tribunal Central de Trabajo 23 marzo 1983., 19 mayo 1983 y 24 noviembre 1983)".***

En efecto, la doctrina de los tribunales laborales ha sido constante en ese punto. **Así, en STSJ Madrid 11/2006, de 8 de marzo o en la STSJ Madrid 4 diciembre 2017, nº 1041/2017:**

"El ejercicio del sacerdocio no puede considerarse trabajo por cuenta ajena en la acepción jurídica del término ni el estipendio percibido por ello una remuneración propiamente salarial, sino un medio de subsistencia de quien se dedica a tal menester como miembro al servicio de una comunidad que provee a sus necesidades más perentorias para que pueda desarrollar así su ministerio, no existiendo, por tanto, una empresa empleadora en el auténtico sentido de la palabra, ni, en fin, una relación de naturaleza laboral."

La **relación del clérigo con la iglesia** la analiza bien la STSJ Madrid nº 1041/2017, de 4 diciembre 2017:

"La obtención de la cualidad de sacerdote es considerada en el marco de la Iglesia como dotada de un valor sacramental que tiene un significado trascendental que excede lo puramente humano, se acompaña de la realización de determinados votos, y tiene en principio una duración vitalicia salvo los supuestos regulados en el derecho canónico, el cual también se ocupa de los derechos y obligaciones de los clérigos. Si no hay contrato alguno resulta superfluo divagar sobre la ajenidad, la dependencia o la retribución, que son los presupuestos que han de concurrir en un contrato para que pueda calificarse como laboral. Puede perfectamente existir en el caso examinado una subordinación y una retribución, en sentido genérico, pero no derivan de un contrato ni de la inclusión en el ámbito de organización y dirección de una empresa, sino de la incorporación de índole espiritual a una organización de vivencia y difusión de creencias religiosas que obviamente no actúa como una empresa en el mercado. Aún más difícil sería apreciar la ajenidad, lo que equivaldría a establecer una contraposición de intereses entre el sacerdote y la Iglesia Católica.
El legislador ha abordado la protección social de clérigos y religiosos de la Iglesia Católica, así como de los ministros de culto de otras iglesias y confesiones, en una concepción expansiva de la Seguridad Social que parte precisamente de la inexistencia de relación laboral para considerar a estas personas como "asimilados" a trabajadores por cuenta ajena o por cuenta propia [art. 136.2.q) LGSS 2015, RD 2398/77 RD 3325/81 (, etc.)]".

Sin embargo, **ello no significa que los servicios** prestados por miembros del clero o de otras confesiones religiosas **no puedan caer dentro del ámbito de aplicación de las normas laborales.**

En efecto, como sostiene el TC en su STC 63/1994, de 28 de enero *"No debe haber ningún impedimento para reconocer como laboral la relación que un religioso mantiene con un tercero fuera de la comunidad a la que pertenece cuando tal actividad se subsume dentro de la participación en la actividad productiva exigida por el art. 1.1 del Estatuto de los Trabajadores ni, en consecuencia, para determinar su inclusión en el Régimen General de la Seguridad Social."*

Por otro lado, la no consideración como trabajadores por cuenta ajena a efectos laborales los miembros de confesiones y ministros del culto no les priva de **su inclusión en el sistema de Seguridad Social. Veamos, brevemente:**

Los clérigos de la Iglesia Católica están incluidos en el ámbito de aplicación del **Régimen General** de la Seguridad Social a partir del **RD 2398/1977,** de 27 de agosto.

> *"Artículo primero.*
> *Uno. Los Clérigos de la Iglesia Católica y damas Ministros de otras Iglesias y Confesiones Religiosas debidamente inscritas en el correspondiente Registro del Ministerio de Justicia que darán incluidos en el ámbito de aplicación del Régimen General de la Seguridad Social, en las condiciones que reglamentariamente se determinen.*
> *Dos. Quedan asimilados a trabajadores por cuenta ajena, a efectos de su inclusión en el Régimen General de la Seguridad Social, los Clérigos diocesanos de la Iglesia Católica, en la forma establecida por el presente Real Decreto.*
> *Artículo segundo.*
> *Uno. La acción protectora, por lo que respecta al colectivo a que se refiere el número dos del artículo anterior y sus familiares que tengan la condición de beneficiarios, será la correspondiente al Régimen General de la Seguridad Social, con las siguientes exclusiones:*
> *a) Incapacidad laboral transitoria e invalidez provisional y subsidio por recuperación profesional.*
> *b) Protección a la familia.*
> *c) Desempleo.*
> *Dos. Las contingencias de enfermedad y accidente, cualquiera que sea su origen, se considerarán en todo caso como común y no laboral, respectivamente siéndoles de aplicación el régimen jurídico previsto para éstas en el Régimen General de la Seguridad Social."*

El **Real Decreto 3325/1981,** de 29 de diciembre, por el que se incorpora al **Régimen Especial de la Seguridad Social de los Trabajadores por Cuenta propia** o Autónomos a los **religiosos y religiosas de la Iglesia Católica.**

Real Decreto 369/1999, de 5 de marzo, sobre inclusión en el Régimen General de la Seguridad Social de los **Ministros del Culto de las Iglesias pertenecientes a la Federación de Entidades Religiosas Evangélicas** de España.

Mención a parte merece **la problemática de los profesores de religión**, pues hay una jurisprudencia muy asentada sobre la extensión y **límites del control jurisdiccional de las decisiones de contratación o de no contratación que realiza la Administración educativa, como consecuencia de las propuestas formuladas por el obispo**.

La enseñanza de la religión católica en los centros de educación pública esta organizada de acuerdo con la LO 2/2006 de 3 de mayo, de Educación que en su disposición adicional segunda, se refiere al Acuerdo de 3 de enero de 1979 sobre enseñanza y asuntos culturales entre España y la Santa Sede.

Suele citarse, como una de las primeras resoluciones del TC en este sentido, la STC 38/2007, de 15 de febrero, y ha habido otras posteriores como las SSTC 80/2007 a 90/2007, todas ellas de 19 de abril. Y además, se puede citar varias Sentencias que han resuelto recursos de amparo como la STC 128/2007, de 4 de junio–cuya decisión ha sido respaldada por la STEDH de 15 de mayo de 2012 y la STEDH (Gran Sala) de 12 de junio de 2014, asunto Fernández Martínez c. España–, o la STC 51/2011, de 14 de abril.

Así, en la STC 38/2007, (f.7), en lo que a la **inexistencia de inmunidad de jurisdicción en el caso de profesores de religión,** se refiere:

"Este Tribunal declaró ya en su STC 1/1981, de 26 de enero, la plenitud jurisdiccional de los Jueces y Tribunales en el orden civil, en cuanto exigencia derivada del derecho a la tutela judicial efectiva (art. 24.1 CE)… Posteriormente el Tribunal ha vuelto a abordar esta cuestión en su STC 6/1997, de 13 de enero, reiterando en ella que los efectos civiles de las resoluciones eclesiásticas, regulados por la Ley civil, son de la exclusiva competencia de los Jueces y Tribunales civiles, como consecuencia de los principios de aconfesionalidad del Estado (art. 16.3 CE) y de exclusividad jurisdiccional (art. 117.3 CE: STC 6/1997, de 13 de enero, F. 6). No cabe, por lo tanto, aceptar que los efectos civiles de una decisión eclesiástica puedan resultar inmunes a la tutela jurisdiccional de los órganos del Estado".

Por tanto, continúa la STC 38/2007, F. 7:

*"Que **la designación de los profesores de religión deba recaer en personas que hayan sido previamente propuestas por el Ordinario diocesano**, y que dicha propuesta implique la previa declaración de su idoneidad basada en consideraciones de índole moral y religiosa, **no implica en modo alguno que tal designación no pueda ser objeto de control por los órganos judiciales del Estado, a fin de determinar su adecuación a la legalidad, como sucede con todos los actos discrecionales de cualquier autoridad cuando producen efectos en terceros**, según hemos afirmado en otros supuestos, bien en relación con la denominada "discrecionalidad técnica" (STC 86/2004, de 10 de mayo, F. 3), bien en el caso de los nombramientos efectuados por el sistema de "libre designación" (STC 235/2000, de 5 de octubre, FF. 12 y 13)."*

En la STC 51/2011, de 14 de abril en el supuesto de no contratación de una profesora de religión por haber contraído matrimonio con un divorciado, el TC considera que se vulneran los derechos fundamentales de la trabajadora (art. 14, art. 16, art. 18 y art. 32 CE), porque:

*"las **Sentencias impugnadas en amparo niegan la posibilidad de control jurisdiccional de la decisión de la autoridad eclesiástica, y eluden, en consecuencia, la ponderación de los derechos fundamentales de la demandante** (derecho a la libertad ideológica, en conexión con su derecho a contraer matrimonio en la forma y condiciones establecidas en la Ley, y asimismo en relación con los derechos a no sufrir discriminación por razón de las circunstancias personales y a la intimidad personal y familiar), **con el derecho a la libertad religiosa (art. 16.1 y 3 del Obispado de Almería."***

En esta línea, no podemos dejar de comentar, por la relevancia y los paralelismos que presenta con el caso Karoly, la muy interesante ***STEDH 12 junio 2014, Caso Fernández Martínez c. España,*** que confirma la STC 128/2007 de 4 de junio del TC, concluyéndose por ambos tribunales que la no renovación del contrato de trabajo de un sacerdote casado y con cinco hijos derivada de la publicación de fotos del demandante y de su postura pro celibato supuso una injerencia proporcionada en su libertad religiosa, puesto que su renovación se basó en un argumento estrictamente religioso dirigido a proteger la integridad de la enseñanza. Se trata de una sentencia controvertida, como lo demuestran los votos particulares de los jueces señores Spielmann, Sajo, Karakas, Lemmens, Jäderblom, Vehabovic, Dedov y Saiz Arnaiz.

En este caso, el **núcleo de la controversia** se centra en que el demandante no pudo seguir siendo profesor de religión católica como consecuencia directa de la publicidad dada a su situación familiar y al hecho de que era miembro del Movimiento Pro Celibato Opcional (MOCEOP). En este casos, a diferencia de otros precedentes del TEDH, entre otros STEDH 23 septiembre 2001, Caso Obst c. Alemania, STEDH 3 febrero 2011, Caso Siebenhaar c. Alemania; no era la Iglesia, sino el Estado Español quien abonaba el salario al demandante; por lo que el enfoque que da el TEDH al caso se centra sobre el art. 8 CEDH.

En cuanto a **la aplicabilidad del art. 8 CEDH** a un caso de despido como este, el TEDH recordando casos similares como la STEDH 10 octubre 2009. Caso Lombardi c. Italia, concluye que como consecuencia de la no renovación del contrato del demandante, sus posibilidades de continuar con su actividad profesional se vieron seriamente mermadas debido a los hechos, especialmente en relación con la elección personal que había hecho en el marco de su vida personal y familiar. Se deduce por tanto, que en las circunstancias del caso **es de aplicación el artículo 8 del Convenio**. (f-109-113).

En segundo lugar, **entiende que hay una injerencia** en el art. 8 CEDH (f.114-116), puesto que si bien el TEDH reconoce que el Estado tenía limitadas sus posibilidades de acción en el presente caso, cabe destacar que si la decisión del Obispo no hubiera sido ejecutada por el Ministerio de Educación, ciertamente, el contrato del demandante habría sido renovado.

En tercer lugar, se concluye que **dicha injerencia estaba prevista y era conforme a la ley**, (f.117-120) pues gozaba de una base legal en las disposiciones aplicables del Acuerdo entre España y la Santa Sede de 1979, complementada con la Orden Ministerial de 11 de octubre de 1982, y que estas disposiciones cumplían los requisitos de "legalidad" establecidos en su jurisprudencia (véase, *mutatis mutandis*, STEDH 15 septiembre 2009, Caso Miroļubovs y Otros contra Letonia, (f.78).

Acto seguido, el TEDH considera que a decisión de no renovar el contrato en el presente caso, **persigue el objetivo legítimo** de proteger los derechos y libertades de los demás, en particular los de la Iglesia Católica, y concretamente su autonomía respecto a la elección de las personas capacitadas para enseñar la doctrina religiosa.

En quinto lugar, el TEDH aborda la cuestión de si la injerencia, prevista en la ley y que perseguía un objetivo legítimo, era o no necesaria en una sociedad democrática (f.123 y ss). Para ello, muy resumidamente, diremos que el TEDH considera que "al firmar sus contratos de trabajo sucesivamente, el demandante, a sabiendas y voluntariamente admitía un importante deber de lealtad hacia la Iglesia Católica, que limitaba en cierto grado el alcance de su derecho al respeto de su vida privada y familiar"(f.135).

Así mismo, el TEDH (f.137) considera que no es irrazonable que la Iglesia o las comunidades religiosas esperen un cierto grado de lealtad de los profesores de religión en la medida en que son vistos como sus representantes. La existencia de discrepancias entre las ideas que deben enseñarse y las creencias personales del profesor pueden dar lugar a una cuestión de credibilidad si el profesor realiza campañas activa y públicamente en contra de las ideas en cuestión (véase, *mutatis mutandis, STEDH 3 febrero 2011, caso Siebenhaar c. Alemania f.* 46). Por tanto, en el presente caso, **el problema recae en el hecho de que puede entenderse que el demandante hiciera campaña a favor de su forma de vida encaminada a que se produjera un cambio en las reglas de la Iglesia**, y hacia una crítica abierta de estas reglas.

Otra apreciación del TEDH es que si bien, a diferencia de en Sieblenhaar, Obst y otros casos **es el Estado quien contrataba y remuneraba al actor**, lo cierto es que ello no puede "afectar al alcance del deber de lealtad impuesto al demandante hacia la Iglesia católica o las medidas que ésta tiene derecho a adoptar, si ese deber es violado" (f.143).

En cuanto a **la gravedad de la sanción,** como no puede ser de otra manera, el TEDH (f.144-146), considera que la decisión de no renovar el contrato de trabajo entraña graves consecuencias para su vida privada y familiar, que —sin embargo— fueron tenidas en cuenta por el Obispo, que valoró que tendría prestaciones por desempleo. El TEDH señala que, aunque el demandante no había recibido ninguna advertencia previa antes de la decisión de no renovar su contrato, él sabía que su contrato estaba sujeto a renovación anual previa aprobación por el Obispo, implicando por tanto la posibilidad de que este último valorara, sobre una base regular, el cumplimiento del mayor deber de lealtad del demandante. Y añade que la Iglesia había tolerado su situación familiar y personal durante 6 años, mientras no hizo publicidad de la misma y concluye que una medida menos restrictiva no habría tenido la misma eficacia en la "preservación de la credibilidad de la Iglesia".

En relación al **control por los tribunales nacionales** (f.147-151), el TEDH considera que el demandante pudo denunciar la no renovación de su contrato ante el Juzgado de lo Social y posteriormente ante el Tribunal Superior de justicia de Murcia, que examinó la legalidad de la medida impugnada al amparo de la legislación laboral ordinaria, considerando la legislación eclesiástica y sopesó los intereses en conflicto del demandante y de la Iglesia católica. En última instancia el demandante pudo presentar un recurso de amparo ante el Tribunal Constitucional.

El TEDH señala que Tribunal Constitucional consideró que el deber de neutralidad del Estado le impedía fallar sobre la noción de "escándalo" utilizado por el Obispo para denegar la renovación del contrato del demandante, o sobre el fondo del celibato opcional de sacerdotes abogado por el demandante. Sin embargo, examinó la magnitud de la injerencia con los derechos del demandante y consideró que no era ni desproporcionada ni inconstitucional, pero que se podría justificar en términos del respeto de la Iglesia Católica del ejercicio legal de su libertad religiosa dentro de su colectivo o dimensión comunitaria, conjuntamente con el derecho de los padres a elegir la educación religiosa de sus hijos (véase el ap. 43). A pesar de que los padres de los niños que asistían a las clases del demandante mostraron su apoyo después de la publicidad dada a su situación, el Tribunal es de la opinión que el argumento de la diócesis no estaba falto de razón, ya que trataba de proteger la integridad de la enseñanza.

Y concluye que (f.151) En cuanto a la autonomía de la Iglesia, no parece, a la luz de la revisión ejercida por los tribunales nacionales, que se invocara incorrectamente en el presente caso, es decir que la decisión del Obispo de no proponer la renovación del contrato del demandante, no puede decirse que no estuviera suficientemente razonada, que fuera arbitraria, o que fuera tomada con una finalidad no relacionada con el ejercicio de la autonomía de la Iglesia Católica.

Por tanto, considera que no hubo violación de la vida privada, puesto que la injerencia en la misma causada por la no renovación del contrato fue proporcionada.

Como **valoración final, mi desacuerdo con el voto mayoritario del caso Fernández Martínez** es total. En mi opinión, se han hipertrofiado tanto la vertiente colectiva de la libertad religiosa, como la autonomía de la iglesia en la ponderación llevada a cabo por el TC y el TEDH y se ha llevado a unos límites insostenibles el deber de lealtad del trabajador en la empresa de tendencia que es la iglesia, sin ponderar que el motivo del despido fue lo que hacía fuera de su actividad educativa y que consistía en ejercer derechos fundamentales; y sin valorar la absurda desproporción del despido.

Me parece a este propósito especialmente acertado el voto particular del Juez Dedov, cuando dice:

"El Convenio ampara la libertad de religión de manera que nadie pueda ser persegui-do por sus convicciones religiosas; pero no autoriza a las organizaciones religiosas, ni siquiera en nombre de la autonomía, a perseguir a sus miembros por ejercer sus derechos fundamentales. Si el sistema del Convenio está destinado a combatir el to-

talitarismo, entonces no hay ninguna razón para tolerar el tipo de totalitarismo que se puede revelar en el presente caso."

Para apoyar esta conclusión crítica, cero oportuno recordar que **la Directiva 2000/78, que en su art. 4** permite la existencia de disposiciones en cuya virtud en el caso de las actividades profesionales de iglesias y otras empresa "de tendencia" por lo que respecta a las actividades profesionales de estas organizaciones, no constituya discriminación una diferencia de trato basada en la religión o las convicciones de la personas, cuando, por la naturaleza de dichas actividades, o el contexto en que se desarrollen, dicha característica constituya un requisito profesional esencial, legítimo y justificado respecto de la ética de la organización. Esta diferencia de trato se debe ejercer respetando las disposiciones y principios constitucionales de los Estados miembros, así como los principios generales del Derecho comunitario, y no podrá justificar una discriminación basada en otro motivo.

Siempre y cuando sus disposiciones sean respetadas, las disposiciones de la presente Directiva se entenderán sin perjuicio del derecho de las iglesias y de las demás organizaciones públicas o privadas cuya ética se base en la religión o las convicciones, actuando de conformidad con las disposiciones constitucionales y legislativas nacionales, podrán exigir en consecuencia a las personas que trabajen para ellas una actitud de buena fe y de lealtad hacia la ética de la organización.

En la **STJUE 17 abril 2018, Caso Vera Engerberger y Evangelisches, Asunto C-414/16)** concluye que:

"1) El artículo 4, apartado 2, de la Directiva 2000/78/CE del Consejo, de 27 de noviembre de 2000, relativa al establecimiento de un marco general para la igualdad de trato en el empleo y la ocupación, en relación con sus artículos 9 y 10 y con el artículo 47 de la Carta de los Derechos Fundamentales de la Unión Europea, debe interpretarse en el sentido de que, cuando una iglesia u otra organización cuya ética se base en la religión o las convicciones alegue, en apoyo de un acto o decisión como el rechazo de una candidatura a un empleo en su ámbito, que, por la naturaleza de las actividades de que se trate o por el contexto en que hayan de desarrollarse, la religión es un requisito profesional esencial, legítimo y justificado respecto de la ética de dicha iglesia u organización, es necesario que esa alegación, llegado el caso, pueda ser objeto de un control judicial efectivo que exija garantizar que, en ese caso concreto, se cumplen los criterios señalados en el artículo 4, apartado 2, de la citada Directiva. 2) El artículo 4, apartado 2, de la Directiva 2000/78 debe interpretarse en el sentido de que el requisito profesional esencial, legítimo y justificado que en dicho precepto se contempla implica un requisito necesario y objetivamente dictado, respecto de la

ética de la Iglesia o de la organización de que se trate, por la naturaleza o las circuns-
tancias en que se desarrolle la actividad profesional en cuestión, y no puede amparar
consideraciones ajenas a dicha ética o al derecho a la autonomía de esa iglesia o de
esa organización. Este requisito debe atenerse al principio de proporcionalidad."

El TJUE consideró que el Derecho de la UE no se opone a que una entidad religiosa rechace una solicitud de empleo por considerar que las convicciones religiosas constituyen un requisito profesional esencial. La exigencia de sintonía con las creencias religiosas son válidas si[551]:

- Se refieren a actividad esencial (importante para la organización empleadora).

- Es legítima (no se extiende a empleos neutros).

- Está justificada: debiendo acreditarse la necesidad.

- Resulta proporcional: no excede de lo necesario.

En otra sentencia de interés del TJUE, **STJUE 11 septiembre 2018, Caso IR y JQ, Asunto C-68/17**, en la que concluye contrario al derecho de la UE el despido de un médico católico que trabajaba como Director de Servicio, en un hospital de Caritas adscrito al Arzobispado, por un supuesto acto contrario al ideario religioso del empleador, consistente en que contrajo matrimonio civil tras divorciarse. El TJUE resuelve que:

"1) El artículo 4, apartado 2, párrafo segundo, de la Directiva 2000/78/CE del Con-
sejo, de 27 de noviembre de 2000, relativa al establecimiento de un marco general
para la igualdad de trato en el empleo y la ocupación, debe interpretarse en el sentido
de que:
(…)
– por otro lado, una diferencia de trato, en lo que atañe a la exigencia de una actitud
de buena fe y lealtad hacia dicha ética, entre los trabajadores que ocupan puestos
con responsabilidades directivas, en función de su religión o de su irreligión, no es
conforme con dicha Directiva, excepto cuando, dada la naturaleza de las actividades
profesionales de que se trate o el contexto en el que se desarrollen, la religión o las
convicciones constituyan un requisito profesional esencial, legítimo y justificado res-
pecto de la ética de la iglesia u organización en cuestión y conforme con el principio
de proporcionalidad, extremo cuya verificación incumbe al tribunal nacional."

---

[551] GIL ALBUQUERQUE, R. "Capítulo 13 Prohibición de discriminación por causa de religión o convicciones"; en "Derecho Social de la Unión Europea. Ed. Francis Lefebvre 2º edición. Pp. 381-404.

Pues bien, **trasladando la doctrina sobre el art. 4.2 Directiva 2000/78 al caso que nos ocupa,** debemos concluir lo siguiente: la publicidad de una situación familiar largamente conocida por la Iglesia y de las discrepancias en el contexto extralaboral sobre determinadas creencias religiosas no pueden ser motivo de despido o no renovación contractual, so pena de vulnerar la libertad religiosa, ideológica, de asociación y la privacidad del trabajador despedido.

La exigencia de sintonía con las creencias religiosas en el caso no es válida. Veamos las razones de no superación del test:

— Se refieren a actividad esencial (es importante para la organización empleadora), como es la enseñanza: pero abarca actos de enseñanza, no actos externos a esa actividad.

— Es legítima (no se extiende a empleos neutros): el empleo de profesor de religión no es un empleo neutro.

— No está justificada: debiendo acreditarse la necesidad: no se acredita la necesidad de despedir a alguien por una situación familiar conocida hacía años, tampoco por el hecho de la publicidad de dicha situación de su pertenencia a una corriente ideológica que pretende renovar el credo católico. En efecto, dichas actividades no transcendieron en la actividad de enseñanza, sino que siempre fueron ajenas a ella, por lo que en ningún momento se vulneró el deber de lealtad.

— No resulta proporcional: excede de lo necesario. El despido de un padre de cinco hijos, por ejercitar su derecho a la libertad ideológica, de expresión y asociativa, es claramente desproporcionado, puesto que es:

a) inidóneo: las actividades extra laborales en nada afectan al fin de transmisión leal y fiel del ideario religioso;

b) innecesario, pues en nada afectan a la calidad de la educación, como lo demuestra el hecho de que los propios padres estuvieran en contra del despido y, en fin,

c) desproporcionado, puesto que en materia de despidos juega la teoría gradualista que exige una exquisita ponderación de la gravedad y culpabilidad de la falta. En este caso no se pondera la falta de antecedentes de infracciones, la tolerancia del Obispado con su ideario y su situación familiar, o el hecho de que llevara 7 años ejerciendo de profesor sin queja alguna y estando muy bien valorado por los padres de los alumnos.

No puede considerarse que el trabajador, en el caso de autos, atentara contra su deber de lealtad y adhesión al ideario en su tarea educativa, por lo que lo que hiciera en su vida privada, máxime cuando dichas actuaciones constituían actos de ejercicio de derechos fundamentales: asociación, libertad religiosa, privacidad…, no puede tener la consideración de infracción grave y culpable a los efectos de justifica lo que, a todas luces, debió calificarse como despido nulo.

En suma, la publicidad del ejercicio de derechos fundamentales absolutamente ajena, extralaboral y no conectado al ejercicio de la actividad esencial de enseñanza no puede ser motivo válido de despido, ni siquiera en una empresa de tendencia.

6.1.6. *Índice de casos*

STEDH 23 julio 1968, Caso sobre ciertos aspectos del régimen de educación lingüística en Bélgica
STEDH 21 febrero 1975, Caso Golder c. Reino Unido
STEDH 13 mayo 1980, Caso Artico c. Italia
STEDH 28 mayo 1985, Caso Ashingdane c. Reino Unido
STEDH 21 febrero 1986, Caso James y otros c. Reino Unido
STEDH 29 mayo 1986, Caso Deumeland v. Alemania
STEDH 29 mayo 1986, Caso Feldbrugge c. Países Bajos
STEDH 8 julio 1986, Caso Lithgow y otros c. Reino Unido
STEDH 28 junio 1987, Caso König c. Alemania
STEDH 2 septiembre 1987, Caso Nicodemo c. Italia
STEDH 27 agosto 1991, Caso Philis c. Grecia
STEDH 16 diciembre 1992, Caso De Geouffre de la Pradelle c. Francia
STEDH 26 febrero 1993, Caso Salesi c. Italia
STEDH 21 septiembre 1994, Caso Fayed c. Reino Unido
STEDH 9 diciembre 1994, Caso Los santos monasterios c. Grecia
STEDH 4 diciembre 1995, Caso Bellet c. Francia
STEDH 29 mayo 1997, Caso Georgiadis c. Grecia
STEDH 28 octubre 1998, Caso Ait-Mouhoub c. Francia
STEDH 18 febrero 1999, Caso Waite y Kennedy c. Alemania
STEDH 25 enero 2000, Caso Miragall Escolano y otros c. España
STEDH 30 enero 2001, Caso Dudová y Duda c. República Checa
STEDH 12 julio 2001, Caso Ferrazzini c. Italia
STEDH 12 julio 2001, Caso Príncipe Hans-Adam II de Liechtenstein c. Alemania

STEDH 23 septiembre 2001, Caso Obst c. Alemania
STEDH 21 noviembre 2001, Caso McElhinney c. Irlanda
STEDH 21 noviembre 2001, Caso Fogarty c. El Reino Unido
STEDH 12 noviembre 2002, Caso Běleš y otros c. República Checa
STEDH 12 noviembre 2002, Caso Zvolsky y Zvolska c. República Checa
STEDH 15 octubre 2002, Caso Cañete de Goñi c. España
STEDH 17 diciembre 2002, Caso A. v. Reino Unido
STEDH 17 julio 2003, Caso Luordo c. Italia
STEDH 24 mayo 2005, Caso JS y AS c. Alemania Polonia
STEDH 19 octubre 2005, Caso Roche c. Reino Unido
STEDH 14 diciembre 2006, Caso Markovic y otros c. Italia
STEDH 23 septiembre 2008, Caso Ahtinen c. Finlandia
STEDH 15 septiembre 2009, Caso Miroļubovs y Otros contra Letonia
STEDH 10 octubre 2009. Caso Lombardi c. Italia
STEDH 15 octubre 2009, Caso Micallef c. Malta
STEDH 23 marzo 2010, Caso Cudak c. Lituania
STEDH 23 septiembre 2010, Caso Obst c. Alemania
STEDH 23 septiembre 2010, Caso Schüth c. Alemania
STEDH 3 febrero 2011, Caso Siebenhaar c. Alemania
STEDH 29 junio 2011, Caso Sabeh El Leil c. Francia
STEDH 6 diciembre 2011, Caso Baudler c. Alemania
STEDH 6 diciembre 2011, Caso Müller v. Alemania
STEDH 6 diciembre 2011, Caso Reuter c. Alemania
STEDH 17 enero 2012, Caso Stanev c. Bulgaria
STEDH 3 abril 2012, Caso Boulois c. Luxemburgo
DTEDH 5 marzo 2013, Caso Chapman c. Bélgica
STEDH 12 junio 2014, Caso Fernández Martínez c. España
STEDH 5 febrero 2015, Caso Bochan c.Ucrania
STEDH 21 junio 2016, Caso Al-Dulimi y Montana Management Inc. c. Suiza
STEDH 23 junio 2016, Caso Baka c. Hungría
STEDH 25 octubre 2016, Caso Radunović y otros c. Monténégro
STEDH 8 noviembre 2016, Caso Naku c. Lituania y Suecia

6.1.7. *Bibliografía*

CASTRO ARGÜELLES, M. A; RODRÍGUEZ BLANCO, M. "Seguridad social de ministros de culto y religiosos". IUS CANONICUM, XLIV, N. 87, 2004, pp. 153-196.

GARCÍA ROCA, J., SANTOLAYA, P. (Coord.) "La Europa de los Derechos. El Convenio Europeo de Derechos Humanos Ed. CEC. 2ª Edición. 2009.

GIL ALBUQUERQUE, R. "Capítulo 13 Prohibición de discrimniación por causa de religión o convicciones"; en "Derecho Social de la Unión Europea. Ed. Francis Lefebvre 2º edición. Pp. 381-404.

LASAGABASTER HERRARTE, I. "Convenio Europeo de Derechos Humanos. Comentario Sistemático. 2ª edición. Ed. Civitas Thomson-Reuters 2009.

MONEREO ATIENZA, C.; MONEREO PÉREZ, J. L. "La Garantía Multinivel de los Derechos Fundamentales en el Consejo de Europa". Ed. Comares. 2017.

PÉREZ TREMPS, P.; SAIZ ARNAIZ, A., "Comentario a la Constitución Española. 40 aniversario 1979-2018. Libro homenaje a Luis López Guerra. Ed. Tirant Lo Blanch.

PINTO DE ALBUQUERQUE, P. "I Diritti umani in una prospettiva europea. Opinini concrrenti e dissenzienti (2011-2015)". A cura e con un saggio di Davide Galliani prefaziine di Paola Bilancia. Ed. B. Giappichelli Editori- 2016.

PRECIADO DOMÈNECH, C. H. "Teoría General de los Derechos Fundamentales en el contrato de Trabajo". Ed. Thomson Reuters-Aranzadi. 2018.

QUERALT JIMÉNEZ, A. "La interpretación de los derechos: del Tribunal de Estrasburgo al Tribunal Constitucional". Ed. CEC. 2008.

RIPOL CARULLA, S., VELÁZQUEZ GARDETA, J. M. y AAVV "España en Estrasburgo. Tres Décadas bajo la Jurisdicción del Tribunal Europeo de Derechos Humanos. Ed… Aranzadi. Primera edición. 2010.

SANZA PÉREZ, A. L. "Los derechos de los profesores de religión y moral católica (incluido su derecho al matrimonio". Ed. Aranzadi. Revista Aranzadi Doctrinal 8/2014, Parte Tribuna.

SARMIENTO,D.; MIERES MIRES, L. J.; PRESNO LINERA, M. "Las sentencias básicas del Tribunal Europeo de Derechos Humanos. Ed. Thomson Cititas. 2007.

6.2. CASO K.M.C. C. HUNGRÍA
(STEDH 10 julio 2012): Extinción sin causa del contrato de trabajo

6.2.1. Resumen del caso

La demandante es una funcionaria de un servicio de inspección administrativa. Su empleador la cesó del servicio el 27 de septiembre de 2010 sin dar ninguna razón para el despido, en aplicación de la Ley no. LVIII de 2010 sobre el estatuto de los funcionarios del gobierno, que en ese momento permitía el cese o despido de los funcionarios/as sin necesidad de justificar la causa.

La demandante no interpuso demanda alguna frente a tal despido, al considerar que desconociendo las razones de su despido, carecía de toda posibilidad de éxito en el proceso de despido que pudiera iniciarse. El plazo legal a este respecto expiró el 26 de octubre de 2010.

El 18 de febrero de 2011, el Tribunal Constitucional Húngaro (TCH) anuló por inconstitucional el artículo 8 (1) de la Ley núm. LVIII de 2010, al 31 de mayo de 2011. El TCH fundó su decisión en la doctrina del TEDH, en gran medida inspirada en otros textos de derecho europeo, como la CDFUE o la CSE revisada, que establecen que todas las personas trabajadoras tienen derecho a la protección frente a los despidos injustificados.

El 6 de mayo de 2011, el Tribunal Constitucional dictó una decisión (véase el párrafo 17 infra) sobre la no aplicabilidad de las leyes, declaradas inconstitucionales, en casos aún pendientes ante un tribunal ordinario.

La recurrente, al amparo del art. 6.1 CEDH (Derecho de acceso a un tribunal) denuncia que no pudo combatir de forma efectiva su despido ante un tribunal debido a la falta absoluta de toda justificación de su despido por parte de su empleador.

El Gobierno húngaro había excepcionado la falta de agotamiento de los recursos internos, pues la demandante no accionó por despido. El TEDH rechaza dicha excepción, puesto que la impugnación del despido desconociendo las razones del mismo, es una acción meramente formal sin visos de éxito, cuyo intento, por ello mismo no le es exigible a la demandante.

Una segunda excepción del Gobierno, fue la de estar la demanda manifiestamente infundada, (art. 35.3a) CEDH). La misma fue también rechazada, puesto que al ser la Sra. K.M.C una funcionaria, tenía formalmente el derecho de impugnar su despido ante un tribunal, lo que de por sí supone que el TEDH considere aplicable el art. 6.1 CEDH, conforme a su STE-DH 19 abril 2007, Caso Vilho Eskelinen y otros c. Finlandia, f.62-63.

El TEDH recuerda que, de conforme a una doctrina consolidada, el artículo 6.1 CEDH puede ser invocado por personas que consideran que han sufrido una injerencia ilícita en el ejercicio de uno de sus derechos (civiles) no han tenido la posibilidad de plantear acción a un tribunal que cumpla con los requisitos del Artículo 6.1 (vid. STEDH 23 junio 1981, Caso Le Compte, Van Leuven y De Meyere c. Bélgica (f. 44). En los términos de la sentencia Golder, el art. 6.1 incorpora el "**derecho a un tribunal**", del cual **el derecho de acceso,** que es el derecho de iniciar procedimientos ante tribunales en materia civil, constituye uno de sus aspectos [vid. STEDH 21 febrero 1975, Caso Golder c. Reino Unido (f.36)].

Sin embargo, ese derecho no es absoluto, puesto que puede estar sujeto a limitaciones; que están permitidas implícitamente, ya que el derecho de acceso, por su propia naturaleza, requiere la regulación por parte del Estado. A este respecto, los Estados parte disfrutan de cierto margen de apreciación, aunque la decisión final sobre el cumplimiento de los requisitos de la Convención recae en el TEDH. Debe partirse de que **las limitaciones aplicadas no restrinjan ni reduzcan el acceso que se deja al individuo de tal manera o en tal medida que el contenido esencial del derecho se vea afectado**. Además, una limitación no será compatible con el Artículo 6 § 1 si no persigue un objetivo legítimo y si no existe una relación razonable de proporcionalidad entre los medios empleados y el objetivo que se busca alcanzar (vid. STEDH 28 octubre 1998, Caso Osman c. Reino Unido, (f.147)

El TEDH añade que el Artículo 6.1 CEDH deja a los Estados Partes la elección de los medios para garantizar que el derecho de acceso a una tribunal esté asegurado en sus sistemas judiciales, limitándose la tarea del TEDH sólo a determinar si el método que han elegido es coherente con las exigencias de un juicio justo. A este respecto, debe recordarse que el CE-DH está diseñado para "no para garantizar derechos teóricos o ilusorios, sino derechos reales y efectivos" y que el **establecimiento en el derecho interno del derecho a presentar una demanda laboral no garantiza por sí mismo la efectividad del derecho de acceso** a un tribunal, **si esa posibilidad carece de sustancia y, por lo tanto, de cualquier posibilidad de éxito** (vid, mutatis mutandis, STEDH 24 noviembre 1993, Caso Imbrioscia c. Suiza, (f.38).

En el caso concreto, el TEDH observa que la demandante **como ex funcionaria del gobierno cesada del servicio tenía, en principio, derecho a impugnar ese despido ante un tribunal.** Sin embargo, dado que el empleador no estaba obligado a dar razón alguna para ese despido, el TEDH considera que es inconcebible que el solicitante pueda interponer una acción sobre el fondo, por falta de una posición conocida del empleador demandado. Para el Tribunal, el marco legal aplicable conduce a privar al derecho de acción discutido de todo contenido sustancial. El Tribunal también observa que el Tribunal Constitucional, cuyo enfoque se basó en parte en la jurisprudencia pertinente del TEDH, anuló el precepto interno aplicable en base a razonamientos similares.

Las consideraciones anteriores son suficientes para permitir al TEDH concluir que, en litigios relacionados con derechos civiles como el presente, un control judicial tan limitado no puede considerarse como tutela judicial efectiva conforme al Artículo 6.1. Por lo tanto, ha habido un violación del derecho de acceso a un tribunal (ver STEDH 28 junio 1990, Caso Obermeier c. Austria, (f.70); y, a contrario, STEDH 28 septiembre 2011, Caso A. Menarini Diagnostics SRL c. Italia (f.57 a 67),

En suma, el TEDH considera que la demandante goza, en principio, del derecho a impugnar el despido ante un tribunal. Sin embargo, dado que su empleador —el Estado— no estaba obligado a exponer los motivos del cese, la demandante no tuvo medio alguno de conocer cuál era la posición del empleador, de forma que no ha podido articular una demanda fundada ante los tribunales. El sistema jurídico húngaro supone una privación *de facto* de todo contenido material al derecho de iniciar un proceso judicial.

6.2.2. *Extractos del voto particular de Paulo Pinto*[552]

«*Comparto la conclusión de que ha habido una violación del art. 6 CEDH. No obstante, me siento obligado efectuar este voto particular concurrente para explicar y ampliar las razones por las que considero que el Estado demandado incumplió el*

---

[552] Los subrayados de las partes esenciales del voto particular de Paulo Pinto son obra del traductor y comentarista.

CEDH. A la vista de los hechos del caso y del marco legal aplicable, la pregunta fundamental que debe formularse es la siguiente: **¿es legítimo interpretar el art. 6 CEDH a la luz del Art. 24 de la Carta Social Europea revisada (CSE) en un caso de derechos humanos contra un Estado que no está vinculado por la CSE?** *En otras palabras, ¿puede el TEDH, al interpretar el art. 6 CEDH, aplicar la norma establecida en el art. 4 del Convenio núm. 158 a un país que no ha ratificado este último Convenio? Estas preguntas requieren una respuesta exhaustiva que debe tener en cuenta la protección de los derechos sociales por el CEDH y la actual interconexión entre el derecho internacional de los derechos humanos y el derecho laboral internacional*[553].

El despido en el derecho laboral internacional

El Convenio núm. 158 de la OIT y la Recomendación núm. 166 sobre terminación de la relación laboral contemplan las siguientes garantías básicas: causa justa de despido y enumeración de las causas no válidas para el despido, una oportunidad para que los trabajadores de conocer y discutir las imputaciones; el derecho a formular demanda, la distribución de la carga de la prueba y el derecho a una compensación. De conformidad con los arts. 4 a 6 del Convenio núm. 158 de la OIT, no se despedirá a un trabajador a menos que exista una justa causa para ello, relacionada con la capacidad o la conducta del trabajador o en función de las necesidades operativas de la empresa, establecimiento o servicio. Las siguientes, entre otros, no constituyen causas válidas para el despido:

(a) afiliación sindical o participación en actividades sindicales fuera del horario laboral o, con el consentimiento del empleador, dentro de las horas de trabajo;

(b) prestarse a, haber actuado como, o actuar en calidad de representante de los trabajadores;

(c) la presentación de queja o la participación en procedimientos contra un empleador que impliquen una supuesta vulneración de las leyes o reglamentos o el recurso ante las autoridades administrativas competentes;

(d) raza, color, sexo, estado civil, responsabilidades familiares, embarazo, religión, opinión política, origen nacional u origen social;

(e) ausencia del trabajo durante la licencia de maternidad. La ausencia temporal del trabajo por enfermedad o lesión no constituye una razón válida para el despido. Treinta y cinco países han ratificado esta Convención en todo el mundo, pero Hungría no es uno de ellos.

La Comisión de Expertos en la Aplicación de Convenios y Recomendaciones de la OIT (CEACR) ha declarado que la necesidad de basar la terminación del empleo en una justa causa es la piedra angular de las disposiciones del Convenio de la OIT antes mencionadas, ya que "elimina la posibilidad de que el empleador termine unilate-

---

[553] He expresado mi opinión sobre estos dos importantes temas en el voto en parte concurrente y en parte disidente, efectuado en el caso de la Gran Sala STEDH 22 marzo 2012, Caso Konstantin Markin c. Rusia, nº. 30078/06, ECHR 2012 (extractos).

ralmente una relación laboral de duración indeterminada mediante un período de preaviso o compensación en lugar de la misma"[554].

A la luz del artículo 4 del Convenio de la OIT, la terminación del empleo "no solo requiere que el empleador justifique el despido de un trabajador, sino que, sobre todo, impone que, de conformidad con el principio fundamental de justificación, "no se extinga el contrato de trabajo a menos que exista una razón válida para dicha terminación relacionada con la capacidad o conducta del trabajador o en base a las necesidades operativas de la empresa"[555]. La misma Comisión de Expertos ha reconocido, en términos generales, que: «Dado que el Convenio [de la OIT] apoya a empresas productivas y sostenibles, reconoce que las recesiones económicas pueden constituir una causa justa para el despido. La Comisión subraya que el diálogo social es el centro mismo de la respuesta procesal a los despidos colectivos: consultas con los trabajadores o sus representantes para buscar medios para evitar o minimizar el impacto social y económico de los despidos para los trabajadores»[556]. Por lo tanto, el alcance del Artículo 4 es posiblemente lo suficientemente amplio como para acomodar razones relacionadas con la conducta no disciplinaria de un trabajador y las necesidades estratégicas de una empresa.

Los artículos 8-10 del Convenio de la OIT tratan de la acción de despido. Estas disposiciones no solo brindan a los trabajadores el derecho a accionar por despido, sino que también les aseguran que no tengan que asumir en exclusiva la carga de probar que el despido no estaba justificado. Así mismo, se establece que el órgano jurisdiccional, además de ser competente para declarar la nulidad del despido, debe tener competencia para resolver sobre la completa gama de tutelas, incluida la restitución, la compensación adecuada o "cualquier otra reparación que se considere apropiada".

El art. 2, del Convenio de la OIT establece las exclusiones que pueden hacerse en vista de la naturaleza del contrato de trabajo. Dispone que un "Miembro puede excluir las siguientes categorías de personas empleadas de todas o algunas de las disposiciones de este Convenio: (a) trabajadores contratados con contrato de trabajo por un período de tiempo específico o para una tarea específica; (b) trabajadores en período de prueba o un período determinado de empleo, fijado de antemano y de duración razonable; (c) trabajadores contratados de manera informal por un período corto"[557].

---

[554] CEACR, Estudio general - Protección contra el despido injustificado (1995), párr. 76).

[555] Requerimiento directo de la CEACR - Luxemburgo (2007). Véase el informe de la ILC en su 67ª sesión en la que se afirmaba "Así, hoy el principio de justificación se ha convertido en la pieza central de la ley que rige la extinción del contrato por parte del empleador…", ILC, 67ª sesión, 1981, Informe VIII (1), p. 7.

[556] CEACR - Observación general sobre el Convenio núm. 158 (CEACR, 79.ª reunión, noviembre-diciembre de 2008).

[557] El Comité Tripartito establecido para considerar una petición presentada en virtud del Artículo 24 de la Constitución de la OIT por la Confederación General del

El despido en el derecho internacional de los derechos humanos.

En su Observación general N° 18 sobre el derecho al trabajo, el Comité de Derechos Económicos, Sociales y Culturales de la ONU (CDESC) señaló que las vulneraciones del derecho al trabajo pueden ocurrir a través de conductas omisivas, por ejemplo, cuando los Estados parte no regulan las actividades de las personas o grupos para evitar que impidan el derecho de otros a trabajar. Por lo tanto, el CDESC consideró que "las violaciones de las obligaciones de proteger derivan del incumplimiento por parte de los Estados parte de su obligación de adoptar todas las medidas necesarias para proteger a las personas bajo su jurisdicción de las violaciones del derecho al trabajo por parte de terceros. Se incluyen omisiones como … la falta de protección de los trabajadores contra el despido ilegal[558]*". Hungría está obligada por el artículo 6 del PIDESC y, en particular, por la prohibición del despido ilegal derivado del mismo. El despido que no se basa en razones válidas específicamente previstas por la ley es indudablemente ilegal.*

El despido en el Derecho Europeo de Derechos Humanos

El despido se considera como un derecho civil tutelado por el art. 6 del Convenio[559]*.*

En Vilho Eskelinen y otros, el Tribunal extendió esta protección, en principio, a todos

---

Trabajo-Fuerza Obrera con respecto a la Ordenanza francesa no. 2005-893, concluyó que dos años no era un período de tiempo razonable a los fines del Artículo 2, párrafo 2 del Convenio núm. 158 (Consejo de Administración doc. GB.300/20/6), lo que contradice la decisión del Conseil d'Etat de 19 de octubre de 2005. El Comité también determinó que la Ordenanza sobre los requisitos básicos del artículo 4 del Convenio de la OIT (7), en la medida en que el empleo se termine por razones de desempeño o conducta, y se proporcione en el momento de la terminación, para ser defendido contra las alegaciones formuladas, como lo requiere el Artículo 7 de la [OIT] Convención, y los requisitos del artículo 4 de la Convención [de la OIT] sobre los derechos de las personas con discapacidad de manera similar, debe cumplirse solo cuando la terminación sea de naturaleza disciplinaria. Posteriormente, se modificó la legislación francesa sobre "contratos de nuevo empleo". El Tribunal de Casación francés, en su sentencia del 1 de julio de 2008, confirmó la opinión del Comité.

[558] Observación general N° 18 sobre el derecho al trabajo, Comité de Derechos Económicos, Sociales y Culturales de las Naciones Unidas (E/C.12/GC/18), adoptada el 24 de noviembre de 2005, en el párrafo 35. Véase también el párrafo 11 de la observación general en el que se hace referencia explícita al artículo 4 del Convenio núm. 158.

[559] La jurisprudencia del Tribunal sobre este tema comenzó con procedimientos disciplinarios en los que se discutía el derecho a continuar ejerciendo una profesión, lo que dio lugar a pleitos sobre los derechos civiles en el sentido del artículo 6 (véanse, entre otras sentencias, las siguientes sentencias: STEDH 28 junio 1978, Caso König v. Alemania; STEDH 23 junio 1981, Caso Le Compte, Van Leuven y De Meyere c. Bélgica).

los funcionarios públicos, con la excepción de aquellos casos en que la legislación nacional no confiere el derecho de acceso al tribunal a una categoría de funcionarios públicos y dicha exclusión de la Convención la protección está justificada[560]. *Si bien el Tribunal dio una lista de ejemplos no exhaustivos de «conflictos laborales ordinarios» a los que debería aplicarse en principio el Artículo 6, no excluyó otros procedimientos relacionados con el trabajo de la aplicabilidad de ese artículo. Más tarde, el Tribunal sostuvo que el enfoque desarrollado en el caso de Vilho Eskelinen y otros también se aplicaba al acceso a un cargo público*[561] *y la terminación del cargo público*[562]*, evaluando cuestiones como la injusticia de los procedimientos relacionados con la destitución del cargo*[563]*, o la duración general excesiva de los procedimientos de despido*[564]*. Esta amplia protección brindada a los empleados por el Artículo 6 se complementó con otros preceptos. En efecto, la terminación del empleo también se ha evaluado desde la perspectiva de otros derechos y libertades de la Convención, como la libertad de mantener creencias religiosas*[565] *y la libertad de expresión*[566].

De conformidad con el Artículo 24 de la CSE Revisada, todos los trabajadores tienen derecho a que no se extinga su contrato sin razones válidas para dicha terminación relacionadas con su capacidad o conducta o con base necesidades de funcionamiento de la empresa, establecimiento o servicio; Las Partes se comprometen a garantizar el derecho de los trabajadores cuyo empleo se extingue sin una razón válida a obtener una compensación u otra reparación adecuada y el derecho de interponer demanda ante un organismo imparcial cuando consideren que han sido despedidos sin justa causa. Esta disposición ha sido aceptada por 24 Estados miembros del Consejo

---

[560] STEDH 19 abril 2007, Caso Vilho Eskelinen y otros v. Finlandia.

[561] STEDH 19 julio 2011, Caso Majski c. Croacia (n. ° 2); STEH 13 enero 2011, Caso Kübler c. Alemania e, implícitamente, STEDH 6 diciembre 2007, Caso Josephides c. Chipre no.33761/02; STEDH 5 enero 2010, Caso Penttinen c. Finlandia (dec.).

[562] STEDH 29 junio 2011, Caso Sabeh el Leil c. Francia, (GC); STEDH 23 marzo 2010, Caso Cudak c. Lituania (GC).

[563] STEDH 27 septiembre 2011, Caso Hrdalo c. Croacia, STEDH 18 febrero 2010, Caso Lesjak v. Croacia.

[564] STEDH 7 diciembre 2010, Caso Mishgjoni c. Albania y STEDH 30 marzo 2006, Caso Golenja c. Eslovenia.

[565] STEDH 12 abril 2007, Caso Ivanova c. Bulgaria, sobre despido del demandante, sin preaviso, de su empleo de vigilante de piscina en el River Shiipbuilding and Navigation School a causa de sus creencias religiosas.

[566] STEDH 21 ocutubre 2010, Caso Heinisch c. Alemania, sobre el despido de la demandante, sin previo aviso, de su trabajo como enfermera geriátrica para una compañía de responsabilidad limitada que se especializa en el cuidado de la salud de las personas mayores que es propiedad mayoritaria del Land de Berlín, debido a que ella había presentado una denuncia penal contra su empleador y la negativa de los tribunales nacionales en los procedimientos posteriores para ordenar su reincorporación.

de Europa, pero no por Hungría. El artículo 30 de la CDFUE reforzó este consenso, citando la disposición mencionada anteriormente, como muestran las "Explicaciones" correspondientes[567]*.*

Teniendo en cuenta el importante consenso europeo sobre protección en caso de despido, existe una obligación positiva para las Partes Contratantes de la Convención de implementar el principio de justificación para el despido, es decir, un sistema legal de despido con justa causa. El TEDH ya ha establecido que **un derecho social puede derivarse legítimamente de una disposición del Convenio, incluso cuando dicho derecho está previsto en la CSE y la Parte Contratante no está vinculada por la disposición pertinente de la Carta**[568]*. Esta jurisprudencia también es válida en el caso del derecho de todos los trabajadores a no ser despedidos sin justa causa y el derecho a interponer demanda frente al despido ante un organismo imparcial.*

En la legislación europea de derechos humanos, el derecho a la protección en caso de despido se aplica a todas las categorías de empleados, incluidos funcionarios públicos y autoridades. Las Estados Parte pueden, dentro de su margen de apreciación, considerar que los trabajadores contratados bajo un contrato de trabajo por un período de tiempo determinado o para una tarea específica, trabajadores que cumplen un período de prueba o un período de empleo calificado, determinado de antemano y razonable duración, y los trabajadores contratados de manera informal por un período corto, no se benefician de esta garantía.

En cualquier caso, la extinción del contrato no es aceptable según la legislación europea de derechos humanos por motivos discriminatorios, como la afiliación sindical o la participación en actividades sindicales fuera del horario laboral o, con el consentimiento del empleador, dentro del horario laboral; presentarse a, actuar o haber actuado como representante de los trabajadores; la presentación de una demanda o participación en procedimientos contra un empleador que impliquen una supuesta violación de las leyes o reglamentos o el recurso a las autoridades administrativas competentes; raza, color, sexo, estado civil, responsabilidades familiares, embarazo, religión, opinión política, origen nacional u origen social; ausencia del trabajo durante la licencia de maternidad o paternidad[569]*.*

---

[567] Véanse las explicaciones relativas a la CDFUE (2007/C 303/02). Véanse también la Directiva 2001/23/CE sobre la salvaguardia de los derechos de los empleados en caso de traslados de empresas, y la Directiva 80/987/CEE sobre la protección de los empleados en caso de insolvencia de su empleador, modificada por la Directiva 2002/74/CE.

[568] STEDH 12 noviembre 2008, Caso Demir y Baykara c. Turquía (GC), (f.1153-154).

[569] Refiriéndose específicamente al Art. 5-c del Convenio núm. 158 de la OIT, véase Heinisch, citado anteriormente, § 39, que determinó que el despido de la demandante sin previo aviso debido a que había presentado una denuncia penal contra su empleador y la negativa del empleador y el rechazo de los tribunales en los procedimientos

En resumen, el derecho a la protección en caso despido tiene un contenido mínimo en la legislación europea de derechos humanos, que consta de cuatro requisitos básicos:
– una notificación formal por escrito al trabajador del despido,
– una oportunidad previa a la terminación para que el trabajador pueda responderla,
– una justa causa para el despido y
– una derecho a accionar ante un organismo independiente.
El derecho a accionar frente a cualquier despido ante un organismo independiente requiere que este organismo tenga los poderes para verificar los aspectos fácticos y legales de la decisión apelada y anularla, si se concluye que es ilegal[570].

La aplicación de la norma europea al presente caso
Dado que el Art. 24 de la CSE Revisada y el Art. 30 CDFUE son invocados por la Sala para clarificar su interpretación del Art. 6 CEDH, y ambos artículos están inspirados en el Art. 4 del Convenio nº 158 la OIT sobre despido, surge la cuestión de si tal interpretación es legítima, teniendo en cuenta que Hungría no es parte en el Convenio núm. 158 de la OIT, ni ha aceptado el artículo 24 de la CSE Revisada.
Teniendo en cuenta la susodicha norma europea, basada en el principio de justificación de la terminación del empleo, la respuesta ha de ser afirmativa. Esta respuesta se ve reforzada por la circunstancia de que Hungría está obligada por el artículo 30 CDFUE, que consagra dicho principio, y el artículo 6 PIDESC, que incluye dicho principio en virtud de la Observación general Nº 18 sobre el derecho al trabajo. **No es aceptable que un mismo Estado defienda un doble estándar sobre el despido con respecto a diferentes organizaciones internacionales, alegando estar sujeto a un estándar más bajo con respecto al Consejo de Europa cuando ya está sujeto a un norma más exigente frente a las Naciones Unidas y la Unión Europea.**
El propio Gobierno demandado demostró que el demandante tenía un derecho limitado de acceso a un tribunal en virtud de la legislación nacional "en casos de despido discriminatorio o en violación de la protección especial que brinda la ley por motivos objetivos (véase el artículo 90 del Código del Trabajo)". Esto es suficiente para considerar el Artículo 6 del Convenio aplicable al presente caso, haciendo redundante e incluso contradictoria la alegación adicional del Gobierno de que la exclusión de los derechos del Artículo 6 para el funcionario estaba justificada "debido a la naturaleza

---

subsiguientes de ordenar su reincorporación, infringieron su derecho a la libertad de expresión según lo dispuesto en el artículo 10 de la Convención.

[570] Este derecho a la protección de los trabajadores es una obligación de resultado que el estado está obligado a lograr dentro de un período de tiempo razonable a través de instrumentos legislativos, judiciales y administrativos adecuados, incluida la aprobación de un marco legislativo adecuado, una estructura judicial eficiente y un mecanismo administrativo de supervisión. Este derecho puede restringirse o incluso anularse en circunstancias excepcionales, siempre que las medidas regresivas persigan objetivos generales de bienestar y se implementen de manera progresiva y proporcional.

de derecho público del litigio y porque el tema del pleito pone en tela de juicio el vínculo especial entre el Estado y su empleado "(página 9 de las observaciones del Gobierno).

*Dado que se cumple el primer criterio de Vilho Eskelinen, el art. 6 es totalmente aplicable al caso y la demandante se ve amparada por el mismo, ya que ella era una funcionaria que trabajaba en la inspección medioambiental y no estaba bajo un contrato de trabajo de duración determinada, o para una tarea específica, ni estaba en período de prueba o un período de empleo calificado, ni estaba contratada de modo informal por un período corto. Por lo tanto, **el despido violó su derecho a conocer las causas de su despido y hacer que su despido sea evaluado completamente por un organismo independiente, según lo dispuesto en el artículo 6 CEDH***».

6.2.3. *Doctrina del TEDH sobre la protección en materia de despido*

En primer lugar, hay que destacar la doctrina del TEDH en materia de **aplicación del CEDH a Derechos sociales reconocidos en la CSE a países que no la han suscrito, que es la cuestión central en este caso.**

En efecto, el TEDH ya ha establecido que **un derecho social puede derivarse legítimamente de una disposición del CEDH, incluso cuando dicho derecho está previsto en la CSE y la Parte Contratante no está vinculada por la disposición pertinente de la CSE.** Así, por ejemplo, en la STEDH 12 noviembre 2008, Caso Demir y Baykara c. Turquía (GC), (f.153-154), se tutela la negociación colectiva (derecho social no contenido en el CEDH), a través del derecho a la libertad de asociación del art. 11 CEDH.

La tutela de derechos sociales a través del CEDH no es una novedad. Aunque hay que subrayar la postura inicialmente reticente del TEDH[571] a incorporar o tutelar derechos derivados de la CSE, que se muestra en la STEDH 27 octubre 1975, Caso Syndicat National de la Police Belge c. Bélgica y que más modernamente parece estarse superando en áreas de la interdependencia y la indivisibilidad de los derechos (ej. STEDH 2 julio 2002, Caso Wilson, NUJ c. Reino Unido, en un caso de negociación en masa en detrimento del derecho a la negociación colectiva y libertad sindical).

---

[571] VALDÉS DAL-RÉ. "El constitucionalismo laboral europeo y la protección multinivel de los derechos laborales fundamentales: luces y sombras. "Ed. Bomarzo, p. 93 y ss.

Sobre la tendencia progresiva a proteger los derechos sociales a través del CEDH, es importante remarcar el voto particular de Paulo Pinto en la STEDH 22 marzo 2012, Caso Konstantin Markin c. Rusia[572].

Así mismo, en materia de libertad sindical, el TEDH sostiene que dicha libertad tiene un aspecto negativo que excluía los acuerdos de monopolio sindical, y considera, basándose fundamentalmente en **la Carta Social** Europea y en la jurisprudencia de sus órganos de control, así como en otros instrumentos europeos o universales, que existe en la materia un incremento en el grado de consenso internacional (STEDH 30 junio 1993, Caso Sigurdur A. Sigurjónsson c. Islandia, STEDH 11 enero 2006, Caso Sørensen y Rasmussen c. Dinamarca), por lo que acepta la tutela de dicho aspecto negativo de la libertad sindical a través del art. 11 CEDH, relativo al derecho de asociación.

Esta jurisprudencia de **aplicación de CEDH a derechos sociales** no contemplados en el mismo, también es válida en el **caso del derecho de todos los trabajadores a no ser despedidos sin justa causa** y el **derecho a interponer demanda frente al despido ante un organismo imparcial**, como luego tendremos ocasión a desarrollar.

Dando un paso más en el análisis de la doctrina del TEDH, conviene considerar **cuál es el tratamiento que se otorga a los procesos de despido desde la perspectiva del CEDH**. En este punto, el derecho a un tribu-

---

[572] El Tribunal, cada vez más se inclina a acordar una protección convencional de los derechos sociales, a través del artículo 14 del Convenio. Según su reiterada jurisprudencia, el artículo 14 no se limita al disfrute de los derechos establecidos en el Convenio, sino que se extiende a aquellos que "dependen del campo de aplicación" de una disposición convencional y que un Estado ha decidido garantizar, aunque al hacerlo sobrepase las estrictas exigencias del Convenio. Apoyándose en este método, el Tribunal ha censurado la aplicación discriminatoria de derechos sociales dependientes del campo de aplicación de las disposiciones del Convenio. Pero los derechos sociales han surgido igualmente de disposiciones convencionales sin que se haga referencia al trato discriminatorio sufrido por un demandante, tales como el derecho de las personas dependientes de la autoridad del Estado a un tratamiento médico, el derecho de todo ciudadano a un tratamiento médico, el derecho a un entorno saludable, el derecho al alojamiento6, el derecho a una pensión de jubilación, el derecho a la negociación colectiva y el derecho de huelga. El Tribunal añadió el derecho de toda persona a un procedimiento equitativo para la determinación de sus derechos sociales.

nal y, más concretamente, el **derecho al acceso a un tribunal**, así como el **derecho a que los procesos de despido se resuelvan con una especial celeridad,** son los *puntos de encuentro del proceso de despido con el art. 6.1 del CEDH,* que acto seguido pasamos a analizar.

a) El despido y el derecho de acceso a un tribunal

El TEDH ha venido considerando aplicable el artículo 6.1 CEDH, a los litigios que trataban de cuestiones sociales, particularmente en procesos de despido de trabajadores de empresas privada [STEDH 6 mayo 1981, Caso Buchholz c. Alemania (f.46)].

El TEDH en STEDH 19 marzo 2002, Caso Devenney c. Reino Unido, (f.23) recuerda que el artículo 6.1 encarna el **«derecho a un tribunal»,** del cual el **derecho de acceso,** es decir, el derecho a iniciar procedimientos ante un tribunal en materia civil, constituye un aspecto. Sin embargo, **este derecho no es absoluto,** pero puede estar **sujeto a limitaciones**; estos están permitidos por implicación ya que el derecho de acceso por su propia naturaleza requiere la regulación por parte del Estado. A este respecto, los Estados contratantes disfrutan de un **cierto margen de apreciación,** aunque la decisión final sobre el cumplimiento de los requisitos del CEDH recae en el TEDH. Debe comprobarse que las limitaciones aplicadas, no restrinjan ni reduzcan el acceso que le queda al individuo de tal manera, o en tal medida que la esencia misma del derecho se vea afectada.

El amparo por la vía del **art. 6.1 CEDH del derecho de acceso a un tribunal** en los procesos de despido no sólo **se da en litigios** *inter privatos,* sino que también se ha venido aplicando **a los funcionarios públicos y autoridades (jueces y fiscales)** En la STEDH 8 diciembre 1999, Caso Pellegrin c. Francia [GS], párrafos 64 al 71, el Tribunal adoptó un **criterio «funcional».**

Sin embargo, la STEDH 8 agosto 2006, Caso Vilho Eskelinen y otros c. Finlandia [GS], (f.50-52), decidió seguir un enfoque nuevo. En lo sucesivo, el principio es que habrá que **presumir que el artículo 6 es de aplicación a los funcionarios públicos,** y **corresponderá al Estado demandado demostrar,** primeramente, que, según **el derecho interno,** el funcionario **demandante no tiene derecho a acceder a un tribunal,** y, en segundo lugar, **que la exclusión respecto de ese funcionario de los derechos garantizados en el artículo 6 tenga fundamento (F. 62).** Si el demandante tenía acceso a un tribunal en virtud del derecho nacional, se aplica la artículo 6 (también a los oficiales militares en servicio y a sus peticiones ante las jurisdicciones militares; véase, al efecto, STEDH 21 junio 2007, Caso Pridatchenko y otros c. Rusia, f. 47).

Por otro lado, en cuanto a **lo que se considera tribunal** a efectos de colmar el derecho de acceso, un órgano no judicial en derecho interno puede calificarse de **«tribunal», en el sentido material** del término, si ejerce sin ningún género de duda una función jurisdiccional (STEDH 11 diciembre 2012, Caso Oleksandr Volkov c. Ucrania, (f. 88 al 91).

Si se trata exclusión fundada, la exclusión debe apoyarse en **«motivos objetivos ligados al interés del Estado»**, lo que obliga al Estado a demostrar que el objeto del litigio en cuestión se refiere al ejercicio de la autoridad pública o que cuestiona la relación especial que existe entre el funcionario y el Estado. Así, **nada justifica, en principio, que se sustraigan conflictos ordinarios de trabajo** —como los que se refieran a un salario, una indemnización u otros derechos de ese tipo— a **las garantías del artículo 6 en razón del carácter especial de la relación que existe entre el funcionario afectado y el Estado en cuestión.**

Siguiendo la doctrina marcada por Vilho Eskelinen y otros c. Finlandia, el TEDH declaró **aplicable el art. 6.1 CEDH en:**

- Despido abusivo que entabló la secretaria y telefonista de la embajada de Polonia; en la STEDH 23 marzo 2010, Caso Cudak c. Lituania [GS], (F.44-47),

- Despido de un jefe de contabilidad, STEDH 29 junio 2011, Caso Sabeh El Leil c. Francia [GS] (F.39),

- Cese de un jefe de la policía, STEDH 15 julio 2010, Caso Šikić c. Croacia, (F.18-20).

- Cese de un oficial del ejército ante los tribunales militares, STEDH 23 septiembre 2010, Caso Vasilchenko c. Rusia, (F.34-36).

- Despido del fotógrafo de la embajada de Estados Unidos en Viena, STEDH 17 julio 2012, Caso Wallishauser c. Austria.

- Despido de guardias de seguridad y especialistas de protocolo y traducción de la embajada de Estados Unidos en Montenegro, STEDH 25 octubre 2016, Caso Radunović y otros c. Montenegro.

b) La especial celeridad en los procesos sociales y, en particular en los de despido

Los procedimientos en materia de litigios laborales por su propia naturaleza, exigen una decisión rápida (STEDH 24 mayo 1991, Caso Vocaturo c. Italia, f 17). En efecto, los litigios laborales, al referirse a temas de importancia capital para la situación profesional de una persona deben solucionarse con una celeridad muy particular[573].

Como es natural, dicho criterio es particularmente determinante en los supuestos de despido (STEDH 6 mayo 1981, Caso Buchholz c. Alemania f. 52; STEDH 27 junio 2000, Caso Frydlender c. Francia [GS], (f.45), STEDH 28 septiembre 2004, Caso Kovacs c. Hungría f.31)

En este sentido, se ha dicho que no es un plazo razonable en procesos de despido:

- 4 años y 10 meses (STEDH 6 diciembre 2001, Caso Capri c. Italia).

- 6 años medio (STEDH 16 diciembre 2003, Caso Kovacs c. Hungría).

- 7 años y 8 meses (STEDH 23 octubre 2001, Caso Pisano c. Italia).

- 8 años y meses (STEDH 4 abril 2006, Caso Hermansky c. República Checa).

- 9 años (STEDH 26 octubre 1993, Caso Darnell c. Reino Unido).

Etcétera.

6.2.4. La doctrina K.M.C en España: ¿nulidad de los despidos sin causa?

Un trabajo "con derechos", o el estándar del "trabajo decente" de la OIT, sería absolutamente incomprensible sin la protección de las personas trabajadoras frente al despido[574]. Esta protección garantiza la estabilidad del

---

[573] STEDH 18 octubre 2001, Caso Mianowicz c. Alemania (f.55); STEDH 9 abril 2002, Caso Mangualde Pinto c. Francia; STEDH 8 abril 2003, Caso Julien c. Francia (f.31); STEDH 8 abril 2003, Caso Jussy c. Francia (f.23); STEDH 27 mayo 2003, Caso Sanglier c. Francia.

[574] MONEREO PÉREZ, J. L. y MOREREO ATIENZA C. "La garantía multinivel de los derechos fundamentales en el Consejo de Europa". El Convenio Europeo

empleo y, por tanto, una fuente de ingresos estable para satisfacer las necesidades de la persona trabajadora y su familia (art. 35.1 CE), en suma unas condiciones de existencia dignas (art. 7a) ii) PIDESC) y art. 4 y 24 CSE, así como art. 30 CDFUE.

Por esa razón, todos los instrumentos internacionales en que España es parte garantizan la protección frente al despido, consagrando el derecho a no ser despedido sin una justa causa (Convenio nº 158 OIT, PIDESC; CSE, CDFUE).

Por otro lado, la protección frente al despido y el derecho a no ser despedido sin justa causa, garantizan la efectividad del "pack" de derechos laborales derivados del estatuto de trabajador por cuenta ajena, incluidos los de índole colectiva y, a la postre, la propia ciudadanía social

Por ello, en un Estado Social, como España, el régimen jurídico del despido es un problema nuclear de la ciudadanía social (MONEREO PÉREZ, ob.cit.)

Partiendo de ello, la cuestión a plantearse en lo que al caso K.M.C en España puede formularse como sigue:

¿Es respetuoso con el derecho a la tutela judicial efectiva, **interpretada conforme al art. 6.1 CEDH, la admisión del despido sin causa como un despido improcedente en lugar de un despido nulo?**

Para intentar dar respuesta a tal cuestión, haremos primero un análisis sobre el derecho a no ser despedido sin justa causa y la problemática de la improcedencia de los despidos sin causa[575] y, en fin, trataremos de proyectar las consecuencias que la doctrina sentada en K.M.C por el TEDH podrían suponer.

El poder de despedir —conforme a la doctrina del TC[576]— se enmarca dentro de los poderes que el ordenamiento concede al empresario para la gestión de su empresa, por ello, su regulación ha de tener en cuenta las exigencias derivadas del reconocimiento constitucional de la libertad de

---

de los Derechos Humanos y la Carta Social Europea. Ed. Comares. Granada. 2017. pp. 835 y ss

[575] PRECIADO DOMÈNECH, C.H. "Teoría General de los Derechos Fundamentales en el Contrato de Trabajo". Ed. Thomson Reuters. 2018. pp. 549-559.

[576] STC 192/2003, de 27 de octubre. F. 4.

empresa y de la defensa de la productividad, pero, desde el ángulo contrario, resulta claro que no puede deducirse de esa libertad de empresa un principio de *libertad ad nutum* de despido, dada la necesaria concordancia que debe establecerse entre los arts. 35.1 y 38 CE y, sobre todo, el principio de Estado social y democrático de Derecho." Por ello, como limitación a la facultad empresarial de extinción, el TC ha precisado que el derecho al trabajo ex art. 35.1 CE conlleva el derecho "a la continuidad o estabilidad en el empleo, es decir, a no ser despedidos si no existe una justa causa"[577], y que, asimismo, "la inexistencia de una reacción adecuada contra el despido o cese debilitaría peligrosamente la consistencia del derecho al trabajo y vaciaría al Derecho que lo regula de su función tuitiva" (STC 20/1994, de 27 de enero, F. 2).

También el art. 30 CDFUE reconoce a todo trabajador el derecho a "protección en caso de despido injustificado", de conformidad con el Derecho de la Unión y con las legislaciones y prácticas nacionales.

Por tanto, el poder disciplinario encuentra un primer límite en el **derecho fundamental a no ser despedido sin justa causa** (art. 35.1 CE)[578], reconocido en el Convenio nº 158 OIT, art. 24 CSE y en el art. 30 CDFUE, aunque hay que matizar que no es exactamente coincidentes ambos derechos pues una cosa es un derecho a no ser despedido sin justa causa, y otra bien distinta, el derecho a la protección frente al despido injustificado. En este sentido, el art. 24 CSE distingue:

"a) el derecho de todos los trabajadores a no ser despedidos sin que existan razones válidas para ello relacionadas con sus aptitudes o su conducta, o basadas en las necesidades de funcionamiento de la empresa, del establecimiento o del servicio;
b) el derecho de los trabajadores despedidos sin razón válida a una indemnización adecuada o a otra reparación apropiada."

En el art. 4 del Convenio 158[579] y en el art. 24 CSE apuntan las dos grandes causas de despido: la disciplinaria (capacidad o conducta del traba-

---

[577] SSTC 22/1981, de 2 de julio [RTC 1981, 22], FJ 8; 192/2003, de 27 de octubre [RTC 2003, 192], FJ 4.

[578] STC 22/1981, de 2 de julio, F. 8; STC 20/1994, de 27 de enero, F. 2; STC 192/2003, de 27 de octubre, F.4.

[579] Art. 4 Convenio 158 OIT "No se pondrá término a la relación de trabajo de un trabajador a menos que exista para ello una causa justificada relacionada con su ca-

jador) y las causas objetivas (necesidades de funcionamiento de la empresa), que nuestro ordenamiento recoge en los arts. 54 y 52 ET, respectivamente.

En la STC 20/1994, de 27 de enero, se ahonda en el contenido del art. 35.1 CE, considerando que forma parte de los *"aspectos básicos"* de su estructura, "la reacción frente a la decisión unilateral del empresario", la cual incluye, además de las garantías formales y causales del despido, el resarcimiento económico (indemnización).

El **derecho a no ser despedido sin justa causa** se integra así en la **parte esencial del contenido del derecho al trabajo,** e incide en la causa, que se contempla legalmente (art. 54 y art. 52.c) y 51.1 ET); en la forma, pues la decisión al deber ser exteriorizada por escrito, para información y conocimiento del trabajador (art. 53.1 y 55 ET), y para que pueda ejercitar su derecho de defensa; posibilitándose así el control judicial posterior[580].

Por ello, como ha observado el TC (STC 192/2003, F.4; STC 22/1981, F.8); tanto exigencias constitucionales (art. 35.1 CE), como compromisos internacionales (Convenio nº 158 OIT), hacen que rija entre nosotros *"el principio general de la limitación legal del despido, así como su sujeción para su licitud a condiciones de fondo y de forma".*

Sin embargo, como bien sostiene BAYLOS[581], **el derecho a no ser despedido sin justa causa (art. 35 CE) proyecta un límite relativamente débil sobre la libertad de empresa (art. 38 CE);** pues se plasma en la causa, en la forma y en el control judicial, pero **no en la intensidad de la respuesta frente al despido.**

Ello se traduce, primeramente, en que **la indemnización por despido y su extensión es cuestión que se deja en manos del legislador,** quien **pue-**

---

pacidad o su conducta o basada en las necesidades de funcionamiento de la empresa, establecimiento o servicio".

[580] BAYLOS GRAU, A. "El derecho al trabajo como derecho constitucional". Ponencia impartida en el curso del CGPJ. "La protección de derechos fundamentales en el orden social". Ed. CENDOJ. Cuadernos de Derecho Judicial Nº volumen: 21 Año: 2003. p. 9.

[581] BAYLOS GRAU, A. "El derecho al trabajo como derecho constitucional". Ponencia impartida en el curso del CGPJ. "La protección de derechos fundamentales en el orden social". Ed. CENDOJ. Cuadernos de Derecho Judicial Nº volumen: 21 Año: 2003. p. 9.

de —o no— tasar las indemnizaciones (por debajo del daño o perjuicio real causado), en aras de la seguridad jurídica y otros bienes constitucionalmente legítimos, sin que ello suponga vulneración de DF alguno, en comparación —por ejemplo— al principio de reparación íntegra del daño que rige en el Derecho Civil[582].

En efecto, el TC sostiene en su importante **ATC 43/2014, de 12 febrero** que:

> *"el ámbito de las relaciones de trabajo a que se refiere el art. 35 CE constituye una esfera "cuya configuración se defiere al legislador" (STC 20/1994, de 27 de enero [RTC 1994, 20], FJ 2), con la consecuencia de que **dentro de dicha configuración legal queda incluida la determinación de las técnicas y alcance de la reacción frente a la extinción del contrato de trabajo.** Así, en algunos pronunciamientos relativos a la relación laboral se ha afirmado que "corresponde al legislador determinar las justas causas de extinción del contrato, así como fijar sus efectos" [ATC 57/1985, de 24 de enero, FJ 4; y ATC 429/1983, de 28 de septiembre (RTC 1983, 429 AUTO), FJ 2]."*

En este auto, el TC, reconoce la amplitud de las facultades del legislador respecto de los efectos del despido, de forma que el legislador puede determinar la opción del empresario entre readmisión e indemnización en casos de despido improcedente (STC 103/90), ajustándose ello al art. 10 Convenio 158 OIT. Además, en cuanto a los parámetros indemnizatorios, el legislador puede fijar una indemnización con elementos de cálculo tasados para despidos, los factores a considerar y su valor numérico, así como su modificación. En este punto el TC descarta que pueda aplicarse a los despidos la doctrina del TC sobre indemnizaciones por daños derivados de accidentes de circulación de la STC 181/00, pues en el caso de las indemnizaciones por despido existen razones que justifican la indemnización tasada del despido, como son: la eliminación de dificultades de prueba para el trabajador, la unificación de criterios a aplicar por el juez, la simplificación del cálculo judicial y, en fin, la certeza y seguridad jurídica.

En esta línea, el TC considera que no es irrazonable atender a salario y tiempo de servicio como módulos indemnizatorios y, en fin, concluye que no es irrazonable y entra dentro de las facultades del legislador (art. 35.2 CE), la reducción de la indemnización por despido improcedente de 45 días a 33 días por año.

---

[582] ATC 43/2014, de 12 de febrero, F.5 y ATC 293/1983, de 15 de junio, F.8.

Una segunda consecuencia derivada de esta debilidad del límite del despido respecto de la libertad de empresa, viene dada por **el efecto jurídico de los despidos sin causa,** que vienen siendo **considerados como improcedentes** por la doctrina. Se partiría para ello de la licitud de la opción del legislador por la improcedencia, puesto que —como hemos dicho— el derecho a no ser despedido sin justa causa no abarcaría la intensidad de la respuesta frente al despido.

Una vía interpretativa —apuntada también por BAYLOS[583]—, para reconducir los despidos sin causa a la consecuencia de nulidad, sería la de considerar que el despido sin causa vulnera —precisamente— el DF a no ser despedido sin justa causa; y que —añadimos nosotros— es doctrina del TC[584] que la reparación de la lesión de un derecho fundamental que hubiese sido causado por el despido laboral, debe determinar la eliminación absoluta de sus efectos, y ello supone la declaración de nulidad del mismo, cuya consecuencia es la readmisión del trabajador. No sería operativa aquí la distinción entre DDFF de la Sección 1ª del Cap. II del Título I y los de la Sección 2ª (Derecho al trabajo: art. 35.1CE), pues ambos son fundamentales, sin perjuicio de que los de la Sección 1ª gocen de las garantías de LO y recurso de amparo. (vid. art. 53 CE). Por lo demás, ni el art. 55.5 ET, ni el art. 108 LRJS[585] identifican los DDFF con los de la Sección 1ª, por lo que sostener que la vulneración de un derecho fundamental de la Sección 2ª del Cap II del Título I no acarrea nulidad de el acto de vulneración no es aplicar una opción del legislador, sino mantener una interpretación restrictiva de la garantía del derecho fundamental por la vía interpretativa.

---

[583] BAYLOS GRAU, A. "El derecho al trabajo como derecho constitucional". Ponencia impartida en el curso del CGPJ. "La protección de derechos fundamentales en el orden social". Ed. CENDOJ. Cuadernos de Derecho Judicial Nº volumen: 21 Año: 2003. pp. 10-11.

[584] SSTC 38/1981 [RTC 1981\38], 47/1987 [RTC 1987\47], 166/1988 [RTC 1988\166] y 114/1989 [RTC 1989\114], por todas.

[585] El art. 108.2 LRJS y el art. 55.5 ET declaran nulo el despido que tenga como móvil alguna de las causas de discriminación prevista en la Constitución y en la ley, o se produzca con violación de derechos fundamentales y libertades públicas del trabajador.

No obstante, lo cierto es que dicha opción fue descartada en su tiempo por parte de la doctrina laboralista[586], y por la doctrina judicial, por ejemplo, en STSJ Madrid de 13 noviembre 1989 o de 1 de diciembre de 1989, que partían de que *"el derecho al trabajo reconocido en el art. 35 CE no está integrado entre los susceptibles de amparo, no merece la protección intensiva que el art. 53.2 CE establece, sino que sólo requiere ley reguladora de su ejercicio que respete su contenido esencial".*

En segundo término, los despidos en fraude de ley, vienen siendo considerados como improcedentes por la doctrina judicial, a partir de 1993 (STS 2 noviembre 1993. RJ 1993\8346, F.2), pues anteriormente[587] se consideraba nulo el despido fraudulento; entendiendo por tal *"el producido por el ejercicio arbitrario de aparentes facultades empresariales tendentes a conseguir finalidades opuestas a las perseguidas por el ordenamiento jurídico, haciendo víctima al trabajador de un despido por hechos ficticios, irreales, desorbitados o completamente desconectados de la relación laboral"* (STS 26 abril 1990. RJ 1990\3499). Se trataba de supuestos de *"causa inexistente, dolosamente inventada, con el fin torticero de lograr una declaración de improcedencia, que permitiera, mediante compensación económica, la definitiva desvinculación con el trabajador"* (STS 30 noviembre 1991; RJ 1991/8425).

Como decíamos, a partir de 1993 el despido en fraude se considera como improcedente, salvo que la norma defraudada sea una norma que impone la nulidad del despido, como las normas de DF.

Así, en la más reciente STS 5 mayo 2015, RCUD 2659/2013, se recoge la doctrina del Alto Tribunal al respecto, haciendo una interpretación restrictiva de las causas de nulidad, que concluye que no cabe la nulidad por el despido en fraude de le, salvo cuando la causa real (encubierta) se encuentra entre las tipificadas como determinantes de la nulidad del despido. En esta línea interpretativa, el despido por enfermedad simulando otra causa

---

[586] PEDRAJAS MORENO, A. "Despido y derechos fundamentales. Estudio especial de la presunción de inocencia". Ed. Trotta 1992. pp. 140-141.

[587] Vid. entre otras: SSTS 14 octubre 1985 (RJ 1985\714 y RJ 1985\4715) y que se reitera en otras posteriores, como las de 9 de mayo, 2 de junio y 8 de julio de 1986 (RJ 1986\2513, RJ 1986\3434 y RJ 1986\3983), 28 de octubre de 1987 (RJ 1987\7217), 14 de marzo y 23 de noviembre de1988 (RJ 1988\1920 y RJ 1988\8869), 20 de febrero y 21 de marzo de 1989 (RJ 1989\901 y RJ 1989\1901)..

(ej. bajo rendimiento) se viene considerando improcedente, salvo cuando no existe una discriminación por razón de la misma enfermedad o por motivo de discapacidad[588].

Entendemos que hoy existen —sin embargo— motivos que pueden aconsejar revisar esta doctrina. El primero, es que la reforma operada por la Ley 11/1994, de 19 de mayo se modifica el ET y la LPL, y desaparece la posibilidad de declaración de nulidad por requisitos formales del despido disciplinario; mientras que en los objetivos será el Ap. 4 del art. 53 modificado por art. 2.5 de Real Decreto-ley núm. 10/2010, de 16 de junio, el que suprima el conocido como "despido objetivo nulo por defecto de forma", que era aquél en que se incumplían los requisitos previstos en el apartado 1 del art. 53. Por lo que en la actualidad el despido sin causa o en fraude viene a menudo acompañado de una completa ausencia de expresión de la causa del despido o con una expresión formularía. A ello hay que unir la reducción de las indemnizaciones por despido improcedente por la Ley 3/12, de 6 de julio[589], de 45 días/año con un máximo de 42 mensualidades a 33 días/año, con un máximo de 24 mensualidades, aproximándolas a la indemnización por despido procedente objetivo (20 días/año: art. 53.1b) ET) o por extinción del contrato temporal (12 días/año: art. 49.1c) ET). Ello ha abocado en la práctica a un despido libre indemnizado, en el que la causa es lo de menos.

---

[588] STS 366/2016 de 3 mayo. RJ 2016\2152; STS 29 enero 2001 (RJ 2010, 2069); etc.

[589] La justificación del legislador en la E.M es la que sigue: "La tradicional indemnización por despido improcedente, de 45 días de salario por año de servicio con un máximo de 42 mensualidades, constituye un elemento que acentúa demasiado la brecha existente entre el coste de la extinción del contrato temporal y el indefinido, además de ser un elemento distorsionador para la competitividad de las empresas, especialmente para la más pequeñas, en un momento —como el actual— de dificultad de acceso a fuentes de financiación.

Por ello, esta Ley generaliza para todos los despidos improcedentes la indemnización de 33 días, con un tope de 24 mensualidades, que se ha venido previendo para los despidos objetivos improcedentes de trabajadores con contrato de fomento de la contratación indefinida. Con esta generalización se suprime esta modalidad contractual, que se había desnaturalizado enormemente tras la última ampliación de los colectivos con los que se podía celebrar dicho contrato.

Ante esta menor protección frente al despido, puede afirmarse que un despido sin forma constituye, sin lugar a dudas, un indicio sólido de despido sin causa o completamente arbitrario *ad nutum*, lo que supondría la vulneración del derecho fundamental a no ser despedido sin justa causa. Por lo que debería determinar la nulidad, salvo prueba en contrario por parte del empresario. Téngase en cuenta que el derecho a no ser despedido sin justa causa no puede equipararse al derecho a la protección frente al despido injustificado. El primero prohíbe el despido injusto, el segundo lo indemniza o repara. Por lo que instaurar un sistema en que cualquiera o ninguna causa baste para despedir, a cambio de una suma de dinero, no es más que un sistema de libre desistimiento indemnizado, contrario al contenido esencial del derecho a no ser despedido sin justa causa.

Una segunda vía para aducir la nulidad del despido sin causa es el art. 6.3 CC, puesto que es contrario a una norma de derecho fundamental prohibitiva, ya que el art. 35.1 CE prohíbe el despido sin justa causa, sin que pueda considerarse que las causas de nulidad están tasadas en el art. 108 y en el art. 53.3 o 55.5 ET, puesto que, si bien es cierto que tal es la doctrina del TS, no es menos cierto que el TC ha considerado que el Título Preliminar CC es de aplicación a todo el ordenamiento[590], incluidos los DDFF, también el del art. 35.1 CE— y que por tanto, los actos contrarios a las normas de DF —que son normas imperativas, de *ius cogens*—, deben tener como consecuencia la nulidad (art. 6.3 CE), salvo que la norma específica (ET o LRJS) establezca un efecto distinto para el caso de contravención, que no es el caso. En el mismo camino apunta la doctrina del TS, que no ha dudado de la aplicación de las disposiciones del Título Preliminar del CC al ámbito de las relaciones laborales, dada la "vocación de generalidad de aquellas"[591]. Por tanto, el art. 108 LRJS contiene unas causas de nulidad, pero no excluye —porque no podría— de la nulidad del despido los supuestos en que éste infrinja normas imperativas o prohibitivas con rango *ius fundamental* (art. 35.1 CE).

---

[590] SSTC 120/1983, de 15 de diciembre 41/1984, de 21 de marzo 88/1985, de 19 de julio, ATC 171/1985, de 6 de marzo. Por ejemplo, en la STC 37/1987 de 27 de marzo, el TC sostiene, respecto del fraude de ley (art. 6.4 CC), que: *"el citado precepto, como la mayor parte de los que integran el título preliminar, es aplicable a todo el ordenamiento, y sólo por tradición histórica, sin duda, respetable, conserva en el CC su encaje normativo"*.

[591] STS 29 enero 1987. RJ 1987\179, entre otras muchas.

En tercer lugar, conviene no olvidar —como ya hemos apuntado— que el art. 30 CDFUE, establece el derecho a la protección en caso de despido injustificado, que en materia de despidos colectivos se desarrolla por la Directiva 98/59 y que en nuestra doctrina interna comporta la nulidad del despido colectivo en fraude de ley STS 18 febrero 2014. RJ 2014\3266), en contraste con lo que ocurre con los despidos individuales. Es cierto que los planos son distintos —colectivo *vs.* individual—, pero no es menos cierto que llama la atención que en una garantía *ex post,* como la del art. 30 CDFUE se admita la nulidad del despido en fraude en los despidos colectivos por nuestro TS mientras que en una garantía *ex ante* como la del art. 35.1 CE no se considere admisible la nulidad por fraude en los individuales.

En cambio, el art. 35 CE, en consonancia con el art. 4 Convenio 158 OIT y el art. 24 CSE, establece *algo más,* que el derecho a la protección en caso de despido injustificado; establece el derecho a no ser despedido sin justa causa; lo que supone, claramente, una avance de la barrera protectora al momento anterior del despido. Así, mientras el art. 30 CDFUE establece una tutela *ex post* (protección *ante el despido* injustificado), el art. 35 CE diseña una protección *ex ante*: derecho a *no ser despedido* sin justa causa.

Esta distinción, a la vista de los cambios normativos antes expuestos, debería llamar a la reflexión sobre la oportunidad de recuperar la doctrina de la nulidad de los despidos sin causa y de los despidos en fraude de ley, como vía judicial de aseguramiento de la garantía del contenido esencial del derecho a *no ser despedido* sin justa causa. En efecto, no se explica la aceptación de la nulidad en el despido colectivo en fraude de ley, mientras se continúa negando tal posibilidad en el despido individual, cuando el primero se desarrolla en el marco del derecho a una protección en caso de despido injustificado (art. 30 CDFUE) y el segundo en el marco del derecho a no ser despedido sin justa causa (art. 35 CE).

En definitiva, retomando la doctrina del TS, entre otras, STS 12 julio 1986, RJ 4032 y adaptándola a la nueva realidad normativa y social vigente, no sería en absoluto descabellado considerar nulo el despido *"por unos hechos ficticios, desorbitados, irreales o completamente desconectados en la relación laboral entre las partes";* pues con el mismo, a la postre, se está desactivando la garantía del derecho a no ser despedido sin justa causa; ya que se permite poder despedir sin causa o *ad nutum*, abonando una indemnización muy próxima a un despido procedente o a la extinción de un contrato temporal. Recordemos que el derecho a no ser despedido sin justa causa integra el contenido esencial del derecho al trabajo y, por tanto, no puede ser objeto de restricción; debiendo la labor de todo aplicador jurídico propugnar una interpretación conforme de la norma con ese contenido esencial, que queda fuera del ámbito de disposición del legislador.

En este sentido, el derecho a no ser despedido sin justa causa no puede entenderse respetado con un sistema de despido *ad nutum* indemnizado, pues éste último podría dar satisfacción al derecho a una protección frente al despido injustificado (art. 30 CDFUE), pero no al derecho a no ser despedido sin justa causa.

En este mismo orden de consideraciones, la experiencia del denominado "despido exprés" introducido por la Ley 45/2002, de 12 de diciembre ha sido una muestra clara y un campo de pruebas inagotable del funcionamiento del despido sin causa o en fraude de ley durante una década. Bastaba argüir una causa, cualquiera, para después reconocer la improcedencia y abonar la indemnización, sorteando así las garantías del proceso judicial y articulando causas económicas o de mera conveniencia empresarial por la vía disciplinaria.

Tanto es así, que el propio legislador de 2012, en la Exposición de motivos de la Ley 3/2012, reconoció que:

"El «despido exprés» crea inseguridad a los trabajadores, puesto que las decisiones empresariales se adoptan probablemente muchas veces sobre la base de un mero cálculo económico basado en la antigüedad del trabajador y, por tanto, en el coste del despido, con independencia de otros aspectos relativos a la disciplina, la productividad o la necesidad de los servicios prestados por el trabajador, limitando, además, sus posibilidades de impugnación judicial, salvo que concurran conductas discriminatorias o contrarias a los derechos fundamentales. Asimismo, desde el punto de vista empresarial, el éxito del «despido exprés» también ha puesto en evidencia las disfuncionalidades del régimen jurídico del despido. No constituye un comportamiento económicamente racional –el que cabría esperar del titular de una actividad empresarial– despedir prescindiendo muchas veces de criterios relativos a la productividad del trabajador y, en todo caso, decantándose por un despido improcedente y, por tanto, más caro que un despido procedente por causas económicas, técnicas, organizativas o de producción, cuya justificación debería ser más habitual en tiempos, como los actuales, de crisis económica. La razón de ello se residencia en los costes adicionales que acarrean los salarios de tramitación y en la dificultad, que se ha venido denunciando, respecto a la posibilidad de acometer extinciones econó-

micas con costes, en términos monetarios y de tiempo, más razonables". (Punto V de la Exposición de motivos).

El legislador nos proporciona un interesante enfoque *iusfundamental* del despido sin causa o en fraude de ley, señalando como derechos afectados:

- La libertad de empresa: pues va en contra de la productividad, al fomentar la arbitrariedad empresarial. Se trataría de un supuesto de arbitrariedad sin discriminación[592].

- El derecho a la tutela judicial efectiva: pues limita las posibilidades del trabajador, sobre quien sitúa el "coste" del proceso al suprimir los salarios de trámite. (vid. Auto núm. 206/2012 de 30 octubre). Así se expresa con total claridad en el voto particular de VALDÉS DAL-RÉ, al ATC 43/2014, de 12 de febrero[593].

- El derecho a no ser despedido sin justa causa: pues ciertamente en el "despido exprés", la causa es lo de menos; desnaturalizándose de

---

[592] Conforme a reiterada jurisprudencia constitucional, el control del TC sobre la interdicción de arbitrariedad "ha de centrarse en verificar si tal precepto establece una discriminación, pues la discriminación entraña siempre una arbitrariedad, o bien si, aun no estableciéndola, carece de toda explicación racional, lo que también evidentemente supondría una arbitrariedad, sin que sea pertinente realizar un análisis a fondo de todas las motivaciones posibles de la norma y de todas sus eventuales consecuencias" [por todas, STC 19/2012, de 15 de febrero (RTC 2012, 19)], FJ 10; o STC 20/2013, de 31 de enero [(RTC 2013, 20), FJ 10].

[593] VP al ATC 43/2014: "*La reforma de los salarios de tramitación llevada ahora a cabo por el RD-Ley 3/2012 trunca esta igualdad procesal, menoscabando de manera sustancial su posición jurídica. O en otras palabras, esta norma de urgencia ha afectado un elemento esencial y estructural del derecho a la tutela judicial efectiva, tal y como, por otra parte, ha sido reconocido por la jurisprudencia constitucional al hacer notar que dicha figura tiene por objeto "proteger al trabajador en su cualidad de parte más débil, agravada por la falta de empleo y salario, que lo hace más vulnerable a actuaciones abusivas o de mala fe que pudieran venir de la parte procesal contraria" [SSTC 234/1992, de 14-2 (RTC 1992, 234), FJ. 2º; también y entre otras, sentencias TC 104/1994, de 11-4 (RTC 1994, 104); 191/2000, de 13-6 (RTC 2000, 191) y 266/2000, de 13-11 (RTC 2000, 266)]. Aun cuando la tesis haya sido dictada en relación con los salarios de tramitación percibidos durante la tramitación del recurso, la misma también resulta de plena aplicación, por concurrir un principio de identidad de razón, a los salarios de tramitación del proceso de instancia»*

esta forma este derecho hasta vulnerar lo más íntimo de su contenido esencial.

Por todas estas razones, como conclusión, **la doctrina sobre la nulidad de los despidos en fraude de ley y de los despidos sin causa debería ser retomada y adaptada a la nueva realidad de los despidos individuales** tras la reforma operada por la Ley 3/2012.

Como reflexión final, la **proyección de la doctrina K.M.C sobre el despido sin causa** y sus consecuencias en nuestro ordenamiento supone la apertura de nuevas vías para poder **defender la nulidad de los despidos sin causa.**

El despido sin causa, como el que sufre la funcionaria K.M.C merced a una ley que en ese momento permitía el cese o despido de los funcionarios/as sin necesidad de justificar la causa, se considera por el TEDH como contrario al derecho al acceso al proceso.

En nuestro **ordenamiento interno**, el **derecho de acceso al proceso** se encuentra enclavado en el seno del **derecho a la tutela judicial efectiva** (art. 24.1 CE), como ha sostenido con reiteración el TC (STC 54/1997, de 17 de mazo (f.2) STC 217/1994, de 18 de junio). No por más obvio es menos relevante, que el **derecho a la tutela judicial efectiva ha de interpretarse —como exige el art. 10.2 CE— conforme al CEDH** y a los demás Tratados y convenios suscritos por España en materia de derechos fundamentales y libertades públicas.

Partiendo de ello, recuerda el TEDH que el CEDH está diseñado para "no para garantizar derechos teóricos o ilusorios, sino derechos reales y efectivos" y que el **establecimiento en el derecho interno del derecho a presentar una demanda laboral no garantiza por sí mismo la efectividad del derecho de acceso** a un tribunal, **si esa posibilidad carece de sustancia y, por lo tanto, de cualquier posibilidad de éxito** [vid, mutatis mutandis, STEDH 24 noviembre 1993, Caso Imbrioscia c. Suiza, (f.38)]. En el despido sin causa, en que el empresario no está obligado a proporcionar las razones del despido con carácter previo al trabajador en K.M.C (f.34), el TEDH considera que se priva al derecho al acceso al tribunal de toda sustancia, por desconocer el trabajador la posición del empleador.

Pues bien, desde la ya temprana STC 20/1981, de 8 de junio, el TC ha reiterado que el derecho a la tutela judicial efectiva que se reconoce en el art. 24.1 CE comprende, primordialmente, **el derecho de acceso a la jurisdicción,** es decir, a **provocar la actividad jurisdiccional que desemboque en una decisión judicial,** por lo que el derecho a obtener de los Jueces y Tribunales una resolución razonada y fundada **en Derecho sobre el fondo de las pretensiones,** oportunamente deducidas por las partes en el proceso, se erige en un elemento esencial del contenido del derecho a la tutela judicial efectiva que, no obstante, se satisface también cuando se obtiene una resolución de inadmisión si concurre causa legal para ello y así se aprecia razonadamente por el órgano judicial[594].

En nuestro ordenamiento **la efectividad del derecho de acceso se garantiza con el derecho a una resolución fundada sobre el fondo de las pretensiones.** Es ahí donde incide la doctrina K.M.C, pues el despido sin causa impide un pronunciamiento sobre el fondo ya que el trabajador/a ignora cuál es la posición del empleador.

En nuestro ordenamiento, al igual que en K.M.C, el trabajador/a, en principio, tiene derecho a impugnar el despido sin causa ante un tribunal. Sin embargo, en nuestro ordenamiento, como en K.M.C, el marco legal aplicable conduce a privar al derecho de acción discutido de toda contenido sustancial.

En efecto, en nuestro ordenamiento —en principio— el despido debe notificarse por escrito a la persona trabajadora, haciendo figurar los hechos que lo motivan y la fecha de efectos (art. 55.1 ET). El incumplimiento del requisito de notificación escrita supone —conforme K.M.C— una vulneración del derecho al acceso al un tribunal (art. 6.1 CEDH).

Sin embargo, en nuestro ordenamiento, conforme al art. 53.4 ET, "El despido será improcedente cuando no se acredite el incumplimiento alegado por el empresario o cuando en su forma no se ajuste a lo dispuesto en el art. 55.1 ET.

Anteriormente, el despido con incumplimiento del deber de comunicar la causa del despido al trabajador fue en España un despido nulo hasta 18

---

[594] SSTC 69/1984, de 11 de junio; 6/1986, de 21 de enero; 100/1986, de 31 de enero; 55/1987, de 13 de mayo; 57/1988, de 5 de abril; 124/1988, de 23 de junio; 42/1992, de 30 de marzo; 37/1995, de 7 de febrero; 63/1999, de 26 de abril, y 108/2000, de 5 de mayo, entre otras muchas.

de septiembre de 2010, en que el RD-Ley 10/2010, de 16 de junio introdujo la improcedencia de los despidos sin causa, al modificar el redactado del art. 55.4 ET[595].

Ahora bien, el art. 55.5 ET dispone que será nulo el despido que (…) se produzca con violación de los derechos fundamentales y libertades públicas del trabajador.

Ello nos lleva a efectuar la siguiente reflexión: **si el despido sin causa vulnera la tutela judicial efectiva, interpretada conforme al estándar del TEDH en K.M.C en los casos de despido, ¿no debería ser entonces la nulidad y no la improcedencia su consecuencia?**

Como ya hemos apuntado, es sabido que el legislador goza de un amplio margen para regular las consecuencias del despido (improcedencia vs. nulidad; parámetros indemnizatorios, indemnización tasada… etc.).. Sin embargo, dicho margen se estrecha cuando ese despido se realiza con vulneración de un derecho fundamental, pues entonces no hay otra consecuencia "legislable" que la nulidad. En efecto, el TC en materia de despidos ha sostenido que la reparación de la lesión de un derecho fundamental que hubiese sido causado por el despido laboral, debe determinar la eliminación absoluta de sus efectos, y ello supone la declaración de nulidad del mismo, cuya consecuencia es la readmisión del trabajador (SSTC 83/1981, 74/1987, 166/1988 y 114/89, entre otras).

La nulidad como efecto legislativamente indisponible de la vulneración de un derecho fundamental por el despido consta en el art. 53,4 y 55.5 ET, arts,108.2 y art. 113 LRJS y art. 124.11 pfo. 3 LRJS respecto de los despidos colectivos.

---

[595] Antes de la reforma del RD-Ley 10/2010: art. 53.4 ET "4. Cuando el empresario no cumpliese los requisitos establecidos en el apartado 1 de este artículo o la decisión extintiva del empresario tuviera como móvil algunas de las causas de discriminación prohibidas en la Constitución o en la Ley o bien se hubiera producido con violación de derechos fundamentales y libertades públicas del trabajador, la decisión extintiva será nula, debiendo la autoridad judicial hacer tal declaración de oficio.

Después de la reforma del RD-Ley 10/2010: art. 53.4 ET "La decisión extintiva se considerará improcedente cuando no se acredite la concurrencia de la causa en que se fundamentó la decisión extintiva o cuando no se hubieren cumplido los requisitos establecidos en el apartado 1 de este artículo."

Volviendo a la pregunta que dio inicio a estas reflexiones: ¿Es respetuoso con el derecho a la tutela judicial efectiva, interpretada conforme al art. 6.1 CEDH, la admisión del despido sin causa como un despido improcedente en lugar de un despido nulo?

La respuesta ha de ser negativa, pues si el estándar K.M.C determina que un despido sin causa es un despido que vulnera la tutela judicial efectiva en su aspecto de derecho de acceso al proceso y a obtener una resolución sobre el fondo, y que deja a la acción privada de su sustancia, el despido sin causa no es un mero despido con defectos de forma, sino un despido con vulneración de derecho fundamental cuya consecuencia ha de ser forzosamente la nulidad, y no la improcedencia.

6.2.5. *Índice de casos*

STEDH 21 febrero 1975, Caso Golder c. Reino Unido
STEDH 27 octubre 1975, Caso Syndicat National de la Police Belge c. Bélgica
STEDH 28 junio 1978, Caso König v. Alemania
STEDH 6 mayo 1981, Caso Buchholz c. Alemania
STEDH 23 junio 1981, Caso Le Compte, Van Leuven y De Meyere c. Bélgica
STEDH 28 junio 1990, Caso Obermeier c. Austria
STEDH 24 mayo 1991, Caso Vocaturo c. Italia
STEDH 30 junio 1993, Caso Sigurdur A. Sigurjónsson c. Islandia
STEDH 26 octubre 1993, Caso Darnell c. Reino Unido
STEDH 24 noviembre 1993, Caso Imbrioscia c. Suiza
STEDH 28 octubre 1998, Caso Osman c. Reino Unido
STEDH 8 diciembre 1999, Caso Pellegrin c. Francia
STEDH 18 octubre 2001, Caso Mianowicz c. Alemania
STEDH 23 octubre 2001, Caso Pisano c. Italia
STEDH 6 diciembre 2001, Caso Capri c. Italia
STEDH 19 marzo 2002, Caso Devenney c. Reino Unido
STEDH 9 abril 2002, Caso Mangualde Pinto c. Francia
STEDH 8 abril 2003, Caso Jussy c. Francia
STEDH 27 mayo 2003, Caso Sanglier c.Francia
STEDH 16 diciembre 2003, Caso Kovacs c. Hungría
STEDH 28 septiembre 2004, Caso Kovacs c. Hungría
STEDH 11 enero 2006, Caso Sørensen y Rasmussen c. Dinamarca
STEDH 30 marzo 2006, Caso Golenja c. Eslovenia
STEDH 4 abril 2006, Caso Hermansky c. República Checa
STEDH 8 agosto 2006, Caso Vilho Eskelinen y otros c. Finlandia
STEDH 19 abril 2007, Caso Vilho Eskelinen y otros c. Finlandia
STEDH 21 junio 2007, Caso Pridatchenko y otros c. Rusia
STEDH 6 diciembre 2007, Caso Josephides c. Chipre
STEDH 12 noviembre 2008, Caso Demir y Baykara c. Turquía

STEDH 5 enero 2010, Caso Penttinen c. Finlandia
STEDH 18 febrero 2010, Caso Lesjak v. Croacia
STEDH 23 marzo 2010, Caso Cudak c. Lituania
STEDH 15 julio 2010, Caso Šikić c. Croacia
STEDH 23 septiembre 2010, Caso Vasilchenko c. Rusia
STEDH 21 octubre 2010, Caso Heinisch c. Alemania
STEDH 7 diciembre 2010, Caso Mishgjoni c. Albania
STEDH 13 enero 2011, Caso Kübler c. Alemania
STEDH 29 junio 2011, Caso Sabeh El Leil c. Francia
STEDH 19 julio 2011, Caso Majski c. Croacia
STEDH 28 septiembre 2011, Caso A. Menarini Diagnostics SRL c. Italia
STEDH 22 marzo 2012, Caso Konstantin Markin c. Rusia
STEDH 17 julio 2012, Caso Wallishauser c. Austria
STEDH 27 septiembre 2011, Caso Hrdalo c. Croacia
STEDH 11 diciembre 2012, Caso Oleksandr Volkov c. Ucrania
STEDH 25 octubre 2016, Caso Radunović y otros c. Montenegro

6.3.6. Bibliografía

GARCÍA ROCA, J., SANTOLAYA, P. (Coord.) "La Europa de los Derechos. El Convenio Europeo de Derechos Humanos Ed. CEC. 2ª Edición. 2009.

LASAGABASTER HERRARTE, I. "Convenio Europeo de Derechos Humanos. Comentario Sistemático. 2ª edición. Ed. Civitas Thomson-Reuters 2009.

MONEREO ATIENZA, C.; MONEREO PÉREZ, J. L. "La Garantía Multinivel de los Derechos Fundamentales en el Consejo de Europa". Ed. Comares. 2017.

PÉREZ TREMPS, P.; SAIZ ARNAIZ, A., "Comentario a la Constitución Española. 40 aniversario 1979-2018. Libro homenaje a Luis López Guerra. Ed. Tirant Lo Blanch

PINTO DE ALBUQUERQUE, P. "I Diritti umani in una prospettiva europea. Opinini concrrenti e dissenzienti (2011-2015)". A cura e con un saggio di Davide Galliani prefaziine di Paola Bilancia. Ed. B. Giappichelli Editori- 2016.

PRECIADO DOMÈNECH, C.H. "Teoría General de los Derechos Fundamentales en el contrato de Trabajo". Ed. Thomson Reuters-Aranzadi. 2018.

QUERALT JIMÉNEZ, A. "La interpretación de los derechos: del Tribunal de Estrasburgo al Tribunal Constitucional". Ed. CEC. 2008.

RIPOL CARULLA, S., VELÁZQUEZ GARDETA, J. M. y AAVV "España en Estrasburgo. Tres Décadas bajo la Jurisdicción del Tribunal Europeo de Derechos Humanos. Ed… Aranzadi. Primera edición. 2010.

SARMIENTO,D.; MIERES MIRES, L. J.; PRESNO LINERA, M. "Las sentencias básicas del Tribunal Europeo de Derechos Humanos. Ed. Thomson Cititas. 2007.

VALDÉS DAL-RÉ. "El constitucionalismo laboral europeo y la protección multinivel de los derechos laborales fundamentales: luces y sombras. "Ed. Bomarzo, p. 93 y ss.

6.3. CASO SVETINA C. ESLOVENIA
(STEDH 22 mayo 2018): condena basada en el "descubrimiento inevitable", excepción a la doctrina de los frutos del árbol prohibido

6.3.1. Resumen del caso

a) Resumen de los hechos

El recurrente, Sr. Svetina, nacido en 1982 y residente en Koper, denuncia que las autoridades policiales eslovenas, en el curso de una investigación por asesinato, accedieron a los datos de su teléfono móvil y a los datos del móvil de la víctima sin contar con autorización judicial y que la prueba así obtenida fue utilizada posteriormente para condenarle por asesinato.

El Sr. Svetina fue condenado por asesinato agravado en septiembre de 2009.

Recurrió la sentencia ante el Tribunal de Apelación, el Tribunal Supremo y el Tribunal Constitucional, argumentando, concretamente, que la policía había accedido ilícitamente a los datos desde su teléfono móvil y a los del teléfono de la víctima, y que el examen de dichos dispositivos no fue autorizado judicialmente.

El Tribunal Supremo Esloveno desestimó el recurso del Sr. Svetina. En primer lugar, en lo que se refiere al examen del móvil de la víctima, el Tribunal Supremo señala que el Sr. Svetina no alegó que con dicho examen se hubiera vulnerado su derecho a la privacidad. Sin descartar que el examen del móvil de una persona fallecida pueda afectar a las esferas más íntimas de su dignidad, estimó que en este caso no se afectó el derecho a la privacidad de la víctima, puesto que el mismo se extinguió con su muerte, y el móvil se examinó después. Según el Tribunal Supremo, con el examen del móvil de la víctima tampoco se vieron afectados los derechos de privacidad del Sr. Svetina, toda vez que dicho examen no reveló su identidad.

En segundo lugar, en lo que atañe al examen del móvil del Sr. Svetina, el Tribunal Supremo aceptó que la policía había examinado el mismo sin autorización judicial previa, pero consideró los datos fácticos obtenidos por ese medio, habrían sido descubiertos de otra manera y, por lo tanto, no procedía inadmitirlos y excluirlos del marco probatorio.

En efecto, desde la perspectiva de el Tribunal Supremo, la información sobre si un mensaje de texto con contenido sexual se envió desde el móvil del Sr. Svetina es algo que *se hubiera descubierto de forma inevitable*:

- por medio de una simple llamada al número del que procedía el mensaje;

- comprobando la tarjeta SIM del teléfono del Sr. Svetina (para lo que al parecer de el Tribunal Supremo, no se precisaba autorización judicial);

- en base a una orden judicial, que de hecho se emitió más tarde.

Por lo demás, el Tribunal Supremo, añade que si bien los datos ilícitamente obtenidos pudieron jugar un papel en los momentos embrionarios de la investigación, auxiliando a la detención del Sr. Svetina, lo cierto es que no fueron utilizados como prueba en el juicio. Por lo demás, la condena del Sr. Svetina se basó en otras pruebas que no guardaban conexión de antijuridicidad con la prueba ilícita derivada del registro de su móvil, como fueron:

1) el reconocimiento del atropello de la víctima por el Sr. Svetina;

2) los resultados de la reconstrucción y su contraste con la versión del acusado;

3) restos biológicos hallados en el coche del Sr. Svetina y en la víctima; y

4) varios testigos.

Ante el TEDH el Sr. Svetina sostiene que el uso en su contra de los datos obtenidos del examen de su móvil y del de la víctima en el procedimiento penal seguido contra él supone una violación de su derecho a un proceso justo reconocido en el art. 6.1 CEDH.

b) Resumen de la opinión mayoritaria

El TEDH parte del principio de que el art. 6.1 garantiza el derecho a un juicio justo, pero no establece normas sobre la admisión de las pruebas, cuestión ésta que atañe al derecho nacional. Por tanto, el TEDH no asume la función de determinar si las pruebas obtenidas ilícitamente en términos de derecho interno, son o no admisibles o si el demandante es o no culpable. El TEDH, en estos casos, efectúa un control de conjunto, o global, de forma que analiza si el proceso en su conjunto, incluida la forma en que se obtuvieron las pruebas, fue justo.

Partiendo de ello, en cuanto al examen del móvil de la víctima, teniendo en cuenta la interpretación de los tribunales nacionales del derecho interno y su evaluación de los argumentos de las partes, que no fue arbitraria ni irrazonable, el TEDH no está en condiciones de concluir que el examen del teléfono móvil de la víctima fuera ilícito desde la óptica del derecho interno.

En relación al móvil del demandante, se parte de que su registro se llevo a cabo con violación del derecho a la privacidad. Sin embargo, desde el análisis global de la justicia del proceso que se efectúa conforme al estándar del art. 6.1 CEDH y el TEDH (f.49), concluye que:

> «el demandante pudo recurrir la ilicitud del examen de su teléfono móvil y la admisibilidad de pruebas relacionadas en el proceso contradictorio ante el tribunal de primera instancia y en sus motivos de apelación. Sus argumentos fueron abordados por los tribunales nacionales y desestimados en decisiones bien razonadas. El demandante no presentó objeciones al procedimiento por el cual los tribunales resolvieron sobre la admisibilidad de las pruebas (…). De hecho, el quid de su denuncia radica en su desacuerdo con la valoración jurídica de los tribunales nacionales sobre la admisibilidad de las pruebas (véase el párrafo 40 supra), que parte esencialmente de la opinión de que, las pruebas derivadas de un examen o registro ilícito, hubieran sido inevitablemente descubiertas incluso en ausencia de dicho examen, por lo que podían incorporarse al proceso (ver párrafo 29 anterior). Sin embargo, este gravamen se refiere a una cuestión de interpretación del derecho interno, que es fundamentalmente un asunto que debe ser resuelto por los tribunales nacionales. En consecuencia, el TEDH no hace ninguna consideración de la adecuación de la "doctrina del descubrimiento inevitable" a las exigencias del CEDH».

6.3.2. *Extractos del voto particular de Paulo Pinto*

«*Introducción*

1. Estoy de acuerdo con la mayoría en que no ha habido violación del Artículo 6 del CEDH ("el Convenio"), fundamentalmente porque el demandante fue condenado por pruebas que "no estaban relacionadas con los datos obtenidos ilícitamente"[596]. Sin embargo, formulo voto particular para hacer constar mi desacuerdo con la doctrina del "descubrimiento inevitable" invocada por los tribunales nacionales.

---

[596] Apartado 50 de la sentencia.

2. El Tribunal Supremo esloveno reconoció la ilicitud del examen del teléfono móvil del demandante, sin embargo, sostuvo que las pruebas derivadas del mismo podían usarse en el juicio porque "la información ... inevitablemente se habría descubierto"[597]. La mayoría optó por no abordar la compatibilidad de esta doctrina con el CEDH[598]. Creo que el TEDH ("el Tribunal") debería haber aprovechado esta oportunidad para dejar sentado que la doctrina del "descubrimiento inevitable" es incompatible con el CEDH y la jurisprudencia del TEDH. Como cuestión de principio, una condena no debe basarse en pruebas obtenidas por medios ilícitos, especialmente medios que violen un derecho del CEDH como en el presente caso. Ni la prueba directa ilícita ni la prueba derivada contaminada[599] pueden salvarse simplemente asumiendo que inevitablemente se habría descubierto.

3. En STEDH 1 junio 2010, Caso Gäfgen c. Alemania, el Tribunal estableció las únicas excepciones a la regla de exclusión que son aceptables en virtud de la Convención[600]. Por un lado, el Tribunal admitió pruebas que habían sido "obtenidas independientemente" de las pruebas obtenidas ilícitamente. Por otro lado, el TEDH afirmó que se podían admitir pruebas cuando "haya una ruptura en la relación de causalidad existente entre las fuentes de prueba prohibidas y la condena del demandante"[601]. Estas situaciones corresponden a lo que en la doctrina estadounidense se conoce como "fuente independiente[602]" y "vicio subsanado"[603]. Creo que esta doctrina del TEDH debería mantenerse y no deberían agregarse nuevas excepciones a la regla de exclusión probatoria.

Los orígenes de la doctrina del "descubrimiento inevitable"

---

[597] Apartado 29 de la sentencia

[598] Apartado 49 de la sentencia.

[599] Para los propósitos de esta opinión, la evidencia primaria es evidencia descubierta en el curso de la investigación ilegal del Estado, y la evidencia secundaria (o derivada) es aquella obtenida de evidencia primaria obtenida ilegalmente.

[600] *Gäfgen v. Alemania* [GC], no. 22978/05, § 179, CEDH 2010.

[601] Ibíd., § 180.

[602] *Segura v. Estados Unidos*, 468 US 796 (1984). El Tribunal Supremo formuló esta doctrina por primera vez en *Silverthorne Lumber Co. v. Estados Unidos*, 251 US 385, en 392 (1920), cuando declaró que, cuando se obtienen pruebas por conducta policial ilegal, «esto no significa que los hechos así obtenido se vuelve sagrado e inaccesible. Si el conocimiento de ellos se obtiene de una fuente independiente, se puede probar como cualquier otro ... ». Véase también *Murray v. Estados Unidos*, 487 US 533, en 537 (1988).

[603] *Wong Sun v. Estados Unidos*, 371 US 471 (1963). Esto también se conoce como la excepción de atenuación, formulada por primera vez en *Nardone v. Estados Unidos*, 308 US 338, en 341 (1939): "Un argumento sofisticado puede probar una conexión causal entre la información obtenida mediante escuchas telefónicas ilícitas y la prueba del Gobierno. Sin embargo, como una cuestión de sentido común, tal conexión puede haberse atenuado tanto como para disipar la contaminación".

4. La doctrina del "descubrimiento inevitable" fue formulada por el Tribunal Supremo de los Estados Unidos ("el Tribunal Supremo") en el caso Nix v. Williams[604]. Los hechos del caso son dramáticos. Una niña de diez años desapareció en la víspera de Navidad en 1968 en Des Moines, Iowa. Después de la declaración de un testigo, la policía obtuvo una orden de arresto contra el sospechoso, Robert Williams y comenzó una búsqueda a gran escala del cuerpo de la niña en el área donde se pensaba que estaba. El 26 de diciembre, Williams se entregó a la policía en Davenport. Los abogados de Williams y la policía llegaron a un acuerdo por el cual no sería interrogado mientras lo transportaban de regreso a Des Moines. Sin embargo, en el viaje de regreso a Des Moines, uno de los detectives convenció a Williams de revelar dónde estaba escondido el cuerpo para que la familia de la niña pudiera darle un entierro cristiano adecuado. Finalmente, Williams accedió y llevó a la policía al cuerpo.

El acusado fue declarado culpable de asesinato en primer grado, pero su sentencia fue revocada por el Tribunal Supremo en Brewer[605] porque la condena se basó en las declaraciones autoinculpatorias del acusado que habían sido provocadas ilícitamente por la policía[606]. Sin embargo, la mayoría del tribunal de Brewer formuló una indicación para el procedimiento posterior. Escribiendo para la mayoría de 4-3, el juez Stewart sugirió, en una nota al pie, que la prueba proporcionada por Williams aún podía usarse en un juicio:

"Si bien ni las declaraciones incriminatorias de Williams en sí mismas ni ningún testimonio que describa que llevó a la policía al cuerpo de la víctima pueden ser constitucionalmente admitidos como prueba, la prueba de dónde se encontró el cuerpo y de su condición bien podría ser admisible según la tesis de que el cuerpo hubiera sido descubierto en cualquier caso, incluso si Williams no hubiera efectuado declaraciones incriminatorias ... En el caso de que se celebre un nuevo juicio, será en cuestión a resolver por los tribunales de primera instancia si se pueden admitir ciertos medios de prueba"[607].

En el nuevo juicio, el juez decidió incluir el cuerpo de la víctima como prueba, y sostuvo que, a pesar de haber sido encontrado por una violación del derecho a un

---

[604] *Nix v. Williams*, 467 US 431 (1984).

[605] *Brewer v. Williams*, 430 US 387 (1977). Sobre la jurisprudencia de los tribunales federales antes de este caso, ver B. Connelly y E. Murphy, «Descubrimiento inevitable: la hipotética excepción de fuente independiente a la regla de exclusión» (1976) 5 *Revisión de la Ley Hofstra* 1.

[606] Esta conclusión se basó en el precedente de *Massiah v. Estados Unidos*, 377 US 201 (1964).

[607] Esta es la famosa nota a pie de página 12 de la opinión mayoritaria. El argumento fue utilizado por primera vez en voto particular por los jueces White y Douglas en *Fitzpatrick v. Nueva York*, 414 US 1050, en 1051 (1973), según el cual: "... es una cuestión constitucional importante si la 'fuente independiente' como excepción a la inadmisibilidad de las frutas ... abarca una fuente hipotética como fuente independiente real".

abogado, de todos modos habría sido descubierto por la búsqueda policial que se había desarrollado en el área en esos momentos. El Tribunal Supremo confirmó este razonamiento, afirmando lo siguiente:

"Si la fiscalía puede establecer mediante prueba convincente que la información finalmente o inevitablemente habría sido descubierta por medios legales ... entonces la razón de la disuasión tiene tan poca base que la prueba debería ser admitida. Lo contrario iría en contra de la lógica, la experiencia y el sentido común"[608].

5. Desde la cátedra, pronto se criticó "el peligro que para las garantías constitucionales fundamentales implica el enfoque de contornos difusos" adoptado en Nix, que se configuró de forma que «está sujeto y casi invita al abuso»[609]. *Aunque la excepción a la regla de exclusión probatoria del «descubrimiento inevitable» nunca fue objeto de otra sentencia del Tribunal Supremo, la misma ha sido ampliada por las cortes federales «más allá de lo que fue originariamente previsto por el Tribunal Supremo en Nix y... tal expansión afectó gravemente la vitalidad de la regla de exclusión probatoria, así como el requisito de autorización judicial de la Cuarta Enmienda"*[610].

---

[608] *Nix v. Williams*, 467 Estados Unidos en 444. Nota omitida.

[609] S. Grossman, "La doctrina del descubrimiento inevitable: una petición de limitaciones razonables" (1988) 92*Dickinson Law Review* 313-361, en 314. Ver la crítica inicial de R. Lamberth, "Comentario, La doctrina del descubrimiento inevitable: garantías procesales para garantizar la inevitabilidad"(1988) 40 *Baylor Law Review* 129; R. Hendrix, «La excepción de descubrimiento inevitable a la regla de exclusión: *Nix v. Williams* «(1986) 54 *University of Cincinnati Law Review* 1087; E. Macon, «Nix v. Williams: la excepción de descubrimiento inevitable a la regla de exclusión» (1985) 19 *University of Richmond Law Review* 353; L. Marshall y S. Webb, «Nota de caso, Ley constitucional —El cálido abrazo de la corte de hamburguesas de una interferencia diseñada de manera impermisible con la Sexta Enmienda Derecho a la asistencia del abogado— La adopción de la excepción de descubrimiento inevitable a la regla de exclusión: *Nix v Williams* (1985) 28 *Howard Law Journal* 945; Wasserstrom y W. Mertens, «La regla de exclusión en el andamio: ¿pero fue un juicio justo?» (1984) 22 *American Criminal Law Review* 85; y W. Cohn, «Sexta enmienda: Descubrimiento inevitable: una excepción valiosa pero fácilmente abusable de la regla de exclusión» (1984) 75 *Journal of Criminal Law & Criminology* 729.

[610] R. Bloom, "Inevitable Discovery: An Exception Beyond the Fruits" (1992) 20 *American Journal of Criminal Law* 79, en 81. Para un resumen reciente de las críticas, ver T. Golden, «The Inevitable Discovery Doctrine Today: The Demands» de la Cuarta Enmienda, Nix y Murray, y el desacuerdo entre los circuitos federales «(2013) 13 *Brigham Young University Journal of Public Law* 97; D. Hansen, "La regla del descubrimiento inevitable: ¿justicia servida o justicia frustrada? - *People v. Pinckney*" (2012) 28 (3) *Touro Law Review* 715; L. Epstein, «Límites de la doctrina del descubrimiento inevitable en Estados Unidos v. Young: la intersección de los guardias de seguridad privada, los huéspedes del hotel y la cuarta enmienda» (2010) 40 *Golden Gate University Law Review* 331; T. McInnis, "Nix v. Williams y la excepción inevitable del

(...)

11. En resumen, la justificación de la prueba obtenida ilícitamente por el Estado en Nix es muy distinta de la excepción de fuente independiente, sostenida en la sentencia Segura[611]. En el primer caso, la excepción se basa en una relación hipotética de causalidad interpretada desde el privilegiado enfoque retrospectivo. En el último caso, la excepción se basa en el curso real de los acontecimientos en la medida en que la prueba contaminada debe haber sido descubierta por una fuente independiente de la conducta ilícita del Estado. Contrariamente a la alegación del Tribunal Supremo[612], no existe una «similitud funcional» entre la doctrina de la fuente independiente y las del descubrimiento inevitable. La falta de claridad y la consiguiente arbitrariedad en la forma en que la excepción de «descubrimiento inevitable» se enmarcó inicialmente en Nix y posteriormente se desarrolló en su progenie es evidente, así como el hecho de que el acceso del gobierno a la prueba obtenida ilícitamente ha crecido exponencialmente. De forma ciertamente inquietante, los tribunales inferiores parecen poco molestos por las violaciones de la ley perpetradas por el Estado si este es el precio a pagar por sacar a los presuntos delincuentes de las calles. Pero yo diría que hay razones lógicas, éticas y prácticas adicionales para descartar esta excepción por completo.

Certeza en retrospectiva

12. La excepción del "descubrimiento inevitable" muestra sus debilidades a partir de un simple análisis lógico de su enunciado ¿Qué puede significar que la prueba impugnada "hubiera sido inevitablemente descubierta por medios legales"? "Inevitablemente" se agrega a "hubiera" en el sentido de que la doctrina no exige solo la mera posibilidad de que la prueba "pudiera" haberse descubierto: de acuerdo con la definición misma de la regla, debe haber una certeza absoluta de que la prueba se habría descubierto (y, por supuesto de igual forma que los elementos probatorios re-

---

descubrimiento: creación de una red de seguridad legal" (2009) 28 *St. Louis University Public Law Review* 397; J. Coren, «El abuso potencial del poder de citación bajo la doctrina del descubrimiento inevitable" (2009) 11 (3) *Journal of Constitutional Law* 755; B. Shively, «La doctrina del descubrimiento inevitable: Indiana como la excepción, no la regla» (2008) 43 *Valparaiso University Law Review* 407; D. Stuart, «Nota, un letrero sin ningún sentido de dirección: La danza de el Tribunal Supremo en torno a la doctrina del descubrimiento inevitable y la regla de exclusión en Hudson v. Michigan" (2007) 27 *Pace Law Review* 503; y J. Liljestrom, «Nota, legal para el mundo: proteger la integridad de la doctrina del descubrimiento inevitable» (2006) 58 *Hastings Law Journal* 177.

[611] *Segura v. Estados Unidos*, 468 US 796 (1984).

[612] *Nix v. Williams*, 467 US en 443-44: "Existe una similitud funcional entre las doctrinas [de la fuente independiente y el descubrimiento inevitable] en esa exclusión de la prueba que inevitablemente se habría descubierto y que pondría al gobierno en una peor posición, porque la policía habría obtenido esa prueba aun en el caso de que hubiera tenido lugar una conducta ilícita".

levantes) por medios lícitos alternativos. Esos medios alternativos son, por definición, hipotéticos hasta cierto punto, ya que, de haberse llevado a cabo de forma independiente y haber conducido a la evidencia de forma independiente, estaríamos lidiando con la excepción de "fuente independiente", que es compatible con el CEDH.

De todos es bien sabido que las personas tienden a pensar que los hechos fueron inevitables una vez que saben que en realidad sucedieron, y las instituciones jurídicas han sido conscientes de este hecho. Como lo expresó una corte inglesa del siglo XIX, "[nada] es tan fácil como ser sabio después de que las cosas hayan ocurrido"[613]. En lengua inglesa, se suele llamar a eso «Monday morning quaterbacking» (una expresión similar en español: «a toro pasado todos somos Manolete»)[614], y corresponde a un fenómeno bien documentado que los psicólogos denominan sesgo retrospectivo (o, más ilustrativamente, sesgo de lo supe todo el tiempo). Cuando están sujetos a un sesgo retrospectivo, las personas "no solo tienden a ver lo que sucedió como algo inevitable sino también a verlo como algo relativamente inevitable antes de que sucediera"[615]. Este fenómeno ya había sido observado por los historiadores[616]y ha sido objeto de una constante corroboración empírica[617]. Además, el sesgo retrospectivo ha resultado extremadamente difícil de eliminar del razonamiento de las personas[618].

---

[613] *Corman v. The Eastern Counties Railway Co*, citado en J. Rachlinski, «Una teoría psicológica positiva de juzgar en retrospectiva» (1998) 65 *The University of Chicago Law Review* 571, en 571.

[614] Apunte del traductor.

[615] B. Fischhoff, "Para aquellos condenados a estudiar el pasado: heurística y sesgos en retrospectiva", en D. Kahneman et al. (eds.), *Juicio bajo incertidumbre: heurística y sesgos*, Cambridge: Cambridge University Press, 1982, p. 341.

[616] La tendencia al determinismo está de alguna manera implicada en el mismo método de retrospección. En retrospectiva, parece que percibimos la lógica de los eventos que se desarrollan de manera regular o lineal de acuerdo con un patrón reconocible con una supuesta necesidad interna. De esta forma tenermos la impresión de que realmente no podría haber sucedido de otra manera "(G. Florovsky," El estudio del pasado ", en RH Nash (ed.),*Ideas of history* (Vol. 2), Nueva York: Dutton, 1969, p. 369 (citado por Fischhoff, supra, p. 341).

[617] La literatura psicológica sobre esto es vasta, pero para citar solo algunos ejemplos que se refieren al sesgo retrospectivo en la toma de decisiones legales, ver K. Kamin y J. Rachlinski, "Ex Post ≠ Ex Ante: Determining Liability in Hindsight" (1995) 19 (1) *Ley y comportamiento humano* 89; J. Rachlinksi et al., «Causa probable, probabilidad y retrospectiva» (2011) 8 *Empirical Legal Studies* 72; y D. Teichman, «The Hindsight Bias and the Law in Hindsight», en E. Zamir y D. Teichman, *The Oxford Handbook of Behavioral Economics and the Law*, Oxford University Press: Oxford, 2014.

[618] "Desafortunadamente, el sesgo retrospectivo ha demostrado ser resistente a la mayoría de las técnicas de desbarbado. Los intentos de deshacer el efecto retrospectivo con estrategias que dependen de la motivación, como sugerir a las personas que se

13. Un rasgo que está muy cerca del sesgo retrospectivo es otro fenómeno bien conocido, a veces llamado "la maldición del conocimiento"[619]: una vez que se ha descubierto algo, es muy difícil recordar cómo se veía el mundo antes. Tal fenómeno hace que sea difícil evaluar si habríamos llegado a saber algo si realmente no lo supiéramos.

Tome el siguiente diálogo del Silver Blaze de Arthur Conan Doyle, después de que Sherlock Holmes le muestra a un inspector una cerilla cubierta de barro:
39

"'No puedo pensar cómo llegué a pasarlo por alto', dijo el inspector, con una expresión molesta.
'Era invisible, enterrado en el barro. Solo lo vi porque lo estaba buscando'.
'¡Qué! ¿Esperabas encontrarlo?'
'Pensé que no era improbable'
Como dijo un erudito, comentando este fragmento: "Lo que está oculto se revela cuando sabes que debe estar allí, cuando has postulado su descubrimiento como inevitable"[620].

14. Además, las evaluaciones probabilísticas están contaminadas por lo que los psicólogos llaman "razonamiento motivado", una tendencia a que las personas "lleguen a las conclusiones a las que quieren llegar", incluso si esto implica confiar en los mismos hechos para "acceder a diferentes creencias y reglas en presencia de diferentes objetivos direccionales [e incluso] justifican ... conclusiones opuestas en diferentes ocasiones"[621]. Curiosamente, este efecto se ha probado empíricamente en el contexto específico de la excepción de «descubrimiento inevitable». En un experimento, se les pidió a dos grupos que evaluaran, en un caso ficticio, si una fuente de prueba (drogas obtenidas a través de una inspección ilícita de un automóvil) debe excluirse del juicio o debe mantenerse bajo la excepción de «descubrimiento inevitable». A uno de los grupos se le dijo que el acusado estaba vendiendo marihuana a pacientes con enfermedades terminales, mientras que al otro grupo se le dijo que estaba vendiendo heroína a los adictos. Como era de esperar, las personas en el caso de heroína

---

esfuercen más, aumentar la relevancia personal de la tarea y recompensar a las personas por respuestas imparciales, han demostrado ser ineficaces "(Kamin y Rachlinsky, citados anteriormente, en 92, citas internas omitidas).

[619] C. Camerer et al., "The Curse of Knowledge in Economic Settings: An Experimental Analysis" (1989) 97 (5) *The Journal of Political Economy* 1232. Los autores muestran que "[b] los agentes informados por etters no pueden ignorar a los privados información incluso cuando les interesa hacerlo". Aunque el experimento se realizó para una situación de tipo de mercado, es fácil ver cómo esto se extiende a otros tipos de razonamiento.

[620] P. Brooks, "Inevitable Discovery - Law, Narrative, Retrospectivity" (2003) 15 *Yale Journal of Law and the Humanities* 82.

[621] Z. Kunda, "El caso del razonamiento motivado" (1990) 108 *Psychological Bulletin* 480.

(que estaban más motivadas para castigar al acusado) tenían más probabilidades de descubrir que el descubrimiento de evidencia era «inevitable», a pesar de que los detalles sobre la búsqueda fueron idénticos en ambos casos[622]. Independientemente de la validez externa que asignamos a este experimento[623], el mismo nos muestra la fragilidad de los juicios probabilísticos.

15. En resumen, la doctrina del "descubrimiento inevitable" postula una certeza que es psicológicamente inalcanzable y, por lo tanto, jurídicamente inaccesible. No existen reglas generales que rijan los tipos de hechos que se requieren para hacer tales demostraciones de inevitabilidad. Incluso en los casos que podemos considerar más claros, es muy difícil, o tal vez incluso imposible, separarnos del conocimiento que de hecho tenemos para decidir qué hubiera pasado si no lo tuviéramos.

Sin disuasión

16. La razón más frecuente invocada para justificar la regla de exclusión, tanto en los Estados Unidos[624] como en el TEDH[625], es que la exclusión de pruebas obtenidas ilícitamente es un medio eficaz para disuadir a las autoridades estatales en general, y a las fuerzas del orden público en particular, de la obtención pruebas por medios ilícitos. Permitir la introducción de la prueba obtenida ilícitamente a través de la excepción del «descubrimiento inevitable» socava en gran medida el efecto disuasorio de la regla de exclusión. Un análisis exhaustivo de la utilización de la doctrina en los Estados Unidos lo puede demostrar.

17. En primer lugar, tómese el caso en el que el descubrimiento de la prueba se ha considerado como inevitable porque la misma se habría encontrado mediante el protocolo que se aplica invariablemente en la circunstancias del caso[626]. Por ejemplo,

---

[622] A. Sood, "Limpieza cognitiva: psicología experimental y la regla de exclusión" (2015) 103 *Georgetown Law Journal* 1543, en 1580-1581.

[623] El autor del experimento señala que los participantes eran legos, mientras que las decisiones de exclusión de pruebas normalmente son tomadas por jueces profesionales. Sin embargo, ella sugiere que este rasgo cognitivo puede extenderse también a los jueces profesionales (ibid., En 1583).

[624] "Aunque en *Mapp* [*v. Ohio*, 367 US 643 (1961)] se sugirieron otras razones para la regla de exclusión ... la disuasión se ha convertido en la única justificación en la que se basa la Corte actual [1992]» (R. Bloom, citado anteriormente, en 79).

[625] STEDH 12 mayo 2000, Caso *Khan c. Reino Unido*, no. 35394/97, CEDH 2000 V, voto en parte concurrente y en parte disidente del juez Loucaides; STEDH 25 septiembre 2001, Caso *PG y JH c. Reino Unido*, no. 44787/98, CEDH 2001 IX, opinión parcialmente disidente del juez Tulkens, (f. 5); STEDH 10 marzo 2009, Caso *Bykov c. Rusia* [GC], opinión parcialmente disidente del juez Spielmann acompañado por los jueces Rozakis, Tulkens, Casadevall y Mijović, § 12; y STEDH 21 octubre 2017, Caso *Dragoș Ioan Rusu c. Rumania*, voto conjunto parcialmente concurrente de los jueces Pinto de Albuquerque y Bošnjak, § 4.

[626] Un modelo fáctico similar en *Estados Unidos v. Horn*, 970 F.2d 728 (10th Cir. 1992) llevó al Tribunal de Circuito a validar la acción policial bajo la doctrina del

cuando hay numerosos indicios obtenidos legalmente de que una persona puede estar ocultando una sustancia prohibida en su domicilio, el protocolo policial puede indicar que se realice un registro del mismo después de obtener una orden judicial. La policía, sin embargo, omite la orden y registra la casa directamente, encontrando la sustancia prohibida. Cuando la prueba es impugnada en la corte, la fiscalía puede invocar la doctrina del «descubrimiento inevitable» y argumentar que, bajo las circunstancias del caso, la orden habría sido solicitada y obtenida, y la prueba habría sido encontrada en cualquier caso. Incluso admitiendo que ello sea cierto, la aplicación aparentemente automática de esta doctrina en este tipo de casos priva a la policía de cualquier incentivo real para solicitar una autorización judicial[627]*. En términos más generales: cuanto más segura esté la policía de que en un procedimiento de rutina encontrarán lo que están buscando, mayor será la probabilidad de detener los procedimientos formales y menos probabilidades de que se comporten de manera legal. En pocas palabras, la doctrina proporciona un fuerte incentivo para que el agente de policía calculador viole intencionalmente las reglas de procedimiento y especialmente los derechos de defensa.*

18. El caso contrario plantea un problema análogo. Cuando el procedimiento que podría haber conducido al descubrimiento lícito de la prueba no era un procedimiento protocolario, sino que dependía de la evaluación contingente de algunos hechos que la policía conocía, la policía podría considerar que el "descubrimiento inevitable" sería más difícil de defender ante un tribunal. Sin embargo, esta dificultad se vería compensada por la dificultad paralela de obtener la prueba por medios lícitos más adelante. En este tipo de situación de "ahora o nunca", es muy posible que la policía se arriesgue a obtener la prueba que parece estar disponible, con la esperanza de que el conocimiento así adquirido proporcione una historia creíble que demuestre cómo iba a producirse el descubrimiento.

19. Este problema aparece más claramente cuando el factor tiempo se incluye en el análisis. Como ya hemos apuntado, la doctrina del "descubrimiento inevitable" pasa por alto el paso del tiempo. Tomemos, por ejemplo, Nix. En Nix, el Tribunal Supremo argumentó que el cuerpo habría sido encontrado en cualquier caso, ya que hubo una búsqueda a gran escala en el área. Sin embargo, no se discute la decisión sobre cuándo se habría encontrado el cuerpo y, por lo tanto, en qué estado de conservación[628]*.*

«descubrimiento inevitable». Ver también *Estados Unidos v. Whitehorn*, 829 F.2d 1225 (2d Cir. 1987). Para más ejemplos y un desarrollo académico de las consecuencias de la doctrina del "descubrimiento inevitable" para la garantía de autorización judicial en los Estados Unidos, ver R. Bloom, citado anteriormente, en 94-98.

[627] Anthony J. Girese, "Lo habrían encontrado de todos modos: *Estados Unidos v. Eng* y la "*Citación Inevitable*" 1993, 59 *Brooklyn Law Review* 461, en 492-502.

[628] En etapas anteriores del procedimiento se había argumentado que, debido a la temperatura extremadamente baja en el área y al hecho de que el cuerpo estaba cubierto de nieve, el cuerpo habría estado bien conservado en el momento de su hallazgo hipotético.

Es muy posible que el cuerpo fuera encontrado en algún momento posterior, pero que, de no haberse producido el acto ilícito, se hubiera deteriorado hasta el punto de que no pudiera utilizarse como prueba. Generalizando la cuestión, se puede argumentar que la necesidad de encontrar la prueba antes de que se haya deteriorado o destruido plantea otro tipo de situación de «ahora o nunca». Una vez que se encuentra la prueba, sería igualmente fácil para la policía crear una historia que muestre la inevitabilidad del hallazgo, ignorando el hecho de que la prueba podría haber sido destruida en el ínterin. La investigación hipotética del tribunal estaría respaldada por poco más que el testimonio de un oficial de policía. Es un momento tan crucial como siempre para reflexionar sobre el tipo de procedimiento penal que implicaría este tipo de abusos policiales.

Integridad judicial

20. Sin embargo, enfatizaría que la disuasión no es el único fundamento de la regla de exclusión, ya que también constituye un "imperativo de integridad judicial"[629]. Ello es evidente, por ejemplo, en el Estatuto de Roma, que prevé la exclusión de la evidencia "obtenida mediante una violación de ... los derechos humanos internacionalmente reconocidos ... si [su] admisión ... fuera antitética y dañaría gravemente la integridad del proceso"[630].

A diferencia de las excepciones de "vicio subsanado" y de "fuente independiente", la excepción de "descubrimiento inevitable" implica tolerar una violación de los derechos del CEDH que efectivamente sucedió y admitir una prueba que efectivamente fue obtenida a través de una violación de los derechos del CEDH sobre la base de un curso de eventos alternativo y especulativo. Esto daña de forma inexorable la integridad de los procedimientos y resulta en sí mismo inaceptable. Por lo tanto, la compatibilidad del CEDH con la excepción del «descubrimiento inevitable» no se mide por bagatelas en el momento del descubrimiento de pruebas, sino por la observancia por parte de las autoridades estatales, incluidas las autoridades judiciales, de los límites de sus propios poderes para llevar a los delincuentes ante la justicia. De hecho, como Nix y su progenie muestran ex abundantia, la estrecha relación entre la doctrina del «descubrimiento inevitable» y la doctrina del «error inofensivo»[631] concede «discre-

---

[629] Como lo expresó el Tribunal Supremo de los *Estados Unidos* en *Elkins v. Estados Unidos*, 364 US 206, en 222 (1960). Ver también *Brown v. Illinois*, 422 US 590, en 599 (1975); *Mapp v. Ohio*, 367 US 643, en 659 (1961); *Olmstead v. Estados Unidos*, 277 US 438, en 470 (1928) (Holmes, J., disidente); y *Weeks v. Estados Unidos*, 232 US 383, en 393 (1914).

[630] Estatuto de Roma, artículo 69 (7).

[631] *Chapman v. California*, 386 US 18, a los 22 (1967). Sobre la doctrina del «error inofensivo» y el impacto de los errores estructurales en la equidad de los procesos penales, véanse los párrafos 16 a 20 voto conjunto de los jueces Kalaydjieva, Pinto de Albuquerque y Turković en *Dvorski v. Croacia* [GC], no. 25703/11, CEDH 2015. Sobre la relación entre la doctrina del «error inofensivo» y la doctrina del «descubrimiento inevitable», ver L. Epstein, «Límites de la doctrina del descubrimiento inevitable

*ción excesiva en la forma en que las violaciones de los derechos procesales básicos ...
se coparan con otros intereses procesales»*[632] *y, por lo tanto, subordina las garantías
fundamentales del procedimiento penal a los intereses procesales. En un balance
superficial del costo para la sociedad de excluir la prueba obtenida ilícitamente frente
al efecto disuasorio que la exclusión de la prueba tiene sobre la mala conducta del
Estado, la justificación de Nix sobreestima la primera y subestima la segunda*[633].

*21. Teniendo en cuenta la tensión entre los derechos constitucionales y convencio-
nales de los ciudadanos y el papel del poder judicial en el logro de la justicia, evidentemente no hay opción alguna que permita defender la justicia general de los
procedimientos en los que se hayan obtenido pruebas ilícitas. La mayoría en la presente sentencia argumenta que "[l]a cuestión decisiva [para evaluar si las pruebas
obtenidas en violación del artículo 8 implicaron una violación del artículo 6] es si el
procedimiento en su conjunto fue justo"*[634]. *En un voto parcialmente concurrente en
un caso diferente, el juez Bošnjak y yo alegamos que el Tribunal debería revisar su jurisprudencia sobre la admisibilidad de las pruebas cuando se obtuvieron por medios
ilícitos (y específicamente por los medios que violaron los artículos 3 u 8 CEDH)*[635].
*Resulta innecesario reiterar nuestro razonamiento. El punto principal de nuestro voto
en Rusu sigue siendo válido en el contexto actual: por principio, un juicio en que se
acepte una prueba obtenida en violación de los derechos del CEDH no puede, por
definición, ser justo. El incumplimiento de las normas procesales que protegen los
derechos del CEDH no puede ser purgado a través de la «imparcialidad general» de
los «procedimientos en su conjunto», como la mayoría sostiene erróneamente en el
presente caso. El complejo de valores del CEDH que subyace en la restricción del
uso por el Estado de la excepción de «descubrimiento inevitable» no debe eludirse*

---

en Estados Unidos v. Young: la intersección de los guardias de seguridad privada»., Huéspedes del hotel y la Cuarta Enmienda", (2010) 40 *Golden Gate University Law Review*331, en 338.

[632] Párrafo 20 de la opinión conjunta de los jueces Kalaydjieva, Pinto de Albuquerque y Turković, citado anteriormente.

[633] Podrían emplearse las duras palabras de los jueces Brennan y Marshall, disidentes en *Estados Unidos v. León*, 468 US 897, en 949 (1984), al referirse a la justificación de la mayoría para adoptar una excepción de buena fe a la regla de exclusión: "Por lo tanto, en este pequeño escenario judicial, mientras que los escenarios suelen cambiar, los actores siempre tienen el mismo papel. Dado este patrón bien ensayado, uno podría haber predicho con cierta seguridad cómo se habría desarrollaría el presente caso. Primero está el encantamiento ritual de los "costos sociales sustanciales" exigidos por la regla de exclusión, seguido por la conclusión virtualmente predeterminada de que, dados los beneficios marginales, la aplicación de la regla en las circunstancias de estos casos no está justificada. Tras el análisis, sin embargo, dicho resultado no puede justificarse ni siquiera en las propias palabras del Tribunal ".

[634] Apartado 48 de la sentencia.

[635] *Dragoş Ioan Rusu*, citado anteriormente

de forma fraudulenta, acudiendo a una valoración abreviada y de conveniencia de la justicia general del procedimiento.

La aplicación injusta de Nix por el Tribunal Supremo

22. Suscribo la presente sentencia porque no respalda la excepción del "descubrimiento inevitable". El tribunal de primera instancia condenó al demandante sobre la base de medios de prueba no relacionados con la violación del derecho a la privacidad del demandante. Como declaró correctamente el tribunal de primera instancia, el examen policial ilícito del teléfono del demandante sin una orden judicial se realizó en un momento en que la policía ya había obtenido la información necesaria de un examen lícito del teléfono de la víctima[636]. En otras palabras, el examen del teléfono de la víctima había sido una fuente de prueba legal e independiente. Por lo tanto, los registros de la comunicación entre el solicitante y la víctima se obtuvieron legalmente de pruebas secundarias, admisibles en el juicio.
5

23. Además, incluso dando por bueno el argumento de que el examen del teléfono del demandante había contribuido al descubrimiento de la prueba contaminada (los registros telefónicos de la comunicación entre el demandante y la víctima), se podría argumentar que el vicio relativo al examen del teléfono se había subsanado más tarde porque el solicitante admitió, por su propia voluntad, que conocía a la víctima y lo había atropellado[637]. Por lo tanto, podría haberse invocado la excepción de «vicio subsanado» a la regla de exclusión pero ciertamente no la excepción de «descubrimiento inevitable». Su uso por parte de el Tribunal Supremo fue ilícito, tanto por motivos del derecho del CEDH, como por las circunstancias del caso[638].

Conclusión

24. La búsqueda de la justicia y en especial de la justicia penal, no justifica el uso de cualquier medio, como las confesiones forzadas. Al permitir el uso de medios ilícitos para alcanzar los fines punitivos deseados, la doctrina del "descubrimiento inevitable" no hace justicia a las garantías del CEDH que los ciudadanos europeos valoran. Peor aún, este expediente legal de elusión de la regla de exclusión, abre las puertas de par en par a todo tipo de conductas ilícitas del Estado sobre la base de un razonamiento hipotético prácticamente inalcanzable y prácticamente ilimitado. La excepción del descubrimiento inevitable se aplica independientemente de cuán atroz haya sido la violación de los derechos del acusado ya que el tipo y el grado de mala conducta del Estado son irrelevantes para la determinación de "inevitabilidad". En mi opinión, frente a los peligros obvios inherentes a esta doctrina, el voto de Nix: "La mayoría se refiere al 'costo social' de excluir fuente de prueba ... En mi opinión, el costo más relevante es el impuesto a la sociedad por los agentes de policía que deciden tomar atajos procedimentales en lugar de cumplir con la ley"[639]».

---

[636] Compare el apartado 22 de la sentencia con el apartado 7.

[637] Apartado 15 de la sentencia.

[638] Apartado 29 de la sentencia.

[639] *Nix v. Williams*, 467 US 431, en 457 (1984).

6.3.2. Doctrina del TEDH sobre la prueba ilícita y el descubrimiento inevitable como excepción a la regla de exclusión probatoria

a) Principios generales sobre prueba ilícita

El TEDH ha sostenido en numerosas ocasiones que, si bien el art. 6.1 CEDH garantiza el derecho a un proceso justo, no establece ninguna norma sobre la admisibilidad de la prueba como tal, ya que esto es una cuestión que se regula principalmente por la legislación nacional [vid. STEDH 12 julio 1988, Caso *Schenk c. Suiza*, f.46, STEDH 29 noviembre 2016, Caso *Lhermitte c. Bélgica* [GC], f. 83; STEDH 12 julio 1988, Caso Schenk c. Suiza, f. 45-46, STEDH 9 junio 1998, Caso Teixeira de Castro c. Portugal, STEDH 1 marzo 2007, Caso Heglas c. República Checa, f.84.); STEDH 17 enero 2012, Caso Alony Kate c. España (f.64); STEDH 9 enero 2018, Caso López Ribalda y otras c. España (f.82), STEDH 21 enero 1999, Caso García Ruiz c. España].

Por lo tanto, **no es función del TEDH determinar**, como cuestión de principio, **si determinados tipos de pruebas**, como las pruebas obtenidas ilícitamente en términos de derecho interno, **son admisibles o no, o si un demandante es culpable o no**. La pregunta que debe responderse es **si los procedimientos en su conjunto**, incluida la forma en que se obtuvieron las pruebas, **fueron justos**. Esto implica un examen de la "ilicitud" en cuestión y, cuando se trata de una violación de otro derecho del CEDH, la naturaleza de la violación producida [ver STEDH 10 marzo 2009, Caso *Bykov c. Rusia* [GC], (f. 89), STEDH 3 marzo 2016, Caso *Prade* c.Alemania, F 33) STEDH 1 julio 2010, Caso Gäfgen c. Alemania: f.163: ver, entre otras, STEDH 12 mayo 2000, Caso Khan c. Reino Unido,; STEDH 25 septiembre 2001, Caso P.G. y J.H. c, Reino Unido, f. 76, y STEDH 5 noviembre 2002, Caso Allan c. Reino Unido, f.. 42, STEDH 9 enero 2018, Caso López Ribalda y otras c. España (f.83)].

Al **determinar si el proceso en su conjunto fue justo**, también se debe tener en cuenta si se **respetaron los derechos de defensa**. Debe establecerse, en particular, si el solicitante tuvo la oportunidad de impugnar la autenticidad de la prueba y de oponerse a su uso. Además, se debe tener en cuenta **la calidad de la prueba**, incluso si las circunstancias en las que se obtuvo arrojan dudas sobre su fiabilidad o precisión. Si bien no surge necesariamente ningún problema de equidad cuando la prueba obtenida no fue respaldada por otro material, cabe señalar que cuando la prueba es muy convincente y no hay riesgo de que no sea confiable, la necesidad de prueba de corroboración es lógicamente más débil A este respecto, el Tribunal concede importancia a saber si el medio de prueba en cuestión, ha ejercido una influencia decisiva en el resultado de la acción penal (comparar, en particular con la ya mencionada, Khan apps. 35 y 37)[640].

Por lo que respecta a **la naturaleza de la violación del Convenio** constatada, el Tribunal recuerda que para determinar **si la utilización como prueba de datos obtenidos con vulneración del artículo 8 ha privado al proceso en su conjunto del carácter equitativo** que impone el artículo 6, es preciso tener en cuenta todas las circunstancias de la causa y preguntarse en particular **si los derechos de la defensa han sido respetados**, y **qué importancia y calidad revisten los elementos en cuestión** [comparar, entre otras, con las mencionadas Khan, apds. 35-40, P.G. y J.H. contra Reino Unido, apds. 77-79, y Bykov contra Rusia (GS), f.. 94-98], en las que el Tribunal no ha constatado ninguna violación del artículo 6. A este respecto, el Tribunal no concede ninguna importancia a la cuestión de si la prueba influyó decisivamente en el resultado de la acción penal (Sentencia, Gäfgen, f. 164).

Las **cuestiones a tener en cuenta** son[641]:

- si el demandante **puede impugnar la autenticidad** de la prueba y oponerse a su uso;

- si la prueba **tiene la calidad suficiente** —que supone una investigación sobre si las circunstancias en las que se obtuvo podrían causar dudas sobre su fiabilidad y precisión;

- si dicha prueba **se veía apoyada por otro material probatorio;**

- finalmente, el Tribunal otorgará importancia al hecho de **si la prueba en cuestión fue decisiva o no** para el resultado de los procedimientos.

---

[640] Vid. *Bykov*, citado anteriormente, § 90. ver, entre otras, Khan contra Reino Unido, núm. 35394/97, apd. 34, TEDH 2000 V; P.G. y J.H. contra Reino Unido, núm. 44787/98, apd. 76, TEDH 2001-IX; y Allan contra Reino Unido, núm. 48539/99, apd. 42, TEDH 2002 IX.

[641] Vid. Schenk contra Suiza [(f. 46-48); Khan, (f. 34 y 35); P.G. y J.H. c. Reino Unido (f. 76 y 77); Allan c. Reino Unido (f. 42 y 43); y Bykov (GS), f. 88-90]

El TEDH subraya que, en los tres asuntos mencionados (Khan, P.G. y J. H. y Bykov), las pruebas obtenidas en vulneración de la legislación interna también lo fueron en violación del artículo 8 CEDH. Sin embargo, la admisión como prueba de informaciones así obtenidas no infringía, en las concretas circunstancias de estos casos, a los requisitos de equidad que plantea el artículo 6.1 (STEDH 1 marzo 2007, Caso Heglas c. República Checa, f. 88). Por el contrario, estimó que, **cuando la ilicitud afectaba a alguno de los derechos considerados entre los más fundamentales CEDH, especialmente los del art. 3** (prohibición de tortura y penas o tratos inhumanos o degradantes), **era necesaria la exclusión de la prueba obtenida ilícitamente** para preservar la equidad del proceso (STEDH 28 julio 2009, Caso Lee Davies c. Bélgica f. 45).

En efecto, el TEDH ha efectuado **consideraciones particulares** sobre la utilización en un procedimiento penal de **elementos de prueba obtenidos a través de una medida juzgada contraria al art. 3 CEDH.** La utilización de tales medios, obtenidos gracias a la violación de uno de los derechos absolutos que constituyen el núcleo duro del Convenio, suscita siempre graves dudas en cuanto a la equidad del proceso, incluso cuando el hecho de haberlos admitido como pruebas no ha sido decisivo para la condena del sospechoso (STEDH 9 enero 2003, Caso İçöz contra Turquía; STEDH 11 julio 2006, Caso Jalloh c. Alemania (f. 99 y 104);STEDH 17 octubre 2006, Caso Göçmen c. Turquía, (f. 73-74), y STEDH 28 junio 2007, Caso Haroutyounian c. Armenia, f. 63).

En consecuencia, el TEDH ha concluido a propósito de las confesiones como tales, que la admisión como prueba de los hechos pertinentes en el proceso penal, de **declaraciones obtenidas por medio de actos de tortura** (vid. STEDH 20 junio 2006, Caso Örs y otros c. Turquía, f. 60, Haroutyounian, apds. 63, 64 y 66; y STEDH 16 diciembre 2008, Caso Levinţa c. Moldavia, f. 101 y 104-105)) o **de otros malos tratos contrarios al artículo 3** (vid. STEDH 21 septiembre 2006, Caso Söylemez c. Turquía, f. 107 y 122-124, y Göçmen, apds. 73-74), supone **la injusticia del conjunto del proceso**. Ha añadido que ello es así independientemente del valor probatorio de las declaraciones y de que la admisión de dichos elementos hubiera sido o no, determinante en el veredicto de culpabilidad dictado contra el demandante (Ibídem).

En cuanto a la utilización **de pruebas obtenidas sin tener en cuenta el derecho a guardar silencio y el derecho a no contribuir a la propia incriminación**, el TEDH recuerda que son normas internacionales generalmente reconocidas, que se encuentran en el corazón de la noción de un proceso equitativo tal como lo garantiza el artículo 6. Estas normas se inspiran en especial en la preocupación de conceder al un acusado una protección frente a una coacción abusiva por parte de las autoridades, con la finalidad de evitar errores judiciales y cumplir los objetivos del art. 6. El derecho de no contribuir a la propia incriminación presupone en particular que la acusación busca basar su argumentación sin recurrir a elementos de prueba obtenidos a través de la coacción o la presiones, en contra de la voluntad del acusado (véase, entre otras, STEDH 17 diciembre 1996, Caso Saunders c. Reino Unido, f.. 68; STEDH 21 diciembre 2000, Caso Heaney y McGuinness c. Irlanda, f. 40, y Jalloh, apd. 100).

b) Excepciones a la Regla de Exclusión Probatoria (REP)

STEDH 1 junio 2010, Caso *Gäfgen c. Alemania, f.179, el TEDH establece como excepciones a la regla de exclusión probatoria lo que la doctrina denomina "fuente independiente" y "vicio subsanado":*

"179. El Tribunal señala que en el presente asunto el tribunal regional ha basado expresamente sus constataciones relativas a la ejecución del crimen cometido por el demandante —y por tanto las constataciones que conllevaron la condena del interesado por asesinato y secuestro con petición de rescate (apartado 34). Ha tomado también las nuevas confesiones como base esencial, sino como base única, de sus constataciones relativas a la planificación del crimen, la cual también ha desempeñado un papel en la condena y la sentencia (Ibíd.). Los medios de prueba suplementarios admitidos en el proceso, no sirvieron al tribunal doméstico para probar la culpabilidad del demandante, sino tan sólo para verificar la autenticidad de sus confesiones. Comprenden los resultados de la autopsia en cuanto a la causa del fallecimiento de J. y las marcas de neumáticos dejados por el vehículo del demandante cerca del estanque en el que fue descubierto el cuerpo del menor. **El tribunal nacional se ha apoyado también en pruebas que fueron obtenidas de forma independiente de las primeras confesiones que le fueron arrancadas al demandante bajo amenazas**, la policía las habría recabado a través de la vigilancia a la que fue sometido después de hacerse con el rescate y tras haber registrado su apartamento inmediatamente después de su detención. Estas **pruebas, no "viciadas" por la violación del artículo 3, eran el testimonio de la hermana de J., el texto de la nota de chantaje, la nota descubierta en el apartamento del demandante relativa a la organización del cri-**

men, así como el dinero del rescate encontrado en el apartamento del demandante o ingresado en sus cuentas bancarias (ibídem).

180. Teniendo en cuenta lo que antecede, el Tribunal considera **que son las segundas confesiones del demandante en el proceso** —solas o corroboradas por otras pruebas no viciadas, materiales éstas— **las que han servido de base al veredicto de culpabilidad por asesinato y secuestro con solicitud de rescate, así como a la pena.** Las pruebas materiales en litigio no eran necesarias y no han servido para probar la culpabilidad o para fijar la pena.

Podemos decir por tanto que la cadena de causalidad entre, por una parte, **los métodos de investigación prohibidos y, por otra, el veredicto de culpabilidad y la pena que se le ha impuesto al demandante se rompe en lo que concierne a las pruebas materiales en litigio."**

c) Sobre la falta de efecto disuasorio en los casos de descubrimiento inevitable

– STEDH 12 mayo 2000, Caso *Khan c. Reino Unido*, (vid. voto en parte concurrente y en parte disidente del juez Loucaides). Se trata del primer caso que se somete al Tribunal en el que la única prueba contra un acusado en una causa penal que condujo asimismo a su condena, era una prueba obtenida de una forma contraria a las disposiciones del artículo 8 del Convenio. El TEDH declaró por unanimidad que la obtención de la prueba contra el demandante, a través de la utilización de un mecanismo encubierto de escuchas, vulneraba su derecho al respeto de la vida privada ya que no estaba regulado por ninguna Ley interna. Sin embargo, la mayoría consideró que la admisión de la prueba en cuestión y la condena del demandante basándose en dicha prueba no contravenía las exigencias de equidad garantizadas por el artículo 6.1 del Convenio, aunque fuese la única prueba contra el demandante.

La crítica del Juez Loucaides sobre la falta de efecto disuasorio se expresa como sigue: (el subrayado es nuestro)

"Asimismo, si se acepta que la admisión de la prueba obtenida contra una persona vulnerando el Convenio no necesariamente infringe la equidad exigida en virtud del artículo 6, entonces la protección efectiva de los derechos en virtud del Convenio se vería frustrada. Esto lo ilustran casos como el presente, en los que la prueba es obtenida por la policía de forma incompatible con las exigencias del artículo 8 del Convenio, y además, se admite contra el acusado y conduce a su condena. *Si se acepta como «justa» la violación del artículo 8 entonces no sé cómo se puede disuadir de forma eficaz a la policía de repetir su conducta intolerable.* Y, debo reiterar aquí, que no acepto que un juicio y una condena resultantes de dicha conducta puedan considerarse justos o equitativos."

– STEDH 25 septiembre 2001, Caso *P.G. y J.H. c. Reino Unido*, no. 44787/98, CEDH 2001 IX, opinión parcialmente disidente del juez Tulkens, (f. 5). En este caso El Tribunal, por unanimidad, acepta que el uso de aparatos de escucha, tanto en el piso de B. como en la comisaría de policía, infringe el artículo 8 del Convenio porque tal injerencia en su derecho al respeto de la vida privada no estaba prevista por la ley. Sin embargo, la mayoría considera que el uso de estas pruebas en el juicio de los demandantes no entraba en conflicto con los requisitos de una audiencia equitativa garantizada por el artículo 6.1. El Juez Tulkens recuerda que:

"Finalmente, el punto de vista de la mayoría me parece que alberga un peligro real, que ya ha señalado el Juez Loucaides: «Si la violación del artículo 8 se puede aceptar como "equitativa", entonces no veo como se puede impedir que la policía repita su conducta no permitida» (opinión disidente de la Sentencia Khan de 12 de mayo de 2000).
"El Tribunal ha enfatizado «la necesidad de garantizar que la policía ejerza sus poderes de control y prevención del delito de una manera que respete completamente el procedimiento debido y otras garantías que legítimamente pongan restricciones a su ámbito de acción... incluidas las garantías contenidas en los artículos 5 y 8 del Convenio» (véase Sentencia Osman contra el Reino Unido de 28 octubre 1998, Repertorio 1998-VIII, ap. 116). ¿Llegará el momento en que el razonamiento de la mayoría se aplique cuando las pruebas se hayan obtenido violando otras disposiciones del Convenio, tal como el artículo 3, por ejemplo? Con el tiempo, la noción esencial de equidad en un proceso puede tender a declinar o estar sujeta al cambio de objetivos"».

STEDH 10 marzo 2009, Caso *Bykov c. Rusia* [GC], opinión parcialmente disidente del juez Spielmann acompañado por los jueces Rozakis, Tulkens, Casadevall y Mijović, f.12 "Si una violación del artículo 8 puede considerarse" equitativa ", no veo cómo será posible disuadir efectivamente a la policía de que repita su conducta ilícita".

– STEDH 31 octubre 2017, Caso *Dragoş Ioan Rusu c. Rumania*, voto conjunto parcialmente concurrente de los jueces Pinto de Albuquerque y Bošnjak, § 4. Se trata de un condena basada únicamente en la correspondencia del demandante ilícitamente obtenida, dado que contó con numerosas oportunidades para cuestionar la validez de la correspondencia incautada, que las alegaciones fueron examinadas adecuadamente por el Tribunal, que se constató la existencia de otros medios de prueba inculpatorios y que actuación de las autoridades judiciales garantizó los derechos de defensa del demandante y que no puede tacharse de arbitraria o irrazonable, el TEDH considera que la violación del art. 6.1 es inexistente.

En el voto particular se citan los anteriores votos: Casos Khan, P. G. y J. H. y Bykov, en el sentido de que la admisión de pruebas que vulneran el art. 8 CEDH como fundamento de una sentencia de condena, supone la pérdida de todo el efecto disuasorio que es esperable de la regla de exclusión probatoria.

A ello se añade que dicha disuasión, incluso contando con otras alternativas como los procedimientos disciplinarios frente a los agentes de policía que violen el CEDH o una acción civil por daños contra el Estado, no puede restablecerse de forma comparable con la que proporciona la regula de exclusión de la prueba que supone la inadmisión de prueba obtenidas violando el CEDH, por tres razones:

En primer lugar, la regla de exclusión de las pruebas obtenidas con violación de los derechos del CEDH no solo sirve para disuadir, sino que también es "un imperativo de integridad judicial". La regla de exclusión impide que el poder judicial tolere la mala conducta de la policía en situaciones en las que ésta obtiene pruebas vulnerando los derechos humanos y las libertades fundamentales.

En segundo lugar, una sanción procesal, como la regla de exclusión, hace que las normas sobre la obtención de fuentes de prueba sean leges perfectas. De lo contrario, las reglas de procedimiento son meramente auxiliares de las sustantivas que protegen la integridad física, la libertad de movimiento, la privacidad y otros derechos y libertades sustantivos. Tal situación supondría un ataque frontal al principio de equidad procesal, siendo este el núcleo del concepto de un juicio justo, tal como está consagrado en el art. 6 CEDH.

En tercer lugar, el incumplimiento de las normas sobre obtención de fuentes de prueba en los procesos penales no constituye necesariamente una infracción disciplinaria o que genere responsabilidad civil en varios sistemas jurídicos de las Altas Partes Contratantes.

Sobre la doctrina del "error inofensivo" y el impacto de los errores estructurales en la equidad de los procesos penales, véanse los párrafos 16 a 20 voto conjunto de los jueces Kalaydjieva, Pinto de Albuquerque y Turković en *Dvorski v. Croacia* [GC], no. 25703/11.

6.3.4. *La prueba ilícita y las excepciones a la regla de exclusión probatoria en España*

El caso Svetina gira en torno a la prueba ilícita, obtenida con vulneración de los derechos fundamentales, la regla de exclusión probatoria (REP), como consecuencia jurídica y las excepciones admisibles a la REP, señaladamente la de descubrimiento inevitable. En este epígrafe trataremos de exponer la proyección que Svetina tiene en el ordenamiento español, con la brevedad que exige el formato, exponiendo las cuestiones generales sobre la prueba ilícita en España, los efectos de la prueba ilícita: la REP y la doctrina de los frutos del árbol prohibido; y, en fin, las excepciones a la REP, con especial mención de la de descubrimiento inevitable.

a) La prueba ilícita en España

En nuestro ordenamiento jurídico constitucional la regulación de la prueba ilícita se aborda por primera vez en la LOPJ de 1985, cuyo art. 11.1 dispone: "*En todo tipo de procedimiento se respetarán las reglas de la buena fe. No surtirán efecto las pruebas obtenidas, directa o indirectamente, violentando los derechos fundamentales y las libertades públicas*" (vid. también: arts. 287 LEC; art. 90.2 LRJS, art. 78.17 LJCA).

Tal regulación legal tuvo su origen en la **STC 114/1984 de 29 de noviembre** que, precisamente con ocasión de un recurso de amparo en el ámbito laboral, relativo a la validez como prueba en un proceso de despido de una conversación grabada por uno de sus interlocutores, introdujo en nuestro ordenamiento la doctrina de la ilicitud de la prueba, contemplando la regla de exclusión probatoria (*exlusionary rule*), que procede del proceso penal norteamericano. La regla de exclusión de la prueba ilícita halla su fundamento en la IV y V enmiendas de la Constitución de USA[642] (Boyd vs US 116. US 616; 1886; y Weeks vs US 232 US 383, 1914)[643]. No obstante, conviene aclarar desde un buen principio que en el derecho procesal y constitucional norteamericano la finalidad principal de tal regla no es la tutela de los derechos fundamentales y libertades públicas, sino la disuasión de la mala conducta de los agentes de policía (*"deterrence of police misconduct"*).

En este sentido, la propia STC 114/84, con cita de la sentencia *United States V. Janis* (1976), reconoce que «... *la regla por la que se excluye la prueba obtenida en violación de la IV Enmienda tiende a garantizar los derechos generalmente reconocidos en dicha enmienda a través de un efecto disuasorio (de la violación misma) y no tanto como expresión de un derecho constitucional subjetivo de la parte agraviada ...*».

Una vez identificado el origen jurisprudencial de la regla de exclusión en nuestra doctrina constitucional, conviene ahora, dada la importancia de la STC 114/84, **sintetizar su contenido,** para luego examinar brevemente la evolución de la doctrina constitucional sobre la prueba ilícita. Para ello, podemos plasmar en 6 puntos los principales hitos de la sentencia.

1) **No existe un derecho fundamental autónomo a la no recepción jurisdiccional de las pruebas de posible origen antijurídico.** La imposibilidad de estimación procesal puede existir en algunos casos, pero no en virtud de un derecho fundamental que pueda considerarse originalmente afectado, sino como expresión de una **garantía objetiva e implícita en el sistema de los derechos fundamentales,** cuya vigencia y posición prefe-

---

[642] La Cuarta Enmienda establece:

"El derecho de la gente a la seguridad en sus personas, domicilios, papeles y efectos contra registros e incautaciones irrazonables, no será violada, y ningunas autorizaciones publicarán sin causa probable, apoyada por juramento o afirmación y describan con particularidad el lugar para registrarse, y las personas o cosas que hay que aprovechar".

La Quinta Enmienda dispone que:

"Ninguna persona ... estará obligada, en ningún juicio criminal, a ser testigo contra sí misma".

[643] MIRANDA ESTRAMPES, Manuel. Cuestión 79, pp. 515-534. Director: HERNÁNDEZ GARCÍA, Javier. "99 cuestiones básicas sobre la prueba en el proceso penal". Manuales de formación continuada del CGPJ, n° 51. ED. CENDOJ.

rente en el ordenamiento puede requerir desestimar toda prueba obtenida con lesión de los mismos. Conviene por ello dejar en claro que la hipotética recepción de una prueba antijurídicamente lograda no implica necesariamente lesión de un derecho fundamental.

2) La admisión de una prueba obtenida violentando los derechos fundamentales o libertades públicas afecta al **derecho a un proceso con todas las garantías** (art. 24.2 de la Constitución) y, en relación con ello, al **derecho a la igualdad de las partes** en el proceso (art. 14 de la Constitución). La valoración procesal de las pruebas obtenidas con vulneración de derechos fundamentales **«implica una ignorancia de las "garantías" propias del proceso** (art. 24.2 de la Constitución)» (SSTC 114/1984, fundamento jurídico 5.º y 107/1985, fundamento jurídico 2.º) y en virtud de su contradicción con ese derecho fundamental y, en definitiva, con la idea de «proceso justo» (TEDH, Caso Schenk contra Suiza, Sentencia de 12 julio 1988, fundamento de derecho 1, A) debe considerarse prohibida por la Constitución[644].

3) La inadmisión de la prueba ilícita es una **garantía de los derechos fundamentales,** que presentan la doble dimensión de derechos subjetivos de los ciudadanos y de «elementos esenciales de un ordenamiento objetivo de la comunidad nacional, en cuanto ésta se configura como marco de una convivencia humana justa y pacífica …»[645]. Se trata de una garantía objetiva e implícita en el sistema de los derechos fundamentales, cuya vigencia y posición preferente, en el Estado de Derecho que la Constitución instaura, exige que los actos que los vulneren carezcan de eficacia probatoria en el proceso (STC 114/1984, f. 2.º y 3.º).

4) **Esta garantía juega frente a los actos de los poderes públicos y también de los poderes privados** que supongan una violación de las situaciones jurídicas reconocidas en la Sección Primera del capítulo segundo del título I de la Constitución.

5) **La verdad** sí, **pero no a cualquier precio.** El conflicto de intereses entre la búsqueda de la verdad material y la tutela de los derechos fundamentales y libertades públicas, se resuelve en favor de ésta. Se destierra así

---

[644] STC núm. 81/1998 de 2 abril.
[645] STC 25/81, de 14 de julio, fundamento jurídico 5

el "maquiavelismo probatorio[646]", incompatible con la esencia misma de la dignidad humana y la noción de derechos fundamentales. En este sentido, parafraseando al Juez Holmes: *"Es preferible que algunos criminales puedan escapar a que el Gobierno juegue un papel innoble"*[647].

Sin embargo, se **abre la posibilidad de que en el conflicto entre el derecho fundamental a utilizar los medios de prueba pertinentes para la defensa la infracción de normas infra constitucionales, prevalezca el derecho fundamental.**

6) El concepto constitucional de pertinencia de la prueba alcanza la licitud de la misma. El concepto de «medios de prueba pertinentes» que aparece en el mismo art. 24.2 de la Constitución pasa, así, a incorporar, sobre su contenido esencialmente técnico-procesal, un alcance también sustantivo, en mérito del cual nunca podrá considerarse «pertinente» un instrumento probatorio obtenido con violación de los derechos fundamentales o libertades públicas[648].

Como apuntábamos al principio, en Derecho comparado hay **dos modelos que fundamentan la regla de exclusión de la prueba ilícita**, que podemos sintetizar en el **anglosajón y el continental**. En el primero se trata de disuadir a los agentes públicos del uso de pruebas que supongan violación de derechos (*deterrent effect*), mientras que el modelo continental concibe la *exclusionary rule* como una garantía constitucional de los derechos fundamentales. El modelo que acoge la doctrina del TC es el continental, puesto que la regla de exclusión de la prueba ilícita se configura como **una garantía constitucional**, que si bien no es un derecho fundamental, juega frente a los actos no sólo de los agentes públicos, sino también de los pri-

---

[646] MIRANDA ESTRAMPES, Manuel. Cuestión 79, pp .515-534. Director: HERNÁNDEZ GARCÍA, Javier. "99 cuestiones básicas sobre la prueba en el proceso penal". Manuales de formación continuada del CGPJ, nº 51. ED. CENDOJ.

[647] *I think it a less evil that some criminals should escape than that the Government should play an ignoble part.* **Olmstead v. United States 277 U.S. 438 (1928).n** Page 277 U. S. 470.

[648] Sobre prueba ilícita véanse también: STC 107/1985 de 7 de octubre, STC 64/1986 de 29 de noviembre, STC 80/1991 de 15 de abril, STC 85/1994 de 14 de marzo, STC 181/1995 de 11 de diciembre, STC 49/1996 de 26 de marzo, STC 81/1998 de 2 de abril, STC 49/1999 de 5 de abril, STC 50/2000 de 28 de febrero, STC 111/2011 de 4 julio.

vados, a diferencia del derecho anglosajón. El TC la definió como una "garantía constitucional negativa", que impide la valoración de la pureba ilícita, por lesionar el derecho al proceso con todas las garantías[649]; y la condena en base a tal prueba, al conculcar el derecho a la presunción de inocencia (STC 202/2001, de 15 de octubre).

Un ejemplo relativamente cercano del modelo continental lo encontramos en la STC Alemán, del 9 de Octubre, 2002 - 1 BvR 1611/96, 1 BvR 805/98[650]:

> *"El mero interés general por contar con una administración de justicia funcional, tanto en materia civil como penal, no es suficiente —en el marco de la ponderación— para considerar que este interés deba tener en todo caso el mismo peso o incluso mayor que el correspondiente al derecho general de la personalidad. Más bien, deben tomarse en consideración otros aspectos que den por resultado, que el interés por recabar material probatorio deba ser protegido a pesar de la violación al derecho de la personalidad. En el proceso penal, el esclarecimiento de crímenes especialmente graves puede ser un ejemplo de ello (cf. BVerfGE 34, 238 [248 y ss.]; 80, 367 [380]). También en el proceso civil pueden darse situaciones en que el interés por recabar material probatorio pueda alcanzar especial relevancia para la consecución del derecho de una de las partes, muy por encima del "simple" interés probatorio existente."*

Ahora bien, partiendo del enclave continental de la doctrina del TC en materia de prueba ilícita, lo cierto es **que se han ido incorporando elementos "extraños" a dicho modelo y que forman parte de la construcción doctrinal norteamericana**, lo que ha supuesto y supone no pocos problemas de encaje, así como una progresiva degradación de la garantía.

Así, s**e han ido progresivamente hipertrofiando las excepciones a la regla de exclusión probatoria** (en adelante REP), como regla general que impide la valoración de la prueba ilícita. Como ejemplos, la excepción de la buena fe, o la de que la vulneración se produzca en el momento de la obtención. En el caso de la prohibición de valoración de las pruebas reflejas (doctrina de los frutos del árbol prohibido), las excepciones también han ido incrementándose: desconexión causal o excepción de la fuente inde-

---

[649] SSTC 114/1984, de 29 de noviembre, FF. 2 y 3; 81/1998, F. 2; 49/1999, F. 12 y 149/2001, de 27 de junio, F. 7.

[650] Jurisprudencia del Tribunal Constitucional Federal Alemán. Extractos de las sentencias más relevantes compiladas por Jürgen Schwabe. © 2009 KONRAD - ADENAUER - STIFTUNG e. V.

pendiente, excepción del descubrimiento inevitable o, más tarde, del descubrimientos probablemente independiente[651].

b) Efectos de la prueba ilícita. La Regla de Exclusión Probatoria y la doctrina de los frutos del árbol prohibido

Una vez fijado el concepto de prueba ilícita, importa ahora delimitar sus
efectos, para lo que debemos empezar distinguiendo **los efectos directos y
los reflejos.**

Como **efecto directo de la prueba ilícita** juega la **regla de exclusión**
(REP) que se expresa en forma diversa en el art. 11.1 LOPJ, art. 90.2 LRJS
y art. 287 LEC.En el art. 11.1 LOPJ se dice que dichas pruebas "no surtirán efecto".

- *La regla de exclusión probatoria (REP)*

La REP exige que la prueba no surta efectos (art. 11.1 LOPJ) y, por
tanto, **que no sea valorada en ningún caso,** si bien hemos comprobado que
la ley intenta anticipar esa expulsión del proceso al momento de la admisión, reconociendo, en un ejercicio de realismo y pragmatismo, que ello no
siempre es posible. (vid. p.ej. art. 90.2 LRJS).

Un carácter de la regla de exclusión, apuntado por la mayoría doctrinal
es que **la nulidad del medio de prueba no es subsanable**[652] y que por tanto, no puede volver a practicarse observando los derechos fundamentales
antes vulnerados, ni puede solventarse a través de otro medio de prueba (ej.
testifical respecto de la grabación ilícita del contenido de una conversación
privada).

---

[651] MIRANDA ESTRAMPES, Manuel. Cuestión 79, pp. 515-534. Director:
HERNÁNDEZ GARCÍA, Javier. "99 cuestiones básicas sobre la prueba en el proceso penal". Manuales de formación continuada del CGPJ, nº 51. ED. CENDOJ.

[652] LOUSADA AROCHENA, José Fernando. "La prueba ilícita en el proceso la-
boral". Revista doctrinal Aranzadi Social núm. 11/206 Bib. 2006/1250; PICÓ I JU-
NOY, Joan y ABEL LLUCH, Xavier en "Aspectos prácticos de la prueba civil". Ed.
J. M Bosch editor. 2006. pp. 30-32.

Ahora bien, hay que matizar, siguiendo a determinados autores[653], que la regla de exclusión ha de ser entendida en sus justos términos y que **el principio de conservación de los actos (art. 243.2 LOPJ)**, impone que la nulidad parcial de un acto no suponga la de las partes del mismo independientes de la declarada nula. Así, en el ejemplo de grabación de audio y vídeo, puede reputarse desproporcionada y por tanto nula la grabación de audio, pero no la de vídeo y ser por ello conservada la de vídeo y excluida la de audio.

El problema derivado de la admisión y su posterior no valoración es el de la **contaminación psicológica del juez por la percepción de la prueba ilícita**; sin embargo, hay que afirmar que su profesionalidad le proporciona mecanismos técnicos de aislamiento de la prueba ilícita en el proceso valorativo, del que carecen los jueces legos, de ahí la prevención del art. 37 LOTJ, que exige en los procesos de jurado que se resuelva sobre la ilicitud antes de constituirse el jurado y como artículo de previo pronunciamiento. Si bien existen posturas un tanto escépticas sobre el hecho de que la profesionalidad del juez impida su contaminación[654], tenemos que decir que se trata de un escepticismo injustificado, desde el mismo momento en que tanto el art. 287 LEC, como el art. 90.2 LRJS prevén la práctica de la prueba sobre la ilicitud que habría de producir con total seguridad un efecto con idéntica potencialidad contaminante que la percepción de la prueba ilícita admitida y no valorada. Por ejemplo: visionado de una grabación con vídeo para determinar si la misma se obtuvo desde el interior del domicilio o desde el exterior y si, por tanto, es o no contraria al derecho a la intimidad.

- *La doctrina de los frutos del árbol prohibido*

Como **efecto reflejo de la prueba ilícita** tenemos que destacar la **doctrina de los frutos del árbol prohibido**. Esta doctrina suele ser situada en cuanto a su origen en las sentencias de la Corte Suprema de U.S Silver-

---

[653] BAYLOS GRAU, Antonio; CRUZ VILLALÓN, Jesús; FERNÁNDEZ LÓPEZ, María Fernanda en "Instituciones de derecho Procesal Laboral, Ed. Trotta, Madrid, 1991.

[654] En este sentido se pronuncia: HERNÁNDEZ GARCÍA, Javier. "99 cuestiones básicas sobre la prueba en el proceso penal". Manuales de formación continuada del CGPJ, nº 51. ED. CENDOJ. (p. 514).

thorne Lumber Co. v. U.S. 251 S 385(1920), y Nardone v. US 308/S 338 (1939). En este último caso, en un supuesto de escuchas telefónicas, se atribuye al acusado la carga de demostrar que las escuchas telefónicas se llevaron a cabo ilegalmente, y una vez logrado ello, al acusado debe probar que una parte sustancial del caso en su contra fue "un fruto del árbol venenoso", recayendo en el Gobierno la carga de la prueba de que su prueba tuvo un origen independiente.

Esta doctrina consiste en que la **prueba lícita también es excluida del cuadro probatorio cuando está conectada causalmente con la prueba ilícita**; doctrina aceptada en nuestro ordenamiento, considerándose incorporada al art. 11.1 LOPJ; cuando nos habla de que no surtirán efectos las pruebas **obtenidas indirectamente** violentando derechos fundamentales. Tal doctrina ha sido ampliamente admitida por el TC[655], que considera la prueba indirecta como la prueba lícita derivada o refleja de la prueba ilícita[656].

En efecto, ha dicho el TC que «*La prohibición de valoración … atañe tanto a la prueba directamente obtenida como consecuencia de la vulneración del derecho fundamental cuanto a la derivada de ella. Al respecto debe destacarse que el sistema de excepciones en que se considera lícita la valoración de pruebas causalmente conectadas con la vulneración de derechos fundamentales, pero jurídicamente independientes, se refiere, en principio, a la prueba derivada o refleja, y su razón de ser, como expresamente establecimos en STC 81/1998, de 2 de abril, F. 4, es que* «tales pruebas reflejas son, desde un punto de vista intrínseco, constitucionalmente legítimas. *Por ello, para concluir que la prohibición de valoración se extiende también a ellas, habrá de precisarse que se hallan vinculadas a las que vulneraron el derecho fundamental sustantivo de modo directo, esto es, habrá que establecer un nexo entre unas y otras que permita afirmar que la ilegitimidad constitucional de las primeras se extiende también a las segundas (conexión de antijuridicidad)*»[657].

[655] STC 49/1996, de 26 de marzo (, F. 3), aunque derive indirectamente de aquélla (SSTC 85/1994, de 14 de marzo, F. 4; 86/1995, de 6 de junio, F. 3; 181/1995, de 11 de diciembre, F. 4; 54/1996, de 26 de marzo, F. 8)» STC núm. 66/2009 de 9 marzo. RTC 2009\66.

[656] STC 239/1999 de 20 diciembre….."debemos detenernos ahora es en lo que este Tribunal ha dicho respecto de las llamadas pruebas de cargo directas ilícitamente obtenidas, así como de las pruebas de cargo indirectas o derivadas de las primeras".

[657] STC 22/2003 de 10 febrero. RTC 2003\22.

Asi, respecto de las intervenciones telefónicas ilícitas, en la STC 6/2009, de 9 de marzo "Tal prohibición (…) se extiende a "cualquier otra prueba derivada de la observación telefónica, siempre que exista una conexión causal entre ambos resultados probatorios" (STC 49/1996, de 26 de marzo, F. 3), aunque derive indirectamente de aquélla[658].

En efecto, en el ámbito penal, la jurisprudencia, si bien tiene establecido como principio general que la ilicitud de un acto se transmite a todos los demás actos que de aquella original diligencia esencialmente viciada se deriven [STS 2 noviembre 1993 (Rec 1309/1992)], precisa que ello no puede significar que el delito no pueda ser probado por otros medios, con tal de que no deriven directa o indirectamente de aquélla.

Es decir, la prueba obtenida ilícitamente puede no viciar a la restante existente en la causa si es posible la denominada «desconexión causal» de unas y otras pruebas, con lo que el problema estriba en fijar si obran en la causa pruebas calificables como tales y obtenidas en forma procesalmente regular (STS 9 octubre 1992), teniendo en cuenta además —se ha afirmado— que dicha desconexión existe cuando se trate de un «hallazgo inevitable» (STS 5 junio 1995) o un «hallazgo casual» (SSTS 18 febrero 1994 y 26 noviembre 1994).

De esta forma se exige una **conexión de antijuridicidad** para que la REP alcance a las pruebas lícitas reflejas: para que la prohibición de valoración se extiende también a ellas, habrá de precisarse que se hallan vinculadas a las que vulneraron el derecho fundamental sustantivo de modo directo, esto es, habrá que establecer u**n nexo entre unas y otras que permita afirmar que la ilegitimidad constitucional de las ilícitas se extiende también a las lícitas** (conexión de antijuridicidad).

En cuanto a la conexión de antijuridicidad, para determinar su existencia el TC acude a dos perspectivas de análisis[659]:

---

[658] SSTC 85/1994, de 14 de marzo, F. 4; 86/1995, de 6 de junio, F. 3; 181/1995, de 11 de diciembre, F. 4; 54/1996, de 26 de marzo, F. 8"

[659] SSTC 81/1998, de 2 de abril [(RTC 1998, 81), F. 2; 69/2001, de 17 de marzo (RTC 2001, 69), F. 26; 28/2002, de 11 de febrero (RTC 2002, 28), F. 4], STC 259/2005 de 24 octubre. RTC 2005\259, STC 197/2009 de 28 septiembre. RTC 2009\197.

1 **Interna:** consiste en el examen de la índole y características de la vulneración del derecho fundamental o libertad pública en la prueba originaria, es decir, qué garantías de la injerencia en el derecho se han visto menoscabadas y en qué forma; así como su resultado en las pruebas reflejas, es decir el conocimiento adquirido a través de la injerencia practicada inconstitucionalmente. En este contexto, se valora si **el conocimiento derivado de la injerencia en el derecho fundamental fue indispensable o determinante por sí solo para la obtención de la prueba refleja o, lo que es lo mismo, si la prueba refleja se hubiera obtenido, también, razonablemente, sin la vulneración del derecho.**

2) **Externa:** las necesidades esenciales de tutela que la realidad y efectividad del derecho fundamental vulnerado por la prueba ilícita. En este punto late la doctrina del *"deterrent effect"*. Así, se examina **si la excepción de la REP incentiva la comisión de infracciones del derecho fundamental o libertad público y, por lo tanto, puede privarle de una garantía indispensable para su efectividad.** Para ello, se valora la el **dolo o la negligencia grave del agente** como elementos que de concurrir hay que apreciar para descartar la excepción y aplicar la REP; y al contrario, en **los supuestos de mero error de los agentes,** las necesidades de disuasión no pueden reputarse indispensables desde la perspectiva de la tutela del derecho fundamental.

Estas **dos perspectivas son complementarias,** pues sólo si la prueba refleja resulta jurídicamente ajena a la vulneración del derecho y la prohibición de valorarla no viene exigida por las necesidades esenciales de tutela del mismo cabrá entender que su efectiva apreciación es constitucionalmente legítima, al no incidir negativamente sobre ninguno de los dos aspectos que configuran el contenido del derecho fundamental sustantivo[660].

El TC fija **el *íter* analítico de la validez de la prueba refleja, configurando un test a dos niveles**[661]:

---

[660] STC 81/1998, de 2 de abril, F. 4; en el mismo sentido, entre otras, [SSTC 121/1998, de 15 de junio, F. 6; 49/1999, de 5 de abril (RTC 1999, 49), F. 14; 94/1999, de 31 de mayo, F. 6; 166/1999, de 27 de septiembre, F. 4; 171/1999, de 27 de septiembre, F. 4; 136/2000, de 29 de mayo, F. 6].

[661] STC 66/2009 de 9 marzo.

1) En primer lugar, ha de analizarse **si existe o no conexión causal** entre ambas pruebas, conexión que constituye el presupuesto para poder hablar de prueba derivada.

2) Sólo si existiera dicha conexión procedería el **análisis de la conexión de antijuridicidad** (cuya inexistencia legitimaría la posibilidad de valoración de la prueba derivada).

De no darse siquiera la conexión causal no sería necesario ni procedente analizar la conexión de antijuridicidad, y ninguna prohibición de valoración en juicio recaería sobre la prueba en cuestión. En definitiva, se considera lícita la valoración de pruebas causalmente conectadas con la vulneración de derechos fundamentales, pero jurídicamente independientes, esto es, las pruebas derivadas o reflejas[662].

- *Excepciones a la regla de exclusión, en especial el descubrimiento inevitable*

Una vez trazada la regla de exclusión como efecto directo en la prueba ilícita y reflejo en la prueba lícita derivada de aquella (doctrina de los frutos del árbol prohibido), importa ahora dejar anotadas las numerosas **excepciones que, a la postre, han terminado por convertir la REP, que es la regla general, en la excepción.**

Las **excepciones de la regla de exclusión** vienen dadas, fundamentalmente, por la incorporación a nuestro derecho de las excepciones **propias de la doctrina norteamericana** que, como hemos apuntado, **responde a un fundamento distinto para la REP que nuestro derecho constitucional.** De esta forma, si el efecto disuasorio prima en la doctrina americana, la naturaleza de garantía de los DDFF prima en el derecho continental y ello, en buena lógica, ha de tener sus consecuencias en orden a interpretar las excepciones a la REP.

- **Excepción de desconexión causal o de fuente independiente:** esta excepción a la REP se introdujo en la STC 86/1995, de 6 de junio, y tiene su origen en la jurisprudencia norteamericana, en la que en un caso de tráfico de drogas con una intervención telefónica ilícita,

---

[662] SSTC 81/1998, de 2 de abril, F. 4, y 22/2003, de 10 de febrero, F. 10).

se considera válida una prueba —confesión del coacusado— por no guardar vínculo alguno con dicha prueba ilícita, y porque una primera confesión ilícita (sin lectura de derechos) fue luego reiterada ante el juez de instrucción y en juicio oral, con todas las garantías.

Como bien sostuvo en su día MIRANDA[663], más que una excepción a la REP, se trata de un supuesto de inaplicación, pues nos hallamos ante pruebas no obtenidas ni directa ni indirectamente con vulneración de DDFF.

Esta excepción de la "*independent source*" se origina en la doctrina americana: ejs: Wong Sun v. US. 371 U.S. 471 (1963), y en otros casos, como Bynum c. US 274 F.2d 767 (1960); Segura c. US 468 US 796 (1984), o Murray c. US, 487, 533 (1988).

El TC ha continuado con la doctrina de fuente independiente, en la STC 54/1996, de 26 de marzo; un caso de intervención telefónica ilícita en que se enerva la presunción de inocencia por testifical de cargo y declaración del acusado completamente independientes de a prueba ilícita. Así mismo, en la STC 8/2000, de 17 de enero, en que se produce un registro domiciliario ilícito en un caso de tráfico de estupefacientes del que resulta condena por testificales y declaraciones de coimputados independientes.

Esta excepción sería válida en los supuestos de que no hubiera conexión ontológico-causal alguna entre la prueba ilícita y la prueba independiente, pero no en aquellos otros casos en los que habiendo conexión causal no se aprecia conexión de antijuridicidad. Ej. confesión del acusado en comisaría que sigue a un registro domiciliario ilegal con aprehensión de la droga. La presencia de abogado y la lectura de derechos rompería la conexión de antijuridicidad pero no podría lógica y ontológicamente considerarse la confesión como una fuente independiente.

En este sentido PERFECTO ANDRÉS[664], destapa el abuso de la excepción de fuente independiente "*En efecto, si la nulidad del registro es abso-*

---

[663] MIRANDA ESTRAMPES, M. "El concepto de prueba ilícita y su tratamiento en el proceso penal". Ed. J. M. Bosch. 2ª Edición, revisada y ampliada. P. 122.

[664] ANDRÉS IBÁÑEZ, P. "La función de las garantías en la actividad probatoria". en AAV. "La restricción de los derechos fundamentales de la persona en el proceso penal". Cuadernos de Derecho judicial. CGPJ, Madrid. 1993.

luta e insubsanable ello quiere decir que dejarían de tener relevancia procesal los objetos hallados en el mismo. Y, siendo así, no se entiende con base en qué fuente de información podría ni siquiera formularse por la acusación al imputado pregunta alguna acerca de algo jurídicamente inexistente..."

La "excepción" de fuente independiente, bien entendida, habría de ser considerada desde el derecho fundamentales a valerse de los medios de prueba (art. 24.2CE), y desde esa perspectiva, determinar si la fuente lícita tiene algún nexo causal con las ilícitas, sólo así podría aducirse que se trata de una fuente independiente. Evidentemente, no es independiente lo que se pregunta a un testigo o al acusado, que deriva de la diligencia de registro ilícita, sólo es diferente la fuente de prueba, por lo que hay que cuidar la confusión entre independiente y diferente, puesto la relación de dependencia se basa, precisamente, en la diferencia de las fuentes que se valoran. El cuidado que se lleve en esta distinción, evitará los abusos que denuncia la doctrina (PERFECTO, ant. cit.). La relación de dependencia entre fuentes (ilícita y lícita), es meramente ontológica. ej. si el testigo sabe de la existencia de la existencia de la droga porque es un agente de policía que presenció el registro ilícito o sabe de dicha existencia por causas absolutamente ajenas a la prueba ilícita.

- **Excepción de fuente jurídicamente independiente**: se da cuando aún existiendo conexión causal, jurídicamente son discernibles la prueba ilícita y la lícita. Se aplicado en supuestos declaración auto incriminatoria, no sólo de acusado en plenario[665]; sino incluso de imputado en instrucción[666], y entre la declaración de imputado y la entrada y registro[667] («en atención a las propias garantías constitucionales que rodean la práctica de dichas declaraciones, que permite afirmar la espontaneidad y voluntariedad de las mismas», y porque «la admisión voluntaria de los hechos no puede considerarse un aprovechamiento de la lesión del derecho fundamental[668].»

---

[665] SSTC 136/2006, de 8 de mayo, FF. 6 y 7, y 49/2007, de 12 de marzo, F. 2.

[666] [SSTC 167/2002, de 18 de septiembre (RTC 2002, 167), F. 8; 184/2003, de 23 de octubre (RTC 2003, 184), F. 2].

[667] STC 136/2000, de 29 de mayo [(RTC 2000, 136), F. 8].

[668] SSTC 161/1999, de 27 de septiembre [(RTC 1999, 161), F. 4; 8/2000, de 17 de enero (RTC 2000, 8), F. 3; 136/2000, de 29 de mayo, F. 8].

Esta excepción se contempla, entre otras en la STC 66/2009 de 9 de marzo. Dicha resolución entiende que ha de analizarse si existe o no conexión causal entre la prueba lícita y la ilícita. De esta forma, **se considera lícita la valoración de pruebas causalmente conectadas con la vulneración de derechos fundamentales, pero jurídicamente independientes.** En estos casos, la valoración acerca de sí se ha roto o no el nexo entre una prueba y otra corresponde a la jurisdicción ordinaria, limitándose el control del TC a la comprobación de su razonabilidad.

- **Excepción de la buena fe**: que supone que si los agentes de la autoridad actúan sin dolo o imprudencia grave, por mero error, no puede aplicarse la regla de exclusión probatoria. Sus precedentes se hallan en la doctrina americana[669]. Así, *Illinois v. Krull nº 85-608 (1987)*, en que una ley inconstitucional permitías registros en desguaces de vehículos y trasteros. el TS decidió que la regla de buena fe se aplicaba, ya que el error fue del poder legislativo y no del policía que realizó el registro. También ilustrativa es *Arizona v. Evans*, 514 U.S. 1 (1995). en que un policía consultó el ordenador, que contenía por error una orden de detención contra un sujeto que, finalmente es detenido y se le encuentra marihuana. El efecto disuasorio como finalidad propia de la REP en el derecho americano jugó en favor de la admisión de la prueba.

En España se ha admitido la excepción del a buena fe, así en la STC núm. 22/2003 de 10 febrero, que se ocupó de un caso en que la policía entra ilícitamente en un domicilio donde halla pruebas (arma), por medio del consentimiento de la esposa del imputado, consentimiento que no era válido para autorizar la entrada y registro.

El TC razona que la valoración de la prueba es válida pues se obtuvo sin dolo o mala fe del agente.(F.10).

"el consentimiento de la esposa aparecía, según el estado de la interpretación del Ordenamiento en el momento de practicar la entrada y registro, como habilitación suficiente para llevarla a cabo conforme a la Constitución. A partir de ese dato, cabe

---

[669] ALCAIDE GONZÁLEZ, J. M. "La exclusionary rule de EE.UU. y la prueba ilícita penal en España. Perfiles jurisprudenciales comparativos. Tesis doctoral dirigida por la Dra. María del Carmen Navarro Villanueva. Universitat Autónoma de Barcelona 2012"

*afirmar, en primer término, **la inexistencia de dolo o culpa, tanto por parte de la fuerza actuante, como por la de los órganos judiciales que dieron por válida la prueba practicada**; y, en segundo lugar, **que la necesidad de tutela por medio de la exclusión de la prueba en este caso no sólo no es mayor que en el de las pruebas reflejas, sino que podría decirse que no existe en absoluto.***

*La inconstitucionalidad de la entrada y registro obedece, en este caso, pura y exclusivamente, a un déficit en el estado de la interpretación del Ordenamiento que no cabe proyectar sobre la actuación de los órganos encargados de la investigación imponiendo, a modo de sanción, la invalidez de una prueba, como el hallazgo de una pistola que, por sí misma, no materializa en este caso, lesión alguna del derecho fundamental (vid. STC 49/1999, de 5 de abril, F. 5) y que, **obviamente, dada la situación existente en el caso concreto, se hubiera podido obtener de modo lícito si se hubiera tenido conciencia de la necesidad del mandamiento judicial.** En casos como el presente, en que el origen de la vulneración se halla en la insuficiente definición de la interpretación del Ordenamiento, en que se actúa por los órganos investigadores en la creencia sólidamente fundada de estar respetando la Constitución y en que, además, la actuación respetuosa del derecho fundamental hubiera conducido sin lugar a dudas al mismo resultado, la exclusión de la prueba se revela como un remedio impertinente y excesivo que, por lo tanto, es preciso recha."*

No obstante, con esta interpretación se está introduciendo una **excepción no contemplada legalmente en el art. 11.1 LOPJ;** y de añadido se está fundando, en un **efecto disuasorio que —siendo importante— no es ni la primordial ni la fundamental de las orientaciones de la REP en nuestro ordenamiento.** Por otro lado, en el propio razonamiento del TC que hemos dejado expuesto, se aprecia una mezcla de excepciones (descubrimiento inevitable y buena fe), que apunta a la falta de rigor doctrinal en la incorporación de excepciones extrañas a la función de garantía de los DDFF que cumple la REP en nuestro ordenamiento.

En efecto, el TC ha dicho reiteradamente que la vulneración de los DDFF no exige que concurra dolo o mala fe[670], por lo que si la finalidad de

---

[670] En efecto, Según el TC o resulta admisible que se niegue "la vulneración del derecho fundamental alegado sobre la base de la falta de intencionalidad lesiva del sujeto infractor, pues ... la vulneración de derechos fundamentales no queda supeditada a la concurrencia de dolo o culpa en la conducta del sujeto activo; esto es, a la indagación de factores psicológicos y subjetivos de arduo control. Este elemento intencional es irrelevante, bastando constatar la presencia de un nexo de causalidad adecuado entre el comportamiento antijurídico y el resultado prohibido por la norma". Vid. SSTC 11/1998, de 13 de enero...; 124/1998, de 15 de junio...; 126/1998, de 15 de junio...;

la REP es su garantía, poco debiera importar la buena fe del agente, cuando la vulneración se ha producido. Sólo acudiendo al propósito del "*deterrent efect*" o efecto disuasorio, que resulta exótico en nuestro derecho, se puede justificar la excepción de buena fe, como ha hecho el TS: STS 9/2004, de 19 de enero, que con invocación de la STC 81/98, dice "*la actitud anímica de quien o quienes fueran causantes de esa vulneración, concretamente si hubo intención o sólo un mero error en sus autores, habida cuenta de que el efecto disuasorio, uno de los fundamentos de la prohibición de valoración de la prueba inconstitucional, tiene menor significación en estos casos de error*".

- **Excepción del descubrimiento inevitable o probablemente inevitable:** En la primera sentencia del TS STS (II) 4 julio 1997 Rec 1367/1996 que admitió expresamente el descubrimiento inevitable como supuesto de ruptura de la conexión de antijuridicidad (anterior en realidad a la doctrina constitucional establecida en la STC 81/98, de 2 de abril se hace referencia a que la aplicación de este supuesto de desconexión solo es factible cuando "inevitablemente" y por métodos regulares, existían cauces en marcha que habrían desembocado de todos modos en el descubrimiento de los hechos, es decir cuando las pruebas cuestionadas habrían sido ineluctablemente descubiertas de una fuente sin tacha, y siempre en supuestos de actuaciones policiales realizadas de "buena fe".

En efecto, el TS introdujo esta excepción en su STS (II) 4 julio 1997 Rec 1367/1996:

«**Sin embargo, en el caso actual el efecto expansivo de la prueba ilícita aparece limitado conforme a la doctrina del "descubrimiento inevitable"**. En efecto consta acreditado, a través de la prueba testifical debidamente practicada en el acto del juicio oral, que la acusada era objeto de un proceso de vigilancia y seguimiento, anterior incluso al inicio de la intervención telefónica, realizado por un conjunto de Agentes de la Policía Autónoma Vasca, como consecuencia de informaciones referentes a su dedicación habitual a la transmisión y venta de heroína a terceros; proceso de vigilancia que habría conducido, en cualquier caso, al descubrimiento de la reunión celebrada en la cafetería Amaya de Bilbao entre la recurrente y sus proveedores de heroína "al por mayor". Es decir que "inevitablemente" y por métodos regulares, ya había cauces en marcha que habrían desembocado de todos modos en el descubrimiento de la entrega del alijo, realizada, como se ha dicho, en un lugar público y

---

225/2001, de 26 de noviembre...; y 66/2002, de 21 de marzo ...)" STC 80/2005, de 4 de abril ...), etc.

sujeto a la vigilancia de los grupos de agentes que procedían al seguimiento de la acusada».

La misma excepción ha sido aplicada posteriormente, por ejemplo en STS (II) 21 mayo 2002. Rec. 937/2001, obtención de un molde de yeso que reprodujera la dentadura del acusado, que permitió más tarde su identificación como autor del delito que se le imputa, sin haberle informado de sus derechos ni habérsele proporcionado una defensa letrada.

*«La Audiencia estimó que la prueba había sido legalmente obtenida, pues en el momento en el que se solicitó por la policía el consentimiento del recurrente para la obtención del molde dental "no existían elementos que le atribuyeran una conducta delictiva". Consecuentemente, el Tribunal "a quo" sostuvo que no existía una relación directa entre la obtención del primer molde y los posteriores, dado que no había existido ninguna violación de los derechos del recurrente en la obtención del primero. Este argumento es discutible, dado que la policía no solicitaba el consentimiento de cualquier persona para la obtención de una prueba que, conectada con la autopsia que ya conocía, poder llegar a una comprobación de la autoría. Es evidente que se comenzó por la primera persona que aparecía en una serie de posibles sospechosos. No obstante, la infracción jurídica cometida no permite invalidar las pruebas posteriores. En efecto, cuando la medida adoptada posteriormente con la debida instrucción de derechos al recurrente, en su calidad de imputado, fue judicialmente decidida, no podía ser considerada como consecuencia de la primera, toda vez que con los conocimientos que en ese momento obraban en la causa, la comprobación de la posible autoría de aquél era prácticamente inevitable. No ofrece dudas que era conocida por el Juez de Instrucción la relación personal del recurrente con la víctima, que las características de esa relación podían ser el motivo del hecho ocurrido y que la autopsia había revelado la existencia de una mordedura que permitía identificar al autor conociendo la estructura de su dentadura. En tales condiciones, **la medida adoptada no puede estar condicionada por la obtención previa del molde, pues incluso sin éste, cualquier juez de instrucción hubiera tenido que decretar la diligencia si hubiera tenido conocimiento de la herida. En estos casos, la llamada doctrina del "fruit of the poisonous tree" (fruto del árbol envenenado) admite una corrección a través de otra teoría, la del "inevitable discovery" (descubrimiento inevitable). Es decir, cuando la experiencia indica que las circunstancias hubieran llevado necesariamente al mismo resultado,** no es posible vincular causalmente la segunda prueba a la anterior, pues en tales casos faltará la llamada, en la terminología del Tribunal Constitucional, "conexión de antijuridicidad", que, en realidad presupone, en todos los casos, una conexión causal. Por lo tanto, allí donde la prueba se hubiera obtenido de todos modos, sin necesidad de recurrir a otra anterior, faltará la conexión de antijuridicidad, es decir, la relación causal de la primera con la segunda. Con otras palabras: todo resultado que se hubiera producido aunque una de sus condiciones no se hubiera producido, no es el resultado de esa condición.»*

A modo de conclusión, diremos que **la doctrina del descubrimiento inevitable** es una **doctrina criticable**, pues empeña la presunción de inocencia no en base a verdaderas fuentes de prueba lícitas, sino en hipotéticas fuentes de prueba que no se han producido. Así mismo, se infringe el derecho a un proceso con todas las garantías, pues las garantías dejan de ser válidas, con la sola hipótesis de que "inevitablemente" habrían sido respetadas.

La reducción al absurdo de esta teoría es sumamente sencilla. La regla de exclusión de las pruebas y la garantía de los derechos fundamentales que la misma representan serían inaplicables en todos los procesos en que en la investigación interviniese Sherlock Holmes, pues dada su conocida pericia para descubrir al autor del delito, por muchas tropelías y abusos que hubiera cometido la policía los hechos hubieran sido *inevitablemente* descubiertos. Siempre podrá demostrarse que "inevitablemente", las cosas podrían haberse hecho bien.

La pendiente resbaladiza hacia la merma de garantías de los derechos fundamentales por el Estado en los procesos penales la abrió la STC 81/1998, que ya hemos comentado, la extensa gama de excepciones acuñadas por la doctrina del TC y la Sala II del TS parece inagotable. A partir de ahí, las excepciones a la REP se han convertido en la regla, y la garantía de los derechos fundamentales mediante exclusión de las pruebas ilícitas de la valoración de la prueba, son hoy una excepción, que sólo cubre los casos más groseros y escandalosos de vulneración de los derechos fundamentales en el proceso penal.

Se observa, por tanto, un tan obvio como **lamentable paralelismo entre la involución de la doctrina sobre la prueba ilícita en España y la doctrina mayoritaria del TEDH**, denunciada reiteradamente en los votos particulares de STEDH 12 mayo 2000, Caso *Khan c. Reino Unido*; STEDH 25 septiembre 2001, Caso *P.G. y J.H. c. Reino Unido*, STEDH 10 marzo 2009, Caso *Bykov c. Rusia* y STEDH 31 octubre 2017, Caso *Dragoş Ioan Rusu c. Rumania*.

Parece que el conflicto de intereses entre la búsqueda de la verdad material y la tutela de los derechos fundamentales y libertades públicas, que el Juez Holmes resolvió en favor de los derechos se decanta ahora hacia la verdad, con el peligro que ello supone y que la Historia ya nos ha mostrado en innumerables ocasiones.

Se asume así que la **verdad es deseable a cualquier precio**, priorizando el valor epistémico sobre el valor de la dignidad humana, no sin una mala conciencia ataviada con ropajes tan estrafalarios como la doctrina del descubrimiento inevitable, que van llenando un cada vez más repleto armario de excepciones a las garantías de los derechos.

6.3.5. *Índice de casos*

STEDH 12 julio 1988, Caso Schenk c. Suiza
STEDH 17 diciembre 1996, Caso Saunders c. Reino Unido
STEDH 9 junio 1998, Caso Teixeira de Castro c. Portugal
STEDH 21 enero 1999, Caso García Ruiz c. España
STEDH 12 mayo 2000, Caso Khan c. Reino Unido
STEDH 21 diciembre 2000, Caso Heaney y McGuinness c. Irlanda
STEDH 25 septiembre 2001, Caso PG y JH c. Reino Unido
STEDH 5 noviembre 2002, Caso Allan c. Reino Unido
STEDH 9 enero 2003, Caso İçöz contra Turquía
STEDH 20 junio 2006, Caso Örs y otros c. Turquía
STEDH 11 julio 2006, Caso Jalloh c. Alemania
STEDH 21 septiembre 2006, Caso Söylemez c. Turquía
STEDH 17 octubre 2006, Caso Göçmen c. Turquía
STEDH 1 marzo 2007, Caso Heglas c. República Checa
STEDH 28 junio 2007, Caso Haroutyounian c. Armenia
STEDH 16 diciembre 2008, Caso Levinţa c. Moldavia
STEDH 10 marzo 2009, Caso Bykov c. Rusia
STEDH 28 julio 2009, Caso Lee Davies c. Bélgica
STEDH 1 julio 2010, Caso Gäfgen c. Alemania
STEDH 17 enero 2012, Caso Alony Kate c. España
STEDH 29 noviembre 2016, Caso Lhermitte c. Bélgica
STEDH 3 marzo 2016, Caso Prade c.Alemania
STEDH 21 octubre 2017, Caso Dragoş Ioan Rusu c. Rumania
STEDH 9 enero 2018, Caso López Ribalda y otras c. España

6.3.6. *Bibliografía*

ALCAIDE GONZÁLEZ, J.M. "La exclusionary rule de EE.UU. y la prueba ilícita penal en España. Perfiles jurisprudenciales comparativos. Tesis doctoral dirigida por la Dra. María del Carmen Navarro Villanueva. Universitat Autónoma de Barcelona 2012"

ANDRÉS IBÁÑEZ, P. "La función de las garantías en la actividad probatoria". en AAV. "La restricción de los derechos fundamentales de la persona en el proceso penal". Cuadernos de Derecho judicial. CGPJ, Madrid. 1993.

GARCÍA ROCA, J., SANTOLAYA, P. (Coord.) "La Europa de los Derechos. El Convenio Europeo de Derechos Humanos Ed. CEC. 2ª Edición. 2009

LASAGABASTER HERRARTE, I. "Convenio Europeo de Derechos Humanos. Comentario Sistemático. 2ª edición. Ed. Civitas Thomson-Reuters 2009

MIRANDA ESTRAMPES, M. "El concepto de prueba ilícita y su tratamiento en el proceso penal". Ed. J.M Bosch. 2ª Edición, revisada y ampliada.

MONEREO ATIENZA, C.; MONEREREO PÉREZ, J.L. "La Garantía Multinivel de los Derechos Fundamentales en el Consejo de Europa". Ed. Comares. 2017.

PÉREZ TREMPS, P.; SAIZ ARNAIZ, A., "Comentario a la Constitución Española. 40 aniversario 1979-2018. Libro homenaje a Luis López Guerra. Ed. Tirant Lo Blanch

PINTO DE ALBUQUERQUE, P. " I Diritti umani in una prospettiva europea. Opinini concrrenti e dissenzienti (2011-2015)". A cura e con un saggio di Davide Galliani prefaziine di Paola Bilancia. Ed. B. Giappichelli Editori- 2016.

PRECIADO DOMÈNECH, C.H. "Teoría General de los Derechos Fundamentales en el contrato de Trabajo". Ed. Thomson Reuters-Aranzadi. 2018

PRECIADO DOMÈNECH, C.H. "La prueba en el proceso social". Ed. Lex Nova. Thomson Reuters. 2015.

QUERALT JIMÉNEZ, A. "La interpretación de los derechos: del Tribunal de Estrasburgo al Tribunal Constitucional". Ed. CEC. 2008

RIPOL CARULLA, S., VELÁZQUEZ GARDETA, J.M. y AAVV "España en Estrasburgo. Tres Décadas bajo la Jurisdicción del Tribunal Europeo de Derechos Humanos. Ed… Aranzadi. Primera edición. 2010.

RIVES SEVA, A.P (Dir.) "La prueba en el proceso penal. Doctrina de la Sala Segunda del Tribunal Supremo". (2 Tomos). Prólogo de José María Luzón Cuesta Ed. Thomson Reuters. Aranzadi. 6º Edición

SARMIENTO,D.; MIERES MIRES, L.J.; PRESNO LINERA, M. "Las sentencias básicas del Tribunal Europeo de Derechos Humanos. Ed. Thomson Cititas. 2007.

7. PRINCIPIO DE LEGALIDAD PENAL (ART. 7 CEDH)

Artículo 7. No hay pena sin ley

1. Nadie podrá ser condenado por una acción o una omisión que, en el momento en que haya sido cometida, no constituya una infracción según el derecho nacional o internacional. Igualmente no podrá ser impuesta una pena más grave que la aplicable en el momento en que la infracción haya sido cometida.

2. El presente artículo no impedirá el juicio o la condena de una persona culpable de una acción o de una omisión que, en el momento de su comisión, constituía delito según los principios generales del derecho reconocido por las naciones civilizadas.

7.1. CASO MAKTOUF Y DAMYANOVIC C. BOSNIA HERZEGOVINA (STEDH 18 julio 2013): Retroactividad de la ley penal más favorable

7.1.1. Resumen del caso

Aplicación retroactiva de una ley penal para los crímenes de guerra que contempla penas más graves que las que establecía la ley vigente en el momento de la comisión de las infracciones.

Resumen de los hechos: los dos demandantes fueron declarados culpables por el Tribunal Estatal de Bosnia-Herzegovina de crímenes de guerra cometidos contra civiles durante la guerra de 1992-1995. Al principio de 2005, se crearon los tribunales competentes para conocer de los crímenes de guerra en el seno del Tribunal Estatal en el marco de la estrategia para la finalización del mandato del Tribunal penal internacional para la ex Yugoslavia. El Tribunal Estatal, que está compuesto por jueces nacionales e internacionales, puede decidir conocer de asuntos de crímenes de guerra cuando los mismos revistan un carácter sensible o complejo, y puede remitir los asuntos menos complejos y sensibles a los tribunales competentes de dos entidades de Bosnia-Herzegovina.

En julio de 2005, enjuició al primer demandante (Sr. Maktouf) y le declaró culpable del crimen de guerra consistente en complicidad en la toma de rehenes, por haber ayudado a un tercero a eliminar dos civiles, condenándole a 5 años de prisión en base al Código Penal de 2003 de Bosnia-

Herzegovina (CP 2003). En abril de 2006, una sala de apelación del Tribunal que incorporaba dos jueces internacionales confirmó el veredicto y la pena tras revisar el caso. El segundo demandante (Sr.Damjanovic) que había desempeñado un papel importante en la paliza infligida a los bosnios capturados en Sarajevo, fue declarado culpable del crimen de guerra de tortura en junio de 2007 y condenado a 11 años de prisión conforme al CP 2003.

En sus demandas ante el TEDH, ambos demandantes denuncian que el Tribunal Estatal les ha aplicado retroactivamente una ley penal (CP 2003), más severa que el CP de 1976 de la ex república socialista federal de Yugoslavia, vigente en el momento de cometerse los hechos por los que resultaron condenados, y que por tanto les impuso penas más graves.

a) Resumen del voto mayoritario

Sobre la infracción del art. 7 CEDH. El TEDH recuerda que su función no es examinar in abstracto la cuestión de si la aplicación retroactiva del CP 2002 a los casos de crímenes de guerra es, en sí misma, incompatible con el art. 7 CEDH.

Esta cuestión debe examinarse caso por caso teniendo en cuenta las circunstancias de cada asunto y, especialmente, con el propósito de determinar si los tribunales internos han aplicado la ley más favorable al acusado.

El TEDH observa que la definición de los crímenes de guerra es la misma en el CP 1976 y en el CP2003 y que los demandantes no niegan que sus actos sean constitutivos de delitos definidos con suficiente accesibilidad y previsibilidad al momento de su comisión.

La controversia no radica, por tanto, en la corrección del veredicto de culpabilidad, sino en la aplicación a los crímenes de guerra de dos marcos punitivos distintos previstos en dos códigos penales diferentes.

El Tribunal Estatal condenó al primer demandante a 5 años de prisión, que era la pena mínima que contemplaba el CP2003, por complicidad en crímenes de guerra. Si se le hubiera aplicado el CP1976, le hubiera podido condenar a 1 año de prisión.

Así mismo, el segundo demandante, fue condenado a una pena de 11 años de prisión, ligeramente superior a la pena mínima de 10 años de prisión prevista por el CP 2003. Si le hubiera aplicado el CP 1976, el Tribunal Estatal le podría haber impuesto la pena de 5 años de prisión.

Resulta especialmente importante subrayar para los demandantes, a quienes se impusieron penas ubicadas en el límite inferior de la horquilla legal, que el código penal más benigno en cuanto a la pena mínima es el de 1976. En este contexto, carece de relevancia el hecho de que el CP 2003 pueda ser más favorable en cuanto a la pena máxima, puesto que los delitos por los que han sido condenados los denunciantes no son de la categoría a la que resulta de aplicación dicha pena máxima. Además, si el TEDH admite que las penas impuestas a los demandantes en el caso se hallan tanto dentro de la horquilla prevista por el CP 2003, como en la del CP 1976, de forma que no puede afirmarse con certeza que a ninguno se les hubiera impuesto una pena más leve de haberse aplicado el CP anterior en lugar del posterior, en tal caso lo determinante es que los interesados podrían haber sido condenados a penas más leves si el CP 1976 se les hubiera aplicado. Por tanto, existiendo una posibilidad real de que la aplicación retroactiva del CP 2003 se haya hecho en perjuicio de los reos en lo que se refiere a la imposición de la pena, el TEDH no puede compartir el argumento del Gobierno según el cual, si en el momento de su comisión, una acción estaba tipificada por los "principios generales del derecho reconocidos por las naciones civilizadas", en el sentido del art. 7.2 CEDH, la regla de la irretroactividad de los delitos y las penas no resultaba de aplicación.

El TEDH considera que este argumento no encaja en la intención de los autores del CEDH, que fue que el art. 7.1 CEDH contemplase una regla general de irretroactividad y que el art. 7.2 no fuera sino una precisión de contexto histórico, añadida para disipar toda duda relativa a la validez de los procedimientos iniciados tras la Segunda Guerra Mundial contra los autores de los crímenes cometidos durante la misma.

En opinión del TEDH, está claro que los autores del CEDH no tenían la intención de establecer una excepción general a la regla de la irretroactividad.

En lo que se refiere al argumento del Gobierno conforme al que la obligación que impone el derecho internacional humanitario de sancionar de forma adecuada los crímenes de guerra supondría la inaplicación de la regla de irretroactividad de los delitos y de las penas en el caso concreto, el TEDH considera que esta regla figura también en las Convenciones de

Ginebra y sus protocolos adicionales. Además, desde el momento en que las penas de los demandantes se sitúan tanto en la horquilla del CP 1973 como en la del CP 2003, se considera manifiestamente infundado el argumento que afirma que el CP anterior no hubiera permitido castigar a los interesados de forma adecuada.

En conclusión, el TEDH considera que se ha infringido el art. 7 CEDH en el caso de ambos demandantes. A tal propósito, sin embargo subraya que esta conclusión debe entenderse no en el sentido de que hubieran debido imponerse penas más leves, sino simplemente que en lo que se refiere a la aplicación de las penas debió aplicarse el CP 1976.

Sobre la infracción del art. 6.1 CEDH. El primer demandante denuncia que el Tribunal Estatal no era independiente en el sentido del art. 6.1 CEDH, concretamente porque dos de sus miembros fueron nombrados por la Oficina del Alto Representante de Bosnia-Herzegovina, con un mandato renovable de 2 años.

El TEDH considera que no hay razón para dudar de que los miembros internacionales del Tribunal estatal fueron independientes de los órganos políticos de Bosnia-Herzegovina, de las partes en el caso y de la Oficina del Alto-Representante. Su nombramiento se hizo con la finalidad de reforzar la independencia de las Salas del Tribunal Estatal encargadas de juzgar los crímenes de guerra y de recobrar la confianza de los ciudadanos en el sistema jurídico nacional. Por otro lado, el hecho de que tales jueces fueran magistrados profesionales en sus países respectivos, destinados al Tribunal Estatal, constituía una garantía adicional frente a presiones externas. Es cierto que su mandato era relativamente corto, pero esta circunstancia puede explicarse por la naturaleza provisional de la presencia de miembros internacionales en el Tribunal Estatal y por el funcionamiento de los destacamentos internacionales de jueces. Por todo ello, el TEDH inadmite la demanda en este punto, al ser manifiestamente infundada.

Sobre la infracción del art. 14 CEDH y/o del art. 1 de Protocolo nº 12: en lo que se refiere a la alegación de los demandantes conforme a la que el hecho de que hayan sido juzgados por el Tribunal Estatal en lugar de por un tribunal ordinario constituye una discriminación, el TEDH considera que, teniendo en cuenta el gran número de asuntos de crímenes de guerra a juzgar en Bosnia-Herzegovina tras la guerra, un reparto de la carga de trabajo correspondiente entre el Tribunal Estatal y los tribunales ordinarios resultaba inevitable. En caso contrario, el Estado demandado no hubiera podido cumplir la obligación que impone el CEDH de llevar con celeridad ante la justicia a los responsables de violaciones del derecho humanitario internacional. El TEDH no ha pasado por alto que los tribunales ordinarios imponen en general penas más livianas que el Tribunal Estatal en el período analizado. Esta diferencia de trato, sin embargo, no se explica por las características personales y no resulta, por tanto, un trato discriminatorio. El criterio para determinar si un asunto debe ser enjuiciado por el Tribunal estatal o por un tribunal ordinario, se analiza caso por caso y a la luz de criterios objetivos y razonables.

En conclusión, el TEDH considera que en este punto la demanda es inadmisible por carecer manifiestamente de fundamento.

b) Extractos del voto particular de Paulo Pinto, al que se adhiere el Juez Vucinic

«La prohibición de las leyes penales retroactivas y la eficacia retroactiva de la ley penal más favorable (lex mitior) son tópicos de la justicia humana. En vista de las características estructurales de la organización de la Fiscalía y del poder judicial en Bosnia-Herzegovina y la naturaleza especial de las salas del Tribunal Estatal de Bosnia-Herzegovina competentes para tratar los crímenes de guerra, los casos Maktouf y Damjanovic reclaman una reflexión más amplia sobre estos temas en el marco del derecho internacional de los derechos humanos, teniendo en cuenta también los avances recientes en el derecho penal internacional y el derecho humanitario y el estado actual de la práctica nacional. Sólo tras esa reflexión estaré en situación de alcanzar una conclusión sobre este caso.

Prohibición de la retroactividad de la ley penal

La garantía de la función preventiva del derecho penal, la separación de poderes del Estado y la protección contra el ejercicio arbitrario de los poderes públicos son los objetivos del principio nullum crimen sine lege previa. La disuasión de la conducta criminal solo puede lograrse si los ciudadanos son conscientes de la tipificación legal de determinadas conductas antes de cometerlas. Una pena retroactiva no puede impedir la comisión de una acción u omisión pasadas: por lo tanto es una injerencia arbitraria del Estado en la libertad de los ciudadanos[671].

---

[671] Artículo 8 de la Declaración de los Derechos del Hombre y del Ciudadano (1789): "La Ley solo establecerá penas estrictamente y obviamente necesarias, y nadie podrá ser castigado excepto en virtud de una Ley establecida y promulgada previamente al delito, y legalmente aplicada". En última instancia, este principio es el resultado del principio de libertad establecido en el artículo 4 de la misma declaración: "La

De la prohibición de retroactividad de las normas que crean nuevos delitos se deriva lógicamente la prohibición de la aplicación retroactiva de una ley penal más severa (lex gravior). Si el derecho penal no se puede aplicar a hechos que ocurrieron antes de su entrada en vigor, la comisión de un delito no puede sancionarse con penas inexistentes en el momento en que se cometió el delito o que son más severas que las aplicables en ese momento. En ambos casos, la imposición retroactiva de una pena nueva o más grave sería arbitraria[672].

La aceptación universal del principio de irretroactividad de la ley penal con respecto a los delitos y las penas en tiempos de paz se refleja en su presencia en el Artículo 11.2 de la Declaración Universal de Derechos Humanos[673], artículo 7 de la Convención Europea de Derechos Humanos («la Convención»)[674], artículo 15 del Pacto Internacional de Derechos Civiles y Políticos[675], artículo 9 de la Convención Americana sobre Derechos Humanos hombre de 1969[676], el artículo 7 § 2 de la Carta Africana de derechos humanos

---

libertad consiste en poder hacer todo lo que no perjudique a los demás: el ejercicio de los derechos naturales de cada hombre sólo tiene por límites aquellos que aseguran a los demás miembros de la sociedad el disfrute de estos mismos derechos. Estos límites solo pueden ser determinados por la ley".

[672] Beccaria, *Des délits et pains*, 1764, capítulo 3 (traducción de M. Chaillou de Lisy, París, 1773): "Cada magistrado en tanto que parte integrante de la sociedad, no puede imponer con justicia una pena a otro miembro de la sociedad, si aún no estaba prevista por ley. De obrar así, añadiría un nuevo castigo al que ya estaba previsto, y eso es lo que el celo o el pretexto del bien público no deberían autorizar".

[673] Esta declaración fue adoptada por una resolución de la Asamblea General de las Naciones Unidas el 10 de diciembre de 1948 (48 votos a favor, 0 en contra y 8 abstenciones). Unos años antes, en su Opinión Consultiva —Fundador— del 4 de diciembre de 1935, sobre la *compatibilidad de ciertos decretos-leyes de Danzig con la constitución de la Ciudad Libre* (Serie A/B, Número 65, p.57), la Corte Permanente de La justicia internacional se había expresado de la siguiente manera: "Las personas deben ser conscientes de antemano de la naturaleza legal o punible de sus acciones". Esta fue la primera afirmación de este principio por un tribunal internacional.

[674] El Convenio Europeo de Derechos Humanos se abrió a la firma el 4 de noviembre de 1950, con 47 Estados parte. Ver, sobre este principio, *Kokkinakis c. Grecia* (25 de mayo de 1993, § 52, Serie A No. 260-A), *CR v. Grecia* (no. *Reino Unido* (No. 20190/92, §§ 34, 60 y 62, 27 de octubre de 1995) y *Cantoni v. El Reino Unido* (no. *Francia* (No. 17862/91, §§ 33 y 35, 15 de noviembre de 1996).

[675] El Pacto Internacional de Derechos Civiles y Políticos fue adoptado por resolución de la Asamblea General de las Naciones Unidas el 16 de diciembre de 1966, y 167 Estados (incluido el Estado demandado) son partes en él. No hubo reservas al principio de no retroactividad de los delitos y las penas.

[676] La Convención Americana sobre Derechos Humanos fue adoptada el 22 de noviembre de 1969, con 23 Estados parte. Ver, sobre este principio, el caso de *Castillo*

y de los pueblos[677], el artículo 40 § 2 a) de la Convención sobre los derechos del niño[678], Los artículos 11 y 24 del Estatuto de Roma de la Corte Penal Internacional (el Estatuto de Roma)[679], el artículo 49 de la Carta de los Derechos Fundamentales de la Unión Europea[680] y el artículo 15 de la Carta revisada de Derechos Árabes del hombre[681].

Además, otros dos factores refuerzan con claridad el vigor de este principio. En primer lugar, no puede ser derogado en tiempo de guerra u otra emergencia pública: esta regla se establece en el Artículo 15 § 2 de la Convención, en el Artículo 4 § 2 del Pacto Internacional de Derechos Humanos, civiles y políticos, en el artículo 27 de la Convención Americana sobre derechos humanos y el artículo 4 de la Carta árabe de derechos humanos revisada[682]. En segundo lugar, también es un principio imperativo del derecho internacional humanitario, de conformidad con el artículo 99 del Convenio de Ginebra relativo al trato de los prisioneros de guerra (Tercer Convenio de Ginebra)[683], Artículos 65 y 67 del Convenio de Ginebra relativos a la protección

---

Petruzzi et al., § 121 (sentencia de la Corte Interamericana de Derechos Humanos de 30 de mayo de 1999 sobre una denuncia contra Perú).

[677] La Carta Africana de Derechos Humanos y de los Pueblos fue adoptada el 27 de junio de 1981, con 53 Estados partes. Ver Comisión Africana de Derechos Humanos y de los Pueblos, Comunicaciones No. 105/93, 129/94, 130/94 y 152/96, *Agenda de Derechos de Medios y Proyecto de Derechos Constitucionales v. Nigeria* (1998), § 59: "Se espera que los ciudadanos obedezcan las leyes muy estrictamente. En la medida en que ocurrirían cambios con estos efectos retroactivos, el estado de derecho sufriría porque nadie sabría en ningún momento si tal acto es legal o no. Esta situación es una incertidumbre intolerable para cualquier ciudadano respetuoso de la ley, ya sea amenaza o no de castigo".

[678] La Convención sobre los Derechos del Niño fue adoptada por resolución de la Asamblea General de las Naciones Unidas el 20 de noviembre de 1989, 193 Estados (incluido el Estado demandado) son partes en ella. Solo dos Estados miembros de las Naciones Unidas no lo han ratificado y no se han formulado reservas expresas en el Artículo 40 § 2 (a).

[679] El Estatuto de Roma fue adoptado el 17 de julio de 1998, con 122 Estados (incluido el Estado demandado) parte en él.

[680] La Carta de los Derechos Fundamentales de la Unión Europea devino vinculante para la UE a partir de la entrada en vigor del Tratado de Lisboa en diciembre de 2009.

[681] La segunda versión actualizada de la Carta Árabe de Derechos Humanos fue adoptada el 22 de mayo de 2004, con 12 Estados partes. Esta es una edición revisada de la primera Carta, que fue adoptada el 15 de septiembre de 1994.

[682] La Convención sobre los Derechos del Niño y la Carta Africana de Derechos Humanos y de los Pueblos no prevén posibilidades de derogación.

[683] El Tercer Convenio de Ginebra fue adoptado el 12 de agosto de 1949, 195 Estados son partes en él. Reemplazó la Convención del 27 de julio de 1929, relativa al

de personas civiles en tiempo de guerra (Cuarto Convenio de Ginebra)[684], Artículo 75 § 4 (c) del Primer Protocolo adicional a los Convenios de Ginebra (Protocolo I)[685] y Artículo 6 § 2 (c) del Segundo Protocolo Adicional a los Convenios de Ginebra (Protocolo II)[686].

La aparición de un derecho penal internacional no varía lo esencial de estos principios. Si por un lado la posible entrada en juego del derecho internacional en el enjuiciamiento de casos, genera una rica problemática en un ámbito tradicionalmente reservado al poder soberano del legislador y el juez nacional, por otro lado, el derecho internacional también es un instrumento fundamental para colmar las lagunas de la legislación nacional y para remediar los fallos más graves de los sistemas nacionales de enjuiciamiento. Eso se ha reconocido en la norma sobre incriminación en el "derecho internacional", en el Artículo 11 § 2 de la Declaración Universal de Derechos Humanos, que también se halla en el Artículo 7 § 1 de la Convención. El Artículo 15 (1) del Pacto Internacional de Derechos Civiles y Políticos y el art. 40.2a) de la Convención sobre los derechos del niño, así como en ciertas constitucionales nacionales[687]. Según esta disposición, el derecho penal internacional puede complementar el derecho nacional en los siguientes tres casos: cuando se cometieron, los actos en cuestión:

---

tratamiento de prisioneros de guerra. No estaba sujeto a ninguna reserva con respecto a la no retroactividad del derecho penal.

[684] El Cuarto Convenio de Ginebra fue adoptado el 12 de agosto de 1949, 195 Estados son partes en él. Complementa las disposiciones del Reglamento de La Haya de 1907. No ha estado sujeto a ninguna reserva con respecto a la no retroactividad del derecho penal.

[685] Este Protocolo fue adoptado el 8 de junio de 1977, 173 Estados (incluido el Estado demandado) son partes en él. No hubo reservas con respecto a la no retroactividad de la ley penal

[686] Este Protocolo fue adoptado el 8 de junio de 1977, 167 Estados (incluido el Estado demandado) son partes en él. No hubo reservas con respecto a la irretroactividad de la ley penal.

[687] Véanse, por ejemplo, el artículo 29 § 1 de la Constitución de Albania, el artículo 31 de la Constitución de Croacia, el artículo 42 § 1 de la Constitución de Polonia, el artículo 20 de la Constitución de Ruanda y el artículo 35 § 3-1) de la Constitución sudafricana. El principio de incriminación en el derecho internacional también se enuncia en los dos primeros principios de Nuremberg: el Principio I establece que "[i]n cualquier perpetrador de un acto que constituya un delito en virtud del derecho internacional es responsable de esa cuenta y responsable ante castigo "; El Principio II establece que "el hecho de que el derecho interno no castiga un acto que constituye un delito en virtud del derecho internacional no alivia la responsabilidad de la persona que lo cometió". *Principios de derecho internacional consagrados por el Estatuto del Tribunal de Nuremberg y en la Sentencia de este Tribunal*, versión anotada, 1950).

(1) constituían un delito en virtud del derecho internacional consuetudinario[688] *pero no en el derecho interno,*
(2) constituían un delito en virtud de los Tratados aplicables a los hechos, pero no en virtud del derecho interno, o
(3) constituían un delito en virtud del derecho internacional y nacional, pero el derecho nacional no se aplicaba sistemáticamente por razones políticas o por otros motivos análogos[689]*.*

En tales casos, el órgano de juicio no excede su competencia material y no viola el principio nullum crimen, nulla poena sine lege previa cuando aplica el derecho penal internacional a conductas pasadas; por el contrario, la impunidad constituiría una ratificación moral de los delitos cometidos.

El principio del efecto retroactivo de la lex mitior en derecho penal

6. Si, después de la comisión de un delito, una nueva ley prevé la imposición de una pena más leve, el delincuente debe beneficiarse de ella. Esto se aplica a cualquier ley que prevea la reducción o mitigación de la sentencia, y mucho menos una ley que despenalice los actos en cuestión a posteriori. La diferencia radica en el alcance temporal del lex mitior: mientras que una ley de despenalización posterior a los hechos se aplica al autor hasta que haya terminado de cumplir su condena, una nueva ley penal que reduce o la reducción de las sanciones por el autor es aplicable hasta su condena sea firme y vinculante[690]*.*

Lógicamente, el principio de retroactividad de la ley penal más favorable (lex mitior) es el corolario del principio de irretroactividad del la ley penal más severa. Si una ley penal más severa no puede aplicarse a los actos cometidos antes de su entrada en vigor, una ley penal más favorable debería aplicarse a los actos cometidos antes pero juzgados después de su entrada en vigor. Si la ley penal más severa continuara teniendo efecto después de ser reemplazada por una ley penal indulgente, esto socavaría el principio de separación de poderes en que los tribunales continuarían aplicando la ley penal más severa mientras el legislador habría cambiado su evaluación de la relativa gravedad de del tipo y las sanciones aplicables.

---

[688] Entre los ejemplos indiscutibles de tales actos se encuentran la piratería, el tráfico de esclavos y el asalto de diplomáticos, que están sujetos no solo al derecho convencional sino también al derecho consuetudinario.

[689] Por ejemplo, los actos en cuestión eran punibles según las normas de derecho internacional vinculante para el Estado demandado cuando se cometieron, independientemente de que las autoridades aplicaran las normas como parte de una política represiva. (ver *Streletz Kessler y Krenz v. Alemania, Informes de sentencias y decisiones* 2001-II, §§ 56-64, y las opiniones del Comité de Derechos Humanos en el caso de *Baumgarten v. Alemania*, comunicación 960/2000, 31 de julio de 2003, § 9.5).

[690] Ver mi voto particular en el caso de *Hidir Durmaz c. Turquía (No. 2)*, No. 26291/05, 12 de julio de 2011.

El principio de retroactividad de la lex mitior en derecho penal está consagrado en el artículo 15 § 1 del Pacto Internacional de Derechos Civiles y Políticos[691], en el artículo 9 de la Convención Americana sobre Derechos Humanos Artículo 24 § 2 del Estatuto de Roma[692], Artículo 49 de la Carta de los Derechos Fundamentales de la Unión Europea[693] y Artículo 15 de la Carta Árabe de Derechos Humanos[694]y, en derecho internacional humanitario, el Artículo 75 § 4 (c) del Primer Protocolo Adicional a los Convenios de Ginebra y el Artículo 6 § 2 (c) del Segundo Protocolo Adicional a los Convenios de Ginebra. Por último, se valida por la práctica de los Estados, tanto a nivel constitucional en el ámbito legislativo[695].

---

[691] Estados Unidos se ha reservado el derecho de no aplicar este artículo, Italia y Trinidad y Tobago se han reservado el derecho de aplicarlo solo a los procedimientos pendientes en el momento del cambio de ley, y el Alemania se ha reservado el derecho de no aplicarlo en circunstancias extraordinarias.

[692] En la sentencia *Dragan Nikolic* (No. IT-94-2-A) de 4 de febrero de 2005, la Sala de Apelaciones del TPIY declaró (§ 85) que el principio *lex mitior se* aplicaba al Estatuto del Tribunal Internacional.

[693] En el caso de *Berlusconi y otros*, el Tribunal de Justicia de la Unión Europea dijo que el principio de aplicación retroactiva de la pena más leve era parte de las tradiciones constitucionales comunes a los Estados miembros (véase la sentencia de 3 de mayo de 2005). en los asuntos acumulados C-387/02, C-391/02 y C-403/02).

[694] La versión anterior de la Carta Árabe (versión de 1994) fue más incisiva en su artículo 6: "Todo convicto se beneficia de una ley posterior que podría ser más favorable para él".

[695] Este principio es confirmado por la práctica del Estado, tanto a nivel constitucional (ver, por ejemplo, el Artículo 29 § 3 de la Constitución de Albania, el Artículo 65 § 4 de la Constitución de Angola revisada, el Artículo 22 de la Constitución de Armenia, Artículo 71-VIII de la Constitución de Azerbaiyán, Artículo 5 § 4 de la Constitución brasileña, Artículo 11 (i) de la Constitución canadiense, Artículo 30 § 2 de la Constitución de Cabo Verde, el Artículo 19 § 3 de la Constitución chilena, Artículo 29 de la Constitución colombiana, Artículo 31 de la Constitución croata, Artículo 31 § 5 de la Constitución de Timor Oriental, Artículo 42 § 5 de la Constitución Artículo 33 § 2 de la Constitución de Guinea-Bissau, Artículo 89 de la Constitución de Letonia, Artículo 52 de la Constitución de Macedonia, Artículo 34 de la Constitución de Montenegro, Artículo 99 § 2 de la Constitución de Mozambique, artículo 29 § 4 del una Constitución portuguesa, el artículo 15 § 2 de la Constitución rumana, el artículo 54 de la Constitución rusa, el artículo 36 § 2 de la Constitución de Santo Tomé y Príncipe, el artículo 197 de la Constitución serbia, Artículo 50 § 6 de la Constitución eslovaca, Artículo 28 de la Constitución eslovena, Artículo 35 § 3 de la Constitución sudafricana y Artículo 9 § 3 de la Constitución española) y a nivel legislativo (Artículo 1 del Código Penal austriaco, Artículo 2 del Código

8. Aunque el artículo 7 de la Convención no reconoce expresamente este principio, el Tribunal Europeo de Derechos Humanos (el Tribunal) reconoció en Scoppola No. 2 que el mismo forma parte de las garantías derivadas del principio de legalidad en el derecho europeo de derechos humanos. El Tribunal ha adoptado una posición clara sobre la definición de lex mitior para la aplicación de sucesivas leyes penales: la ley más beneficiosa es la que resulta más favorable para el acusado, dada su situación, la naturaleza de la infracción y las circunstancias en que se cometió[696]. Esto significa que el Artículo 7 § 1 de la Convención exige una comparación in concreto de leyes penales aplicables al caso del acusado, incluida la vigente al momento de la comisión del delito (la ley anterior)[697] y la vigente al momento de la sentencia (la nueva ley). El Tribunal no considera in abstracto el límite superior de la pena[698]. Tampoco considera en abstracto el límite inferior de pena. Tampoco contempla estos límites de acuerdo con la intención de los tribunales nacionales de imponer una pena cercana al máximo

---

penal belga, Artículo 4 del Código penal de Bosnia, Artículo 2 del Código penal búlgaro, Artículo 12 del Código penal chino, Artículo 4 del Código penal danés, Artículo 2 del Código penal alemán, Artículo 2 del Código Penal húngaro, Artículo 2 del Código penal islandés, Artículos 4 a 6 del Código penal israelí, Artículo 6 del Código penal japonés, Artículo 3 del Código penal lituano, Artículo 2 del Código penal de Luxemburgo, Artículo 1 § 2 del Código penal de los Países Bajos, Artículo 25 (g) de la Declaración de la Derechos humanos de Nueva Zelanda y artículo 2 § 2 del Código Penal suizo). Se puede decir que una gran mayoría de la población mundial se beneficia del mismo.

[696] *Scoppola c. Italia (No. 2)* [(GC), No. 10249/03, § 109, 17 de septiembre de 2009] y, anteriormente, *G. c.* 15312/89, § 26, 27 de septiembre de 1995) y, ante el Comité de Derechos Humanos, *McIsaac c. Francia* [núm. *Canadá* (Comunicación No. 55/1979, 14 de octubre de 1982, §§ 11-13], *Westerman v. Canadá* (no. *Países Bajos* (comunicación No. 682/1996, 13 de diciembre de 1999, § 9.2), *Gombert v. Países Bajos Francia* (comunicación no. 987/2001, 11 de abril de 2003, § 6-4), *Filipovitch c. Lituania* (comunicación no. 875/1999, 19 de septiembre de 2003, § 7-2), *Gómez de Casafranca c. Perú* (comunicación núm. 981/2001, 19 de septiembre de 2003, párrs. 7-4) y *Van der Platt v. Perú* [núm. *Nueva Zelanda* (Comunicación No. 1492/2006, 22 de julio de 2008, § 6-4].

[697] Sin mencionar los casos más complejos donde había leyes intermedias entre la ley vigente en el momento de los hechos y la ley vigente en el momento del juicio. En estos casos, la comparación debe relacionarse con todas las leyes que son o han sido aplicables a los hechos desde su comisión hasta la sentencia.

[698] Por esta razón, no puedo estar de acuerdo con lo que se dijo en los párrafos 69 y 70, que son párrafos esenciales de la Sentencia, ya que la mayoría hizo una comparación en abstracto de los límites inferiores de las penas previstas por las leyes penales aplicables.

o al mínimo[699]. Por el contrario, la sentencia Scoppola No. 2 muestra que la lex mitior debe determinarse in concreto, es decir, el juez debe confrontar cada una de las leyes penales aplicables (antiguas y nuevas) con los hechos del caso para determinar cuál debe ser la sentencia de acuerdo con la aplicación del una u otra ley Después de determinar las sanciones que resulten de la legislación aplicable a los hechos del caso, se debe aplicar la ley que en realidad es más favorable para el acusado[700].

*Para determinar la lex mitior con respecto al Artículo 7 § 1 de la Convención, también es necesario hacer una comparación general del régimen represivo de cada una de las leyes penales aplicables al caso del acusado (método de comparación global). El juez no puede proceder a una comparación norma por norma (método de comparación diferencial), eligiendo la norma más favorable de cada una de las leyes comparadas. Hay dos razones clásicas para este método de comparación global: primero, cada régimen represivo tiene su propia lógica, y el juez no puede alterar esta lógica mezclando diferentes normas de leyes penales sucesivas; segundo, el juez no puede sustituir al legislador y crear un nuevo régimen represivo a medida, integrado por diferentes normas derivadas de las distintas leyes penales sucesivas. Por tanto, **el art. 7 § 1 de la Convención exige la determinación de la lex mitior de manera concreta y global.***

*9. Para resumir, **no puede haber leyes penales retroactivas, excepto en beneficio del acusado**[701]. Nadie puede ser condenado por un acto u omisión que, en el momento*

---

[699] Como hizo recientemente la Sala de Apelaciones del Tribunal Estatal de Bosnia y Herzegovina, que siguió aplicando el Código de 2003 a los crímenes de guerra más graves y el Código de 1976 a los crímenes de guerra menos graves.

[700] Por ejemplo, entre dos leyes penales, la que tiene la pena máxima más baja no necesariamente resulta más favorable que la que tiene pena máxima más alta. El juez sentenciador debe considerar los hechos del caso y todo el marco legal aplicable, incluidas las posibles circunstancias atenuantes y la posibilidad de suspender la sentencia. Por lo tanto, una ley penal que prevé una pena máxima más baja pero no prevé ninguna posibilidad de suspensión de la pena o sujeta a condiciones muy estrictas puede ser el *lex gravior* respecto de la ley con una pena máxima más alta pero también mejores posibilidades de suspensión de la pena, si el acusado no puede en la práctica beneficiarse de una suspensión de la pena en la primera pero sí en el marco de la segunda. Lo mismo puede ocurrir cuando se compara una ley que establece una pena máxima más baja pero menos circunstancias atenuantes con una ley que establece una pena más alta pero incluye un conjunto más amplio circunstancias atenuantes, que permiten al tribunal imponer, en las circunstancias del caso, una pena menor con la segunda ley de lo que hubiera impuesto con la primera.

[701] En palabras del Artículo 15 de la Carta Árabe Revisada, "la ley más favorable para el acusado se aplica en todos los casos". O, para usar las palabras de Von Liszt, el principio del *crimen nulo, nulla poena sine lege* es "el baluarte del ciudadano contra la omnipotencia del estado, protege al individuo contra el poder implacable de la mayoría, contra el leviatán". Por paradójico que pueda parecer, el código penal es la *carta*

*en que se cometió, no constituía un delito en virtud del derecho nacional o interna-
cional; asimismo, no puede imponerse una pena mayor que la que fuera aplicable al
momento de la comisión del delito (versión negativa del principio de legalidad). Por
el contrario, si, después de la comisión del delito, una nueva ley ha introducido una
pena más leve que la aplicable cuando se cometió el delito, esta pena más leve es
la que debe imponerse (versión positiva del principio de legalidad). Estos principios
son parte de las reglas del derecho internacional consuetudinario que son vinculantes
para todos los estados, y son normas imperativas que no pueden derogarse por ninguna normas de derecho nacional o internacional[702]. En otras palabras, el principio
de legalidad en el derecho penal es, tanto en sus versiones positivas como negativas,
jus cogens.*

Los "principios generales del derecho reconocidos por las naciones civilizadas" en el derecho penal

*10. Los principios generales del derecho pueden ser una fuente de derecho penal
internacional siempre que sean suficientemente accesibles y predecibles en el momento de cometerse los hechos. El principio de no retroactividad no afecta el castigo
de una persona culpable de un acto u omisión que, en el momento cometerse, era
delito conforme a los principios generales de derecho reconocidos por naciones civilizadas. El Artículo 7 § 2 de la Convención y el artículo 15 § 2 del Pacto Internacional
de Derechos Civiles y Políticos contemplan ese supuesto[703].*

---

magna del criminal. Le garantiza el derecho a ser castigado solo en la medida requerida por la ley y solo dentro de los límites que ha fijado "(von Liszt, *Die deterministischen
Gegner der Zweckstrafe, en Zeitschrift für die gesamte Strafrechtswissenschaft*, 1893, 357).

[702] El Comité Internacional de la Cruz Roja comparte la opinión de que la no retroactividad de los delitos y castigos es un principio del derecho internacional consuetudinario en tiempos de paz y guerra (véase la Regla 101 de su *Estudio de Derecho).
derecho internacional humanitario*).

[703] El primer borrador de esta disposición fue presentado en la segunda sesión de
la Comisión de Derechos Humanos, en diciembre de 1947, por iniciativa de Bélgica
y Filipinas, para el proyecto de Declaración Universal de Derechos Humanos. hombre. La disposición, conocida como la Cláusula Nuremberg/Tokio, fue finalmente
rechazada por no agregar nada a la norma principal, ya que los principios generales
del derecho formaban parte del derecho internacional. Durante el debate sobre el
proyecto de Pacto Internacional de Derechos Civiles y Políticos en la Sexta Sesión
de la Comisión de Derechos Humanos en mayo de 1950, Eleanor Roosevelt también se opuso a él con argumentos similares.: ella consideró que la expresión 'd' después de que el derecho nacional o internacional "ya abarcaba los enjuiciamientos en
el derecho penal internacional, y observó que la expresión" los principios generales
de derecho reconocidos por las naciones civilizadas "ya se usaba en el Artículo 38
(c) del Estatuto de la CIJ designar una de las fuentes del derecho internacional. En
febrero de 1950, un experto de Luxemburgo hizo la misma propuesta en el marco
de la redacción del Convenio Europeo de Derechos Humanos. A pesar de las opo-

Aunque históricamente estas cláusulas de salvaguarda fueron creadas para justificar Nuremberg y Tokio, también resultan aplicables a otros casos[704]. Tienen su propio ámbito de aplicación, ya que se refieren a actos que, cuando se cometen, aún no se reconocen como delitos ni en el derecho internacional consuetudinario ni en el derecho convencional aplicable a los hechos, pero ya representan una afrenta intolerable

---

siciones encontradas, la disposición fue finalmente adoptada en el Pacto Internacional de Derechos Civiles y Políticos y en la Convención con el expreso propósito de permitir juicios por crímenes perpetrados durante la Segunda Guerra Mundial (ver La expresión "los principios generales del derecho reconocidos por las naciones civilizadas" ya se usaba en el Artículo 38 (c) del Estatuto de la CIJ para designar una de las fuentes del derecho internacional. En febrero de 1950, un experto de Luxemburgo hizo la misma propuesta en el marco de la redacción del Convenio Europeo de Derechos Humanos. A pesar de las oposiciones encontradas, la disposición fue finalmente adoptada en el Pacto Internacional de Derechos Civiles y Políticos y en la Convención con el expreso propósito de permitir juicios por crímenes perpetrados durante la Segunda Guerra Mundial (ver La expresión "los principios generales del derecho reconocidos por las naciones civilizadas" ya se usaba en el Artículo 38 (c) del Estatuto de la CIJ para designar una de las fuentes del derecho internacional. En febrero de 1950, un experto de Luxemburgo hizo la misma propuesta en el marco de la redacción del Convenio Europeo de Derechos Humanos. A pesar de las oposiciones encontradas, la disposición fue finalmente adoptada en el Pacto Internacional de Derechos Civiles y Políticos y en la Convención con el expreso propósito de permitir juicios por crímenes perpetrados durante la Segunda Guerra Mundial (ver En febrero de 1950, un experto de Luxemburgo hizo la misma propuesta en el marco de la redacción del Convenio Europeo de Derechos Humanos. A pesar de las oposiciones encontradas, la disposición fue finalmente adoptada en el Pacto Internacional de Derechos Civiles y Políticos y en la Convención con el expreso propósito de permitir juicios por crímenes perpetrados durante la Segunda Guerra Mundial (ver En febrero de 1950, un experto de Luxemburgo hizo la misma propuesta en el marco de la redacción del Convenio Europeo de Derechos Humanos. A pesar de las oposiciones encontradas, la disposición fue finalmente adoptada en el Pacto Internacional de Derechos Civiles y Políticos y en la Convención con el expreso propósito de permitir juicios por crímenes perpetrados durante la Segunda Guerra Mundial (ver *trabajo preparatorio del Convenio Europeo de Derechos Humanos*, Volumen III, pp. 163, 193 y 263, y posteriormente los casos *X. c. Bélgica* (núm. 268/57, Decisión de la Comisión de 20 de julio de 1957, Anuario 1, página 241) y *Kononov v.* Polonia (solicitud núm. *Letonia* [(GC), No. 36376/04, § 186, 17 de mayo de 2010].

[704] Cuatro países incluso han incluido en su constitución la "Cláusula de Nuremberg/Tokio": Canadá [Artículo 11 (g)], Cabo Verde (Artículo 30), Polonia [Artículo 42 (1)] y Sri Lanka [Artículo 13). § 6].

a los principios de justicia, como lo demuestra la práctica un número significativo de países[705]. Para evitar la inseguridad jurídica y respetar la otra faceta del principio de legalidad, es decir, el principio de interpretación estricta de la ley (nullum crimen sine lege certa y stricta), es imperativo llevar a cabo un examen estricto de la práctica del Estado en cuestión: solo cuando se reflejan en las prácticas internacionales y nacionales de un número significativo de Estados, los principios generales del derecho pueden ser reconocidos como la expresión de la voluntad de la comunidad de naciones civilizadas para castigar ciertas conductas[706]. De ello se deduce que la sanción de un acto a posteriori no es una excepción al principio de irretroactividad de la ley penal, si se basa en principios generales del derecho, siempre que, desde un punto de vista sustantivo, el acto en cuestión ya esté tipificado en el momento de su comisión. Por lo tanto, la "Cláusula de Nuremberg/Tokio" no se aplica cuando, en el momento de los hechos, la conducta en cuestión sea constitutiva de delito en virtud de la legislación nacional, pero se castigue con una pena más leve que la prevista por la ley o un tratado posterior[707].

El contexto político y judicial del caso

11. La Ley sobre el Tribunal Estatal, que creó el Tribunal del Estado de Bosnia-Herzegovina, fue promulgada el 12 de noviembre de 2000 por el Alto Representante en Bosnia-Herzegovina. El Parlamento de Bosnia-Herzegovina estableció efectivamente el Tribunal de Bosnia-Herzegovina el 3 de julio de 2002 mediante la Ley del Tribu-

---

[705] El 30 de septiembre de 1946, el Tribunal Militar Internacional proclamó a *ubi et orbi* el principio de justicia en el caso *Göring et al*: "Primero, debe tenerse en cuenta que la máxima *nullum crime sine lege* no es una limitación llevado a la soberanía pero un principio de justicia general. Decir que es injusto castigar a quienes, desafiando los tratados y garantías dados, atacaron a los Estados vecinos sin previo aviso, es manifiestamente incorrecto, porque en tales circunstancias el agresor debe saber que está actuando mal y, lejos de es injusto castigarlo, sería injusto dejar impune su crimen" (Nuremberg Trial Proceedings, Vol. 22, 461).

[706] El delito de desacato al tribunal se presentó como un ejemplo de un delito penal bajo los principios generales de la ley (ver *Fiscal v. Dusko Tadic*, Confirmación de la Sala de Apelaciones del TPIY sobre las denuncias de desacato). formulada contra el abogado anterior, Milan Vujin, § 15, Caso No. IT 94-1-A-AR77, 31 enero 2000).

[707] Por lo tanto, la Gran Sala debería haberse separado claramente de la desafortunada decisión en el caso *aletilić c. Croacia* (N° 51891/99) en el que la Corte había declarado que el artículo 7 § 2 de la Convención era aplicable a la alegación del solicitante de decir que corría el riesgo de una pena más severa ante el TPIY que los tribunales interna. Debería haberlo hecho por dos razones: en primer lugar, esta interpretación del Artículo 7 § 2 es problemática; segundo, la decisión de *Naletilić* se refería a un caso en el que un fiscal internacional había llevado al demandante a juicio en un tribunal internacional por un acto cuyo carácter penal estaba consagrado en el derecho internacional, mientras que en el presente caso los demandantes fueron acusados en tribunales nacionales de delito previsto por la ley nacional.

nal de Bosnia-Herzegovina. El 1 de marzo de 2003 entró en vigor un nuevo Código Penal de Bosnia-Herzegovina. El 28 de diciembre de 2004 se promulgó un código de normas para el examen de los crímenes de guerra. Una sala especial del Tribunal de Estado de Bosnia -Herzegovina competente para crímenes de guerra comenzó a operar el 9 de marzo de 2005. En junio de 2008, el Consejo de Ministros de Bosnia-Herzegovina adoptó la Estrategia de reforma del sector de justicia de Bosnia -Herzegovina para 2008-2012. Esta estrategia es el resultado de un esfuerzo conjunto de los Ministerios de Justicia del Estado de Bosnia-Herzegovina, las Entidades y los Cantones, la Comisión Judicial del Distrito de Brčko y el Consejo Supremo de la Judicatura. El 29 de diciembre de 2008, el Consejo de Ministros de Bosnia-Herzegovina adoptó la Estrategia nacional de crímenes de guerra, que complementaba la Estrategia de justicia transicional.

Tras las reformas judiciales de 2003, se crearon cuatro sistemas jurídicos, cada uno con sus propios tribunales: Bosnia-Herzegovina, el distrito de Brčko, la Federación de Bosnia-Herzegovina y la República Srpska. No se ha arbitrado ningún mecanismo para la resolución de interpretaciones divergentes de la ley y la armonización de las prácticas de los diferentes tribunales Como resultado, el Tribunal del Estado de Bosnia y Herzegovina y los Tribunales Supremos de las dos entidades emitieron sentencias muy diferentes sobre cuestiones legales clave, lo que resultó en una práctica judicial e interpretación divergentes de la ley. En 2008, el Ministerio de Justicia de Bosnia-Herzegovina afirmado incluso que "esta imprevisibilidad afecta a la imagen de Bosnia-Herzegovina en el panorama jurídico internacional"[708]. La Asamblea Parlamentaria del Consejo de Europa ha expresado la misma preocupación política, por ejemplo en la resolución 1626 (2008) sobre el cumplimiento de las obligaciones y compromisos de Bosnia-Herzegovina: "Persisten inconsistencias en la aplicación del derecho penal por los diversos tribunales estatales y de la entidades, lo que conduce a un trato desigual de los ciudadanos a la luz del Convenio Europeo de Derechos Humanos[709]"; y la OSCE lo ha hecho en sus cinco años de manejo de casos de crímenes de guerra en Bosnia.), donde denunció "una situación de desigualdad manifiesta ante la ley de las personas juzgadas por crímenes de guerra ante los diversos tribunales de Bosnia y Herzegovina" y consideró que esto "en la práctica significa que las personas declaradas culpables de los crímenes de guerra estarán sujetos a sanciones totalmente diferentes según la jurisdicción del caso"[710].

---

[708] Estrategia de reforma del sector de justicia de Bosnia y Herzegovina 2008-2012, Sarajevo, junio de 2008, p. 70.

[709] La Comisión de Venecia expresó la misma opinión política en su Opinión No. 648/2011, en los párrafos 38 y 65.

[710] OSCE, *Impartiendo justicia en Bosnia y Herzegovina: una visión general del procesamiento por crímenes de guerra de 2005 a 2010*, mayo de 2011, p. 19. Véase también el documento de septiembre de 2009 presentado por el Centro Internacional de Justicia Transicional al Consejo de Derechos Humanos de las Naciones Unidas en la séptima sesión del Grupo de Trabajo sobre el Examen Periódico Universal., que examinó

12. A la doctrina contradictoria, hay que añadir la atribución de asuntos a quien no es el juez natural. El propio Consejo de Ministros de Bosnia -Herzegovina lo reconoció al referirse a "inconsistencias en la práctica de los casos objeto de examen, auto remisión y transferencia de casos de crímenes de guerra entre la Corte y su oficina en Bosnia-Herzegovina", el fiscal y otros tribunales, así como la ausencia de criterios comunes para evaluar el grado de sensibilidad y complejidad de los casos[711]. "Tras la adopción en 2004 de los criterios de orientación de la Fiscalía, los casos llamados 'muy delicados' tuvieron que ser custodiados por la Dirección Especial de Crímenes de Guerra de la Fiscalía de Bosnia-Herzegovina y los casos 'delicados' tuvieron que ser custodiados y transferidos a las oficinas del distrito y del fiscal de distrito desde el lugar donde el registro indicaba que los hechos habían tenido lugar. Estas pautas fueron muy vagas y, lo que es peor, no se aplicaron de manera coherente. En pocas palabras, este enfoque 'caso por caso' no funcionó bien porque 'solo aumentó la confusión sobre lo que se debe hacer, por quién y cómo'[712]. La ausencia de una estrategia de priorización y selección de casos, de razonamiento de fondo sobre la elección del tribunal de primera instancia por parte del fiscal y la revisión judicial efectiva de esta elección han dado lugar a tan relevantes incertidumbres en cuanto a las prioridades y elecciones de fiscal, que algunos políticos hasta ponen en duda la objetividad de los servicios a cargo de la selección de los casos, a la luz del hecho de que en el 90% de los casos llevados ante el tribunal de crímenes de guerra, los acusados eran serbios[713]".

No fue hasta 2008, que las autoridades establecieron por escrito una estrategia nacional para desarrollar un enfoque más sistemático de los casos y asignar recursos para el procesamiento de casos de crímenes de guerra[714]. Para garantizar la uniformidad y objetividad de la selección de casos y la evaluación de su complejidad, y permitir a las autoridades competentes saber cuándo hacerse cargo o transferir un caso, el Tribunal Estatal y la Fiscalía de Bosnia-Herzegovina, con la participación de otros tribunales y fiscalías, desarrollaron criterios para determinar la complejidad de los casos. Posteriormente, la Ley N ° 93/09 modificó el Artículo 449 del Código de Procedimiento Penal de Bosnia-Herzegovina (que

---

la situación en Bosnia y Herzegovina, y los documentos de Human Rights Watch (HRW) titulados *Still Waiting: Bringing Justice for War Crimes, Crimes Against Humanity, and Genocide in Bosnia and Herzegovina Courts and District Courts* (julio de 2008).) y *Justicia para los crímenes atroces, lecciones de apoyo internacional a los juicios ante el Tribunal Estatal de Bosnia y Herzegovina* (marzo de 2012).

[711] Gabinete de Ministros de Bosnia y Herzegovina, Estrategia nacional sobre crímenes de guerra, 28 de diciembre de 2008, p. 4.

[712] Zekerija Mujkanovic, Documento de orientación sobre los criterios en Bosnia y Herzegovina, FICHL Publication Series No. 4 (2010, segunda edición), p. 88.

[713] HRW, *Reduciendo la brecha de impunidad: Juicios ante la Cámara de Crímenes de Guerra de Bosnia*, febrero de 2007, p. 9.

[714] HRW, *Justicia por crímenes atroces*, supra, p. 42.

trata el procesamiento de casos pendientes ante otros tribunales y fiscalías) al
introducir los criterios de transferencia y de los siguientes casos: «la gravedad del
delito, la capacidad del autor y otras circunstancias importantes para apreciar la
complejidad del caso»[715]*.*

La evaluación de los hechos del presente caso a la luz de las normas europeas

13. En este contexto político y judicial, y a la luz de los principios anteriores, es donde
deben evaluarse los hechos del presente caso. Y la conclusión es ineludible. Ambos
demandantes fueron sometidos a un juicio penal arbitrario, tras el cual les fueron
impuestas penas retroactivas de importancia. La clara evidencia de esta arbitrariedad
es que el Tribunal Estatal impuso al demandante Damjanovic bajo el Código de 2003,
por palizas, una condena de once años de prisión, más del doble de la pena mínima
prevista por el código de 1976. El caso del demandante Maktouf es aún más sorpren-
dente: la persona en cuestión fue condenada en virtud del Código de 2003 a cinco
años de prisión, que es cinco veces la pena mínima prevista por el Código de 1976.
14. El demandante Maktouf fue condenado a la pena mínima posible por complici-
dad en crímenes de guerra bajo el Código de 2003, y al demandante Damjanovic le
fue impuesta una pena ligeramente más alta que la mínima previsto para crímenes
de guerra por el mismo código. Los tribunales han otorgado importancia las circuns-
tancias atenuantes. Si hubieran aplicado los mismos criterios de atenuación previstos
en el Código de 1976, y podrían haberlo hecho, necesariamente habrían impuesto
penas mucho menores a los demandantes. Esta comparación in concreto entre las
penas que se impusieron a los demandantes y las que podrían haber esperado bajo

---

[715] Como concluye el Centro Internacional para la Justicia Transicional, "los criterios de complejidad de los casos son una larga lista de factores a considerar para
determinar si los procedimientos se llevarán a cabo en el Tribunal de Bosnia y Herzegovina. En resumen, estos criterios son extremadamente amplios y no especifican
claramente qué umbrales se deben cruzar para justificar que un caso se considere
"más complejo" o "menos complejo" (documento presentado al Consejo de Derechos Humanos en respecto de Bosnia y Herzegovina en el contexto del examen
periódico universal mencionado anteriormente). El alcance de estos criterios y, en
particular, de "otras circunstancias importantes para evaluar la complejidad del caso"
es particularmente problemático. No podemos*Grundgesetz*Artículo 143 de la Constitución de Ruanda, Artículo 39 § 7 de la Constitución de Santo Tomé y Príncipe,
Artículo 48 § 1 de la Constitución eslovaca, Artículo 117 de la Constitución española, Artículo 11 de la Constitución Instrumento de gobierno sueco, Artículo 30 §
1 de la Constitución suiza, Artículo 125 de la Constitución de Ucrania y Artículo
19 de la Constitución de Uruguay. Amplias cláusulas para la transferencia y retirada
de casos penales han sido en el pasado instrumentos esenciales para el funcionamiento de estos tribunales y son inaceptables bajo el principio del juez natural o
legítimo. Artículo 11 del Instrumento de Gobierno sueco, Artículo 30 § 1 de la
Constitución suiza, Artículo 125 de la Constitución de Ucrania y Artículo 19 de la
Constitución de Uruguay.

el código de 1976 muestra claramente que el código de 1976 era el lex mitior y el de 2003 lex gravior[716]. Actuando de esta forma, los tribunales nacionales violaron no solo el artículo 4 § 2 del Código Penal de Bosnia-Herzegovina de 2003, sino también el artículo 7 § 1 de la Convención[717].

Conclusión

15. Como los tribunales nacionales aplicaron el lex gravior de manera arbitraria y retroactiva, concluyo que ha habido una infracción del Artículo 7 § 1 de la Convención. La consecuencia jurídica de la apreciación de infracción del artículo 7 es que deben declararse nulas las condenas de los demandantes por el tribunal nacional competente. El artículo 7 no admite derogación alguna, como se establece claramente en el artículo 15. Sin embargo, si las condenas de los demandantes siguen siendo válidas a pesar de que se concluyó que se habían dictado con infracción del artículo 7, ello constituiría de facto una derogación de dicho artículo. Tal derogación iría en contra no solo contra del pronunciamiento de condena efectuado por el Tribunal en la sentencia, sino también del mismo Artículo 15. Si el Estado demandado aún pretende juzgar los actos cometidos por los demandantes durante la guerra de Bosnia, entonces es preciso un nuevo juicio.

Cuando Anselm von Feuerbach declaró, en el párrafo 24 de su Lehrbuch des gemeinen en Deutschland geltenden peinlichen Rechts (1801), la expresión latina nulla poena sine lege, también agregó que este principio no admite ninguna excepción: debe beneficiar a todos los autores de una infracción penal, sea ésta leve o grave.»

---

[716] Este caso es muy similar al de la Comunicación No. 981/2001 (citado anteriormente, § 7-4). Al igual que los solicitantes en el presente caso, el Sr. Gómez Casafranca había sido condenado a la pena mínima de la nueva ley, que era de 25 años, más del doble de la pena mínima prevista por la ley anterior, sin el las jurisdicciones nacionales no explican cuál hubiera sido la sentencia según la ley anterior si hubiera sido.

[717] Los asuntos de MM. Damjanovic y Maktouf ilustran muy bien la conclusión a la que llegó el Gobierno demandado con respecto a la situación general, descrita anteriormente, de la organización del sistema de enjuiciamiento y juicio en Bosnia y Herzegovina (Consejo de Ministros de Bosnia y Herzegovina). Bosnia y Herzegovina, Estrategia Nacional de Crímenes de Guerra, 28 de diciembre de 2008, página 15).

7.2. LA DOCTRINA DEL TEDH SOBRE LA IRRETROACTIVIDAD DE LA LEY PENAL Y LA RETROACTIVIDAD DE LA LEY PENAL MÁS FAVORABLE[718]

En el presente epígrafe examinaremos la doctrina del TEDH sobre el principio de irretroactividad de la ley penal, y algunos tópicos de la misma, como su aplicación a los delitos continuados y a los supuestos de reincidencia, para luego adentrarnos en el estudio del principio de la retroactividad de la ley penal más favorable.

a) Irretroactividad de la ley penal

El art. 7 CEDH prohíbe de forma absoluta, sin excepción admisible, la aplicación retroactiva de la ley penal cuando se produce en perjuicio del reo[719].

La garantía que consagra el art. 7 CEDH, elemento esencial de la preeminencia del derecho, ocupa un lugar primordial en el sistema de protección del Convenio, como resulta del hecho de que el artículo 15 CEDH no autorice ninguna excepción en tiempo de guerra o de otro peligro público. Tal y como deriva de su objeto y fin, se debe interpretar y aplicar de forma que asegure una **protección efectiva contra las diligencias, condenas y sanciones arbitraria**s (SSTEDH 22 noviembre 1995, Casos S. W. y C. R. contra Reino Unido**)**.

Además, el art. 7 CEDH no se limita a prohibir la aplicación retroactiva del derecho penal en detrimento del acusado. Consagra también, de forma más general, el principio de la legalidad de los delitos y de las penas («*nullum crimen, nulla poema sine lege*») (STEDH 25 mayo 1993, Caso Kokkinakis c. Grecia).

El **principio de irretroactividad** de la ley penal se aplica tanto a las disposiciones que **definen los tipos**[720], como a las que **establecen las penas**[721].

---

[718] Vid. Guía del art. 7 CEDH. Puede consultarse en: https://www.echr.coe.int/Pages/home.aspx?p=caselaw/analysis/guides&c=#

[719] STEDH 21 octubre 2013, Caso Del Río Prada c. España (f.116); STEDH 25 mayo 1993, Caso Kokkinakis c. Grecia, f. 52.

[720] STEDH 20 octubre 2015, Caso Vasiliauskas c. Lituania [GC], §§ 165-166.

[721] STEDH 8 junio 1995, Caso Jamil c. Francia, f. 34-36, STEDH 19 diciembre 2009, Caso M. c. Alemania, f. 123 y 135-137, STEDH 15 diciembre 2009, Caso Gurguchiani c. España, f. 32-44.

Incluso después de una condena firme o **durante la ejecución** de la misma, la prohibición de retroactividad se erige en un obstáculo insalvable, que impide que el legislador, las autoridades administrativas o los tribunales redefinan, retroactivamente y en detrimento del reo, el alcance de la pena impuesta[722].

Sin embargo, el TEDH ha sostenido en Scoppola (f.110), que las normas sobre retroactividad contenidas en el artículo 7 CEDH **solo se aplican a las disposiciones que definen los delitos y las penas** que los castigan. Por otro lado, en otros casos, el **TEDH consideró razonable** que **los tribunales nacionales aplicaran el principio** *tempus regit actum* **con respecto a las leyes procesales**[723].

Se **vulnera el principio de irretroactividad** cuando se **aplican retroactivamente leyes** a hechos cometidos con anterioridad a su entrada en vigor. Está proscrita la ampliación del ámbito de aplicación de los tipos delictivos existentes a hechos que anteriormente no eran constitutivos de delito. Sin embargo, no se infringe el art. 7 CEDH cuando los actos perseguidos ya estaban penados por el CP aplicable en el momento de los hechos —incluso si estaban contemplados como una circunstancia agravante, y no como tipo distinto— (DTEDH 17 marzo 2009, Caso Ould Dah c. Francia),siempre que la pena impuesta no supere el máximo previsto por este CP, o cuando la condena del acusado se funde en el derecho internacional aplicable en el momento de los hechos (STEDH 20 octubre 2015, Caso Vasiliauskas c. Lituania f. 165-166, en que el TEDH examina la condena del demandante bajo el derecho internacional vigente en 1953 después de haber observado que las disposiciones de la ley lituana sobre el genocidio de 2003 se habían aplicado retroactivamente); (DTEDH 10 abril 2012, Šimšić c.

---

[722] Véase el caso Del Río Prada v. España [GC], § 89, relativa a una condena de 30 años de prisión que, por efecto de un cambio de jurisprudencia —*doctrina Parot*—, ya no era susceptible de remisión alguna por trabajo prisión, mientras que en el momento en que el reo cometió los delitos, la pena máxima de 30 años de prisión debía entenderse como una pena independiente a la que aplicar la remisión por trabajo en prisión.

[723] En relación con una nueva regulación de los plazos para interpuestos, STEDH 12 febrero 2004, Caso Mione c. Italia; DTEDH 10 julio 2007, Caso Rasnik c. Italia y STEDH 12 abril 2007, Caso Martelli c. Italia sobre la implementación de una ley que contiene nuevas reglas sobre la valoración de la prueba.)

Bosnia-Herzegovina (dec.), con respecto a los crímenes de lesa humanidad en 1992).

En tal hipótesis, si las autoridades nacionales aún pueden adoptar una definición más amplia de delito que la establecida en el derecho internacional no pueden pronunciar condenas retroactivas sobre la base de este nueva definición con respecto a hechos anteriores (vid. Vasiliauskas v. Lituania [GC], f 181, en el caso de una condena por genocidio de miembros de un grupo político, por actos cometidos en 1953 sobre la base de un Código Penal de 2003).

En lo que atañe a **la gravedad de la pena**, el TEDH se limita a comprobar que no se imponga ninguna pena más grave que aquella que resulte aplicable en el momento de la comisión del delito. Las cuestiones relativas **al carácter apropiado de una pena** caen **fuera del ámbito de aplicación del art. 7 CEDH**. El TEDH no tiene la función de decidir cuál es la duración de la prisión o el tipo de pena apropiado para un delito dado[724]. En lo que se refiere a la **proporcionalidad de la pena, e**sa es una cuestión que puede examinarse desde la **perspectiva del art. 3 CEDH**.

Por ejemplo, con respecto a la severidad/gravedad de la pena, el TEDH ha mantenido que la cadena perpetua no es una sentencia más grave que la pena de muerte, que era la aplicable en el momento de la comisión del delito, y que después fue abolida y reemplazada por la cadena perpetua[725].

El TEDH tampoco ha apreciado que haya retroactividad de una pena más grave en el caso de la sustitución de una pena de prisión por una medida de internamiento psiquiátrico bajo una nueva versión del Código Penal: los tribunales nacionales habían determinado que la antigua ley aplicable en el momento de los hechos ya contemplaba medidas tan estrictas como la nueva ley.(STEDH 9 abril 2018, Caso Caso Kadusic c. Suiza. F.71-76).

Para determinar si ha habido aplicación retroactiva de la pena en perjuicio del acusado, **se debe considerar el marco de la pena (penas mínimas**

---

[724] DTEDH 18 mayo 2006, Caso *Hummatov c. Azerbaïdjan, DTEDH 7 abril 2009, Caso Hakkar c. Francia; STEDH 9 julio 2013, Caso Vinter y otros c. Reino Unido, F.* 105.

[725] DTEDH 18 mayo 2006, Caso *Hummatov c. Azerbaïdjan* (d; DTEDH 14 enero 2014, Caso *Stepanenko et Ososkalo c. Ucrania;* STEDH 18 marzo 2014, Caso *Öcalan c. Turquía (no 2),* f 177; STEDH 12 julio 2016, Caso *Ruban c. Ukraine*, F 46.

y máximas) aplicable conforme a cada código penal. Así, por ejemplo, incluso si la pena impuesta al demandante se encuentra dentro del marco previsto por dos códigos penales potencialmente aplicables, la sola posibilidad de que se pudiera haber impuesto una pena más leve aplicando la pena mínima conforme a un código penal, es suficiente para apreciar la infracción del Artículo 7 [Maktouf y Damjanović v. Bosnia-Herzegovina (GC), f. 65-76].

- *Los delitos continuados*

En el caso de delitos continuados (en relación con conductas que se extienden durante un período determinado), el TEDH tiene dicho que el principio de seguridad jurídica exige que los hechos constitutivos de delito, que generan la responsabilidad penal de la persona en cuestión, se precisen con claridad en el escrito de acusación. Además, la sentencia del tribunal también debe especificar que el veredicto de culpabilidad y la pena se basan en la acreditación de la existencia de elementos que constituyen un delito "continuo" objeto de acusación[726].

Recientemente, el TEDH ha apreciado que el hecho de que los tribunales nacionales condenasen a una persona por un delito introducido por una reforma del código penal y caracterizado como un delito "continuado" en el derecho interno, aplicándola a hechos anteriores a la entrada en vigor de dicha reforma, no equivalía a la aplicación retroactiva de la ley penal en perjuicio del acusado [STEDH 27 enero 2015 Rohlena v. República Checa (GC), f. 57-64, en un caso sobre delito de maltrato en el ámbito doméstico].

El TEDH consideró que, de conformidad con la legislación nacional, un delito "continuado" equivalía a un mismo acto, cuya clasificación debía evaluarse a la luz de las normas vigentes en la fecha en que se consumó la última de sus manifestaciones, siempre que los actos cometidos bajo la influencia de la ley anterior también fueran punibles. La aplicación por los tribunales nacionales del concepto de delito "continuado", introducido en el Código Penal antes del primer acto cometido por la persona interesada, además, había sido suficientemente previsible en virtud de la legislación

---

[726] STEDH 27 mayo 2001, Caso Ecer y Zeyrek cTurquía, f. 33).

nacional (id., f.60-64). El TEDH también verificó que la condena impuesta a la persona sobre la base del delito "continuado" no era mayor que la que se hubiera aplicado si los hechos cometidos por él antes de la reforma legislativa hubieran sido apreciado por separado de los cometidos después (id.,f. 65-69).

- *La reincidencia*

El TEDH considera que los jueces tengan en consideración retroactiva la situación penal anterior de un acusado, que resulta posible por la inscripción en el registro de penados de una condena anterior, no es contrario al art. 7, cuando los hechos perseguidos y sancionados se han cometido después de la entrada en vigor de una nueva ley que amplía el plazo de reincidencia (STEDH 29 marzo 2006, Caso Achour c. Francia, F.44-61, en que se trata de la aplicación inmediata de un nuevo CP que contempla un plazo de reincidencia de 10 años, mientras que el CP antiguo vigente en el momento de la comisión del primer delito contemplaba un plazo de 5 años, el cual le habría conferido al demandante, según su tesis, una suerte de derecho al olvido). Un enfoque retrospectivo como el señalado no coincide con el concepto de retroactividad en sentido estricto.

- *La retroactividad de la ley penal favorable*

Aunque el art. 7.1 CEDH no menciona expresamente el principio de retroactividad de la ley penal más favorable (a diferencia del art. 15.1 PIDCP o el art. 9 CIADH), el TEDH ha interpretado que este precepto no solo garantiza el principio de irretroactividad de las leyes penales desfavorables al reo, sino también, e implícitamente, el de retroactividad de la ley penal más favorable. En efecto, dicho principio ya se aplicó en la STEDH 27 septiembre 1995, Caso G. c. Francia.

Este principio se refleja en la regla de que, si la ley penal vigente en el momento de la comisión del delito y las leyes penales posteriores vigentes antes del pronunciamiento de una sentencia firme son diferentes, el juez debe aplicar la ley cuyas disposiciones sean más favorables para el acusado [STEDH 17 septiembre 2009, Caso Scoppola c. Italia (No. 2) (f.103-109), en relación con una pena de prisión de 30 años en lugar de cadena perpetua].

En opinión del TEDH, "imponer una pena más grave únicamente por el hecho de que se dictó en el momento de la comisión del delito equivaldría a una aplicación en perjuicio de los acusados de las normas que rigen la sucesión de las leyes penales en el tiempo. También supondría ignorar todo cambio legislativo favorable al acusado realizado antes de la sentencia y continuar imponiendo penas que el Estado y la comunidad que representa ahora consideran excesivas "(id., f. 108). El TEDH apreció que progresivamente se ha ido generando un consenso a nivel europeo e internacional sobre el principio fundamental de derecho penal consistente en que la aplicación de la ley que prevé una pena más leve, incluso después de la comisión del delito, (ib, f. 106).

Sin embargo, un vacío legislativo de tres meses entre la abolición de la pena de muerte y la consiguiente modificación del Código Penal (que reemplaza la pena de muerte por la cadena perpetua) no confiere al acusado el derecho a beneficiarse de la pena más leve aplicable entre ambos momentos (STEDH 12 julio 2016, Caso Ruban c. Ucrania, en un caso de una pena de 15 años de prisión). En una situación como esa, el TEDH tiene en cuenta el contexto en el que la abolición de la pena capital en el estado demandado ha tenido lugar, concretamente, en el hecho de que el vacío legislativo en cuestión no fuera deliberado.

Aunque en Scoppola c. Italia (núm. 2), el TEDH no se había pronunciado explícitamente sobre un posible efecto retroactivo de los cambios legislativos en beneficio de las personas condenadas por sentencia firme, recientemente aplicó el principio de retroactividad de la ley penal más favorable a una persona condenada por sentencia firme, en la medida en que la ley nacional exige expresamente a los tribunales nacionales que revisen un fallo de su propia sentencia cuando una ley posterior reduzca la sentencia aplicable por un delito (STEDH 12 enero 2016, Caso Gouarré Patte c. Andorra, §§ 28-36). Para el TEDH, cuando un Estado establece expresamente en su legislación el principio de retroactividad de la ley más favorable, debe permitir que sus litigantes ejerzan este derecho de acuerdo con las garantías del CEDH.

El principio de retroactividad de la ley penal más favorable resulta también aplicable para la determinación de una pena compuesta por sentencias múltiples (STEDH 24 abril 2017, Caso Koprivnikar c. Eslovenia, f. 59).

Para concluir, respecto del principio de retroactividad de la ley penal más favorable, hay que citar el **Voto Particular de Paulo Pinto en la STEDH 12 julio 2011, caso Hidire Durmaz c. Turquía**, que merece la pena, si quiera brevemente, comentar. Se trata de un supuesto en que el demandante alega que después de la entrada en vigor del Código Penal, su condena podría, en virtud de las penas más leves de la nueva legislación, reducirse a un nivel que le permitiera, en vista del período ya cumplido, obtener la libertad condicional.

En este caso se hace una interesante reflexión sobre la celeridad exigible en la aplicación de la ley penal más favorable (puntos 3.3 y 3.4 V.P).

"3.3. En tercer lugar, si una ley penal más favorable entra en vigor y los requisitos legales de su aplicación ya se cumplen en un caso dado, debe aplicarse a ese caso en el menor tiempo posible, es decir a partir del día de la entrada en vigor de la Ley, si ese día es un día hábil, y si no, el siguiente día hábil. Cualquier retraso en la aplicación de una ley penal más favorable, que necesariamente determina la suspensión de una pena de prisión, viola el art. 5.1 CEDH. La prisión resultante no tiene más fundamento legal que la prisión posterior a la decisión de liberación (…). Tardar más de un mes para aplicar una ley penal más favorable que habría liberado a la persona condenada es en realidad inadmisible.

*3.4 Cuarto, si un tribunal pudiera aplicar una ley penal más favorable únicamente sobre la base de su agenda, esto conduciría a diferencias en el tratamiento de las personas condenadas. Algunos de ellos serían liberados antes que otros, dependiendo de la diligencia o negligencia del tribunal competente. La intención del legislador de dar el mismo beneficio a todos los condenados sería seriamente ignorada. En otras palabras, **la demora del poder judicial en la aplicación de una ley penal más favorable no está menos abierta a las críticas que la demora de la administración en ejecutar una decisión judicial de liberar a una persona condenada**. En el primer caso, el poder judicial anula la voluntad del legislador. En el segundo caso, la administración anula la voluntad del poder judicial".*

En esta sentencia se plantea el problema del *dies ad quem* del plazo de aplicación de la ley penal posterior más favorable, fundamentalmente cuando ya ha recaído una sentencia, como permite el art. 2.2 del CP español, cuando dice que "tendrán efecto retroactivo aquellas leyes penales que favorezcan al reo, aunque al entrar en vigor hubiera recaído sentencia firme y el sujeto estuviese cumpliendo condena. En caso de duda sobre la determinación de la Ley más favorable, será oído el reo".

En este sentido, en el voto de Hidir Durmaz, Paulo Pinto clasifica las tres situaciones posibles en derecho comparado en el ámbito del Consejo de Europa (f.9 VP):

Primera: países, como Alemania y Suiza, prohíben la retroactividad de una ley penal más favorable cuando ha recaído sentencia, incluso si la misma no es firme [ver § 2 (3) del CP alemán y § 354a del Código de Procedimiento Penal alemán, que ha sido interpretado de manera restrictiva por el Tribunal Federal y parte de la doctrina alemana].

Segunda: países como Francia e Italia, que prevén la no retroactividad de una ley penal más favorable cuando el caso ya ha sido objeto de una sentencia firme (ver Artículo 112-1 del Código Penal).

Tercero: un grupo de países, como España y Portugal, que autorizan la retroactividad de una ley penal más favorable, incluso cuando el caso ya ha sido decidido definitivamente sentencia firme.

Este tercer grupo de asuntos plantea la cuestión de la compatibilidad de dichas legislaciones con el art. 7 CEDH y el art. 4 del Protocolo nº 7, que contempla el *non bis in ídem*. Sin embargo, dicha cuestión no se resuelve en Hidir Durmaz, quedando abierta a nuevos debates doctrinales.

7.2.1. *La retroactividad de la ley penal más favorable en España*

En este epígrafe veremos, brevemente, el principio de retroactividad de la ley penal más favorable, y su interpretación por la doctrina española, para luego examinar los 3 casos más importantes que sobre el principio de legalidad y, particularmente, la prohibición de retroactividad de la norma penal ha dictado el TEDH.

a) Régimen jurídico y doctrina sobre la retroactividad de la ley penal más favorable

El art. 25.1 CE dispone que "Nadie puede ser condenado o sancionado por acciones u omisiones que en el momento de producirse no constituyan delito, falta o infracción administrativa, según la legislación vigente en aquel momento»

El art. 9.3 CE garantiza la irretroactividad de las disposiciones sancionadoras no favorables o restrictivas de derechos individuales.

El art. 2 del CP español dispone:

1. No será castigado ningún delito con pena que no se halle prevista por ley anterior a su perpetración. Carecerán, igualmente, de efecto retroactivo las leyes que establezcan medidas de seguridad.

2. No obstante, tendrán efecto retroactivo aquellas leyes penales que favorezcan al reo, aunque al entrar en vigor hubiera recaído sentencia firme y el sujeto estuviese cumpliendo condena. En caso de duda sobre la determinación de la Ley más favorable, será oído el reo. Los hechos cometidos bajo la vigencia de una Ley temporal serán juzgados, sin embargo, conforme a ella, salvo que se disponga expresamente lo contrario.

En el art. 2 CP se establece el principio de retroactividad de la ley penal favorable al reo, incluso, cuando haya recaído sentencia firme, siempre que no esté totalmente a ejecutada. (STS (II) 25 junio 2012, Rec 1432/11). Se consagra así la garantía propia del principio de legalidad, consistente en la *lex previa,,* que integra dicho principio junto a los de ley expresa, clara y precisa, que son el pilar fundamental del Derecho penal desde Feurbach.

La **naturaleza de este principio** ha sido abordada por el TC y por el TS como una derivada del principio de seguridad jurídica (art. 9.3 CE), más que del principio de legalidad (art. 25.1 CE), de forma que el TC viene negando la posible inclusión del principio de **retroactividad** de la Ley penal más favorable en el art. 25.1 CE[727].

En la misma línea, la Sala II ha dicho que "*La aplicación retroactiva de la ley penal más favorable —decíamos en la STS 548/2008, 17 de septiembre— es una exigencia del principio constitucional de irretroactividad* de las disposiciones sancionadoras no favorables (art. 9.3 CE). De ese mandato constitucional se deduce, sensu contrario, el principio de *retroactividad* de las leyes penales que favorezcan al reo. Es éste su espacio natural, más que el que ofrece el art. 25 de la CE cuando proclama el principio de legalidad penal.

---

[727] (SSTC 14/1981, de 29 de abril, F. 7; 68/1982, de 13 de, F. 3; 122/1983, de 26 de octubre, F. 2; 51/1985, de 10 de abril, F. 7; 131/1986, de 29 de octubre, F. 2; 196/1991, de 17 de octubre, F. 3; 38/1994, de 17 de enero y 177/1994, de 10 de junio, F. 1).

Así se desprende de una reiterada jurisprudencia constitucional de la que son exponentes las SSTC 85/2006, 27 de, 20/2003, 10 de febrero (AATC 195/2005, 9 de mayo y 241/2003, 14 de julio)» (STS 18 junio 2014, Rec 54/2014).

Sin embargo, como ya se ha hecho acertadamente[728], **cabe criticar tal visión desagregada de la prohibición de retroactividad de la norma penal y del principio de retroactividad de la ley penal más favorable.** Precisamente, una interpretación del derecho fundamental a la legalidad penal del art. 25.1 CE de conformidad con los Tratados y Acuerdos ratificados por España (art. 10.2 CE y STC 245/1991), habría de llevar a considerar que la retroactividad de la ley penal más favorable no sólo es la expresión de la prohibición de retroactividad de las normas sancionadoras del art. 9.3 CE, sino además, y sobre todo, del derecho fundamental al principio de legalidad, interpretado conforme al PIDCP, que consagra como contenido del principio de legalidad ambas facetas: prohibición de retroactividad de la ley penal y retroactividad de la ley penal más favorable. (art. 15 PIDCP)[729].

En cuanto al **fundamento del principio de retroactividad de la ley penal más favorable,** el TS ha sostenido que "Esta disposición tiene su fundamento en que las conductas realizadas con anterioridad a una modificación legislativa, que por disposición soberana del Legislador han dejado de ser delictivas o son sancionadas ahora más benévolamente, deben ser favorecidas por esta consideración más benigna, por *elementales razones de justicia* dado que el actual constituye el grado de reproche que la sociedad atribuye a las referidas conductas." (STS 13 julio 2001, Rec. 2609/1999).

La doctrina penal española[730], más prolija en fundamentos, ha venido basando el principio de la retroactividad de la ley penal más favorable en la seguridad jurídica, la evitación del retribucionismo ultraactivo y la preven-

---

[728] Vid. VP del Magistrado R. de Mendizábal a la STC 99/2000.

[729] Art. 15.1. Nadie será condenado por actos u omisiones que en el momento de cometerse no fueran delictivos según el derecho nacional o internacional. Tampoco se impondrá pena más grave que la aplicable en el momento de la comisión del delito. Si con posterioridad a la comisión del delito la ley dispone la imposición de una pena más leve, el delincuente se beneficiará de ello.

[730] QUINTERO OLIVARES, G. "Parte General del Derecho Penal". Ed. Aranzadi Thomson Reuters. 4ª edición. pp. 136-137.

ción general, a lo que cabe añadir el principio de separación de poderes y la proporcionalidad.

En cuanto a la *determinación de la ley penal más favorable*, lo procedente es **comparar el trato legislativo que merecen las conductas sentencia-das, tomando en consideración ambos sistemas punitivos**. Para ello es necesario analizar el comportamiento sancionado en toda su integridad, tal y como si actualmente debiera sentenciarse, valorando la sentencia en su conjunto para deducir de ella si la conducta enjuiciada continúa o no sancionada, y si lo es con mayor, igual o menor severidad. (STS 13 julio 2001, Rec 2609/1999). Así se desprende de la DT 2ª del CP, cando dice que para la determinación de cuál sea la Ley más favorable se tenderá en cuenta la pena que correspondería al hecho enjuiciado con la aplicación de las normas completas de uno u otro Código.

En este sentido, se ha sostenido que **no cabe en ningún caso la aplica-ción combinada de preceptos de las dos leyes concurrentes en el tiempo** (SSTS 6 febrero 2003 y 19 septiembre 2001, etc.) En este sentido, debe aplicarse la ley más beneficiosa en su conjunto, incluidos los aspectos me-nos favorables de la misma siempre que el resultado final suponga beneficio para el sancionado (STC 75/2002, de 8 de abril).

Otra cuestión a tener en cuenta es el **concepto de "ley" más favorable**. En este sentido el TS, (STS 10 enero 2001)[731] ha sostenido con reiteración que no cabe la aplicación retroactiva de una jurisprudencia más beneficiosa para el reo, pues la retroactividad de la ley más favorable se circunscribe a las leyes y no afecta a la jurisprudencia.

A la inversa, el TS había sostenido que la **aplicación de una nueva in-terpretación jurisprudencial más gravosa para el reo no vulnera el prin-cipio de legalidad** (STS 24 febrero 2010, STS 28 febrero 2006, (Caso Pa-rot), STS 20 marzo 1998 y 11 mayo 19948.

Sin embargo, a mi entender, **dicha doctrina ha quedado superada** por la STEDH 21 octubre 2013, Caso Del Río Prada c. España, como parece admitir el TC en su STC 37/2018, de 23 de abril.

---

[731] STS 29 noviembre 2013, 14 marzo 2013, 4 mayo 2011, 30 enero 2001, entre otras..

b) Casos en que el TEDH ha condenado a España por vulnerar el art. 7 CEDH

La **STEDH 22 julio 2003, Caso Gabarri Moreno c. España.** Se trata de un supuesto en que al demandante, habiéndosele apreciado una eximente incompleta de la responsabilidad, el tribunal no se le aplicó el artículo 66 del Código Penal de 1973, vigente en la época de los hechos, y en lugar de imponerle la pena inferior en uno o dos grados (límite inferior de dos meses y un día a 4 meses de prisión), se le aplicó una atenuante de alteración de facultades mentales (enajenación mental), condenándole a la pena de ocho años y un día de cárcel, al pago de una multa de 101 millones de pesetas con arresto subsidiario por falta de pago de dieciséis días.

El TEDH concluye que no se trataba de una simple circunstancia atenuante sino de una eximente incompleta de responsabilidad. En tal caso, el artículo 66 del Código Penal 1973[732], imponía la reducción de la pena en un grado y la facultad de reducir otro grado complementario, por lo que el demandante debía haber gozado, conforme al artículo 66 del CP, en relación con los artículos 8 y 9.1 del CP 73, de una reducción de pena de al menos un grado. Por esas razones, el TEDH considera que se impuso al demandante una pena mayor que la aplicable por el delito por el que fue declarado culpable y aprecia en consecuencia violación del art. 7.1 CEDH.

La **STEDH 15 diciembre 2009, Caso Gurguchiani c. España**, se trata de la **aplicación retroactiva de una pena más severa**, en concreto la expulsión del territorio nacional, de un extranjero en situación irregular. En efecto, en este caso se produjo la **sustitución de la pena de prisión** de dieciocho meses por su expulsión y prohibición de volver al territorio español durante diez años, con la aplicación casi automática de la nueva redacción del artículo 89 del CP, más grave que el anterior, sin escuchar al demandante ni tener en cuenta sus circunstancias. En definitiva, se impuso una pena más

---

[732] Art. 66 CP 1973. Se aplicará la pena inferior en uno o dos grados a la señalada por la Ley cuando el hecho no fuere del todo excusable por falta de alguno de los requisitos que se exigen para eximir de responsabilidad criminal en los respectivos casos de que se trata en el artículo 8.º, imponiéndola en el grado que los Tribunales estimaren conveniente, atendido el número y entidad de los requisitos que faltaren o concurrieren.

severa que la correspondiente a la infracción por la que se le condenó, por lo que el TEDH apreció infracción del art. 7 CEDH

La **STEDH 21 octubre 2013, Caso Del Río Prada c. España**. Se trata de la aplicación retroactiva de un cambio jurisprudencial (STS 28 de febrero de 2006, conocida como la "Doctrina Parot")[733]. Según esta nueva jurisprudencia, los beneficios penitenciarios y las redenciones de pena ya no se debían computar sobre el límite máximo de 30 años en conjunto, sino sucesivamente sobre cada una de las penas pronunciadas). Este cambio afectó a la ejecución de la pena de la Sra. Del Río Prada, por lo que la AN decidió modificar (demorándola) la fecha de su puesta en libertad, que ya había sido fijada de conformidad a la doctrina jurisprudencial anterior.

Sin embargo, el TEDH considera que en el momento en que la demandante ha cometido los delitos y en el momento de la adopción de la decisión de la acumulación y del límite máximo, el Derecho español aplicable, tomado en su conjunto, —*incluida la jurisprudencia*— estaba formulado con la suficiente precisión para permitir a la demandante discernir, en un grado razonable, en las circunstancias del caso, el alcance de la condena respecto de la duración máxima de treinta años derivado del artículo 70.2 del Código Penal de 1973) y del dispositivo de las redenciones de pena por trabajo en prisión previsto por el artículo 100 del mismo texto (vid. a contrario, F. 150). La condena equivalía por tanto a una duración máxima de treinta años de prisión, dando por supuesto que las redenciones de pena por trabajo en prisión deberían ser computadas sobre esa pena.

El TEDH considera que la aplicación en este caso concreto de nuevas modalidades de cálculo de redenciones de pena por trabajo derivadas de la "doctrina Parot" no puede considerarse como una medida que afecte exclusivamente a la ejecución de la pena impuesta a la demandante —como sostenía el Gobierno español—. En efecto, esta medida dictada por el juez que había condenado a la interesada también lleva a una redefinición del alcance de la "pena" impuesta. Como consecuencia de la "doctrina Parot", la pena máxima de treinta años de cárcel ha perdido su carácter de pena autónoma sobre la cual se debían calcular las redenciones de pena por trabajo

---

[733] Reiterada después por el TS: vid. sentencia 898/2008 de 11 de diciembre de 2008). En la sentencia 343/2011 dictada el 3 de mayo de 2011, se refirió al giro de jurisprudencia realizado por la sentencia 197/2006.

para convertirse en una pena de treinta años de cárcel que, en realidad, no eran susceptibles de ninguna redención de pena de este tipo.

En cuanto a la previsibilidad de la pena, el TEDH concluye (f.117), que La demandante no podía esperar el giro efectuado por el Tribunal Supremo ni, en consecuencia que la Audiencia Nacional computara las redenciones de pena concedidas, no sobre la pena máxima de treinta años, sino sucesivamente sobre cada una de las penas dictadas. En definitiva, este giro jurisprudencial ha tenido como efecto la modificación, de forma desfavorable para la demandante, del alcance de la pena impuesta.

Por tanto, el TEDH considera que hubo violación del art. 7 CEDH.

El **caso del Río Prada** es un caso que ha sido sumamente polémico, pero que **ilustra una deriva jurisprudencial criticable,** y criticada, en materia de principio de legalidad y prohibición de retroactividad, que consideraba inaplicable dicho principio a los cambios doctrinales en perjuicio del reo.

7.2.2. Índice de casos

STEDH 25 mayo 1993, Caso Kokkinakis c. Grecia
STEDH 8 junio 1995, Caso Jamil c. Francia
STEDH 27 septiembre 1995, Caso G. c. Francia
SSTEDH 22 noviembre 1995, Casos S. W. y C. R. contra Reino Unido
STEDH 27 mayo 2001, Caso Ecer y Zeyrek cTurquía
STEDH 22 julio 2003, Caso Gabarri Moreno c. España
STEDH 12 febrero 2004, Caso Mione c. Italia
STEDH 29 marzo 2006, Caso Achour c. Francia
DTEDH 18 mayo 2006, Caso Hummatov c. Azerbaïdjan
STEDH 12 abril 2007, Caso Martelli c. Italia
DTEDH 10 julio 2007, Caso Rasnik c. Italia
DTEDH 17 marzo 2009, Caso Ould Dah c. Francia
DTEDH 7 abril 2009, Caso Hakkar c. Francia
STEDH 17 septiembre 2009, Caso Scoppola c. Italia
STEDH 15 diciembre 2009, Caso Gurguchiani c. España
STEDH 19 diciembre 2009, Caso M. c. Alemania
STEDH 12 julio 2011, caso Hidire Durmaz c. Turquía
DTEDH 10 abril 2012, Šimšić c. Bosnia-Herzegovina
STEDH 9 julio 2013, Caso Vinter y otros c. Reino Unido
STEDH 21 octubre 2013, Caso Del Río Prada c. España
DTEDH 14 enero 2014, Caso Stepanenko et Ososkalo c. Ucrania
STEDH 18 marzo 2014, Caso Öcalan c. Turquía
STEDH 20 octubre 2015, Caso Vasiliauskas c. Lituania
STEDH 12 enero 2016, Caso Gouarré Patte c. Andorra

STEDH 12 julio 2016, Caso Ruban c. Ucrania
STEDH 24 abril 2017, Caso Koprivnikar c. Eslovenia
STEDH 9 abril 2018, Caso Caso Kadusic c. Suiza

7.2.3. Bibliografía

GARCÍA ROCA, J., SANTOLAYA, P. (Coord.) "La Europa de los Derechos. El Convenio Europeo de Derechos Humanos Ed. CEC. 2ª Edición. 2009.

LASAGABASTER HERRARTE, I. "Convenio Europeo de Derechos Humanos. Comentario Sistemático. 2ª edición. Ed. Civitas Thomson-Reuters 2009.

MIR PUIG, S. "Derecho Penal. Parte General." Ed. Reppertor. 6ª Edición.

MONEREO ATIENZA, C.; MONEREO PÉREZ, J. L. "La Garantía Multinivel de los Derechos Fundamentales en el Consejo de Europa". Ed. Comares. 2017.

PÉREZ TREMPS, P.; SAIZ ARNAIZ, A., "Comentario a la Constitución Española. 40 aniversario 1979-2018. Libro homenaje a Luis López Guerra. Ed. Tirant Lo Blanch.

PINTO DE ALBUQUERQUE, P. "I Diritti umani in una prospettiva europea. Opinini concrrenti e dissenzienti (2011-2015)". A cura e con un saggio di Davide Galliani prefaziine di Paola Bilancia. Ed. B. Giappichelli Editori- 2016.

PRECIADO DOMÈNECH, C. H. "Teoría General de los Derechos Fundamentales en el contrato de Trabajo". Ed. Thomson Reuters-Aranzadi. 2018.

QUERALT JIMÉNEZ, A. "La interpretación de los derechos: del Tribunal de Estrasburgo al Tribunal Constitucional". Ed. CEC. 2008.

QUINTERO OLIVARES, G. "Parte General del Derecho Penal". Ed. Aranzadi Thomson Reuters. 4ª edición.

RIPOL CARULLA, S., VELÁZQUEZ GARDETA, J. M. y AAVV "España en Estrasburgo. Tres Décadas bajo la Jurisdicción del Tribunal Europeo de Derechos Humanos. Ed… Aranzadi. Primera edición. 2010.

SARMIENTO, D.; MIERES MIRES, L. J.; PRESNO LINERA, M. "Las sentencias básicas del Tribunal Europeo de Derechos Humanos. Ed. Thomson Cititas. 2007.

8. DERECHO AL RESPETO A LA VIDA PRIVADA Y FAMILIAR (ART. 8 CEDH)

Artículo 8 CEDH. Derecho al respeto a la vida privada y familiar
1. Toda persona tiene derecho al respeto de su vida privada y familiar, de su domicilio y de su correspondencia.
2. No podrá haber injerencia de la autoridad pública en el ejercicio de este derecho sino en tanto en cuanto esta injerencia esté prevista por la ley y constituya una medida que, en una sociedad democrática, sea necesaria para la seguridad nacional, la seguridad pública, el bienestar económico del país, la defensa del orden y la prevención de las infracciones penales, la protección de la salud o de la moral, o la protección de los derechos y las libertades de los demás.

8.1. CASO KONSTANTIN MARKIN C. RUSIA
(STEDH 22 marzo 2012): Derecho al permiso parental de un militar; la protección de los derechos sociales por el CEDH

8.1.1. Resumen del caso

El demandante, militar ruso, denuncia que la negativa a concederle un permiso parental supone una discriminación basada en el sexo. Invoca el artículo 14 en relación con el artículo 8 del CEDH.

Resumen de los hechos: El demandante firmó en 2004 un contrato con el ejército ruso en cuya virtud se comprometía a "servir en las condiciones previstas por la ley".

Empezó a trabajar como operador de radio en el ámbito de información, siendo sustituido a menudo por mujeres militares.

Tras divorciarse de la madre de sus 3 hijos, tuvo que cuidarles por sí solo. Pidió un permiso parental (excedencia para cuidado de hijos) de 3 años, un año después de que naciese su tercer hijo. La petición fue rechazada porque la legislación solo permitía otorgar tal permiso al personal de sexo femenino.

Al interesado se le concedió un permiso de 3 meses pero fue llamado a filas al cabo de algunas semanas. Combatió sin éxito tal resolución ante un tribunal militar.

En octubre de 2006, su unidad militar le concedió un permiso parental hasta que su hijo menor cumpliera 3 años, es decir, durante casi dos años, así como una ayuda financiera de unos 5900 euros.

Posteriormente, el tribunal militar criticó a la unidad militar por otorgar dicho permiso parental desafiando las sentencias de los tribunales rusos y llamando la atención sobre la irregularidad de la decisión. En enero de 2009, el Tribunal Constitucional desestimó la queja del Sr. Markin, que denunciaba la imposibilidad de que los militares varones gozaran de un permiso parental de tres años, debido a que, según el TC, las disposiciones de la Ley sobre el Estatuto de las normas militares que rigen el permiso parental son compatibles con la Constitución.

En marzo de 2011, un fiscal militar se presentó en el domicilio del Sr. Markin. Según las autoridades rusas tal visita tenía por finalidad recopilar las informaciones sobre la situación familiar del demandante para preparar las observaciones del Gobierno ante el TEDH. Tras consultar a su abogado por teléfono, el Sr. Markin rechazó responder a cualquier pregunta o facilitar documentos. Redactó un escrito en ese sentido, momento en el que el Fiscal abandonó de inmediato el lugar, no sin interrogar a los vecinos del Sr. Markin, que le dijeron que éste convivía con su ex-esposa. Según el Gobierno ruso, Esta investigación permitió determinar que el demandante y su ex esposa se habrían vuelto a casar en abril de 2008 y habrían tenido un hijo en agosto de 2019. En diciembre de 2008, el demandante puso fin a su relación con el ejército por razones de salud y en la actualidad la pareja vive con sus cuatro hijos en casa de la madre de ella.

Excepciones preliminares del Gobierno: el Gobierno Ruso planteó 3 excepciones preliminares, todas ellas desestimadas, en resumen por los siguientes motivos que pasamos a resumir:

1) Falta de condición de víctima del demandante: se desestima porque incluso tras la concesión del permiso parental a título extraordinario (por sus dificultades económicas y familiares), los tribunales seguían considerando que, en tanto que militar varón, la ley no le permitía beneficiarse de tal permiso y que esta situación no suponía una violación del derecho a la igualdad de trato.

2) Inadmisión por resolución previa del litigio: se desestima porque el demandante disfrutó permiso parental con un año de retraso y de

una duración de dos años en lugar de tres. Por tanto, el interesado no pudo ocuparse de su hijo durante su primer año, cuando éste más le necesitaba. No fue indemnizado por el retraso en la concesión del permiso ni por la menor duración de éste, dado que la ayuda económica que recibió se otorgó debido a las necesidades económicas que padecía. Por lo tanto, el Tribunal considera que las consecuencias de una posible violación del Convenio no han sido suficientemente eliminadas como para permitirle concluir que el litigio estaba resuelto en el sentido del artículo 37.1b) CEDH.

3) Abuso de derecho en la presentación de la demanda: esta excepción la desestima por extemporánea, al no haberse planteado ante la Sala y plantearse por primera vez ante la Gran Sala.

Sobre el fondo del asunto: el TEDH concluye por 16 votos a uno que hubo violación del art. 14 en relación con el art. 8 CEDH y, por otra parte, declara por 14 votos a 3 que el Estado demandado no incumplió el art. 34 del CEDH.

Nos limitaremos a **resumir la posición mayoritaria en torno a la vulneración del art. 14 en relación con el art. 8 CEDH**.

El TEDH observa que el avance hacia la igualdad de sexos constituye a día de hoy un objetivo importante de los Estados miembros del Consejo de Europa, y que sólo razones muy poderosas pueden llevar a estimar la compatibilidad con el CEDH de una diferencia de trato como la sufrida por el demandante. En particular, las referencias a las tradiciones, los prejuicios comunes o estereotipos, o las actitudes sociales mayoritarias que prevalecen en un país dado, no son suficientes para justificar una diferencia de trato basada en el sexo.

Con respecto al contexto militar, recuerda el TEDH que el buen funcionamiento de un ejército es difícilmente concebible sin reglas legales diseñadas para prevenir que el personal militar cause perjuicios al mismo. Sin embargo, las autoridades nacionales no pueden basarse en reglas que impidan el ejercicio de los miembros de las fuerzas armadas de su derecho al respeto por su vida privada.

Es cierto que el artículo 8 no incluye el derecho al permiso parental y no impone Establece la obligación positiva de proporcionar un subsidio de licencia parental. Sin embargo, el permiso parental y la asignación correspondiente se incluyen en el ámbito de aplicación de artículo 8, ya que promueven la vida familiar y necesariamente tienen un impacto en la organización de la misma.

El propósito del permiso parental, a diferencia del permiso de maternidad, es permitir al progenitor/a beneficiaro que permanezca en el hogar para cuidar personalmente al recién nacido. De ello se deduce que, a efectos del permiso parental, el solicitante, un soldado varón, estaba en una situación análoga a la de las mujeres soldado.

Sin embargo, en el contexto particular de las fuerzas armadas, el TEDH ha reconocido anteriormente que los derechos de los militares podrían estar sujetos a más restricciones que las que se aplican a los civiles. Al mismo tiempo, el TEDH también subrayó que el **CEDH no se detiene a las puertas de los cuarteles** y que los militares, como todas las demás personas dentro de la jurisdicción de un Estado parte, tienen el derecho a beneficiarse de la protección del CEDH. Las restricciones a sus derechos no pueden aceptarse sino en el caso en que haya razones particularmente serias, como la amenaza para la eficiencia operativa de las fuerzas armadas.

Al examinar la situación en todos los Estados partes, la Corte observa que, en una mayoría de los estados europeos, incluida Rusia, la legislación actual prevé en el sector civil, que tanto hombres como mujeres puedan disfrutar del permiso parental.

Además, en un número significativo de Estados miembros, tanto los militares hombres como las mujeres también tienen derecho al permiso parental.

Ello significa que las sociedades europeas contemporáneas han evolucionado hacia la igualdad entre hombres y mujeres en lo que se refiere la asunción de las responsabilidades educativas y de cuidado de los niños.

Además, el Tribunal no cree que la diferencia de trato entre los hombres y mujeres militares se pueda explicar por una discriminación positiva que favorezca a las mujeres. Al contrario, el Tribunal considera que esta diferencia de trato tiene por efecto la perpetuación de los estereotipos de género y constituye una desventaja tanto para la carrera profesional de las mujeres, como para la vida familiar de los hombres. Del mismo modo, no puede justificarse la diferencia de trato en cuestión acudiendo a las tradiciones que imperen en un país determinado.

El Tribunal tampoco cree que la extensión del derecho al permiso parental a los militares menoscabe el poder de combate y la eficacia operativa de las fuerzas armadas. No hay indicios de que las autoridades rusas hayan acudido a peritos o a estudios estadísticos para evaluar el número de militares susceptibles de pedir los tres años de permiso parental y que deseen hacerlo y las consecuencias que la concesión de tales permisos pudieran tener para la eficacia operativa del ejército. Para la Corte, el simple hecho de que todos los militares sean hombres en edad fértil, como indica el Gobierno, no es bastante para justificar la diferencia de trato entre hombres y mujeres en el ejército.

El TEDH también destaca la rigidez de la ley rusa sobre el permiso parental en el ejercito De hecho, los militares varones no tienen en ningún caso el derecho a un permiso parental. Además, el Gobierno no presentó ningún ejemplo que mostrara que es posible una evaluación caso por caso, con permiso parental concedido a miembros militares varones cuya situación lo exigiese.

Sin embargo, la Corte reconoce que, dada la importancia de los militares para la protección de seguridad nacional, ciertas restricciones sobre el derecho permiso parental pueden estar justificadas, siempre que no sean discriminatorias. Por ejemplo, los militares, hombres o mujeres, podrían quedar excluidos del derecho al permiso parental por el motivo de la dificultad de reemplazarlos debido, por ejemplo, a su posición jerárquica, la escasez de sus calificaciones técnicas o su participación en operaciones militares sobre el terreno.

En Rusia, sin embargo, el derecho al permiso parental se concede exclusivamente en función del sexo de los militares. Excluyendo exclusivamente a los hombres militare del derecho al permiso parental, la norma en cuestión impone una restricción general. Tal restricción general, aplicada automáticamente a un grupo de personas en función de su sexo, deben se halla fuera del margen aceptable de apreciación del Estado.

Dado que el Sr. Markin, que era un operador de radio, podría ser reemplazado fácilmente en sus funciones, no había razón válida para excluirlo del derecho a al permiso parental. Por lo tanto, el solicitante fue discriminado por motivos de sexo.

Finalmente, en cuanto al argumento del Gobierno de que, al participar en el ejército, el solicitante había renunciado a su derecho a no ser discriminado, el TEDH considera que dicho derecho no es renunciable, al tratarse de una cuestión de orden público, frente al que dicha renunciar atentaría.

A la luz de lo anterior, el Tribunal concluye que ha habido una violación del artículo 14 en relación con el artículo 8 del CEDH.

8.1.2. *Extractos del voto particular de Paulo Pinto*

«*El asunto Markin trata sobre la situación de los padres en los primeros momentos de la vida de sus hijos y las razones que justifican la existencia de un estatuto parental especial para los militares. Suscribo la conclusión de violación del art. 8 en relación con el art. 14 CEDH alcanzada por la mayoría, aunque los motivos que me conducen a ella difieren en gran medida de los expuestos en la presente sentencia. Estos motivos se refieren a la naturaleza del derecho al permiso parental, que sólo puede valorarse adecuadamente si se considera la evolución de la protección de los derechos sociales en el Convenio europeo de los derechos humanos ("el Convenio"). Además, parece importante por razones teóricas y prácticas, analizar por separado la doble discriminación sufrida por el demandante, en primer lugar como militar de sexo masculino en relación a sus colegas de sexo femenino (la cuestión de la discriminación sexual), y además como militar en relación a la población civil (la cuestión de la discriminación profesional). Finalmente, no puedo suscribir la conclusión de no violación del artículo 34.*

Opinión disidente
(...)

Opinión concordante
Naturaleza del derecho al permiso parental
El permiso parental se define como un período de ausencia autorizada del trabajo inmediatamente después del permiso de maternidad, durante el cual se conservan el contrato o relación de trabajo y los derechos derivados de ella. El derecho al permiso parental está garantizado por el Convenio. No entra dentro del campo de aplicación del Convenio solo porque favorezca la vida familiar y su organización, sino que deriva directamente del artículo 8. Está protegido por esta disposición porque representa una garantía esencial para el vínculo entre el padre en cuestión y su hijo, en un momento en que este último es especialmente vulnerable y tiene unas necesidades especiales. Las relaciones familiares protegidas de esta forma pueden tener su origen en un vínculo biológico de maternidad o paternidad, o en una relación jurídica resultante de una adopción o cualquier otra relación jurídicamente equivalente. El derecho al permiso parental es un derecho convencional primordial que forma parte del núcleo de los derechos fundamentales de la familia.

El derecho al permiso parental presenta dos aspectos complementarios: por un lado, es un derecho social en tanto conserva la situación laboral del trabajador implicado y, por otro lado, es también un derecho convencional, en tanto protege la relación entre padres e hijos. Por lo tanto, no es un derecho convencional ex novo, sino uno de los aspectos del derecho al respeto de la vida familiar que corresponde al Convenio en tanto instrumento vivo. Las consecuencias prácticas cruciales surgen de este análisis: por un lado, los Estados tienen la obligación positiva de establecer una regulación legal del permiso parental y, por otro lado, el derecho al permiso parental está protegido por el artículo 8 independientemente de cualquier discriminación contraria al artículo 14.

El Tribunal, es cada vez más proclive a dispensar una protección convencional de los derechos sociales, a través del artículo 14 del Convenio. Según su reiterada jurisprudencia, el artículo 14 no se limita al disfrute de los derechos establecidos en el Convenio, sino que se extiende a aquellos que "dependen del campo de aplicación" de una disposición convencional y que un Estado ha decidido garantizar, aunque al hacerlo sobrepase las estrictas exigencias del Convenio[734]. Apoyándose en este método, el Tribunal ha censurado la aplicación discriminatoria de derechos sociales dependientes del ámbito de aplicación de las disposiciones del Convenio[735]. Pero también los derechos

---

[734] Este principio fue enunciado por primera vez por el Tribunal en el caso "Sobre determinados aspectos del régimen lingüístico de la educación en Bélgica"(fondo), 23 de julio de 1968, apartado 9, p. 33, serie A núm. 6. En otras palabras, el artículo 14 se aplicará cuando (…) la cuestión sobre la que se esté en desventaja (…) cuenta entre las modalidades de ejercicio de un derecho garantizado "(Sindicato nacional de policía belga contra Bélgica, 27 de octubre de 1975, apartado 45, serie A núm. 19) o cuando las medidas en litigio "se relacionan (…) con el ejercicio de un derecho garantizado" por el Convenio (Schmidt y Dahlström contra Suecia, 6 de febrero de 1976, apartado 39, serie A núm. 21). Para el Tribunal, el concepto de discriminación en el sentido del artículo 14 engloba asimismo los casos en los que un individuo o un grupo, sin justificación, se ve peor tratado que otro, incluso si el Convenio no impone un tratamiento más favorable (Abdulaziz, Cabales y Balkandali contra Reino Unido, 28 de mayo de 1985, apartado 82, serie A núm. 94).

[735] Por ejemplo, un tratamiento diferenciado entre residentes y no residentes en cuestiones de exención de impuestos (Darby contra Suecia, 23 de diciembre de 1990, apartados 33-34, serie A núm. 187), de reglas de asignación del subsidio de urgencia diferentes para los nacionales y extranjeros (Gaygusuz contra Austria, 16 de septiembre de 1996, apartado 50, Repertorio de sentencias y decisiones 1996-IV), de obligaciones contributivas impuestas a los solteros sin hijos de edad de 45 años diferentes a las de las mujeres solteras sin hijos de la misma edad (Van Raalte contra Holanda, 21 de febrero de 1997, apartado 43, Repertorio 1997-I), diferentes derechos a pensiones para hombres y mujeres casados (Wessels-Bergervoet contra Holanda, núm. 34462/97, apartado 54, TEDH 2002 IV), de los derechos de pensión diferentes para los militares con antigüedad (Buche# contra República Checa, núm. 36541/97, apartados 74-76, 26 de noviembre de 2002) y diferentes condiciones para la concesión de la pensión para los nacionales y extranjeros (Andrejeva contra Letonia GS, núm. 55707/00, apartados 88-91, TEDH 2009).

sociales se han derivado de disposiciones convencionales sin necesidad de acudir al trato discriminatorio sufrido por un demandante, tales como el derecho de las personas dependientes de la autoridad del Estado a un tratamiento médico[736], el derecho de todo ciudadano a un tratamiento médico[737], el derecho a un entorno saludable[738], derecho al alojamiento[739], el derecho a una pensión de jubilación[740], el derecho a la negociación colectiva y el derecho de huelga[741].

---

[736] Este derecho se deduce del artículo 3 (#lhan contra Turquía [GS], núm 22277/93, apartado 87, TEDH 2000-VII, Kud#a contra Polonia [GS], núm. 30210/96, apartados 91-94, TEDH 2000-XI, Mouisel contra Francia, núm.67263/01, apartados 40-42, TEDH 2002-IX, Paladi contra Moldavia [GS], núm. 39806/05, apartado 71, 10 de marzo de 2009, V.D. contra Rumanía, núm. 7078/02, apartados 94-99, 16 de febrero de 2010, y Slyusarev contra Rusia, núm.60333/00, apartado 43, 20 de abril de 2010).

[737] Este derecho se basa en el artículo 8 (Glass contra Reino Unido, núm.61827/00, apartados 74-83, TEDH 2004-II, Tysi#c contra Polonia, núm.5410/03, apartados 107-108, TEDH 2007-I, y A, B et C contra Irlanda [GS], núm.25579/05, apartado 245, TEDH 2010) o en el artículo 2 (Oyal contra Turquía, núm.4864/05, apartado 72, 23 de marzo de 2010).

[738] Este derecho encuentra su origen en el artículo 8 (López Ostra contra España, 9 de diciembre de 1994, apartado 51, serie A núm. 303 - C, Guerra y otros contra Italia, 19 de febrero de 1998, apartados 57-60, Repertorio 1998 I, Hatton y otros contra Reino Unido, 8 de julio de 2003, apartados 96-99, Repertorio 2003 VIII, y Georgel y Georgeta Stoicescu contra Rumania, núm. 9178/03, 61-62, 26 de julio de 2011) o en el artículo 2 (Önery#ld#z contra Turquía GS, núm. 48939/99, apartado 90, TEDH 2004 XII). En un caso donde estaba en causa un conflicto de derechos sociales, el Tribunal determinó asimismo que la obligación positiva del Estado de proteger el medio ambiente prevalecía sobre la obligación de proteger el modo de vida de una minoría en el marco normativo vigente para el amejoramiento (Chapman contra Reino Unido [GS], núm. 27238/95, apartados 96, 113-115, TEDH 2001-I).

[739] Se puede reprochar a los Estados no proporcionar un alojamiento adecuado en base al artículo 3 [Moldovan y otros contra Rumanía (núm. 2), núms.. 41138/98 et 64320/01, apartados 107 g) y 110, TEDH 2005-VII, y M.S.S. contra Bélgica y Grecia (GS), núm. 30696/09, apartados 263-264, 21 de enero de 2011] o del artículo 8 [Marzari contra Italia (dec.), núm. 36448/97, 4 de mayo de 1999, donde el demandante "padecía una enfermedad grave", y Stanková contra Eslovaquia, núm.7205/02, apartados 60-62, 9 de octubre de 2007, donde el Tribunal encontró «convincente» el razonamiento del Tribunal Constitucional]. El Tribunal está dispuesto a valorar las políticas de los poderes públicos en cuestión de alojamiento aunando sus efectos sobre los derechos de los propietarios [James y otros contra Reino Unido, 21 de febrero de 1986, apartado 46, serie A núm.98, Mellacher y otros contra Austria, 19 de diciembre de 1989, apartado 45, serie A núm. 169, Spadea y Scalabrino contra Italia, 28 de sep-

El Tribunal añadió el derecho de toda persona a un procedimiento equitativo para la determinación de sus derechos sociales[742].

El reconocimiento por parte del Tribunal de los derechos sociales en virtud del Convenio se enfrenta a dos objeciones de principio. Con el argumento de que la intención de los padres fundadores del Convenio era incluir únicamente derechos civiles y políticos, algunos han criticado al Tribunal el hecho de traspasar los límites de su jurisdicción, imponiendo a las Partes contratantes obligaciones internacionales no aceptadas por ellas[743]. Este argumento es incorrecto por dos razones. Por un lado,

---

tiembre de 1995, apartado 29, serie A núm. 315-B, y Hutten-Czapska contra Polonia (GS), núm. 35014/97, apartados 224-225, TEDH 2006-VIII].

[740] El Tribunal consideró que una pensión de un montante «claramente insuficiente» planteaba una cuestión en base al artículo 3 [Larioshina contra Rusia (dec), núm. 56869/00, 23 de abril de 2002, y Budina contra Rusia (dec), núm. 45603/05, 18 de junio de 2009] o del artículo 2 [Kutepov y Anikeïenko contra Rusia, núm. 68029/01, apartado 62, 25 de octubre de 2005, y Huc contra Rumanía y Alemania (dec), núm. 7269/05, apartado 59, 1 de diciembre de 2009].

[741] El Tribunal dedujo del derecho a fundar sindicatos protegido por el artículo 11 del Convenio el derecho a la negociación colectiva establecido en el artículo 6 de la Carta Social Europea, a pesar de que el Estado demandado no había ratificado esa disposición en el momento de su adhesión a la carta en cuestión (Demir y Baykara contra Turquía GS, núm. 34503/97, apartados 153 y 154, TEDH 2008). El Tribunal siguió el mismo razonamiento en el caso de Enerji Yapi - Yol Sen contra Turquía (núm. 68959/01, apartados 24 y 31-32, 21 de abril de 2009), donde reconoció el derecho de huelga en base al artículo 11 del Convenio.

[742] Por ejemplo, en materia de determinación de prestaciones de seguros de salud (Feldbrugge contra Holanda, 29 de mayo de 1986, apartado 40, serie A núm. 99), de prestaciones de seguridad social previstos por un régimen de seguros de accidentes de trabajo (Deumeland contra Alemania, 29 de mayo de 1986, apartado 75, serie A núm. 100), o de pensiones de viudedad (Massa contra Italia, 24 de agosto de 1993, apartado 26, serie A 265-B). El Tribunal ya ha impuesto a los Estados la obligación de establecer un sistema judicial que garantice una protección efectiva de un derecho social (Danilenkov y otros contra Rusia, núm. 67336/01, apartado 136, TEDH 2009).

[743] Véase, por ejemplo, Renucci, «Traité de droit européen des droits de l'homme», París, 2007, pp. 492-493. Otra objeción del mismo orden consiste en decir que ya que no hay una definición clara del concepto del derecho "en base a" una disposición del Convenio, no existe ningún criterio de distinción entre los casos que deben ser examinados en base al artículo 14 del Convención y aquellos en base al artículo 1 del Protocolo núm. 12, y que cualquier derecho reconocido por el ordenamiento jurídico interno podría ser considerado artificialmente como "en base" al Convenio en si mismo (véase, por ejemplo, Tomuschat, «Social rights under the European Charter on Human Rights», en Breitenmoser (Hrsg.), Human Rights, Democracy and the

ignora el objetivo del Convenio, en tanto tratado que prevé el "desarrollo" de los derechos humanos en el contexto de la Declaración Universal de los Derechos Humanos, que establece los derechos económicos y sociales. Esta intención, claramente expresada en el preámbulo del Convenio, es confirmada por las disposiciones de este instrumento, que garantizan el derecho a afiliarse a un sindicato y prohíben el trabajo forzoso, así como por la posterior aprobación de protocolos relativos al derecho de propiedad y al derecho a la educación[744]. Además, no hay una frontera clara entre los derechos sociales y los derechos civiles, teniendo éstos últimos la mayoría de las repercusiones sociales y económicas[745].

Por otra parte, este argumento soslaya que el Convenio es un "instrumento vivo" que evoluciona y se adapta a las situaciones que viven los pueblos de Europa. A partir de los trabajos preparatorios del Convenio, resulta que la protección de los derechos civiles y políticos en un continente tan devastado por la guerra y las graves violaciones de derechos humanos que se cometieron, fue objeto de particular preocupación para los redactores de este instrumento[746], y aquella situación no es comparable con la de los pueblos europeos en la actualidad. La petrificación del Convenio no sólo

---

Rule of Law: Liber Amicorum Luzius Wildhaber, Zürich, 2007, pp. 862-863; Sudre, «La protection des droits sociaux par la Cour européenne des droits de l'homme: un exercice de «jurisprudence fiction?»», Revista trimestral de los derechos humanos, 55, 2003, p. 770; y Lucas-Albertini, «Le revirement de jurisprudence de la Cour européenne des droits de l'homme», Bruxelles, 2008, p. 326).

[744] Sobre el contenido social del Convenio, véase entre otros, Pellonpää, «Economic, social and cultural rights», MacDonald/Matscher/Petzold (eds.), The European system for the protection of human rights, Dordrecht, 1993, pp. 859-866; Costa, «La Cour européenne des droits de l'homme et la protection des droits sociaux», Revue trimestrielle des droits de l'homme, 21, 2010, pp. 212-216; et Eichenhofer, «Der sozialrechtliche Gehalt der EMRK-Menschenrechte», in Hohmann-Dennhardt/Masuch/Villiger, Festschrift für Renate Jaeger, Grundrechte und Solidarität, Durchsetzung und Verfahren, 2011, pp. 628-635.

[745] Airey contra Irlanda, 9 de octubre de 1979, apartado 26, serie A núm. 32. El Tribunal no se prohíbe necesariamente examinar casos con consecuencias económicas para el Estado, pues la aplicación de los derechos civiles fundamentales tiene un impacto en las finanzas públicas. Un buen ejemplo es que el Estado se hace cargo de los gastos de asistencia jurídica y de interpretación. De hecho, los derechos civiles y los derechos sociales son interdependientes y están estrechamente relacionados. No hay ningún muro entre las dos categorías de derechos. En este sentido, véase, entre otras, el preámbulo de la Carta Social Europea, el preámbulo del Protocolo Facultativo del Pacto Internacional de derechos económicos, sociales y culturales, la Declaración y el Programa de acción de Viena elaborados por la Conferencia Mundial de derechos humanos (A/CONF/157/23, 12 de julio de 1993, apartado 5) y Recomendación 1415 de la Asamblea Parlamentaria del Consejo deEuropa de fecha 23 de junio de 1999.

[746] Véase Trabajos Preparatorios 1, p. 194.

iría en contra de las reglas ordinarias de interpretación de los tratados, que ofrecen una función suplementaria a los trabajos preparatorios y un papel preponderante a los términos, al objeto y al propósito de disposiciones del Tratado (artículo 31.1 de la Convención de Viena sobre el derecho de los tratados), sino que en última instancia ignoraría la verdadera intención de los fundadores del Convenio, cuya ambición fue desarrollar un instrumento que garantizara unos derechos concretos y efectivos, y no formales e ilusorios.

Asimismo se ha argumentado que los derechos sociales no son justiciables dado su carácter vago y técnico. Según esta tesis, estos derechos se limitarían a establecer objetivos políticos o programas de acción destinados a los órganos políticos y administrativos del Estado y no se prestarían a un control judicial. Esta tesis ignora el principio según el cual los derechos humanos tienen un contenido obligatorio mínimo[747]. Como los demás derechos fundamentales, los derechos sociales tienen

---

[747] 14 Conviene considerar la noción de obligación fundamental mínima tal como está concebida por el Comité de derechos económicos, sociales y culturales de Naciones unidas. En su observación general núm. 3 este órgano expresó la «opinión que cada Estado parte tiene la obligación fundamental mínima de garantizar al menos, la satisfacción de lo esencial de cada uno de los derechos.» (Véase observación general núm. 3, UN doc. E/1991/23, apartado 10, notificación confirmada en la observación general núm. 12, UN doc. E/2000/22, § 17, observación general núm.13, E/C.12/1999/10, apartado 57, observación general núm. 14, UN doc. E/C.12/2000/4, apartados 43-47, observación general núm. 15, UN doc. E/C.12/2002/11, apartados 37-40, observación general núm. 17, E/C.12/GS/17, apartado 39, observación general núm. 18, E/C.12/GS/18, apartado 31, observación general núm. 19, E/C.12/GS/19, apartado 59, y observación general núm. 21, E/C.12/GS/21, § 55). Los principios de Limburgo sobre la aplicación del PIDESC (UN Doc. E/CN.4/1987/19) y las directivas de Maastricht sobre las violaciones de derechos económicos, sociales y culturales (UN doc. E/C.12/2000/13) precisaron las obligaciones que pesan sobre los Estados en cuestión de derechos económicos y sociales. En su Resolución 1993/14, la Comisión de derechos humanos de Naciones unidas invitó a los Estados a «considerar desarrollar referentes nacionales específicos para dar efecto a la obligación fundamental mínima de garantizar la satisfacción de los niveles esenciales de cada uno de estos derechos económicos, sociales y culturales. En su informe anual de 1994, la Comisión Interamericana de derechos humanos declaró que "la obligación de los Estados miembros de respetar y defender los derechos humanos de las personas bajo su jurisdicción, como se estipula en la Declaración americana y en la Convención americana, les impone, cualquiera que sea su nivel de desarrollo económico, para garantizar un nivel mínimo de respeto a esos derechos". El Comité de Ministros del Consejo de Europa —en su Recomendación R (2000) 3 de 19 de enero de 2000— y el Comité Europeo de derechos sociales también abogaron por la necesidad de protección jurídica de un umbral mínimo de ciertos derechos sociales (con respecto a la posición

un contenido obligatorio mínimo que los tribunales pueden y deben definir y aplicar, tarea que reviste particular importancia en tiempos de dificultades financieras, donde los derechos sociales son los primeros en ser incumplidos[748]. Aunque los Estados gozan de una amplia discreción para adoptar medidas de política social adecuadas, corresponde al Tribunal determinar si permanecen dentro de los límites de lo "razonable"[749]. El carácter razonable de la política social del Estado se evalúa en

---

adoptada por el Comité, véase Mikkola, "Social Human Rights in Europe"), Porvoo, 2010, pp. 316-317. Finalmente, destacados expertos en derecho internacional apoyan este enfoque, incluyendo Alston, "Out of the abyss: the challenges confronting the new U.N. Committee on Economic, Social and Cultural Rights ", Human Rights Quarterly, 9, 1987, pp. 352-353. Craven, "The International Covenant on Economic, Social and Cultural Rights: A perspective on its development ", Oxford, 1995, pp. 141-143; Liebenberg, «Adjudicating social rights under a transformative Constitution», Langford (ed.), «Social rights jurisprudence, Emerging trends in international and comparative law», Cambridge, 2008, pp. 89-91; Fredman, «Human Rights Transformed, Positive rights and positive duties», Oxford, 2008, pp. 84-87; Tushnet, «Weak Courts, Strong Rights», Princeton, 2009, pp. 242-247; y Kerdoun, «La place des droits économiques, sociaux et culturels dans le droit international des droits de l'homme», Revista trimestral de derechos humanos, 22, 2011, p. 511.

[748] Alexy insiste sobre esta cuestión en «A Theory of Constitutional Rights», Oxford, 2002, p. 344: «Es precisamente en los periodos de crisis cuando parece indispensable una protección constitucional, aunque mínima, de los derechos sociales». Encontramos la misma idea en Alston/Quinn, «The nature and scope of States Parties' obligations under the International Covenant on Economic, Social and Cultural Rights», Human Rights Quarterly, 9, 1987, p. 164: «Los esfuerzos empleados en garantizar el respeto a los derechos humanos deben perseguirse tanto en periodos difíciles como en los más favorables. De hecho es en los momentos extremadamente complicados que las garantías de los derechos humanos, de orden político o económico, son más necesarias, así como en Dankwa/Flinterman/Leckie, «Commentary to the Maastricht Guidelines on Violations of Economic, Social and Cultural Rights», Human Rights Quarterly, 20, 1998, p. 717: «Todo Estado que consiente en asumir obligaciones políticas (…) se compromete a mantener las obligaciones mínimas de base y los derechos fundamentales que implique, sean cual sean las circunstancias, incluso en los periodos de penuria».

[749] Sobre la cuestión de la apreciación del carácter «razonable» de las decisiones políticas tomadas en materia de derechos sociales, véase los recientes asuntos Valkov y otros contra Bulgaria (núms. 2033/04, 19125/04, 19475/04, 19490/04, 19495/04, 19497/04, 24729/04, 171/05 y 2041/05, apartados 91-97, 25 de octubre 2011, no firme), Bah contra Reino Unido (núm. 56328/07, apartados 37, 50, 27 de septiembre 2011), y Schuitemaker contra Holanda (déc.), núm. 15906/08, 4 de mayo de 2010) así como los asuntos sobre el derecho a la vivienda mencionados anteriormente. El

términos de proporcionalidad en el sentido que no sólo debe aplicarse igualmente a todos los grupos sociales, sino también compensar las desigualdades fácticas y prestar especial atención a los más vulnerables de entre ellos[750]. Por ejemplo, una medida

---

principio de la justiciabilidad de los derechos sociales reconocidos por la legislación europea sobre los derechos humanos está también reconocido en el derecho internacional de los derechos humanos (véase la observación general núm. 3 del CDESC, ya citado, apartados 4-5, la observación general núm. 9, E/C/12/1998/24, apartado 10, principios de Limburgo, ya citado, apartado 19 y directrices de Maastricht, ya citadas, apartado 22), legislación Interamericana de los derechos humanos (Tribunal interamericano de derechos humanos, caso Acevedo Buendía y otros contra Perú, 1 de julio de 2009, apartados 102-103 y la Comisión Interamericana de los derechos humanos, Informe sobre admisibilidad y fundamentación núm. 38/09, 27 de marzo de 2009, apartados 140-147) y la legislación africana de derechos humanos (Comisión africana de los derechos humanos y de los pueblos, asunto, The Social and Economic Rights Action Center for Economic and Social Rights (SERAC) contra Nigeria,comunicación núm. 155/96, 27 de mayo de 2002, apartados 61, 62, 64, 68 y asunto Purohit y Moore contra Gambia, comunicación núm. 24120/01, 29 de mayo de 2003, apartados 81-83).

[750] Véase el caso "sobre determinados aspectos lingüísticos de la educación en Bélgica" (fondo), 23 de julio de 1968, p. 34, apartado 10, serie A no. 6 ("ciertas desigualdades de derecho tienden también a corregir las desigualdades de hecho"), Stec y otros contra Reino GS (Nº 65731/01, apartados 51, 66, TEDH 2006 VI), D.H. y otros contra República Checa, GS (núm. Tribunal Europeo de Derechos Humanos 57325/00, apartados 175, 181-182, TEDH 2007 IV), Oršuš y otros contra Croacia GS, (núm. 15766/03, apartados 147-148, 182, TEDH 2010), Andrle contra República Checa (núm. 6268/08, apartado 48, 17 de febrero de 2011), Oyal contra Turquía (núm. 4864/05, 23 de marzo de 2010). El Comité Europeo de derechos sociales ha seguido el mismo razonamiento (Asociación Internacional autismo-Europa contra Francia, Reclamación núm. 1320/02, decisión del 4 de noviembre de 2003, apartado 53) siguiendo los pasos de algunas jurisdicciones nacionales, tales como el Tribunal Constitucional alemán (véase la innovadora decisión dictada el 18 de junio de 1975 —BVerfGE 40, 133— en relación con el derecho constitucional a un "mínimo vital", el tribunal federal suizo (véase la sentencia de principio dictada el 9 de junio de 2006 en el asunto V. contra Einwohnergemeinden X. und Regierungsrat des Kantons Bern sobre la existencia de un derecho constitucional implícito a "condiciones mínimas de existencia") y, en el marco de una constitución transformadora, el Tribunal constitucional portugués (véanse las decisiones núms. 3919/84, 33019/89, 14819/94, 6220/02 y 50920/02 sobre la garantía constitucional de un «pago social» mínimo y de un mínimo social para garantizar una vida «decente» en las áreas de la sanidad y de la educación públicas). Estas normas europeas corresponden a las establecidas por la legislación internacional de derechos humanos (véase CDESC, observación general

de política social será "irrazonable", es decir, desproporcionada, si no prevé nada para los más débiles. Por lo tanto, existe un punto de convergencia entre la aplicación de una política social "razonable" y la obligación de garantizar un contenido mínimo de los derechos sociales[751].

Tal como señaló elocuentemente el juez William Brennan, "la protección social no es únicamente simple caridad, sino que constituye un medio para desarrollar el bienestar general y garantizar, a nosotros mismos y a nuestra posteridad, los beneficios de la libertad[752] ".

Las consideraciones precedentes llevan inevitablemente a la siguiente conclusión: un derecho social puede legítimamente basarse en una disposición del Convenio, incluso aunque esté previsto por la Carta social europea y la Parte contratante en cuestión no esté vinculada por la disposición pertinente de la Carta[753]. Así, el solo hecho de que el artículo 27.2 de la Carta social europea garantice el derecho al permiso parental,

---

núm. 3, ya citado, apartado 12, «Declaración del Comité: Valoración de la obligación de actuar «al máximo de los recursos disponibles» en el contexto de un protocolo facultativo al Pacto», E/C.12/2007/1, 10 de mayo de 2007, apartado 4; los principios de Limburgo, ya citados, apartado 39; las directrices de Maastricht, ya citadas, apartado 20) así como los criterios empleados por la legislación interamericana de derechos humanos (Pueblo Bello Massacre contra Colombia, sentencia de 31 de enero de 2006, apartados 111, 123, Comunidad Indígena Yakye Axa contra Paraguay,sentencia de 17 junio de 2005, apartados 68, 167-168, y Villagrán-Morales y otros contra Guatemala, 19 de noviembre de 1999, apartados 144, 191).

[751] 18 El CDESC señaló esta convergencia de criterios en su "declaración" (ya citada, apartado 8 f), así como el Tribunal Constitucional de Sudáfrica en asuntos de Gobierno de la República de Sudáfrica y otros contra Grootboom y otros (caso CCT 11/00, 4 de octubre de 2000, apartados 33, 36, 44), Ministro de sanidad y otros contra campaña de acción pro tratamiento y otros (caso CCT 8/02, 5 e julio de 2002, apartados 34, 79) y Mazibuko y otros contra ciudad de Johannesburgo y otros (caso CCT 39/09, 8 de octubre de 2009, apartado 67) y la Comisión mixta de derechos humanos de la Cámara de los Lores ("Twenty-Ninth Report: Economic and social rights", 10 de agosto de 2008, apartados 172, 181). Cabe señalar que criterios que surgen de esta convergencia se superponen de manera imperfecta porque el criterio de "razonabilidad" (o de proporcionalidad) no se refiere exclusivamente a las obligaciones mínimas. Puede ocurrir que los Estados cumplan con sus obligaciones mínimas faltando a su deber de adoptar medidas de política social "razonables". (proporcionadas).

[752] Goldberg v. Kelly, 397 U.S. 254, 1970.

[753] Autores de renombre precisamente han sugerido que los derechos sociales consagrados en la Carta social europea sean protegidos en virtud del Convenio europeo de derechos humanos (Sudre, ya citado, pp. 761-766, y Arandji-Kombé, «Qué perspectivas para los próximos 10 años?», bajo la coordinación Olivier De Schutter, La Carta social europea: Una constitución social para, Bruselas, 2010, p. 159).

no impide en nada el de ser reconocido como un derecho consagrado por el artículo 8 del Convenio, e incluso aunque la parte contratante en cuestión no haya aceptado el artículo 27.2 de la Carta Social Europea. En el presente caso, conviene señalar que el Estado demandado ha aceptado este artículo como la mayoría de los otros Estados partes al Convenio, lo que demuestra el carácter indiscutible del mencionado derecho con relación al derecho internacional. Pueden exponerse argumentos científicos y jurídicos para demostrar la evolución de este derecho a la luz del Convenio.

Algunos estudios científicos destacan los elementos que prueban la importancia de la relación física y psicológica entre el padre y el niño en una etapa muy temprana de la vida. Estos estudios han demostrado claramente los beneficios del permiso parental, en concreto las menores tasas de mortalidad infantil y los efectos a largo plazo sobre las capacidades cognitivas y socio-emocionales del niño. En otras palabras, existe una relación de causa efecto entre el permiso parental y la salud y los resultados educativos del niño[754]. La falta de protección y aplicación del derecho al permiso parental comprometería significativamente el bienestar general del niño y debilitarían considerablemente el vínculo entre el padre y el niño. El permiso parental se revela,

---

[754] 21 Véase, entre otros, Cools/Fiva/Kirkebøen, "Causal effects of paternity leave on children and parents", document de réflexion no 657, Statistiques Norvège, 2011; Rege/Solli, "The Impact of Paternity Leave on Long-term Father Involvement", documento de trabajo núm. 3130, 2010; Lamb, "The Role of Father in Child Development", Hoboken, 2010; Liu/Skans "The duration of paid parental leave and children's scholastic performance", B.E. Journal of Economic Analysis and Policy, 2010, vol. 10; Han/Ruhm/Waldfogel, "Parental leave policies and parents' employment and leave taking", Journal of Policy Analysis and Management, 2009, vol. 28, no 1; Gupta/Smith/Verner, "Child Care and Parental Leave in the Nordic Countries: A Model to Aspire to?", documento de reflexión IZA no 2014, 2006; Tanaka/Waldfogel, "Effects of Parental Leave and Work Hours on Fathers' Involvement with their Babies", Community, Work and Family, 10, 2007, no 4; Tanaka, "Parental Leave and Child Health Across OECD Countries", The Economic Journal, 2005, 115, pp. 7-28; Ruhm, "Parental Employment and Child Cognitive Development", Journal of Human Resources, 2004, vol. 39, pp. 155-192; Jaumotte, "Labour force participation of women: empirical evidence on the role of policy and others determinants in OECD countries", Estudios económicos de la OCDE, 2004; Tamis-Lemonda/Cabrera, "Handbook of Father Involvement: Multidisciplinary Perspectives", Mahwah, NJ, 2002; Ermisch/Francesconi, "Family Structure and Mothers' Behaviour and Children's Achievements", Journal of Population Economics, 2001, pp. 249-270). El permiso parental facilita asimismo el ascenso social de los niños nacidos en familias con ingresos modestos (Esping-Andersen, "Untying the Gordian Knot of Social Inheritance", Research in Social Stratification and Mobility, 21, 2004, pp. 115-39, et Waldfogel, "Social Mobility, Life Chances and the Early Years", documento CASE 88, 2004).

por tanto, como una herramienta fundamental de la política social para garantizar el bienestar del niño y el desarrollo armonioso de los lazos familiares.

Además las pruebas científicas, cada día más numerosas, demuestran la tremenda importancia del permiso parental, el reconocimiento de tal derecho es también objeto de un consenso internacional. Sobre un total de treinta y tres Estados miembros del Consejo de Europa, sólo uno no ha instaurado el permiso parental, dos ofrecen esta posibilidad sólo a las mujeres y el resto conceden el permiso parental tanto a hombres como a mujeres. Los militares de ambos sexos gozan de un régimen jurídico similar o análogo al de los civiles, excepto en cinco países donde solamente las mujeres militares tienen derecho a tal permiso. Las instituciones políticas del Consejo de Europa han inscrito este consenso en varias resoluciones y recomendaciones[755]. En el seno de la Unión Europea, la Directiva relativa al acuerdo marco sobre el permiso parental (Directiva 96/34/CE del Consejo de 3 de junio de 1996, modificada por la Directiva del Consejo 2010/18/EU del 8 de marzo de 2010) representa para los Estados miembros de la Unión la norma vinculante, según la cual el permiso parental constituye en principio para ambos padres un derecho intransferible e individual[756]. Este consenso en la legislación europea sobre los derechos humanos se evidencia también en el derecho internacional del trabajo, que ha reconocido constantemente el derecho al permiso parental desde los años 80, como se refleja en varias recomendaciones de la Organización Internacional del Trabajo: la Recomendación sobre trabajadores con responsabilidades (R165), 1981, apartado 22 1)-3), la Recomendación sobre el trabajo a tiempo parcial (R182), 1994, § 13 y la Recomendación sobre

---

[755] En su resolución 1274(2002) sobre el permiso parental, la Asamblea Parlamentaria del Consejo de Europa instó a los Estados miembros a garantizar el principio de permiso parental remunerado, incluyendo el permiso en caso de adopción. Envía el mismo mensaje en su Recomendación de 1769 (2006) sobre la necesidad de conciliar vida laboral y vida familiar, en el que destaca que el permiso parental debe estar a disposición tanto de hombres como de mujeres, "garantizando en particular que los hombres puedan tener acceso efectivo a este dispositivo. En la Recomendación núm. R (96) sobre la conciliación entre vida laboral y vida familiar y Recomendación Rec (2007) 17 sobre las normas sobre la igualdad de los sexos, el Comité de ministros confirmó el mismo derecho dejando abierta la posibilidad de tomar dicho permiso a tiempo parcial y compartirlo entre los padres. Por último, la Recomendación Rec (2010) 4 sobre los derechos humanos de los miembros de las fuerzas armadas establece claramente el derecho de los miembros de ambos sexos a beneficiarse de los permisos de maternidad y paternidad.

[756] El Tribunal de Justicia ya ha decidido que las disposiciones del acuerdo marco sobre el permiso parental anexo a la directiva del Consejo pueden ser invocadas por particulares ante un tribunal nacional (asunto núm. C-537/07, sentencia de 16 de julio de 2009, Gomez Limon, y sobre la naturaleza de este derecho, Henion/Le Barbier-Le Bris/Del Sol, «Derecho social Europeo e Internacional", Paris, 2010, pp. 326-327).

la protección de la maternidad (R191), 2000, apartado 10 3)-5). Finalmente, el consenso mencionado se refleja igualmente en el derecho universal de derechos humanos. El Comité de derechos económicos, sociales y culturales (CDESC) señaló que la aplicación del artículo 3 del pacto Internacional relativo a los derechos económicos, sociales y culturales en relación con el artículo 9 del mismo instrumento, exige entre otros que se garantice un permiso de maternidad suficiente para los hombres, y que tanto hombres como mujeres tengan derecho a un permiso parental[757].

Dado el amplio consenso internacional que surge de la legislación europea y de la legislación universal de los derechos humanos, el enfoque adoptado por el Tribunal en caso de Petrovic contra Austria resulta claramente anticuado. El argumento fundamental presentado en aquel momento, es decir que la mayoría de los Estados miembros del Consejo de Europa no preveían un permiso parental para los hombres, ya no corresponde a la realidad de hoy en día. Pero la coherencia exige que se extraigan conclusiones de este nuevo consenso. Si procede sostener que no existen razones para hacer una distinción basada en el sexo con respecto al permiso parental, se impone la conclusión de que el derecho al permiso parental actualmente es considerado por casi todos los Estados miembros del Consejo de Europa y por la comunidad internacional en general como parte integrante y un elemento constitutivo de la protección jurídica de la familia y de la relación padres-hijo.

Por lo tanto, esto sugiere que el costo del permiso parental no es probable que grave de manera innecesaria y poco realista los recursos del estado. En otras palabras, no se puede continuar pretendiendo que la protección de los derechos humanos en este ámbito concreto no depende de la elección de los representantes legítimos del pueblo. La base común entre las legislaciones de los Estados miembros del Consejo de Europa y las normas jurídicas internacionales muestra una nueva faceta del derecho al respeto de la vida familiar que ha alcanzado una amplia legitimidad democrática. Como resultado, las Partes contratantes al Convenio tienen la obligación positiva de proveer un mecanismo jurídico de permiso parental[758]. Los Estados son libres de es-

---

[757] Observación general núm. 16 (2005), E/C.12/2005/4, 11 de agosto de 2005, apartado 26.

[758] Desde el caso de Marcks contra Bélgica (13 de junio de 1979, apartado 31, serie A núm. 31), el Tribunal ha reconocido constantemente en su jurisprudencia la existencia de obligaciones positivas de los Estados para promover y garantizar el respeto efectivo de la vida familiar. Esta obligación puede consistir en ofrecer un marco legislativo adecuado favoreciendo de forma práctica y efectiva el respeto a la vida familiar, tal como el Tribunal declaró por primera vez en X e Y contra Holanda (26 de marzo de 1985, apartados 23, 28-30, serie A núm. 91). Con respecto a la relación entre el niño y sus padres, el Tribunal reconoció incluso que "el Estado debe actuar para permitir que este vínculo se desarrolle y proporcionar una protección legal que posibilite, desde el nacimiento, o tan pronto como sea posible, la integración del niño en su familia" (Iglesias Gil y A.U.I. contra España, núm. 56673/00, apartado 49, TEDH 2003 V). Más concretamente, el Tribunal Interamericano de derechos humanos declaró que

tablecer bien sea un sistema de derecho al permiso de paternidad compartido entre hombres y mujeres, ya sea un derecho individual al permiso parental que no puede ser transferido al otro progenitor. A los efectos de la promoción de la igualdad de los sexos, los Estados podrán instaurar una cuota paternal del permiso parental que solo puede ser solicitado por el padre y se pierde si no lo utiliza. Si las normas establecidas por la directiva sobre el permiso parental son vinculantes para los países miembros de la Unión Europea, el Convenio no impone la misma norma jurídica, dada la ausencia de consenso europeo en cuanto a la forma, la duración y las condiciones exactas del permiso parental entre todos los Estados miembros del Consejo de Europa. No obstante, el régimen del derecho al permiso parental, como dispositivos que rigen todos los otros derechos sociales, no se deja enteramente a la discreción de mayorías políticas. Algunas características básicas de este derecho pueden establecerse a la luz del Convenio y un régimen parecido está por lo tanto bajo el control del Tribunal. Siendo el talón de Aquiles clásico de los derechos sociales su efectividad y su aplicabilidad, una definición clara del alcance de las competencias del poder legislativo y del poder judicial en la aplicación de los derechos sociales es de considerable importancia.

En primer lugar, el derecho a un permiso parental beneficia a todos los ciudadanos sin distinción basada en el sexo o en la situación profesional. Las fuerzas armadas, la policía y los funcionarios nacionales no están excluidos de este derecho[759]. Es igualmente válido para los trabajadores a tiempo parcial, aquellos con contrato indefinido o los interinos. La aplicación del derecho al permiso parental en el sector privado de la economía es el resultado del efecto horizontal del sistema de protección de los derechos humanos[760].

En segundo lugar, el derecho al permiso parental tiene un contenido mínimo. Cuando se ha establecido la forma, la duración y las condiciones del permiso parental, conviene tener presente los objetivos de conciliación de la vida laboral y de la vida privada y familiar para los padres que trabajan y la igualdad de hombres y mujeres en el ámbito del desarrollo profesional y de trato en el trabajo. Respecto al permiso parental, todo

---

los Estados tenían la obligación de adoptar "las medidas necesarias para que el niño pueda desarrollarse en condiciones dignas" (Nota Consultiva OC-17/2002 de 28 de agosto de 2002, apartado 80 y el punto 7 de la Nota).

[759] Este punto ha sido objeto de una toma de posición cerrada del Comité europeo de derechos sociales, tal como se deduce de los informes sobre la situación respectiva de las Partes contratantes en lo relativo al artículo 27.2 de la Carta.

[760] La responsabilidad internacional de un Estado puede verse comprometida debido a su pasividad ante un comportamiento de particulares contrario a los derechos económicos y sociales (por ejemplo, la Comisión africana de derechos humanos y de los pueblos, SERAC contra Nigeria, ya citada, Comisión interamericana de derechos humanos, Maya Indigenous Communities of the Toledo District contra Belize, informe núm. 40/04, asunto 12.053, y Comité sobre la eliminación de la discriminación contra las mujeres, A.T. contra Hungría, 2/2003, y Comité de derechos humanos, Länsmann contra Finlandia núm. 2, Comunicación núm. 671/1995).

trabajador tiene el derecho reintegrarse a su puesto de trabajo o, cuando sea imposible, a un trabajo equivalente conforme a su contrato o su relación laboral. Los derechos adquiridos o en vías de adquisición por el trabajador en la fecha de comienzo de permiso parental deben mantenerse en el mismo estado hasta la finalización del permiso. Los trabajadores deben estar protegidos contra un trato menos favorable o un despido derivado de la solicitud o al disfrute del permiso parental. Los Estados son libres de decidir si el permiso parental se acuerda a tiempo completo, fragmentado o en forma de crédito-tiempo, y de subordinar el derecho al permiso parental a un período de trabajo y/o un período de antigüedad; sin embargo, no tienen derecho a exigir períodos de trabajo o de antigüedad excesivos. Los Estados igualmente son libres de definir las circunstancias en las que un empresario está autorizado a informar de la concesión de un permiso parental, siempre que el informe se justifique exclusivamente por motivos extraordinarios ligados al funcionamiento de la empresa. En tercer lugar, la garantía del derecho a un permiso parental constituye una obligación de resultado, que el Estado debe alcanzar en un plazo de tiempo razonable a través de los instrumentos legislativos adecuados[761]. *Este derecho puede ser restringi-*

---

[761] 28 Los derechos sociales normalmente se corresponden con las obligaciones de medios, correspondiendo al Estado tomar todas las medidas legislativas y administrativas razonables para lograr la realización progresiva de los derechos dentro de los límites de los recursos disponibles y sin limitaciones de tiempo. Pero igualmente se admite que hay derechos sociales con obligaciones de resultado. En su primera decisión, el Comité Europeo de derechos sociales decidió que el respeto de la edad mínima de 15 años para trabajar requería la eliminación de facto y la sanción efectiva de todas las prácticas contrarias a esta norma (Comisión Internacional de juristas contra Portugal, caso núm. 119/98, apartado 32). Posteriormente, declaró que la mera aprobación de las medidas legislativas para proporcionar a las personas con discapacidad una formación y una orientación profesional no era suficiente, estando los Estados obligados a garantizar que estas medidas legislativas tengan un efecto concreto y práctico. Cuando la aplicación de un derecho social era "excepcionalmente compleja y particularmente cara", se admitía cierta flexibilidad, pero derecho social debía aplicarse "dentro de un plazo razonable, con un progreso evaluable y en la medida correspondiente a la máxima utilización de los recursos disponibles" (Asociación Internacional autismo Europa contra Francia, ya citada, apartado 53 y Centro europeo de derechos de los romanies contra la Bulgaria, asunto núm. 31/2005, apartado 37). En concreto, un retraso en la introducción de modificaciones legislativas adecuadas puede ser apropiado en ciertos casos, como ha declarado el Tribunal en el asunto Šekerovic Pašalic contra Bosnia-Herzegobina (núms 5920/04 y 67396/09, 8 de marzo de 2011). En casos extraordinarios, puede imponerse al Estado una obligación de resultados por una duración indeterminada (Oyal contra Turquía, núm. 4864/05, 23 de marzo de 2010).

do o incluso anulado en circunstancias excepcionales[762], puesto que el Estado no está limitado por un rígido principio de no regresión de los derechos sociales mientras que las medidas regresivas persiguen objetivos generales de bienestar y se aplican de una manera progresiva y proporcional»[763].

8.1.3. La doctrina del TEDH en materia de Derechos sociales y su aplicación a través del CEDH. El permiso parental. La interdependencia de los derechos civiles y políticos y los derechos sociales

Dos son las cuestiones de interés que plantea el caso Konstantin Martin. Una primera, de carácter general, —e indudables consecuencias prácticas— **la tutela de los derechos sociales a través de los derechos recogidos en el CEDH**; otra mucho más concreta, derivada la anterior: **el permiso parental**, y su doble naturaleza de derecho social (art. 27 CSE) y derecho

---

[762] Un derecho social puede ser anulado si se aprobó de manera errónea (Iwaszkiewicz contra Polonia, núm. 30614/06, apartado 55, 26 de julio de 2011), sobre una falsa declaración del beneficiario (Rasmussen contra Polonia, núm. 38886/05, apartado 71, 28 de abril de 2009) o por un régimen totalitario para el beneficio personal de un miembro del partido en el poder (véase, mutatis mutantis, Tesa# y otros contra República Checa, núm. 37400/06, apartado 73, 9 de junio de 2011), baja reserva de que la anulación no prive al beneficiario de los medios de vida fundamentales (Moskal contra Polonia, núm. 10373/05, apartados 73-75, 15 de septiembre de 2009).

[763] Para una apreciación de una legislación socialmente regresiva, véase Valkov y otros contra Bulgaria, ya citado, y para una regresión social derivada de un acuerdo colectivo, véase Crua Ortiz y otros contra España, núm. 42430/05, 2 de febrero de 2010. El enfoque europeo está substancialmente cerca de la norma de los derechos humanos universales (Tribunal Internacional de Justicia, las consecuencias jurídicas de la edificación de un muro en los territorios palestinos ocupados, opinión consultiva;C 1. J. Informes 2004, apartado 136, CDESC, Observación General núm. 3 ya citado, apartado 9, Observación General núm. 13, ya citada, apartado 45, Observación General núm. 14, ya citada, apartados 29, 32, Observación General núm. 17, ya citada, apartado 27, Observación General núm. 18, ya citada, apartado 21, observación núm. 21, ya citada, apartado 46, 65, "Declaración de la Comisión" 10 de mayo de 2007, ya citada, apartados 9-10, Comité para la eliminación de la discriminación racial, Ms.L.R y otros contra Eslovaquia Comunicación núm. 31/2003, CERD/C/66/D/31/2003, apartado 10.7 y entre la doctrina, Craven, ya citado, pp. 129-134), así como el Sistema Interamericano de humanos derechos (Comisión Interamericana Informe núm. 27/09, caso 12.249, fondo, Jorge Odir Miranda Cortez y otros contra El Salvador, 20 de marzo de 2009, apartado 73-75.)

civil (art. 8 CEDH). Ambas cuestiones confluyen en el carácter definitorio de los derechos humanos: su interdependencia e indivisibilidad.

En este epígrafe trataremos de examinar la doctrina del TEDH sobre ambas materias.

a) La tutela de los derechos sociales a través de los derechos reconocidos en el CEDH

La tutela de los derechos sociales en la jurisprudencia del TEDH ha venido desarrollándose, desde una primera fase de reticencia del TEDH[764] hasta incorporar o tutelar derechos derivados de la Carta Social Europea, que se muestra en la STEDH 27 octubre 1975, Caso Syndicat National de la Police Belge c. Bélgica y que más modernamente parece estarse superando en aras de la interdependencia y la indivisibilidad de los derechos (ej. STEDH 2 julio 2002, Caso Wilson, NUJ c. Reino Unido, en un caso de negociación en masa en detrimento del derecho a la negociación colectiva y libertad sindical).

Sobre la **tendencia progresiva a proteger los derechos sociales a través del CEDH,** es importante poner en valor el voto particular de Paulo Pinto en la STEDH 22 marzo 2012, Caso Konstantin Markin c. Rusia[765], puesto que sintetiza la progresiva incorporación a los parámetros interpre-

---

[764] VALDÉS DAL-RÉ. "El constitucionalismo laboral europeo y la protección multinivel de los derechos laborales fundamentales: luces y sombras." Ed. Bomarzo, p. 93 y ss.

[765] El Tribunal, cada vez más se inclina a acordar una protección convencional de los derechos sociales, a través del artículo 14 del Convenio. Según su reiterada jurisprudencia, el artículo 14 no se limita al disfrute de los derechos establecidos en el Convenio, sino que se extiende a aquellos que "dependen del campo de aplicación" de una disposición convencional y que un Estado ha decidido garantizar, aunque al hacerlo sobrepase las estrictas exigencias del Convenio. Apoyándose en este método, el Tribunal ha censurado la aplicación discriminatoria de derechos sociales dependientes del campo de aplicación de las disposiciones del Convenio. Pero los derechos sociales han surgido igualmente de disposiciones convencionales sin que se haga referencia al trato discriminatorio sufrido por un demandante, tales como el derecho de las personas dependientes de la autoridad del Estado a un tratamiento médico, el derecho de todo ciudadano a un tratamiento médico, el derecho a un entorno saludable, el derecho al alojamiento, el derecho a una pensión de jubilación, el derecho a la negociación

tativos del CEDH del **concepto de interdependencia e indivisibilidad de los derechos,** que supone que las **categorías derechos civiles vs. derechos sociales no son compartimentos estancos**, ni siquiera categorías radicalmente distintas de derechos, sino que están interconectadas y se relacionan entre sí de forma sumamente permeable; de suerte que algunos derechos sociales presentan zonas de confluencia con los derechos civiles y viceversa. En definitiva, la contraposición de los derechos civiles como derechos de libertad, a los derechos sociales, como derechos prestacionales, se ha ido diluyendo progresivamente y ha favorecido el amparo a través del CEDH de derechos netamente sociales, como el permiso parental, el derecho al trabajo e incluso derechos colectivos, como negociación colectiva, libertad sindical y huelga.

La interdependencia de los derechos permite exigir los derechos sociales a través de los derechos civiles, pues éstos han ido incorporando obligaciones positivas para los Estados que son parte de auténticos derechos sociales. Se trata, en definitiva, de dispensar a los derechos sociales de la justiciabilidad directa de que carecen en algunos ordenamientos, como el Español, (vid. art. 53.3 CE), por una vía que ha sido apuntada, entre otros por ABRAMOVICH y COURTIS[766].

En esta senda, dando un paso más, el TEDH ha establecido que **un derecho social puede derivarse legítimamente de una disposición del CEDH, incluso cuando dicho derecho está previsto en la CSE y la Parte Contratante no está vinculada por la disposición pertinente de la CSE**. Así, por ejemplo, en la STEDH 12 noviembre 2008, Caso Demir y Baykara c. Turquía (GC), (f.153-154), se tutela la negociación colectiva (derecho social no contenido en el CEDH), a través del derecho a la libertad de asociación del art. 11 CEDH. En esta sentencia, se observa la permeabilidad del derecho civil de asociación respecto del derecho laboral colectivo de negociación colectiva: el TEDH, a la vista del desarrollo del derecho del trabajo internacional y nacional, y la práctica de los Estados partes, rectifica su doctrina anterior, y considera que el derecho a la negociación colectiva

---

colectiva y el derecho de huelga. El Tribunal añadió el derecho de toda persona a un procedimiento equitativo para la determinación de sus derechos sociales.

[766] ABRAMOVICH, V. y COURTIS, C. "Los derechos sociales como derechos exigibles". Prólogo de Luigi Ferrajoli. Editorial Trotta. 2014. pp. 200-220.

con el empresario se ha convertido, en principio, en uno de los elementos esenciales del derecho a fundar sindicatos y de afiliarse a los mismos para la defensa de sus intereses.

Así mismo, en materia de libertad sindical, el TEDH sostiene que dicha libertad tiene un aspecto negativo que excluía los acuerdos de monopolio sindical, y considera, basándose fundamentalmente en **la Carta Social** Europea y en la jurisprudencia de sus órganos de control, así como en otros instrumentos europeos o universales, que existe en la materia un incremento en el grado de consenso internacional (STEDH 30 junio 1993, Caso Sigurdur A. Sigurjónsson c. Islandia, STEDH 11 enero 2006, Caso Sørensen y Rasmussen c. Dinamarca (GS), por lo que acepta la tutela de dicho aspecto negativo de la libertad sindical a través del art. 11 CEDH, relativo al derecho de asociación.

Resulta imposible comentar las muchas sentencias que ha ido dictando el TEDH en tutela de derechos sociales, pero sí podemos aspirar a armar un pequeño esquema que nos sirva de *guía breve o mapa de la tutela de los derechos sociales en el CEDH*[767]. Paulo Pinto distingue en virtud de las vías de penetración en el CEDH, entre los derechos sociales que se introducen en virtud del art. 14 CEDH (prohibición de discriminación), y los que acceden con independencia de dicho precepto. Sin embargo, a efectos didácticos, trataremos de acudir a una clasificación común de los derechos laborales individuales, colectivos y de seguridad social, limitándonos a reseñar las sentencias relevantes en cada categoría, y obviando su comentario, por exceder del propósito de esta obra.

I. Derecho del trabajo individual[768]
Acceso al empleo y promoción profesional.
STEDH 28 agosto 1986, Caso Kosiek c. Alemania: *discriminación por razones políticas en el acceso al empleo (art. 10 CEDH)*
STEDH 28 agosto 1986, Caso Glasenapp c. Alemania: *discriminación por razones políticas en el acceso al empleo (art. 10 CEDH)*

---

[767] Para el período 1975-2009, puede consultarse: SEMPERE NAVARRO, A.V. y MELÉNDEZ MORILLO-VELARDE, L. "Prontuario de Jurisprudencia Social del Tribunal Europeo de Derechos Humanos. 1975-2009". Ed. Thomson Reuters Aranzadi. 2009.

[768] Las sentencias relacionadas y clasificadas no se reproducen en el índice del final del capítulo para evitar inútiles reiteraciones.

STEDH 23 marzo 1987, Caso Leander c. Suecia: acceso a ficheros secretos de la policía para el proceso selectivo de un carpintero militar, rechazado por su pasado comunista. Prevalencia de la seguridad nacional sobre el art. 8 CEDH

STEDH 25 junio 1987, Caso Halford c. Reino Unido: mujer oficial que es rechazada en promoción profesional durante más de 7 años. Se utilizan escuchas telefónicas de conversaciones en el puesto de trabajo y se utilizan en su contra: violación del art. 8 CEDH.

STEDH 6 abril 2000, Caso Thlimmenos c. Grecia. Rechazo en la promoción profesional por desobediencia: negarse la llevar uniforme militar por razones religiosas. **Violación del art. 14 y del art. 9.**

STEDH 21 febrero 2008, Caso Alexandridis c. Grecia. vulneración del art. 9 por obligar a prestar juramento o bien a declarar solemnemente que no es cristiano ortodoxo como condición para el acceso a la abogacía.

STEDH 20 octubre 2009. Caso Lombardi c. Italia: rechazo de acceso al puesto de profesor en una universidad religiosa por razón de opiniones heterodoxas. Violación del art. 10 CEDH.

STEDH 21 octubre 2014, Caso Naidin c. Rumanía: prohibición a un antiguo confidente de la policía política rumana de acceder a un empleo público. No violación del art. 8 en relación con el art. 14 CEDH

STEDH 12 enero 2016, Caso Guarré Patte, c. Andorra. Prohibición de ejercer como médico derivado de una inhabilitación impuesta como pena. Violación del art. 7 porque el recurrente fue sancionado bajo una ley más dura que otra anterior que no le fue aplicada retroactivamente. Violación del art. 7 CEDH.

Conciliación de la vida profesional y familiar

STEDH 19 febrero 2013, Caso García Mateos c. España: trabajadora de un supermercado que pidió una reducción de jornada para cuidado de hijo menor de 6 años. Falta de reparación de su derecho fundamental a la no discriminación por razón de sexo y falta de recurso efectivo ante el TC. Violación del art. 6 en relación con el art. 14 CEDH. La vulneración del derecho a la prohibición de discriminación por razón de sexo constatada por el TC no fue reparada ni obtuvo indemnización alguna a tal respeto.

STEDH 22 marzo 2012, Caso Konstantin Markin c. Rusia: permiso parental que se deniega a militares varones rusos. Vulneración del derecho a la vida familiar (art. 8 CEDH), y discriminación por razón de sexo (art. 14 CEDH).

STEDH 2 octubre 2012, Caso Hulea c. Rumanía

STEDH 27 marzo 1998, Caso Petrovic c. Austria

Despido

Despido sin causa

STEDH 10 julio 2012, Caso K.M.C. c. Hungría

De empleados de embajadas y derecho al un proceso justo (art. 6 CEDH):

STEDH 23 marzo 2010, Caso Cukak c. Lituania.

STEDH 29 junio 2011, Caso El Leil c. Francia

STEDH 17 julio 2012, Caso Wallishauser c. Austria

STEDH 25 octubre 2016, Caso RAdunovic y otros c. Montenegro

Despido y libertad de pensamiento, conciencia y religión (art. 9 CEDH).
STEDH 24 febrero 1998, Caso Larissis y otros c. Grecia
DTEDH 15 febrero 2001, Caso Dahlab c. Suiza
STEDH 3 febrero 2011, Caos Siebenhaar c. Alemania
STEDH 15 enero 2013, Caso Eseida y otros c. Reino Unido
STEDH 26 noviembre 2015, Caso Ebrahimian c. Francia
Despidos discriminatorios, por razón de orientación sexual, sexo, estado de salud, ideología (arts.8 y 14 CEDH)
Orientación sexual:
STEDH 27 septiembre 1999, Caso Lustig-Prean y Beckett c. Reino unido;
STEDH 27 septiembre 1999, Caso Smith y Grady c. Reino Unido;
STEDH 22 octubre 2002, Caso Perkins y R. c. Reino Unido
STEDH 22 octubre 2002, Caso Beck, Copp y Bazeley c. Reino Unido.
Sexo:
STEDH 2 diciembre 2014, Caso Emel Bovraz c. Turquía.
Estado de salud:
STEDH 3 octubre 2013, Caso I.B c. Grecia
Ideología política:
STEDH 6 noviembre 2012, Caso Rodfearn c. Reino Unido
STEDH 27 julio 2004, Caso Sidabras y Dziautas c. Lituania.
STEDH 7 abril 2005, Caso Rainys y Gaparavicius c. Lituania
STEDH 23 junio 2015, Caso Sidabras y otros c. Lituania
Despidos como represalia por hacer huelga (art. 11 CEDH).
STEDH 20 noviembre 2018, Caso Ognevenko c. Rusia
Impuestos sobre indemnizaciones por despido (derecho de propiedad art. 1 Protocolo 1)
STEDH 14 mayo 2013, Caso N.K.M c. Hungría
Medidas de austeridad sobre salarios, pensiones y pensiones de jubilación de funcionarios (art. 1 Protocolo nº 1)
DTEDH 7 mayo 2013, Caso Koufaki y Adedy c. Grecia
DTEDH 8 octubre 2013, Caso Da Conceicao Mateus c. Portugal
DTEDH 8 octubre 2013, Caso Santos Januario c. Portugal.
DTEDH 1 septiembre 2015, Caso Da Silva Carvalho Rico c. Portugal
Embargo de salario (art. 1 Protocolo nº 1)
STEDH 13 mayo 2014, Caso Paulet c. Reino Unido
Prevención de riesgos laborales: (art. 2 CEDH).
STEDH 5 diciembre 2013, Caso Vilnes y otros c. Noruega
STEDH 24 julio 2014, Caso Brincat y otros c. Malta

II. Derecho del trabajo colectivo
Libertad sindical
STEDH 27 octubre 1975, Caso Sindicato nacional de policía belga
STEDH 6 febrero 1976, Caso Schmidt y Dahlström c. Suecia
STEDH 20 septiembre 2005, Caso Akat c. Turquía

Sindicatos: derecho de autoorganización y designación de sus miembros
DCEDH 7 mayo 1990 Johansson c. Suecia
STEDH 27 febrero 2007, Caso Associated Society of Locomotive Engineers & Firemen c. Reino Unido
Sindicatos: registro
STEDH 9 julio 2013, Caso Sindcatul "Pastorul cel Bun" c. Rumania
STEDH 16 junio 2015, Caso Manole y "Romanina Farmers Direct" c. Rumanía.
Sindicatos en el sector público
STEDH 21 febrero 2006, Caso Tüm Haber Sen y Cinar c. Turquía
STEDH 17 julio 2007, Caso Dilek y otros c. Turquía
STEDH 1 abril 2009, Caso Eneri Yapi-Yol Sen c. Turquía
STEDH 15 septiembre 2009, Caso Kava y Sevhan c. Turquía.
STEDH 27 septiembre 2011, Caso Sisman y otros c. Turquía.
STEDH 21 abril 2015, Junta Rectora del Ertainen Nazional Elakartasuna c. España.
Derecho de huelga
STEDH abril 1991, Caso Ezelin c. Francia
STEDH 2 julio 2002, Caso Wilson, N.U of Journalists y otros c. Reino Unido
STEDH 27 octubre 2014, Caso Hrvatski Lijencnicki Sindikat c. Croacia
Negociación colectiva
STEDH 6 febrero 1976, Caso Engine Drivers Union c. Suecia
STEDH 2 julio 2002, Caso Wilson, N.U of Journalists y otros c. Reino Unido
STEDH 12 noviembre 2008, Caso Dmir y Baykara c. Turquía
DTEDH 26 mayo 2016, Caso Unite the Union c. Reino Unido

III. Seguridad social
Accidentes de trabajo
– DTEDH 27 marzo 2012, Caso Eternit c. Francia, en un caso de declaración de contingencia profesional en que se denuncia la falta de comunicación al empleador, por la aseguradora de accidentes, de la documentación médica sobre la que se basó la calificación de enfermedad profesional. Se inadmite porque la aseguradora tampoco tuvo acceso a la información médica solicitada por la actora y no se vulneró la igualdad de armas (art. 6 CEDH).
– STEDH 11 marzo 2014, Caso Howald Moor y otros c. Suiza, trabajador con mesotelioma derivado de trabajo con amianto en los años 1960-1970 que fallece en 2005. Se considera vulnerado el art. 6.1 CEDH porque la aplicación de la prescripción a las víctimas de enfermedades que no pueden diagnosticarse sino años después de su contracción, priva a dichas víctimas del acceso a un tribunal.
– DTEDH 17 noviembre 2015, Caso Dolopoulos c. Grecia. Decisión de inadmisión. En un caso de directivo bancario víctima de depresión derivada de acoso, el TEDH declara inadmisible la demanda porque, a pesar de que el legislador griego no contempla las enfermedades psíquicas en el cuadro de enfermedades profesionales, lo cierto es que en el caso el trabajo tuvo acceso a medios para denunciar su estado y obtener, si fuera el caso, una indemnización por daños morales.

Asistencia sanitaria:
Derecho de las personas dependientes de la autoridad del Estado a un tratamiento médico (art. 3 CEDH)
STEDH 27 junio 2000, Caso Ilhan c. Turquía
STEDH 26 octubre 2010, Caso Kudla contra Polonia
STEDH 14 noviembre 2002, Caso Mouisel c. Francia
STEDH 10 marzo 2009, Caso Paladi c. Moldavia
STEDH 16 febrero 2010, Caso V.D. c. Rumanía
STEDH 20 abril 2010, Caso Slyusarev c. Rusia
Derecho de todo ciudadano a un tratamiento médico (arts. 2 y 8 CEDH)
STEDH 9 marzo 2004, Caso Glass c. Reino Unido,
STEDH 20 marzo 2007, Caso Tysiac c. Polonia
STEDH 16 diciembre 2010, Caso A, B et C c. Irlanda
STEDH 23 marzo 2010, Caaso Oyal contra Turquía
Obligación de aceptar a un empleo para personas en situación de desempleo (art. 4 prohibición de esclavitud)
DTEDH 4 mayo 2010, Caso Schitemaker c. Paises Bajos
Obligación de reintegro de prestaciones o subsidios de desempleo otorgadas por error de la Entidad Gestora (art. 1 Protocolo 1 CEDH).
STEDH 26 abril 2018, Caso Cakarevic c. Croacia
STEDH 12 diciembre 2019, Caso Romeva c. Macedonia
Pensiones de jubilación (art. 1 Protocolo 1 CEDH, art. 3 o art. 2 CEDH)
STEDH 15 julio 1988, Caso C. c. Francia
STEDH 28 abril 2004, Caso Azinas c. Chipre
STEDH 7 julio 2011, Caso Stummer c. Austria
DTEDH 15 enero 2013, E.B c. Hungria (2).
DTEDH 14 mayo 2013, Caso Cichopek y otros 1627.c. Polonia
DTEDH 24 junio 2014, Caso Markovics y otros c. Hungría.
STEDH 14 junio 2016, Caso Philippou c. Chipre
DTEDH 13 septiembre 2016, Caso Mauriello c. Italia
STEDH 5 septiembre 2017, Caso Fáfián c. Hungría.
STEDH 23 abril 2002, Caso Larioshina c. Rusia. Cuantía claramente insuficiente (art. 3 CEDH)
STEDH 18 junio 2002, Caso Budina c. Rusia. Cuantía claramente insuficiente (art. 3 CEDH)
STEDH 25 octubre 2005, Caso Kutepov y Anjkeienko c. Rusia. Cuantía insuficiente (art. 2 CEDH)
STEDH 1 diciembre 2009, Caso Huc c. Rumanía y Alemania.
Discriminación: (art. 14 CEDH)
STEDH 16 septiembre 1996, Caso Gaygusuz c. Austria.
Reglas de asignación del subsidio de urgencia diferentes para los nacionales y extranjeros
STEDH 21 febrero 1997, Caso Van Raalte c. Holanda
STEDH 4 junio 2002, Caso Wessels-Bergervoet c. Holanda
STEDH 26 noviembre 2002, Caso Buchen c. República Checa

STEDH 19 febrero 2009, Caso Andrejeva c. Letonia

IV. Otros derechos sociales
– Derecho a un entorno saludable y al medio ambiente (art. 8 o art. 2 CEDH)
STEDH 9 diciembre 1994, Caso López Ostra c. España
STEDH 19 febrero 1998, Caso C. Guerra y otros c. Italia
STEDH 8 julio 2003, Caso I. Hatton y otros c. Reino Unido
STEDH 26 julio 2011, Caso Georgel y Georgeta Stoicescu c. Rumania
STEDH 30 noviembre 2004, Caso Oneryldyz c. Turquía
STEDH 18 enero 2001, Caso Chapman c. Reino Unido.
– Derecho a la vivienda (art. 3 o art. 8 CEDH)
STEDH 12 julio 2005, Caso Moldovan y otros c. Rumanía (núm. 2).
STEDH 21 enero 2011, Caso M.S.S c. Bélgica y Grecia
STEDH 4 mayo 1999, Caso Marzari c. Italia.
STEDH 9 octubre 2007, Caso Stanková contra Eslovaquia
STEDH 21 febrero 1986, Caso James y otros c. Reino Unido
STEDH 19 diciembre 1989, Caso Mellacher y otros c. Austria
STEDH 28 septiembre 1995, Caso Spadea y Scalabrino c. Italia
STEDH 19 junio 2006, Caso Hutten-Czapska c. Polonia

V. Derecho procesal y derechos sociales
– Derecho de toda persona a un procedimiento equitativo para la determinación de sus derechos sociales (art. 6 CEDH).
STEDH 30 julio 2019, Caso Danilenkov y otros contra Rusia, sobre la obligación de establecer un sistema judicial que garantice una protección efectiva de un derecho social.
STEDH 29 mayo 1986, Caso Feldbrugge c. Holanda, en materia de determinación de prestaciones de seguros de salud
STEDH 29,mayo 1986, Caso Deumeland c. Alemania, en materia de prestaciones de seguridad social previstos por un régimen de seguros de accidentes de trabajo
STEDH 24 agosto 1983, Caso Massa c. Italia, en materia de pensiones de viudedad

- *Dilaciones indebidas (art. 6 CEDH)*

Los procedimientos en materia de litigios laborales por su propia naturaleza, exigen una decisión rápida (STEDH 24 mayo 1991, Caso Vocaturo c. Italia, f 17). En efecto, los litigios laborales, al referirse a temas de importancia capital para la situación profesional de una persona deben solucionarse con una celeridad muy particular[769].

---

[769] STEDH 18 octubre 2001, Caso Mianowicz c. Alemania (f.55); STEDH 9 abril 2002, Caso Mangualde Pinto c. Francia; STEDH 8 abril 2003, Caso Julien c. Francia (f.31); STEDH 8 abril 2003, Caso Jussy c. Francia (f.23); STEDH 27 mayo 2003, Caso Sanglier c.Francia.

Como es natural, dicho criterio es particularmente determinante en los supuestos de despido [STEDH 6 mayo 1981, Caso Buchholz c. Alemania f. 52; STEDH 27 junio 2000, Caso Frydlender c. Francia (GS), (f.45), STEDH 28 septiembre 2004, Caso Kovacs c. Hungría f.31]

En este sentido, se ha dicho que no es un plazo razonable en procesos de despido:

- 4 años y 10 meses (STEDH 6 diciembre 2001, Caso Capri c. Italia).

- 6 años medio (STEDH 16 diciembre 2003, Caso Kovacs c. Hungría).

- 7 años y 8 meses (STEDH 23 octubre 2001, Caso Pisano c. Italia.

- 8 años y meses (STEDH 4 abril 2006, Caso Hermansky c. República Checa).

- 9 años (STEDH 26 octubre 1993, Caso Darnell c. Reino Unido).

Etcétera.

b) Doctrina sobre permiso parental

El permiso parental se planteó en la STEDH 27 marzo 1998, Caso Petrovic c. Austria, en que se resolvió por el TEDH que una diferencia de trato basada en el sexo relativa a la concesión de un permiso parental no era constitutiva de una violación del artículo 14 debido a que en el momento de los hechos no existía consenso europeo sobre este tema, al no tener previsto la mayoría de los Estados contratantes un permiso parental o el pago de una prestación para los padres.

En Konstantin Markin, el TEDH cambia su doctrina anterior y concluye que la exclusión de los militares del sexo masculino del derecho al permiso parental, cuando las militares de sexo femenino si se benefician de él, no puede considerarse como basado en una justificación objetiva y razonable. El Tribunal concluye por tanto, que esta diferencia de trato, de la que el demandante ha sido víctima, constituye una discriminación basada en el sexo.

La misma orientación trazada en Konstantin Markin seguirá el TEDH en la STEDH 2 octubre 2012, Caso Hulea c. Rumanía, en que se trata sobre la denegación de indemnización por discriminación por haberle sido denegado permiso de paternidad. El TEDH considera que hay una interpretación formalista que obliga al demandante a probar la existencia del daño moral y rechaza sus pretensions por falta de abono de las cotizaciones sociales. Concluye que hay ausencia de motivos razonables y objetivos para la denegación y estima que hay violación del art. 14 en relación con el art. 8 del Convenio.

8.1.4. *Proyección en España. La eficacia de los derechos sociales en la Constitución y en la CDFUE. El permiso parental*

a) La eficacia de los derechos sociales en la CE

En la Constitución Española (CE), la mayor parte de derechos sociales vienen reconocidos como principios rectores de la política social y económica en su Capítulo III del Título I (arts.39-52). De conformidad con el art. 53.3 CE el reconocimiento, el respeto y la protección de los principios reconocidos en el Capítulo III informará la legislación positiva, la práctica judicial y la actuación de los poderes públicos. Sólo podrán ser alegados ante la Jurisdicción ordinaria de acuerdo de lo que dispongan las leyes que los desarrollen.

La doctrina del TC sobre los principios rectores los ha mantenido relegados a un papel secundario, dependiente del voluntarismo del legislador, que no está limitado por la garantía de contenido esencial y minimizados a la condición de un mero parámetro de interpretación de las leyes ordinarias o, a lo sumo, a fines constitucionalmente legítimos para restringir DDFF.

En efecto, ya desde antiguo, el TC ha sostenido que se trata principios con contenido normativo, que hay que tener presentes en la interpretación tanto de las restantes normas constitucionales —incluidos los derechos fundamentales— como de las Leyes.

El TC, en cuanto a su naturaleza normativa, ha sostenido que los principios rectores «deben orientar la acción de los poderes públicos», pero «**no generan por sí mismos derechos judicialmente actuales**» como resulta del art. 53.3 CE. Por otro lado, **carecen de la garantía de contenido esencial**, pues al decir del TC, es claro que el art. 53.1 ha limitado el contenido esencial resistente al legislador, que éste entiende el deber constitucional de respetar, a los derechos y libertades reconocidos en el Capítulo II del

Título I. Extender interpretativamente la garantía del contenido esencial a los principios rectores entrañaría una importante mutación o cambio constitucional, dudosamente dentro de la jurisdicción del TC[770].

Por tanto, los principios rectores carecen de la garantía de contenido esencial, por lo que el margen del legislador es muy amplio y la virtualidad de los citados principios como parámetro de constitucionalidad de una ley muy pequeño, aunque no descartable. Por ejemplo, piénsese en una norma que suprima o privatice totalmente la Seguridad Social (art. 41 CE) o que derogue la totalidad de las leyes protectoras del medio ambiente (art. 45 CE). Téngase en cuenta que varios de los denominados principios rectores contienen normas de derechos subjetivo (art. 39.2CE) o garantías institucionales, como la Seguridad Social (art. 41 CE), por lo que las leyes vulneradoras de tales derechos o destructoras de tales garantías podrían sujetarse al control de constitucionalidad (vid. art. 33.1 LOTC).

En este sentido, el TC ha proclamado que las decisiones judiciales deben adecuarse al logro de los valores, bienes y derechos constitucionales y, desde esa misma perspectiva, que los principios rectores de la política social y económica, no son meras normas sin contenido sino que, por lo que a los órganos judiciales se refiere, sus resoluciones habrán de estar informadas por su reconocimiento, respeto y protección, tal como dispone el art. 53.3 CE. De ese modo, una decisión que se adopte desconociendo la orientación que debió tener la aplicación de la legalidad, conforme a dichos principios rectores de la política social y económica, acentuaría su falta de justificación desde la perspectiva de cualquier derecho fundamental.

En cuanto a la posibilidad de declarar contraria a la Constitución una acción u omisión del legislador desde la interpretación de los principios rectores de la política social y económica, **el TC ha declarado que su naturaleza hace improbable —no imposible— que una norma legal cualquiera pueda ser considerada inconstitucional por omisión, esto es, por no atender, aisladamente considerada, el mandato a los poderes públicos y en especial al legislador, en el que cada uno de esos principios por lo general se concreta (STC 45/1989, F.4).**

---

[770] STC 14/1992, de 10 de febrero. F.5.

Sin embargo, el TC se ha mostrado receptivo a que el principio rector sea utilizado como criterio para resolver sobre la constitucionalidad de una acción positiva del legislador, cuando ésta se plasma en una norma de notable incidencia sobre la entidad constitucionalmente protegida.

No podemos obviar la mención a una cualidad de los principios rectores que tiene considerables rendimientos hermenéuticos, que no es otra que su condición de **bienes constitucionales que pueden utilizarse como fines constitucionalmente legítimos que amparen la limitación de los derechos fundamentales.** Por poner un ejemplo evidente, todos los supuestos de tutela penal de principios rectores: medio ambiente, relaciones familiares, etc, en que los principios rectores funcionan como bien jurídico tutelado por la norma limitativa de la libertad por excelencia, la norma penal. En efecto, los principios rectores de la política social y económica (Cap III del Título I), en tanto que principios que han de informar la legislación positiva, la práctica judicial y la actuación de los poderes públicos (art. 53.3 CE) pueden jugar como fines constitucionalmente legítimos aptos para restringir DDFF ahí donde exista una habilitación constitucional, incluso considerándolos como derechos de los demás (limitación inmanente), lo que nos lleva a concluir la enorme amplitud de los fines constitucionalmente legítimos en los que una restricción legislativa puede apoyarse.

b) La eficacia de los derechos sociales en la CDFUE

No podemos dejar de apuntar que esta distinción entre principios y derechos que contiene nuestra Carta Magna, tiene también su reflejo en textos internacionales de innegable calado, como singularmente es la CDFUE[771].

Así, el art. 52.5 CDFUE establece que "*Las disposiciones de la CDFUE que contengan principios podrán aplicarse mediante actos legislativos y ejecutivos adoptados por las instituciones, órganos y organismos de la Unión, y por actos de los Estados miembros, cuando apliquen el Derecho de la Unión, en el ejercicio de sus competencias respectivas. Sólo podrán alegarse ante un órgano jurisdiccional en lo que se refiere a la interpretación y control de la legalidad de dichos actos*".

---

[771] PRECIADO DOMÈNECH, C. H. "La interpretación de los Derechos Humanos y los Derechos Fundamentales". Ed. Aranzadi. Cuadernos Aranzadi del Tribunal Constitucional. Pp. 193-200

A partir de este precepto, la **distinción entre derechos y principios** (art. 51.1 y 52.5 CDFUE), cobra una relevancia insoslayable, pues es tanto como distinguir entre **derechos justiciables y meras proclamas programáticas**. Los derechos han de respetarse, mientras que los principios deben observarse (art. 51.1 CDFUE). Los principios carecen de justiciabilidad directa, sin normas comunitarias o estatales de desarrollo, en forma parangonable a lo que acontece con nuestros principios rectores de la política social y económica (Capítulo III, Título I, en relación con el art. 53.3 CE). Los principios no dan derechos inmediatos de acciones positivas de las instituciones de la UE o de los Estados miembros[772]. De este redactado, que nos recuerda el art. 53.3 CE, resulta que los principios no pueden fundar acción ante los órganos jurisdiccionales si no existe una normativa de desarrollo y concreción.

De la mera observación del listado de principios y los derechos en la CDFUE, podemos alcanzar diversas conclusiones:

- **Los Títulos III (Igualdad) y IV (Solidaridad) son los que mayor número de principios acumulan en relación al número de preceptos**: 4/9 y 9/13 respectivamente; frente a los que menos principios tienen: Título I (Dignidad): 0/5, Título VI (Justicia): 0/4, Título IV Ciudadanía 1/9; Título II (Libertades): 4/17.

- **Carecen de eficacia entre particulares todos los principios en el caso de que exista derecho derivado que los desarrolla y la legislación nacional que lo transpone sea claramente contraria**[773].

- Todo ello ha llevado a una criticable **"jerarquización de los derechos"**[774], de forma que las libertades económicas han terminado relegando a un segundo plano a los Derechos sociales[775], lo cuál va **en contra** del **principio de indivisibilidad de los derecho**s, que el

---

[772] Explicaciones sobre la carta de los derechos fundamentales. Explicación relativa al art .52. DO C 303, de 14 de diciembre de 2007.

[773] STJUE 15 enero 2014 Caso Association de médiation sociale contra Union locale des syndicats CGT y Otros. Asunto C-176/12. TJCE 2014\6,

[774] MONEREO PÉREZ, J.L; MONEREO ATIENZA, C. "*La Europa de los derechos*". Ed. Comares. 2012.

[775] STJUE 11 diciembre 2007 Caso Viking C-438/05; STJUE 18 diciembre 2007 Caso Laval C-341/05; STJUE 3 abril 2008, Ruffert C- 345/06; STJUE 12 junio

TEDH ha adoptado como uno de los criterios de interpretación de los derechos y libertades del CEDH

c) Valoración crítica

- La falta de garantía de contenido esencial de los principios rectores de la política social y económica, muchos de ellos derechos económicos sociales o culturales, resulta problemática desde la perspectiva del contenido mínimo garantizable de los derechos sociales, puesto que el legislador puede dejar de garantizar ese mínimo y se carece de acción si no hay una ley de desarrollo.

En efecto **al afirmarse la falta de justiciabilidad directa de los derechos sociales se ignora el principio según el cual los derechos humanos (todos) tienen un contenido obligatorio mínimo.**

Así, el art. 2.1 PIDESC dispone que "Cada uno de los Estados Partes en el presente Pacto se compromete a adoptar medidas, tanto por separado como mediante la asistencia y la cooperación internacionales, especialmente económicas y técnicas, hasta el máximo de los recursos de que disponga, para lograr progresivamente, por todos los medios apropiados, inclusive en particular la adopción de medidas legislativas, la plena efectividad de los derechos aquí reconocidos."

Este precepto, interpretado conforme a la Observación general Nº 3 (1990), del Comité de Derechos ESC de la ONU, confirma que los Estados Partes tienen la obligación fundamental de asegurar como mínimo la satisfacción de niveles esenciales de cada uno de los derechos enunciados en el Pacto.

Así se entiende también en el punto nº 25 de los Principios de Limburg[776] sobre la aplicación del PIDESC: *"Los Estados Partes tienen la obligación, independientemente de su nivel de desarrollo económico, de garantizar el respeto de los derechos de subsistencia mínima de todas las personas."*

2003, Schmidberger C-112/00; STJUE 14 octubre 2004, Omega, C-36/02; STJUE 15 julio 2010, Comisión c. Alemania, C-271/08.

[776] Los principios de Limburg pueden consultarse en: http://www.derechoshumanos.unlp.edu.ar/assets/files/documentos/los-principios-de-limburg-sobre-la-aplicacion-del-pacto-internacional-de-derechos-economicos-sociales-y-culturales-2.pdf

El **TEDH asume una función control —muy limitado— de ese míni-mo esencial pues los Estados gozan de una amplia discreción para adop-tar medidas de política social adecuadas,** porque tienen un conocimiento directo de las necesidades de la sociedad y porque por ello están en mejor situación que un tribunal internacional para apreciar cuál es el interés pú-blico en materia social y económica (STEDH 12 abril 2006, Caso Stec y otros c Reino Unido), sin embargo, corresponde al TEDH determinar **si permanecen dentro de los límites de lo "razonable"** (Vid. STEDH 25 octubre 2011, Caso Valkov y otros c. Bulgaria (f.91-97), STEDH 27 sep-tiembre 2011, Caso Bah c. Reino Unido (f.37 y 50); y STEDH 4 mayo 2010, Caso Schuitemaker c. Holanda).

El **carácter razonable de la política social** del estado —como sostiene Paulo Pinto— se evalúa en términos de proporcionalidad en el sentido que no sólo debe aplicarse igualmente a todos los grupos sociales, sino también compensar las desigualdades fácticas y prestar especial atención a los más vulnerables de entre ellos[777]. Por ejemplo, una medida de política social será "irrazonable", es decir, desproporcionada, si no prevé nada para los más débiles. Por lo tanto, **existe un punto de convergencia entre la aplicación de una política social "razonable" y la obligación de garantizar un con-tenido mínimo de los derechos sociales.**

- **La división trimembre de los DDFF que hace la Constitución en su Cap II y III del Título I no tiene mucho sentido,** y es fruto de una visión sesgada de los DDHH y poco compatible con la cláusula del Estado Social. Los principios de indivisibilidad e interdependen-

---

[777] Véase el caso "sobre determinados aspectos lingüísticos de la educación en Bél-gica" (fondo), 23 de julio de 1968, p. 34, apartado 10, serie A no. 6 ("ciertas desigual-dades de derecho tienden también a corregir las desigualdades de hecho"), Stec y otros contra Reino GS (Nº 65731/01, apartados 51, 66, TEDH 2006 VI), D.H. y otros contra República Checa, GS (núm. Tribunal Europeo de Derechos Humanos 57325/00, apartados 175, 181-182, TEDH 2007 IV), Oršuš y otros contra Croacia GS, (núm. 15766/03, apartados 147-148, 182, TEDH 2010), Andrle contra Repúbli-ca Checa (núm. 6268/08, apartado 48, 17 de febrero de 2011), Oyal contra Turquía (núm. 4864/05, 23 de marzo de 2010). El Comité Europeo de derechos sociales ha seguido el mismo razonamiento (Asociación Internacional autismo-Europa contra Francia, Reclamación núm. 1320/02, decisión del 4 de noviembre de 2003, apartado 53).

cia de los DDHH, reconocidos a nivel internacional pugnan con una concepción degradada de los DESC como la que constitucionalmente se mantiene en España y, más recientemente, en la UE.

– Las incoherencias de esta visión generacionista adoptada por nuestra CE tiene llamativas consecuencias.

– Así, por ejemplo, en derechos como la Seguridad Social, que son DDHH (art. 22 DUDH, art. 9 PIDESC, arts. 12-14 CSE, art. 34 CDFUE, Convenio nº 102 OIT), y que el propio TC ha reconocido como garantías institucionales (STC 206/1997, de 27 de noviembre); que gozan de un contenido esencial que el legislador ha de respetar; en contradicción con la carencia de contenido esencial que el propio TC ha predicado de los principios rectores.

– Tampoco tiene mucho sentido incardinar el derecho de las familias a su protección social, económica y jurídica por los poderes públicos (art. 39.1CE) como un mero principio rector de la política social y económica, cuando en el elenco de derechos de los Pactos de DDHH figura como un derecho civil o social (arts. 16 y 25.2 DUDH; art. 23 PIDCP, art. 10 PIDESC; arts. 9,33 y 34.1 CSE, etc). En este punto, la necesidad de conciliar familiar y trabajo ha terminado en nuestro derecho interno por vincular el principio rector a la prohibición de discriminación por razón de género. (STC 3/2007, de 15 de enero, F.6; STC 26/2011, etc.), quizás para dotarle de una protección de la que carece como principio rector, y dada su insoslayable importancia.

– Existen, en fin, sonoros e incongruentes contrastes en lo que nuestra CE considera "fundamental" y lo que considera meros principios rectores, que serían seguramente revisables. Así, se considera fundamental la remuneración suficiente del trabajador (art. 35.1 CE), pero cuando alcanza la tercera edad, ello se degrada a principio rector (art. 50.1 CE). Se considera fundamental la protección del trabajador (art. 35 CE), mientras que si es español migrante, dicha protección se degrada a principio rector (art. 42 CE). Se considera un deber el trabajo y un derecho su remuneración suficiente (art. 35 CE), sin embargo la prestación suficiente en caso de desempleo es un mero principio rector (art. 41 CE).

Todo ello debiera ser considerado en una futura reforma del Texto Constitucional, que reclama en muchos de sus pasajes por una adaptación al principio de interdependencia e indivisibilidad de los Derechos Humanos universalmente aceptado[778].

d) El permiso parental

En el *ordenamiento de la Unión Europea* la regulación de los permisos parentales puede resumirse como sigue:

- *Derecho originario*

    - Art. 23 CDFUE que consagra la igualdad entre mujeres y hombres y art. 33.2 CDFUE Este último dispone que con el fin de poder conciliar vida familiar y vida profesional, toda persona tiene derecho a ser protegida contra cualquier despido por una causa relacionada con la maternidad, así como el derecho a un permiso pagado por maternidad y a un permiso parental con motivo del nacimiento o la adopción de un niño.

    - Art. 2 y 3.3 TUE, establecen los principios de no discriminación e igualdad entre hombres y mujeres.

    - Arts. 8, 10, 19.1 y 153.1i) del TFUE.

- *Derecho Derivado*

    - Directiva 92/1985 de 28 de noviembre relativa a la situación específica de la trabajadora embarazada o que haya dado a luz o en período de lactancia.

    - Directiva 2006/54 relativa al principio de igualdad de oportunidades e igualdad de trato entre hombres y mujeres en asuntos de empleo y ocupación; Directiva 2010/41, sobre la aplicación del principio de igualdad de trato entre hombres y mujeres que ejercen una actividad autónoma.

---

[778] PRECIADO DOMÈNECH, C.H. "Teoría General de los Derechos Fundamentales en el contrato de Trabajo". Ed. Thomson Reuters-Aranzadi. 2018.

– **Los permisos parentales** se regularon sucesivamente en la directiva 96/34, posteriormente en la Directiva 2010/2018 y, **en la actualidad, por la Directiva 2019/1158 de 20 de junio de 2019** relativa a la conciliación de la vida familiar y la vida profesional de los progenitores y los cuidadores.

La actual **Directiva 2019/1158 asume la perspectiva de la corresponsabilidad** y, por tanto, de género, y tiene en cuenta los derechos del niño en relación con el permiso parental, así en el punto 6 de la Exposición de motivos donde se dice que:

*"Las políticas de conciliación de la vida familiar y la vida profesional deben contribuir a lograr la igualdad de género promoviendo la participación de las mujeres en el mercado laboral, **el reparto igualitario de las responsabilidades en el cuidado de familiares entre hombres y mujeres y la eliminación de las desigualdades de género** en materia de ingresos y salarios. Estas políticas deben tener en cuenta los cambios demográficos, incluidos los efectos del envejecimiento de la población".*

En su art. 4 dispone que "Los Estados miembros adoptarán las medidas necesarias para garantizar que cada trabajador tenga un derecho individual a disfrutar de un permiso parental de cuatro meses que debe disfrutarse antes de que el hijo alcance una determinada edad, como máximo ocho años, que se especificará por cada Estado miembro o por los convenios colectivos."

En cuanto a la doctrina del TJUE sobre el permiso parental, prescindiendo de los antecedentes en que se disgregan conciliación y discriminación por razón de género[779], merece especial mención la **STJUE 30 septiembre 2010, Caso Roca Álvarez c. España, Asunto C-104/09**, en que el TJUE parece que **empieza a prestar atención a las cuestiones del rol de cuidado y la conciliación desde una perspectiva de** género. En esta sentencia, respecto del permiso de lactancia regulado en el art. 37.4 del ET entonces vigentes, concluye que dicho precepto es discriminatorio por razón de género, en tanto que prevé que las mujeres, madres de un niño y que tengan la condición de trabajadoras por cuenta ajena, pueden disfrutar de un permiso, según varias modalidades, durante los nueve primeros meses

---

[779] BALLESTER PASTOR, MªA. "Conciliación y corresponsabilidad en la Unión Europea", en "CABEZA PEREIRO, J. "Conciliación de la vida familiar y laboral y corresponsabilidad entre sexos". Ed. Tiran Monografías nº 747. p. 17 y ss.

siguientes al nacimiento de ese hijo, en tanto que los hombres, padres de un niño y que tengan la condición de trabajadores por cuenta ajena, sólo pueden disfrutar del citado permiso cuando la madre de ese niño también tiene la condición de trabajadora por cuenta ajena. En esta línea de vincular los permisos parentales y la conciliación con la igualdad de género, parece discurrir la más reciente doctrina del TJUE, por ejemplo, la STJUE de 8 mayo 2019, Caso Re y Praxair MRC Sas, Asunto C-486/18[780].

En el ordenamiento español, el permiso de paternidad fue introducido por la DA 11.11 de la LO 3/2007, para la igualdad efectiva de mujeres y hombres, que introdujo el art. 48bis en el RDL 1/1995 (ET), que establecía, en el primero de sus párrafos: "*En los supuestos de nacimiento de hijo, adopción o acogimiento de acuerdo con el artículo 45.1.d) de esta Ley, el trabajador tendrá derecho a la suspensión del contrato durante* **trece días ininterrumpidos***, ampliables en el supuesto de parto, adopción o acogimiento múltiples en dos días más por cada hijo a partir del segundo. Esta suspensión es independiente del disfrute compartido de los periodos de descanso por maternidad regulados en el artículo 48.4.*"

---

[780] En el mismo se concluye que: 1) La cláusula 2, apartado 6 y, del Acuerdo Marco sobre el permiso parental, celebrado el 14 de diciembre de 1995, que figura en anexo a la Directiva 96/34/CE del Consejo, de 3 de junio de 1996, relativa al Acuerdo Marco sobre el permiso parental celebrado por la UNICE, el CEEP y la CES, en su versión modificada por la Directiva 97/75/CE del Consejo, de 15 de diciembre de 1997, debe interpretarse en el sentido de que se opone a que, cuando se despide a un trabajador contratado por tiempo indefinido y a tiempo completo mientras disfruta de un permiso parental a tiempo parcial, la indemnización por despido y el subsidio por permiso de recolocación que se han abonar a dicho trabajador se fijen, al menos parcialmente, sobre la base de la retribución, de menor importe, que percibe cuando el despido tiene lugar.

2) El artículo 157 TFUE debe interpretarse en el sentido de que se opone a una normativa como la controvertida en el litigio principal, que establece que, cuando se despide a un trabajador contratado por tiempo indefinido y a tiempo completo mientras disfruta de un permisoparental a tiempo parcial, dicho trabajador percibe una indemnización por despido y un subsidio por permiso de recolocación fijado, al menos parcialmente, sobre la base de la retribución, de menor importe, que percibe cuando el despido tiene lugar, en una situación en la que un número considerablemente mayor de mujeres que de hombres deciden disfrutar de un permiso parental a tiempo parcial y cuando la diferencia de trato que de ello resulta no puede explicarse por factores objetivamente justificados y ajenos a toda discriminación por razón de sexo.

El *permiso de paternidad pasó de 13 días a 4 semanas*, por la modificación introducida en el art. 48bis ET por la Ley 9/2009, de 6 de octubre, de ampliación de la duración del permiso de paternidad en los casos de nacimiento, adopción o acogida.

El RDL 2/2015, de 23 de octubre, por el que se aprobó el vigente TRET, contempló el permiso de paternidad en su art. 48.7, con idéntica duración de 4 semanas.

La DF 38ª de la Ley 6/2018, de 3 de julio de presupuestos generales del Estado para 2018, que *amplió a cinco semanas* la duración del permiso por paternidad, durante el cual se percibe el correlativo subsidio de paternidad, actualmente regulado en los artículos 183 a 185 del vigente texto refundido de la Ley general de la Seguridad Social, aprobado por Real Decreto Legislativo 8/2015, de 30 de octubre.

Para concluir, el citado art. 48.7 TRET fue finalmente modificado, con efectos de 1 de abril de 2019, por el art. 2.12 del Real Decreto-ley 6/2019, de 1 de marzo, equiparando el permiso de paternidad y el de maternidad[781], y convirtiéndolos en un solo permiso parental de idéntica duración: 16 semanas, en aras del cumplimiento del principio de corresponsabilidad.

En efecto, en su Exposición de motivos, el citado RD-Ley lo justifica diciendo:

*"Los artículos 2 y 3 del presente real decreto-ley equiparan, en sus respectivos ámbitos de aplicación, **la duración de los permisos por nacimiento de hijo o hija de ambos progenitores.** Esta equiparación responde a la existencia de una clara voluntad y demanda social. Los poderes públicos no pueden desatender esta demanda que, por otro lado, es una exigencia derivada de los artículos 9.2 y 14 de la Constitución; de los artículos 2 y 3.2 del Tratado de la Unión Europea; y de los artículos 21 y 23 de la Carta de los Derechos Fundamentales de la Unión Europea. **De esta forma se da un paso importante en la consecución de la igualdad real y efectiva entre hombres y mujeres, en la promoción de la conciliación de la vida personal y familiar, y en el principio de corresponsabilidad entre ambos progenitores, elementos ambos esenciales para el cumplimiento del principio de igualdad de trato y de oportunidades entre hombres y mujeres en todos los ámbitos.** Esta equiparación se lleva a cabo de forma progresiva, en los términos previstos en las disposiciones transitorias del Estatuto de los Trabajadores y del Estatuto Básico del Empleado Público introducidas por este real decreto-ley".*

---

[781] Téngase en cuenta que esta modificación se aplicará paulatinamente en la forma establecida por la disposición transitoria decimotercera de la presente norma, añadida por el art. 2.18 del citado Real Decreto-ley 6/2019.

Esta **evolución hacia la corresponsabilidad** supone la equiparación de los períodos de suspensión de contrato de trabajo por razón de nacimiento o adopción, con lo que se pretende alterar la asignación tradicional de los roles, que impone a las mujeres el rol de cuidados, y ahonda de esa forma en la brecha salarial y la pérdida de oportunidades de promoción profesional.

Sin embargo, dicho principio de corresponsabilidad no se ha implantado pacíficamente, sino que la controversia ha seguido hasta fechas bien recientes.

Muestra de esta afirmación es la **STC 111/2018, de 17 de diciembre de 2018** (a la que siguieron las **STC 117/2018, de 29 de octubre, STC 138/2018, de 17 de diciembre y STC 2/2019, de 14 de enero**) en las que en sede de recurso de amparo se discute el derecho de un padre biológico, trabajador por cuenta ajena (incluido por ello en el régimen general de la seguridad social), a percibir el subsidio por paternidad con la misma extensión y duración que la establecida legalmente para el subsidio por maternidad (dieciséis semanas), bajo. En todas ellas se cuestiona la constitucionalidad del art. 48bis ET y los artículos 133 octies a 133 decies de la LGSS, por conceder un permiso de paternidad de titularidad exclusiva del padre de 13 días de duración frente a la suspensión por maternidad de 16 semanas. Al entender de los recurrentes en amparo en uno de dichos recursos (Plataforma por permisos iguales e intransferibles de nacimiento y adopción (PPiiNA), la diferencia de trato suponía una discriminación por razón de sexo, en relación con la garantía de la protección de la familia.

La mayoría del TC justifica dicha diferencia de trato porque, en síntesis, entiende que embarazo y lactancia son circunstancias asociadas indefectiblemente a las mujeres, que las perjudican en su dimensión de trabajadoras, y que tal desventaja debe encontrar compensación a través una serie de garantías previstas específicamente para las mujeres.

Sin embargo, el **Voto Particular formulado por la Magistrada María Luisa Balaguer Callejón, incide a mi entender con mayor acierto desde la perspectiva de la corresponsabilidad,** que pretende un **reparto igualitario de las tareas de cuidado** y que exige, en el plano de los permisos por parentalidad **una atribución igual de los tiempos de suspensión del contrato entre hombres y mujeres,** pues **lo contrario supone perpetuar el rol de cuidado asignado tradicionalmente por la estructura social patriarcal a la mujer.**

Como bien apunta la magistrada (F. 3 de su voto particular), "... *el TC ha perdido la ocasión de explicar por qué las medidas de protección de la parentalidad, cuando se asocian exclusivamente o con una naturaleza reforzada a las mujeres, si bien pueden suponer una garantía relativa para quienes ya están en el mercado laboral, sin duda se erigen como una clara barrera de entrada frente a quienes están fuera y un obstáculo a la promoción de quienes están dentro, porque generan un efecto de desincentivo en quien contrata que solo afecta a las mujeres, y que, por tanto, incide en la perpetuación de la discriminación laboral.*

Desaprovecha la Sala, por tanto, la ocasión de diferenciar, de forma clara, entre los objetivos y finalidades con proyección constitucional asociados a las medidas de protección del hecho biológico de la maternidad —en conexión con los artículos 15 y 43 CE—, y las finalidades, con igual cabida constitucional, asociadas tanto a la garantía de igualdad de trato en el mercado laboral —artículos 14 y 35.1 CE—, como al desarrollo de medidas de conciliación de la vida laboral y personal —artículo 18 CE—, que deben ser proyectadas, sin ninguna diferencia, a los hombres y a las mujeres que tienen descendencia, a riesgo de convertirse, de no ser así, en medidas generadoras de discriminación indirecta".

En efecto, la mayoría asigna de forma un tanto sesgada un único fin al permiso de maternidad (16 semanas): la protección del hecho biológico de la maternidad, y la salud de la mujer (arts.15 y 43 CE); mientras que al permiso de paternidad (13 días) se le asigna por la mayoría del TC la finalidad de favorecer la conciliación de la vida personal, laboral y familiar. En esta diferencia de fines se justificaría la distinta duración de ambos permisos.

Tan endeble es el argumento seguido por la mayoría del TC, que se derrumba ante el leve soplo de siguiente cuestión: ¿si la madre está recuperando su salud durante las 16 semanas, entonces quién cuida del niño/a durante ese tiempo? Pregunta del todo pertinente si tenemos en cuenta que el padre sólo lo cuida 13 días.

Como acertadamente concluye el voto particular "*Ni la finalidad exclusiva del permiso de maternidad es la recuperación física de la madre, ni la finalidad del de paternidad es (solo) la conciliación, sino la garantía de la igualdad en el acceso, promoción y desarrollo de la actividad laboral de hombres y mujeres. Y es que no se trata únicamente de asegurar al padre el disfrute de "su" derecho a conciliar la vida laboral y el cuidado de sus hijos, sino de **repartir entre el padre y la madre el coste laboral que la decisión de tener descendencia tiene en las*** *personas, de modo tal que dicha decisión impacte por igual, en el sentido que sea (positivo o negativo) tanto en el hombre como en la mujer. "*

Para concluir, y **en esto tiene una incidencia obvia el caso Konstantin Markin,** el TC en el grupo de sentencias que comentamos, **perdió la ocasión de vincular los permisos que buscan la conciliación personal, familiar y laboral, con el disfrute del derecho a la vida familiar (art. 8 CEDH),** derecho del que son titulares los progenitores pero también, sobre todo, los niños y las niñas. **Los hijos y las hijas, sobre todo, en franjas de edad muy baja, no son responsabilidad preferente de su madre, ni el vínculo con ella merece un mayor grado de protección que el vínculo paternofilial.** Esta consideración, implícita en la Sentencia, consolida una división de roles en el cuidado que puede y debe ser revisada, para adaptarla a una visión más actual y coherente con el artículo 9.2 CE, de lo que es la igualdad material entre los sexo. Así lo expresa el voto particular de la Magistrada María Luisa Balaguer (f.7), a la STC 138/2018, que no podemos sino compartir.

Precisamente **la sentencia Konstantin Markin fue alegada por los recurrentes en amparo en la STC 2/2019, de 14 de enero,** sin éxito porque la infracción del artículo 18 CE no fue alegada en la vía judicial, por lo que incurriría bien en óbice de falta de invocación previa [art. 44.1 c) LOTC] bien en óbice de falta de agotamiento de la vía judicial [art. 44.1 a) LOTC].

De esta forma, se perdió **la ocasión de vincular la faceta social del permiso parental (art. 27.2 CSE) a su faceta civil (art. 8 CEDH),** que en nuestro derecho interno pasaría por el art. 18 en relación con el art. 39 CE.

Afortunadamente, el **RDL 6/2019** vino a corregir este desenfoque de la cuestión, optando por la **perspectiva de la corresponsabilidad** como guía para la equiparación entre los permisos de ambos progenitores dirigidos no solo al cuidado de la salud (en el caso de la madre) y a la conciliación (en ambos casos), sino a una distribución equitativa de los roles de cuidado que hace que, en definitiva quien decide contratar a una persona no opte por un hombre para evitar los costes de los permisos más largos de maternidad que los de paternidad, en la línea que se sigue por la nueva Directiva 2019/1158

8.1.5. *Índice de casos*

STEDH 30 junio 1993, Caso Sigurdur A. Sigurjónsson c. Islandia
STEDH 26 octubre 1993, Caso Darnell c. Reino Unido
STEDH 18 octubre 2001, Caso Mianowicz c. Alemania
STEDH 23 octubre 2001, Caso Pisano c. Italia
STEDH 6 diciembre 2001, Caso Capri c. Italia
STEDH 9 abril 2002, Caso Mangualde Pinto c. Francia
STEDH 2 julio 2002, Caso Wilson, NUJ c. Reino Unido
STEDH 8 abril 2003, Caso Jussy c. Francia
STEDH 27 mayo 2003, Caso Sanglier c.Francia
STEDH 28 septiembre 2004, Caso Kovacs c. Hungría
STEDH 11 enero 2006, Caso Sørensen y Rasmussen c. Dinamarca
STEDH 4 abril 2006, Caso Hermansky c. República Checa
STEDH 12 noviembre 2008, Caso Demir y Baykara c.Turquía
STEDH 2 octubre 2012, Caso Hulea c. Rumanía

8.1.6. Bibliografía

ABRAMOVICH, V. y COURTIS, C. "Los derechos sociales como derechos exigibles". Prólogo de Luigi Ferrajoli. Editorial Trotta. 2014. pp. 200-220.

BALLESTER PASTOR, Mª A. "Conciliación y corresponsabilidad en la Unión Europea", en "CABEZA PEREIRO, J. "Conciliación de la vida familiar y laboral y corresponsabilidad entre sexos". Ed. Tiran Monografías nº 747. p. 17 y ss.

GARCÍA ROCA, J., SANTOLAYA, P. (Coord.) "La Europa de los Derechos. El Convenio Europeo de Derechos Humanos Ed. CEC. 2ª Edición.2009

LASAGABASTER HERRARTE, I. "Convenio Europeo de Derechos Humanos. Comentario Sistemático. 2ª edición. Ed. Civitas Thomson-Reuters 2009.

MONEREO ATIENZA, C.; MONEREO PÉREZ, J. L. "La Garantía Multinivel de los Derechos Fundamentales en el Consejo de Europa". Ed. Comares. 2017.

PÉREZ TREMPS, P.; SAIZ ARNAIZ, A., "Comentario a la Constitución Española. 40 aniversario 1979-2018. Libro homenaje a Luis López Guerra. Ed. Tirant Lo Blanch

PINTO DE ALBUQUERQUE, P. "I Diritti umani in una prospettiva europea. Opinini concrrenti e dissenzienti (2011-2015)". A cura e con un saggio di Davide Galliani prefaziine di Paola Bilancia. Ed. B. Giappichelli Editori-2016.

PRECIADO DOMÈNECH, C.H. "Teoría General de los Derechos Fundamentales en el contrato de Trabajo". Ed. Thomson Reuters-Aranzadi. 2018.

QUERALT JIMÉNEZ, A. "La interpretación de los derechos: del Tribunal de Estrasburgo al Tribunal Constitucional". Ed. CEC. 2008.

RIPOL CARULLA, S., VELÁZQUEZ GARDETA, J.M. y AAVV "España en Estrasburgo. Tres Décadas bajo la Jurisdicción del Tribunal Europeo de Derechos Humanos. Ed... Aranzadi. Primera edición. 2010.

SARMIENTO,D.; MIERES MIRES, L. J.; PRESNO LINERA, M. "Las sentencias básicas del Tribunal Europeo de Derechos Humanos. Ed. Thomson Cititas. 2007.

SEMPERE NAVARRO, A.V. y MELÉNDEZ MORILLO-VELARDE, L. "Prontuario de Jurisprudencia Social del Tribunal Europeo de Derechos Humanos. 1975-2009". Ed. Thomson Reuters Aranzadi. 2009.

8.2. CASO PARADISO Y CAMPANELLI C. ITALIA
(STEDH 24 enero 2017): Prohibición de la gestación subrogada retribuida

8.2.1. Resumen del caso

El caso trata sobre la separación de los padres registrales de un niño nacido en el extranjero como resultado de un contrato de gestación subrogada, suscrito por una pareja italiana con la que luego se descubrió que el niño no tenía conexión biológica alguna. El TEDH considera con no hubo violación del derecho al respeto de la vida privada (art. 8 CEDH).

Resumen de los hechos: los demandantes, que son una pareja casada, obtuvieron en 2006, la aprobación para adoptar. Después de vanos intentos fallidos de fertilizar in vitro, decidieron recurrir a la subrogación para convertirse en padres. Con este fin, se contactaron con una clínica con sede en Moscú especializada en técnicas de reproducción asistida y celebraron un acuerdo de gestación subrogada con una sociedad rusa. Después de una exitosa fertilización in vitro en mayo de 2010, supuestamente realizada con el esperma del demandante, se implantaron dos embriones "pertenecientes a ellos" en el útero de una madre sustituta. El bebé nació en febrero de 2011. La madre sustituta dio su consentimiento por escrito para que el niño fuera registrado como hijo de los demandantes. De conformidad con la ley rusa, los demandantes fueron registrados como padres del recién nacido. El certificado de nacimiento ruso, que no mencionaba la gestación subrogada, fue apostillado según las disposiciones del Convenio de La Haya del 5 de octubre de 1961, que suprime el requisito de legalización de documentos públicos extranjeros.

En mayo de 2011, después de haber solicitado el registro del certificado de nacimiento por las autoridades italianas, los demandantes fueron acusados de "alteración del estado civil" e infracción de la ley de adopción porque habían traído al niño infringiendo la ley y eludiendo los límites establecidos en la Acreditación de Adopción que excluía que pudieran adoptar un niño de una edad muy temprana. El mismo día, el fiscal solicitó la apertura de un procedimiento de adopción porque el niño tenía que ser considerado en situación de desamparo. En agosto de 2011, se realizó una prueba de ADN a petición del Tribunal, y la misma mostró que, contrariamente a lo que habían declarado los demandantes, no había un vínculo genético entre el demandante y el niño. En octubre de 2011, el Tribunal de Menores decidió retirarles a los demandantes al niño. Se prohibieron los contactos entre los demandantes y el niño. En abril de 2013, el tribunal consideró legítimo rechazar la transcripción del certificado de nacimiento ruso y ordenó la emisión de un nuevo certificado de nacimiento en el que se indicaría que el niño era hijo de padres desconocidos y se le daría un nuevo nombre. Después el niño fue adoptado por otra familia. El tribunal sostuvo que los demandantes ya no tenían legitimación para entablar acciones en este procedimiento de adopción.

Mediante una sentencia de 27 de enero de 2015, una Sala del TEDH determinó, por cinco votos contra dos, que la retirada del niño de los demandantes constituía una violación del artículo 8 CEDH debido, entre otras cosas, a la precipitada conclusión de que los futuros padres no habrían podido cuidar adecuadamente del niño y la insuficiente consideración del interés del menor, que no se habría valorado suficientemente durante más de dos años.

El 1 de junio de 2015, el caso fue remitido a la Gran Sala a solicitud del Gobierno italiano.

Resumen de la sentencia: El presente caso se refiere a demandantes que, al margen de cualquier procedimiento de adopción legal, introdujeron en Italia a un niño procedente del extranjero, que no tiene conexión biológica con al menos uno de ellos, y concebido utilizando técnicas de procreación asistida que son ilegales según el derecho italiano, como declararon los tribunales.

a) Aplicabilidad del art. 8 CEDH

i. *Vida familiar:* el final de la relación entre los demandantes y el niño es la consecuencia del incumplimiento jurídico en que ellos mismos han basado los vínculos en cuestión, al realizar una conducta contraria al ordenamiento italiano y al establecerse en Italia con el niño. Las autoridades italianas reaccionaron rápidamente a esta situación pidiendo la suspensión de la patria potestad y abriendo un procedimiento de adopción para el menor.

Dada la ausencia de cualquier vínculo biológico entre el niño y los futuros padres, la corta duración de la relación con el niño, que es de aproximadamente ocho meses, y la precariedad de vínculos desde el punto de vista legal, y a pesar del la existencia de un proyecto parental y la calidad de los lazos emocionales, no se cumplen las condiciones para concluir que existe una vida familiar *de facto*.

En consecuencia, el Tribunal concluye que no hay vida familiar en este caso.

ii. *Privacidad:* partiendo de que los solicitantes habían planificado un verdadero proyecto parental y explorado las diversas posibilidades para lograrlo con el fin de amar y educar a un niño, está en juego el derecho de respetar la decisión de los solicitantes de convertirse en padres, así como el desarrollo personal de los interesados a través del papel de padres que desean asumir frente al niño.

Finalmente, dado que los procedimientos ante el tribunal de menores se relacionaron con la cuestión de la existencia de vínculos biológicos entre el niño y el demandante, este procedimiento y el establecimiento de los datos genéticos tuvieron un impacto en la identidad del niño, así como en su relación con ambos demandantes.

Por lo tanto, los hechos del caso caen dentro de la vida privada de los demandantes.

(b) Fondo: las medidas adoptadas con respecto al niño suponen una injerencia en la vida privada de los demandantes. Esta injerencia estaba prevista por la ley y tenía como objetivo la defensa del orden y la protección de los derechos y libertades de los demás.

Los tribunales nacionales basaron sus decisiones en la ausencia de cualquier vínculo genético entre los solicitantes y el niño y en la violación de la legislación nacional relacionada con la adopción internacional y la reproducción médicamente asistida. Las medidas tomadas por las autoridades tenían como objetivo el cese inmediato y definitivo de todo contacto entre los solicitantes y el niño, así como ubicación del niño en un hogar y su sumisión a tutela.

Los hechos del caso se refieren a temas éticamente sensibles, como la adopción, tutela estatal de un niño, preproducción y gestación subrogada con asistencia médica, respecto de lo los cuales los Estados miembros disfrutan de un amplio margen de apreciación.

Las autoridades nacionales se basaron fundamentalmente en dos grupos de argumentos: la ilegalidad de la conducta de los demandantes y la urgencia de la adopción de medidas en relación con el niño, a quien consideraban "en estado de abandono" en el sentido del artículo 8 de la Ley de adopción.

Los motivos invocados por los tribunales nacionales están directamente relacionados con el objetivo legítimo de la defensa de la orden y también con la protección del niño, en este caso y en general, con respecto a la prerrogativa del Estado de establecer filiación por la adopción y prohibición de ciertas técnicas de reproducción asistida.

El caso se examina desde el punto de vista del derecho de los demandantes al respeto de su vida privada, ya que lo que está en juego su derecho al desarrollo personal a través de su relación con el niño, siendo suficientes las razones ofrecidas por los tribunales nacionales, que se centraron en la situación del niño y la conducta ilegal de los solicitantes.

Los tribunales nacionales otorgaron gran importancia al incumplimiento de los demandantes de la Ley de adopción y al hecho de que habían utilizado procedimientos de reproducción asistida fuera de Italia. En los procedimientos internos, los tribunales, que se centraron en la necesidad de tomar medidas urgentes, no se centraron en los intereses generales en juego o abordaron explícitamente las cuestiones éticamente sensibles subyacentes disposiciones legales transgredidas por los solicitantes.

Los tribunales nacionales tenían como principal preocupación poner fin a una situación ilegal. Las leyes transgredidas por los solicitantes y las medidas tomadas en respuesta a su conducta tenían por objeto proteger importantes intereses generales.

En lo que respecta a los intereses del menor, el tribunal de menores consideró la ausencia de un vínculo biológico entre los solicitantes y el niño, y declaró que se debería buscar a una pareja que pudiera cuidarlo lo antes posible. Dada la corta edad del niño y el poco tiempo que había pasado con los solicitantes, el tribunal sostuvo que el solo hecho de estar separado de los que lo cuidaban no resultaría un problema psicopatológico para el niño, en ausencia de otros factores causales. Llegó por ello a la conclusión de que el trauma de la separación no sería irreparable.

En cuanto al interés de los demandantes en continuar su relación con el niño, el Tribunal de Menores señaló que nada en el expediente confirmaba las declaraciones de los demandantes de que habían entregado el material genético del solicitante a la clínica rusa. Después de obtener la aprobación para la adopción internacional, eludieron la ley de adopción al llevar al niño de regreso a Italia sin la aprobación de la comisión de adopciones internacionales. En vista de esta conducta, el tribunal expresó su preocupación de que el niño podría ser un instrumento para lograr un deseo narcisista de la pareja o exorcizar un problema individual o de pareja. Además, la conducta de los demandantes proyecta "una sombra importante sobre la existencia de capacidades emocionales y educativas reales y un instinto de solidaridad humana, que debe estar presente en aquellos que desean integrar a los hijos de otros en sus vidas como si fueran sus propios hijos".

El niño no es demandante en este caso. Además, no era miembro de la familia de los demandantes en el sentido del artículo 8 del Convenio. Dicho esto, no se deduce que el interés superior del menor y la forma en que el niño ha sido tenido en cuenta por los tribunales nacionales sean irrelevantes.

Los tribunales nacionales no estaban obligados a dar prioridad a la preservación de la relación entre los solicitantes y el niño. Más bien, se enfrentaron a una elección delicada: permitir que los demandantes continuaran su relación con el niño y, por lo tanto, legalizar la situación que habían impuesto como un hecho consumado, o tomar medidas para darle al niño una familia de conformidad con la Ley de adopción.

Los tribunales italianos han prestado poca atención al interés de los demandantes en continuar desarrollando relaciones con un niño del que desean ser padres. No abordaron explícitamente el impacto que la separación inmediata e irreversible del niño tendría en su vida privada. Sin embargo, el caso debe considerarse a la luz de la conducta ilegal de los solicitantes y el hecho de que su relación con el niño era precaria desde el momento en que decidieron residir con él en Italia. El vínculo se debilitó aún más cuando quedó claro, una vez que se conoció el resultado de la prueba de ADN, que no había conexión biológica entre el segundo demandante y el niño.

El procedimiento fue urgente. Cualquier medida que pueda prolongar la permanencia del niño con los demandantes, como su colocación temporal en el hogar, implicaría el riesgo de que el simple paso del tiempo condujera a una resolución del caso.

El Tribunal no subestima el impacto que la separación inmediata e irreversible del niño debe haber tenido en la vida privada de los demandantes. Si bien la Convención no consagra ningún derecho a convertirse en padre, la Corte no puede ignorar el dolor moral que sienten aquellos cuyo deseo de ser padres no ha sido o no puede ser satisfecho. Sin embargo, el interés general en juego pesa mucho en la balanza, mientras que relativamente poca importancia debe asignarse al interés de los demandantes en garantizar su desarrollo personal a través de la búsqueda de su relación con el niño. La aceptación de dejar al niño con los demandantes, tal vez con la idea de que se conviertan en sus padres adoptivos, habría supuesto legalizar la situación creada por ellos en violación de importantes normas del ordenamiento italiano. Los tribunales italianos, habiendo concluido que el niño no sufriría daños graves o irreparables como resultado de la separación, lograron un equilibrio justo entre los diferentes intereses en juego dentro de los límites de su amplio criterio en este caso.

Por todo ello, el TEDH concluye que no hubo violación del art. 8 CEDH.

b) Extractos del voto particular conjunto de los jueces Paulo Pinto, De Gaetano, Wotyczek y Dedov

«1. Si bien suscribimos plenamente la conclusión que se ha alcanzado en este caso, albergamos serias reservas sobre el razonamiento de la sentencia, que, en nuestra opinión, evidencia todas las debilidades e inconsistencias en el enfoque adoptado hasta ahora por el Tribunal en casos relacionados con el artículo 8.

2. La aplicación del artículo 8 exige una definición precisa de su alcance. Según la sentencia, la existencia o ausencia de una vida familiar es fundamentalmente una cuestión de hecho, que depende de la existencia de vínculos personales cercanos y constantes (véase, en particular, el párrafo 140 de la sentencia). En nuestra opinión, la fórmula propuesta es a la vez demasiado vaga y demasiado amplia. Este enfoque parece estar basado en la idea implícita de que las relaciones interpersonales existentes deben protegerse, al menos prima facie, contra la injerencia del Estado. Hay que destacar a este respecto que los vínculos personales estrechos y constantes pueden existir fuera del ámbito de la vida familiar. El razonamiento en este caso no explica la naturaleza de las relaciones interpersonales que conforman la vida familiar. Al mismo tiempo, parece conceder gran importancia a los vínculos emocionales (véanse los párrafos 149, 150, 151 y 157 de la sentencia). Sin embargo, los vínculos emocionales no pueden por sí solos crear una vida familiar.

3. Las diversas disposiciones de la Convención deben interpretarse a la luz de todo su texto y de otros tratados internacionales pertinentes. De ello se deduce que el artículo

8 debe interpretarse a la luz del artículo 12, que garantiza el derecho a casarse y fundar una familia. Estos dos artículos también deben situarse en el contexto del artículo 16 de la Declaración Universal de Derechos Humanos y el artículo 23 del Pacto Internacional de Derechos Civiles y Políticos. Esta última disposición, fuertemente inspirada en el Artículo 16 de la Declaración Universal de Derechos Humanos, dice lo siguiente:

1. La familia es el elemento natural y fundamental de la sociedad y tiene derecho a la protección de la sociedad y el estado.

2. El derecho a casarse y fundar una familia es reconocido a los hombres y mujeres en edad de casarse.

3. No puede celebrarse matrimonio alguno sin el consentimiento libre y pleno de los futuros cónyuges.

4. Los Estados Partes en el presente Pacto tomarán las medidas apropiadas para garantizar la igualdad de derechos y responsabilidades de los cónyuges con respecto al matrimonio, durante el matrimonio y en su disolución. En caso de disolución, se tomarán medidas para proporcionar la protección necesaria para los niños.

Cabe señalar el enfoque del Comité de Derechos Humanos adoptado en la Observación general N° 19: Artículo 23 (Protección de la familia), párrafo 2. La familia se entiende correctamente en este texto como un elemento que goza de reconocimiento legal o social en el Estado en cuestión.

El concepto mismo de "elemento" en la Declaración Universal de Derechos Humanos, en el Pacto Internacional de Derechos Civiles y Políticos y en el Pacto Internacional de Derechos Económicos, Sociales y Culturales (Artículo 10) presupone subjetividad de la familia en su conjunto (es decir, el reconocimiento del grupo familiar como titular de los derechos), así como la estabilidad de las relaciones interpersonales dentro de la familia. El énfasis en la Declaración Universal de Derechos Humanos y en el Pacto Internacional de Derechos Civiles y Políticos sobre la naturaleza natural y fundamental de la familia la ubica entre las instituciones y valores más importantes que reclaman protección de toda sociedad democrática. Además, la redacción y la estructura del artículo 23 del Pacto Internacional de Derechos Civiles y Políticos y la redacción del artículo 12 de la Convención establecen un vínculo claro entre el concepto de familia y el matrimonio. A la luz de todas las disposiciones mencionadas anteriormente, la familia debe entenderse como un elemento natural y fundamental de la sociedad establecido esencialmente por el matrimonio entre un hombre y una mujer. La vida familiar incluye, ante todo, los vínculos entre cónyuges y entre padres e hijos. Al casarse, los cónyuges no solo tienen ciertas obligaciones legales, sino que también eligen proteger legalmente su vida familiar. La Convención brinda una fuerte protección a la familia basada en el matrimonio.

Como se mencionó anteriormente, el concepto de familia contenido en los artículos 8 y 12 de la Convención se basa esencialmente en las relaciones interpersonales legales, así como en las relaciones biológicas. Tal enfoque no excluye la extensión de la protección de la sección 8 a las relaciones interpersonales con parientes más lejanos, como las relaciones entre abuelos y nietos. Algunos vínculos familiares de facto también pueden requerir protección [ver, por ejemplo, Muñoz Díaz v. España, No. 49151/07, CEDH 2009, y Nazarenko v. Rusia, N° 39438/13, CEDH 2015 (extrac-

tos)]. El alcance y las herramientas de protección en tales situaciones corresponden al margen discrecional del Estado, bajo el control del Tribunal.

En los casos en que entran en juego vínculos interpersonales de facto que no están formalizados en la legislación nacional, es necesario considerar varios elementos para determinar si existe una vida familiar. Primero, dado que la noción de familia presupone la existencia de vínculos estables, se debe examinar la naturaleza y la estabilidad de las relaciones interpersonales. En segundo lugar, es imposible, en nuestra opinión, establecer la existencia de una vida familiar sin mirar la forma en que se han originado las relaciones interpersonales. Este elemento debe ser apreciado tanto desde el punto de vista legal como moral. Nemo auditur propriam turpitudinem allegans. La ley no puede brindar protección a supuestos de hechos consumados derivados de una violación de las normas legales o principios morales fundamentales.

En este caso, los vínculos entre los demandantes y el niño se establecieron con infracción de la ley italiana. También se han establecido infringiendo el derecho internacional sobre adopción. Los solicitantes celebraron un contrato que tenía por objeto la concepción de un niño y la gestación por una madre sustituta. El niño fue separado de la madre sustituta con la que había comenzado a desarrollar un vínculo único (ver más abajo). Además, los posibles efectos sobre el niño de su inevitable separación de aquellos que lo han cuidado durante algún tiempo deben atribuirse a los propios demandantes. No es aceptable utilizar las consecuencias dañinas de las propias acciones ilegales como obstáculo a la injerencia estatal. Ex iniuria ius non oritur.

4. La sentencia destaca como argumento a favor de los solicitantes que han desarrollado un "proyecto parental" (véanse los párrafos 151 y 157 de la sentencia). Este argumento lleva a tres comentarios. Primero, cualquier parentalidad que no repose sobre vínculos biológicos se basa necesariamente en un proyecto y es el resultado de largos esfuerzos. La existencia de un "proyecto parental" no diferencia este caso de otros casos de parentalidad no biológica.

En segundo lugar, como se mencionó anteriormente, el vínculo de facto entre los demandantes y el niño se estableció ilegalmente. El enfoque adoptado por la mayoría no es convincente, ya que considera la existencia de un proyecto parental como argumento a favor de la protección, con independencia de la naturaleza ilegal del proyecto concreto, que contempla el propio razonamiento. El hecho de que los demandantes actuaran premeditadamente para sortear la legislación nacional solo puede ir en su contra. En las circunstancias de este caso, la existencia de un «proyecto parental» es, de hecho, una circunstancia agravante.

Tercero, la parentalidad exige protección independientemente de si es o no parte de un proyecto más general. No hay razón para considerar que el Artículo 8 brinda una protección más fuerte para los actos premeditados.

5. La protección efectiva de los derechos humanos requiere una definición clara del contenido y el alcance de los derechos protegidos, así como la noción de injerencia contra la cual un derecho específico proporciona protección. Observamos a este respecto que, según la mayoría, "los hechos del caso corresponden a la vida privada de los demandantes" (véase el párrafo 164 de la sentencia).

Además, "está en cuestión (…) el derecho a respetar la decisión de los demandantes de convertirse en padres (HS y Otros v. Austria, citado anteriormente, § 82), así como el desarrollo personal de las personas interesadas a través de el papel de los padres que deseaban asumir frente al niño «(párrafo 163 de la sentencia).

El razonamiento también contiene las siguientes consideraciones: "En el presente caso, los demandantes se vieron afectados por las decisiones judiciales que llevaron a la retirada del niño y su entrega a los servicios sociales para su adopción. El Tribunal considera que las medidas adoptadas con respecto al niño (retirada, colocación en un hogar sin contacto con los demandantes, bajo tutela) constituyeron una injerencia en la vida privada de los solicitantes "(párrafo 166 de la sentencia).

Es difícil compartir el enfoque mayoritario tal y como se expresa en los párrafos anteriores. Primero, la noción de "hechos del caso" es necesariamente mucho más amplia que la de la injerencia misma, incluso aunque ésta deba situarse en un contexto más general. Estos "hechos" pueden afectar a diversos derechos reconocidos por la Convención. El Tribunal debe evaluar la compatibilidad con la Convención no de los hechos del caso sino de la injerencia litigiosa considerada en un contexto más general. Lo importante no es si los "hechos del caso" se relacionan con la vida privada de los demandantes, sino solo si la injerencia controvertida cae dentro del alcance del derecho de los solicitantes a la protección de su vida privada.

En segundo lugar, no se puede decir que el problema se relaciona con el derecho de los demandantes a que se respete su decisión de convertirse en padres. El problema no se trata de esta decisión per se sino de cómo trataron de alcanzar su objetivo. El Estado no interfirió en la decisión de los demandantes de convertirse en padres, sino solo en la implementación, contraria a la ley, de dicha decisión.

En tercer lugar, no hay duda de que los demandantes se vieron afectados por las decisiones judiciales que llevaron a la retirada del niño y su entrega a los servicios sociales para darlo en adopción. Esto de ninguna manera justifica la conclusión de que las medidas tomadas con respecto al niño necesariamente resultaron en una injerencia en la vida privada de los demandantes. El artículo 8 no abarca la protección contra cualquier acto que afecte a una persona, sino contra tipos específicos de actos que equivalen a una interferencia en el sentido de esa disposición. Para establecer la existencia de una interferencia en el ejercicio de un derecho, primero es necesario establecer el contenido de la ley y los tipos de interferencia contra los que protege.

En conclusión, el razonamiento adoptado por la mayoría no está claro cuál es el alcance de la vida privada, cuál es el alcance de la protección del derecho reconocido por el artículo 8 y qué es una interferencia en el sentido de esta disposición. Lamentamos que estas nociones no se aclarasen en el razonamiento de la sentencia.

6. El Tribunal acepta acertadamente (en el párrafo 202 de la sentencia) que "al prohibir la adopción privada basada en una relación contractual entre individuos y al restringir el derecho de los padres adoptivos a traer menores extranjeros a Italia" en los casos en que se respetan las normas sobre adopción internacional, el legislador italiano se esfuerza por proteger a los niños contra las prácticas ilegales, algunas de las cuales pueden caracterizarse como trata de seres humanos ".

En este caso, el niño ha sido víctima de la trata de seres humanos. Fue ordenado y comprado por los solicitantes. Cabe señalar a este respecto que los "hechos del caso" están en el ámbito de aplicación de varios instrumentos internacionales.

Primero, es necesario referirse aquí al Convenio de La Haya de 29 de mayo de 1993 sobre la protección de los niños y la cooperación en materia de adopción internacional. En virtud de este tratado, una adopción en virtud de este instrumento tendrá lugar solo si los consentimientos no se han obtenido mediante pago o contraprestación de algún tipo y que no se hayan retirado.

En segundo lugar, el artículo 35 de la Convención sobre los Derechos del Niño es relevante en este caso. Esta disposición dice lo siguiente:

"Los Estados Partes tomarán todas las medidas apropiadas a nivel nacional, bilateral y multilateral para evitar el secuestro, la venta o la trata de niños con cualquier fin y en cualquier forma. "

Esta disposición ha sido complementada por el Protocolo Facultativo de la Convención sobre los Derechos del Niño relativo a la venta de niños, la prostitución infantil y la utilización de niños en la pornografía. Consideramos lamentable que este protocolo se haya omitido en la parte del razonamiento que enumera los instrumentos internacionales relevantes. Contiene las siguientes disposiciones:

*"**Artículo 1***

Los Estados Partes prohibirán la venta de niños, la prostitución infantil y la pornografía infantil de conformidad con las disposiciones del presente Protocolo.

__Artículo 2__

Para los propósitos de este Protocolo:

(a) Venta de niños significa cualquier acto o transacción en el que un niño es entregado por cualquier persona o grupo de personas a otra persona o grupo a cambio de una remuneración o cualquier otro beneficio; (...)»

Observamos la definición muy amplia de la venta de niños, que se extiende a todas las transacciones para cualquier propósito y, por lo tanto, se aplica a los contratos celebrados con el fin de adquirir derechos parentales. Los tratados internacionales antes mencionados reflejan una fuerte tendencia internacional hacia la limitación de la libertad contractual existente al prohibir cualquier tipo de contrato para la transferencia de niños o la transferencia de los derechos parentales respecto de los niños.

Tercero, las disposiciones pertinentes de «soft law" también abordan el tema de la gestación subrogada. De conformidad con los principios adoptados por el comité especial de expertos sobre el progreso de las ciencias biomédicas establecido en el Consejo de Europa (documento mencionado en el apartado 79 de la sentencia):

"Ningún médico o institución debe utilizar técnicas de reproducción asistida para la concepción de un niño que sea gestado por una madre sustituta".

También es importante señalar a este respecto que la Declaración sobre los Derechos del Niño establece de manera más general que:

"El niño, para el desarrollo armonioso de su personalidad, necesita amor y comprensión. Debe, en la medida de lo posible, crecer bajo la protección y la responsabilidad de sus padres y, en cualquier caso, en una atmósfera de afecto y seguridad moral y material; el infante no debe, excepto en circunstancias excepcionales, estar separado de su madre (Principio 6, en principio). «

7. Este caso se refiere al tema de la gestación subrogada. A los fines de esta opinión, la gestación subrogada se refiere a una situación en la que una mujer (la madre sustituta) lleva durante el embarazo a un niño nonato que ha sido implantado en su útero y que es genéticamente ajeno a ella. El niño es concebido a partir de un óvulo proporcionado por otra mujer (la madre biológica). La madre sustituta lleva al niño al comprometerse a entregarlo a terceros que han controlado el embarazo, que pueden ser los donantes de gametos (padres biológicos), pero no necesariamente.

Nos gustaría presentar brevemente nuestro punto de vista sobre este tema, planteando solo unas pocas cuestiones de entre los muchos aspectos de este complejo problema.

Según el Comité de los Derechos del Niño, la gestación subrogada, a falta de regulación, se considera venta de niños (véanse las observaciones finales sobre el segundo informe periódico de los Estados Unidos de América, presentado en Aplicación del artículo 12 del Protocolo Facultativo de la Convención sobre los Derechos del Niño relativo a la venta de niños, la prostitución infantil y la utilización de niños en la pornografía, CRC/C/OPSC/USA/CO/2, párrafo 29, Observaciones finales sobre el tercer y cuarto informe periódico de la India, CRC/C/IND/CO/3-4, párrs. 57-58).

En nuestra opinión, la subrogación con fines comerciales, esté o no regulada, consiste en un supuesto previsto en el Artículo 1 del Protocolo Facultativo de la Convención sobre los Derechos del Niño y, por lo tanto, es ilegal según el derecho internacional. A este respecto, quisiéramos subrayar que, en la actualidad, prácticamente todos los Estados europeos prohíben la gestación subrogada con fines comerciales (véanse los documentos de derecho comparado a que se refiere el apartado 81 de la sentencia).

En términos más generales, creemos que la gestación subrogada, ya sea remunerada o no, no es compatible con la dignidad humana. Constituye un trato degradante no solo para el niño sino también para la madre sustituta. La medicina moderna ofrece cada vez más evidencias que demuestran el impacto crucial del período prenatal de la vida humana para el desarrollo posterior del ser humano. El embarazo con sus preocupaciones, limitaciones y alegrías, así como el desafío y el estrés del parto, crean un vínculo único entre la madre biológica y el niño. La gestación subrogada se orienta inmediatamente hacia una ruptura radical de este vínculo. La madre sustituta debe dejar de desarrollar una relación de amor y cuidado para toda la vida. El feto no solo se coloca por la fuerza en un entorno biológico extraño, sino que también se ve privado de lo que debería haber sido el amor ilimitado de la madre prenatal. La subrogación también evita el desarrollo de este vínculo particularmente fuerte entre el niño y el padre que acompaña a la madre y al niño durante todo el embarazo. Tanto el niño como la madre sustituta no son tratados como fines en sí mismos, sino como un medio para satisfacer los deseos de otros. Dicha práctica no es compatible con los valores subyacentes a la Convención. La gestación subrogada es particularmente inaceptable si se paga a la madre sustituta. Lamentamos que la Corte no haya tomado una posición clara frente a tales prácticas.»

8.2.3. Doctrina del TEDH sobre la protección de la vida familiar y la gestación subrogada

En este epígrafe examinaremos dos cuestiones que destacan en la rica problemática bioética y jurídica que plantea la gestación subrogada en el caso Paradiso Campanelli.

En primer lugar, abordaremos una cuestión más general, cual es la doctrina del TEDH en materia de "vida familiar", para lo que acudiremos al Voto Particular de Paulo Pinto en la STEDH 10 enero 2017, Caso Babiarz c. Polonia.

En segundo lugar, examinaremos los precedentes que sobre gestación subrogada nos ofrece la doctrina del TEDH.

a) Doctrina del TEDH sobre la protección de la vida familiar[782]

1. La Convención ofrece una fuerte protección de la familia fundada mediante el matrimonio[783]. La noción de familia en los artículos 8 y 12 de la Convención se basa principalmente en las relaciones interpersonales que se han formalizado en la ley, así como las relaciones de parentesco biológico. Tal enfoque no excluye extender la protección del Artículo 8 a las relaciones interpersonales con parientes más distantes, como las relaciones entre abuelos y nietos[784] y entre un tío o tía y su sobrino o sobrina[785].

2. Al garantizar el derecho al respeto de la vida familiar, el artículo 8 presupone la existencia de una familia[786]. Sin embargo, esto no significa que todo proyecto de vida familiar quede completamente excluido de su ámbito[787]. La vida familiar incluye la relación que surge de un matrimonio legítimo y genuino, incluso si la vida familiar aún no se ha establecido completamente.

---

[782]Traducción de los puntos 2 a 6 del Voto Particular de Paulo Pinto, STEDH 10 enero 2017, Caso Babiarz c. Polonia.

[783] STEDH 5 enero 2010, Caso *Jaremowicz c. Polonia.*

[784]STEDH 9 junio 1998, Caso *Bronda c. Italia*, f. 51.

[785] STEDH 27 noviembre 2008, Caso *Jucius and Juciuviene c. Lithuania.*

[786] STEDH 13 junio 1979, Caso *Marckx c. Bélgica*, f. 31.

[787] STEDH 28 mayo 1985, Caso *Abdulaziz, Cabales y Balkandali c. Reino Unido*, f. 62.

b) La protección de la vida familiar de facto

3. La noción de vida familiar según el Artículo 8 de la Convención no se limita a las relaciones basadas en el matrimonio y puede abarcar otros lazos familiares de facto en los que se incluyen las parejas que viven juntas fuera del matrimonio. Como regla general, la convivencia es un requisito para una relación que equivale a la vida familiar. Excepcionalmente, otros factores también pueden servir para demostrar la existencia de una relación personal cercana con suficiente constancia para crear lazos familiares de facto[788]. Al decidir si se puede sostener que una relación entre dos personas adultas equivale a la vida familiar, pueden existir una serie de circunstancias pertinentes distintas de la convivencia, como la duración de la relación, la demostración de su compromiso mutuo y la existencia de hijos.

4. Un niño nacido de un matrimonio legítimo y genuino es ipso jure parte de esa relación. Por lo tanto, desde el momento del nacimiento del niño y por el hecho mismo, existe entre él y sus padres un vínculo que equivale a la vida familiar, incluso si los padres no viven juntos[789]. Sin embargo, un parentesco biológico entre un padre natural y un hijo solo, sin ningún elemento legal o de hecho que indique la existencia de una relación personal estrecha, puede ser insuficiente para merecer la protección del artículo.

En ausencia de un vínculo parental biológico o legalmente reconocido, la vida familiar entre uno o más adultos y un niño puede establecerse sobre la base de varios factores, como la duración de la convivencia, el compromiso de los adultos con el bienestar del niño así como el papel social asumido por los adultos hacia el niño, y en particular si planearon tener un hijo; si posteriormente reconocieron al niño como suyo; sus contribuciones al cuidado y educación del niño; y la calidad y regularidad del contacto[790]. Por ejemplo, la vida familiar puede existir entre un hombre y su hijo, incluso cuando el hombre nunca cohabitaba con la madre del niño o mantenía al

---

[788] STEDH 27 octubre 1994, Caso *Kroon y otros c. Holanda,* f. 30, STEDH 16 diciembre 2014, Caso *Chbihi Loududi and Others c. Bélgica* f. 78.

[789] STEDH 21 junio 1988, Caso *Berrehab c. Holanda*, STEDH 26 mayo 1994, Caso *Keegan v. Ireland*, f. 44,; STEDH 13 julio 2000, Caso *Elsholz c. Alemania* [GC] f.43, STEDH 5 noviembre 2002, Caso *Yousef c. Holanda*, f. 51, STEDH 2 junio 2005, Caso *Znamenskaya c. Russia.*

[790] STEDH 12 mayo 2000, Caso *Khan A. W. c. Reino Unido*, f 34.

niño[791]; entre una pareja y su hijo, donde el padre nunca había vivido con el niño y la madre había estado separada del niño seis años[792] y entre un padre y su hijo que habían estado separados por más de siete años durante los que el padre continuó visitándolo[793]. En casos de inmigración, el Tribunal ha sostenido que no habrá vida familiar entre padres e hijos adultos a menos que puedan demostrar elementos adicionales de dependencia[794].

5. Por lo tanto, la Corte ha extendido el derecho del Artículo 8 a la protección de la vida familiar a una persona soltera sin vínculo biológico con el niño[795], una persona soltera con un vínculo biológico con el niño[796], una persona divorciada con vínculo biológico con el niño[797], una persona divorciada sin vínculo biológico con el niño[798], parejas no casadas con sus hijos biológicos[799], parejas casadas con hijos adoptivos[800] y padres adoptivos y los niños adoptados[801].

c) Doctrina del TEDH sobre gestación subrogada

En general, puede decirse que el art. 8 protege a los niños nacidos de una madre sustituta fuera del Estado parte en cuestión, cuando la mujeres es quien resulta ser la madre en virtud del Estado extranjero no puede inscribir el vínculo jurídico de filiación en el derecho francés. El TEDH, sin embargo, no exige a los Estados que legalicen la gestación subrogada. Además, los Estados pueden, antes de entregar los documentos de identidad del menor, pedir una prueba de filiación para los niños nacidos de una madre sustituta. Así resulta de los tres casos que pasamos a resumir.

---

[791] STEDH 24 abril 1996, Caso *Boughanemi c. Francia*, f. 35.

[792] STEDH 21 diciembre 2001, Caso *Sen c. Holanda* .

[793] STEDH 19 febrero 1996, Caso *Gül v. Suiza*, f.32.

[794] STEDH 9 octubre 2003, Caso *Slivenko c. Latvia* [GC], f. 97.

[795] STEDH 28 junio 2007, Caso *Wagner and JMWL c. Luxemburgo*.

[796] STEDH 27 octubre 1994, Caso *Kroon y otros c. Holanda*, f.30.

[797] STEDH 16 julio 2015, Caso *Nazarenko c. Rusia*.

[798] STEDH 21v junio 1988, Caso *Berrehab*, f.21.

[799] STEDH 18 diciembre 1986, Caso *Johnston y otros,* ya citado, STEDH 8 diciembre 2009, Caso *Muñoz Díaz c. España* .

[800] STEDH 27 abril 2010, Caso *Moretti and Benedetti c. Italia*; STEDH 17 enero 2012, Caso *Kopf and Liberda c. Austria*.

[801] STEDH 28 octubre 1998, Caso *Söderbäck c. Suecia*.

STEDH 26 junio 2014, Caso Labassee c. Francia y STEDH 26 junio 2014, Caso Mennesson c. Francia.

Se trata de dos supuestos de prohibición total de reconocimiento de una relación de filiación entre el padre y sus hijos biológicos nacidos de una gestación subrogada realizada en un país (Estados Unidos) donde está permitida. El TEDH concluye que no hay violación del art. 8, CEDH en lo que se reviere a la vida familiar de los demandantes. En cambio, considera que ha habido violación del derecho a la vida privadas de los menores.

En ambos casos las Sras. Mennesson y Labasse acudieron a la gestación subrogada en los Estados Unidos, con la implantación de embriones en el útero de otras mujeres, obtenidos de gametos de cada una de las demandantes. En virtud de sentencias recaídas en California y Minesota, resultas que los Sres. Mennesson don padres de gemelas y el matrimonio Labasse son padres de una niña.

Las autoridades francesas rechazaron la inscripción de las actas de nacimiento en el registro civil francés.

En el caso de Mennesson, la inscripción se terminó realizando siguiendo las instrucciones de la Fiscalía, que luego asignó a los cónyuges con finalidad de anulación. En el caso de Labassee, la pareja no discutió la negativa a la inscripción e Intentaron que el vínculo de filiación fuera reconocido por la posesión del estado.

Obtuvieron un acta de notoriedad: acto emitido por un juez y que señala la posesión del estado de hijos o hija, es decir, la existencia en la realidad de un vínculo de filiación, pero el fiscal se negó a inscribir el nuevo estado civil; por lo que demandaron ante los tribunales franceses que les rechazaron sus demandas, razonando que las inscripciones en el registro civil de las filiaciones darían efecto a una gestación subrogada, nula por razones de orden público conforme al Código Civil francés.

El TEDH no consideró que hubiese una vulneración de la vida familiar porque tal anulación no privaba a los niños de la filiación materna y paterna reconocida por el derecho de California y Minesota, ni les impedía vivir en Francia con los matrimonios Mennesson y Labassee, se trataba de una injerencia prevista por la ley, necesaria en una sociedad democrática y que los inconvenientes prácticos derivados de las decisiones judiciales no superan los límites que impone el respeto de la vida familiar, por lo que el

TEDH concluye que se llevó a cabo una ponderación proporcionada de los intereses en juego.

Al contrario, en lo que se refiere al derecho a la vida privada de los menores, el TEDH considera que los mismos se hallan en una situación de inseguridad jurídica, sin ignorar que en otros lugares están identificados como los hijos de los matrimonios Mennesson, en Francia, sin embargo, dicha condición se les deniega por su ordenamiento jurídico. El TEDH considera que dicha contradicción afecta a su identidad en el seno de la sociedad francesa.

Además, aunque su padre biológico es francés, ellos se enfrentan a una inquietante incertidumbre sobre la posibilidad que no se les reconozca la nacionalidad francesa, una indeterminación que puede afectar negativamente la definición de su identidad propia. El Tribunal observa además que si pueden heredar a los Mennesson como legatarios, el impuesto a la herencia se calcula entonces de manera menos favorable para ellas; de lo que resulta otro elemento de la identidad filial de la que están privados. Por lo tanto, los efectos del no reconocimiento en la ley francesa de la relación de filiación entre niños concebidos por GPA en el extranjero y las parejas que han usado este método no se limitan a la situación de estos últimos, sino que también afectan los propios niños, incluido su derecho a la privacidad, que implica que sus titulares puedan establecer la esencia de su identidad, incluida su filiación. Por lo tanto, se plantea la compatibilidad de esta situación con el interés superior de los menores, cuyo respeto debe guiar cualquier decisión que les afecte.

Este enfoque cobra particular importancia donde, como en este caso, uno de los padres es el padre biológico del niño. En vista de la importancia de la filiación biológica como elemento de la identidad de cada uno, no se puede decir que el interés superior del menor radique en privarle de un vínculo legal de esta naturaleza mientras que la realidad biológica de este vínculo está establecida y que el niño y el padre involucrado reclaman el reconocimiento completo.

Sin embargo, no solo el vínculo entre los gemelos y su padre biológico no fue admitido con motivo de la solicitud de inscripción de los certificados de nacimiento, sino que también su constitución a través del reconocimiento de la paternidad o la adopción o por razón de la posesión de estado, lo que iría en contra de la jurisprudencia prohibitiva establecida sobre estos puntos por el Tribunal de Casación. Al impedir de esta forma tanto el reconocimiento como la constitución de su relación de filiación con su padre el Estado francés fue más allá de lo permitido por su margen de apreciación. El TEDH concluye, por tanto, que el derechos de los menores al respecto de su vida privada del art. 8 CEDH ha sido vulnerado.

STEDH 21 julio 2016, Caso Foulon y Bouvet c. Francia. El TEDH sigue la misma línea que la apuntada en los dos casos anteriores, a pesar de que el Gobierno francés apunta a un cambio de jurisprudencia del Tribunal de Casación, que supondría permitir la inscripción en el registro francés de la filiación del nacido de gestación subrogada cuya filiación está legítimamente establecida en el extranjero.

8.2.4. *La gestación subrogada en España*

a) El art. 10 de la Ley de reproducción asistida y su interpretación por los tribunales

EL art. 10 de la Ley 14/2006, de 10 de mayo sobre técnicas de reproducción asistida establece lo siguiente:

> *"Artículo 10. Gestación por sustitución.*
> *1. Será nulo de pleno derecho el contrato por el que se convenga la gestación, con o sin precio, a cargo de una mujer que renuncia a la filiación materna a favor del contratante o de un tercero.*
> *2. La filiación de los hijos nacidos por gestación de sustitución será determinada por el parto.*
> *3. Queda a salvo la posible acción de reclamación de la paternidad respecto del padre biológico, conforme a las reglas generales."*

El citado precepto declara nulo todo contrato de gestación por sustitución en España y establece que la relación de maternidad de los hijos nacidos por gestación de sustitución corresponde a la gestante.

En el ámbito doctrinal, son los tribunales civiles y del orden social los que se han pronunciado sobre la cuestión, así como, a efectos registrales, la Dirección General de los Registros y el Notariado. Trataremos de resumir estos tres ámbitos en las siguientes líneas.

- *Doctrina de los Tribunales civiles*

La STS (I) 6 febrero 2014, se trata de un caso de gestación por sustitución por una pareja de hombres que la realizan en California. Se produce la impugnación de resolución de la Dirección General de los Registros y del Notariado que acordó la inscripción en el Registro Civil español de la filiación de unos menores nacidos tras la celebración de un contrato de gestación por sustitución a favor de los padres intencionales, determinada por las autoridades de California con base en la legislación de dicho estado. Para el reconocimiento de la resolución extranjera es necesario que no sea contraria al orden público internacional español, entendido como el sistema de derechos y libertades individuales garantizados en la Constitución y en los convenios internacionales de derechos humanos ratificados por España, y los valores y principios que estos encarnan. Infracción de normas destinadas a evitar que se vulneren la dignidad de la mujer gestante y del niño, mercantilizando la gestación y la filiación, "cosificando" a la mujer gestante y al niño, permitiendo a determinados intermediarios realizar negocio con ellos, posibilitando la explotación del estado de necesidad en que se encuentran mujeres jóvenes en situación de pobreza y creando una especie de "ciudadanía censitaria" en la que solo quienes disponen de elevados recursos económicos pueden establecer relaciones paterno-filiales vedadas a la mayoría de la población. El TS deniega que haya discriminación, puesto que la razón de la denegación de la inscripción de la filiación no es que la misma estuviera determinada a favor de un matrimonio de dos varones, sino que estaba determinada por la celebración de un contrato de gestación por sustitución.

En cuanto al interés superior del menor, el TS considera que se trata de un concepto jurídico indeterminado que en casos como este tiene la consideración de "concepto esencialmente controvertido". En este punto, la concreción de dicho interés del menor debe hacerse tomando en consideración los valores asumidos por la sociedad como propios, contenidos tanto en las reglas legales como en los principios que inspiran la legislación nacional y las convenciones internacionales, no los personales puntos de vista del juez. El interés del menor sirve para interpretar y aplicar la ley y colmar sus lagunas, pero no para contrariar lo expresamente previsto en la misma. Debe ponderarse con los demás bienes jurídicos concurrentes, como son el respeto a la dignidad e integridad moral de la mujer gestante, evitar la explotación del estado de necesidad en que pueden encontrarse mujeres jóvenes en situación de pobreza, o impedir la mercantilización de la gestación y de la filiación. La protección del interés superior de los menores no puede fundarse en la existencia de un contrato de gestación por sustitución y en la filiación a favor de los padres intencionales que prevé la legislación de California, sino que habrá de partir, de ser ciertos tales datos, de la ruptura de todo vínculo de los menores con la mujer que les dio a luz, la existencia actual de un núcleo familiar formado por los menores y los recurrentes, y la paternidad biológica de alguno de ellos respecto de tales menores.

La Dirección General de los Registros y el Notariado, dictó la **Instrucción de 5 de octubre de 2010**, a través de la cual, y tomando como referente la garantía de los intereses de la madre gestante, del propio menor y la necesidad de evitar que el recurso a las técnicas de gestación por sustitución encubra supuestos de tráfico internacional de menores, se clarifican los criterios que determinan las condiciones de acceso al registro civil español de los nacidos en el extranjero mediante técnicas de gestación por sustitución y, específicamente, de los títulos extranjeros acreditativos del hecho del nacimiento y de la filiación. En concreto se exige como requisito previo para la inscripción en estos casos, cuando el registro civil español es competente, la presentación ante el encargado de una resolución judicial dictada por el órgano jurisdiccional competente. Con tal exigencia se persigue el control de los requisitos de perfección y contenido del contrato respecto del marco legal del país donde se ha formalizado, así como la protección de los intereses del menor y de la madre gestante. Así lo impone expresamente el apartado 1 de la directriz primera de la citada instrucción, conforme a la cual "La inscripción de nacimiento de un menor, nacido en el extranjero como consecuencia de técnicas de gestación por sustitución, sólo podrá realizarse presentando, junto a la solicitud de inscripción, la resolución judicial dictada por Tribunal competente en la que se determine la filiación del nacido". De manera que se deberá constatar que se han garantizado los derechos procesales de las partes, en particular de la madre gestante, verificando que su consentimiento se ha obtenido de forma libre y voluntaria, sin incurrir en error, dolo o violencia y que tiene capacidad natural suficiente e igualmente que no se ha producido una vulneración del interés superior del menor. La directriz segunda, por su parte, deja meridianamente claro que "En ningún caso se admitirá como título apto para la inscripción del nacimiento y filiación del nacido, una certificación registral extranjera o la simple declaración, acompañada de certificación médica relativa al nacimiento del menor en la que no conste la identidad de la madre gestante".

A partir de ahí, se han dictado múltiples resoluciones que deniegan la inscripción de la filiación de los niños nacidos de gestación por sustitución que no cumplan tales requisitos, en particular la declaración de dicha filiación por resolución judicial, de forma que se ha denegado cuando no se cumple dicho requisito Ejs. RDGRN 36/2018, de 6 de abril, RDGRN 115/2014, de 19 de diciembre, etc.

Al contrario, se ha declarado inscribible en el RC español el nacimiento ocurrido en el extranjero mediante gestación subrogada cuando consta en el expediente la resolución judicial dictada por el órgano competente que determina la filiación del nacido reconoce que no se ha producido vulneración del interés superior del menor y recoge el libre consentimiento y la renuncia expresa de la madre gestante. Ejs. RDGRN 1/2017, de 27 de octubre, RDGN 14/2014, de 19 de diciembre, etc.

- • *Doctrina de los Tribunales Sociales*

En el ámbito de la jurisdicción social se ha planteado la problemática del reconocimiento de las prestaciones de Seguridad Social a los inscritos en el Registro Civil Español como padres de menores nacidos en el extranjero a través de técnicas de gestación por sustitución.

Destacan, en este sentido, la **STS 25 octubre 2016** (RCUD 3818/2015), que dice:

"1. El Convenio Europeo de Derechos Humanos y las SSTEDH 26 junio 2014 o 27 enero 2015, amparan el derecho a la inscripción de menores nacidos tras gestación por sustitución en ciertos casos pero no condicionan el derecho a la protección social. Además, el ordenamiento español posee cauces (adopción, investigación de la paternidad) para mitigar las consecuencias de la negativa a la inscripción registral. 2. De las diversas Directivas de la UE que influyen sobre el tema y de las SSTJUE de 18 marzo 2014 se desprende que la cuestión examinada es ajena a las mismas. No es discriminatorio (ni por razón de sexo, ni por discapacidad) rechazar el permiso por maternidad o las prestaciones asociadas en estos casos. Tampoco es exigible lo contrario desde la perspectiva de la seguridad y salud laborales. Tales conclusiones no impiden que el ordenamiento español abrace solución contraria, dado el carácter de norma mínima que poseen la Directivas. 3. La Sala Primera del Tribunal Supremo considera que las normas civiles españolas que declaran nulo el contrato de maternidad por subrogación impiden que pueda inscribirse como hijos de quienes han recurrido a esa técnica a los habidos en un tercer Estado, aunque exista

resolución judicial (o equivalente) que así lo manifieste. Pero advierte que si los menores poseen relaciones familiares de facto Debe partirse de tal dato y permitir el desarrollo y la protección de esos vínculos. 4. La actual regulación legal (LGSS) y reglamentaria (RD 295/2009) omite la contemplación de estos supuestos pero no es tan cerrada como para impedir su interpretación en el sentido más favorable a los objetivos constitucionales de protección al menor, con independencia de su filiación, y de conciliación de vida familiar y laboral. 5. Existiendo una verdadera integración del menor en el núcleo familiar del padre subrogado, las prestaciones asociadas a la maternidad han de satisfacerse, salvo supuestos de fraude, previo cumplimiento de los requisitos generales de acceso a las mismas. Cuando el solicitante de las prestaciones por maternidad, asociadas a una gestación por subrogación, es el padre biológico y registral de las menores existen poderosas razones adicionales para conceder aquéllas."

En la **STS 16 noviembre 2016, (RCUD 3146/2014),** se produce el reconocimiento a trabajadora que es madre tras haber tenido un hijo en virtud de un contrato de gestación por sustitución, hijo que consta inscrito en el Registro del Consulado de España en Los Ángeles, figurando la actora como madre y su pareja varón como padre, en aplicación del artículo 8 del Convenio Europeo para la protección de los Derechos Humanos y las Libertades Fundamentales, que invoca el interés superior del menor cuyo respeto ha de guiar cualquier decisión que les afecte, y de los artículos 14 y 39.2 de la Constitución, puesto que de no otorgarse la protección por maternidad se produciría una discriminación en el trato dispensado al hijo por razón de su filiación, y los poderes públicos aseguran la protección integral de los hijos, con independencia de la filiación.

b) Valoraciones finales

La gestación subrogada es uno de los supuestos en los que los avances de la ciencia abren en canal cuestiones polémicas relativas a los derechos humanos. Las múltiples personas, intereses y derechos que confluyen en la misma suponen numerosos conflictos de intereses. Se trata de un tema poliédrico que debe partir de un análisis centrado en todos las personas y colectivos implicados. El debate se halla abierto, si bien en ciertos aspectos se están asentando ya sólidos principios, generalmente aceptados en España[802], aunque no tanto en el derecho comparado.

---

[802] Ejemplo del debate puede verse en: JUEZAS Y JUECES PARA LA DEMOCRACIA. "Boletín Maternidad Subrogada".

Intentaremos mostrar los aspectos fundamentales del debate jurídico desde la triple perspectiva de la madre gestante, el niño y los padres en proyecto.

Desde la perspectiva de la madre gestante: la gestación subrogada supone una cosificación, cuando la misma se mercantiliza, convirtiendo a la madre y al niño gestado en "objetos" de un contrato, lo cual es contrario a los principios más elementales de la dignidad humana, y también a la normativa internacional, como el art. 4.2c del Convenio de la Haya sobre adopción internacional de 29 de mayo de 1993, que prohíbe la obtención de los consentimientos en la adopción mediante pago o compensación de clase alguna; o bien el art. 35 de la Convención de la ONU sobre derechos del Niño/a, que prohíbe la venta, trata o secuestro de niños o, en fin, el Protocolo facultativo a dicha Convención relativo a la venta de niños, la prostitución infantil y la utilización de niños en la pornografía, de 25 de mayo de 2000, que, define la venta de niños como «todo acto o transacción en virtud del cual un niño es transferido por una persona o grupo de personas a otra a cambio de remuneración o de cualquier otra retribución» (art. 2).

La gestación no puede ser una *"res comercium"*, como no lo pueden ser los órganos humanos, y ello no sólo para proteger la dignidad de la mujer individual, sino también para evitar que la libertad de la minoría de personas que pueden permitirse el acceso a tales técnicas, acabe redundando en la creación de un sector económico —un mercado— que derive en la explotación y degradación de multitud de mujeres en situación de pobreza y necesidad. El comercio de la gestación es, por tanto, en sí mismo, indigno.

En fin, no puede obviarse que la perspectiva género está innegablemente implicada en la gestación subrogada, y los peligros de su mercantilización, indudablemente afectarían sólo a las mujeres, convirtiéndolas en recipientes objeto de comercio.

Desde otro punto de vista, partiendo de esa misma dignidad de la mujer, que la erige en un fin en sí misma, pueden darse supuestos de gestación altruista no contrarios a la misma, en cuyo caso prohibición que algunos

---

LASAGABASTER HERRARTE, I. "Convenio Europeo de Derechos Humanos. Comentario Sistemático. 2ª edición. Ed. Civitas Thomson-Reuters 2009. Puede consultarse en: http://www.juecesdemocracia.es/wp-content/uploads/2018/04/Boletin-Maternidad-Subrogada.pdf

sectores proponen iría en contra, precisamente, de esa misma dignidad, al convertir a las mujeres que tomasen esa decisión libremente, de forma revocable y sin contraprestación alguna, en medios para proteger al colectivo de determinados males, existiendo indiscutiblemente medios menos intrusivos, como una regulación legal estricta y un control público exigente para acreditar que concurren tales supuestos.

Así, supuestos en que entre la madre gestante y la biológica exista parentesco, supuestos de amistad o casos en que, simplemente, una mujer decide libremente acceder a dicha gestación en favor de otra, siempre que goce de la decisión final de quedarse con el bebé y no obtenga ventaja material alguna, son casos aceptados por el Consejo de Europa, en los principios publicados en 1989 por el Comité ad hoc de expertos sobre el progreso de las ciencias biomédicas (CAHBI), constituido en el seno del Consejo de Europa el principio nº 15[803] Dichos principios establecen, en relación con la gestación subrogada, que:

- Ningún médico o establecimiento puede utilizar las técnicas de reproducción artificial para concebir un niño destinado a ser gestado por una madre de sustitución.

- No se podrá invocar legalmente ningún contrato o acuerdo entre una madre de alquiler y la persona o pareja por cuenta de las cuales un niño es gestado.

- Debe prohibirse toda actividad de intermediación en la materia, así como toda forma de publicidad.

Sin embargo, los Estados pueden, en casos excepcionales establecidos por el Derecho interno, prever (…) que un médico o un establecimiento puedan proceder a fecundar a una madre de sustitución utilizando las técnicas de reproducción artificial, con la condición de que:

- la madre de sustitución no obtenga ninguna ventaja material de la operación, y

---

[803] Estos principios se encuentran recogidos en: Textes du Conseil de l'Europe en matière de bioéthique, Vol. II, Direction Générale I Direction des Droits de l'Homme, Service des politiques et du développement des droits de l'Homme, Unité de la Bioéthique, Estrasburgo, abril de 2014, pp. 117-123.

– la madre de sustitución pueda optar por quedarse con el bebé.

Esta recomendación tan sólo abre la puerta a la llamada maternidad subrogada altruista, con carácter excepcional y ciertas limitaciones.

De una manera más amplia, en el ámbito de la Unión Europea, el Parlamento Europeo condenó, en 2014[804], la maternidad subrogada, por considerarla una práctica «que colisiona con la dignidad humana de la mujer, ya que contradice la dignidad humana de la mujer, porque su cuerpo y sus funciones reproductivas se utilizan como mercancías», afirmando además que en ella «las funciones reproductivas y el cuerpo de las mujeres, en particular las mujeres vulnerables en los países en desarrollo, son explotadas con una finalidad financiera o por otras ganancias. Sin embargo, no se distingue en este caso en los supuestos excepcionales antes apuntados que podrían resultar justificados.

Desde la perspectiva del menor: hay que evitar la gestación subrogada comercial para proscribir el tráfico de niños, sin lugar a dudas. Pero, por otro lado, lo que no puede admitirse es convertir al niño en el objeto de la sanción por las prácticas irregulares de sus padres, pues ello sería, también, una forma de cosificarlo. En este sentido, y sin perjuicio de las normas sancionadoras pertinentes sobre estas prácticas que afecten a sus responsables, si las mismas se llevan a cabo en un país donde resultan legales, una vez se ha constituido la vida familiar *de facto,* los intereses del menor han de ser examinados ponderando dicha circunstancia y evitando toda discriminación de ese menor por razón de su filiación, como ha hecho el TEDH en los casos Labasse y Menesson.

Desde la perspectiva de los padres y madres no gestantes: el derecho a fundar una familia se reconoce en el art. 12 CEDH. Por otro lado, el derecho de las parejas a recurrir a las técnicas de reproducción asistida está tutelado por el art. 8, y supone una forma de manifestarse la vida privada y famliar. (STEDH 3 noviembre 2011, Caso S.H. y otros c. Austria). Sin embargo, como demuestra Paradiso Campanelli, dicho derecho no es ilimitado y ha de ser

---

[804] EUROPEAN PARLIAMENT, <TitreType>Report</TitreType> <Titre> on the Annual Report on Human Rights and Democracy in the World 2014 and the European Union's policy on the matter </Titre> <DocRef> (2015/2229(INI)) </DocRef>, <NoDocSe>A8-0344/2015</NoDocSe>, <Date>{30/11/2015}30.11.2015, pár. 114. </Date.

ponderado con la legislación interna, valorando si, efectivamente, existe o no una vida familiar y si la legsislación ha ponderado todos los intereses en juego de forma proporcionada.

8.2.5. *Índice de casos*

STEDH 13 junio 1979, Caso Marckx c. Bélgica
STEDH 28 mayo 1985, Caso Abdulaziz, Cabales y Balkandali c. Reino Unido
STEDH 21 junio 1988, Caso Berrehab c. Holanda
STEDH 27 octubre 1994, Caso Kroon y otros c. Holanda
STEDH 19 febrero 1996, Caso Gül v. Suiza
STEDH 24 abril 1996, Caso Boughanemi c. Francia
STEDH 9 junio 1998, Caso Bronda c. Italia
STEDH 28 octubre 1998, Caso Söderbäck c. Suecia
STEDH 12 mayo 2000, Caso Khan A. W. c. Reino Unido
STEDH 13 julio 2000, Caso Elsholz c. Alemania
STEDH 21 diciembre 2001, Caso Sen c. Holanda
STEDH 5 noviembre 2002, Caso Yousef c. Holanda
STEDH 9 octubre 2003, Caso Slivenko c. Latvia
STEDH 2 junio 2005, Caso Znamenskaya c. Russia
STEDH 28 junio 2007, Caso Wagner and JMWL c. Luxemburgo
STEDH 27 noviembre 2008, Caso Jucius and Juciuviene c. Lithuania
STEDH 8 diciembre 2009, Caso Muñoz Díaz c. España
STEDH 26 junio 2014, Caso Labassee c. Francia
STEDH 26 junio 2014, Caso Mennesson c. Francia
STEDH 16 diciembre 2014, Caso Chbihi Loududi and Others c. Bélgica
STEDH 16 julio 2015, Caso Nazarenko c. Rusia
STEDH 21 julio 2016, CAso Foulon y Bouvet c. Francia
STEDH 10 enero 2017, Caso Babiarz c. Polonia

8.2.6. *Bibliografía*

GARCÍA ROCA, J., SANTOLAYA, P. (Coord.) "La Europa de los Derechos. El Convenio Europeo de Derechos Humanos Ed. CEC. 2ª Edición. 2009.
JUEZAS Y JUECES PARA LA DEMOCRACIA. "Boletín Maternidad Subrogada".
LASAGABASTER HERRARTE, I. "Convenio Europeo de Derechos Humanos. Comentario Sistemático. 2ª edición. Ed. Civitas Thomson-Reuters 2009. Puede consultarse en: http://www.juecesdemocracia.es/wp-content/uploads/2018/04/Boletin-Maternidad-Subrogada.pdf
MONEREO ATIENZA, C.; MONEREO PÉREZ, J. L. "La Garantía Multinivel de los Derechos Fundamentales en el Consejo de Europa". Ed. Comares. 2017.
OCHOA RUIIZ, N. "Comentario a la Sentencia del Tribunal Europeo de Derechos Humanos de 24 de enero de 2017, en el Asunto Paradiso Campanelli c. Italia". Revista Aranzadi Doctrinal núm. 9/2017, parte jurisprudencia. 2017.

PÉREZ TREMPS, P.; SAIZ ARNAIZ, A., "Comentario a la Constitución Española. 40 aniversario 1979-2018. Libro homenaje a Luis López Guerra. Ed. Tirant Lo Blanch.

PINTO DE ALBUQUERQUE, P. "I Diritti umani in una prospettiva europea. Opinini concrrenti e dissenzienti (2011-2015)". A cura e con un saggio di Davide Galliani prefaziine di Paola Bilancia. Ed. B. Giappichelli Editori-2016.

PRECIADO DOMÈNECH, C.H. "Teoría General de los Derechos Fundamentales en el contrato de Trabajo". Ed. Thomson Reuters–Aranzadi. 2018.

QUERALT JIMÉNEZ, A. "La interpretación de los derechos: del Tribunal de Estrasburgo al Tribunal Constitucional". Ed. CEC. 2008.

RIPOL CARULLA, S., VELÁZQUEZ GARDETA, J. M. y AAVV "España en Estrasburgo. Tres Décadas bajo la Jurisdicción del Tribunal Europeo de Derechos Humanos. Ed… Aranzadi. Primera edición. 2010.

SARMIENTO,D.; MIERES MIRES, L. J.; PRESNO LINERA, M. "Las sentencias básicas del Tribunal Europeo de Derechos Humanos. Ed. Thomson Cititas. 2007.

8.3. CASO BARBULESCU C. RUMANIA
(STEDH 12 enero 2016): control empresarial del uso de internet por los trabajadores en el lugar de trabajo, en una relación de empleo privada. Despido basado en los mensajes de correo; efecto horizontal del CEDH

8.3.1. Resumen del caso

Resumen de los hechos: El demandante fue despedido por su empleador, una empresa privada, por utilizar la red de Internet de la empresa durante la jornada laboral, infringiendo las normas de procedimiento que prohibían el uso de los dispositivos digitales de la empresa para fines personales. El empleador, durante un período de tiempo, controló las comunicaciones del solicitante en una cuenta de Yahoo Messenger que había sido invitado a abrir para responder a las preguntas de los clientes. Según los registros producidos durante los procedimientos internos, el solicitante había intercambiado mensajes de carácter puramente privado con terceros en esta cuenta.

Tanto ante el TEDH, como ante los tribunales nacionales, el demandante denunció que su despido se basaba en una violación de su derecho al respeto de su vida privada y al secreto de su correspondencia, y que los tribunales nacionales no habían protegido este correcto.

Resumen del voto mayoritario: Dado que el acceso a las comunicaciones del solicitante en Yahoo Messenger estaba disponible y el registro de sus comunicaciones se utilizó en el contexto de los procedimientos ante los tribunales laborales, el Tribunal considera que el la privacidad "y la" correspondencia "del solicitante en el sentido del artículo 8.1 se han visto afectadas por estas medidas. En consecuencia, el artículo 8.1 resulta aplicable.

La demandante del solicitante debe ser examinada desde el punto de vista de las obligaciones positivas del Estado, ya que el demandante era empleado de una empresa privada que no podía, por sus acciones, poner en juego la responsabilidad del Estado bajo la Convención. El Tribunal debe considerar si el Estado, como parte de sus obligaciones positivas, logró un equilibrio justo entre el derecho del solicitante a respetar su vida privada y su correspondencia y los intereses del empleador.

El Tribunal señala que el demandante pudo presentar sus argumentos ante los tribunales nacionales, quienes los examinaron debidamente y determinaron que se había establecido una infracción disciplinaria, ya que el demandante había utilizado una cuenta de Yahoo Messenger en el dispositivo digital de la compañía durante sus horas de trabajo, vulnerando las normas de la empresa. Los tribunales nacionales tomaron en cuenta específicamente el hecho de que el empleador había accedido a la cuenta de Yahoo Messenger del solicitante creyendo que contenía mensajes profesionales. No otorgaron especial importancia al contenido real de las comunicaciones del solicitante, sino que se basaron en las declaraciones de esas comunicaciones solo en la medida en que demostraron que el solicitante había utilizado la computadora de su empresa para fines privados durante el horario laboral. Las decisiones no mencionaron ni las circunstancias particulares en las que el solicitante se había comunicado ni la identidad de los terceros con quienes se había comunicado. Por lo tanto, el contenido de esas comunicaciones no fue un factor decisivo para las conclusiones de los tribunales nacionales.

El Tribunal observa que, aunque no se ha alegado que el demandante haya causado un daño real a su empleador, no es irrazonable que un empleador desee verificar que sus empleados desempeñan sus deberes profesionales durante su jornada laboral. En este caso, el alcance de la supervisión del empleador fue limitado y proporcionado, ya que, aparte de las comunicaciones en la cuenta de Yahoo Messenger, no se examinaron datos o documentos almacenados en el ordenador del demandante. Finalmente, el demandante no ha proporcionado una explicación convincente para justificar su uso de esta cuenta para fines personales.

En resumen, no hay nada que indique que las autoridades nacionales no lograran alcanzar un equilibrio justo, dentro de los límites de su margen de apreciación, entre el derecho del solicitante a respetar su vida privada en virtud del Artículo 8 y el de su empleador

8.3.2. *Extractos del voto particular de Paulo Pinto*

«1. El caso Bărbulescu c. Rumania trata sobre la vigilancia del uso de Internet en el lugar de trabajo. La mayoría acepta que ha habido injerencia en el derecho del demandante al respeto de su vida privada y correspondencia protegido por el Artículo 8 del Convenio Europeo de Derechos Humanos ("el Convenio"), pero concluye que no ha habido violación de este artículo porque la vigilancia ejercida por el empleador era de un alcance limitado y proporcionada al objetivo perseguido. Comparto el punto de partida de la mayoría, pero no su conclusión. Además, apoyo sin reservas la conclusión de inadmisibilidad de la demanda a la luz del artículo 6.

2. Este caso ha brindado una excelente oportunidad al Tribunal Europeo de Derechos Humanos ("el Tribunal") para desarrollar su jurisprudencia sobre la protección de la privacidad con respecto a las comunicaciones de los trabajadores en Internet[805]. Sus particularidades radican en la falta de una política de control del uso de Internet, debidamente implementada y aplicada por el empleador, en la naturaleza personal y sensible de las comunicaciones del trabajador a las que el empleador accedió y en la amplia divulgación que se hizo de tales comunicaciones durante los procedimientos disciplinarios seguidos contra el trabajador. Estos elementos deberían haber tenido un impacto en la valoración de la validez del procedimiento disciplinario y la sanción impuesta. Lamentablemente, tanto los jueces nacionales como la mayoría del Tribunal ignoraron estos aspectos cruciales del caso.

El acceso a Internet como un derecho humano

3. Como ha dicho recientemente la Gran Sala del Tribunal, la oportunidad para las personas de expresarse en Internet es una herramienta sin precedentes para el ejercicio de la libertad de expresión[806]. Con su accesibilidad y capacidad para el almacenamiento y distribución de grandes cantidades de datos, Internet es un factor importante de mejora en el acceso público a las noticias y, en general, de facilitación del intercambio de información[807]. Siguiendo idéntica argumentación, el Consejo Constitucional francés dijo que "en el estado actual de los medios de comunicación y con respecto al desarrollo generalizado de los servicios de comunicación pública en línea y la importancia que tienen estos servicios para la participación en la vida democrática y la expresión de ideas y opiniones, este derecho [el derecho a la libertad de expresión] implica la libertad de acceso a dichos servicios"[808]. Por lo tanto, los Estados tienen la obligación positiva de promover y facilitar el acceso universal a Internet, incluso mediante la creación de la infraestructura necesaria para la conectividad a Internet[809]. En el caso de las comunicaciones privadas en Internet, a la obligación de

---

[805] Esta jurisprudencia sigue siendo limitada (Copland v. Reino Unido, n.° 62617/00, CEDH 2007-I, y Peev v. Bulgaria, n.° 64209/01, 26 de julio de 2007).

[806] Delfi AS c. Estonia [GC], n. 64569/09, §§ 110 y 118, 16 de junio de 2015, más allá de Ahmet Yıldırım c. Turquía, no. 3111/10, § 48, CEDH 2012, y Times Newspapers Ltd (nos. 1 y 2) v. Turquía, no. Reino Unido, números 3002/03 y 23676/03, § 27, CEDH 2009.

[807] Ahmet Yıldırım, citado anteriormente, § 48, y Times Newspapers Ltd, citado anteriormente, § 27.

[808] Consejo Constitucional, Decisión No. 2009-580 DC, 10 de junio de 2009, párrafo 12.

[809] Véase, a nivel regional, la Recomendación CM/Rec (2007) 16 del Comité de Ministros a los Estados miembros sobre medidas para promover el valor del servicio público de Internet (7 de noviembre de 2007) y, lo más importante, la Recomendación CM/Rec (2011) 8 del Comité de Ministros a los Estados miembros sobre la protección y promoción de la universalidad, integridad y apertura de Internet (21 de septiembre de 2011), así como otras resoluciones, recomendaciones y declaraciones del

promover la libertad de expresión hay que añadir la de proteger el derecho al respeto de la vida privada.

Los Estados no pueden garantizar la libertad individual para buscar y recibir información y la libertad de expresión si no respetan y promueven ellos mismos el derecho del individuo a la privacidad. Al mismo tiempo, las comunicaciones en línea tienen muchas más probabilidades que la prensa de socavar el ejercicio y el disfrute de los derechos y libertades fundamentales, en particular el derecho a la privacidad[810]. Por ejemplo, los Estados deben combatir la discriminación racial o religiosa y el discurso de odio en Internet[811]. En otras palabras, puede ocurrir que la libertad de expresión del proveedor de contenidos (libertad protegida por el Artículo 10) entre en conflicto con el derecho al respeto de la vida privada (derecho protegido por el Artículo 8) de otras personas, o que la libertad de expresión y el derecho a la privacidad de quienes

---

Consejo de Europa, y la Convención contra la Delincuencia y su Protocolo adicional mencionado en mi opinión separada adjunta a Ahmet Yildirim. A nivel mundial, véase la Declaración del Milenio de las Naciones Unidas adoptada por la resolución 55/2 de la Asamblea General (18 de septiembre de 2000, A/RES/55/2), la Declaración de Principios de Ginebra adoptada por la Unión Internacional. 10 de diciembre de 2003 en su Cumbre Mundial sobre la Sociedad de la Información ("Determinación [para] construir una sociedad de la información inclusiva, inclusiva e inclusiva, una sociedad de la información en la que todos tener la oportunidad de crear, obtener, usar y compartir información y conocimiento "), párrafo 6 de la Declaración Conjunta sobre Libertad de Expresión e Internet adoptada por el Relator Especial de la ONU la Libertad de Opinión y Expresión, el Representante de la OSCE para la Libertad de los Medios de Comunicación, el Relator Especial de la OEA sobre Libertad de Expresión y el Relator de la Comisión Africana de Derechos Humanos y de los Pueblos sobre Libertad de Expresión y Acceso a la Información el 1 de junio de 2011 y, por ejemplo, sobre el trabajo de las Naciones Unidas párrafo 12 de la Observación general No. 34 del 12 de septiembre de 2011 del Comité de Derechos Humanos (Artículo 19: Libertad de opinión y libertad de expresión, CCPR/C/GC/34) y párrafos 168 y 197 (conclusiones sobre China) del Suplemento núm. 2 (E/2006/22) al informe del Comité de Derechos Económicos, Sociales y Culturales en sus períodos de sesiones trigésimo cuarto y trigésimo quinto (25 de abril a 13 de mayo de 2005, 7 a 25 de noviembre 2005).

[810] Delfi AS, citado anteriormente, § 133, y Comité de Redacción de Pravoye Delo y Shtekel v. Turquía, no. 33014/05, §§ 63-64, CEDH 2011.

[811] Delfi AS, citado anteriormente §§ 136 y 162. Véase también la recomendación XXX sobre discriminación contra los no nacionales adoptada por el Comité para la Eliminación de la Discriminación Racial el 20 de agosto de 2004 (documento A/59/18, párrafo 12, página 95) y el párrafo 87 del informe de 7 de septiembre de 2012 preparado por el Relator Especial sobre la promoción y protección del derecho a la libertad de opinión y expresión, Frank La Rue (A/67/357).

se comunican en Internet entran en conflicto con los derechos y libertades de los demás. El presente caso cae dentro de este segundo caso.

Protección de las comunicaciones por Internet de los trabajadores en derecho internacional.

4. El control del uso de Internet en el lugar de trabajo no es un poder discrecional del empleador. En esta época, en que la tecnología ha derribado la frontera entre trabajo y hogar, y donde algunos empleadores permiten a los trabajadores utilizar los dispositivos de la compañía para usos personales, mientras que otros les permiten utilizar su propio dispositivo para fines laborales, y aún otros distintos dejan ambas posibilidades abiertas, el derecho del empleador a hacer cumplir ciertas reglas en el lugar de trabajo y la obligación del empleado de cumplir sus deberes profesionales adecuadamente, no justifican un control ilimitado sobre las comunicaciones de los trabajadores en Internet[812]. Incluso habiendo sospechas de hackeo cibernético, apropiación indebida de los recursos informáticos del empleador para fines personales, daños a los sistemas informáticos del empleador, participación en actividades ilegales o divulgación de los secretos comerciales del empleador, el derecho de control de las comunicaciones de los trabajadores no es ilimitado. Dado que en las sociedades modernas la navegación por Internet es un cauce prioritario de comunicación, incluso con respecto a la información privada, existen límites estrictos al control que todo empleador puede ejercer sobre los trabajadores cuando usan Internet durante sus horas de trabajo, e incluso se aplican límites aún más estrictos al control de su uso fuera de las horas de trabajo, ya sea desde su propios dispositivos o desde los provistos por el empleador.

5. El principio que deriva del Convenio es que las comunicaciones por Internet no están menos protegidas con el pretexto de que las mismas tengan lugar durante la jornada laboral, en el puesto de trabajo o en el contexto de una relación laboral, o que afecten las actividades comerciales del empleador o al cumplimiento por parte del trabajador de sus obligaciones contractuales[813]. La protección alcanza no solo el contenido de las comunicaciones, sino también los metadatos procedentes de la captación y conservación de datos de comunicaciones, que pueden proporcionar in-

---

[812] Por lo tanto, me resulta difícil adherirme a la declaración muy amplia hecha por la mayoría en el párrafo 58 de la sentencia.

[813] En Niemietz v. Alemania (16 de diciembre de 1992, Serie A No. 251-B, § 28), Halford v. Alemania (solicitud no. Reino Unido (25 de junio de 1997, Informes 1997-III, § 44) y Amann v. Alemania (solicitud no. 27798/95, § 43, CEDH 2000-II), la Corte ha tenido que considerar interferencias con comunicaciones y correspondencia de vida privada y correspondencia protegida por el Artículo 8. No distinguía entre comunicación privada y correspondencia y comunicación y correspondencia profesional. También rechazó la pretensión de un demandante que invocó su derecho a la privacidad para quejarse de que su empleador lo había despedido por motivos de conducta que había tenido fuera de su lugar de trabajo (Pay v. Reino Unido (dec.), No. 32792/05, 16 de septiembre de 2008).

formación sobre el estilo de vida, las creencias y creencias religiosas o políticas de un individuo, sus preferencias privadas y sus relaciones sociales[814]. *En ausencia de una advertencia del empleador de que las comunicaciones están siendo controladas, el trabajador puede "creer razonablemente que son privadas"*[815]. *Cualquier infracción por parte del empleador del derecho del trabajador a la privacidad y la libertad de expresión, incluso si solo consiste en mantener datos personales relacionados con*

---

[814] Inspirado en Malone v. Canadá En el Reino Unido (2 de agosto de 1984, § 84, Serie A no. 82), el Tribunal sostuvo en Copland (citado anteriormente, § 43) que incluso el hecho de que la vigilancia se relaciona solo con la fecha y la duración de las conversaciones los números de teléfono y el uso de correos electrónicos e Internet, y no el contenido de las comunicaciones, no impedirán que se encuentre una violación de los derechos garantizados por el Artículo 8 De la Convención. El Tribunal de Justicia de la Unión Europea ha adoptado la misma opinión en los asuntos acumulados C-293/12 y C-594/12, Digital Rights Ireland y Seitlinger y otros (sentencia de 8 de abril de 2014, párrafos 26-27 y 37), así como el Alto Comisionado de las Naciones Unidas para los Derechos Humanos en su informe del 30 de junio de 2014 sobre el derecho a la privacidad en la era digital (A/HRC/27/37, párrafo 19).

[815] Halford, citado anteriormente, §§ 44 y 45, Copland, citado anteriormente, §§ 41 y 42, y Peev, citado anteriormente, § 39. Lo que el Tribunal quiso decir con eso no está del todo claro, ya que menciona varios factores como la ausencia de una advertencia, la provisión de un espacio privado y la garantía de poder utilizar de forma privada las herramientas de comunicación del empleador, pero no especifica la importancia relativa de estos diversos factores, ni si son esenciales o específicos para el caso. Por lo tanto, descuida en este caso el valor normativo de la prueba de razonabilidad, dejando la impresión de que el respeto por la vida privada del empleado en el trabajo siempre debe ceder a intereses puramente administrativos, como si el empleador pudiera siempre decidir en última instancia qué tipo de actividad en el lugar de trabajo puede o no considerarse privacidad. Peor aún, no especifica qué intereses puede invocar el empleador en virtud del Artículo 8 § 2 para justificar las violaciones de la privacidad del empleado. El problema con esta noción proviene de la forma en que se formó desde el principio. El Tribunal Supremo de los Estados Unidos en O'Connor v. Reconoció que un empleado puede esperar que se respete su privacidad en el contexto de "realidades prácticas en el lugar de trabajo". Ortega [480 US 709 (1983)], donde el problema se abordó solo desde el punto de vista del caso, de modo que no hubo una declaración de principios generalmente aplicables, como también se señaló El juez Scalia en su concordante opinión donde critica esta debilidad del juicio. En mi opinión, la prueba de "expectativa razonable" combina una prueba objetiva y una subjetiva, porque por un lado la persona debe haber creído (subjetivamente) que la privacidad de su conducta estaría protegida, pero por otro lado Por otro lado, esta creencia también debe haber sido razonable (objetivamente). Este aspecto objetivo y normativo del criterio no puede ser ignorado.

la vida privada del trabajador, debe justificarse en una sociedad democrática por la protección de ciertos intereses específicos amparados por el Convenio[816], a saber, la protección de los derechos y libertades del empleador u otros trabajadores (Artículo 8 § 2)[817], la protección del honor o los derechos del empleador u otros trabajadores o la prevención de la divulgación de información facilitada al trabajador de manera confidencial [Artículo 10 (2)][818]. La búsqueda de la máxima rentabilidad y productividad de los recursos humanos no es en sí mismo un interés en virtud del Artículo 8 § 2 o del Artículo 10 § 2; si bien el objetivo de garantizar el buen cumplimiento de las obligaciones contractuales en una relación laboral puede, en una sociedad democrática, justificar la aplicación de ciertas restricciones a los derechos y libertades antes mencionados[819].

6. Además de la jurisprudencia del Tribunal, en 1981 se establecieron normas internacionales para la protección de datos personales en los sectores público y privado en el Convenio del Consejo de Europa para la Protección de Datos Personales, en relación al tratamiento automatizado de datos personales[820], el primer instrumento para garantizar la protección de datos personales como un derecho separado otorgado a la persona. También hay normas específicas sobre protección de datos con respecto a

---

[816] Amann, citado anteriormente, § 65, y Copland, citado anteriormente, § 43. En un contexto más amplio, véase también mi opinión separada adjunta a la sentencia Yildirim v. Turquía (solicitud no. Turquía (No. 3111/10, 18 de diciembre de 2012).

[817] La búsqueda de los intereses de la seguridad nacional, la seguridad pública y el bienestar económico del país, la defensa de la ley y el orden y la prevención de los delitos, así como la protección de la salud y la moral no es motivo de incumbencia del empleador y, por lo tanto, no justifica una infracción de un derecho garantizado por el Convenio. Sería inapropiado, por ejemplo, que un empleador privado supervise a los empleados por razones de seguridad pública. Aquí supongo que se deben aplicar diferentes reglas en todos los casos a las operaciones de vigilancia realizadas por el Estado para garantizar la seguridad pública, la defensa y la seguridad nacional (incluido el bienestar económico del Estado). Indique dónde se relaciona la operación de procesamiento con cuestiones de seguridad nacional) y con actividades estatales en el ámbito penal. El mismo enfoque se encuentra en el párrafo 1.5 de la Recomendación del Consejo de Europa No. R (89) 2 y en el Artículo 3 (2) de la Directiva 95/46/CE de la UE.

[818] La búsqueda de los intereses de garantizar la seguridad nacional, la integridad territorial o la seguridad pública, la defensa del orden y la prevención del delito, la protección de la salud y la moral, y la garantía de la autoridad y la imparcialidad del poder judicial no es competencia del empleador y, por lo tanto, no justifica que socava un derecho garantizado por el Convenio.

[819] Véase, por ejemplo, sobre la base del artículo 10, Palomo Sánchez y otros c. Italia (núm. España, Nos. 28955/06, 28957/06, 28959/06 y 28964/06, 12 de septiembre de 2011.

[820] ETS No. 108.

las relaciones laborales en la Recomendación Rec (89) 2 del Comité de Ministros del Consejo de Europa a los Estados miembros sobre la protección de datos personales utilizados en fin del empleo (18 de enero de 1989), recientemente reemplazada por la Recomendación CM/Rec (2015) 5 del Comité de Ministros a los Estados miembros sobre el tratamiento de datos personales en el contexto del empleo. Recomendación No. R (99) 5 sobre la protección de la privacidad en Internet (23 de febrero de 1999) y CM/Rec (2010) 13 sobre la protección de las personas con respecto al procesamiento automatizado de datos personales en el contexto de la elaboración de perfiles (23 de noviembre de 2010) también proporciona información valiosa en esta área.

7. El marco legal de la Unión Europea (UE) reconoce el derecho al respeto de la vida privada y el derecho a la protección de datos personales como derechos fundamentales autónomos en los artículos 7 y 8 de la Carta de Derechos fundamentales. El elemento central del marco jurídico de la UE a este respecto es la Directiva 95/46/CE del Parlamento Europeo y del Consejo, de 24 de octubre de 1995, sobre la protección de las personas en lo que respecta al tratamiento de datos personales y al flujo libre de estos datos. Las relaciones laborales solo se abordan específicamente en el contexto del tratamiento de datos sensibles. El Reglamento(CE) nº 45/2001 establece los mismos derechos y obligaciones a nivel de las instituciones y organismos de la Comunidad Europea. También crea una autoridad de supervisión independiente para garantizar el cumplimiento de sus disposiciones. La Directiva 2002/58/CE se refiere al tratamiento de datos personales y la protección de la privacidad en el sector de las comunicaciones electrónicas. Regula asuntos tales como confidencialidad, facturación, datos de tráfico y comunicaciones no solicitadas. En el artículo 5, protege la confidencialidad de las comunicaciones. Este artículo impone a los Estados miembros la obligación de garantizar, mediante legislación nacional, la confidencialidad de las comunicaciones a través de una red pública de comunicaciones y los servicios de comunicaciones electrónicas disponibles públicamente y la confidencialidad de los datos de tráfico. relacionado con esto. En particular, deben prohibir a cualquier otra persona que no sean usuarios, que escuchen, intercepten, almacenen comunicaciones y datos de tráfico relacionados, o los sometan a cualquier otro medio de interceptación o vigilancia sin el consentimiento de los usuarios interesados, excepto cuando esa persona esté legalmente autorizada para hacerlo. Esta disposición no cubre la interceptación de comunicaciones en redes privadas, incluida la interceptación de comunicaciones por correo electrónico, servicio de mensajería instantánea o por teléfono, o en general comunicaciones privadas, ya que la Directiva está dirigida a Comunicaciones electrónicas disponibles al público y se relacionan con las comunicaciones a través de una red pública de comunicaciones. Otra directiva pertinente es la Directiva 2000/31/CE del Parlamento Europeo y del Consejo, de 8 de junio de 2000, sobre determinados aspectos jurídicos de los servicios de la sociedad de la información, y en particular el comercio electrónico, en el mercado interior, que establece que los Estados miembros no deben imponer a los proveedores de servicios de Internet o de correo electrónico una obligación general de controlar la información que transmiten o almacenan, ya que dicha obligación constituiría una violación de la libertad de información y secreto de la correspondencia (artículo 15). En el marco del antiguo tercer pilar de la UE, la Decisión Marco 2008/977/JAI se refería a la protección de los datos personales tratados en el contexto de la cooperación policial y judicial en materia penal. Finalmente, el Grupo de Trabajo del Artículo 29 ha redactado varios textos que también hacen una contribución importante al desarrollo de normas de protección de datos para los empleados en la UE: Dictamen 8/2001 sobre procesamiento de datos personales en el contexto profesional (13 de septiembre de 2001)[821], documento de trabajo sobre el seguimiento de las comunicaciones electrónicas en el lugar de trabajo (29 de mayo de 2002)[822], documento de trabajo sobre una interpretación común de las disposiciones de Artículo 26, apartado 1, de la Directiva 95/46/CE (25 de noviembre de 2005)[823], Dictamen 2/2006 sobre cuestiones de protección de la privacidad relacionadas con la prestación de servicios de verificación del contenido del correo, dispositivos electrónicos (21 de febrero de 2006)[824]. En su informe anual de 2005, afirmó que "no se discute que una dirección de correo electrónico asignada por una empresa a sus trabajadores constituye un dato personal si permite identificar a una persona física"[825].

8. Para terminar, las Directrices de la Organización para la Cooperación y el Desarrollo Económicos (OCDE) para la protección de la privacidad y los flujos transfronterizos de datos personales (1980)[826] y el código de prácticas de la Oficina Internacional del Trabajo (OIT) sobre la protección de los datos personales de los trabajadores (1997) establecen normas no vinculantes que proporcionan puntos de referencia valiosos para empleadores, trabajadores y jueces.

9. De este marco jurídico internacional, podemos extraer un conjunto consolidado y coherente de principios para la creación, implementación y aplicación de normas

---

[821] 5062/01 ES/Final.

[822] 5401/01/FR/Final.

[823] 2093-01/05/ES.

[824] 00451/06/ES.

[825] El Tribunal de Justicia de Luxemburgo ha tomado decisiones importantes en esta área, especialmente en los casos de la Asociación Nacional de Establecimientos Financieros de Crédito (ASNEF) y la Federación de Comercio Electrónico y Dirección de Marketing (FECEMD) contra la Administración del Estado (casos conjuntos C-468/10 y C 469/10, 24 de noviembre de 2011), que se refería a la aplicación de la legislación nacional del artículo 7 (f) de la Directiva de protección de datos, Deutsche Telekom AG contra Bundesrepublik Deutschland (C-543/09, 5 de mayo de 2011), que abordó la necesidad de obtener nuevamente el consentimiento del interesado, College van burgemeester en Wethouders van Rotterdam contra MEE Rijkeboer (C 553/07, 7 de mayo de 2009), sobre el derecho de toda persona a tener acceso a los datos que le conciernen, y Dimitrios Pachtitis contra la Comisión Europea (F-35/08, 15 de junio de 2010) y V contra el Parlamento Europeo (F-46/09, 5 de julio de 2011), que se referían al uso de datos personales en el contexto del empleo en las instituciones de la UE.

[826] Estas pautas se actualizaron en 2013, pero me referiré a ambas versiones, dada la fecha de los hechos de este caso.

relacionadas con el uso de Internet en el contexto de la relación laboral[827]. Cualquier información relacionada con un empleado identificado o identificable que sea recopilada, poseída o utilizada por el empleador para los fines de la relación laboral, incluida la información relacionada con las comunicaciones electrónicas privadas, debe protegerse para respetar los derechos del trabajador y para respetar su vida privada y libertad de expresión[828].

En consecuencia, cualquier tratamiento de datos personales con fines de contratación, verificación del cumplimiento de las obligaciones contractuales, gestión del personal, planificación y organización del trabajo o terminación de la relación contractual, tanto en el sector público que en el privado, debe estar regulado por la ley, por convenio colectivo o por contrato de trabajo[829]. Ciertas formas de procesamiento de datos personales, por ejemplo, en relación con el uso que hacen los empleados de Internet y las comunicaciones electrónicas en el lugar de trabajo, requieren una regulación detallada[830].

10. Por lo tanto, es necesario establecer un conjunto integral de reglas que rijan el uso de Internet en el trabajo, incluidas reglas específicas sobre el uso de correo electrónico, mensajería instantánea y redes sociales, sobre blogs y navegación web. Estas

---

[827] Aunque este modelo es en cierta medida local, la Corte debería adoptar una perspectiva universal, es decir, buscar un enfoque basado en la web para las comunicaciones basado en un conjunto de principios. Tal marco internacional vertical, impuesto por la Corte cuando ciertos elementos fundamentales están en juego, no pondría en duda la gobernanza libre y multipartita de Internet. Por el contrario, ella lo garantizaría. En mi opinión, el Tribunal no debe olvidar la naturaleza altamente política de Internet como factor para suavizar las desigualdades sociales y el instrumento para promover los derechos humanos, que implica intereses privados en las decisiones públicas.. Tal omisión sería particularmente lamentable en el contexto de la legislación laboral, cuyo objetivo principal es contrarrestar la desigualdad entre los empleados vulnerables y los empleadores que están en una posición de fortaleza en sus relaciones contractuales.

[828] El párrafo 14.4 de la Recomendación Rec (2015) 5 del Comité de Ministros del Consejo de Europa dice lo siguiente: "En ningún caso debe ser contenido, envío y recepción de comunicaciones electrónicas privadas en el curso del trabajo sujeto a vigilancia ". El párrafo 15.1 de la misma recomendación establece: "No se debe permitir la introducción y el uso de sistemas y tecnologías de información cuyo propósito directo y principal sea controlar la actividad y el comportamiento de los empleados. "

[829] Sin embargo, la mera existencia de un código laboral o una ley laboral general que rija la relación entre empleadores y empleados no es suficiente si no se establece un conjunto específico de reglas sobre la protección de datos personales empleados, incluidas las normas que rigen el uso de Internet en el lugar de trabajo.

[830] En su comentario general No. 34 sobre el artículo 19, el Comité de Derechos Humanos enfatizó la necesidad de una mayor consideración de la libertad de expresión en Internet y en los modos electrónicos de expresión (CCPR/C/GC/34, 12 de septiembre de 2011, párrafo 12).

reglas se pueden adaptar a las necesidades de cada rama de actividad y de cada compañía en esta rama, pero los derechos y obligaciones de los empleados deben estar claramente establecidos, mediante reglas transparentes que especifiquen cómo se puede usar Internet, cómo se aplica control, cómo se protegen, usan y destruyen los datos, y quién tiene acceso a ellos[831].

11. Una prohibición general de que los empleados utilicen Internet para fines personales es inadmisible[832], como lo es cualquier política de control generalizado, automático y continuo del uso de Internet por parte de los trabajadores[833]. Los datos personales relacionados con el origen racial, las opiniones políticas o religiosas u otras creencias, así como los datos personales relacionados con la salud, la vida sexual o las condenas penales se consideran "datos sensibles" que exigen protección especial[834].

12. Los trabajadores deben ser informados de las reglas de utilización de Internet en su puesto de trabajo, fuera de su puesto de trabajo y fuera del horario laboral, a través de dispositivos, sean de propiedad del empleador., suyos o de terceros[835]. Todos los trabajadores deben ser informados personalmente de estas reglas y aceptar expresamente su aplicación[836]. Antes de establecer una política de control, se debe informar

---

[831] El párrafo 6.14 (1) del Código de prácticas de la OIT de 1997 sobre la protección de los datos personales de los trabajadores y el párrafo 15 de las directrices revisadas de la OCDE de 2013, que introducen el concepto de programa de gestión de la privacidad y donde se exponen los elementos esenciales de este programa.

[832] Documento de trabajo del Grupo de trabajo del artículo 29 sobre la supervisión de las comunicaciones electrónicas en el lugar de trabajo, páginas 4 y 24. Como se señala en el Manual de la Ley Europea de Protección de Datos (2014), "a una prohibición tan general podría ser desproporcionada y poco realista".

[833] Documento de trabajo del Grupo de Trabajo del Artículo 29 sobre Supervisión de Comunicaciones Electrónicas en el Lugar de Trabajo, página 17, y, previamente, Oficina del Comisionado Federal de Privacidad de Australia, Directrices sobre correo electrónico en el lugar de trabajo, navegación web y privacidad, 30 Marzo de 2000.

[834] Véanse el artículo 6 del Convenio del Consejo de Europa de 1981, párrafo 10.1 de la Recomendación núm. R (89) 2 del Consejo de Europa, párrafo 6.5 del Código de Prácticas de la OIT de 1997 y párrafo 9.1 de la Recomendación Rec (2015) 5 del Consejo de Europa.

[835] Existen reglas sobre la transparencia del procesamiento de los datos personales de los empleados en el párrafo 12 de las Directrices de la OCDE de 1980, párrafo 3.1 de la Recomendación del Consejo de Europa No. R (89) 2, párrafo 5.8 del Código de prácticas de la OIT de 1997, páginas 4-5 y 13, 14, 22 y 25 del documento de trabajo del Grupo de trabajo del artículo 29 sobre la supervisión de las comunicaciones electrónicas en el lugar de trabajo, y párrafos 10.1 a 10.4 y especialmente 14.1 y 21 (a) de la Recomendación del Consejo de Europa Rec (2015) 5.

[836] El principio del consentimiento informado y expreso se estableció en el párrafo 7 de las Directrices de la OCDE de 1980, el párrafo 3.2 de la Recomendación del Consejo de Europa No. R (89) 2, párrafos 6.1 a 6.4 de la Instrucciones prácticas 1997 de la

a los trabajadores sobre la finalidad, el alcance, los medios técnicos y las horas de dicho control[837].

Además, deben tener el derecho a ser informados regularmente de los datos persona-les que se tienen sobre ellos y del tratamiento de dichos datos, el derecho a acceder a todos esos datos, el derecho a examinarlos y obtener dichos copia de los mismos, y el derecho a exigir que los datos personales que son erróneos o incompletos y los recopilados o tratados en contra de las normas aplicables a la empresa se eliminen o rectifiquen[838], En el caso de presuntas violaciones de las normas sobre el uso de Internet por parte de los trabajadores, los empleados deben tener la oportunidad de defenderse en un procedimiento justo, sujeto al control del juez.

13. La aplicación de las normas sobre el uso de Internet en el lugar de trabajo debe guiarse por los principios de necesidad y proporcionalidad, a fin de evitar que los datos personales obtenidos en el contexto de políticas organizativas o informáticas legítimas se utilicen para controlar el comportamiento de los trabajadores[839]. Antes de implementar cualquier medida de vigilancia, el empleador debe verificar si los

---

OIT, en las páginas 3 y 23 del dictamen del Grupo de trabajo del artículo 29 8/2001, en la página 21 del documento de trabajo del grupo de trabajo del artículo 29 sobre la vigilancia de las comunicaciones electrónicas en el lugar de trabajo, y en los párrafos 14.3, 20.2 y 21 (b) y (c) de la Recomendación del Consejo de Europa Rec (2015) 5. Según esta recomendación, los empleadores deben informar primero a los empleados sobre la introducción de sistemas automatizados para procesar sus datos personales o controlar su actividad o productividad. A nivel de la UE, el Grupo de Trabajo de Protección de Datos analizó la importancia del consentimiento como base legal para el procesamiento de datos en el contexto del empleo y concluyó que el desequilibrio económico entre Un empleador que busca el consentimiento y un empleado que otor-ga el consentimiento a menudo generan dudas sobre si el consentimiento se otorga libremente. Por lo tanto, las circunstancias en las que se ha solicitado el consentimien-to deben considerarse cuidadosamente al evaluar la validez de ese consentimiento en el contexto de la relación laboral.

[837] Comentario sobre el párrafo 6.14 del código de prácticas de la OIT de 1997 y la página 25 del dictamen 8/2001 del Grupo de Trabajo del Artículo 29.

[838] Párrafo 13 de las Directrices de la OCDE de 1980, artículo 8 del Convenio del Consejo de Europa de 1981, párrafos 11 y 12 de la Recomendación núm. R (89) 2 del Consejo de Europa, párrafos 11.1 a 11.3 y 11.9 del Código de Prácticas de la OIT de 1997, y los párrafos 11.1 a 11.9 de la Recomendación Rec (2015) 5 del Consejo de Europa 5.

[839] Vea mi opinión por separado en Yildirim (supra), que trató sobre los requisitos mínimos de una ley que estipula que el bloqueo de Internet sea compatible con la Convención, así como el párrafo 8 de las Directrices de 1980 la OCDE, Artículo 5 (c) y (d) del Convenio del Consejo de Europa de 1981, párrafo 4.2 de la Recomendación del Consejo de Europa No. R (89) 2, párrafos 5.1 a 5.4 del Repertorio de recomen-daciones prácticas de la OIT 1997, página 25 del dictamen del Grupo de trabajo del

beneficios de dicha medida superan el sacrificio del derecho a la privacidad de los trabajadores en cuestión y de terceros que se comunican con ellos[840]. En ausencia de consentimiento previo, la obtención de datos y metadatos de comunicación de los empleados, el acceso a estos datos y metadatos y su análisis solo se pueden permitir excepcionalmente, con la autorización de un juez, porque los trabajadores sospechosos de violar las reglas de la compañía y estar sujetos a procedimientos disciplinarios o civiles no debe ser tratados de manera menos equitativa que los sospechosos de haber cometido un delito. Sólo se permite una vigilancia selectiva ante sospechas fundadas de violaciones de las normas, mientras que la vigilancia general sin restricciones constituye una intrusión manifiestamente excesiva en la esfera privada de los trabajadores[841]. Debe preferirse el medio de control menos invasivo[842]. Dado que el bloqueo de las comunicaciones de Internet es una medida de último recurso[843], se puede considerar que los mecanismos de filtrado son más apropiados, suponiendo que tales medidas sean necesarias, para evitar violaciones de las normas[844]. Los datos recopilados no pueden ser utilizados para ningún otro fin que no sea para el que fueron recopilados, y deben protegerse contra modificaciones, accesos no autorizados y cualquier otra forma de uso indebido[845]. Por ejemplo, no deben ponerse a disposición de otros empleados que no les interesen. Cuando ya no sea necesario, los datos personales recopilados deben eliminarse[846].

14. Las infracciones de las normas internas exponen tanto al empleador como al trabajador a sanciones. Si se produce un uso no autorizado de Internet, primero se debe

---

artículo 29 8/2001, páginas 17 y 18 del documento de trabajo del grupo de trabajo del artículo 29 sobre el seguimiento de las comunicaciones en el lugar de trabajo, y los párrafos 4.1, 5.2 y 5.5 de la Recomendación del Consejo de Europa (2015) 5.

[840] Página 13 del documento de trabajo del Grupo de trabajo del artículo 29 sobre la supervisión de las comunicaciones electrónicas en el lugar de trabajo, y el párrafo 20.1 de la Recomendación Rec (2015) 5 del Consejo de Europa.

[841] Párrafo 6.14.2 del código de prácticas de la OIT de 1997.

[842] Páginas 4 y 25 del dictamen 8/2001 del Grupo de trabajo del artículo 29, y el párrafo 14.3 de la Recomendación Rec (2015) 5 del Consejo de Europa.

[843] Vea mi opinión por separado en el caso Yildirim (sentencia mencionada anteriormente), que se ocupó de los requisitos mínimos que deben cumplirse para ser compatible con la Convención, una ley que establece medidas para bloquear Internet.

[844] Párrafo 14.2 de la Recomendación Rec (2015) 5 del Consejo de Europa. Como se indica en la página 24 del documento de trabajo del Grupo de trabajo "Artículo 29" sobre el control de las comunicaciones electrónicas en el lugar de trabajo, "al empleador le interesa más evitar el uso de abuso de Internet por medios técnicos en lugar de dedicar recursos a su detección".

[845] Párrafo 13 de la Recomendación núm. R (89) 2 del Consejo de Europa y Recomendación 12 Rec (2015) 5 del Consejo de Europa.

[846] Párrafo 14 de la Recomendación núm. R (89) 2 del Consejo de Europa, y párrafo 13.1 de la Recomendación Rec (2015) del Consejo de Europa 5.

emitir una advertencia oral al empleado. La severidad de la sanción debe entonces aumentar gradualmente: amonestación por escrito, sanción financiera, pérdida de categoría profesional y finalmente, para los reincidentes más graves, despido[847]. *Si el control por el empleador del uso de Internet vulnera las reglas internas de protección de datos, la ley aplicable o el convenio colectivo, el trabajador está legitimado para extinguir la relación laboral, para impugnar su despido y pedir la indemnización por daños materiales y morales.*

15. Además, en ausencia de tales reglas, implica el riesgo de que los empleadores utilicen indebidamente el control del uso de Internet, actuando como el Big Brother que mira por encima del hombro a sus trabajadores, como si además de venderle su trabajo, le hubieran vendido también su vida. Para evitar esta mercantilización del trabajador, los empleadores tienen la responsabilidad de implementar y aplicar de manera coherente una política de uso de Internet que responda a los criterios establecidos anteriormente. Al hacerlo, actuarán de acuerdo con el enfoque del derecho internacional basado en principios que considera que la libertad de acceso a Internet es un derecho humano[848].

La ausencia de normas sobre el uso de Internet en el lugar de trabajo

16. El Gobierno argumentó que las normas internas de la empresa prohibían el uso de dispositivos digitales para fines personales. Esto es cierto, pero irrelevante, ya que los normas en cuestión no indican que una política de control del uso de Internet se esté implementando en el puesto de trabajo. A este respecto, debe tenerse en cuenta que el Gobierno también hace referencia a la Notificación 2316 de fecha 3 de julio de 2007, que indica que "señaló que otro empleado había sido despedido por usar In-

---

[847] En este punto, es interesante recordar el exigente umbral establecido por el Tribunal para la admisión del despido en Vogt v. Francia (no. Alemania (n. 17851/91, 26 de septiembre de 1995), donde consideró que el despido impuesto como sanción contra un empleado que había participado en actividades políticas fuera de su trabajo era excesivo sin afectar su actividad. En el caso de Fuentes Bobo c. 39293/98, 29 de febrero de 2000), donde, en vista de la antigüedad del empleado, también consideró que el despido impuesto como penalización por declaraciones ofensivas hechas por el empleado en la radio sobre su empleador era demasiado severo.

[848] Ver también mi opinión separada adjunta a Yildirim supra; y OIT, Resumen de las condiciones de trabajo, Volumen 12, Parte I, Monitoreo y vigilancia en el lugar de trabajo (1993), p. 77; la Declaración conjunta adoptada el 21 de diciembre de 2005 por el Relator Especial de las Naciones Unidas sobre el derecho a la libertad de opinión y expresión, el Representante de la OSCE para la libertad de los medios de comunicación y el Relator especial de la OEA sobre libertad de expresión; y los informes del Relator Especial del Consejo de Derechos Humanos sobre la promoción y protección del derecho a la libertad de opinión y expresión, Frank La Rue, de fecha 16 de mayo de 2011 (A/HRC/17/27) y el 10 de agosto de 2011 (A/66/290), en particular la del 10 de agosto de 2011, sobre el acceso a la información en línea (sección III) y el acceso a una conexión a Internet (sección IV).

ternet, teléfono y fotocopiadoras" para fines personales "y" recordó que el empleador controlaba y supervisaba la actividad de los empleados, y reafirmó específicamente que no deberían usar Internet, teléfonos o máquinas de fax para actividades no relacionadas con el trabajo ". En otras palabras, el aviso "recordó" la existencia de una política para controlar la actividad de Internet en la empresa[849]. Según el Gobierno, los empleados habían sido informados de este aviso e incluso había sido firmado por el demandante. El demandante cuestiona tales afirmaciones La propia mayoría reconoce que las partes no están de acuerdo con respecto a si el demandante fue informado sobre la política de vigilancia de Internet de la compañía antes de que fuera interferida en sus comunicaciones en línea[850]. Desafortunadamente, no va más allá en este aspecto crucial.

17. Dado que el Gobierno alegó la existencia de una advertencia previa y la demandante la impugnó, incumbía al Gobierno probar su alegación, lo que no hizo[851]. Además, la única copia del Aviso 2316 que consta en el expediente ni siquiera está firmada por el trabajador[852]. Por lo tanto, no hay pruebas suficientes en el expediente que demuestren que los trabajadores de la compañía en general, y el demandante en particular, eran conscientes del hecho de que el empleador había instalado un software de control que grababa en tiempo real las comunicaciones de los trabajadores desde los dispositivos digitales de la compañía, generando datos estadísticos del uso de Internet de cada trabajador y transcribiendo el contenido de las comunicaciones intercambiadas por los trabajadores, comunicaciones que incluso podrían bloquear[853].

18. Aún suponiendo que el Aviso 2316 existiera y se comunicara realmente a los empleados, incluido el demandante, antes de los hechos del caso, ello no sería suficiente para justificar el despido, dada la naturaleza extremadamente vaga del aviso. Obviamente, una simple comunicación del empleador a los trabajadores indicando que "su actividad estaba siendo controlada"[854]no fue suficiente para informarles claramente sobre la naturaleza, el alcance y las consecuencias del programa de control de uso de

---

[849] Page 2 Comentarios del gobierno.

[850] Apartado 41 de la sentencia.

[851] Apartado 27 de la sentencia.

[852] Apartados 33 y 43 de la sentencia. Me resulta extraño, como mínimo, que el Tribunal del Condado declaró (en el párrafo 10 de su sentencia) que el Aviso 2316 había sido firmado, pero que el Gobierno no estaba en condiciones de presentar una copia de esta sentencia ante el Tribunal. Evidencia disputada.

[853] El empleador usó Wfilter del software IMFirewall para interceptar las comunicaciones del solicitante. Este software registra las comunicaciones en tiempo real y permite el bloqueo de mensajes (consulte el párrafo 13 de los comentarios del Solicitante, que no ha sido cuestionado por el Gobierno).

[854] Párrafo 10 de la sentencia, donde se menciona la descripción de la opinión emitida por el tribunal del condado.

Internet que se está ejecutando[855]. *Una "regla" tan mal establecida, suponiendo que existiera, apenas protegía a los trabajadores. A pesar de la importancia crucial que para el resultado del caso tiene ese aviso que habría advertido a los trabajadores de la política de supervisión de la compañía, la mayoría no ha considerado conveniente valorar los términos en los que el mismo fue redactado. Teniendo en cuenta los elementos aportados ante el Tribunal, solo puedo considerar que no especificaron los elementos mínimos de una política de uso y vigilancia de Internet, incluido el tipo de uso no autorizado los medios técnicos de vigilancia utilizados y los derechos de los trabajadores sobre el contenido que se supervisa.*
(19)…

Conclusión

22. "Los trabajadores no renuncian a su derecho a la privacidad y la protección de datos cada mañana al cruzar la puerta de su centro de trabajo"[856]. *Las nuevas tecnologías hacen que las injerencias en la vida privada del trabajador sean más fáciles para el empleador y más difíciles de detectar para el empleado, y este riesgo se ve agravado por la desigualdad inherente en la relación laboral. Un enfoque basado en los derechos humanos para el uso de Internet en el trabajo requiere un marco regulatorio interno transparente, una política de implementación coherente y una estrategia de implementación impulsada por el empleador, acorde con los objetivos perseguidos. Este marco, esta política y esta estrategia estuvieron totalmente ausentes en este caso. La injerencia en el derecho del demandante al respeto de su vida priva fue el resultado de una decisión de despedirle tomada sobre la base de una medida de vigilancia de Internet efectuada por el empleador sobre una base ad hoc, con consecuencias drásticas en la vida social del solicitante. La sanción disciplinaria impuesta a la persona en cuestión fue confirmada posteriormente por los tribunales nacionales basándose en los elementos que se habían reunido mediante esta medida de vigilancia impugnada. La clara impresión del expediente es que los tribunales nacionales han tolerado el mal uso del Internet por parte del empleador para justificar de manera oportunista el despido de un trabajador no deseado, cuyo despido no pudo acordarse por medios lícitos.*

---

[855] Esto es exactamente lo que el Grupo de Trabajo del Artículo 29 señaló en su documento de trabajo sobre la supervisión de las comunicaciones electrónicas en el lugar de trabajo: "Algunos interpretan el juicio señalando que parece implicar (sin si se establece explícitamente) que si el empleador informa primero al empleado que es probable que sus comunicaciones sean interceptadas, el empleado puede perder el derecho de creer que sus llamadas son privadas, de modo que su intercepción no constituye una violación del artículo 8 del Convenio. El Grupo de trabajo no considera que una advertencia previa del empleado sea suficiente para justificar una violación de sus derechos de protección de datos" (página 9).

[856] Documento de trabajo del Grupo de Trabajo del Artículo 29 sobre Supervisión de comunicaciones electrónicas en el lugar de trabajo, página 4.

23. Los derechos y libertades protegidos por la Convención tienen un efecto horizontal: no solo son directamente vinculantes para las entidades públicas dentro de los Estados Contratantes, sino que también son indirectamente vinculantes para las personas o entidades privadas, siendo el Estado Contratante responsable de prevención y reparación de violaciones de la Convención cometidas por estos individuos o entidades. Existe una obligación de resultado, y no solo una obligación de medios. Los tribunales nacionales no respetaron esa obligación en el presente caso cuando apreciaron la procedencia del despido acordado por el empleador en el contexto de un procedimiento disciplinario seguido contra el trabajador. Podrían haber remediado la violación del derecho del demandante al respeto de su vida privada, pero decidieron confirmarlo. Este Tribunal tampoco proporcionó el remedio necesario. Por esta razón, no estoy de acuerdo con la conclusión de la mayoría».

8.3.3. Doctrina del TEDH sobre control del uso de internet y teléfono en el puesto de trabajo

• *STEDH 25 junio 1997, Caso Halford c. Reino Unido*

La demandante, que era la mujer policía de más alto rango en el Reino Unido, entabló acciones por discriminación al habérsele denegado el ascenso al rango de Jefa Adjunta de Policía durante un período de siete años. Ante el Tribunal Europeo de Derechos Humanos, alegó en particular que su oficina y las llamadas telefónicas de su casa habían sido interceptadas con el fin de obtener información para usarla en su contra en el curso del proceso.

El TEDH sostuvo que se había violado el artículo 8 CEDH en relación con la interceptación de llamadas realizadas en los teléfonos de las oficinas de la demandante. En primer lugar, el TEDH consideró que las conversaciones mantenidas por la demandante mediante los teléfonos de su oficina se hallaban dentro de la noción de "vida privada" y "correspondencia" y que, por lo tanto, el Art. 8 del Convenio les era aplicable. Además, el TEDH observó que existía una probabilidad razonable de que la policía hubiera interceptado las llamadas realizadas por la demandante desde su oficina con la finalidad de reunir material probatorio necesario para su defensa en los procedimientos de discriminación sexual entablados en su contra. Ello supuso una injerencia en el ejercicio del derecho de la demandante al respeto de su vida privada y correspondencia. Finalmente, el TEDH observó que la Ley de Intercepción de Comunicaciones de 1985 no se aplicaba a los sistemas de comunicaciones internas operados por las autoridades públicas y que no había otra disposición en el país con rango de ley para regular las intercepciones de llamadas telefónicas realizadas en dichos sistemas. Por lo tanto, tal injerencia no podía ser en modo alguno "de conformidad con la ley", ya que la ley nacional no había brindado protección adecuada a la demandante frente a las injerencias de la policía en su derecho al respeto de su vida privada y correspondencia. En este caso, el Tribunal también sostuvo que hubo una violación del Artículo 13 CEDH (derecho a un recurso efectivo), al considerar que la demandante no había podido buscar ayuda a nivel nacional en relación con su demanda sobre los teléfonos de su oficina. Por otro lado, el Tribunal sostuvo que no hubo violación del artículo 8 ni violación del artículo 13 del Convenio con respecto a las llamadas realizadas desde la casa del demandante, ya que en particular no encontró que se estableciera que hubo interferencia con respecto a esos comunicaciones.

- *STEDH 3 abril 2007, Caso Copland c. Reino Unido*

El demandante era empleado de Carmarthenshire College, una corporación administrada por el Estado. En 1995 se convirtió en asistente personal del director de la universidad y se le pidió que trabajara estrechamente con el subdirector recién nombrado. Ante el Tribunal, se quejó de que, durante su empleo en el Colegio, su teléfono, correo electrónico y uso de Internet habían sido controlados por orden del subdirector.

El TEDH llegó a la conclusión de que había habido una violación del artículo 8 CEDH. Recordó, en particular, que, de acuerdo con su jurisprudencia, las llamadas telefónicas desde locales comerciales están cubiertas prima facie por las nociones de "vida privada" y "correspondencia". De ello se deriva, lógicamente, que los correos electrónicos enviados desde el trabajo deben estar protegidos de manera similar, al igual que la información derivada del control del uso personal de Internet. Sin embargo, en relación con la demandante, no se le advirtió que sus llamadas podían ser controladas y, por lo tanto, tenía una expectativa razonable en cuanto a la privacidad de tales llamadas realizadas desde su teléfono del trabajo. La misma expectativa debería aplicarse a su correo electrónico e Internet. El Tribunal también señaló que el mero hecho de que los datos pudieran haber sido obtenidos legítimamente por la universidad, en forma de facturas telefónicas, no era obstáculo para apreciar la existencia de injerencia. Tampoco se consideró relevante que no se hubiera revelado a terceros o utilizado contra la demandante en procedimientos disciplinarios u otros. Por lo tanto, el Tribunal consideró que la obtención y el almacenamiento de datos personales relacionados con el uso del teléfono, correo electrónico e Internet de la demandante, sin su conocimiento, había sido una injerencia en su derecho al respeto de su vida privada y correspondencia. En el presente caso, si bien queda abierta la cuestión de si el control del uso por un trabajador de un teléfono, correo electrónico o internet en el puesto de trabajo puede considerarse "necesario en una sociedad democrática" en ciertas situaciones y en aras de un objetivo legítimo, el TEDH concluyó que, a falta de una ley nacional que regule el control en el momento de los hechos, la injerencia no fue "de conformidad con la ley". Por último, teniendo en cuenta su decisión sobre el artículo 8 CEDH, el TEDH no consideró necesario en este caso examinar la denuncia de la demandante desde el ángulo del artículo 13 CEDH (derecho a un recurso efectivo).

- *STEDH 22 febrero 2018, Caso Libert c. Francia*

El TEDH considera que no existe una violación de la vida privada. El caso trata sobre el despido de un trabajador de la SNCF, tras la incautación de su ordenador profesional que reveló el almacenamiento de ficheros de carácter pornográfico y de certificaciones falsas libradas en favor de terceros.

El TEDH constata que la consulta de los ficheros por el empresario respondió a un objetivo legítimo de protección del empleador, que puede pretender legítimamente asegurarse de que sus trabajadores utilizan los equipos informáticos que pone a su disposición de conformidad con sus obligaciones contractuales y con la reglamentación aplicable.

El TEDH señala que el derecho francés contiene un principio dirigido a la protección de la vida privada, según el cual, si bien el empresario puede abrir los archivos profesionales, sin embargo no puede abrir subrepticiamente los archivos identificados como personales. Sólo puede proceder a su apertura en presencia del empleado. Los tribunales franceses han considerado que este principio no impide que el empresario abriera los ficheros controvertidos, pues estos no habían sido debidamente identificados como privados.

El TEDH considera, en fin, que los tribunales franceses han examinado correctamente el motivo que el demandante alega sobre la violación de su derecho a la vida privada y estima que la decisión de tales tribunales se funda en motivos pertinentes y suficientes.

Sobre el fondo del asunto:

1) Obligación negativa u obligación positiva ante la existencia de una injerencia de una autoridad pública. Habida cuenta de que los archivos del trabajador han sido abiertos sin que el haya sido informado y sin hacerlo en su presencia, el TEDH considera que hay una injerencia en su derecho a la vida privada. La cuestión de si tales archivos se idetnificaron claramente como personales se examina a continuación, en el contexto de la proporcionalidad de la medida.

El TEDH desestima la objeción del gobierno, conforme a la que la SNCF no podría considerase como autoridad pública a los fines del art. 8, porque su actividad es de carácter industrial y comercial y su personal mantiene una relación de derecho privado, la SNCF es una entidad legal de derecho público que se halla bajo la tutela del Estado y cuya dirección la designa el Estado, que asegura un servicio público que detenta un monopolio y se beneficia de la garantía implícita del Estado. Como resultado, a diferencia de Barbulescu c. Rumanía, en que la injerencia fue de un empleador privado, la demanda no debe analizarse desde le punto de vista de las obligaciones positivas sino sobre el de las obligaciones negativas.

2) Prevista por la ley. Es cierto que los artículos correspondientes del Código de Trabajo se limitan a declarar de manera general que las restricciones de los derecho y libertades de los trabajadores deben estar justificaddas por la naturaleza de la tarea que deben realizar y proporcionales al objetivo perseguido.

Así mismo, es cierto que en el momento de los hechos, se derivaba de la jurisprudencia del Tribunal de Casación que, salvo en caso de peligro u otro supuesto particular, el empresario no podía abrir los ficheros identificados por un trabajador como personales en el disco duro del ordenador que la empresa le pone a su disposición, sino es en presencia del trabajador en cuestión o después de llamarlo a tal efecto.

Sin embargo, el Tribunal de Casación había añadido que los archivos y ficheros creados por un trabajador a través de una herramienta informática puesta a su disposición se presumían como profesionales, a no ser que el trabajador los identificase como personales. El derecho positivo, de esta forma, precisó suficientemente en qué circunstancias y bajo qué condiciones el empresario podía abrir los ficheros que estuvieran en el ordenador profesional del trabajador.

3) Finalidad legítima: la finalidad de la injerencia fue garantizar la protección de los derechos de los demás, en este caso, los del empleador, que puede legítimamente pretender asegurarse de que sus trabajadores utilizan los equipos informáticos que pone a su disposición para el desempeño de sus funciones de acuerdo con sus obligaciones contractuales y las reglamentaciones aplicables.

4) Necesidad en una sociedad democrática: el derecho positivo francés contenía una disposición dirigida a la protección de la vida privada, al prever que los archivos identificados como personales no podían abrirse si no era en presencia del interesado. En cuanto a los tribunales, los motivos por los que han rechazado la pretensión del trabajador relativa al respeto a su vida privada, se consideran pertinentes y suficientes.

Ciertamente, al utilizar la palabra "personal" en lugar de la palabra "privado", el demandante utilizó el mismo término que en la jurisprudencia del Tribunal de Casación sobre el tema. Sin embargo, el estatuto informático del empleador utilizó específicamente el término "privado" para designar los mensajes y directorios que incumbía a los empleados identificar como tales. El alcance de la capacidad de almacenamiento utilizada para los fines en cuestión también podría justificar un cierto rigor. En resumen, las autoridades nacionales no se excedieron su margen de apreciación

- *STEDH 5 octubre 2010, Caso Köpke c. Alemania*

La demandante, cajera de supermercado, fue despedida sin previo aviso por robo, tras una operación de video vigilancia encubierta realizada por su empleador con la ayuda de una agencia de detectives privados. Ella impugnó sin éxito su despido ante los tribunales laborales. Su queja constitucional fue igualmente desestimada.

El Tribunal declaró inadmisible, por ser manifiestamente infundada, la queja de la demandante en virtud del Artículo 8 del Convenio, valorando que las autoridades nacionales habían logrado un equilibrio justo entre el derecho de la empleada a respetar su vida privada, el interés de su empleador en la protección de sus derechos de propiedad y el interés público en la correcta administración de justicia. El Tribunal señaló en particular que la medida denunciada había sido limitada en el tiempo (dos semanas) y solo había cubierto el área que rodea la caja y accesible al público. Los datos visuales obtenidos habían sido procesados por un número limitado de personas que trabajaban para la agencia de detectives y por miembros del personal del empleador. Habían sido utilizados solo en relación con su despido y los procedimientos subsiguientes ante los tribunales laborales. Por lo tanto, concluyó que la interferencia con la vida privada de la demandante se había limitado a lo necesario para lograr los objetivos perseguidos por la vídeo vigilancia. Sin embargo, el Tribunal observó en este caso que los intereses en conflicto en cuestión podrían ser objeto de una ponderación distinta en el futuro, teniendo en cuenta el grado en que las nuevas tecnologías cada vez más sofisticadas hicieron posible la intrusión en la vida privada.

- *STEDH 28 noviembre 2017, Caso Mirkovic c. Montenegro*

En este caso se declaró que la video vigilancia en áreas docentes en Montenegro vulnera el derecho de los profesores a la vida privada El TEDH decidió por 4 votos a 3 que se ha vulnerado el art. 8 (derecho al respeto de la vida privada y familiar), del CEDH.

En este caso, dos profesores de la Escuela de matemáticas de la Universidad de Montenegro, Sres. Antovic y Mirkovi, presentaron una demanda alegando la vulneración de su derecho a la vida privada, que provenía de la instalación de un sistema de vido vigilancia en sus lugares de enseñanza. Sostenían que no había control efectivo alguno sobre los datos así obtenidos y que la vigilancia era ilegal.

Sin embargo, los tribunales internos rechazaron su demanda de reparación, al considerar que no se afectaba a la vida privada, dado que los anfiteatros donde ambos impartían enseñanza estaban en lugares públicos.

El TEDH rechaza la excepción de inadmisibilidad aducida por el Gobierno. A tal efecto, éste alegaba que no hay cuestión alguna relativa a la vida privada porque la zona de video vigilancia era un lugar público de trabajo. El TEDH subraya que había considerado ya con carácter previo que la "vida privada" puede abarcar las actividades profesionales, como es el caso del supuesto de los Sres. Antovic y Mirkovi. Por tanto, el art. 8 es aplicable.

En cuanto al fondo, el TEDH considera que la video vigilancia constituyó una injerencia en el ejercicio por los demandantes de su derecho a la vida privada y que los elementos de prueba evidenciaban que esta video vigilancia infringía las disposiciones de derecho interno. En efecto, los tribunales internos no habían constatado una justificación legal por la vigilancia, porque habían decidido desde un buen principio que no se producía injerencia alguna en la vida privada.

- *STEDH 5 septiembre 2017, Caso Barbulescu contra Rumanía (Gran Sala)*

Esta sentencia revoca la STEDH de 12 enero 2016, cuyo voto particular estamos comentando, y convierte al autor del voto, Paulo Pinto, en el germen y pionero de este trascendental cambio de la doctrina del TEDH, ahora mucho más garantista con los derechos de los trabajadores frente al uso de las nuevas tecnologías en el puesto de trabajo.

La Gran Sala del TEDH concluye —como propuso Paulo Pinto en su voto— que hay violación del art. 8 CEDH por parte de la empresa porque, aunque el empleador había puesto en conocimiento del trabajador la prohibición del uso de medios informáticos e internet en la empresa para usos personales, ni le había advertido con carácter previo de que iba a someterle a vigilancia, ni del alcance y naturaleza de tal vigilancia. Además, se reprocha a los tribunales nacionales no haber sometido la medida de injerencia en la vida privada y secreto de comunicaciones del trabajador, a un control de finalidad y a una ponderación proporcionada de los intereses en liza: libertad de empresa y DDFF del trabajador.

Veamos brevemente un resumen de esta importantísima resolución del TEDH, que sin duda marca un hito en la tutela de la dignidad en el trabajo en el marco del uso de las nuevas TIC.

a) Razonamientos jurídicos de la Gran Sala

- *Aplicabilidad del art. 8 CEDH (derecho a la vida privada)*: el tipo de mensajería instantánea por internet en este caso es una forma de comunicación que forma parte del ejercicio de la vida privada en sociedad.

Por otro parte, la noción de "correspondencia" se aplica al envío y recepción de mensajes, incluso desde el ordenador propiedad de la empresa.

El trabajador había sido bien informado de la prohibición de uso de internet para fines personales impuesta por el reglamento interno de la empresa.

De todas formas, el trabajador no fue informado con carácter previo del alcance y de la naturaleza del control de sus comunicaciones por el empresario, ni tampoco de la posibilidad de que éste accediese al contenido mismo de sus comunicaciones.

No es cierto, en este sentido, que las prohibiciones del empresario hayan dejado al trabajador una expectativa razonable de privacidad. (Abrimos paréntesis, para decir que nuestro TC entendió lo contrario en sus STC 241/2012 de 17 de diciembre y STC 170/2013 de 7 de octubre)[857].

Siendo ello así, las instrucciones u órdenes de un empresario no pueden reducir a la nada el ejercicio de la vida privada social en el puesto de trabajo. El respeto de la vida privada y de la confidencialidad de las comunicaciones continúa imponiéndose, incluso si estas últimas pueden ser limitadas en la medida de lo necesario.

Así, las comunicaciones del trabajador, realizadas desde su puesto de trabajo están amparadas por las nociones de "vida privada" y "correspondencia"; de lo que se concluye que el art. 8 del CEDH resulta de aplicación al caso.

b) Fondo del asunto

Considerando las circunstancias particulares del caso, a la luz de la conclusión relativa a la aplicación del art. 8 CEDH; y teniendo en cuenta de que la vulneración del derecho a la vida privada y de su derecho al secreto

---

[857] Véase una crítica *in extenso* de las mismas en: PRECIADO DOMÈNECH, C.H y PURCALLA BONILLA, M.A "La prueba en el proceso social". Ed. Ley Nova. 2015. pp.152-162.

de las comunicaciones la produjo un empresario privado, procede analizar la denuncia desde la perspectiva de las obligaciones positivas del Estado.

Pocos Estados miembros han regulado de manera explícita la cuestión del ejercicio por los trabajadores de sus derechos al respeto de la vida privada y la correspondencia en su puesto de trabajo.

Por tal razón, los Estados miembros deben gozar de un amplio margen de apreciación para evaluar la necesidad de adoptar un marco jurídico regulador de las condiciones en que un empresario puede adoptar una política que abarque las comunicaciones no profesionales, electrónicas o de otro tipo, de sus trabajadores en su puesto de trabajo.

Sin embargo, la proporcionalidad y las garantías procedimentales frente a la arbitrariedad constituyen elementos esenciales.

En este contexto, las autoridades nacionales, conforme al TEDH, deberían contemplar los siguientes factores: (TEST BARBULESCU)

- *El trabajador ha sido informado de la posibilidad de que el empresario adopte medidas de vigilancia de su correspondencia y de sus otras comunicaciones, así como de la puesta en práctica de tales medidas?*

- *¿Cuáles han sido el alcance de la vigilancia realizada por el empresario y el grado de intrusión en la vida privada del empleado?*

- *¿El empresario ha proporcionado motivos que justifiquen la vigilancia de las comunicaciones del trabajador?*

- *¿Hubiera sido posible emplear un sistema de vigilancia conforme a medios y medidas menos intrusivas que el acceso directo al contenido de las comunicaciones del empleado?*

- *¿Cuáles han sido las consecuencias de la vigilancia para el trabajador que ha sido objeto de las mismas?*

- *¿El trabajador ha recibido las debidas garantías, en particular cuando las medidas de vigilancia del empresario tenían un carácter intrusivo?*

En fin, las autoridades internas deberían velar que los trabajadores cuyas comunicaciones hayan sido vigiladas tengan derecho a un recurso ante un órgano jurisdiccional que tenga competencia para determinar, al menos en sustancia, sobre el respeto de los criterios antes enunciados así como sobre la licitud de las medidas objeto de controversia.

En el caso concreto, los tribunales nacionales han identificado correctamente los intereses en juego, refiriéndose expresamente al derecho del trabajador a su vida privada, así como a los principios de derecho aplicables de necesidad, finalidad, transparencia, legitimidad, proporcionalidad y seguridad establecidos por la Directiva 95/46 del Parlamento Europeo y del Consejo de 24 de octubre de 1995, relativa a la protección de las personas físicas con ocasión del tratamiento de sus datos personales y a la libre circulación de los datos.

Por otro lado, los tribunales internos han indagado si el procedimiento disciplinario había sido llevado a cabo con respecto al principio de contradicción y si el trabajador ha tenido la oportunidad de presentar sus alegaciones

No parece —sin embargo— que el trabajador haya sido informado con carácter previo del alcance y la naturaleza de la vigilancia llevada a cabo por el empresario, ni de la posibilidad de que éste tuviera acceso al contenido mismo de sus comunicaciones.

Los tribunales nacionales han omitido comprobar si el trabajador había sido advertido previamente de la posibilidad de que su empresario empelase medidas de vigilancia, así como del alcance y naturaleza de las mismas.

Para poder considerarse como previo, el aviso del empresario debe producirse antes de que comience su actividad de vigilancia; más aún y con mayor razón cuando la vigilancia implique también el acceso al contenido de las comunicaciones de los trabajadores.

La cuestión del alcance de la vigilancia llevada a cabo y del grado de intromisión en la vida privada del trabajador no ha sido examinada por ningún tribunal nacional, siendo que parece que el empresario ha registrado en tiempo real la totalidad de las comunicaciones efectuadas por el trabajador durante el período en que fue vigilado, que ha tenido acceso y que ha imprimido su contenido.

Los tribunales nacionales no han verificado suficientemente la presencia de razones legítimas que justifiquen la puesta en marcha de la vigilancia de las comunicaciones del trabajador.

Por otro lado, ni el tribunal departamental, ni la corte de apelación, han examinado de manera suficiente la cuestión de saber si el objetivo perseguido por el empresario hubiera podido ser alcanzado por métodos menos intrusivos que el acceso al contenido mismo de las comunicaciones del trabajador.

Además, ninguno de los dos examinó la gravedad de las consecuencias de la medida de vigilancia y del procedimiento disciplinario que se siguió. A este respecto, el trabajador fue objeto de la medida disciplinaria más grave posible, esto es, el despido

Los jueces nacionales no han verificado si, cuando se llamó al trabajador para que diera explicaciones sobre el uso que había hecho de los medios de la empresa, en concreto de internet, el empleador había tenido ya acceso al contenido de las comunicaciones en concreto.

Las autoridades nacionales no han establecido en ningún momento, en qué momento del procedimiento disciplinario el empleador habría tenido acceso a tal contenido. Admitir que el acceso al contenido de las comunicaciones pueda hacerse sin importar el momento disciplinario va en contra e infringe el principio de transparencia (Recomendación CM/REC(2015) del comité de Ministros de los Estados miembros sobre el tratamiento de datos personales en el marco del empleo).

En tales condiciones, los tribunales nacionales han omitido, por un lado, verificar en particular si el trabajador había sido advertido con carácter previo por su empresario de la posibilidad de que sus comunicaciones por "Yahoo Messenger" fueran vigiladas, y, por otro lado, ha de tenerse en cuenta el hecho de que el trabajador no había sido informado ni de la naturaleza, ni del alcance de la vigilancia de que había sido objetivo, así como del grado de intromisión en su vida privada y su correspondencia.

Además, han fallado a la hora de determinar, en primer lugar, cuáles son las razones concretas que habrían justificado la puesta en marcha de medidas de vigilancia; en segundo término, si el empresario hubieron podido valerse de medios menos intrusivos para la vida privada y la correspondencia del trabajador y, en fin, si el acceso al contenido de las comunicaciones hubiera sido posible sin su conocimiento.

Para terminar, aún partiendo el amplio margen de apreciación del que goza el Estado en este caso, las autoridades internas no han protegido de manera adecuada el derecho del trabajador al respeto de su vida privada y de su correspondencia, y desde ese momento, no han realizado una ponderación justa de los intereses en juego.

Como conclusión, la nueva doctrina del TEDH impone a los órganos jurisdiccionales —también al TC— observar los siguientes estándares mínimos en los casos de vigilancia de las comunicaciones por correo electrónico de los trabajadores, en particular cuando la cuenta de correo y el ordenador sean de propiedad de la empresa.

Como es de ver, el nivel de exigencia del control del TC ante la vigilancia de las comunicaciones de los trabajadores por parte del empresario fue muchísimo menor que la que acaba de instaurar el TEDH; que no ha hecho otra cosa que recuperar la dignidad en el puesto de trabajo y situar la tutela de los derechos fundamentales del trabajador/a al mismo nivel que los de cualquier otro ciudadano/a no trabajador/a.

8.3.4. *El control del uso de dispositivos digitales por las personas trabajadoras en España y la video vigilancia*

El impacto que la saga "Barbulescu" ha tenido en España es innegable. Empezando por la reciente LO 3/2018, de 5 de diciembre, que incorpora los denominados "derechos digitales en el ámbito laboral" en los arts. 87 a 90, en los que se regulan el uso de dispositivos digitales en el ámbito laboral (art. 87), el derecho a la desconexión digital en el ámbito laboral (art. 88), el derecho a la intimidad frente al uso de dispositivos de videovigilancia y de grabación de sonidos en el lugar de trabajo (art. 89) y el derecho a la intimidad ante la utilización de sistemas de geolocalización en el ámbito laboral (art. 90).

Las obligaciones de información previa a los trabajadores, y la proporcionalidad en la adopción de toda medida restrictiva de derechos en el puesto de trabajo, son la impronta que Barbulescu ha dejado en nuestra legislación.

Por ello, en las próximas líneas analizaremos el nuevo art. 87 de la LOPD, la doctrina del TC y TS sobre control por el empleador de los dispositivos digitales y dejaremos para el final el caso López Ribalda c. España y la cuestión de la video vigilancia.

a) El uso de dispositivos digitales en la LO 3/2018, de 5 de diciembre[858]

Artículo 87. Derecho a la intimidad y uso de dispositivos digitales en el ámbito laboral.

1. Los trabajadores y los empleados públicos tendrán derecho a la protección de su intimidad en el uso de los dispositivos digitales puestos a su disposición por su empleador.

2. El empleador podrá acceder a los contenidos derivados del uso de medios digitales facilitados a los trabajadores a los solos efectos de controlar el cumplimiento de las obligaciones laborales o estatutarias y de garantizar la integridad de dichos dispositivos.

3. Los empleadores deberán establecer criterios de utilización de los dispositivos digitales respetando en todo caso los estándares mínimos de protección de su intimidad de acuerdo con los usos sociales y los derechos reconocidos constitucional y legalmente. En su elaboración deberán participar los representantes de los trabajadores.

El acceso por el empleador al contenido de dispositivos digitales respecto de los que haya admitido su uso con fines privados requerirá que se especifiquen de modo preciso los usos autorizados y se establezcan garantías para preservar la intimidad de los trabajadores, tales como, en su caso, la determinación de los períodos en que los dispositivos podrán utilizarse para fines privados.

Los trabajadores deberán ser informados de los criterios de utilización a los que se refiere este apartado.

El art. 87 NLOPD regula, con carácter de LO el derecho a la intimidad y uso de dispositivos digitales en el ámbito laboral. Le falta reconocer el derecho al secreto de las comunicaciones y a la protección de datos, que serán también los más afectados generalmente por el ejercicio del poder de vigilancia y control del empresario (art. 20.3 ET) sobre los dispositivos digitales.

Este precepto, y los que le siguen, pretenden dar cumplimiento al art. 88 RGPD, que llama a los Estados a dictar normas más específicas para garantizar la protección de los derechos y libertades en relación con el tratamiento de datos personales de los trabajadores en le ámbito laboral.

Sin embargo, el **art. 87 NLOPD más que garantizar la protección de los derechos y libertades de los trabajadores** —lo que hace de forma indi-

---

[858] PRECIADO DOMÈNECH, C. H. "Los Derechos Digitales de las Personas Trabajadoras". Aspectos laborales de la LO 3/2018, de 5 de diciembre, de Protección de Datos y Garantía de los Derechos digitales.

recta—, lo que hace fundamentalmente es **dar soporte legal y garantizar el ejercicio de potestades empresariales de control** de la prestación laboral, como confirma el nuevo art. 20bis ET, introducido por la DA 13ª de la NLOPD. En este ámbito, el TEDH (STEDH 22/02/2018. Caso Libert c. Francia) ya había apuntado que el empleador puede legítimamente pretender asegurarse de que sus trabajadores utilizan los equipos informáticos que pone a su disposición para el desempeño de sus funciones de acuerdo con sus obligaciones contractuales y las reglamentaciones aplicables. El TEDH venía exigiendo un soporte legal con determinadas exigencias, como certeza y previsibilidad; que el art. 20.3 ET no alcanzaba a colmar.

Por tanto, el precepto supone una garantía directa del poder de control del empleador. Desde la perspectiva, inversa, —la de los trabajadores/as— el art. 87.2 NLOPD supone también una garantía indirecta de sus DDFF, puesto que toda regulación con ley previa, expresa, precisa, e inequívoca de los límites de DDFF es una forma de garantía de los mismos. Ahora bien, no hay que perder de vista que **cuanto más inconcretas sean las leyes que restringen los derechos más se alejaran de esa función de garantía** a las que el RGPD les llama a desempeñar. En este punto, por tanto, no puede dejar de señalarse que el precepto, como ya ha apuntado parte de la doctrina[859], **adolece de una calculada ambigüedad.**

El art. 87.2 NLOPD posibilita que el acceso del empleador a los contenidos derivados del uso de medios digitales por los trabajadores, con una **doble limitación:**

- **sólo a los facilitados a los trabajadores por la empresa;**
- **sólo con la finalidad de controlar el cumplimiento** de las obligaciones laborales o estatutarias y **garantizar la integridad de dichos dispositivos.**

Desde el punto de vista subjetivo, **el art. 87.2 NLOPD,** en comparación con el apartado primero de la misma norma, contiene un **clamoroso silencio:** los **empleados públicos.** En efecto, mientras en el apartado primero del art. 87.1 NLOPD se cita a los trabajadores y empleados públicos como

---

[859] BAYLOS GRAU, A. "La garantía de los derechos digitales en el trabajo. El proyecto de ley ya aprobado en el Congreso. Un texto decepcionante". Puede consultarse en: http://baylos.blogspot.com/2018/11/la-garantia-de-los-derechos-digitales.html

titulares del derecho a la intimidad; en el art. 87.2 NLOPD, al regular la posibilidad de acceso por el empleador a los dispositivos, se cita sólo a los trabajadores, y no a los empleados públicos, aunque acto seguido habla de controlar el cumplimiento de las obligaciones legales o estatutarias. Olvido o no del legislador, lo cierto es que las normas restrictivas de los derechos fundamentales, como el art. 87.2 NLOPD no son susceptibles de interpretación extensiva, sino todo lo contrario, se interpretan restrictivamente. En efecto, es harto reiterada la doctrina del TC en el sentido de que *"la Constitución y las leyes han de ser interpretadas de la forma más favorable a la efectividad de los derechos y a la optimización de su contenido* y, *al contario, las restricciones de los derechos han de ser interpretadas de forma restrictiva"*[860].

Por tanto, este principio hermenéutico nos lleva a una primera conclusión: si el legislador cita a los empleados públicos como titulares de la intimidad y no los cita como destinatarios de una norma restrictiva de dicho derecho, ningún juez o tribunal puede interpretar extensivamente el precepto e incluirlos en el ámbito subjetivo de una norma que no los contempla.

Además de este criterio elemental de hermenéutica constitucional, lo cierto es que existen razones que también aconsejan ser prudente en facilitar el acceso a la Administración a los ordenadores facilitados por ésta a los funcionarios/as, los principios que rigen la actuación administrativa (art. 103 CE), el ejercicio de funciones públicas, o incluso la protección de datos de los ciudadanos/a son principios que no pueden obviarse en la regulación del acceso del empleador público respecto de quienes tengan condición de funcionario/a. Sin embargo, y dicho ello, la omisión del art. 87.2 NLOPD más parece un olvido del legislador que una deliberada toma de postura en este sentido.

Por otro lado, hay que añadir que la existencia de finalidad legítima y de soporte legal en la restricción del derecho a la intimidad, que viene colmar el art. 87.2 NLOPD, **no excluye la exigencia de que el control supere el juicio de proporcionalidad**, determinando si tal medida es susceptible de conseguir el objetivo propuesto (juicio de idoneidad); si, además, es nece-

---

[860] STC 34/1983, de 6 de marzo; STC 28/1984, de 7 de julio; STC 115/1987, de 7 de julio; STC 119/1990, de 21 de junio; STC 112/1989, de 25 de mayo y STC 76/1987, de 25 de mayo.

saria en el sentido de que no exista otra más moderada para la consecución del mismo fin con igual eficacia (juicio de indispensabilidad o estricta necesidad); y, finalmente, si es ponderada o equilibrada, por derivarse de ella más beneficios o ventajas para el interés empresarial que perjuicios sobre otros bienes o valores en conflicto (juicio de proporcionalidad en sentido estricto.

En efecto, el **principio de proporcionalidad**, junto con **el contenido esencial** de los DDFF son los dos **"límites de límites"** que juegan como muros infranqueables tanto respecto del legislador como respecto de los sujetos privados. El principio de proporcionalidad fue introducido tempranamente en nuestra doctrina constitucional por el TC[861], pero fue la cláusula del art. 10.2 CE[862] la que abrió la puerta a la doctrina del TEDH[863] y del TJUE[864], que han hecho amplio uso del principio, cuya penetración y asentamiento en el control de las restricciones de los DDFF por los poderes públicos y por los sujetos privados en nuestro país está hoy fuera de cuestión. La propia NLOPD cita dicho principio en el art. 89.3 NLOPD al ocuparse de la audiovigilancia.

Con **más razón ha de aplicarse el principio de proporcionalidad en el caso del control de los dispositivos digitales puestos por el empleador a disposición del trabajador/a**, pues la potencialidad lesiva de la intimidad, secreto de comunicaciones y protección de datos es igual o mayor que en el caso de la audiovigilancia. No de otra forma puede interpretarse el art. 87.3 NLOPD, cuando dice *"deberán establecer criterios de utilización de los dispositivos digitales respetando en todo caso los estándares mínimos de*

---

[861] SSTC 22/1981 o 26/1981, entre otras.

[862] STC 50/1995, de 23 de febrero, F.7.

[863] Véase una de las más antiguas y citadas: STEDH Caso Relativo a determinados aspectos del régimen lingüístico de la enseñanza en Bélgica contra Bélgica de 23 de julio de 1968 TEDH 1968\3; STEDH 7 de diciembre de 1976, caso Handyside —y más recientemente el Caso Schwizgebel contra Suiza. STEDH de 10 junio 2010. TEDH 2010\79.

[864] Vid. art. 52 de la CDFUE que incorpora el principio de proporcionalidad como requisito de toda restricción de los DDFF, y su plasmación jurisprudencial en la doctrina del TJUE: ejemplos SSTJUE de 13 de abril de 2000, Karlsson; C-292/97; y de 22 de octubre de 2002; Caso "Roquette et frères" C94/00).

protección de su intimidad de acuerdo con los usos sociales y los derechos reconocidos constitucional y legalmente".

Esos criterios de utilización serán la forma que adopte la proporcionalidad, el respeto de los "estándares mínimos de protección de la intimidad"; no es otra cosa que su contenido esencial; y la referencia a los "usos sociales", no es otra cosa que un eco de la doctrina del TS que nos habla de los usos sociales, y que bien puede identificarse con el **contenido culturalmente variable de lo que en cada momento y en cada cultura se identifica como el ámbito de lo íntimo,** como ha venido haciendo el TC, por ejemplo, en materia de intimidad corporal (vid. STC 37/1989, de 15 de febrero; F.7)[865].

Pasando a otra cuestión, **la NLOPD no aclara ni concreta si** *"los contenidos derivados del uso de medios digitales",* **a los que puede acceder el empleador bajo ciertos requisitos, comprenden también las comunicaciones,** pues en tal caso, el art. 18.3 CE exige consentimiento del titular o resolución judicial. Al no ser precisa la ley, en principio, una interpretación constitucionalmente correcta del precepto, reclamaría entender que rige el art. 18.3 CE y, por tanto, para el control de comunicaciones se exige consentimiento del titular o autorización judicial.

En este punto, cabe recordar que el TS había admitido la audiovigilancia (control de comunicaciones) en caso de teleoperadores. En efecto, en la STS 5 de diciembre de 2003 (RJ 2004, 313) resuelve un caso sobre

---

[865] La Constitución garantiza la intimidad personal (art. 18.1), de la que forma parte la intimidad corporal, de principio inmune, en las relaciones jurídico-públicas que ahora importan, frente a toda indagación o pesquisa que sobre el cuerpo quisiera imponerse contra la voluntad de la persona, cuyo sentimiento de pudor queda así protegido por el ordenamiento, en tanto responda a estimaciones y criterios arraigados en la cultura de la comunidad.

Esta afirmación de principio requiere, claro está, algunas matizaciones. La primera de ellas, implícita en lo ya dicho, es la de que el ámbito de intimidad corporal constitucionalmente protegido no es coextenso con el de la realidad física del cuerpo humano, porque no es una Entidad física, sino cultural y determinada, en consecuencia, por el criterio dominante en nuestra cultura sobre el recato corporal, de tal modo que no pueden entenderse como intromisiones forzadas en la intimidad aquellas actuaciones que, por las partes del cuerpo humano sobre las que se operan o por los instrumentos mediante las que se realizan, no constituyen, según un sano criterio, violación del pudor o recato de la persona.

monitorización de llamadas de trabajadores de tele marketing telefónico, en que la empresa controla aleatoriamente las llamadas de tele marketing telefónico de sus trabajadores para comprobar la regularidad del servicio. El TS considera proporcionada dicha «monitorización» o control empresarial, pues el mismo tiene como único objeto controlar la actividad laboral del trabajador en condiciones de respeto a su esfera íntima inatacable, ya que se les facilita las llamadas privadas por terminales no sujetos a control alguno[866]. Tales supuestos —a mi entender— se deben basar, obviamente, en un conocimiento previo del trabajador y en su ineludible consentimiento, atendiendo siempre a parámetros de proporcionalidad, puesto que el consentimiento no "sanará" una restricción desproporcionada del DF o una afectación a su contenido esencial.

El art. 87.3 NLOPD impone un **deber a los empleadores**, consistente en **establecer criterios de utilización de los dispositivos digitales**, respetando en todo caso los estándares mínimos de protección de su intimidad de acuerdo con los usos sociales y derechos constitucionales y legales.

Resuena en este precepto el eco de la doctrina del TS, iniciada con la **STS 26 septiembre de 2007** (RCUD 966/2006), en que se habla de la existencia de un **hábito social generalizado de tolerancia con ciertos usos personales moderados** de los medios informáticos y de comunicación facilitados por la empresa a los trabajadores. Esa tolerancia, concluye la Sa-

---

[866] El TS razona (f.3): "si el teléfono controlado se ha puesto a disposición de los trabajadores como herramienta de trabajo para que lleven a cabo sus funciones de telemarketing y a la vez disponen de otro teléfono para sus conversaciones particulares, si, como se ha apreciado, los trabajadores conocen que ese teléfono lo tienen sólo para trabajar y conocen igualmente que puede ser intervenido por la empresa, si además la empresa sólo controla las llamadas que recibe el trabajador y no las que hace, si ello lo realiza de forma aleatoria —un 0,5%—, y con la finalidad exclusiva de controlar la buena realización del servicio para su posible mejora, la única conclusión razonable a la que se puede llegar es a la de que se trata de un control proporcionado a la finalidad que con el mismo se pretende, en el sentido antes indicado. En ese mismo sentido se trata de un control que es necesario puesto que no se conoce otro medio más moderado para obtener la finalidad que se pretende —juicio de necesidad—, es idóneo para el mismo fin —juicio de idoneidad— y ponderado o equilibrado porque de ese control se pueden derivar beneficios para el servicio que presta la empresa y no parece que del mismo se puedan derivar perjuicios para el derecho para el derecho fundamental de los trabajadores –proporcionalidad en sentido estricto—.

la IV, crea una **expectativa también general de confidencialidad** en esos usos, susceptible de tutela.

En la **elaboración de dichos criterios** —dice ahora el art. 87.2 NLO-PD— han de **participar los representantes de los trabajadores.** La NLO-PD no determina a qué forma de participación se refiere: información, audiencia o consulta. Ante tal falta de concreción, parece que la consulta será la forma de participación más indicada, por lo que habrá de mantenerse un intercambio de opiniones y la apertura de un diálogo entre el empresario y los RLT incluyendo, en su caso, la emisión de informe previo. Pueden considerarse que **existe un deber de negociar de buena fe, pero sin que sea exigible llegar a un acuerdo**, correspondiendo al empresario, la decisión final a falta del mismo[867].

No **se aclara qué ocurre en los habituales supuestos de inexistencia de representación legal de los trabajadores.** Esta participación habrá de plasmarse, **como mínimo, en un deber de consulta previa** (art. 4.2 c) Directiva 2002/14), conforme al art. 64.5 ET, según el cual el comité de empresa tendrá derecho a emitir informe, con carácter previo a la ejecución por parte del empresario de las decisiones adoptadas por este, sobre las siguientes cuestiones: "*f) La implantación y revisión de sistemas de organización y control del trabajo, estudios de tiempos, establecimiento de sistemas de primas e incentivos y valoración de puestos de trabajo.*"

Por otro lado, el **acceso al contenido de los dispositivos digitales en los que se haya admitido su uso con fines privados** exige —según el art. 87.3 NLOPD— que se **especifique de modo preciso los usos autorizados y se establezcan garantías para la intimidad, como por ejemplo la determinación de los períodos de uso,** lo que evidencia la exigencia de un juicio de proporcionalidad.

En fin, el **art. 87.3 impone la información a los trabajadores de los criterios de utilización.**

El artículo presenta diversos problemas. El primero es la determinación del difuso concepto de "*los contenidos derivados del uso de medios digitales*". **Su delimitación con lo que constituye comunicación, y por tanto sujeta**

---

[867] PRECIADO DOMÈNECH, C.H. "Derechos de información, audiencia, consulta y participación de los representantes de los trabajadores". Ed. Bomarzo 2012.

a secreto de comunicaciones (art. 18.3 CE), resultará esencial, pues el secreto sólo puede alzarse mediante consentimiento del titular o resolución judicial.

En este sentido quizás sea útil recordar que la STC 70/2002, de 3 de abril sostiene que "… la protección del derecho al **secreto de las comunicaciones** alcanza **al proceso de comunicación mismo,** pero **finalizado el proceso** en que la comunicación consiste, la protección constitucional de lo recibido se realiza en su caso a través de las **normas que tutelan la intimidad u otros derechos".** Igual tesis es proclamada por la STC 123/2002, de 20 de mayo. Finalizada la comunicación, la protección constitucional de la comunicación recibida, escapa del ámbito del art. 18.3 de la CE y pasa a residenciarse en el esquema de protección constitucional del derecho a la intimidad (art. 18.1 CE). El criterio ha sido acogido, entre otras, en las SSTS (Sala II) 1235/2002, de 27 de junio, 1647/2002, de 1 de octubre, ó 864/2015, de 10 de diciembre; STS 528/2014; o más recientemente, la STS (Sala II) 23 octubre 2018, RC 1674/2017, en que se declara la **nulidad de la prueba obtenida a través del examen del ordenador personal del alto directivo acusado, ante las sospechas de deslealtad vinculada a su participación en empresas dedicadas a la misma actividad de la mercantil en la que trabajaba, y ello por la falta de autorización del trabajador a la empresa para examinar su ordenador.**

En segundo lugar, n**ada se dice de qué ocurrirá y qué valor probatorio podrá tener el acceso del empleador a los contenidos derivados del uso de medios digitales cuando:**

— *el empleador infrinja el deber de elaborar criterios de utilización,*

— *el empleador infrinja el deber de informar a los trabajadores de dichos criterios.*

En **mi opinión,** la **infracción de cualquiera de los dos deberes determinaría la vulneración del derecho a la intimidad del trabajador** y/o de su derecho a la PDP, lo que habría de determinar **la ilicitud de la prueba así obtenida.**

Otro problema, desde el prisma colectivo, viene dado por **la participación de los representantes de los trabajadores.** Parece ser que **como mínimo exigiría la consulta y la consiguiente emisión de un informe (Art. 64.5 f) ET),** en este sentido, cabe recordar que por consulta se entiende el intercambio de opiniones y la apertura de un diálogo entre empresario y RLT, con la emisión de informe y que en las consultas se incluye el deber de negociar de buena fe, aún sin la exigencia de llegar a un acuerdo.

Sin embargo, tampoco resuelve el precepto **qué ocurre en los supuestos de adopción de criterios obviando la consulta previa con los representantes de los trabajadores**. Se trataría, qué duda cabe, de una infracción grave de los derechos de información y consulta con consecuencias sancionadoras (art. 7.7 LISOS), pero resulta polémico que esa omisión viciase de nulidad el establecimiento del sistema de control de los dispositivos informáticos o los resultados que de dicho control se deriven. **Sólo en aquellos casos en que la introducción de nuevos sistemas de control de uso de dispositivos digitales supusiera una modificación sustancial de las condiciones de trabajo**, cabría predicar la **nulidad de la medida por falta de consultas con los RLT** (art. 41 ET y art. 138.7 LRJS).

Una vez hecha esta primera aproximación al art. 87 NLOPD, conviene ahora dar cumplida cuenta, aún en forma resumida, de la doctrina de los Tribunales sobre el control del uso de dispositivos digitales por las personas trabajadoras, para contrastar desde la perspectiva las novedades apenas apuntadas en las anteriores líneas..

b) Doctrina de los Tribunales españoles sobre control por el empleador de dispositivos digitales utilizados por las personas trabajadoras

• *Doctrina del TC*

La doctrina sobre esta cuestión,en cuanto al TC se resume en tres sentencias. La primera de ellas las STC 170/2011, de 7 de noviembre; dictada en el ámbito penal, donde se examina los derechos fundamentales afectados en un supuesto de análisis policial de portátil de una persona investigada por pedofilia sin autorización judicial; y otras dos dictadas en el ámbito laboral: la STC 241/2012, de 12 de diciembre y STC 170/2013, de 7/Octubre, que se ocupan del control de los dispositivos digitales por el empresario.

En materia de video vigilancia y protección de datos, hay que citar las STC 186/00, de 10 de julio, 29/2013, de 11 de febrero y 39/2016.

Es de capital importancia la **STC 186/2000** de 10 de julio, en la que se declara proporcionada la video vigilancia no advertida ni al Comité de empresa ni a los trabajadores afectados, puesto que **en el caso concreto previamente se habían advertido irregularidades en el comportamiento de los cajeros en determinada sección del economato y un acusado descuadre contable.** El resultado de la vigilancia determinó la adopción de medidas disciplinarias contra tres cajeros: uno fue despedido y a los otros dos se les impuso una sanción de suspensión de empleo y sueldo durante dos meses. El TC concluye que la medida de vigilancia de modo que las cámaras únicamente grabaran el ámbito físico estrictamente imprescindible (las cajas registradoras y la zona del mostrador de paso de las mercancías más próxima a los cajeros), por lo que considera que el principio de proporcionalidad fue respetado, al **existir razonables sospechas de actuación irregular por parte de los trabajadores, que justificaban el control oculto.**

En cuarto lugar, hay que citar la **STC 29/2013 de 11 de febrero. La video vigilancia también puede afectar al derecho a la protección de datos de carácter personal** (art. 18.4 CE, LO 15/99 y RD 1720/07). En el caso analizado se declaró afectado tal derecho y, por tanto, se consideró nula la prueba de captación de imágenes del trabajador en lugares públicos de paso a fin de controlar su actividad laboral (control de puntualidad), porque ni el trabajador mismo, ni el comité de empresa habían sido informados de dicho establecimiento de un sistema de control de la actividad laboral.

En dicha sentencia se parte de que **las imágenes grabadas en un soporte físico constituyen un dato de carácter personal** que queda integrado en la cobertura del art. 18.4 CE, ya que el derecho fundamental amplía la garantía constitucional a todos aquellos datos que identifiquen o permitan la identificación de la persona y que puedan servir para la confección de su perfil (ideológico, racial, sexual, económico o de cualquier otra índole) o para cualquier otra utilidad que, en determinadas circunstancias, constituya una amenaza para el individuo [STC 292/2000, de 30 de noviembre, F. 6], lo cual, como es evidente, incluye también aquellos que facilitan la identidad de una persona física por medios que, a través de imágenes, permitan su representación física e identificación visual u ofrezcan una información gráfica o fotográfica sobre su identidad.

Así, el derecho fundamental a la protección de datos (art. 18.4 CE) fue vulnerado con la utilización no consentida ni previamente informada de las grabaciones para un fin, desconocido por los trabajadores, de control de su actividad laboral. En efecto, el TC consideró que **el tratamiento de los datos para la supervisión laboral asociada a las capturas de su imagen** exigía una información previa, expresa, precisa, clara e inequívoca a los trabajadores sobre la captación de imágenes, su finalidad de control de la actividad laboral y su posible utilización para la imposición de sanciones disciplinarias por incumplimientos del contrato de trabajo

En quinto lugar, hay que citar la **STC 39/2016** con la que debemos ser críticos, puesto que en la misma se devalúa el contenido del deber de información, que integra el contenido esencial del derecho de protección de datos y, en particular, de la exigencia del carácter concreto de esa información que contempla el art. 10 de la Directiva 95/46 y el art. 13 del Reglamento 679/2016

Se trata de un supuesto de video vigilancia en que se emplea como prueba la grabación para despedir al trabajador por supuestas irregularidades en el manejo de la caja en una tienda de ropa de moda, habiendo sospechas razonables previas de que había descuadres de caja. El TC considera que el empresario no necesita el consentimiento expreso del trabajador para el tratamiento de las imágenes que han sido obtenidas a través de las cámaras instaladas en la empresa con la finalidad de seguridad o control laboral, ya que se trata de una medida dirigida a controlar el cumplimiento de la relación laboral y es conforme con el art. 20.3 TRLET, que establece que "el empresario podrá adoptar las medidas que estime más oportunas de vigilancia y control para verificar el cumplimiento por el trabajador de sus obligaciones y deberes laborales, guardando en su adopción y aplicación la consideración debida a su dignidad humana". Si la dispensa del consentimiento prevista en el art. 6 LOPD se refiere a los datos necesarios para el mantenimiento y el cumplimiento de la relación laboral, la excepción abarca sin duda el tratamiento de datos personales obtenidos por el empresario para velar por el cumplimiento de las obligaciones derivadas del contrato de trabajo. El consentimiento se entiende implícito en la propia aceptación del contrato que implica reconocimiento del poder de dirección del empresario.

El TC sigue razonando que **la exigencia de finalidad legítima en el tratamiento de datos prevista en el art. 4.1 LOPD viene dada, en el ámbito de la video vigilancia laboral, por las facultades de control empresarial**

que reconoce el art. 20.3 TRLET, siempre que esas facultades se ejerzan dentro de su ámbito legal y no lesionen los derechos fundamentales del trabajador.

Sin embargo, considera el TC, que aunque no se requiere el consentimiento expreso de los trabajadores para adoptar esta medida de vigilancia que implica el tratamiento de datos, **persiste el deber de información del art. 5 LOPD.**

La infracción del deber de información exige, **para entender vulnerado el derecho de protección de datos, un juicio de proporcionalidad con el derecho a la protección de datos y los derechos de propiedad y libertad de empresa (arts. 33 y 38 CE),** pero el TC obvia que el juicio de proporcionalidad sólo puede transcurrir en la esfera que no afecta al contenido esencial, que ha de respetarse en todo caso.

En la ponderación en el caso concreto, **el TC sostiene** que **el trabajador conocía que en la empresa se había instalado un sistema de control por video vigilancia, sin que haya que especificar, más allá de la mera vigilancia, la finalidad exacta que se le ha asignado a ese control.**

En la STC 170/2011, de 7 de noviembre (F.3), el TC hace una definición de lo que el acceso al ordenador o cualquier dispositivos digitales similares como *smart phones*, etc.; supone en orden a la afectación de los DDFF.

"Si no hay duda de que los datos personales relativos a una persona individualmente considerados, a que se ha hecho referencia anteriormente, están dentro del ámbito de la intimidad constitucionalmente protegido, menos aún pueda haberla de que el cúmulo de la información que se almacena por su titular en un ordenador personal, entre otros datos sobre su vida privada y profesional (en forma de documentos, carpetas, fotografías, vídeos, etc.) –por lo que sus funciones podrían equipararse a los de una agenda electrónica–, no sólo forma parte de este mismo ámbito, sino que además **a través de su observación por los demás pueden descubrirse aspectos de la esfera más íntima del ser humano.** Es evidente que cuando su titular navega por Internet, participa en foros de conversación o redes sociales, descarga archivos o documentos, realiza operaciones de comercio electrónico, forma parte de grupos de noticias, entre otras posibilidades, **está revelando datos acerca de su personalidad, que pueden afectar al núcleo más profundo de su intimidad por referirse a ideologías, creen-**

cias religiosas, aficiones personales, información sobre la salud, orientaciones sexuales, etc. Quizás, estos datos que se reflejan en un ordenador personal puedan tacharse de irrelevantes o livianos si se consideran aisladamente, pero si se analizan en su conjunto, una vez convenientemente entremezclados, no cabe duda que configuran todos ellos un perfil altamente descriptivo de la personalidad de su titular, que es preciso proteger frente a la intromisión de terceros o de los poderes públicos, por cuanto atañen, en definitiva, a la misma peculiaridad o individualidad de la persona. A esto debe añadirse que el ordenador es un instrumento útil para la emisión o recepción de correos electrónicos, pudiendo quedar afectado en tal caso, no sólo el derecho al secreto de las comunicaciones del art. 18.3 CE (por cuanto es indudable que la utilización de este procedimiento supone un acto de comunicación), sino también el derecho a la intimidad personal (art. 18.1 CE), en la medida en que estos correos o email, escritos o ya leídos por su destinatario, quedan almacenados en la memoria del terminal informático utilizado. Por ello deviene necesario establecer una serie de garantías frente a los riesgos que existen para los derechos y libertades públicas, en particular la intimidad personal, a causa del uso indebido de la informática así como de las nuevas tecnologías de la información."

En la *STC 241/2012 de 17 de diciembre*, el TC considera que el **secreto de las comunicaciones y a la intimidad no se ve afectado en un caso en que la empresa accede a los ficheros informáticos en que quedaban registradas las conversaciones mantenidas entre dos trabajadoras a través de un programa de mensajería instalado por ellas mismas en un ordenador de uso común y sin clave de acceso**, conversaciones **de carácter íntimo descubiertas por casualidad por un trabajador que dio cuenta a la empresa.**

Los hechos en resumen son que en la empresa existía un ordenador de uso indistinto por todos los trabajadores, sin clave para acceder a la unidad «C»; que en el mismo una trabajadora y otra compañera de trabajo instalaron, sin autorización ni conocimiento de la empresa, que tenía expresamente prohibido modificar el sistema informático de origen, el programa «Trillian» de mensajería instantánea, con el que llevaron a cabo, entre ellas, diversas conversaciones en las que se vertían comentarios críticos, despectivos o insultantes en relación con compañeros de trabajo, superiores y clientes; que dichas conversaciones «fueron descubiertas» por casualidad por un empleado que intentó utilizar la unidad «C» de ese ordenador, dando cuenta de ello a la empresa hacia mediados de octubre de 2004, y, en fin, que la dirección de la empresa, dos meses después de ese descubrimiento, convocó a las trabajadoras a una reunión, en la que «se leyeron algunas de las conversaciones y se resumió el contenido de las restantes», reconociendo las afectadas que habían sido efectuadas por ellas, aunque defendieron que estaban «sacadas de contexto», procediendo la empresa a amonestarlas verbalmente.

El punto de partido de esta importante sentencia radica en que "… en el marco de las facultades de auto organización, dirección y control correspondientes a cada empresario, "no cabe duda de que **es admisible la ordenación y regulación del uso de los medios informáticos de titularidad empresarial por parte del trabajador, así como la facultad empresarial de vigilancia y control del cumplimiento de las obligaciones relativas a la utilización del medio en cuestión, siempre con pleno respeto a los derechos fundamentales**" [STC 241/2012, de 17 de diciembre, FJ 5), lo que se reiterará en la STC 170/2013, de 7/Octubre, FJ 4].

El TC entiende que no cabe apreciar afectación del derecho a la intimidad desde el momento en que fueron ambas trabajadores quienes realizaron actos dispositivos que determinaron la eliminación de la privacidad de sus conversaciones, al incluirlas en el disco del ordenador en el cual podían ser leídas por cualquier otro usuario, pudiendo trascender su contenido a terceras personas, como aquí ocurrió al tener conocimiento la dirección de la empresa.

En cuanto al secreto de las comunicaciones; el TC parte de un principio de variabilidad del alcance del poder de vigilancia, afirmando que los grados de intensidad o rigidez con que deben ser valoradas las medidas empresariales de vigilancia y control son variables en función de la propia configuración de las condiciones de disposición y uso de las herramientas informáticas y de las instrucciones que hayan podido ser impartidas por el empresario a tal fin.

De esa manera, la posibilidad de uso común del ordenador por todos los empleados permite considerar que la información archivada en el disco duro era accesible a todos los trabajadores, sin necesidad de clave de acceso alguna. Esta disposición organizativa de uso común permite afirmar su incompatibilidad con los usos personales y reconocer que, en este caso, la pretensión de secreto carece de cobertura constitucional, al faltar las condiciones necesarias de su preservación. El TC considera que las comunicaciones de las trabajadoras quedan fuera de la protección constitucional por tratarse de formas de envío que se configuran legalmente como comunicación abierta, esto es, no secreta.

Entendemos que tal criterio es, cuanto menos, sorprendente, puesto que hace depender el secreto de las comunicaciones y su tutela de la titularidad del medio y de que ese medio deje o no rastro informático de lo comunicado, lo que, en muchas ocasiones, es posible que ni siquiera conozcan los propios comunicantes. Dicho de otro modo, se considerarían también excluidos del secreto de las comunicaciones las realizadas con un teléfono de empresa que quedaran registradas en un disco duro, por el mero hecho de ser de uso común el teléfono.

Por otro lado, se da pábulo a que el descubrimiento casual de una conversación privada sea utilizada como prueba cuando no consta ni autorización judicial, ni consentimiento de las afectadas. No se trata aquí de la expectativa de privacidad, sino del respeto a la comunicación en sí misma, de la libertad de comunicarse, como bien afirma el voto particular de la sentencia, cuando dice:

> *"La libertad de las comunicaciones, y no sólo su secreto, integra así el título de cobertura que desencadena la tutela constitucional: el derecho fundamental enunciado en el art. 18.3 CE. Lo que supone, proyectado al ámbito que nos ocupa, que el trabajador en la empresa tiene reconocido, como ciudadano portador de un patrimonio de derechos que no desaparecen con ocasión de la contratación laboral, un ámbito de libertad constitucionalmente consagrado (el derecho de libertad de comunicaciones), sin perjuicio de las eventuales y posibles modalizaciones adoptadas por el empresario o de las regulaciones efectuadas por la negociación colectiva del uso de los medios tecnológicos existentes en la organización empresarial".*

La conducta de la empresa que accede al contenido de los mensajes, no debería entenderse amparada por las facultades de control, pues éstas han de respetar el margen de los derechos fundamentales; y el secreto de las comunicaciones ampara no sólo el contenido de la comunicación sino también sus datos periféricos (STEDH 2 agosto 1984, Caso Malone c. UK) y ese amparo se da también cuando se trata de redes de comunicación privada, en particular en el ámbito laboral (Halford c. UK de 25 de junio de 1997). El propio TC ha reconocido que *"Este derecho queda pues afectado tanto por la entrega de los listados de llamadas telefónicas por las compañías te-*

lefónicas como también por el acceso al registro de llamadas entrantes y salientes grabadas en un teléfono móvil.[868]

El hecho de que la existencia de comunicaciones y su contenido sea descubierto "casualmente" por un trabajador que lo pone en conocimiento de la empresa, no sana la ilicitud del medio de prueba, puesto que el descubrimiento, por más que casual, incide en el núcleo duro del derecho a la libertad y al secreto de comunicaciones.

Además, dicho acceso es evidente que no se hace en el marco del control empresarial, sino por causalidad, por lo que su puesta en conocimiento de la empresa no sana la inicial intromisión. Dicho de otra manera, la intromisión causal no es lícita, puesto que no es preciso dolo o imprudencia para vulnerar el derecho fundamental[869], por lo que la adquisición de conocimiento de la empresa por boca del trabajador de la existencia y contenido de la comunicación presenta una clara conexión de antijuridicidad con la fuente inicial ilícita que debió impedir el uso del medio de prueba derivado (testifical) en virtud de la doctrina de los frutos del árbol prohibido.

En fin, el TC se apoya en que las trabajadoras no podían esgrimir una expectativa razonable de secreto de su comunicación, pues emplearon lo que se conoce como "canal abierto", habiendo manifestado el TC que quedan fuera de la protección constitucional aquellas formas de envío de la correspondencia que se configuran legalmente como comunicación abierta, esto es, no secreta». Así ocurre «cuando es legalmente obligatoria una declaración externa de contenido, o cuando bien su franqueo o cualquier otro signo o etiquetado externo evidencia que, como acabamos de señalar, no pueden contener correspondencia». En tales casos «pueden ser abiertos de oficio o sometidos a cualquier otro tipo de control para determinar su contenido» [STC 281/2006, de 9 de octubre, FJ 3 b)].

Sin embargo, las trabajadoras utilizaron un programa instalado por ellas de mensajería, no destinado, en principio, a su conocimiento ajeno. Si fuera ése el motivo de la sanción nada habría que objetar, el problema es que se las sanciona por el contenido de las comunicaciones y por las comunicacio-

---

[868] SSTC 230/2007, de 5 de noviembre [RTC 2007, 230], FJ 2; 142/2012, de 2 de julio [RTC 2012, 142], FJ 3; 241/2012, de 17 de diciembre [RTC 2012, 241], FJ 4; y 115/2013, de 9 de mayo, FJ 3, entre otras.

[869] STC 196/2004, de 15 de noviembre, F. 9.

nes en sí, de forma que la empresa se excede claramente de las facultades de control pues aún siendo una infracción de la orden empresarial, la expectativa de privacidad había de ser respetada.

Para concluir el capítulo crítico de la sentencia, resta hacer mención de la falta de un soporte legal, de un título de habilitación legal claro y suficiente para amparar conductas como las que despliega la empresa en el caso concreto[870], aspecto que sorprendentemente el TC ni siquiera se plantea, pese a las reiteradas condenas del TEDH a España, precisamente, por dicho tipo de carencias en el ámbito penal.

En este sentido el art. 20.3 ET no cumple con los estándares europeos de previsibilidad mínimos de la ley habilitante exigidos, por ejemplo en: Kruslin c. Francia de 24 de abril de 1990, Huvig c Francia de 24 de abril de 1990 o Copland c. UK en que se dice que para cumplir con la exigencia de la previsibilidad, la ley debe emplear términos los suficientemente claros para que todos puedan conocer en qué circunstancias y en qué condiciones pueden las autoridades recurrir a medidas restrictivas de derechos[871].

La STC 170/2013 de 7 octubre, da un paso más en el camino de la inseguridad jurídica y la disuasión del ejercicio de los derechos fundamentales en el ámbito de la empresa, hipertrofiando los poderes de vigilancia y control hasta el punto de considerar que **basta que un Convenio colectivo sancione el uso de herramientas informáticas y correo electrónico para usos diversos al profesional, para considerar que la empresa puede controlar los correos electrónicos de los empleados sin aviso previo a los mismos y sin que ello vulnere su derecho al secreto de las comunicaciones y el derecho a la intimidad.** Ello equivale —en nuestra opinión— a exceptuar del secreto de las comunicaciones la autorización judicial cuando las mismas se realicen en el seno de la empresa, lo que no puede ser sino objeto de contundente crítica, como ya lo ha sido por parte de la Sala II del TS[872].

---

[870] STS II 16 junio 2014: Nº de Recurso: 2229/2013, Nº de Resolución: 528/2014.

[871] Caso Kruslin contra Francia. Sentencia de 24 abril 1990. TEDH 1990\1 FJ 27: Las palabras «prevista por la ley», en el sentido del artículo 8, exigen ante todo que la medida impugnada tenga algún fundamento en el Derecho interno; pero también se refieren a la calidad de la norma de que se trate: debe ser accesible a la persona afectada, que ha de poder prever sus consecuencias, y compatible con la preeminencia del Derecho.

[872] STS II 16 junio 2014: Nº de Recurso: 2229/2013, Nº de Resolución: 528/2014.

En este caso se sustituye la autorización judicial del art. 18.3 ET por el convenio colectivo a la hora de alzar el secreto de las comunicaciones, considerando con ello implícita la facultad empresarial exorbitante de controlar las comunicaciones y sus contenidos.

Ante ello, las cuestiones son obvias:

¿Cumple ello con la exigencia de le previsibilidad, consistente en que la ley debe emplear términos lo suficientemente claros para que todos puedan conocer en qué circunstancias y en qué condiciones pueden las autoridades o los particulares recurrir a medidas restrictivas de derechos (STEDH Copland c. UK, F.46)?

En nuestra opinión la respuesta ha de ser claramente negativa.

¿Puede considerarse que el correo electrónico no es un medio o canal cerrado, por el simple hecho de que un Convenio colectivo sancione el abuso del correo corporativo facilitado por la empresa?

La respuesta ha de ser también negativa y la consideración del TC de que la descripción del tipo sancionador convencional convierte el correo corporativo en un medio abierto no apto para ser tutelado por el derecho al secreto de las comunicaciones puede tener consecuencias imprevisibles, sobre todo para las empresas, pues si es un medio abierto, nada impide al trabajador obtener copia de lo que ahí se comunique, sea o no interviniente en la comunicación, mientras tenga acceso, puesto que no existe expectativa razonable de confidencialidad.

Desde esta misma lógica, no será prueba ilícita la copia de conversaciones mantenidas entre el responsable de RRHH y el Gerente de la empresa obtenidas por el trabajador mediante su acceso al correo corporativo, puesto que dichas conversaciones no gozan de una expectativa razonable de confidencialidad y no se hallan dentro del objeto de tutela del art. 18.3 CE. Sin duda, se trata ésta de una consecuencia no calculada por el TC.

En este sentido por ejemplo, una interpretación coherente con la CE y el CEDH, viene dada en la Sentencia del Juzgado de lo Mercantil nº1 de Vitoria, núm. 517/2005 de 30 diciembre. (AC 2006\386), en un caso de defensa de la competencia.

- *Doctrina del TS*

La STS 26 septiembre de 2007 (RCUD 966/2006) marcó los primeros posicionamientos en esta materia en el ámbito de la contratación laboral. Una revisión técnica por el defectuoso funcionamiento del ordenador de un trabajador, desveló antiguas visitas a archivos pornográficos causantes quizás de la ralentización del ordenador, lo que avocó a su despido.

El Tribunal Supremo recalca "… la existencia de un **hábito social generalizado de tolerancia con ciertos usos personales moderados** de los medios informáticos y de comunicación facilitados por la empresa a los trabajadores. Esa tolerancia crea una **expectativa también general de confidencialidad** en esos usos; expectativa que no puede ser desconocida, aunque tampoco convertirse en un impedimento permanente del control empresarial, porque, aunque **el trabajador tiene derecho al respeto a su intimidad, no puede imponer ese respeto cuando utiliza un medio proporcionado por la empresa en contra de las instrucciones establecidas por ésta para su uso y al margen de los controles previstos para esa utilización y para garantizar la permanencia** del servicio".

- **STS 13 septiembre 2016. RCUD 206/2015. Caso Televisión de Galicia.** En la que se concluye que **el establecimiento de sistemas de control aleatorio de las páginas de internet visitadas y de los correos electrónicos no vulnera el derecho a la intimidad personal ni el secreto de la comunicaciones, salvo en el aspecto referido al control para prevenir fines ilícitos, y que dichos controles superan el juicio de proporcionalidad.**

   a) Que «… "para comprobar si una medida restrictiva de un derecho fundamental supera el juicio de proporcionalidad, es necesario constatar si cumple los tres siguientes requisitos o condiciones: si tal medida es susceptible de conseguir el objetivo propuesto (juicio de idoneidad); si, además, es necesaria, en el sentido de que no exista otra medida más moderada para la consecución de tal propósito con igual eficacia (juicio de necesidad); y, finalmente, si la misma es ponderada o equilibrada, por derivarse de ella más beneficios o ventajas para el interés general que perjuicios sobre otros bienes o valores en conflicto (juicio de proporcionalidad en sentido estricto)" (STC 96/2012, de 7 de mayo, FJ 10; o SSTC

14/2003, de 28 de enero, FJ 9; y 89/2006, de 27 de marzo, FJ 3)» (STC 170/2013, de 7/Octubre, **FJ 5**).

b) Que «[l]a cuestión clave —admitida la facultad de control del empresario y la licitud de una prohibición absoluta de los usos personales— consiste en determinar si existe o no un derecho del trabajador a que se respete su intimidad cuando, en contra de la prohibición del empresario o con una advertencia expresa o implícita de control, utiliza el ordenador para fines personales. La respuesta parece clara: si no hay derecho a utilizar el ordenador para usos personales, no habrá tampoco derecho para hacerlo en unas condiciones que impongan un respeto a la intimidad o al secreto de las comunicaciones, porque, al no existir una situación de tolerancia del uso personal, tampoco existe ya una expectativa razonable de intimidad y porque, si el uso personal es ilícito, no puede exigirse al empresario que lo soporte y que además se abstenga de controlarlo» [STS SG 06/10/11 —rco 4053/10— (RJ 2011, 7699)].

c) Que si existe un régimen previo de limitación de uso de los medios informáticos, con prohibición expresa de uso extra laboral, «el poder de control de la empresa sobre las herramientas informáticas de titularidad empresarial puestas a disposición de los trabajadores podía legítimamente ejercerse, ex art. 20.3 LET, tanto a efectos de vigilar el cumplimiento de la prestación laboral realizada a través del uso profesional de estos instrumentos, como para fiscalizar que su utilización no se destinaba a fines personales o ajenos al contenido propio de su prestación de trabajo» (STC 170/2013, de 7/Octubre, **FJ 4**). Y que «[e]ste dato constituye una importante particularidad respecto a los supuestos enjuiciados en algunos pronunciamientos del Tribunal Europeo de Derechos Humanos, en los que la apreciación, «... a la vista de las circunstancias, de que el trabajador no estaba advertido de la posibilidad de que sus comunicaciones pudieran ser objeto de seguimiento por la empresa ha llevado a admitir que dicho trabajador podía razonablemente confiar en el carácter privado de las llamadas efectuadas desde el teléfono del trabajo o, igualmente, en el uso del correo electrónico y la navegación por Internet [SSTEDH de 25 de junio de 1997,** caso Halford c. Reino Unido, § 45; de 3 de abril de 2007, caso Copland c. Reino Unido, § 42 y 47]» (STC 170/2013, de 7/octubre, FJ 5).

d) Que la Resolución que se impugna en las presentes actuaciones atiende cumplidamente a los tres juicios que más arriba referimos [idoneidad; necesidad; y estricta proporcionalidad], puesto que con ella se cumple el legítimo objetivo propuesto [exclusión del uso netamente privado de los instrumentos informáticos puestos a su disposición por la empresa para desarrollar la actividad laboral], no se alcanza a vislumbrar —ni se propone— otra medida más benévola con los derechos que entienden vulnerados, y se nos presenta como equilibrada regulación de los intereses en juego. Siempre y cuando, por supuesto, en el concreto ejercicio del control empresarial se respeten, asimismo, los derechos fundamentales referidos.

- **STS 8 febrero 2018. RCUD 1121/2015. Caso Inditex.**

Resumen: Derecho al secreto de las comunicaciones: control del correo electrónico del trabajador por el empresario: despido procedente de un empleado de INDITEX, por haber incurrido en transgresión de la buena fe contractual y abuso de confianza, al haber aceptado de una entidad proveedora y a la que el demandante había realizado compras por importe de 15.734.080 dólares en el periodo 2008/2013, dos transferencias bancarias por importe —respectivamente— de 11.000 y 39.000 euros, en 19/06/13.

El TSJ Galicia declara ilícitas las pruebas obtenidas a través del control del correo electrónico del actor, es decir, las que obran en el documento número 5 de los aportados por la empresa ... y las testificales prestadas respecto a los extremos en él contenidos

Resume doctrina sobre control de correo electrónico por el empresario:

Acerca de la inclusión del correo electrónico en el ámbito de protección del derecho a la intimidad, se dice en la decisión de contraste:

a) «... aun cuando la atribución de espacios individualizados o exclusivos —como la asignación de cuentas personales de correo electrónico a los trabajadores— puede tener relevancia sobre la actuación fiscalizadora de la empresa, ha de tenerse en cuenta que "los grados de intensidad o rigidez con que deben ser valoradas las medidas empresariales de vigilancia y control son variables en función de la propia configuración de las condiciones de disposición y uso de las herramientas informáticas y de las instrucciones que hayan podido ser impartidas por el empresario a tal fin" (STC 241/2012, FJ 5)» (FJ 4).

b) «… el uso del correo electrónico por los trabajadores en el ámbito laboral queda dentro del ámbito de protección del derecho a la intimidad; … el cúmulo de información que se almacena por su titular en un ordenador personal —entre otros datos sobre su vida privada y profesional— forma parte del ámbito de la intimidad constitucionalmente protegido; también que el ordenador es un instrumento útil para la emisión o recepción de correos electrónicos, pudiendo quedar afectado el derecho a la intimidad personal "en la medida en que estos correos o email, escritos o ya leídos por su destinatario, quedan almacenados en la memoria del terminal informático utilizado" (STC 173/2011, de 7/Noviembre, FJ 3); (FJ 5).

c) «… el ámbito de cobertura de este derecho fundamental viene determinado por la existencia en el caso de una expectativa razonable de privacidad o confidencialidad. En concreto, hemos afirmado que un "criterio a tener en cuenta para determinar cuándo nos encontramos ante manifestaciones de la vida privada protegible frente a intromisiones ilegítimas es el de las expectativas razonables que la propia persona, o cualquier otra en su lugar en esa circunstancia, pueda tener de encontrarse al resguardo de la observación o del escrutinio ajeno… (STC 12/2012, de 30 de enero, FJ 5)» (FJ 5).

El TS considera que el control del correo electrónico del trabajador fue prueba lícita por los siguientes motivos:

Los empleados del Grupo Inditex, cada vez que acceden con su ordenador a los sistemas informáticos de la compañía, y de forma previa a dicho acceso, deben de aceptar las directrices establecidas en la Política de Seguridad de la Información del Grupo Inditex, en la que se señala que el acceso lo es para fines estrictamente profesionales, reservándose la empresa el derecho de adoptar las medidas de vigilancia y control necesarias para comprobar la correcta utilización de las herramientas que pone a disposición de su empleados, respetando en todo caso las legislación laboral y convencional sobre la materia y garantizando la dignidad e intimidad del empleado, por lo que el actor era conocedor de que no podía utilizar el correo para fines particulares y que la empresa podía controlar el cumplimiento de las directrices en el empleo de los medios informáticos por ella facilitados.

No olvidemos que **el examen del ordenador utilizado por el trabajador accionante fue acordado tras el «hallazgo casual»** de fotocopias de las transferencias bancarias efectuadas por un proveedor de la empresa en favor del trabajador demandante —hecho expresamente prohibido en el Código de Conducta de la demandada e imputado en la carta de despido—.

Consideremos, finalmente, que **«se examinó el contenido de ciertos correos electrónicos de la cuenta de correo corporativo del actor, pero no de modo genérico e indiscriminado**, sino tratando de encontrar elementos que permitieran seleccionar que correos examinar, utilizando para ello **palabras clave** que pudieran inferir en qué correos podría existir información relevante para la investigación, [*y atendiendo a la*] **proximidad con la fecha de las transferencias bancarias»** [*así, en la fundamentación jurídica de la sentencia de instancia, pero con valor de HDP: recientes, SSTS 02/06/16 — rco 136/15—; 22/06/16 —rco 250/15—; y SG 26/10/16 —rcud 2913/14—]; y sin que deje ser relevantes dos circunstancias: a)* **que el contenido extraído se limitó a los correos relativos a las transferencias bancarias** que en favor del trabajador le había realizado —contrariando el Código de Conducta— un proveedor de la empresa; y b) que —además y según se indica en la misma resolución del J/S— **el control fue ejercido sobre el «correo corporativo del demandante, mediante el acceso al servidor alojado en las propias instalaciones de la empresa; es decir, nunca se accedió a ningún aparato o dispositivo particular del demandante...**; a lo que se accedió es al servidor de la empresa, en la que se encuentran alojados los correos remitidos y enviados desde las cuentas corporativas de todos y cada uno de los empleados».

Concluye el TS que no ha habido vulneración de la intimidad ni del secreto de las comunicaciones por 3 razones:

a) Que el **hallazgo «casual»** de la referida prueba documental excluye la aplicación de la doctrina anglosajona del **«fruto del árbol emponzoñado»**, *en cuya virtud al juez se le veda valorar no sólo las pruebas obtenidas con violación de un derecho fundamental, sino también las que deriven de aquéllas (sobre ello, SSTC 98/2000, de 10/*

abril; 186/2000, de 10/julio; 29/2013, de 11/febrero; y 39/2016, de 3/marzo. Y SSTS 05/12/03 —rec. 52/03—; 07/07/16 —rcud 3233/14 —; SG 31/01/17 —rcud 3331/15—; y 20/06/17 —rcud 1654/15—);

b) Que **la clara y previa prohibición de utilizar el ordenador de la empresa para cuestiones estrictamente personales** nos lleva a afirmar —como hicimos en uno de nuestros precedentes— que «si no hay derecho a utilizar el ordenador para usos personales, no habrá tampoco derecho para hacerlo en unas condiciones que impongan un respeto a la intimidad o al secreto de las comunicaciones, porque, al no existir una situación de tolerancia del uso personal, tampoco existe ya una expectativa razonable de intimidad y porque, si el uso personal es ilícito, no puede exigirse al empresario que lo soporte y que además se abstenga de controlarlo» (STS SG 06/10/11 —rco 4053/10—);

c) Que el **ponderado examen del correo electrónico que se ha descrito en precedente apartado, utilizando el servidor de la empresa y parámetros de búsqueda informática orientados a limitar la invasión en la intimidad,** evidencia que se han respetado escrupulosamente los requisitos exigidos por la jurisprudencia constitucional y se han superado los juicios de idoneidad, necesidad y proporcionalidad

El TS considera que la Doctrina Barbulescu (STEDH 5 septiembre 2017) coincide sustancialmente con la doctrina del TC y con la doctrina del TS.

"La lectura de los prolijos razonamientos utilizados por el TEDH en el asunto «Barbulescu», pone de manifiesto —entendemos— que el norte de su resolución estriba en la ponderación de los intereses en juego, al objeto de alcanzar un justo equilibrio entre el derecho del trabajador al respeto de su vida privada y de su correspondencia, y los intereses de la empresa empleadora (así, en los apartados 29, 30, 57, 99, 131 y 144). Y al efecto —resumimos— son decisivos factores a tener en cuenta: a) el grado de intromisión del empresario; b) la concurrencia de legítima razón empresarial justificativa de la monitorización; c) la inexistencia o existencia de medios menos intrusivos para la consecución del mismo objetivo; d) el destino dado por la empresa al resultado del control; e) la previsión de garantías para el trabajador
Como es de observar, tales consideraciones del Tribunal Europeo nada sustancial añaden a la doctrina tradicional de esta propia Sala (las ya citadas SSTS 26/09/07 —rcud 966/06—; 08/03/11 —rcud 1826/10—; y SG 06/10/11 —rco 4053/10—) y a la expuesta por el Tribunal Constitucional en la sentencia de contraste [STC 170/2013], así como a las varias suyas que el Alto Tribunal cita [así, SSTC 96/2012, de 7/mayo, FJ 10; 14/2003, de 28/enero, FJ 9; y 89/2006, de 27/marzo, FJ 3], pues sin lugar a dudas los factores que acabamos de relatar y que para el TEDH deben te-

nerse en cuenta en la obligada ponderación de intereses, creemos que se reconducen básicamente a los tres sucesivos juicios de «idoneidad», «necesidad» y «proporcionalidad» requeridos por el TC y a los que nos hemos referido en el FD Quinto [5.b)]. Juicios que a nuestro entender han sido escrupulosamente respetados en el caso de autos, por las razones más arriba expuestas (FJ Sexto. 2)."

Sin embargo, y por lo que ya hemos expuesto, **la doctrina del TEDH en materia del control de dispositivos digitales de los trabajadores, a mi entender, no es concorde con la expresada por el TC en sus STC 241/2012 de 17 de diciembre y STC 170/2013 de 7 octubre.**

c) Comentario a la STEDH 17 octubre 2019, Caso López Ribalda c. España (Gran Sala). Vídeo vigilancia, protección de datos y controles ocultos

Veremos ahora las sentencias López Ribalda, la dictada por la Sala y posteriormente la dictada por la Gran Sala. Las mismas constituyen un innegable punto de referencia para el futuro en materia de vídeo vigilancia en España.

En la sentencia de 17 de octubre de 2019, la dictada por la Gran Sala, que revoca la anterior, de 9 de enero de 2018, se establecen importantes estándares de enjuiciamiento de la vídeo vigilancia en el ámbito laboral. Baste ahora anticipar que el Test Barbulescu se incorpora en virtud de López Ribalda al control de la actividad laboral mediante vídeo-vigilancia.

• *STEDH 9 enero 2018, Caso López Ribalda c. España (I)*

Resumen de los hechos: Las demandantes son cinco españolas residentes en Sant Celoni y Sant Pere de Villamajor, que en 2009 trabajaban para una conocida cadena familiar de supermercados.

La vídeo vigilancia se puso en marcha por la empresa, que quería comprobar unas sospechas de hurto, después de que el director del supermercado en cuestión había denunciado incoherencias entre el nivel de los stocks y las cifras cotidianas de ventas. El empresario instaló cámaras visibles y cámaras ocultas. La empresa informó a los trabajadores/as de la instalación de las cámaras visibles (que enfocaban a las puertas), pero no les dijo nada sobre la presencia de cámaras ocultas (que enfocaban a las cajas).

Por tanto, los trabajadores/as no supieron nunca que eran filmados en las cajas. Todos los trabajadore/s sospechosos de hurto fueron convocados a entrevistas individuales en las que se les mostraron los vídeos. Las cámaras habían filmado a las demandantes mientras ayudaban a los clientes y a las compañeras a sustraer artículos y los sustraían ellas mismas. Las demandantes reconocieron haber tomado parte en los hurtos y fueron despedidas por razones disciplinarias.

Tres de las cinco demandantes firmaron un acuerdo por el cual reconocían su participación en los hurtos y renunciaban a accionar por despido ante los tribunales laborales mientras que la empresa, por su parte, se comprometió a no promover la iniciación de un proceso penal en contra de ellas. Las dos otras demandantes no firmaron el acuerdo. Todas las demandantes terminaron por ejercitar acciones, pero sus despidos fueron confirmados en primera instancia por los juzgado de lo social y después en suplicación por el Tribunal Superior de Justicia, sin que fueran admitidos los recursos de casación que interpusieron. Los Tribunales admitieron las grabaciones de vídeo como pruebas, considerando que habían sido lícitamente obtenidas.

Resumen de la decisión: Como se desprende de lo anteriormente expuesto, la decisión del TEDH gira en torno a dos ejes vertebradores:

- la vulneración del derecho a la vida privada (art. 8 CEDH), de la video vigilancia oculta obtenida sin informar a las trabajadoras de su existencia, finalidad y de sus derechos (art. 5 LOPD); y

- la vulneración del derecho a un proceso justo (art. 6.1 CEDH), por admitir dichas pruebas y por admitir la validez de los acuerdos de finiquito firmados por varias trabajadores tras el visionado de las imágenes, alegándose que existió coacción por parte de la empresa, pues les dijo que si no firmaban ejercitarían las correspondientes acciones penales.

Veamos pues, las dos vertientes del Caso López Ribalda que acabamos de exponer.

d) Sobre la vida privada (art. 8 CEDH)

Para empezar, el TEDH señala que el Gobierno español alega que el Estado no es responsable en este caso, dado que los actos litigiosos fueron cometidos por una empresa privada. El TEDH recuerda, sin embargo, que los países están, en virtud del CEDH, vinculados por la obligación positiva de tomar medidas dirigidas a asegurar el respeto de la vida privada y, por tanto, el TEDH debe indagar si el Estado ha ponderado de forma equilibrada los derechos de las trabajadoras y los del empresario. Por tanto, nos hallamos ante un claro caso de eficacia horizontal (Drittwirkung) de los derechos fundamentales, en el que el Estado es también responsable de las infracciones realizadas por particulares y no evitadas por él[873].

Por tanto, el TEDH debe examinar si el Estado, en el contexto de estas obligaciones positivas del art. 8, llevó a cabo una ponderación justa entre el derecho a la vida privada de las demandantes y el interés del empresario a la protección de sus poderes de organización y dirección en relación con su derecho de propiedad, así como el interés público en e una correcta administración de justicia (vid. *Bărbulescu*, § 112).

El TEDH considera, en segundo término, que **el derecho Español impone informar claramente a las personas sobre el almacenamiento y tratamiento de datos personales** (art. 5 LOPD), pero las trabajadoras demandantes no fueron debidamente informadas. Los Tribunales resolvieron que esa omisión estaba justificada por la existencia de sospechas razonables de hurto y por la ausencia de otro medio que hubiera permitido proteger suficientemente los derechos del empresario sin afectar tanto el derecho de las demandantes. (Doctrina de la STC 186/00).

El TEDH apunta que en el presente caso, el empresario decidió instalar cámaras de vigilancia, unas visibles y otros ocultas. Los empleados/as fueron advertidos solo de la existencia de las cámaras visibles enfocadas sobre las salidas del supermercado, pero no fueron informados de la instalación de video vigilancia sobre las cajas.

En cuanto al derecho afectado, el TEDH estima que **la video vigilancia oculta de un trabajador en su puesto de trabajo es una injerencia en su derecho a la vida privada**. Este derecho abarca las imágenes grabadas y reproducibles de la conducta de una persona en su puesto de trabajo, a la que el trabajador/a no puede sustraerse, estando obligado/a por el contrato de trabajo. (Vid. *Köpke*). El tribunal, por tanto, no alberga dudas de que las

---

[873] (Vid. von Hannover, § 57; I. v. Finland, § 36; K.U. v. Finland, no. 2872/02, §§ 42-43, ECHR 2008; Söderman, § 78 and Bărbulescu, § 108).

medidas de video vigilancia afectó a la vida privada de las recurrentes, en el sentido del artículo 8 del CEDH.

El tribunal considera primeramente que la vídeo vigilancia encubierta se llevó acabo después de que subiera detectado pérdidas por el supervisor del supermercado, generando un indicio razonable de hurto cometido por las demandantes hace como por otros trabajadores y clientes.

El tribunal entiende también que los datos visuales obtenidos implican el almacenamiento y procesamiento de datos personales estrechamente vinculados a la esfera privada de los individuos. Este material fue consiguientemente procesado y examinado por diversas personas que trabajaban para el empresario (entre otros el representante sindical y el representante legal de la empresa) antes de que los recurrentes fueran informadas de la existencia veras grabaciones de video.

El Tribunal además **concluye que la legislación vigente en el momento de los hechos, contenía previsiones específicas de protección de datos**. En efecto al amparo del art. 5 LOPD, los recurrentes tenían derecho a ser informadas de forma previa, explícita, precisa e inequívoca la existencia de un archivo de datos personales porque los datos serian objeto de tratamiento, La finalidad del tratamiento los responsables de la información, naturaleza obligatoria u opcional de sus respuestas a las cuestiones que se les formularon; las consecuencias de facilitar o rechazar facilitar los datos; la existencia de los derechos de acceso, rectificación, cancelación y oposición; la identidad y dirección del responsable, o en su caso de su representante.

El artículo 3 de la Instrucción número 1/2006, dictada por la AEPD, impone también esta obligación a cualquiera que use sistemas de video vigilancia, en cuyo caso, debe colocar un distintivo indicando las zonas que están bajo video vigilancia, y confeccionar un documento disponible para los interesados/as que contenga la información prevista en el art. 5 LOPD.

El TEDH subraya, como reconocen los tribunales españoles, que **el empresario no cumplió con su obligación de informar a los titulares de los datos de la existencia y los fines de la recogida y tratamiento de sus datos personales,** como impone la susodicha legislación nacional. Además de esto, observa que el propio Gobierno español reconoció específicamente que los trabajadores no fueron informados de la instalación de video vigilancia oculta enfocada sobre las cajas, ni de sus derechos conforme a LOPD.

A pesar de ello los Tribunales españoles, consideraron que la medida fue justificada(por existir indicios razonables de hurto); idónea para conseguir el fin propuesto, necesaria y proporcionada; desde el momento en que no había otras medidas igualmente efectivas para proteger los derechos del empresario, que hubieran perjudicado en menor medida el derecho a la vida privada de las demandantes. Así se entendió por el juzgado los social respecto de la primera y segunda recurrente y después se confirmó por el que una superior de justicia de Cataluña respecto de todas las recurrentes, que específicamente declararon que la video vigilancia oculta (y su uso como prueba en el marco de los procedimientos), había sido realizada al amparo del artículo 20.3 ET, y era proporcionada al fin legítimamente perseguido así como necesaria.

El TEDH distingue el presente caso de la situación examinada en el Caso *Köpke*. En efecto, en ese caso al momento de poner en marcha la vídeo vigilancia de empresario de acuerdo con las sospechas previas de hurto respecto de dos trabajadores, las condiciones bajo las que un empresario podía acudir a la vídeo vigilancia de un trabajador con la finalidad de investigar hechos delictivos no habían entro en vigor (aunque el tribunal Federal alemán de trabajo había desarrollado en su jurisprudencia importantes directrices que regían el marco legal que regulaba la video vigilancia oculta en el lugar de trabajo).

En el caso que nos ocupa, sin embargo, **la legislación vigente en el momento de los hechos establecía claramente que todos responsables del tratamiento de datos debían informar a los interesados de la existencia y finalidades de un sistema de captación y tratamiento de sus datos personales.**

En el caso de autos, en que el derecho de cada interesado a ser informado de la existencia, finalidad y modalidad de video vigilancia está claramente regulado y protegido por la ley, **las recurrentes tenían una expectativa razonable de privacidad.**

Además, en el presente caso, a diferencia de *Köpke,* la video vigilancia oculta no siguió a una sospecha previa contra la recurrentes en concreto, y en consecuencia no estaba orientada a ellas específicamente, sino a toda la plantilla que trabajaba en las cajas registradoras, se llevó a cabo durante semanas, sin ningún límite temporal y durante todo el horario de trabajo.

En *Köpke*, en contraste, la medida de video vigilancia estaba temporalmente limitada —se aplicó durante dos semanas— y sólo dos empleados fueron objeto de la misma. Al contrario, el presente caso, la decisión de adoptar medidas de video vigilancia se basó en una sospecha general sobre toda la plantilla, a la vista de las irregularidades que previamente habían sido reveladas por el director de la tienda.

En consecuencia, el **TEDH no comparte la opinión de los tribunales españoles sobre la proporcionalidad de las medidas adoptadas por el empresario** para la legítima finalidad de proteger sus intereses en la protección de su derecho de propiedad.

En definitiva, entiende que la video vigilancia llevada acabo por el empresario, que tuvo lugar durante un prolongado periodo, no cumplió con las exigencias previstas el art. 5 LOPD y, en particular, con la obligación de informar previa, explícita, precisa, e inequívocamente a los interesados/as sobre la existencia y características particulares del sistema de captación de datos de carácter personal.

Para terminar el TEDH, considera que los derechos del empresario podrían haberse satisfecho igualmente por otros medios, en particular informando previamente a la recurrente, incluso de una forma general, de la instalación del sistema video vigilancia y proporcionándoles la información que establece la LOPD.

En relación con lo dicho, y respetando el amplio margen de apreciación del Estado, el TEDH concluye en el presente caso, que **los tribunales españoles no llevaron acabo una ponderación justa entre el derecho de los recurrentes al respeto a subir a privada conforme al artículo 8 CEDH, y el interés del empresario a la protección de su derecho de propiedad.**

Sobre el derecho a un proceso justo (art. 6.1 CEDH): **ilicitud de la prueba de video grabación oculta e inexistencia de conexión de antijuridicidad con otros medios de prueba.**

En esta segunda vertiente del caso, el TEDH examina si la utilización de las grabaciones de vídeo obtenidas con violación del CEDH ha comprometido el derecho a un proceso justo.

En este sentido, rechaza tal pretensión, pues considera que las demandantes han podido impugnar la autenticidad de las grabaciones en el contexto de los procedimientos contradictorios y que **esas grabaciones no**

constituían la única prueba que respaldaba las decisiones de los tribunales, que también se basaron en pruebas testificales. Por tanto, el TEDH descarta que se haya vulnerado el art. 6.1 CEDH por valorar prueba ilícita, al existir otros medios de prueba totalmente válidos y sin que hubiera conexión alguna de antijuridicidad de los mismos con el medio de prueba ilícito (la video grabación).

Sobre el derecho a un proceso justo (art. 6.1 CEDH): **motivación suficiente y razonable sobre la inexistencia de invalidez de los acuerdos de finiquito por no haber coacción**

Se aducía la vulneración del derecho a un proceso justo por haberse valorado los acuerdos de finiquito que, al decir de las recurrentes, habrían sido obtenidas bajo coacción o amenaza de denunciar los hechos a la justicia penal.

El TEDH considera el presente caso que los tribunales nacionales abordaron cuidadosamente la admisibilidad y fiabilidad de los acuerdos del finiquito. Recuerda que las trabajadoras tuvieron amplias oportunidades para impugnar tales acuerdos y que los tribunales españoles resolvieron todas las alegaciones formuladas por ellas y ofrecieron razones suficientes para considerar válido el consentimiento. El TEDH, además, constata que los tribunales españoles no han apreciado ninguna prueba de coacción en el sentido alegado por las recurrentes, que las hubiera llevado a la firma de los finiquitos. En particular, los tribunales españoles consideran que el comportamiento del empresario no puede calificarse como una amenaza que invalidase el consentimiento de las recurrentes, sino como el legítimo ejercicio de su derecho decidir si iniciaba o no procesos penales contra los recurrentes, quienes ya habían admitido voluntariamente su implicación en los hurtos. La ausencia de todo indicio de coacción es corroborado por la presencia del representante sindical, así como la del representante legal de la empresa, que estaban presentes en las reuniones en que las trabajadoras firmaron dichos acuerdos.

Por ello, el TEDH concluye que no puede por sí mismo valorar los hechos que aprecia un juez nacional para adoptar una decisión en lugar de otra; pues de hacerlo, estaría actuando como un una cuarta instancia y sobrepasaría los límites impuestos a su jurisdicción(vid., mutatis mutandis, Kemmache v. France (no. 3), 24 November 1994, § 44, Series A no. 296-C).

En conclusión el TEDH respalda la conclusión de los tribunales españoles de que podían utilizarse los acuerdos firmados por las demandantes tercera, cuarta y quinta como prueba, incluso si la firma de tales acuerdos se obtuvo después de que las demandantes hubieran visto las grabaciones de vídeo que eran ilícitas.

La STEDH de 17 octubre 2019, Caso López Ribalda c. España (Gran Sala), es una sentencia de un importante calado en un tema frecuentemente litigioso en el ordenamiento laboral español, como es la vídeo vigilancia en el lugar de trabajo y los controles ocultos.

Analiza el ordenamiento español, (anterior a la LO 3/2018 de 5 de diciembre), así como la doctrina del TC 186/2000 y concluye, en resumen, que **son válidos los controles ocultos a los trabajadores mediante vídeo vigilancia**, pero nunca ante **la más mínima sospecha de apropiación indebida o cualquier otro delito por parte de los empleados podría justificarse la instalación de vídeo vigilancia encubierta por parte del empleador, sino sólo ante supuestos como el presente, en que hay sospechas razonables de que se ha cometido una infracción grave, con perjuicio importante para la empresa.**

Lo primero que hay que subrayar como gran avance de esta sentencia, que la misma **incorpora el Test Barbulescu (relativo al control del uso del ordenador) al control por vídeo vigilancia de los trabajadores en su puesto de trabajo.**

De esta forma, **los tribunales nacionales deben tener en cuenta los siguientes factores cuando sopesan los diversos intereses en conflicto:**

*(i) Si el **trabajador ha sido informado de la posibilidad de que el empleador adopte medidas de vídeo vigilancia y del implementación de tales medidas**. Si bien en la práctica los trabajadores pueden ser informados de varias maneras, dependiendo de las circunstancias fácticas particulares de cada caso, **la notificación normalmente debe ser clara sobre la naturaleza del vídeo vigilancia y debe darse anterior a su aplicación de la***

*(ii) **El alcance de la vídeo vigilancia por parte del empleador** y el **grado de intrusión en la privacidad del empleado**. En este sentido, se debe tener en cuenta el **nivel de privacidad en el área que se está vigilando**, junto con las limitaciones de tiempo y espacio y la cantidad de personas que tienen acceso a los resultados.*

*(iii) Si el **empleador ha proporcionado razones legítimas para justificar** la vídeo vigilancia y el alcance de la misma. Cuanto más **intrusivo sea la vídeo vigilancia, mayor será la justificación que se requerirá.***

*(iv) Si **hubiera sido posible establecer un sistema de vídeo vigilancia basado en métodos y medidas menos intrusivos**. A este respecto, debe haber una evaluación a la luz de las **circunstancias particulares de cada caso en cuanto a si el objetivo perseguido por el empleador podría haberse logrado a través de un menor grado de interferencia con la privacidad del empleado**.*

*(v) Las **consecuencias de la vídeo vigilancia para el trabajador sujeto a él**. Debe tenerse en cuenta, en particular, el **uso que hace el empleador de los resultados de la supervisión** y si dichos **resultados se han utilizado para lograr el objetivo declarado** de la medida.*

*(vi) Si el **trabajador ha recibido las garantías apropiadas**, especialmente cuando las operaciones **vídeo vigilancia del empleador son de naturaleza intrusiva**. Dichas garantías pueden tomar la forma, entre otras, de **proporcionar información a los empleados interesados** o **a los representantes del personal** en cuanto a la instalación y el alcance de la vídeo vigilancia, o una declaración de tal medida a un organismo independiente o la posibilidad de presentar una queja.*

Por tanto, se establece **un riguroso control garantista de los derechos a la intimidad y la protección de datos de las personas de los trabajadores.**

En segundo lugar, un notorio avance introducido por la sentencia es **que clarifica la espinosa cuestión de los controles ocultos y viene a validar y acotar la doctrina del TC, sentada en su STC 186/2000,** en cuya virtud, sólo puede prescindirse de la información previa y la transparencia en la vídeo vigilancia en supuestos excepcionales, cuando consten sospechas razonables de una infracción laboral que afecte gravemente a los intereses de la empresa, y siempre que no haya medios alternativos menos intrusivos. El TEDH acota dicha doctrina precisando que **no son válidos los controles ocultos por vídeo vigilancia ante la más mínima sospecha de apropiación indebida o cualquier otro delito por parte de los empleados,** sino que se deben existir **sospechas razonables de que se ha cometido una infracción grave que afecte gravemente los intereses de la empresa.**

En tercer lugar, no **aprecia vulneración del art. 8 CEDH, en los controles ocultos, porque los mismos fueron proporcionados,** pero también porque **las demandantes podía denunciar la infracción de su derecho a la información en la protección de datos ante la AEPD y ante los tribunales.**

Para terminar, con el derecho a la privacidad, el TEDH considera que la información que se debe suministrar a los trabajadores objeto de vídeo vigilancia, hay que subrayar que la facilitación de información al individuo que se está vídeo vigilando y su alcance, constituyen solo uno

de los criterios a tener en cuenta para evaluar la proporcionalidad de una medida de este tipo en un caso dado. Parece, por tanto, que el TEDH no considera ese deber de información parte del contenido esencial del derecho a la protección de datos, pero si un contenido de suma importancia, puesto que **si falta dicha información, las garantías derivadas de los otros criterios serán aún más importantes,** por lo que:

En cuanto **al proceso justo** (art. 6 CEDH), hay que destacar que el TEDH reitera que no puede pronunciarse sobre la valoración de la prueba hecha por los tribunales nacionales y sobre la admisión de las pruebas. Sin embargo.

En este punto hay que significar varias cuestiones:

- Se **admite el esquema de la prueba ilícita y de la doctrina de los frutos del árbol prohibido en el marco de litigios laborales.**

- En **el caso concreto, el marco probatorio ofrecía otros medios no conectados antijurídicamente con la vídeo vigilancia,** por lo que entran en juego la doctrina de los frutos del árbol prohibido (art. 11 LOPJ):

- La **infracción del deber de información de los trabajadores en materia de protección de datos puede recibir su adecuada compensación (AEPDE, demanda daños y perjuicios), a pesar de que en casos como éste, la grabación se utilice como prueba.**

Para terminar, en cuanto a la validez de los acuerdos de despido o finiquitos firmados con intimidación o coacción, el TEDH admite que de darse tales supuestos, los documentos así obtenidos (finiquito firmado) no serían prueba lícita, pero en la circunstancias del caso concreto no considera acreditada ni coacción ni intimidación.

8.3.5. *Índice de casos*

8.3.6. Bibliografía

GARCÍA ROCA, J., SANTOLAYA, P. (Coord.) "La Europa de los Derechos. El Convenio Europeo de Derechos Humanos Ed. CEC. 2ª Edición. 2009.

LASAGABASTER HERRARTE, I. "Convenio Europeo de Derechos Humanos. Comentario Sistemático. 2ª edición. Ed. Civitas Thomson-Reuters 2009.

MONEREO ATIENZA, C.; MONEREO PÉREZ, J. L. "La Garantía Multinivel de los Derechos Fundamentales en el Consejo de Europa". Ed. Comares. 2017.

PÉREZ TREMPS, P.; SAIZ ARNAIZ, A., "Comentario a la Constitución Española. 40 aniversario 1979-2018. Libro homenaje a Luis López Guerra. Ed. Tirant Lo Blanch.

PINTO DE ALBUQUERQUE, P. "I Diritti umani in una prospettiva europea. Opinini concrrenti e dissenzienti (2011-2015)". A cura e con un saggio di Davide Galliani prefaziine di Paola Bilancia. Ed. B. Giappichelli Editori. 2016.

PRECIADO DOMÈNECH, C. H. "Teoría General de los Derechos Fundamentales en el contrato de Trabajo". Ed. Thomson Reuters-Aranzadi. 2018.

PRECIADO DOMÈNECH, C. H. "Los Derechos Digitales de las Personas Trabajadoras". Aspectos laborales de la LO 3/2018, de 5 de diciembre, de Protección de Datos y Garantía de los Derechos digitales.

QUERALT JIMÉNEZ, A. "La interpretación de los derechos: del Tribunal de Estrasburgo al Tribunal Constitucional". Ed. CEC. 2008.

RIPOL CARULLA, S., VELÁZQUEZ GARDETA, J. M. y AAVV "España en Estrasburgo. Tres Décadas bajo la Jurisdicción del Tribunal Europeo de Derechos Humanos. Ed… Aranzadi. Primera edición. 2010.

SARMIENTO, D.; MIERES MIRES, L. J.; PRESNO LINERA, M. "Las sentencias básicas del Tribunal Europeo de Derechos Humanos. Ed. Thomson Cititas. 2007.

9. LIBERTAD DE PENSAMIENTO, CONCIENCIA Y RELIGIÓN (ART. 9 CEDH)

Artículo 9 CEDH
1. Toda persona tiene derecho a la libertad de pensamiento, de conciencia y de religión; este derecho implica la libertad de cambiar de religión o de convicciones, así como la libertad de manifestar su religión o sus convicciones individual o colectivamente, en público o en privado, por medio del culto, la enseñanza, las prácticas y la observancia de los ritos.
2. La libertad de manifestar su religión o sus convicciones no puede ser objeto de más restricciones que las que, previstas por la ley, constituyan medidas necesarias, en una sociedad democrática, para la seguridad pública, la protección del orden, de la salud o de la moral públicas, o la protección de los derechos o las libertades de los demás.

9.1. CASO F.G. C. SUECIA
(STEDH 23 marzo 2016): Criminalización de la apostasía, prohibición de deportación a un país en que la apostasía es delito

9.1.1. Resumen del caso

Propuesta de expulsión a Irán de activista político de bajo perfil: la deportación no constituiría una violación del art. 3 CEDH. Sin embargo, la propuesta de expulsión a Irán sin una investigación adecuada de la realidad y las implicaciones de la conversión del demandante al cristianismo después de su llegada a Europa constituye una violación del art. 3 CEDH.

Resumen de los hechos: el demandante, que es ciudadano iraní, solicitó asilo en Suecia con el argumento de que había trabajado con conocidos opositores del régimen iraní y que las autoridades lo habían arrestado y retenido en al menos tres ocasiones entre 2007 y 2009, en particular, en relación con sus actividades de publicación a través de la página web. Dijo que se había visto obligado a huir después de descubrir que sus locales comerciales, donde guardaba material políticamente sensible, habían sido registrados y faltaban documentos. Después de llegar a Suecia, se convirtió al cristianismo, lo que según él le situaba en riesgo de sufrir la pena capital por apostasía al regresar a Irán. Su solicitud de asilo fue rechazada por las autoridades suecas, que ordenaron su expulsión.

En una sentencia de 16 de enero de 2014, una Sala de del TEDH sostuvo por cuatro votos contra tres que la implementación de la orden de expulsión contra el solicitante no daría lugar a una violación de los artículos 2 ó 3 del CEDH. Se consideró que no se había proporcionado información que indicara que las actividades y el compromiso político del demandante hubieran sido algo más que accesorios o periféricos. En cuanto a su conversión al cristianismo, declaró expresamente ante las autoridades nacionales que no deseaba invocar su orientación religiosa como motivo de asilo, ya que sentía que era un asunto privado y nada había que indicara que las autoridades iraníes estuvieran al tanto de su conversión. En conclusión, el solicitante no pudo acreditar un riesgo real y concreto de tratamiento proscrito si fue devuelto a Irán.

Veremos ahora la resolución de la Gran Sala.

Resumen de la fundamentación jurídica: Artículo 37. 1: El Gobierno solicitó a la Gran Sala que archivase el caso, ya que la orden de deportación contra el solicitante se prohibió en junio de 2015 y ya no era ejecutable. Sin embargo, la Gran Sala señaló que el caso implicaba cuestiones importantes, en particular las obligaciones que deben cumplir las partes en los procedimientos de asilo, que iban más allá de la situación particular del solicitante. Por lo tanto, hubo circunstancias especiales relativas al respeto de los derechos humanos, tal como se definen en el CEDH y sus Protocolos, que exigieron la continuación en la tramitación y conocimiento del caso, por lo que se rechazó la solicitud de archivo

En cuanto a la violación de los art. 2 (derecho a la vida) y art. 3 (prohibición de torturas y de penas o tratos inhumanos o degradantes), el TEDH, en resumen, considera lo siguiente:

a) Principios generales

La Gran Sala reiteró que, si existen motivos fundados para creer que una persona, de ser expulsada, corre un riesgo real de pena capital, tortura o trato o pena inhumana o degradante en el país de destino, tanto el art. 2 como el art. 3 CEDH implican que el Estado no debe expulsar a esa persona. Por esa razón, el TEDH examinó los dos artículos conjuntamente.

En relación con las **solicitudes de asilo basadas en un riesgo general** bien conocido, cuando la información sobre dicho riesgo se podía determinar libremente a partir de un amplio número de fuentes, las obligaciones que incumben a los Estados en virtud de los artículos 2 y 3 en casos de expulsión implican que las autoridades deban efectuar una evaluación de ese riesgo de oficio.

Por el contrario, en relación con las **solicitudes de asilo basadas en un riesgo individual,** debe ser la persona que solicita asilo quien corra con la carga de probar dicho riesgo. En consecuencia, si un solicitante elige no confiar o revelar un motivo individual específico para el asilo al abstenerse deliberadamente de mencionarlo, no se puede esperar que el Estado en cuestión descubra este motivo por sí mismo. Sin embargo, teniendo en cuenta **el carácter absoluto de los derechos** garantizados en virtud de los artículos 2 y 3 de la Convención, y teniendo en cuenta la posición de vulnerabilidad en la que se encuentran a menudo los solicitantes de asilo, **si un Estado contratante tiene conocimiento de hechos relacionados con un individuo específico, que podría exponerlo a un riesgo de malos tratos al regresar al país en cuestión, las obligaciones que incumben a los Estados en virtud de los artículos 2 y 3 de la Convención implican que las autoridades realicen una evaluación de ese riesgo de oficio.** Esto se aplicaba en particular a situaciones en las que las autoridades nacionales tienen conocimiento del hecho de que el solicitante de asilo pueda ser miembro de un grupo sistemáticamente expuesto a la práctica de malos tratos y haya razones serias para creer en la existencia de la práctica en cuestión y su pertenencia al grupo en cuestión.

b) Aplicación de los principios al caso

(i) *Sobre las Actividades políticas del demandante:* el demandante no alegó que las circunstancias generales que se producen en Irán, por sí mismas, impidieran su regreso a tal país. La Gran Sala tampoco apreció circunstancias de tal naturaleza que por si solas revelasen que habría una violación del CEDH en caso de deportación.

Con respecto a la situación personal del solicitante, la Gran Sala observó que las autoridades nacionales habían descubierto que las actividades políticas en las que el solicitante estaba involucrado en Irán podían considerarse de bajo nivel. Tal circunstancia se corrobora por el hecho de que desde 2009 el demandante no recibió ninguna nueva citación del Tribunal Revolucionario y que ninguno de los miembros de la familia del demandante que permanecían en Irán fue objeto de represalias por parte de las autoridades iraníes. En estas circunstancias, la Gran Sala no comparte la afirmación del demandante de que las autoridades suecas no valoraron cuestiones como sus malos tratos durante la detención en septiembre de 2009, o el riesgo de ser detenido en el aeropuerto en caso de deportación.

Tampoco podía concluir que los procedimientos ante las autoridades suecas fueran inadecuados y no estuvieran suficientemente respaldados por material nacional o por material procedente de otras fuentes confiables y objetivas. En lo que respecta a la evaluación de riesgos, no hubo pruebas para respaldar la afirmación de que las autoridades suecas se habían equivocado al concluir que el solicitante no era un activista de alto perfil o un opositor político. Por último, el demandante había obtenido el anonimato en los procedimientos ante el Tribunal y, según los materiales que tenía ante sí, no había indicios sólidos de un riesgo de identificación.

Por tales razones, el TEDH concluye unánimemente que la deportación no constituiría una violación del art. 2 y 3 por razón de sus actividades políticas.

(ii) *Conversión religiosa del solicitante:* la Junta de Inmigración había rechazado la solicitud de asilo del demandante tras señalar que el mismo declinó en un principio invocar su conversión como motivo de asilo y había alegado que su nueva fe era un asunto privado.

La junta concluyó que la práctica de su fe en privado no era una razón plausible para creer que el solicitante corriera de ser perseguido al regresar. Posteriormente, en su decisión de rechazar la apelación del demandante contra la decisión de la Junta de Migración, el Tribunal de Migración observó que el demandante ya no se basaba en sus prácticas religiosas como motivo de persecución y, en consecuencia, no realizó una evaluación del riesgo al que el solicitante se exponía como resultado de su conversión al regresar a Irán. La petición de autorización para apelar ante el Tribunal de Apelaciones de Migración fue desestimada. Sus demandas posteriores para suspender la ejecución de la orden de expulsión fueron rechazadas porque la conversión del solicitante no constituía una nueva circunstancia que justificara un nuevo examen del caso.

Por lo tanto, debido al hecho de que el solicitante se había negado a invocar su conversión como motivo de asilo y a pesar de ser consciente de que se había convertido en Suecia del Islam al cristianismo y, por lo tanto, podría pertenecer a un grupo de personas que, dependiendo de varios factores, podrían correr el riesgo de recibir un tratamiento que infringe los artículos 2 y 3 de la Convención al regresar a Irán, la **Junta de Migración y el Tribunal de Migración no llevaron a cabo un examen exhaustivo de su conversión, la seriedad de sus creencias, la forma en que manifestó su fe cristiana en Suecia y cómo pretendía manifestarla en Irán si se ejecutaba la orden de expulsión.** Además, la conversión no se consideró una "nueva circunstancia" que pudiera justificar un nuevo examen de su caso. Por lo tanto, **las autoridades suecas nunca evaluaron el riesgo al que se exponía el demandante, como resultado de su conversión, al regresar a Irán.**

Sin embargo, a **la vista del carácter absoluto de los derechos de los artículos 2 y 3, no resulta admisible que el solicitante pudiera renunciar a la protección otorgada en virtud de los mismos.** Por lo tanto, se dedujo que, independientemente de su conducta, **las autoridades nacionales competentes tenían la obligación de evaluar,** por su propia iniciativa, toda la información que se les presentara antes de tomar una decisión sobre su traslado a Irán.

El solicitante había presentado varios documentos a la Gran Sala que no fueron presentados a las autoridades nacionales, incluida una declaración escrita sobre su conversión, la forma en que manifestó su fe cristiana en Suecia y cómo pretendía manifestarla en Irán si la orden de expulsión era ejecutada, y una declaración escrita del ex pastor de su iglesia. A la luz de ese material y del material presentado previamente por el solicitante a las autoridades nacionales, el TEDH concluye que **el solicitante demostró suficientemente que su solicitud de asilo basada en su conversión merecía una evaluación por parte de las autoridades nacionales.** Corresponde a las autoridades nacionales tener en cuenta este material, así como cualquier otro desarrollo relacionado con la situación general.

9.1.2. Extractos del voto particular de los Jueces Paulo Pinto, Ziemele, Gaetano y Wojtyczek

«1. En nuestra opinión, la orden de deportación contra el demandante infringió los artículos 2 y 3 del Convenio Europeo de Derechos Humanos ("el Convenio") tanto en sus aspectos sustantivos como procesales. En el plano procesal, consideramos que el procedimiento de asilo estuvo viciado por graves fallos que afectaron a la decisión final sobre el fondo. En el plano sustantivo, entendemos que los tribunales nacionales no cumplieron con los estándares establecidos por la Convención cuando considera-ron que el demandante no corría riesgos, derivados de su conversión al cristianismo, en caso de ser expulsado a Irán. No discutimos que el demandante hoy no estuviera en riesgo en Irán debido a sus convicciones políticas; por lo que el alcance de este voto particular se limita a determinar la compatibilidad o no de la orden nacional de deportación y de los procedimientos seguidos con el CEDH, sólo en relación con la conversión religiosa del demandante.

(...)

5. Aunque admitieron la sinceridad de la conversión del solicitante, las autori-dades nacionales y los tribunales asumieron que no correría riesgo alguno al ser deportado a Irán, ya que podría cambiar su conducta pública circunscribiendo su nueva fe al dominio estrictamente privado. En otras palabras, las autoridades y tribunales suecos han presumido que en Irán el solicitante evitaría, o de hecho se abstendría, de participar en servicios religiosos en el hogar, reuniones de oración y actividades sociales, al contrario de lo que hizo en Suecia. Esta es la posición que ha mantenido de forma expresa la Oficina de Migración[875]. Ni el Tribunal de Migración ni el Tribunal de Apelación de Migración rechazaron esta posición. Sin embargo, unos meses más tarde, el 12 de noviembre de 2012, el Director General de Asuntos Jurídicos de la Junta de Inmigración de Suecia publicó una nueva «opinión legal general» sobre las solicitudes de asilo basadas en motivos religiosos, que establecía claramente que una persona convertida «no debe ser forzada a ocultar su fe con el único propósito de escapar a [la persecución]"[876]. Casualmente, la Gran Sala del Tribunal de Justicia de la Unión Europea (TJUE) se

---

[875] Apartado 21 de la sentencia.

Ni el Tribunal de Migración ni el Tribunal de Apelación de Migración rechaza-ron esta posición. Sin embargo, unos meses más tarde, el 12 de noviembre de 2012, el Director General de Asuntos Jurídicos de la Junta de Inmigración de Suecia publicó una nueva "opinión legal general" sobre las solicitudes de asilo basadas en motivos religiosos, que establecía claramente que una persona convertida "no debe ser forzada a ocultar su fe con el único propósito de escapar [la persecución]"[15]. Casualmente, la Gran Sala del Tribunal de Justicia de la Unión Europea (TJUE) se pronunció el 5 de septiembre de 2012 para emitir su sentencia en el caso de *Bundesrepublik Deutschland v. Alemania (solicitud no. Y (C–71/11) y Z (C–99/11)*, donde declaró:

[876] Apartado 46 de la sentencia.

pronunció el 5 de septiembre de 2012 para emitir su sentencia en el caso de Bundesrepublik Deutschland c. Alemania (solicitud no. Y (C-71/11) y Z (C-99/11), donde declaró:

"[El] temor de que el demandante sea perseguido se justifica tan pronto como las autoridades competentes, en vista de las circunstancias personales del demandante, consideren razonable creer que a su regreso a su país de origen realizar actos religiosos lo exponen a un riesgo real de persecución. En la evaluación individual de una solicitud de estatuto de refugiado, dichas autoridades no pueden esperar razonablemente que el solicitante renuncie a tales actos religiosos".

Tanto la opinión legal del Director General como la sentencia del TJUE se basan en los principios de ACNUR —los más antiguos— sobre Protección Internacional de Reclamaciones Religiosas (28 de abril de 2004), según los cuales no puede obligarse a una persona a que oculte o cambie sus creencias religiosas o a renunciar a las mismas para escapar de la persecución[877].

6. Suscribimos esta posición fundada en los citados principios, que resulta coherente con la jurisprudencia constante del TEDH sobre el deber de neutralidad del Estado en asuntos religiosos y la incompatibilidad de ese deber con cualquier poder discrecional del Estado para valorar la legitimidad de las creencias religiosas o la forma en que las mismas se expresan[878]. Como ha dicho la Corte Suprema del Reino Unido (en un caso de solicitudes de asilo basadas en la homosexualidad de los demandantes) haciendo una alusión histórica convincente: decidir lo contrario sería aprobar el regreso de Anne Frank a la Holanda ocupada por los nazis —suponiendo que hubiera logrado escapar con anterioridad— con el argumento de que podría haber estado escondida en el ático y que de tal forma hubiera evitado el riesgo de ser detenida por los nazis[879]. La Corte Suprema declaró que tal postura sería «absurda e irreal». Del mismo modo, no podemos aceptar la presunción del Estado demandado de que el solicitante no sería perseguido en Irán porque podría adoptar una práctica de perfil bajo, discreta e incluso secreta, de sus creencias religiosas. No solo la manifestación externa de su fe por parte de una persona es un elemento esencial de la libertad misma que protege el Artículo 9 de la Convención, sino que, además, en cualquier caso, y ciertamente, en el caso del cristianismo, dar testimonio externo de la fe constituye una "misión esencial" y una "responsabilidad de cada cristiano y de cada iglesia"[880].

Por lo tanto, concluimos que ha habido una violación procesal de los artículos 2 y 3 de la Convención debido a los graves fallos en los procedimientos nacionales y a la decisión final adoptada al final de los procedimientos.

---

[877] Apartado 52 de la sentencia.

[878] *Eweida y col. Reino Unido*, nuestra 48420/10, 59842/10, 51671/10 y 36516/10, § 81, TEDH 2013, y las referencias que se dan a ella.

[879] *HJ (Irán) y HT (Camerún) v. Secretario de Estado para el Departamento del Interior*, (2010) UKSC 31, 7 de julio de 2010, § 107.

[880] *Kokkinakis c. Grecia*, 25 de mayo de 1993, §§ 31 y 48, Serie A No. 260 A.

La violación material

7. *Según la Convención, un solicitante de asilo no puede ser devuelto a su país de origen ni a ningún otro país en el que pueda sufrir daños graves causados por una persona o entidad, pública o privada, esté o no identificada. El acto de devolución puede consistir en expulsión, deportación, remoción, extradición, transferencia oficial o no oficial, "restitución", entrega, denegación de admisión o cualquier otra medida que comporte la obligación del interesado de quedarse en, o regresar a, su país de origen. El riesgo de daños graves puede surgir de la agresión externa, el conflicto armado interno, la ejecución extrajudicial, la desaparición forzada, la pena capital, la tortura, el trato inhumano o degradante, trabajo forzado, trata de seres humanos, persecución, un juicio basado en la ley penal retroactiva o imprecisa o en pruebas obtenidas mediante torturas o tratos inhumanos y degradantes, por lo tanto, una "violación flagrante" del contenido esencial de cualquier derecho garantizado por la Convención en el Estado de destino (devolución directa) o la posterior entrega de la persona interesada por el Estado de destino a un tercer Estado en el que existe dicho riesgo (devolución indirecta). Observamos que la prohibición de devolución es una norma convencional respecto de la cual no se permite ninguna excepción ni se permite ninguna reserva[881]. Además, la prohibición de devolución es un principio del derecho internacional consuetudinario, vinculante para todos los Estados, incluidos aquellos que no son partes en la Convención de las Naciones Unidas sobre el Estatuto de los Refugiados o cualquier otro tratado para la protección de los refugiados. La Corte ha reconocido claramente el principio de no devolución como una norma de derecho internacional vinculante, especialmente en Hirsi Jamaa et c. Italia [GS][882].*

8. *Nacido en Irán, el solicitante se convirtió al cristianismo poco después de entrar en Suecia, o a más tardar en diciembre de 2009. Su conversión está acreditada por su partida de bautismo fechada el 31 de enero de 2010, el certificado del 15 de marzo 2010, en el que un pastor de Suecia atestigua que el solicitante había sido miembro de su parroquia desde diciembre de 2009 y que había sido bautizado, así como por la carta del 13 de abril de 2011 de su nueva parroquia, que indica que el demandante se había convertido poco después de llegar a Suecia, y que lo hizo por motivos sinceros y con interés en aprender más sobre su nueva fe, y que, además, participó en servicios religiosos, así como en reuniones de oración y actividades parroquiales[883].El Gobierno demandado no ha cuestionado ninguno de estos puntos.*

---

[881] Artículo 33 y 42 § 1 de la Convención de Ginebra de 1951 sobre el Estatuto de los Refugiados, Artículo VII § 1 del Protocolo de 1967 y Artículo 53 de la Convención de Viena sobre el Derecho de los Tratados.

[882] *Hirsi Jamaa y otros c. Italia* [GC], N° 27765/09, § 134, TEDH 2012, que se refiere a la Nota sobre Protección Internacional de 13 de septiembre de 2001 (A/AC.96/951, § 16).

[883] El Tribunal de Migración no cuestionó el hecho de que el solicitante profesara la fe cristiana (véase el párrafo 24 de la sentencia).

9. La conversión al cristianismo del demandante es un delito castigado con la muerte en Irán[884]. Además de la persecución social a la que se expone como cristiano[885], el

---

[884] El último converso al cristianismo en Irán en ser declarado culpable de apostasía y condenado a muerte por un tribunal (1994) es Mehdi Dijab; sin embargo, la sentencia no fue ejecutada. Esta ausencia de retribución reciente no significa que no haya habido ejecución de conversos al cristianismo fuera del sistema judicial. Así, Mehdi Dijab y otros pastores protestantes fueron asesinados fuera del marco judicial. Según fuentes internacionales, fue en 1990 cuando se ejecutó la última pena de muerte por apostasía (véase, por ejemplo, la Biblioteca de Derecho del Congreso, el Centro de Investigación Legal Global, *"Leyes que criminalizan la apostasía en jurisdicciones seleccionadas"*. Mayo de 2014). Otros «apóstatas» no cristianos se han enfrentado a la pena de muerte, como Seyed Ali Gharabat, ex comandante del Cuerpo de la Guardia Revolucionaria Islámica, quien fue sentenciado por apostasía y ejecutado en 2011, Hasan Yousefi Eshkevari, ex miembro del parlamento culpable de apostasía y condenado a muerte en 2000, pero finalmente liberado en 2005, y Hashem Aghajari, profesor universitario condenado por apostasía y condenado a muerte en 2002 pero que fue revocado por la Corte Suprema en 2004.

[885] Ver el pasaje citado en el párrafo 57 de la presente sentencia: "… cualquier converso que desee practicar su fe al regresar correría un grave riesgo". La situación para las personas convertidas al cristianismo implica el monitoreo por parte de informantes y el servicio de inteligencia iraní, informes de familiares y conocidos, búsqueda de iglesias en el hogar y detención de miembros de la iglesia en el hogar. Los documentos internacionales más autorizados sobre la situación de los derechos humanos en Irán y el riesgo que representan para los conversos cristianos en este país son los Informes del Relator Especial designado por el Consejo de Derechos Humanos sobre la situación de los derechos humanos en la República Islámica del Irán, de 18 de marzo de 2014, A/HRC/25/61, que se refiere específicamente al delito de apostasía en su párrafo 41, y del 12 de marzo de 2015, A/HRC/28/70, que establece en el párrafo 52: "A partir del 1 de enero de 2015, en Al menos 92 cristianos permanecen detenidos en el país presuntamente debido a su fe y actividades cristianas. Solo en 2014, 69 conversos cristianos fueron arrestados y detenidos durante al menos 24 horas en todo Irán. Según los informes, las autoridades continuaron atacando a los líderes de las iglesias en casas, generalmente de origen musulmán. Supuestamente, los conversos cristianos también continúan enfrentando restricciones en la observación de sus fiestas religiosas". El propio Comité de Derechos Humanos también se refirió a este problema en sus Observaciones finales sobre Irán, de 29 de noviembre de 2011, CCPR/C/IRN/CO/3, párrafo 23 Además de los documentos mencionados en la sentencia, la persecución de los cristianos y especialmente de los musulmanes que se convirtieron al cristianismo se ha analizado a fondo en los siguientes documentos: Acuerdo de la Cruz Roja Austriaca (Centro Austriaco para el País de Origen e Investigación y Do-

demandante corre el riesgo de persecución penal por el delito de apostasía[886].
Aunque el estado iraní nunca ha codificado este crimen, se permite la aplicación de
ciertas leyes islámicas aunque el crimen no se mencione específicamente en el código
penal. Dado que el Código Penal iraní no prohíbe expresamente la apostasía y existen
muchas interpretaciones diferentes de la ley islámica sobre este tema, los jueces go-

---

cumentación sobre Asilo), "Irán: libertad de religión; Tratamiento de las minorías religiosas y étnicas", COI Compilation, septiembre de 2015; Resumen de país de Human Rights Watch: Irán, enero de 2015; Comisión de los Estados Unidos sobre Libertad Religiosa Internacional Informe anual sobre Irán, 2015; Departamento de Estado de los Estados Unidos, Oficina de Democracia, Derechos Humanos y Trabajo, Informe de Libertad Religiosa Internacional para 2015: Irán; Ministerio del Interior del Reino Unido, Información y orientación sobre el país, "Irán: cristianos y conversos cristianos", diciembre de 2014; Biblioteca de Derecho del Congreso de los Estados Unidos, Centro de Investigación Legal Global, "Leyes que criminalizan la apostasía en jurisdicciones seleccionadas", mayo de 2014; Brian O'Connell, "Apostasía constitucional: las ambigüedades en la ley islámica después de la Primavera Árabe", en Northwestern Journal on International Human Rights, otoño de 2012; Comisión de los Estados Unidos sobre Libertad Religiosa Internacional, "La relación religión-estado y el derecho a la libertad de religión o creencias: un análisis textual comparativo de las constituciones de los países musulmanes mayoritarios y otros miembros de la OIC", 2012; Kamran Hashemi, Tradiciones legales religiosas, Derecho internacional de los derechos humanos y estados musulmanes, Martinus Nijhoff Publishers, 2008; y Centro Europeo de Derecho y Justicia y Centro Americano de Derecho y Justicia, "Protección legal internacional del derecho a elegir la religión y cambiar la afiliación religiosa: Irán", septiembre de 2007.

[886] Consúltese el informe de 2014 del Centro de Documentación de Derechos Humanos en Irán, "Apostasía en la República Islámica de Irán", que proporciona detalles sobre el contexto legal y jurisprudencial del enjuiciamiento de la apostasía en Irán.. El informe examina ampliamente una serie de casos de apostasía que involucran a una amplia gama de acusados, y proporciona una visión general de los problemas legales y religiosos planteados por cada caso. También debe tenerse en cuenta que algunas jurisdicciones nacionales importantes han otorgado el estatuto de refugiado a los iraníes convertidos al cristianismo por temor a la persecución: la Comisión de Inmigración y Protección de Nueva Zelanda (*AP (Irán)*, (2011) NZIPT 800012, 29 de septiembre de 2011), la Junta de Apelaciones de Refugiados de Australia (*RRT Caso No. 1002841*, (2010) RRTA 681), el Tribunal de Apelaciones de Inglaterra y Gales (*MM. (Irán) v. Secretario de Estado para el Departamento del Interior*, [2010] EWCA Civ 1457, 17 de noviembre de 2010), o el Tribunal Federal de Canadá (*Mostafa Ejtehadian v. Canadá (Ministro de Ciudadanía e Inmigración)*, 2007 FC 158, 12 de febrero de 2007).

zan de la discrecionalidad de decidir en casos de apostasía basándose en su propia interpretación de la ley islámica[887], que puede imponer invocando el artículo 167 de la Constitución iraní[888].

Además, el delito de apostasía es punible incluso en ausencia de disturbios sociales, lo que agrava aún más la naturaleza intrínsecamente introspectiva de la sanción penal. Además, este delito se aplica de manera diferente a hombres y mujeres, a musulmanes y no musulmanes, a musulmanes chiítas y sunitas, a musulmanes nacidos de padres musulmanes y a musulmanes nacidos de padres no musulmanes. Los miembros de otras comunidades religiosas y los no creyentes pueden convertirse en musulmanes sin temor a ser procesados. Las mujeres apóstatas no están sujetas a la pena de muerte como los hombres.

10. En nuestra opinión, la represión de la apostasía viola el derecho internacional de los derechos humanos[889]. Esta sanción es inherentemente arbitraria, ya que la

---

[887] Sobre el castigo de la apostasía sobre la base de la ley islámica, ver Ahmed Akgündüz, *Ley Pública Islámica*, Iur Press, 2011, pp. 370-377.

[888] El artículo 167 de la Constitución iraní dice lo siguiente: "El juez debe esforzarse por decidir en cada caso sobre la base de las leyes codificadas. En ausencia de tal ley, debe emitir su juicio sobre la base de fuentes islámicas autorizadas y fatwas auténticas. Puede, con el pretexto del silencio, las deficiencias, el carácter conciso o contradictorio de las leyes sobre la cuestión en disputa, abstenerse de examinar un caso y dictaminar."

[889] La misma posición fue adoptada en el Informe del Relator Especial de las Naciones Unidas sobre Libertad de Religión o Creencias, Sr. Heiner Bielefeldt - A/HRC/22/51 del 24 de diciembre de 2012, que hace la recomendación de que "[Los Estados deberían derogar todas las disposiciones de derecho penal que sancionan la apostasía", y se refieren a la página 18, el ejemplo del pastor Youcef Nadarkhani, quien en Irán fue declarado culpable de apostasía y condenado a muerte en 2010, pero posteriormente fue sentenciado por un delito menos grave. Este informe concluye: "El Relator Especial desea reiterar que las expulsiones o extradiciones que pueden implicar la comisión de violaciones de la libertad de religión o creencias pueden constituir en sí mismas una violación de los derechos humanos. Además, estos [desalojos] constituyen una violación del principio de no devolución tal como se establece en el artículo 33 de la Convención de Ginebra de 1951 sobre el Estatuto de los Refugiados". La posición contra el castigo siempre ha sido la del Comité de Derechos Humanos, desde la Observación general Nº 22 sobre el derecho a la libertad de pensamiento, conciencia y religión, CCPR/C/21/Rev.1/ADD.4, 27 de septiembre de 1993, § 5: "El párrafo 2 del artículo 18 prohíbe la coerción que puede afectar el derecho a tener o adoptar una religión o creencia, incluido el recurso o la amenaza de recurso fuerza física o sanciones penales para obligar a los creyentes o no creyentes a adherirse a las creencias y congregaciones religiosas, a abjurar de sus creencias o religión o a convertirse.

represión del acto de cambiar de religión viola el derecho a la libertad de religión
y en la práctica obliga a los ciudadanos musulmanes a abstenerse de adoptar otra
fe. Sin embargo, como se indica en el artículo 18 de la Declaración Universal de
los Derechos Humanos, la libertad de religión incluye la «libertad de cambiar de
religión o de creencias»[890]. *Además, según la ley, las condiciones objetivas y sub-*
jetivas de la sanción penal del acto de apostasía son inciertas y ambiguas, al igual
que las sanciones aplicables, las diferencias de trato entre categorías de personas
son discriminatorias.

11. Finalmente, la comisión de tal delito puede acreditarse conforme reglas de prueba
que van en contra de los principios fundamentales de igualdad y equidad. Estas reglas
de prueba no solo discriminan entre los testimonios de hombres o mujeres, musulma-
nes o no musulmanes, sino que, lo que es peor, admiten el recurso al "conocimiento"
privado del juez para establecer una condena penal. En vista de lo anterior, proce-
samiento y juicio por apostasía, considerada como delito, constituyen una flagrante
denegación de justicia[891].

12. En resumen, la decisión de expulsar al demandante a Irán, donde es probable
que sea juzgado sobre la base de la ley penal y procesal mencionada anteriormen-
te, supone la vulneración de principios profundamente arraigados en la conciencia
jurídica universal. La decisión de deportación ha puesto a la persona en grave riesgo
de ser juzgada sobre la base de una ley penal que es una violación flagrante del
derecho a la libertad de religión y el principio de legalidad penal, en el contexto de
un juicio penal que constituiría una flagrante denegación de justicia. La implemen-
tación de tal decisión de expulsión equivaldría a una violación grave del principio
de no devolución.

En consecuencia, llegamos a la conclusión de que ha habido una violación de
los artículos 2 y 3 de la Convención en su aspecto material, como resultado de
la decisión de expulsión contra el solicitante. En vista de lo anterior, agregamos
que, "rebus sic stantibus", el Estado demandado no debe deportar al solicitante
a Irán.»

---

[890] De hecho, la libertad de religión está garantizada por el Corán mismo ["Ninguna compulsión en la religión, porque el buen camino se ha distinguido de la equivoca-ción" (Corán, 2: 256)], del cual ningún versículo prescribe pena en caso de conversión a otra confesión.

[891] Rudolph Peters, *Crimen y castigo en la ley islámica: teoría y práctica del siglo XVI al siglo XXI*, Cambridge University Press, 2005, pp. 177-179, y Abdullah Saeed y Has-san Saeed, *Libertad de Religión, Apostasía e Islam*, Ashgate, 2004, pp. 99-108.

9.1.3. Doctrina del TEDH sobre la expulsión a países que vulneran la libertad religiosa[892]

La cuestión que se plantea es **si puede un Estado parte expulsar ciudadanos extranjeros a un tercer país en el que con toda probabilidad se les prohibirá el ejercicio de su libertad religiosa.**

Queda fuera de toda cuestión, que un Estado puede incurrir indirectamente en responsabilidad si expone a determinadas personas a un riesgo real de violación de sus derechos en un país ajeno a su jurisdicción.

El TEDH ha apreciado dicha responsabilidad en casos de riesgo de violación de los arts. 2 (derecho a la vida) y 3 (prohibición de tortura: STEDH 7 julio 1989, Caso Soering c. Reino Unido). En este punto, la jurisprudencia del TEDH se basa en la importancia fundamental de tales artículos, en que las garantías que contienen exigen su efectividad en la práctica, así como en la naturaleza absoluta de la prohibición de tortura y en el hecho de que se trata de un estándar internacionalmente admitido. El TEDH también enfatiza la naturaleza grave e irreversible del riesgo que se corre. Más tarde, el TEDH extendió dicho principio, sujeto a ciertas condiciones, a las garantías del art. 6 (derecho a un juicio justo: STEDH 4 febrero 2005, Caso Mamatkulov y Askarov c. Turquía) y 5 (derecho a la libertad y seguridad: STEDH 14 octubre 2003, Caso Tomic c. Reino Unido).

Sin embargo, las anteriores garantías no son automáticamente aplicables a otros preceptos distintos del CEDH. Desde una perspectiva puramente práctica, no puede exigirse que un Estado parte, sólo pueda expulsar a una persona extranjera, si lo hace a un país cuyas condiciones resulten completa y efectivamente conformes con todas y cada una de las garantías de los derechos y libertades contemplados por el CEDH. (STEDH 22 junio 2004, Caso F. c. Reino Unido).

Aunque los derechos garantizados por el art. 9 del CEDH constituyen "uno de los fundamentos de una sociedad democrática", se trata ante todo de el estándar que se aplica a los Estados parte, que están comprometidos con los ideales democráticos, el estado de derecho y los derechos humanos.

---

[892] Guide on Article 9 of the European Convention on Human Rights. https://www.echr.coe.int/Documents/Guide_Art_9_ENG.pdf

Por supuesto, conforme a la jurisprudencia mencionada, se tutela a todos aquellos que denuncian que serán perseguidos por, entre otros motivos, razones religiosas, sí como a aquellos que se hallen expuestos a un riesgo real de muerte o malos tratos, o bien ante la flagrante denegación de un juicio justo o el riesgo de una detención arbitraria, por razón de sus creencias religiosas (o por cualquier otra razón).

Cuando alguien sostiene que de ser devuelto a su país le sería prohibida la práctica de su fe en una forma que quede fuera de los niveles de protección antes definidos, poca tutela, si es que alguna, puede dispensársele de conformidad con el art. 9 CEDH. De lo contrario, se estaría imponiendo a los Estados parte una obligación de obrar como garantes indirectos de la libertad religiosa en el resto del mundo. Si, por ejemplo, un país ajeno al ámbito de aplicación del CEDH prohibiera una religión, sin imponer medida alguna de persecución, enjuiciamiento, privación de libertad o malos tratos, resulta dudoso que el CEDH pueda interpretarse en sentido de que obligue al Estado parte a facilitar a los seguidores de la secta prohibida la posibilidad de profesar su religión libre y públicamente en su propios territorios (DTEDH 28 febrero 2006, Caso Z. y T. c. Reino Unido).

Sin embargo, el TEDH no ha descartado la posibilidad de que excepcionalmente pueda derivarse responsabilidad del Estado del art. 9 CEDH, cuando expulsa a una persona que corra el riesgo real de una violación flagrante de este artículo en el Estado al que se le expulsa, sin embargo, de acuerdo con el TEDH, es difícil imaginar un caso en que la flagrancia de la violación del art. 3 no implique también un trato contrario al art. 3 CEDH, DTEDH 28 febrero 2006, Caso Z. y T. c. Reino Unido.

A la vista de cuanto queda expuesto, el TEDH declaró manifiestamente infundada la demanda interpuesta por dos cristianas nacionales de Pakistán que alegaron que si se les expulsaba a Pakistán no podrían ejercer plenamente su derecho a la libertad religiosa.

El TEDH señaló que las demandantes no habían planteado un caso por una violación de los artículos 2 o 3 CEDH. Ninguna de las demandantes había sufrido ataques físicos o había sido amenazada por profesar su fe. Valorando la situación general de Pakistán, el TEDH considerará que a pesar de los recientes ataques a iglesias cristinas, la comunidad cristiana en Pakistán no está oficialmente prohibida, tienen sus propios representantes en el parlamento, y la aplicación de ley Pakistaní así como lo tribunales están dando pasos para proteger las iglesias, las escuelas y para arrestar, perseguir y castigar a los que llevaron a cabo los ataques. En tales circunstancias, el TEDH entiende que las demandantes no han demostrado que estuvieran en tal situación de riesgo, o que fueran miembros de un grupo amenazado en tal situación precaria y vulnerable que pudiera apreciarse una violación flagrante del art. 9 CEDH (Z. and T. c. Reino Unido (dec.); DTEDH 11 marzo 2003, Caso Razaghi c. Suecia.

9.1.4. Derecho de asilo y protección internacional de la libertad religiosa en España

El régimen jurídico del derecho de asilo en España es una cuestión que ya hemos abordado en los casos Hirsi Jaama y Abdulahi Elmi, a los que nos remitimos, por lo que ahora nos limitaremos a abordar el régimen jurídico del asilo por motivos religiosos, hecho lo cual, revisaremos su tratamiento jurisprudencial.

a) Marco jurídico del derecho de asilo por motivos religiosos en España

- **DUDH de 10 diciembre 1948. (*Art. 14)*1.** En caso de persecución, toda persona tiene derecho a buscar asilo, y a disfrutar de él, en cualquier país. 2. Este derecho no podrá ser invocado contra una acción judicial realmente originada por delitos comunes o por actos opuestos a los propósitos y principios de las Naciones Unidas.

  (art. 18) Libertad de pensamiento, conciencia y religión.

- PIDCP: art. 18 libertad de pensamiento, conciencia y religión

- **Convención de Ginebra de 28 de julio de 1951 y del Protocolo de 31 de enero de 1967 sobre el Estatuto de los Refugiados**[893]. (Art. 1 Convención y art. 1.2 del Protocolo), se define a la persona refugiada como aquella "debido a fundados temores de ser perseguida por

---

[893] Instrumento de Adhesión de España a la Convención sobre el Estatuto de los Refugiados, hecha en Ginebra el 28 de julio de 1951, y al Protocolo sobre el Estatuto de los Refugiados, hecho en Nueva York el 31 de enero de 1967. (BOE nº 252, de 21 de octubre de 1978).

motivos de raza, religión, nacionalidad, pertenencia a determinado grupo social u opiniones políticas, se encuentre fuera del país de su nacionalidad y no pueda o, a causa de dichos temores, no quiera acogerse a la protección de tal país; o que, careciendo de nacionalidad y hallándose, a consecuencia de tales acontecimientos, fuera del país donde antes tuviera su residencia habitual, no pueda o, a causa de dichos temores, no quiera regresar a él.

- **Consejo de Europa:**

  Convenio Europeo de Derechos Humanos: Art. 4 CEDH: prohíbe las torturas y tratos o penas inhumanos o degradantes.

  Art. 5 CEDH: garantiza libertad y seguridad.

  Art. 9 CEDH garantiza la libertad religiosa.

- **Normativa eurounitaria:**

  - El **art. 10 CDFUE Libertad de pensamiento, de conciencia y de religión.**

    1. Toda persona tiene derecho a la libertad de pensamiento, de conciencia y de religión. Este derecho implica la libertad de cambiar de religión o de convicciones, así como la libertad de manifestar su religión o sus convicciones individual o colectivamente, en público o en privado, a través del culto, la enseñanza, las prácticas y la observancia de los ritos.

    2. Se reconoce el derecho a la objeción de conciencia de acuerdo con las leyes nacionales que regulen su ejercicio.

  - El **artículo 18 CDFUE** Se garantiza el derecho de asilo dentro del respeto de las normas de la Convención de Ginebra de 28 de julio de 1951 y del Protocolo de 31 de enero de 1967 sobre el Estatuto de los Refugiados y de conformidad con el Tratado Constitutivo de la Comunidad Europea.

  - **Art. 67 TFUE:** 1. La Unión constituye un espacio de libertad, seguridad y justicia dentro del respeto de los derechos fundamentales y de los distintos sistemas y tradiciones jurídicos de los Estados miembros.

2. (…) desarrollará una **política común de asilo, inmigración y control de las fronteras exteriores** que esté basada en la solidaridad entre Estados miembros y sea equitativa respecto de los nacionales de terceros países. A efectos del presente título, los apátridas se asimilarán a los nacionales de terceros

- **Art. 78 TFUE** 1. La Unión desarrollará una **política común en materia de asilo**, protección subsidiaria y protección temporal destinada a ofrecer un estatuto apropiado a todo nacional de un tercer país que necesite protección internacional y a garantizar el respeto del principio de no devolución. Esta política deberá ajustarse a la Convención de Ginebra de 28 de julio de 1951y al Protocolo de 31 de enero de 1967 sobre el Estatuto de los Refugiados, así como a los demás tratados pertinentes.»

El artículo 78.2 prevé entre otras cosas que el **legislador de la Unión adopte estatutos uniformes de asilo y protección subsidiaria**, así como «criterios y mecanismos de determinación del Estado miembro responsable del examen de una demanda de asilo

- **Directiva 2008/115/CE** del Parlamento europeo y del Consejo de 16 de diciembre de 2008 (llamada «Directiva retorno» relativa a normas y **procedimientos comunes en los Estados miembros para el retorno de los nacionales** de terceros países en situación irregular.

- **Directiva 2011/95/UE** del Parlamento europeo y del Consejo 13 de diciembre de 2011.por la que se establecen normas relativas a los **requisitos para el reconocimiento de nacionales de terceros países o apátridas como beneficiarios de protección internacional, a un estatuto uniforme para los refugiados** o para las personas con derecho a protección subsidiaria y al contenido de la protección concedida. (Deroga la anterior Directiva 2004/83, de 2o de abril).

- **Directiva 2013/32/UE del Parlamento Europeo y del Consejo de 26 de junio de 2013; sobre procedimientos comunes para la concesión o la retirada de la protección internacional (refundición)**

- **Directiva 2013/33/UE del Parlamento y del Consejo de 26 de junio de 2013 por la que se aprueban normas para la acogida de los solicitantes de protección internacional (texto refundido).**

- **Reglamento 604/2013 del Parlamento Europeo y el Consejo. de 26 de junio de 2013 (Dublin III)** por el que se establecen los criterios y mecanismos de determinación del Estado miembro responsable del examen de una solicitud de protección internacional presentada en uno de los Estados miembros por un nacional de un tercer país o un apátrida (Texto refundido) (Art. 2j), art. 6)

- **Constitución Española:**

Art. 13.1 Los extranjeros gozarán en España de las libertades públicas que garantiza el presente Título en los términos que establezcan los tratados y la ley.(…)

4. La ley establecerá los términos en que los ciudadanos de otros países y los apátridas podrán gozar del derecho de asilo en España

Art. 16 CE garantiza la libertad ideológica, religiosa y de culto de los individuos y las comunidades, sin más limitación, en sus manifestaciones, que la necesaria para el mantenimiento del orden público protegido por la ley. Nadie podrá ser obligad a declarar sobre su ideología,religión o creencia. Ninguna confesión tendrá carácter estatal. Los poderes públicos tendrá en cuenta las creencias religiosas de las sociedad española y mantendrán las consiguientes relaciones de cooperación con la Iglesia Católica y las demás confesiones.

- **Normas de desarrollo de rango legal y reglamentario:**

- **Ley 12/2009, de 30 de octubre, reguladora del derecho de asilo y de la protección subsidiaria.**

- **LO 7/1980, de 5 de julio, de libertad religiosa**

La **LO 12/2009, en su art. 3,** define la **condición de refugiado** como sigue:

"La condición de refugiado se reconoce a toda persona que, debido a fundados temores de ser perseguida por motivos de raza, religión, nacionalidad, opiniones políticas, pertenencia a determinado grupo social, de género u orientación sexual, se encuentra fuera del país de su nacionalidad y no puede o, a causa de dichos temores, no quiere acogerse a la protección de tal país, o al apátrida que, careciendo de nacionalidad y hallándose fuera del país donde antes tuviera su residencia habitual, por los mismos motivos no puede o, a causa de dichos temores, no quiere regresar a él, y no esté incurso en alguna de las causas de exclusión del artículo 8 o de las causas de denegación o revocación del artículo 9.

En su **art. 7.1 b) LO12/09,** para valorar los **motivos de persecución** tienen en cuenta los siguientes elementos:

"b) el **concepto de religión** comprenderá, en particular, la profesión de creencias teístas, no teístas y ateas, la participación o la abstención de hacerlo, en cultos formales en privado o en público, ya sea individualmente o en comunidad, así como otros actos o expresiones que comporten una opinión de carácter religioso, o formas de conducta personal o comunitaria basadas en cualquier creencia religiosa u ordenadas por ésta;
Los actos de persecución se define en el art. 6 LO 12/2009.[894]"

---

[894] Art. 6 LO 12/2009. 1. Los actos en que se basen los fundados temores a ser objeto de persecución en el sentido previsto en el artículo 3 de esta Ley, deberán:

a) ser suficientemente graves por su naturaleza o carácter reiterado como para constituir una violación grave de los derechos fundamentales, en particular los derechos que no puedan ser objeto de excepciones al amparo del apartado segundo del artículo 15 del Convenio Europeo para la Protección de los Derechos Humanos y de las Libertades Fundamentales, o bien:

b) ser una acumulación lo suficientemente grave de varias medidas, incluidas las violaciones de derechos humanos, como para afectar a una persona de manera similar a la mencionada en la letra a).

2. Los actos de persecución definidos en el apartado primero podrán revestir, entre otras, las siguientes formas:

a) actos de violencia física o psíquica, incluidos los actos de violencia sexual;

b) medidas legislativas, administrativas, policiales o judiciales que sean discriminatorias en sí mismas o que se apliquen de manera discriminatoria;

c) procesamientos o penas que sean desproporcionados o discriminatorios;

d) denegación de tutela judicial de la que se deriven penas desproporcionadas o discriminatorias;

e) procesamientos o penas por la negativa a prestar servicio militar en un conflicto en el que el cumplimiento de dicho servicio conllevaría delitos o actos comprendidos en las cláusulas de exclusión establecidas en el apartado segundo del artículo 8 de esta Ley;

f) actos de naturaleza sexual que afecten a adultos o a niños.

3. Los actos de persecución definidos en el presente artículo deberán estar relacionados con los motivos mencionados en el artículo siguiente.

b) Marco jurisprudencial del derecho de asilo por motivos religiosos en España

En el ámbito de la U.E, hay que destacar la **STJUE 5 septiembre 2012, Caso Y. y Z, c. Alemania (Asuntos C71/11 y C99/11)**, relativa a nacionales paquistaníes miembros de la comunidad religiosa Ahmadía, que temen actos de las autoridades paquistaníes destinados a prohibir el derecho a manifestar su religión en público. Se trata de actos lo suficientemente graves como para que el interesado pueda temer fundadamente ser perseguido por su religión.

Alegaron que el hecho de pertenecer a la comunidad musulmana Ahmadía, que es un movimiento reformador del Islam, les había obligado a abandonar su país de origen. A este respecto, Y afirmó concretamente que, en su pueblo de origen, un grupo de individuos le golpeó y le lanzó piedras en el lugar de oración repetidas veces. Añadió que estas personas le amenazaron de muerte y le denunciaron ante la policía por haber insultado al profeta Mahoma. Z adujo que fue maltratado y encarcelado por sus creencias religiosas.

De las resoluciones de remisión se desprende que el artículo 298 C del Código Penal pakistaní prevé la imposición de una pena de hasta tres años de prisión o de una multa a los miembros de la comunidad ahmadí que pretendan ser musulmanes, que califiquen su fe de Islam, que prediquen o propaguen su religión o que insten a otras personas a unirse a ésta. Por otra parte, en virtud del artículo 295 C de ese Código Penal, se impondrá la pena de muerte o de cadena perpetua y una multa al que ultraje el nombre del profeta Mahoma.

Ante tales circunstancias y a la luz del derecho aplicable al caso, el Bundesverwaltungsgericht decidió suspender el procedimiento y plantear cuestión prejudicial, a la que el TJUE (Gran Sala) respondió:

«1) El artículo 9, apartado 1, letra a), de la Directiva 2004/83/CE del Consejo, de 29 de abril de 2004, por la que se establecen normas mínimas relativas a los requisitos para el reconocimiento y el estatuto de nacionales de terceros países o apátridas como refugiados o personas que necesitan otro tipo de protección internacional y al contenido de la protección concedida, debe interpretarse en el sentido de que:

– no toda injerencia en el derecho a la libertad de religión que viole el artículo 10, apartado 1, de la Carta de los Derechos Fundamentales de la Unión Europea

constituye un «acto de persecución» en el sentido de la citada disposición de dicha Directiva;

– la existencia de un acto de persecución puede resultar de un menoscabo en la manifestación externa de la libertad de religión;

– a efectos de apreciar si una injerencia en el derecho a la libertad de religión que viole el artículo 10, apartado 1, de la Carta de los Derechos Fundamentales de la Unión Europea constituye un «acto de persecución», las autoridades competentes deberán comprobar, teniendo en cuenta las circunstancias personales del interesado, si éste, por ejercer esa libertad en su país de origen, corre un riesgo real, en particular, de ser perseguido o sometido a un trato inhumano o degradante, o a penas de esta naturaleza, por parte de alguno de los actores contemplados en el artículo 6 de la Directiva 2004/83.

2) El artículo 2, letra c), de la Directiva 2004/83 debe interpretarse en el sentido de que el temor del solicitante a ser perseguido será un temor fundado cuando las autoridades competentes, teniendo en cuenta las circunstancias personales del solicitante, estimen razonable pensar que, al regresar a su país de origen, éste practicará actos religiosos que le expondrán a un riesgo real de persecución. Al llevar a cabo la evaluación individual de una solicitud para obtener el estatuto de refugiado, tales autoridades no pueden esperar razonablemente que el solicitante renuncie a esos actos religiosos.»

En esta sentencia, como es evidente, se plantea **el mismo problema que en F.G c. Suecia y que en el voto de Paulo Pinto se pone de relieve**, acudiendo al didáctico ejemplo de Anne Frank empleado por la Corte Suprema del Reino Unido: la mera posibilidad de que la religión se profese en privado y no en público, es decir, la posibilidad de ocultarse, no implica la inexistencia de persecución y, por tanto, de temor fundado de ser perseguido, como elementos condicionantes del derecho de asilo.

c) Doctrina de la Sala III del TS en materia de derecho de asilo y libertad religiosa

– **STS 10 diciembre 2015**, se **reconoce el asilo a una mujer de origen sirio**, y se revoca la sentencia recurrida en casación, al incurrir en error de Derecho, al no reconocer el estatuto de refugiada de la demandante con base en la mera calificación del relato fáctico expuesto por la solicitante de asilo de genérico, ya que, aunque no exista prueba plena de las circunstancias aducidas, el TS considera que se desvaloriza, sin justificación alguna, el informe emitido por el Alto Comisionado de las Naciones Unidas para los Refugiados de 30 de mayo de 2014, que tras evaluar los datos aportados por la solicitante de asilo estima que está incluida en alguno de los grupos de riesgo debido a su adscripción religiosa, y, particularmente, el Informe elaborado por la Asociación Comisión Católica Española de Migración, obrante, también, en el expediente administrativo, que pone de relieve que la solicitante de asilo ha expuesto de forma precisa y detallada las actividades de voluntariado social de los más desfavorecidos en su ciudad antes de estallido de la guerra civil, pasando a realizar actividades de denuncia de las violaciones de derechos humanos cometidas por el Gobierno sirio, con la finalidad de divulgarlas a través de organizaciones de derechos humanos, lo que motivó su detención, así como el encarcelamiento de otros compañeros activistas, y su ulterior huida del país, junto a su hermano Luis Miguel, con la ayuda del denunciado «ejercito libre», y no tiene en cuenta la dramática singularidad del conflicto sirio, en que la población civil se encuentra inmersa en una situación objetiva de sufrir persecución tanto por el régimen gubernamental, como por los grupos opositores armados, como por aquellas organizaciones islamistas defensoras de la Shari'a.

– **STS 24 de julio de 2014**, sostiene que la Administración debe interpretar las disposiciones de la Ley 12/2009, de 30 de octubre, reguladora del derecho de asilo y de la protección subsidiaria, de conformidad con la Convención de Ginebra de 1951 y el Derecho de la Unión Europea. Ello comporta que la resolución de las solicitudes de asilo, en cuanto se trata del ejercicio de una potestad reglada, que no puede caracterizarse de facultad graciable, en la medida que si concurre el presupuesto de temor fundado de sufrir persecución por los motivos contemplados en la Convención de Ginebra debe reconocerse el estatuto de refugiado, debe fundamentarse en una equilibrada y ponderada valoración de los hechos y de las circunstancias personales del solicitante de asilo, así como en el análisis de la naturaleza del riesgo, a efectos de establecer si concurren los presupuestos determinantes del otorgamiento de protección internacional. Este examen no ha de efectuarse con criterios restrictivos, al ser suficiente, a estos efectos, que la autoridad competente en materia de asilo alcance una convicción racional de que concurren dichos requisitos para que proceda reconocer la condición de asilado.

- **STS 11 de mayo de 2009**, establece la doctrina jurisprudencial de que los Tribunales Contencioso-Administrativos deben verificar, a los efectos de enjuiciar si las resoluciones del Ministerio del Interior en materia de asilo son conformes al principio de legalidad, en primer término, si de los datos obrantes en el expediente administrativo y de las pruebas aportadas en sede judicial, se deduce que el relato ofrecido por el peticionario de asilo es creíble y verosímil, y si puede entenderse, además, acreditado, aún siquiera a nivel indiciario, como se requiere en esta materia, el hecho de que sufre persecución por razones políticas, ideológica, religiosas u otras circunstancias enunciadas en la Convención sobre el Estatuto de los Refugiados, hecha en Ginebra el 28 de julio de 1951.

d) Otras sentencias relativas al reconocimiento del derecho de asilo por razones de índole religiosa[895]

- STS 27 abril 2007; remarca la eficacia horizontal de los DDHH, pues procede el asilo no sólo cuando la persecución provenga de las Autoridades del país de origen, sino cuando proceda de sectores de la población cuya conducta se toleres por dichas autoridades o las no sean capaces de reprimir.

- STS 25 febrero 2007, se concede asilo a católicos huídos de Irak, y se sostiene que las dudas sobre el relato del solicitante de asilo no pueden resolverse con la inadmisión a trámite de la solicitud, sino que debe entrarse en el fondo y decidir si procede o no la concesión de asilo. (Vid. también STS 19 mayo 2006).

- STS 23 junio 2006, se considera tributaria de asilo la situación de marginación o discriminación en el ámbito laboral, o la práctica imposibilidad de acceder al mercado de trabajo, siempre que dicha situación tenga su origen en alguno de los motivos de persecución contemplados en la Convención de ginebra de 1951. (vid. también STS 16 marzo 2006).

---

[895] VIDAL GALLARDO, Mª. M. "Derecho de asilo y protección internacional de la libertad religiosa" En: Revista de derecho migratorio y extranjería, ISSN 1695-3509, Nº. 30, 2012. Ed. Lex Nova pp. 69-98. Bib 2013/139107.

- STS 22 diciembre 2005, se concede asilo a una Cubana que trabajaba en un hospital donde se practicaban abortos contrarios a sus creencias.

- STS 9 septiembre 2005, se concede asilo en un supuesto de persecución para asesinar al solicitante por razón de su religión.

- STS 7 julio 2005 se concede asilo a pastor de la iglesia cristiana baptista perseguido por razón de sus creencias.

Supuestos de denegación de asilo por razones de índole religiosa: Vid. entre otras: STS 7 octubre 2011, STS 9 enero 2008, STS 9 enero 2008, STS 16 noviembre 2006, STS 7 septiembre 2006, etc.

Para concluir, diremos que lo que en relación con los DDHH se ventila en la protección a los refugiados no es otra cosa que la nota de universalidad de esos derechos. Universalidad que, como es obvio, entra en conflicto con la soberanía de los Estados y que, por ello mismo, constituye un factor indicativo del grado de desarrollo en materia de DDHH que tiene cada Estado.

En 2016 los solicitantes de asilo que vinieron a Europa por mar alcanzaron aproximadamente el millón de personas, y se estimaba que había unos 60 millones de personas deslazadas por la guerra o la represión en el mundo, la cifra más alta desde la Segunda Guerra Mundial[896]. La respuesta de la UE, lejos de seguir un enfoque de DDHH ha primado el reparto de cuotas entre los países miembros, no sin vergonzosas disputas entre los mismos, algunos de los cuales se han negado a dar acogida y tramitar las peticiones de asilo.

En el contexto de la guerra en Siria y la instauración del ISIS, la persecución por motivos religiosos, desgraciadamente ha cobrado una renovada actualidad, que debería despertar la conciencia de la UE, incluida España, en aras de tutelar a las personas necesitadas de protección internacional, pues no puede hablarse del respeto de los derechos humanos si no se empieza por respetar su nota esencial de universalidad, de la que la legislación de asilo y refugio es claramente tributaria.

---

[896] PÉREZ-MADRID, F. "El requisito del miedo en la concesión de asilo por persecución religiosa En: Religión, libertad y seguridad/Francisca Pérez-Madrid, coordinadora-Valencia: Tirant lo Blanch, 2017.

9.1.5. Índice de casos

STEDH 7 julio 1989, Caso Soering c. Reino Unido
DTEDH 11 marzo 2003, Caso Razaghi c. Suecia
STEDH 14 octubre 2003, Caso Tomic c. Reino Unido
STEDH 22 junio 2004, Caso F. c. Reino Unido
STEDH 4 febrero 2005, Caso Mamatkulov y Askarov c. Turquía
DTEDH 28 febrero 2006, Caso Z. y T. c. Reino Unido

9.1.6. Bibliografía

ECHR: Guide on Article 9 of the European Convention on Human Rights. https://www.echr.coe.int/Documents/Guide_Art_9_ENG.pdf

GARCÍA ROCA, J., SANTOLAYA, P. (Coord.) "La Europa de los Derechos. El Convenio Europeo de Derechos Humanos Ed. CEC. 2ª Edición. 2009.

LASAGABASTER HERRARTE, I. "Convenio Europeo de Derechos Humanos. Comentario Sistemático. 2ª edición. Ed. Civitas Thomson-Reuters. 2009.

MONEREO ATIENZA, C.; MONEREO PÉREZ, J. L. "La Garantía Multinivel de los Derechos Fundamentales en el Consejo de Europa". Ed. Comares. 2017.

PÉREZ-MADRID, F. "El requisito del miedo en la concesión de asilo por persecución religiosa En: Religión, libertad y seguridad/Francisca Pérez-Madrid, coordinadora-Valencia: Tirant lo Blanch, 2017.

PÉREZ TREMPS, P.; SAIZ ARNAIZ, A., "Comentario a la Constitución Española. 40 aniversario 1979-2018. Libro homenaje a Luis López Guerra. Ed. Tirant Lo Blanch

PINTO DE ALBUQUERQUE, P. "I Diritti umani in una prospettiva europea. Opinini concrrenti e dissenzienti (2011-2015)". A cura e con un saggio di Davide Galliani prefaziine di Paola Bilancia. Ed. B. Giappichelli Editori-2016.

PRECIADO DOMÈNECH, C.H. "Teoría General de los Derechos Fundamentales en el contrato de Trabajo". Ed. Thomson Reuters-Aranzadi. 2018.

QUERALT JIMÉNEZ, A. "La interpretación de los derechos: del Tribunal de Estrasburgo al Tribunal Constitucional". Ed. CEC. 2008.

RIPOL CARULLA, S., VELÁZQUEZ GARDETA, J. M. y AAVV "España en Estrasburgo. Tres Décadas bajo la Jurisdicción del Tribunal Europeo de Derechos Humanos. Ed… Aranzadi. Primera edición. 2010.

SARMIENTO,D.; MIERES MIRES, L. J.; PRESNO LINERA, M. "Las sentencias básicas del Tribunal Europeo de Derechos Humanos. Ed. Thomson Cititas. 2007.

VIDAL GALLARDO, Mª. M. "Derecho de asilo y protección internacional de la libertad religiosa" En: Revista de derecho migratorio y extranjería, ISSN 1695-3509, Nº. 30, 2012. Ed. Lex Nova pp. 69-98. Bib 2013/139107.

10. LIBERTAD DE EXPRESIÓN (ART. 10 CEDH)

Artículo 10 CEDH

1. Toda persona tiene derecho a la libertad de expresión. Este derecho comprende la libertad de opinión y la libertad de recibir o de comunicar informaciones o ideas sin que pueda haber injerencia de autoridades públicas y sin consideración de fronteras. El presente artículo no impide que los Estados sometan a las empresas de radiodifusión, de cinematografía o de televisión a un régimen de autorización previa.
2. El ejercicio de estas libertades, que entrañan deberes y responsabilidades, podrá ser sometido a ciertas formalidades, condiciones, restricciones o sanciones, previstas por la ley, que constituyan medidas necesarias, en una sociedad democrática, para la seguridad nacional, la integridad territorial o la seguridad pública, la defensa del orden y la prevención del delito, la protección de la salud o de la moral, la protección de la reputación o de los derechos ajenos, para impedir la divulgación de informaciones confidenciales o para garantizar la autoridad y la imparcialidad del poder judicial.

10.1. CASO DI GIOVANNI C. ITALIA
(STEDH 9 julio 2013): Libertad de expresión del juez/a, defectos de procedimiento en los procedimientos disciplinarios contra una jueza

10.1.1. *Resumen del caso*

Resumen de los hechos: la demandante, A. Di Giovanni, es una Magistrada italiana que en el momento de los hechos presidía el tribunal de ejecución de penas de Nápoles.

En enero de 2008, tuvo lugar una oposición para acceso a la carrera de jueces y fiscales. Posteriormente, se abrió una investigación penal contra uno de los miembros del tribunal de dicha oposición, a quien se acusaba de haber falsificado los resultados del examen para favorecer a un candidato. El 28 de mayo de 2003, la Sra. Di Giovanni declaró en una entrevista pública que un miembro del tribunal había intervenido para favorecer a un pariente.

El 4 de junio de 2003, quince miembros del Consejo Superior de la Magistratura (CSM) enviaron al presidente del tribunal de la oposición una solicitud de investigación para que determinase si la información era cierta. Aparecieron otros artículos, asociando la persona de E.F., magistrado napolitano, a los hechos delictivos relacionaos con la oposición de enero de 2003. El 25 de febrero de 2004, el fiscal general ante la Corte e Casación inició un procedimiento disciplinario contra la Sra. Di Giovanni, por haber faltado a sus deberes de respeto y discreción respecto de los miembros del CSM y uno de sus colegas. Por decisión de 10 de junio de 2005, la sección disciplinaria del CSM declaró a la Sra. Di Giovanni parcialmente culpable de los hechos que se le imputaban y la sancionó con una amonestación. La magistrada sancionada recurrió en casación, alegando la falta de independencia e imparcialidad de la sección disciplinaria del CSJ. La Corte de Casación desestimó su recurso.

Resumen del voto mayoritario: En cuanto a **las excepciones preliminares del gobierno**, la primera se plantea sobre la **admisibilidad** *ratione materiae*, pues la sanción de amonestación, carente de todo efecto patrimonial, no podría— según el Gobierno— considerarse como "**derechos y obligaciones civiles a la luz del art. 6 CEDH**" El TEDH desestima dicha excepción, en aplicación de la doctrina Eskelinen puesto que para eximir a un funcionario público de la protección ofrecida por el artículo 6, se deben cumplir dos condiciones. Primero, la legislación interna del Estado en cuestión debe haber excluido específicamente el acceso a un tribunal con respecto al puesto o categoría de empleados en cuestión. En segundo lugar, esta excepción debe basarse en motivos objetivos relacionados con los intereses del Estado. El mero hecho de que la persona interesada pertenezca a un sector o servicio que participa en el ejercicio del poder público no es en sí mismo decisivo. En el caso de autos el art. 6 es aplicable y se desestima la excepción.

Distinta suerte corre la **excepción preliminar de falta de agotamiento de los recursos internos**, que el gobierno plantea porque considera que la demandante debió recusar en su momento a los miembros de la sección disciplinaria de la CSM. El TEDH estima dicha excepción, sólo en uno de los tres motivos que plantea de recusación, consistente en que cuatro de los quince miembros del CSM que formaban parte de la comisión disciplinario eran los mismos que habían solicitado, el 4 de junio de 2003, la apertura de procedimientos disciplinarios contra la demandante, porque considera que debió recusarlos en su momento.

En cuanto al **fondo de la cuestión**, se plantean dos motivos:

1) **Vulneración del art. 6.1 CEDH**: falta de independencia e imparcialidad de la sección disciplinaria del CSM porque está compuesta por una gran mayoría de jueces elegidos, de acuerdo con ella, de acuerdo con su pertenencia a las diversas facciones ideológicas (asociacionismo judicial)

2) **Vulneración del art. 10 CEDH**: La demandante alega una violación de su libertad de expresión como resultado de la medida disciplinaria impuesta a ella.

Sobre **la alegación de vulneración del art. 6.1 CEDH, por falta de independencia e imparcialidad de la sección disciplinaria del CSM, el TEDH la desestima.**

El TEDH considera que la sección disciplinaria del CSM es un "tribunal" en el sentido del art. 6.1 CEDH, puesto que es un órgano establecido por la ley, ante el que los expedientados pueden presentar alegaciones y prueba, y que se rige por unas reglas de procedimiento (f.52, 53).

En cuanto a si la sección disciplinaria es "independiente", el TEDH considera que reúne tal requisito porque "… el mero hecho de que los miembros de la sección disciplinaria pertenezcan al poder judicial no puede socavar el principio de independencia. El Tribunal observa que el mandato de los jueces de la sección disciplinaria del CSM es de cuatro años; estos son irrevocables por la duración de su mandato y no están vinculados por ninguna dependencia jerárquica u otra de sus pares, quienes los eligieron por votación secreta…" (f.57).

En cuanto a la adscripción ideológica de los jueces, el TEDH lo descarta como dato objetivo que impida su consideración de independientes, porque "… la adscripción a tal o cual corriente ideológica dentro del poder judicial no puede confundirse con una forma de dependencia jerárquica" (f.57). De ello se deduce que los temores del solicitante derivados del sistema de nombramiento de los miembros de la sección no están justificados objetivamente.

Sobre la infracción del art. 10 CEDH, por una violación de la libertad de expresión como resultado de la medida disciplinaria de amonestación impuesta a la demandante, el TEDH también la desestima. (Vid. F. 69-86).

El TEDH parte de que los jueces son titulares de la libertad de expresión, si bien parece legítimo que el Estado someta a sus agentes a una obligación de reserva[897].

Respecto de la libertad de expresión de los jueces, el TEDH subraya que las preguntas sobre el funcionamiento de la justicia, una institución esencial para cualquier sociedad democrática, son de interés general. Sin embargo, debe tenerse en cuenta el papel especial del poder judicial en la sociedad. Como garante de la justicia, un valor fundamental en el estado de derecho, su acción necesita la confianza de los ciudadanos para prosperar. Por lo tanto, puede ser necesario protegerlo contra ataques destructivos sin ninguna base seria, especialmente porque el deber de discreción prohíbe que los jueces en cuestión reaccionen. (STEDH 26 abril 1995, Caso *Prager y Oberschlick c. Austria,* f.34)

Sin embargo, el TEDH subraya que "… uno tiene derecho a esperar que los funcionarios judiciales utilicen su libertad de expresión con moderación siempre que la autoridad e imparcialidad del poder judicial puedan ser cuestionadas" (STEDH 28 de octubre de 1999, caso Wille c.Liechtenstein, F.34).

En cuanto al **rol del TEDH en el examen de la vulneración de la libertad de expresión de jueces**, su tarea no es reemplazar los tribunales nacionales, sino examinar, de conformidad con el artículo 10, las decisiones que han tomado a su discreción. A tal efecto, **debe considerar la "injerencia"** impugnada a la luz de la totalidad del caso a fin de **determinar si se "basó en una necesidad social apremiante"** y si las **razones invocadas por las autoridades nacionales para justificarla parecen "relevantes y suficientes"** (STEDH 10 enero 2010, Caso *Laranjeira Marques da Silva v. Portugal,* f 49). Además, **la naturaleza y el gravedad de las sanciones impuestas** también son factores a tener en cuenta a la hora de medir **la proporcionalidad de la interferencia**[898].

---

[897] STEDH 26 septiembre 1995, Caso *Vogt c. Alemania,* F. 53, STEDH 28 de octubre de 1999, caso Wille c.Liechtenstein, STEDH 29 febrero 2000, Caso *Fuentes Bobo c España,* STEDH 12 febrero 2008, Caso Guja c. Moldavia; STEDH 13 noviembre 2008, Caso *Kayasu c. Turquía.*

[898] *STEDH 8 julio 1999, Caso Ceylan c. Turquía,* f. 37, STEDH 6 febrero 2001, Caso *Tammer c. Estonia,* n. f. 69, STEDH 27 mayo 2003, Caso *Skałka c. Polonia,* (f.41-42),

Fijados los principios generales de aproximación del TEDH a los casos de libertad de expresión de los jueces/as, el **TEDH considera que la sanción** disciplinaria impuesta a la demandante **constituye una injerencia** de las autoridades públicas en el ejercicio de la libertad de expresión. Esta interferencia **está "prescrita por la ley"**, es decir, por el artículo 18 del Real Decreto Legislativo N ° 511 de 31 de mayo de 1946, y concluye que esta interferencia **persigue objetivos reconocidos como legítimos** por la Convención, a saber, la protección de la "**reputación o los derechos de los demás**" y la garantía de "**la autoridad e imparcialidad del poder judicial**". (f.74).

Resta por determinar **si la sanción fue o no proporcionada a dichos objetivos,** a lo que el TEDH da respuesta afirmativa. En efecto, a la luz del contenido de las declaraciones en cuestión y en vista del contexto general en el que tienen lugar, el TEDH no considera irrazonable la conclusión de los tribunales nacionales de que la demandante "no demostró la discreción exigible a una magistrada". De hecho, por las declaraciones objeto de controversia, la demandante afirmó que la noticia de la intervención de un miembro del tribunal de la oposición para el acceso a la carrera judicial a favor de un pariente de otro magistrado era de "extrema gravedad". La demandante no opuso duda alguna a la veracidad de dicha información y, por lo tanto, contribuyó a presentar a la opinión pública como un dato lo que luego resultó ser un rumor infundado.

El TEDH considera que las razones dadas por la sección disciplinaria para justificar la sanción fueron relevantes y suficientes. Además, esta sanción fue la más débil de las previstas por la legislación nacional, es decir, una advertencia. Por lo tanto, no **puede considerarse desproporcionada.**

10.1.2. *Extractos del voto particular conjunto de los Jueces Paulo Pinto y Sajo*

«El caso Di Giovanni plantea un problema crucial en un Estado de derecho: la libertad de expresión de los jueces y sus límites. Hemos llegado a la conclusión de que el Estado demandado ha violado el artículo 10 de la Convención.
Los tribunales nacionales consideraron que las declaraciones de la demandante, divulgadas el 28 de mayo de 2003 por el diario Libero, constituían una violación del

---

STEDH 11 marzo 2003, Caso *Lešník c. Eslovaquia*, f.63-64, STEDH 6 mayo 2003, Caso *Perna c. Italia.*

deber de confidencialidad que incumbe a todos los magistrados. La criticaron por haber expresado la opinión de que era de «extrema gravedad» la noticia de que un miembro del tribunal de oposiciones para el acceso a la magistratura había intervenido en favor de un familiar de otro magistrado. Es cierto que la demandante no expresó ninguna reserva en cuanto a la veracidad de la información y que, por lo tanto, contribuyó a presentar a la opinión pública como un hecho cierto lo que posteriormente resultó ser un rumor infundado.

Sin embargo, no puede obviarse el hecho de que la demandante no citó al magistrado por su nombre y que, dos semanas después de la publicación de sus primeras declaraciones, dio una segunda entrevista en la que dijo que lamentaba si sus declaraciones podían "ofender la sensibilidad de algunos colegas" y reconoció que no se había expresado con claridad. Luego declaró que sus declaraciones sólo se dirigían a resaltar un posible conflicto de intereses entre la Asociación Nacional de Magistrados (NMA) y el CSM, y por lo tanto "la posible existencia de centros de poder reconocibles e identificables" susceptibles de socavar la autonomía e independencia del poder judicial. En ese sentido, sus declaraciones tenían por objeto asuntos de interés público.

Del mismo modo, debe destacarse que las observaciones formuladas por la demandante en su primera entrevista no dieron lugar a la apertura de un proceso penal. Si de tales declaraciones no resulta responsabilidad penal por difamación, no parece razonable que puedan adoptarse sanciones disciplinarias, y ello por dos razones. Por un lado, el juez supuestamente afectado por las declaraciones de la demandante no planteó acción civil ni interpuso denuncia alguna, penal o disciplinaria. Por otro lado, el enjuiciamiento penal por difamación estaba condenado al fracaso, ya que la demandante no había mencionado ningún nombre en la primera entrevista.

En nuestra opinión, en sus segundas declaraciones, la demandante en suma, declaró que no se refería a ninguna conducta individual y no hizo ninguna acusación directa de conducta ilícita contra uno o más de sus colegas. Además, esta segunda entrevista se publicó quince días después de la primera, en el mismo periódico y con la misma visibilidad. La solicitud de apertura de un procedimiento disciplinario podría interpretarse en el sentido de que si la entrevista realmente se hubiera dado en los términos descritos por el diario Libero, hubiera resultado plausible la responsabilidad disciplinaria de la demandante

Para determinar si la necesidad de una posible restricción "estaba presente en este caso, debe determinarse si el solicitante gozó de garantías procesales adecuadas". Estas garantías se refieren no solo a la fase administrativa, sino también a la fase posterior de la revisión judicial del procedimiento administrativo, y en particular a la efectividad de este control[899]*.*

---

[899] *Lombardi Vallauri* (no 39128/05, § 46, 20 de octubre de 2009), *Saygılı et Seyman c. Turquía* (no 51041/99, §§ 24-25, 27 de junio de 2006), *Nur Radyo Ve Televizyon Yayinciligi A.Ş. do. Turquía* (no 2) (no 42284/05, § 49, 12 de octubre de 2010), *Steel et Morris c. Reino Unido* (no 68416/01, § 95, CEDH 2005-II), *Kudeshkina c. Rusia* (no

La sección disciplinaria del CSM no tuvo debidamente en cuenta esta circunstancia. Sin embargo, cuatro de los seis miembros de esta sección habían firmado la nota solicitando la apertura de procedimientos disciplinarios contra el solicitante (richiesta di apertura pratica)[900]. Además, el Juez Ponente de la decisión de la sección de 10 de junio de 2005 era uno de los firmantes de la nota en cuestión. Asimismo, esta nota fue firmada, en un orden disperso, por quince miembros del CSM, una mayoría, lo que demuestra que fue una reacción del CSM como un cuerpo y no solo una posición individual de algunos de sus miembros. También resulta relevante al hecho de que el Tribunal de Casación desestimó la apelación de la demandante sin pronunciarse sobre esta cuestión, que la demandante planteó en el contexto de su excepción de inconstitucionalidad.

A este respecto, debe tenerse en cuenta que el Tribunal de Casación no examinó los argumentos expuestos en los alegatos adicionales de la demandante, debido a la ausencia de la firma de un abogado con postulación. Así, el Tribunal Superior parece haber ignorado el hecho de que la demandante era una magistrada experimentada, presidente del Tribunal de Ejecución Penal de Nápoles y, por lo tanto, capaz de desarrollar argumentos técnicos para su defensa. Vemos, pues, que las autoridades nacionales han sido receptivas al examen de los argumentos técnicos de la parte demandada en el procedimiento disciplinario[901]. Esta infracción es aún más inaceptable porque, según la ley vigente en ese momento, la demandante tenía derecho tanto a defenderse como a nombrar a un defensor de su elección, como lo reconoce el Tribunal Constitucional en su sentencia no 497 de 13 de noviembre de 2000.

De hecho, el Tribunal de Casación ni siquiera ha verificado la realidad de los hechos alegados contra la demandante, incluida la acusación, que siempre rechazó, de que fue en su primera entrevista se refería al magistrado Ettore Ferrara. En este punto planteado por la demandante, el tribunal respondió que se trataba de una cuestión de hecho y que, como tal, ya había resuelto definitivamente por el órgano a quo[902].

Recordamos que la Carta Europea sobre el Estatuto de los Jueces establece que las decisiones disciplinarias deben ser adoptadas por una autoridad ejecutiva, un tribunal o un organismo compuesto por, al menos, la mitad de jueces electos y establece claramente el derecho de apelación [en la versión ("apelación") ante un tribunal superior de naturaleza jurisdiccional contra tales decisiones "(una) decisión de una autoridad ejecutiva, un tribunal o un organismo mencionado en este párrafo que imponga una sanción puede ser apelada ante un tribunal superior de naturaleza jurisdiccional", párrafo 5.1 de la Carta]. Esta apelación se refiere a los hechos, así como al derecho, la calificación legal de los hechos y la determinación y medición de la sanción.

29492/05, §§ 83 y 97, 26 de febrero de 2009) y *Mentes c. Turquía* (no 2) (no 33347/04, § 50, 25 de enero de 2011).

[900] *Gubler c. Francia*, n. 69742/01, §§ 28 y 29, 27 de julio de 2006.

[901] *Olujic c. Croacia*, no 22330/05, § 78, 25 de febrero de 2009.

[902] Sentencia del Tribunal de Casación, página 10: insindacabilmente accertata dalla sezione disciplinare.

La misma garantía se proporciona en la Recomendación núm. R (94) 12 del Comité de Ministros del Consejo de Europa a los Estados miembros sobre la independencia, la eficiencia y el papel de los jueces, en el punto 3 del Principio VI: "Cuando se deban tomar las medidas previstas en los párrafos 1 y 2 de este artículo, los Estados deben considerar la posibilidad de constituir, de conformidad con la ley, un organismo especial competente para aplicar sanciones y medidas disciplinarias, que no son examinadas por un tribunal y cuyas decisiones deberían ser supervisadas por un órgano judicial superior, o que fuera él mismo u órgano judicial superior. La ley debe establecer los procedimientos apropiados para garantizar que el juez expedientado disfrute al menos de todas las garantías de juicio justo previstas en la Convención, por ejemplo, la oportunidad de hacer que su caso sea escuchado dentro de un tiempo razonable y que el derecho a responder a cualquier acusación en su contra".

Esta garantía también se incluye en el Informe sobre la Independencia del Poder Judicial, Parte I: Independencia de los jueces de la Comisión de Venecia, donde la Comisión declara: "Con respecto a los procedimientos disciplinarios, la Comisión, en su informe sobre nombramientos autoridades judiciales, está a favor de que estos procedimientos sean competencia de los consejos del poder judicial o disciplinarios. Además, la Comisión siempre ha sostenido que debería poderse apelar frente a las decisiones de los órganos disciplinarios[903]".

Finalmente, en el párrafo 72 de su Dictamen No. 3 a la atención del Comité de Ministros del Consejo de Europa sobre los principios y normas que rigen los requisitos profesionales aplicables a los jueces y, en particular, el código de conducta, comportamiento incompatible e imparcialidad, El Consejo Consultivo de Jueces Europeos (CCJE) declara: "El CCJE es de la opinión de que en cada país los procedimientos disciplinarios deben prever la posibilidad de apelar la decisión del primer órgano disciplinario (si él mismo una autoridad, tribunal o tribunal) ante un tribunal".

Además, debe recordarse que el CSM y el Tribunal de Casación sancionaron a la demandante basándose en una disposición legal muy objetable que era muy vaga en cuanto al castigo de las infracciones disciplinarias, a saber, el antiguo artículo 18 del Regio Decreto Legislativo No. 511 del 31 de mayo de 1946[904], que desde entonces ha sido reemplazado, en el contexto de la reforma introducida por el Decreto Legislativo No. 109 del 23 de febrero de 2006, por otras disposiciones —Artículos 2, 3 y 4 del Decreto Legislativo— destinado a describir exhaustivamente la conducta ilícita.

En nuestra opinión, el control judicial de la imposición de la sanción, por tanto, no ha resultado adecuado en este caso[905]. En cierto sentido, los procedimientos se convirtieron en la fuente de la restricción ilegítima de los derechos de defensa y libertad de expresión de la demandante. Hubiera sido necesario que el Tribunal de Casación adoptara el encomiable enfoque "maximalista" del Tribunal Constitucional, según el

---

[903] CDL-AD (2010) 004, § 43.

[904] La respuesta del CSM del 15 de febrero de 2010 evoca un *atipicità delle fattispecie di rilievo disciplinare total.*

[905] Ver, *mutatis mutandis, Pellegrini c. Italia* (no. 30882/96, CEDH 2001 VIII) y *Lombardi Vallauri* (citado anteriormente, § 71).

cual "en lo que respecta a los magistrados, el requisito de máxima aplicación de las garantías de la defensa debe ser, si es posible, aún más estricto, porque entre los caracteres de su estatus profesional también se encuentra la independencia"[906].

Finalmente, no podemos aceptar los límites categóricos a los que la Cámara somete la libertad de expresión de los jueces, que, en su opinión, no debe ser utilizada por la prensa, incluso en respuesta a la provocación (párrafo 80). Esta restricción absoluta no tiene en cuenta el hecho de que hay diversas situaciones que pueden justificar la intervención pública del juez. Si los imperativos superiores de la justicia imponen discreción y prudencia al juez, ciertamente no le ordenan que permanezca en silencio cuando es objeto de ataques públicos. Al igual que cualquier otro profesional, el juez tiene derecho a defenderse cuando se menoscaba su honor y su reputación profesional y, si el ataque se realiza en el ámbito público, la defensa puede tener lugar también en dicho ámbito.

Las autoridades nacionales no tuvieron en cuenta los requisitos de procedimiento del artículo 10. Por lo tanto, no tuvieron en cuenta estas consideraciones y, en consecuencia, las razones que han invocado para justificar la injerencia resultan insuficientes[907]. En conclusión, la imposición de la sanción disciplinaria en cuestión no era necesaria en una sociedad democrática en el sentido del artículo 10 de la Convención.»

10.1.3. *Doctrina del TEDH sobre libertad de expresión de los jueces/as*

Veremos ahora, muy resumidamente, la doctrina del TEDH sobre la libertad de expresión de los jueces/as, que puede sintetizarse como sigue.

El TEDH ha reconocido que el art. 10 CEDH se aplica a los funcionarios públicos, de forma que, si bien se reconoce la obligación de lealtad y confidencialidad de los miembros de la función pública, también se afirma que los mismos tienen **derecho a denunciar conductas o actos ilícitos constatados por ellos en su lugar de trabajo**[908].

Los miembros de la judicatura también son titulares de la libertad de expresión[909]**; sin embargo, la apariencia de imparcialidad del juez/a**

---

[906] Véase la sentencia Nº 497/2000 del Tribunal Constitucional: *estafar riferimento tener Magistrati la esigenza di una delle massima espansione garanzie difensive si fa, si possibile, ancora più estrictas, poiché nel patrimonio di beni compresi nel loro estado professionale vi è anche quello dell'indipendenza.*

[907] *Asociación Ekin c. Francia,* n. 39288/98, § 5, CEDH 2001 VIII.

[908] STEDH 26 septiembre 1995, Caso Vogt c. Alemania y STEDH 12 febrero 2008, Caso Guja c. Moldavia.

[909] STEDH de 28 de octubre de 1999, Caso Wille contra Liechtenstein, STEDH 20 noviembre 2012, Caso Harabin c. Eslovaquia.

es un primer límite la misma, puesto que dicha imparcialidad se espera de todo juez/a; y ello supone e**l derecho de todos a esperar de los funcionarios judiciales que utilicen su libertad de expresión con moderación** cada vez que la autoridad y la imparcialidad del poder judicial puedan ser cuestionados[910].

Esa apariencia de imparcialidad no impide que los jueces/as puedan pronunciarse sobre cuestiones relativas al funcionamiento de la Administración de Justicia que tengan interés público[911].

En el polo opuesto, con clara vulneración de la neutralidad exigible, la **DTEDH de 8 de marzo de 2001, Caso Pitkevich c. Rusia,** analiza un supuesto de una jueza que hace acciones de publicidad y proselitismo en favor de una secta religiosa, valiéndose de su condición de jueza. El TEDH considera que ello daña el prestigio de la institución y la pone en cuestión, por lo que no considera contrario a su libertad de expresión que se la sancione con el cese por dicha conducta.

Sin embargo, la **libertad de expresión de los jueces/as, viene reforzada** en aquellos casos en que se vierten **críticas técnico-jurídicas que formulan respecto de leyes, reformas legislativas o demás manifestaciones jurídicas de los otros poderes del Estado.**

Así ocurre, por ejemplo, en la sentencia —Baka c. Hungría—, en que el Presidente del TS es cesado por manifestar opiniones críticas, que debía expresar por razón de su cargo, respecto de reformas legislativas que afectaban a los Tribunales.

También hay que citar la **STEDH 28 de octubre de 1999, caso Wille c.Liechtenstein,** en la que se trata sobre opiniones expresadas por el demandante, Presidente del Tribunal administrativo de Liechtenstein, en conferencia pública universitaria sobre cuestiones de competencia constitucional en el Principado, en la que expresaba su opinión de que "el Tribunal Constitucional tenía competencia para resolver sobre «la interpretación de la Constitución en caso de desacuerdo entre el Príncipe (el Gobierno) y el Parlamento»." Como reacción a ello, el Príncipe le notificó su decisión

---

[910] STEDH 28 octubre 1999, Caso Wille c.Liechenstein (f.64).
[911] STEDH de 23 de abril de 2015, caso Morice c.Francia.

de no nombrarle para ningún cargo público, lo que debe considerarse una injerencia desproporcionada en la libertad de expresión.

Ni en Wille, ni en Baka, el TEDH ha considerado que los jueces vulneren su deber de neutralidad política y, por tanto, de imparcialidad por el hecho de emitir sus opiniones críticas sobre las leyes o el sistema de justicia sea en el ámbito del ejercicio de su cargo (Baka), sea en el ámbito académico (Wille).

Un tercer límite de la libertad de expresión, viene representado por **el derecho al honor de los otros miembros de la judicatura.** En este punto, cabe destacar dos sentencias: además de la que estamos comentando (Di Giovanni).

- La **STEDH de 26 de febrero de 2009, caso Kudeshkina c. Rusia**, en la que se protege el derecho a la libertad de expresión del juez, que en unas declaraciones públicas, hechas como candidato a las elecciones de la Duma, dudó de la independencia de los tribunales rusos, motivo por el que fue cesado de su cargo de juez.

- En la **STEDH de 7 de diciembre de 2010, caso Poyraz c. Turquía**, se trata de la trascendencia pública del contenido un expediente disciplinario por acoso seguido frente a un juez, que fue filtrado por el instructor del expediente. Se considera correcta la condena por difamación del instructor del expediente, puesto que debe observarse una mayor vigilancia a los funcionarios que ejercitan su libertad de expresión en el contexto de investigaciones curso, en particular cuando tales funcionarios son los que están a cargo de las mismas, siendo que dichos expedientes contienen informaciones sensibles para la cláusula de confidencialidad o secreto que garantiza la buena administración de justicia.

Para terminar, la **apariencia de imparcialidad,** es obviamente **mucho más exigente en los supuestos en que la libertad de expresión se ejercita por el juez/a respecto de los procesos de los que conoce,** quedando por ello mismo dicha libertad mucho más limitada. En este sentido, se exige **que los jueces/as no puedan pronunciarse en prensa, ni siquiera para responder a provocaciones de las partes en procesos de los que conocen.** Así se dijo en la STEDH 16 septiembre 1999, Caso Buscemi c. Italia: (f. 67 y 68) El Tribunal señala ante todo que se exige a las autoridades judiciales llamadas a juzgar la mayor discreción, con el fin de garantizar su imagen de jueces imparciales. Esta discreción debe llevarles a no utilizar la prensa, incluso cuando sea para responder a provocaciones. Lo imponen la exigencia superior de la justicia y la naturaleza de la función judicial. El Tribunal considera que el hecho de que el Presidente del Tribunal haya empleado públicamente expresiones a través de las cuales enjuiciaba desfavorable al demandante antes de presidir el órgano judicial que debía juzgar el asunto, no parece compatible con las exigencias de imparcialidad de todo tribunal, establecidas en el artículo 6.1 del Convenio. En efecto, las declaraciones efectuadas por el Presidente del Tribunal justificaban objetivamente las quejas del demandante en relación a su imparcialidad (STEDH 7 agosto 1996, Caso Ferrantelli y Santangelo).

Para **compensar el obligado mutismo del juez/a ante la prensa**, el TEDH entiende que es **necesario proteger a los jueces/as frente a los abusos periodísticos**, no pudiendo amparar ataques de la prensa desprovistos de seriedad, que constituyan un abuso de la libertad de prensa. Así fue recogido, entre otras, en la STEDH de 26 de abril de 1995, Caso Prager y Oberschlick c. Austria (f.34): Entre los límites de la libertad de presna figuran sin duda alguna los que conciernen al funcionamiento de la justicia, institución esencial en toda sociedad democrática. La prensa representa en efecto una de los medios de que disponen los responsables políticos y la opinión pública para asegurarse de que los jueces cumplan con sus altas responsabilidades conforme al fin constitutivo de la misión que les es confiada.

Sin embargo, conviene tener en cuenta la misión particular del poder judicial en la sociedad. Como garante de la justicia, valor fundamental en un Estado de derecho, su acción necesita la confianza de los ciudadanos para prosperar. Así, **se puede revelar necesario protegerla contra los ataques destructivos desprovistos de seriedad, sobre todo cuando el deber de reserva prohíbe a los magistrados en cuestión reaccionar.**

La imagen del juez/a en orden a preservar su independencia y autoridad resulta también importante y afecta, no sólo a su libertad de expresión, sino eventualmente a su vida privada. Así, en **STEDH 19 octubre 2010, Caso Özpınar c. Turquía, se trata de un caso en que** la demandante fue destituida de su cargo como jueza por una decisión del Consejo Supremo del Poder Judicial tras una investigación disciplinaria sobre, entre otros temas, sus supuestas relaciones cercanas con varios hombres, su apariencia y su reiterada tardanza en el trabajo. La demandante alegó en particular que había sido despedida por rumores y acusaciones que vulneraban su honor y reputación.

El Tribunal observó que la decisión de destituir a la demandante de su cargo estaba directamente relacionada con su conducta, tanto profesionalmente como en privado. Además, su reputación había sido cuestionada. Por lo tanto, hubo una injerencia en su derecho al respeto de su vida privada y se podría decir que tuvo un objetivo legítimo, en relación con el deber de los jueces de mostrar moderación para preservar su independencia y la autoridad de sus decisiones. Sin embargo, al encontrar que en el presente caso la injerencia en la vida privada de la jueza no había sido proporcional al objetivo legítimo perseguido, el Tribunal sostuvo que había habido una violación del Artículo 8 (derecho al respeto de la vida privada) del Convenio. Es cierto que el Tribunal señaló que las obligaciones éticas de los jueces podrían invadir su vida privada cuando su conducta empañase la imagen o la reputación del poder judicial. Sin embargo, la demandante seguía siendo una ciudadana con derecho a la protección del artículo 8 e, incluso si ciertos aspectos de la conducta atribuida a ella podrían haber justificado su expulsión, la investigación no había justificado esas acusaciones y había tenido en cuenta numerosas acciones que no estaban relacionadas con su actividad profesional.

Para concluir, en la misma línea que la anterior, cabe citar la **STEDH 9 enero 2013, Caso Oleksandr Volkov c. Ucrania.** Este caso se refería al despido de un juez de la Corte Suprema. El demandante se quejó en particular de que su destitución del cargo de juez había sido una injerencia en su vida privada y profesional. El Tribunal observó en particular que el despido del solicitante del puesto de juez había afectado una amplia gama de sus relaciones con otras personas, incluidas las relaciones de carácter profesional. Del mismo modo, tuvo un impacto en su "círculo íntimo", ya que la pérdida de su trabajo debe haber tenido consecuencias tangibles para el bienestar material del solicitante y su familia. Además, el motivo del despido del solicitante, es decir, el incumplimiento del juramento judicial, sugirió que su reputación profesional se vio también afectada. De ello se deduce que el despido del solicitante había constituido una injerencia en su derecho al respeto de la vida privada en el sentido del artículo 8 (derecho al respeto de la vida privada) de la Convención. En el caso del demandante, el Tribunal sostuvo que había habido una violación del Artículo 8, concluyendo que la injerencia en su derecho al respeto de su vida privada no había sido legal: la interferencia no había sido compatible con la ley interna y, además, el la legislación nacional aplicable no había cumplido los requisitos de previsibilidad y la garantía de protección adecuada contra la arbitrariedad.

10.1.4. La libertad de expresión de los jueces/as en España

En el ejercicio de la libertad de expresión de los jueces, podemos trazar tres grandes temas a destacar en nuestro ordenamiento: la independencia judicial como límite de la libertad de expresión; la libertad de expresión del juez como tal y la libertad de expresión del ciudadano-juez.

– **La independencia judicial como límite de la libertad de expresión.** En el ejercicio de la potestad jurisdiccional, juzgando y haciendo ejecutar lo juzgado (art. 117.1 CE), los titulares de dicha potestad tienen límites más estrictos que los ciudadanos. El estatuto de independencia y responsabilidad de los miembros de la jurisdicción no priva a éstos del derecho fundamental a la libertad de expresión, si bien lo condicionan, tanto en su condición de ciudadanos, como en su condición de integrantes de un poder del estado.

Así, para empezar, la libertad de expresión, en general, no es un derecho fundamental ilimitado, sino que encuentra límites constitucionalmente reconocidos, particularmente por el derecho al honor y a la intimidad (art. 20.4 CE), puesto que «la libertad de crítica… no cubre el insulto y la descalificación»[912]. Estos límites, por supuesto, afectan al juez-ciudadano y al ciudadano-juez.

Ahora bien, en tanto que **servidores públicos** tienen un **deber de tolerar las críticas, superior al de cualquier otro particular.**

Cuando de manifestaciones sobre la actividad de cargos públicos se trata, el TC[913] ha subrayado la carga que éstos tienen de tolerar las críticas que a su conducta se hagan porque, como hemos tenido ocasión de decir, «el

---

[912] STC 241/1999, de 20 de diciembre, F. 5; en el mismo sentido STC 107/1988, de 8 de junio; STC 105/1990, de 6 de junio; STC 172/1990 de 12 de noviembre y ATC 20/1993, de 21 de enero.

[913] STC 101/2003 de 2 junio.

Estado democrático de Derecho se realiza también a través de la garantía de un abierto, libre y plural proceso de comunicación pública en el que, entre otras cosas, se someta al escrutinio del conjunto de los ciudadanos lo que dicen y hacen aquéllos que tienen atribuida la administración del poder público, garantía a la que sirve de forma capital el art. 20.1 CE». Consecuentemente, en los conflictos entre la libertad de expresión y otros derechos habrá que tener muy en cuenta la posición institucional del supuestamente ofendido[914].

En este sentido, **respecto de los asuntos de que conozca el Juez/a, le está vedado incluso defenderse frente a descalificaciones ajenas**, sea de las partes o de terceros, brindando a tal propósito el ordenamiento cauces para tutelar su independencia (vid. art. 14 LOPJ). La imparcialidad objetiva impone al juez/a callar ante las descalificaciones de las partes, y acudir a los medios que el ordenamiento le brinda, so pena de perder la imparcialidad que le es exigible.

En este sentido, es conocida la STC 162/1999 de 27 septiembre. Caso Hormaechea, en que se dice que

"… la salvaguarda de su propia imparcialidad les impone un específico deber de reserva que tanto les impide utilizar como argumento el propio objeto del enjuiciamiento para reaccionar frente a los ataques verbales, como anticipar cualquier veredicto sobre la culpabilidad del acusado o sobrepasar el límite que les haga aparecer, a los ojos del acusado o de los ciudadanos en general, incursos en un enfrentamiento personal con aquél, distinto y superior al que estructuralmente se establece entre quienes han de decidir sobre el fundamento de una acusación penal, y quien es objeto de la misma."

a) La libertad de expresión del juez en tanto que tal

Los miembros del poder judicial, en el ejercicio de la jurisdicción tienen límites mucho más estrictos que el respeto al derecho al honor o la intimidad, como así resulta del régimen disciplinario (art. 417-419 LOPJ).

---

[914] STC 192/1999, de 25 de octubre, F. 8; en el mismo sentido SSTC 107/1988, de 8 de junio; 105/1990, de 6 de junio; 336/1993, de 15 de noviembre y 136/1994, de 9 de mayo.

Jueces/as y Magistrados/as son simultáneamente empleados públicos y titulares de un poder del Estado. Esto explica que su estatuto jurídico personal comprenda dos grupos de deberes: unos, comunes a los de los funcionarios, y referidos a la vertiente puramente profesional de su dedicación; y otros que les son específicos o singulares, y que van ligados a la relevancia constitucional del cometido que les corresponde dentro del Estado (STS 14 julio 1999, Rec 617/98). Por ello, en su régimen disciplinario existen diversos tipos infractores que limitan su libertad de expresión por encima de lo que es común al resto de ciudadanos/as. Así por ejemplo, y sin ánimo exhaustivo, se consideran:

Faltas leves(art. 419 LOPJ):

1. La falta de respeto a los superiores jerárquicos cuando no concurran las circunstancias que calificarían la conducta de falta grave.

2. La desatención o desconsideración con iguales o inferiores en el orden jerárquico, con los ciudadanos, los miembros del Ministerio Fiscal, médicos forenses, abogados y procuradores, graduados sociales, con los secretarios o demás personal que preste servicios en la Oficina judicial, o con los funcionarios de la Policía Judicial.

Faltas graves (art. 418 LOPJ):

3. Dirigir a los poderes, autoridades o funcionarios públicos o corporaciones oficiales felicitaciones o censuras por sus actos, invocando la condición de juez, o sirviéndose de esta condición.

4. El exceso o abuso de autoridad, o falta grave de consideración respecto de los ciudadanos, instituciones, secretarios, médicos forenses o del resto del personal al servicio de la Administración de Justicia, de los miembros del Ministerio Fiscal, abogados y procuradores, graduados sociales y funcionarios de la Policía Judicial.

5. La utilización en las resoluciones judiciales de expresiones innecesarias o improcedentes, extravagantes o manifiestamente ofensivas o irrespetuosas desde el punto de vista del razonamiento jurídico. En este caso, el Consejo General del Poder Judicial solo procederá previo testimonio deducido o comunicación remitida por el tribunal superior respecto de quien dictó la resolución, y que conozca de la misma en vía de recurso.

Por ello, el TS, en interpretación de tales tipos sancionadores, por ejemplo, en el del art. 418.6 LOPJ sitúa el listón de la libertad de expresión del juez/a en sus resoluciones, no ya en el honor de las partes, sino en la cortesía, urbanidad o los buenos modales.

La Sala III del TS, entre otras en STS (III) 24 de abril de 1998, Rec 141/1996 y STS (III) 24 diciembre 2002, Rec 1257/2000[915]; STS (III) de 25 junio 2010, Rec 302/2009, ha ubicado las faltas disciplinarias de desconsideración en un ámbito ajeno a las ofensas al honor, colocándolas en el territorio de la urbanidad, la cortesía y los buenos modales, añadiendo que la desatención o desconsideración no es de por sí una actitud a la que pueda serle referida la producción de unos determinados efectos, que hayan de tenerse en cuenta para decidir si se da o no tal tipo de falta, sino que se trata tan solo de una conducta irregular, que es contraria a la cortesía exigible en la actuación judicial, pero que no tiene una trascendencia especial que se extienda más allá del comportamiento mismo.

b) La libertad de expresión del ciudadano que es juez

Fuera del ámbito jurisdiccional, el miembro del poder judicial, en tanto que ciudadano, puede ejercitar su derecho a la libertad de expresión.

En este ámbito, es posible distinguir diversos elementos que caracterizan la libertad de expresión:

---

[915] Partiendo de este esquema general, podemos avanzar en el sentido de afirmar que las reglas de cortesía a las que se refieren los tipos sancionadores implican un sistema de comportamiento que responda al patrón normal que se expresa en los hábitos judiciales y que implica un escrupuloso respeto a las diferentes posiciones dialécticas que las partes asumen en el proceso, respeto que a su vez exige huir al máximo de expresiones o calificaciones que banalicen el debate procesal o que trasladen las consideraciones de hecho o de derecho que se manifiesten en el mismo a la valoración personal de los intervinientes en el litigio, mediante descripciones o utilización de expresiones que, pretendiendo a veces ser jocosas, sin embargo no responden al mencionado patrón normal de conducta en la redacción de las sentencias, de modo que resulte no sólo sorprendente, sino que además esta sorpresa se deslice hacia una clara falta de armonía entre el texto de la resolución judicial y la expectativa de sobria objetividad verbal esperable en su redacción, con exclusión de alusiones personales a la vez impertinentes en lo jurídico y despectivas en lo personal o referencias poco consideradas con la propia Ley.

En primer lugar, el límite que impone el deber de sigilo que le priva de la posibilidad de revelar hechos o datos de que conozca por razón de su cargo (art. 418.8 y art. 417.12 LOPJ).

En segundo lugar, el juez puede **ejercitar la libertad de creación literaria, artística o científica,** lo que, además de constituir un derecho fundamental (art. 20.1b) CE), es una de las pocas actividades compatibles con el ejercicio de la jurisdicción (vid. art. 389.1.5 LOPJ), que permite el altamente riguroso sistema de incompatibilidades de jueces/as y magistrados/as (arts. 389-397 y art. 417.6 LOPJ), y en estos ámbitos, hay que entender que la libertad de expresión y creación admite las críticas, incluso molestas, frente a cuestiones de índole judicial o político. En estos casos, en mi opinión, es el derecho al honor, como límite común a los demás ciudadanos, el que actúa como límite de la libertad de expresión, además del deber de sigilo sobre hechos y datos conocidos por razón del cargo.

Una cuestión controvertida, viene dada por la **actuación del juez/a en las redes sociales,** lo que ya ha provocado algún pronunciamiento de la Comisión de Ética Judicial del CGPJ (Dictamen (Consulta 10/2018), de 25 de febrero de 2019), conforme a la cual, el punto de partida es que la participación de los jueces/as en las redes sociales no es contraria a los Principios de Ética Judicial, pero la forma de presentarse e intervenir puede generar riesgos en relación con el respeto a los principios de ética judicial, que pueden verse afectados en todo caso, aunque no se identifiquen como jueces. Además, los jueces/as, en el ejercicio de su libertad de expresión, pueden expresar en las redes sociales sus opiniones particulares, ya tengan naturaleza jurídica o no, así como reaccionar ante publicaciones ajenas en las formas habitualmente utilizadas por los usuarios de las redes sociales. Ahora bien, la expresión de opiniones, comentarios y reacciones por los jueces/as en las redes sociales puede afectar gravemente a la apariencia de independencia y de imparcialidad, además de ser reflejo de una conducta que ha de preservar la dignidad de la función jurisdiccional. Por eso surge el correlativo deber ético de ser extremadamente cuidadosos a la hora de expresar sus opiniones, efectuar valoraciones personales y reaccionar ante publicaciones ajenas, siempre que exista la razonable posibilidad de que puedan ser reconocidos como integrantes del Poder Judicial.

En todo caso, como límite claro a la libertad de expresión, los jueces deberán evitar cualquier referencia a cuestiones directa o indirectamente relacionadas con los asuntos de los que estén conociendo.

En definitiva, el juez/a fuera del ejercicio de la jurisdicción, en tanto sea conocida su condición de juez, está obligado a no realizar ninguna clase de conductas que quebranten la confianza social en el Poder judicial, como elemento básico de todo sistema democrático (Vid. STS 14 julio 1999, Rec 617/1998)

Así se desprende del principio 31 de ética judicial: El juez y la jueza, como ciudadanos, tienen derecho a la libertad de expresión que ejercerán con prudencia y moderación con el fin de preservar su independencia y apariencia de imparcialidad y mantener la confianza social en el sistema judicial y en los órganos jurisdiccionales.

10.1.5. Índice de casos

STEDH 26 de abril de 1995, Caso Prager y Oberschlick c. Austria
STEDH 26 septiembre 1995, Caso Vogt c. Alemania
STEDH 7 agosto 1996, Caso Ferrantelli y Santangelo
STEDH 8 julio 1999, Caso Ceylan c. Turquía
STEDH 16 septiembre 1999, Caso Buscemi c. Italia
STEDH 28 octubre 1999, Caso Wille c.Liechenstein
STEDH 29 febrero 2000, Caso Fuentes Bobo c España
DTEDH 8 de marzo de 2001, Caso Pitkevich c. Rusia
STEDH 6 febrero 2001, Caso Tammer c. Estonia
STEDH 6 mayo 2003, Caso Perna c. Italia
STEDH 27 mayo 2003, Caso Skałka c. Polonia
STEDH 12 febrero 2008, Caso Guja c. Moldavia
STEDH 13 noviembre 2008, Caso Kayasu c. Turquía
STEDH 26 febrero de 2009, caso Kudeshkina c. Rusia
STEDH 10 enero 2010, Caso Laranjeira Marques da Silva v. Portugal
STEDH 7 diciembre 2010, Caso Poyraz c. Turquía
STEDH 20 noviembre 2012, Caso Harabin c. Eslovaquia
STEDH 23 abril de 2015, Caso Morice c.Francia

10.1.6. Bibliografía

GARCÍA ROCA, J., SANTOLAYA, P. (Coord.) "La Europa de los Derechos. El Convenio Europeo de Derechos Humanos Ed. CEC. 2ª Edición. 2009.
LASAGABASTER HERRARTE, I. "Convenio Europeo de Derechos Humanos. Comentario Sistemático. 2ª edición. Ed. Civitas Thomson-Reuters. 2009.

MONEREO ATIENZA, C.; MONEREO PÉREZ, J. L. "La Garantía Multinivel de los Derechos Fundamentales en el Consejo de Europa". Ed. Comares. 2017.

PÉREZ TREMPS, P.; SAIZ ARNAIZ, A., "Comentario a la Constitución Española. 40 aniversario 1979-2018. Libro homenaje a Luis López Guerra. Ed. Tirant Lo Blanch.

PINTO DE ALBUQUERQUE, P. "I Diritti umani in una prospettiva europea. Opinini concrrenti e dissenzienti (2011-2015)". A cura e con un saggio di Davide Galliani prefaziine di Paola Bilancia. Ed. B. Giappichelli Editori-2016.

PRECIADO DOMÈNECH, C. H. "Teoría General de los Derechos Fundamentales en el contrato de Trabajo". Ed. Thomson Reuters-Aranzadi. 2018.

QUERALT JIMÉNEZ, A. "La interpretación de los derechos: del Tribunal de Estrasburgo al Tribunal Constitucional". Ed. CEC. 2008.

RIPOL CARULLA, S., VELÁZQUEZ GARDETA, J. M. y AAVV "España en Estrasburgo. Tres Décadas bajo la Jurisdicción del Tribunal Europeo de Derechos Humanos. Ed… Aranzadi. Primera edición. 2010.

SARMIENTO,D.; MIERES MIRES, L. J.; PRESNO LINERA, M. "Las sentencias básicas del Tribunal Europeo de Derechos Humanos. Ed. Thomson Cititas. 2007.

11. LIBERTAD DE REUNIÓN Y DE ASOCIACIÓN (ART. 11 CEDH)

Artículo 11 CEDH
1. Toda persona tiene derecho a la libertad de reunión pacífica y a la libertad de asociación, incluido el derecho a fundar, con otras, sindicatos y de afiliarse a los mismos para la defensa de sus intereses.
2. El ejercicio de estos derechos no podrá ser objeto de otras restricciones que aquellas que, previstas por la ley, constituyan medidas necesarias, en una sociedad democrática, para la seguridad nacional, la seguridad pública, la defensa del orden y la prevención del delito, la protección de la salud o de la moral, o la protección de los derechos y libertades ajenos. El presente artículo no prohíbe que se impongan restricciones legítimas al ejercicio de estos derechos por los miembros de las fuerzas armadas, de la policía o de la Administración del Estado.

11.1. CASO HRVATSKI LIJEČNIČKI SINDIKAT C. CROACIA (STEDH 27 octubre 2014): huelga en que se reivindica la firma de un colectivo para el sector de médicos y dentistas

11.1.1. Resumen del caso

Resumen de los hechos: prohibición judicial de convocatoria de huelga a un sindicato de médicos de Croacia en la que pretendía exigir la conclusión de un nuevo Convenio Colectivo.

El demandante es un sindicato de médicos. En 2004, este sindicato y otro distinto concluyeron un convenio colectivo para el sector de la salud con el Gobierno. El mismo día, el sindicato solicitante y el Gobierno también celebraron otro convenio colectivo, que formaba un anexo al anterior, para el sector médico y odontológico. En 2005, los médicos croatas aprobaron el anexo por medio de referéndum, cuya validez, sin embargo, no fue reconocida por las autoridades.

Posteriormente, el solicitante anunció la convocatoria de una huelga que tenía por finalidad el cumplimiento de dicho Anexo, así como exigir el reconocimiento de los resultados del referéndum y concluir un nuevo convenio colectivo para el sector médico y odontológico.

Sin embargo, el Tribunal del Condado prohibió al sindicato realizar la huelga porque el Anexo no era válido. La apelación del solicitante ante la Corte Suprema fue desestimada, al igual que su queja ante la Corte Constitucional. Paralelamente a los procedimientos civiles iniciados por otros sindicatos, el Anexo fue declarado nulo y sin efecto en 2008 porque no había sido suscrito por todos los sindicatos que habían concluido el acuerdo principal. Como resultado de todo ello el sindicato demandante estuvo privado durante 3 años y 8 meses de su derecho de huelga.

Resumen de la fundamentación jurídica: El sindicato demandante denuncia que las decisiones de los tribunales croatas prohibiéndole la celebración de una huelga organizada para el día 11 de abril de 2005 violó su derecho a proteger los intereses de sus miembros, y vulneró por tanto la libertad sindical garantizada en el art. 11 CEDH.

El TEDH, (f.49) parte de su doctrina, conforme a la **que la celebración de una huelga está protegida por el artículo 11 CEDH** (STEDH 21 abril 2009, Caso Enerji Yapı-Yol Sen c Turquía, (f.24); STEDH 8 abril 2014, Caso, National Union of Rail, Maritime and Transport Workers c. el Reino Unido (f. 84), no ve ninguna razón para declarar lo contrario.

A partir de ahí, **sobre si la injerencia en el derecho de huelga estaba justificada**, el TEDH controla si la cumplía con la ley, perseguía un legítimo objetivo y era "necesaria en una sociedad democrática" (véase Eneri Yapi-Yol sen c. Turquía (f.25) STEDH 27 marzo 2007, Caso *Karaçay c. Turquía, f.* 29,; y STEDH 17 julio 2008, Caso *Urcan y otros contra Turquía,* núm. F.. 26,

En este punto, el TEDH valora **que la injerencia en el presente caso fue "prescrita por la ley"**, como requiere el artículo 11.2 del CEDH (f.56)

Además, el TEDH considera **que persigue un objetivo legítimo**, consistente en tutelar el principio de paridad en la negociación colectiva consagrado en el artículo 186(1) de la Ley del Trabajo y así proteger los derechos de estos sindicatos. Se deduce que la injerencia con la libertad de asociación del sindicato demandante en el presente caso perseguía el objetivo legítimo de proteger los derechos de los demás.

Sin embargo, el TEDH (f.59) considera que **la medida es desproporcionada,** puesto que *"el sindicato demandante no tuvo derecho a celebrar una huelga en el período comprendido entre el 11 de abril de 2005, como la fecha* *prevista de la huelga y el 16 de diciembre de 2008, fecha en que la sentencia del Tribunal Municipal de Zagreb declarando nulo y sin efecto el Anexo en los procedimientos civiles paralelos se convirtió en firme (véase el apartado 28). En la ausencia de circunstancias excepcionales, **el TEDH encuentra difícil aceptar que defender el principio de paridad en la negociación colectiva sea un objetivo legítimo** (véase el apartado 57) **capaz de justificar la privación a un sindicato durante tres años y ocho meses del instrumento más poderoso para proteger los intereses profesionales de sus miembros**. Eso es especialmente así en el presente caso donde no se permitió al sindicato demandante acudir a la huelga en esa lapso temporal para presionar al gobierno de Croacia a fin de que concediera a los médicos y dentistas el mismo nivel de derechos laborales que el Gobierno ya había acordado en el Anexo, que sólo había sido invalidado por motivos formales. Se deduce que **la injerencia en cuestión no puede ser considerada como proporcionada al objetivo legítimo que pretendía alcanzar**. Esta conclusión no se ve cuestionada por el argumento del Gobierno (véase el apartado 53) de que las autoridades nacionales unilateralmente aumentaron en un 10% los sueldos de médicos y dentistas en 2005. Eso es así porque el Anexo establecía un aumento progresivo de sus sueldos de un 10% anual para el período comprendido entre enero de 2005 y enero de 2010 (ver cláusula 57 del Anexo en el apartado 37)."*

11.1.2. Extractos del voto particular de Paulo Pinto

«*1. Estoy de acuerdo que ha habido una infracción del art. 11 del Convenio Europeo de Derechos Humanos (en adelante "la Convención").*
La crítica de la Sala al Estado demandado se basa en la duración excesiva de los procedimientos internos relacionados con la prohibición de la huelga y la legalidad del Anexo ("Acuerdo colectivo para el sector médico y odontológico"), que duró desde el 5 de abril de 2005 hasta 16 de diciembre de 2008. Aunque correcta, esta conclusión no aborda el núcleo de la controversia. Por esa razón, me siento obligado a añadir algunas reflexiones sobre la cuestión de principio planteada por el sindicato solicitante y cuestionada por el Gobierno, que es el reconocimiento del derecho de huelga en el contexto de un convenio colectivo[916].

---

[916] No existe una definición internacional uniforme de huelga. A los fines de este voto, abarca cualquier paro laboral, aunque sea breve y limitado, con el fin de defender y promover los intereses y derechos de los trabajadores ejerciendo presión sobre los empleadores, incluida la de solidaridad o huelga secundaria en el caso de los trabajadores que toman medidas en apoyo de compañeros empleados por otro empleador. Las huelgas pueden buscar soluciones a problemas ocupacionales o, en términos más

2. Debo hacer una relevante precisión metodológica como introducción a este voto particular. Como he argumentado en mis opiniones separadas en Konstantin Markin (GC) y KMC, al definir el significado y la extensión de la protección de los derechos sociales en virtud de la Convención, el Tribunal Europeo de Derechos Humanos ("el Tribunal") puede y debe tener en cuenta elementos del derecho internacional distintos del Convenio y sus trabajos preparatorios, como los instrumentos del derecho laboral internacional y la jurisprudencia basada en la interpretación de dichos elementos por parte de los órganos competentes, y la práctica de los Estados europeos y no europeos que reflejan valores[917].

El derecho de huelga en el derecho internacional

3. El derecho de huelga se reconoce explícitamente en el Artículo 8.1 (d) del Pacto de las Naciones Unidas sobre los Derechos Económicos, Sociales y Culturales (PIDESC)[918],

---

generales, problemas de política económica y social que preocupan a los trabajadores. Actividades como ir despacio (desaceleración en el trabajo), trabajo a reglamento (las reglas de trabajo se aplican al pie de la letra), huelga de brazos caídos (los trabajadores están presentes en el lugar de trabajo, pero se niegan a seguir trabajando o irse), a menudo son tan efectivas como un paro total y, por lo tanto, también deben contarse como acciones de huelga, tal y como ha reconocido el Tribunal (en una huelga lenta, ver Dilek y otros v. Turquía, núms. 74611/01, 26876/02 y 27628/02, § 57, 17 de julio de 2007), la Organización Internacional del Trabajo (OIT) (desde hace mucho tiempo, véase Libertad sindical y negociación colectiva, Ginebra, Oficina Internacional del Trabajo, 1994, párrafo 173 y Recopilación de las decisiones y principios del Comité de Libertad Sindical del Consejo de Administración de la OIT, Quinta edición (revisada), Ginebra, Oficina Internacional del Trabajo, 2006, párrafo 545) y comentaristas legales (Ben Saul et al., The Pacto Internacional de Derechos Económicos, Sociales y Culturales, Comentarios, Casos y Materiales, Oxford, Oxford University Press, 2014, pp. 577 y 578).

[917] Para una justificación de esta metodología de razonamiento e interpretación legal, que apunta a la "fertilización cruzada" de los derechos humanos internacionales y otros campos del derecho internacional, véanse mis opiniones en Konstantin Markin v. Rusia [GC], no. 30078/06, 22 de marzo de 2012, K.M.C. v. Hungría, no. 19554/11, 10 de julio de 2012, y sobre cuestiones de principio, véase el Caso del Centro de Recursos Legales en nombre de Valentin Câmpeanu v. Rumania (GC), no. 47848/08, 17 de julio de 2014. Esa fue, de hecho, también la posición de la Corte en el caso pionero de Demir y Baykara v. Turquía [GC], no. 34503/97 (GC), CEDH 2008-V, en su crucial párrafo 85, que comparto plenamente. Por lo tanto, la jurisprudencia y el *soft law* de otros tribunales internacionales y órganos de supervisión cuasi jurisdiccionales no pueden ser ignorados con la excusa de que el Artículo 11 no restringe el alcance de una amplia variedad de enfoques legislativos diferentes.

[918] El PIDESC fue adoptado el 16 de diciembre de 1966 y tiene 162 partes, incluida Croacia. Con respecto al Estado demandado, entró en vigor el 12 de octubre de 1992.

el Artículo 6.4 de la Carta Social Europea (CSE)[919], Artículo 28 de la Carta de los Derechos Fundamentales de la Unión Europea (CDFUE)[920], párrafo 13 de la Carta comunitaria de los derechos sociales fundamentales de los trabajadores[921], artículo 45 (c) de la Carta de la Organización de Estados Americanos (COEA), Artículo 27 de la Carta Interamericana de Garantías Sociales[922], Artículo 8 (1) (b) del Protocolo Adicional a la Convención Americana sobre Derechos Humanos en el área de Derechos Económicos, Sociales y Culturales (Protocolo de El Salvador)[923], y el Artículo 35 (3) de la Carta Árabe

---

El Comité de Derechos Económicos, Sociales y Culturales ha instado a los Estados partes a tomar las medidas necesarias para garantizar el pleno ejercicio del derecho de huelga o relajar las limitaciones impuestas a este derechO (Observaciones finales sobre Afganistán, E/C.12/AFG/CO/2-4, 7 de junio de 2010, párrafo 25, Observaciones finales sobre la Administración de las Naciones Unidas en Kosovo, E/C.12/UNK/CO/1, 1 Diciembre de 2008, párrafo 20, Observaciones finales sobre Liechtenstein, E/C.12/LIE/CO/1, 9 de junio de 2006, párrafo 16, Observaciones finales sobre Uzbekistán, E/C.12/UZB/CO/1, 24 de enero 2006, párrafo 51, y Observaciones finales sobre la República Popular Democrática de Corea, E/C.12/1/Add.95, 12 de diciembre de 2003, párrafos 16 y 36).

[919] La CSE (CETS Nº 035) fue adoptada el 18 de octubre de 1961 y tiene 27 Estados partes, incluida Croacia. Con respecto al Estado demandado, la CSE, incluido el Artículo 6, entró en vigor el 28 de marzo de 2003. La versión revisada la CSE (CETS No. 163) fue adoptada el 3 de mayo de 1996 y tiene 33 Estados Partes. Croacia lo firmó el 6 de noviembre de 2009, pero aún no lo ha ratificado.

[920] Inicialmente proclamado en el Consejo Europeo de Niza el 7 de diciembre de 2000, pero sin efecto legal vinculante, la CDFUE entró en vigor para las instituciones de la UE y los gobiernos nacionales a partir del 1 de diciembre de 2009, con la entrada en vigor del Tratado de Lisboa. Croacia ha estado vinculada por el CFREU desde su adhesión a la Unión Europea el 1 de julio de 2013.

[921] La Carta comunitaria se adoptó en la reunión del Consejo Europeo celebrada en Estrasburgo el 9 de diciembre de 1989.

[922] [7] Tanto la COEA como la Carta de Garantías Sociales fueron adoptadas el 30 de abril de 1948 por la Novena Conferencia Internacional de Estados Americanos, en Bogotá. El documento posterior "establece los derechos mínimos que los trabajadores deben disfrutar en los estados estadounidenses, sin perjuicio del hecho de que las leyes de cada estado pueden extender dichos derechos o reconocer a otros que son más favorables". Más tarde, el primer Protocolo de Enmienda al COAS, el llamado "Protocolo de Buenos Aires", que fue adoptado el 27 de febrero de 1967 y tiene 31 Estados partes, estableció nuevos objetivos y estándares para la promoción de lo económico, social, y el desarrollo cultural de los pueblos del hemisferio, incluido el derecho de huelga.

[923] El Protocolo fue adoptado el 17 de noviembre de 1988 y tiene 16 Estados Partes. En Huilca Tecse v. Perú, Fondo, Reparaciones y Costas, 3 de marzo de 2005, serie C,

de Derechos Humanos (ARCHR)[924]. Además, también se ha derivado de los artículos 3
y 10 del Convenio sobre la libertad sindical y la protección del derecho de sindicación
de la OIT (Convenio 87 de la OIT)[925], en concordancia con otros instrumentos de la
OIT que se refieren al derecho de huelga, como el Convenio sobre la abolición del
trabajo forzoso (núm. 105), que prohíbe el uso de cualquier forma de trabajo forzoso u
obligatorio como castigo por haber participado en huelgas, y la Recomendación sobre
la conciliación voluntaria y el arbitraje (núm. 92), que establece que se debe instar a las
partes a abstenerse de huelgas y cierres patronales en caso de conciliación y arbitraje
voluntarios, y que ninguna de sus disposiciones puede interpretarse como limitativa,
de ninguna manera, del derecho de huelga[926]. Finalmente, el artículo 22 del Pacto In-
ternacional de Derechos Civiles y Políticos (PIDCP) también se ha interpretado como
garantía del derecho de huelga[927].

---

no. 121, párrafo 70, la Corte Interamericana de Derechos Humanos dejó la puerta abierta al reconocimiento de la jurisdicción contenciosa de la Corte sobre el derecho de huelga como un "medio apropiado para ejercer" la libertad de asociación bajo el Artículo 16 de la Convención Americana, en a pesar del Artículo 19 (6) del Protocolo de El Salvador (sobre esto, Laurence Burgorgue-Larsen, "Derechos económicos y sociales", en Laurence Burgorgue-Larsen y Amaya Ubeda de Torres, La Corte Interamericana de Derechos Humanos, Caso Law and Commentary, Oxford, Oxford University Press, 2011, p. 624, y Tara Melish, "La Corte Interamericana de Derechos Humanos, más allá de la progresividad", en Malcolm Langford (ed.), Jurisprudencia de los derechos sociales, Cambridge, Universidad de Cambridge Press, 2008, p. 398).

[924] La segunda versión actualizada del ArCHR fue adoptada el 22 de mayo de 2004 y cuenta con 12 Estados Partes. Esta es una edición revisada de la primera Carta del 15 de septiembre de 1994.

[925] El Convenio 87 de la OIT fue adoptado el 9 de julio de 1948 y cuenta con 153 Estados Partes, incluida Croacia. Con respecto al Estado demandado, entró en vigor el 8 de octubre de 1991.

[926] Las primeras declaraciones sobre el derecho de huelga fueron hechas, respectivamente, por el Segundo Informe del Comité de Libertad Sindical, 1952, Caso núm. 28 (Jamaica), párrafo 68, y la Encuesta general del Comité de Expertos, 1959, párrafo 68. La Resolución de 1957 sobre la abolición de la legislación antisindical en los Estados miembros de la Organización Internacional del Trabajo y la Resolución de 1970 sobre los derechos sindicales y su relación con las libertades civiles reforzó esas declaraciones de principios. Tanto la Convención de 1957 no. 105 y la Recomendación de 1951 no. 92 recibieron apoyo tripartito.

[927] El PIDCP fue adoptado por una resolución de la Asamblea General de las Naciones Unidas de 16 de diciembre de 1966 y tiene 168 Estados Partes, incluido el Estado demandado. Con respecto al Estado demandado, el PIDCP entró en vigor el 12 de octubre de 1992. En J.B. et al. v. Canadá, Comunicación no. 118/82, 18 de julio de 1986, párrafos 6 (3) y (4), el Comité de Derechos Humanos (CDH) determinó que

4. Europa es el lugar donde la protección del derecho de huelga está más desarro-
llada a nivel regional. Si bien ninguno de los instrumentos europeos mencionados
anteriormente se definen los elementos constitutivos de este derecho, no obstante
restringen el derecho de los trabajadores y empleadores a recurrir a la acción colec-
tiva, incluido el derecho de huelga, a los casos de conflictos de intereses, sujetos a
obligaciones que podrían surgir de la ley o los convenios colectivos celebrados pre-
viamente. La obligación de paz social en virtud de un convenio colectivo se establece
así como un límite intrínseco al ejercicio del derecho a la acción colectiva, incluido
el derecho de huelga.
Según la CSE, el derecho de huelga es un derecho individual de cada empleado para
adoptar medidas colectivas en conflictos relacionados con el empleo. Los trabajado-
res tienen derecho a la huelga solo en el contexto de un conflicto de intereses, no en
el contexto de un conflicto de derechos, es decir, en casos de disputa sobre la exis-
tencia, validez e interpretación de un convenio colectivo o su violación, por ejemplo
a través de acciones llevadas a cabo durante su vigencia con vistas a la revisión de su
contenido[928]. Los conflictos relativos a convenios colectivos válidos deben resolverse
mediante negociación, mediación, arbitraje o ante los tribunales. Como resultado del

---

el artículo 22 del PIDCP no protegía el derecho de huelga, con una notable opinión
disidente presentada por cinco miembros. La posición de la mayoría del CDH estaba
determinada por la premisa discutible de que "cada tratado internacional, incluido el
(PIDCP) tiene vida propia", separando la interpretación de los dos Pactos de 1966
entre sí. Las observaciones finales más recientes han mostrado un cambio en el corazón del CDH, que ahora invoca el artículo 22 del PIDCP como base del derecho
de huelga (Observaciones finales sobre Estonia, CCPR/C/EST/CPO/3, 4 de agosto
de 2010, párrafo 15, Observaciones finales sobre Chile, CCPR/C/79/Add.104, párrafo 25, Observaciones finales sobre Lituania, CCPR/CO/80/THU, 4 de mayo de
2004, párrafo 18, Observaciones finales sobre Alemania, CCPR/C/79/Add.73, 8 de
noviembre de 1996, párrafo 18; Observaciones finales sobre Irlanda, CCPR/C/79/
Add 21, 3 de agosto de 1993, párrafo 17). Los académicos han criticado en repetidas
ocasiones la posición estrecha inicial del CDH y acogieron con beneplácito su posterior abandono (por ejemplo, Manfred Nowak, Pacto de las Naciones Unidas sobre
Derechos Civiles y Políticos, Comentario del CCPR, segunda edición revisada, Kehl,
2005, pp. 503 y 504; Martin Scheinin, "Comité de Derechos Humanos. No solo un
Comité de Derechos Civiles y Políticos", en Malcolm Langford (ed.), Jurisprudencia
de Derechos Sociales, citado anteriormente, p. 546; Sarah Joseph y Melissa Castan,
The International Covenant on Civil and Derechos políticos, casos, materiales y comentarios, tercera edición, Oxford, Oxford University Press, 2013, pp. 660, 661, 664
y 665, y Ben Saul et al., El Pacto Internacional de Derechos Económicos, Sociales y
Culturales, citado anteriormente, p. 593).

[928] Conclusiones I CECA, Declaración de interpretación sobre el artículo 6 § 4, p.
38, y Recopilación de la jurisprudencia del Comité Europeo de Derechos Sociales,
2008, p. 56).

principio pacta sunt servanda, la obligación de paz social obliga a ambas partes del convenio colectivo, empleados y empleadores, y a aquellos a quienes se ha extendido el acuerdo, pero no a empleados o empleadores no representados[929]. *En cualquier caso, la obligación de paz social debe expresar el consentimiento mutuo de las partes y no debe formularse de manera demasiado general o incluir asuntos que no estén cubiertos explícitamente por el acuerdo*[930]. *Dentro de esos límites, debe garantizarse el derecho de huelga en el contexto de cualquier negociación entre empleadores y empleados para resolver una disputa industrial. En consecuencia, prohibir huelgas que no tengan como objetivo concluir un convenio colectivo no está en conformidad con el Artículo 6.4 de la CSE*[931].

De conformidad con el Apéndice del Artículo 6, párrafo 4, de la CSE, cada Parte Contratante puede regular el ejercicio del derecho de huelga por ley, siempre que cualquier restricción adicional pueda justificarse según los términos del Artículo 31. Esta última disposición garantiza que los derechos y principios consagrados en la Parte I del CES y su ejercicio efectivo previsto en la Parte II no pueden estar sujetos a restricciones o limitaciones no justificadas en las Partes I y II, excepto cuando estén prescritos por ley y sean necesarios en el ámbito de una sociedad democrática para la protección de los derechos y libertades de los demás o para la protección del interés público, la seguridad nacional, la salud pública o la moral. Las autoridades deben demostrar que dichas condiciones se cumplen en cada caso[932].

En su evaluación más reciente del marco jurídico del Estado demandado, la CECA concluyó que el derecho de huelga no se limitaba a las huelgas destinadas a concluir un convenio colectivo, sino que la situación en Croacia era disconforme con el ar-

---

[929] Además, una obligación de paz social debe reflejar con certeza la voluntad de los interlocutores sociales. Si este es el caso está sujeto a una evaluación con referencia, entre otras cosas, a los antecedentes de las relaciones laborales en el Estado dado (Conclusiones ESCR 2004, Noruega, p. 404, y Recopilación de la jurisprudencia del Comité Europeo de Derechos Sociales, 2008, p. 57).

[930] Conclusiones XV-1 de la CECA, volumen 2, pp. 431 y 432, que criticaron una formulación considerada aplicable no solo a las cuestiones planteadas y rechazadas en relación con la celebración del acuerdo, sino incluso a cuestiones que podrían haberse planteado; y Conclusiones XIII-2, p. 283, que censuró una formulación aplicable a asuntos sujetos a negociación durante las negociaciones pero no cubiertos por el acuerdo.

[931] Conclusiones XV-1 de la CECA, volumen 2, pp. 431 y 432, que criticaron una formulación considerada aplicable no solo a las cuestiones planteadas y rechazadas en relación con la celebración del acuerdo, sino incluso a cuestiones que podrían haberse planteado; y Conclusiones XIII-2, p. 283, que censuró una formulación aplicable a asuntos sujetos a negociación durante las negociaciones pero no cubiertos por el acuerdo.

[932] Conclusiones del CECA X-1, p. 76, reiterado en las Conclusiones XIII-1, p. 151, y Conclusiones XV-1, p. 432.

tículo 6.4 de el CES porque el derecho de convocar una huelga estaba reservado a los sindicatos, cuya constitución podía demorarse hasta treinta días, lo que resultaba excesivo[933].

5. En el derecho de la Unión Europea, el derecho de huelga es un derecho fundamental de los trabajadores. En el mercado común, el trabajo dependiente se consideró en un principio principalmente como un factor sustancialmente económico. Los artículos 27 y siguientes de la CDFUE han cambiado considerablemente esta perspectiva, al enfatizar el papel social que desempeñan los sindicatos y al fortalecer el carácter colectivo de los derechos de los trabajadores. Hasta tal punto, tales disposiciones han consagrado elementos esenciales de un Estado social[934] Sozialstaalichkeit [19] en el rango constitucional de la Unión. No obstante, la regulación de las acciones colectivas y de huelga sigue estando dentro del alcance de los poderes de los Estados miembros de la Unión, de conformidad con el artículo 153, apartado 5, del Tratado de Funcionamiento de la Unión Europea (TFUE)[935]. Además, el derecho de huelga puede estar sujeto a restricciones cuando sus efectos puedan obstaculizar desproporcionadamente la libertad de establecimiento del empleador o la libertad de prestar servicios[936].

---

[933] Conclusiones de la CECA XIX-3 (2010) (Croacia), p. 12. En sus Conclusiones XVIII-1, Volumen 1 (República Checa) (2006), la CECA señaló en las sentencias del Tribunal Supremo checo que, en principio, reconocía el derecho de huelga fuera del contexto de la negociación colectiva. Es importante recordar que, en Tüm Haber Sen y Çınar v. Turquía, no. 28602/95, § 39, CEDH 2006 II, el Tribunal describió a la CECA como un organismo "especialmente calificado" en este ámbito.

[934] Como Robert Rebhahn, Rechte des Arbeitslebens, en Christoph Grabenwarter (ed.), Europäischer Grundrechtsschutz, 1 Auflage, Baden-Baden, NOMOS Verlag, 2014, p. 679, lo definió, expresando la idea de un Estado gobernado por el estado de derecho con conciencia social.

[935] El artículo 2 del Reglamento (CE) n° 2679/98 del Consejo, de 7 de diciembre de 1998, sobre el funcionamiento del mercado interior en relación con la libre circulación de mercancías entre los Estados miembros, deja claro que no puede interpretarse que afecte a de cualquier forma el ejercicio de los derechos fundamentales reconocidos en los Estados miembros, incluido el derecho de huelga.

[936] Tribunal de Justicia de la Unión Europea, Asunto C-438/05, Federación Internacional de Trabajadores del Transporte y Unión de Marineros de Finlandia c. Viking Line ABP y OÜ Viking Line Esti, sentencia de 11 de diciembre de 2007 (párrafo 44: "el derecho Por lo tanto, la adopción de medidas colectivas, incluido el derecho de huelga, debe reconocerse como un derecho fundamental que forma parte integrante de los principios generales del Derecho comunitario cuya observancia garantiza el Tribunal... Como reafirma el artículo 28 de la Carta Fundamental Derechos de la Unión Europea, esos derechos deben protegerse de conformidad con la legislación comunitaria y las leyes y prácticas nacionales."), Seguido del asunto C-341/05, Laval un Partneri v. Svenska Byggnadsarbetareforbundet, sentencia de 18 de diciembre de

6. En el marco de la OIT, las organizaciones de trabajadores, como sindicatos, federaciones y confederaciones, deben disfrutar del derecho de huelga como un medio esencial para defender y promover los intereses económicos y sociales de los trabajadores. El ejercicio legítimo del derecho de huelga no puede dar lugar a sanciones de ningún tipo, lo que equivaldría a actos de discriminación antisindical. Solo se puede denegar este derecho a categorías limitadas de trabajadores y la ley puede imponer restricciones limitadas a su ejercicio. El Comité de Libertad Sindical de la OIT y la Comisión de Expertos en la Aplicación de Convenios y Recomendaciones (la "Comisión de Expertos") han considerado restricciones temporales a las huelgas en virtud de las disposiciones que prohíben la huelga en violación de los convenios colectivos como compatibles con la libertad de asociación, ya que la solución a un conflicto legal como resultado de una diferencia en la interpretación o aplicación de un texto legal debe dejarse a los tribunales competentes[937].

2007. Debe ponerse especial énfasis en que estas dos sentencias, aunque citan el Artículo 28 de la Carta, se emitieron cuando esta disposición aún no era vinculante, y antes de Demir y Baykara. A pesar de la loable declaración de principio del derecho de huelga como un "derecho fundamental" mencionado anteriormente, las conclusiones de esas sentencias sobre la admisibilidad de amplias restricciones al derecho de huelga ya no pueden ser sostenibles después de la entrada en vigor de esa disposición, cuando se lee a la luz de Demir y Baykara, que no es compatible con una lectura que otorgue prominencia indebida a las libertades económicas de los empleadores sobre los intereses profesionales de los trabajadores, ni a la reducción de las normas nacionales de protección laboral a la condición de lo peor. El enfoque más equilibrado del Tribunal de Luxemburgo, en su sentencia de 15 de julio de 2010 emitida en el asunto C-271/08, Comisión contra Alemania, se acerca a la dirección imperativa establecida por el Tribunal en Demir y Baykara.

[937]Tanto el Comité de Libertad Sindical como el Comité de Expertos han establecido una serie de principios sobre el derecho de huelga, basados en los artículos 3 y 10 del Convenio núm. 87 de la OIT, que se resumen en los siguientes textos: Negociación colectiva en el servicio público: un camino a seguir, Ginebra, Oficina Internacional del Trabajo, 2013, párrafos 409-433 y 604-611; Giving Globalization a Human Face, Ginebra, Oficina Internacional del Trabajo, 2012, párrafos 117-161; Recopilación de las decisiones y principios del Comité de Libertad Sindical del Consejo de Administración de la OIT, quinta edición (revisada), Ginebra, Oficina Internacional del Trabajo, 2006, párrafos 520-676; Negociación colectiva: normas de la OIT y principios de los órganos de control, Ginebra, Oficina Internacional del Trabajo, 2000, pp. 59 y 60; Bernard Gernigon, Alberto Odero y Horacio Guidoilo, Principios relativos al derecho de huelga, Ginebra, Oficina Internacional del Trabajo, 2000; y Estudio general del Comité de Expertos, Libertad sindical y negociación colectiva, Ginebra, Oficina Internacional del Trabajo, 1994, párrafos 136-79. A pesar de la posición opuesta del Grupo de Empleadores en la OIT, los órganos de la OIT han

Por el contrario, la prohibición de una huelga no vinculada a un conflicto colectivo en el que el empleado o sindicato sea parte atentaría contra los principios de libertad sindical. Por lo tanto, el recurso a la huelga está generalmente admitido como medio de presión para la adopción de un acuerdo inicial o su renovación, aunque las huelgas sistemáticamente ejercidas mucho antes de las negociaciones no se hallan aparadas por la libertad sindical. Las disposiciones que prohíben las huelgas cuando atañen a la cuestión de si un convenio colectivo obligará a más de un empleador también vulneran la libertad sindical, ya que los trabajadores y sus organizaciones deberían poder ejercitar la acción sindical en apoyo de convenios que vinculen a varios empresarios. Además, no se debe prohibir que las organizaciones de trabajadores vinculadas por convenios colectivos luchen contra la política social y económica del Gobierno, en particular cuando la protesta no es solo contra esa política sino también contra sus efectos sobre algunas disposiciones de los convenios colectivos. Si la legislación prohíbe las huelgas durante la vigencia de los convenios colectivos, esta restricción debe ser compensada por el derecho a recurrir a un "mecanismo de arbitraje imparcial y rápido" para quejas individuales o colectivas relacionadas con la interpretación o aplicación de convenios colectivos[938].

El derecho de huelga en el derecho constitucional comparado

7. El derecho de huelga como medio de acción de las organizaciones de trabajadores es casi universalmente aceptado. En un gran número de países, el constituyente lo ha considerado este derecho lo suficientemente importante como para inmunizarlo de posibles interferencias, al reconocerlo explícitamente a nivel constitucional, como en

---

considerado consistentemente el derecho de huelga como un "corolario intrínseco del derecho a organizarse en virtud del Convenio núm. 87 "o" uno de los medios esenciales disponibles para los trabajadores y sus organizaciones para promover y desarrollar sus intereses "(véase, por ejemplo, el Estudio general pionero, 1994, párrafo 179). La Comisión de Expertos considera que, en la medida en que la Corte Internacional de Justicia no contradiga sus puntos de vista, deberían considerarse válidos y generalmente reconocidos (Negociación colectiva en el servicio público: un camino a seguir, Ginebra, Oficina Internacional del Trabajo, 2013, prólogo, § 8). Esa también ha sido la posición de los académicos (por ejemplo, Roy Adams, "Derechos laborales", en David Forsythe (ed.), Enciclopedia de Derechos Humanos, volumen 3, Oxford, Oxford University Press, 2009, p. 386, y Colin Fenwick, "La Organización Internacional del Trabajo, un enfoque integrado de los derechos económicos y sociales", en Malcolm Langford (ed.), Jurisprudencia de los derechos sociales, citado anteriormente, p. 598).

[938] Este requisito se remonta al Estudio general, libertad sindical y negociación colectiva del Comité de Expertos, citado anteriormente, párrafo 167, y se ha reiterado a lo largo de los años. Más recientemente, ver Negociación colectiva en el servicio público, citado anteriormente, párrafo 605: "El Comité señala que el Estado debe poner a disposición de las partes en la negociación colectiva un mecanismo de solución de controversias rápido y gratuito que sea independiente e imparcial y tenga la confianza de las partes".

Albania, Argelia, Angola, Argentina, Armenia, Azerbaiyán, Bielorrusia, Benin, Bolivia, Bosnia y Herzegovina, Brasil, Bulgaria, Burkina Faso, Burundi, Camboya, Camerún, Cabo Verde, República Centroafricana, Chad, Chile, Colombia, Congo, República Checa, República Democrática del Congo, Costa Rica, Costa de Marfil, Croacia, Chipre, Yibuti, República Dominicana, Ecuador, El Salvador, Estonia, Etiopía, Francia, Georgia, Grecia, Guatemala, Guinea, Guinea-Bissau, Guyana, Haití, Honduras, Hungría, Italia, Kazajstán, Kenia, República de Corea, Kirguistán, Letonia, Lituania, Luxemburgo, la ex República Yugoslava de Macedonia, Madagascar, Maldivas, Malí, Mauritania, México, República de Moldavia, Montenegro, Marruecos, Mozambique, Nicaragua, Níger, Panamá, Paraguay, Perú, Filipinas, Polonia, Portugal, Rumania, Federación de Rusia, Ruanda, San Marino, Santo Tomé y Príncipe, Senegal, Serbia, Seychelles, Eslovaquia, Eslovenia, Sudáfrica, España, Suecia, Suiza, Surinam, Timor-Oriental, Togo, Turquía, Ucrania, Uruguay y Venezuela[939]*. Además, en algunos países, como Irlanda y los Estados Unidos, los más altos tribunales han sostenido que el derecho de huelga está implícito en sus normas constitucionales*[940]*. Esta es una evidencia clara, abundante e incontestada de una tendencia internacional continua*[941]*.*

El derecho de huelga como derecho humano en virtud de la Convención

8. A la luz de Demir y Baykara, citado anteriormente, el derecho de asociación de los trabajadores incluye los siguientes elementos esenciales: el derecho a formar y afiliarse a un sindicato, la prohibición de acuerdos de" taller cerrado", el derecho a negociar colectivamente con el empleador y el derecho de un sindicato a tratar de persuadir al empleador para que escuche lo que tiene que decir en nombre de sus miembros[942]*. En una sociedad democrática, esta última conducta "significa persuadir*

---

[939] Véase Giving Globalization a Human Face, citado anteriormente, párrafo 123.

[940] Para los Estados Unidos, Charles Wolff Packing Company v. Court of Industrial Relations, 262 US 522, y Lyng v. Auto Workers, 485 US 360, y para Irlanda, Education Co v. Fitzpatrick (1961) IR 345, Kingsmill Moore J en 397. En Canadá, después del caso histórico de la Asociación de Negociación del Subsector de Servicios de Salud e Instalaciones de Apoyo v. Columbia Británica, 2007 SCC 27, donde la acción colectiva ha sido reconocida como un derecho protegido por la Carta de Derechos y Libertades, el Tribuna Supremo tribunal conoció de un caso el 16 de mayo de este año sobre si el derecho de huelga en los servicios esenciales está constitucionalmente protegido.

[941] En Christine Goodwin v. El Reino Unido [GC], no. 28957/95, § 85, CEDH 2002-VI, el Tribunal atribuyó "menos importancia a la falta de evidencia de un enfoque europeo común para la resolución de los problemas legales y prácticos planteados, que a la evidencia clara e incontestada de una continua internacional tendencia", citando la situación legal en países no europeos.

[942] Demir y Baykara, citada anteriormente, §§ 145 y 154. Curiosamente, el Tribunal agregó: "Esta lista no es finita. Por el contrario, está sujeto a evolución dependiendo de desarrollos particulares en las relaciones laborales". La jurisprudencia del Tribunal se ha confirmado y desarrollado aún más, con respecto al derecho de huelga, en Enerji

al empleador para que escuche"[943] las demandas de los trabajadores, obviamente se refiere a la huelga. Si la acción colectiva representa el núcleo de la libertad de asociación de los trabajadores, la huelga es el núcleo del núcleo. De hecho, la huelga fue anterior a los sindicatos y a la negociación colectiva. Por lo tanto, convocar una huelga debe ser reconocido como un elemento esencial de la garantía del Artículo 11[944].

YAPI-YOL SEN v. Turquía, no. 68959/01, 21 de abril de 2009, que fue mucho más allá de los pronunciamientos anteriores sobre la protección del ejercicio de la huelga como una consecuencia derivada del derecho de reunión pacífica, hecho en Karaçay v. Turquía, no. 6615/03, § 35, 27 de marzo de 2007, Dilek y otros c. Turquía, núms. 74611/01, 26876/02 y 27628/02, § 71, 17 de julio de 2007, Urcan y otros v. Turquía, núms. 23018/04, 23034/04, 23042/04, 23071/04, 23073/04, 23081/04, 23086/04, 23091/04, 23094/04, 23444/04 y 23676/04, § 34, 17 de julio de 2008.

[943] Para referirse a la redacción de Wilson, Unión Nacional de Periodistas y Otros contra el Reino Unido, núms. 30668/96, 30671/96 y 30678/96, §§ 44 y 46, CEDH 2002-V.

[944] De hecho, este es un "aspecto importante" (como en Schmidt y Dahlström v. Suecia, sentencia de 6 de febrero de 1976, Serie A no. 21, p. 16, § 36), o incluso un "corolario indispensable" de la libertad de asociación de los sindicatos (Enerji YAPI-YOL SEN, citado anteriormente, § 24, en referencia al lenguaje de la OIT). A pesar de su claridad, Enerji YAPI-YOL SEN no se entendió correctamente en algunos sectores (ver una lectura equivocada de ese caso, Metrobus Ltd. v. Unite the Union, (2009) EWCA Civ 829, en oposición a la lectura correcta hecho por Sophie Robin-Olivier, Conv. EDH, artículo 11: Liberté de réunion et d'association et liberté syndicale, en Répertoire de droit européen, Avril 2014, F. Dorssemont, "El derecho a emprender acciones colectivas en virtud del Artículo 11 de el CEDH ", en F. Dorssemont y otros (ed.), El Convenio Europeo de Derechos Humanos y la Relación de Empleo, Oxford, Hart Publishing, 2013, p. 332, O. Edström," El derecho a la acción colectiva como fundamental derecha ", en Mia Ronmar (ed.), Derecho Laboral, Derechos Fundamentales y Europa social, Oxford, Publishing Hart, p. 66, KD Ewing y J. Hendy," Las implicaciones dramáticas de Demir y Baykara ", en 39 Derecho Industrial Journal, 2 (2010), y JP Marguénaud y J. Mouly, "La Cour européenne des droits de l'homme à la conqu ête du droit de grève", en Revue de Droit du Travail, 9 (2009), 499). El intento de The National Union of Rail, Maritime and Transport Workers v. The United Kingdom, no. 31045/10, § 84, 8 de abril de 2014 para dar marcha atrás desde la posición de principio de Enerji YAPI-YOL SEN no es convincente, ya que las dos expresiones mencionadas anteriormente se utilizaron en el mismo párrafo de Enerji YAPI-YOL SEN y la segunda estaba claramente destinada a aclarar el significado del primero. Esa intención se refleja en el hecho de que en el mismo párrafo 24 de Enerji Enerji YAPI-YOL SEN la Corte se refiere a la necesidad de leer la Convención a la luz de otros instrumentos de derecho internacional, e incluso a la autoridad de Demir y Baykara.

9. El derecho a la acción colectiva, incluido el derecho de huelga, es el punto de par-
tida desde el cual cualquier restricción debe estar justificada, y cualquier restricción
debe interpretarse de forma estricta[945]. Como el derecho de huelga es un elemento
esencial del derecho de libertad sindical de los trabajadores, cualquier restricción de
ese derecho debe estar previsto por ley[946], perseguir un objetivo legítimo establecido
en el Artículo 11 § 2 del Convenio y ser necesario en una sociedad democrática[947].
Los convenios colectivos pueden ser una fuente de restricciones legítimas del derecho
de huelga, siempre y cuando se cumplan estas condiciones.

En UNISON, el Tribunal estimó que la restricción de la huelga en relación a los "de-
rechos de los demás", se refería únicamente al empleador[948]. Posteriormente, el Sindi-
cato Nacional de Trabajadores Ferroviarios, Marítimos y de Transporte modificó esta
visión restringida al considerar que el potencial de afectar los derechos de las perso-
nas que no son parte en el conflicto colectivo, causar una gran paro dentro de la eco-

---

[945] Esta ha sido la posición de principio de la Corte desde UNISON v. El Reino Unido (dec.), No. 53574/99, 10 de enero de 2002: "la prohibición de la huelga debe considerarse como una restricción del poder del solicitante para proteger esos intereses y, por lo tanto, revela una restricción a la libertad de asociación garantizada en virtud del primer párrafo. A continuación, se examinó si esta restricción cumplía con los requisitos del Artículo 11 § 2 de la Convención, es decir, si estaba "prescrita por la ley", perseguía uno o más objetivos legítimos en virtud del párrafo 2 y era "necesaria en un contexto democrático sociedad "para el logro de esos objetivos".

[946] En el contexto del empleo, se debe entender que el requisito de legalidad abarca tanto el marco regulatorio público como el privado aplicable en cada sector profesional (véase, por ejemplo, Casado Coca v. España, nº 15450/89, §§ 42 y 43, 19 de febrero de 1993). Este marco legal debe establecer claramente las restricciones sobre los propósitos de la huelga, la extensión del espacio y el tiempo, las modalidades y el tiempo y la conducta de los huelguistas.

[947] En este momento, no se puede ignorar que la cláusula de restricción del Artículo 11 § 2 del CEDH es más extensa que las del Artículo 8 (1) (a) y (c) del PIDESC (sobre esto, ver Matthew Craven, El Pacto Internacional de Derechos Económicos, Sociales y Culturales, Una Perspectiva sobre su Desarrollo, Oxford, Clarendon Press, 1995, p. 258, y Ben Saul et al., El Pacto Internacional …, citado anteriormente, p. 581). Restricciones que apuntan a ciertas categorías de servidores públicos, o ciertos servicios esenciales cuya interrupción pondría en peligro la vida, la seguridad personal o la salud de toda o parte de la población, o situaciones de crisis nacional o local aguda, aunque solo por un tiempo limitado. período y únicamente en la medida necesaria, posiblemente podría cumplir con estos requisitos.

[948] Véase UNISON, citado anteriormente. No se proporcionaron razones para apoyar un enfoque tan restrictivo que, llevado a su límite, legitimaría cualquier restricción de la huelga en vista de su impacto inherente en los intereses financieros del empleador.

nomía y afectar la prestación de servicios al público, podrían considerarse incluidos en la finalidad legítima de proteger los derechos y libertades de los demás, sin limitarse sólo al empleador en un conflicto colectivo. Además, distingue entre un aspecto accesorio y otro esencial de la libertad sindical, la adopción de un conflicto colectivo indirecto por parte de un sindicato, incluida una huelga, contra un empleador, para promover un conflicto en el que los miembros del sindicato están comprometidos con otro empleador. Al considerarse como un aspecto accesorio, y no un contenido esencial de esa libertad, la consecuencia es que los gobiernos deberían gozar de un margen de apreciación más amplio en la regulación de ese aspecto. En vista de los intereses que podrían verse afectados por huelgas de solidaridad o acciones secundarias, ese margen de apreciación podría eventualmente incluir la supresión total de esa faceta del derecho de los trabajadores a la acción colectiva a través de la huelga[949].

10. Si bien es cierto que el derecho a la negociación colectiva no corresponde per se a un "derecho" a tener un convenio colectivo, ni a la obligación concomitante de los empleadores de celebrar un convenio colectivo o continuar en un acuerdo de negociación colectiva en particular o acceder a las solicitudes de un sindicato en nombre de sus miembros[950], también es innegable que el derecho a entablar un diálogo social colectivo con los empleadores carecería de su fuerza práctica real si no se acompañara de la posibilidad de recurrir a huelga cuando los empleadores no quieren entrar en ese diálogo, o lo han abandonado o socavado. Para usar las palabras fuertes, pero apropiadas, de la Sala en el presente caso, el derecho de huelga es "el instrumento

---

[949] Me parece problemática la distancia recorrida en la Unión Nacional de Trabajadores Ferroviarios, Marítimos y de Transporte, citada anteriormente, §§ 86-88, con respecto al § 119 de Demir y Baykara, en la que el Tribunal restringió el margen de apreciación en este ámbito. Esto es así por dos razones: en primer lugar, el enfoque interpretativo un tanto laxo y poco intencional de la Unión Nacional de Trabajadores de Ferrocarriles, Marítimos y Transporte puede generar una gran incertidumbre legal, y en segundo lugar, las prohibiciones generales y absolutas de la huelga pueden inclinar la balanza inaceptable en beneficio de los empleadores y poner en peligro el contenido esencial inalienable del derecho del artículo 11. Por lo tanto, exigen un estrecho margen de apreciación. Desde este punto de vista, la defensa de que el legislador estaba obligado a decidir evitar caso por caso a favor de una norma prohibitiva uniforme, y la afirmación de que cualquier enfoque menos restrictivo sería impracticable e ineficaz, no logró equilibrar adecuadamente los derechos concurrentes y las libertades, particularmente si se tiene en cuenta la tendencia internacional discernible que exige un enfoque menos restrictivo y la historia legislativa del Estado demandado que señala la existencia de alternativas factibles concebibles a una prohibición total de la acción industrial secundaria. El llamado de Lord Wright, en un caso histórico de 1942, afirmando que "el derecho de los trabajadores a la huelga es un elemento esencial en el principio de la negociación colectiva", no se escuchó (Crofter Hand Woven Harris Tweed v. Veitch (1942) AC 3, p 463).

[950] Demir and Baykara, cited above, § 158.

más poderoso para proteger los intereses laborales" de los sindicatos y sus miembros. Los Estados tienen el deber de garantizar que el ejercicio de este derecho humano fundamental se conserve plenamente tanto en el sector público como en el privado. No pueden ser neutrales ni pasivos cuando se enfrentan a violaciones del derecho a la negociación colectiva, incluido el derecho de huelga, en el sector del empleo privado y, por lo tanto, se impone una obligación positiva a los Estados en virtud del Artículo 11 para remediar e incluso prevenir esas violaciones[951].

Con respecto al argumento de que los intereses del sindicato en proteger a sus miembros no necesariamente tienen que pesar más que las libertades económicas del empleador, el Tribunal ya ha establecido su propio estándar aplicable a estos intereses en conflicto, cuando consideró que el impacto de cualquier restricción en los sindicatos la capacidad de emprender acciones de huelga no debe colocar a sus miembros en ningún riesgo real o inmediato de detrimento o quedar indefensos ante futuros intentos de rebajar la remuneración u otras condiciones laborales. Cuando eso ocurre, la restricción es desproporcionada[952].

Conclusión

16. La libertad sindical de los trabajadores, la negociación colectiva y la huelga están indisolublemente unidas, siendo esta última un medio instrumental para ejercer la primera. El Convenio no puede ser inmune a las realidades de la vida laboral. Sería de un anacronismo excesivo, que este Tribunal fingiera ignorar la diferente posición de negociación de los empleados y empleadores en una relación laboral en el mercado laboral global, volátil y fragmentado de hoy y el efecto práctico y de equilibrio que tienen la acción sindical y la huelga cuando los empleadores no están comprometidos con el diálogo y la negociación.

Por lo tanto, el Convenio protege el derecho de huelga como un derecho esencial y fundamental de la libertad sindical de los trabajadores, y cualquier restricción a ese derecho debe estar prevista por ley, perseguir un objetivo legítimo establecido en el Artículo 11 § 2 del Convenio y ser necesaria en un sociedad democratica. En el contexto de un convenio colectivo, la huelga es legítima cuando existe una necesidad

---

[951] The "horizontal effect" (effet horizontal, Drittwirkung) of workers' Convention rights in the context of a collective agreement has already been acknowledged by the Court in its seminal case Young, James and Webster v. the United Kingdom, judgment of 13 August 1981, Series A No. 44, § 49, and further developed over the years (see, for instance, Wilson, National Union of Journalists and Others v. the United Kingdom, nos. 30668/96, 30671/96 and 30678/96, 2 July 2002; Danilenkov v. Russia, no. 67336/01, 30 July 2009; and Vilnes and Others v. Norway, no. 52806/09 and 22703/10, 5 December 2012). Space limits further elaboration on this topic.

[952] See UNISON, cited above. This obviously means that the employer's freedoms do not benefit from a priori prevailing status over the rights and interests of the workers "to the point of subjecting the worker to the employer's interests" (see Palomo Sanchez and Others v. Spain [GC], nos. 28955/06, 28957/06, 28959/06 and 28964/06, § 76, 12 September 2011).

genuina de un acuerdo especial con respecto a los intereses de los miembros de un sector profesional que no han sido cubiertos en ese convenio. Este es el valor agregado de la presente sentencia, que está totalmente en línea e incluso resulta de lo que se exige en Demir y Baykara, así como por el derecho internacional de los derechos humanos, el derecho laboral internacional y el derecho constitucional comparado. En consecuencia, considero que ha habido una violación del Artículo 11 debido a la prohibición ilegal, ilegítima, desproporcionada e innecesaria del derecho de huelga del Convenio del sindicato solicitante».

11.1.3. *Doctrina del TEDH sobre libertad sindical, huelga y negociación colectiva*[953]

En este epígrafe examinaremos la doctrina del TEDH sobre libertad sindical, su contenido esencial, la negociación colectiva y el derecho de huelga a través del art. 11 CEDH, y para terminar, analizaremos las obligaciones positivas del Estado en el marco dicho precepto y en relación con la libertad sindical.

a) El alcance de la libertad sindical

El art. 11 contempla la libertad sindical como una forma o aspecto especial de la libertad de asociación, pero no como un derecho independiente STEDH 27 octubre 1975, Caso National Union of Belgian Police c. Bélgica, f. 38; STEDH 16 junio 2015, Caso Manole y "Romanian Farmers Direct" c. Rumanía, § 57).

Por lo tanto, los elementos de la libertad de asociación en la doctrina del TEDH, así como los requisitos de las injerencias en esa libertad en virtud del Artículo 11 § 2, se aplican igualmente a los sindicatos en la medida en que resulte adecuado.

La libertad sindical es un elemento esencial del dialogo social entre los trabajadores y empresario, por tanto una herramienta importante para lograr la justicia y la harmonía social (STEDH 9 julio 2013, Caso Sindicatul "Pastorul cel Bun" c. Rumanía, F.130).

---

[953] Vid. "Guide on Article 11 of the European Convention on Human Rights". Freedom of assembly and association. First edition 31 August 2019." HUDOC Puede consultarse en: https://www.echr.coe.int/Documents/Guide_Art_11_ENG.pdf

El artículo 11 garantiza la libertad de proteger los intereses profesionales de los afiliados al sindicato mediante la acción sindical, cuya acción y desarrollo deben permitir y posibilitar los Estados contratantes [STEDH 6 febrero 1976, Caso Sindicato de conductores c Suecia, (f.40); STEDH 21 febrero 2006, Caso Tüm Haber Sen y Çınar c. Turquía, (f.28)].

Sin embargo, la libertad sindical no garantiza a los sindicatos ni a sus miembros ningún trato especial por parte del Estado. Según la legislación nacional, los sindicatos deberían estar habilitados, en condiciones acordes con el Artículo 11, para luchar por la protección de los intereses de sus miembros [Sindicatul "Păstorul cel Bun" c. Rumania (f. 134)].

Las palabras "para la protección de sus intereses" no pueden interpretarse en el sentido de que solo las personas físicas y no los sindicatos puedan interponer una demanda conforme a esta disposición [DTEDH 27 junio 2002, Caso Federación de Sindicatos de Trabajadores Offshore y Otros c. Noruega (dec.)].

Los representantes de los trabajadores deberían, por regla general, y dentro de ciertos límites, disfrutar de las instalaciones apropiadas para que puedan desempeñar sus funciones sindicales de manera rápida y efectiva [DTEDH 21 junio 2001, Caso Sánchez Navajas v. España (dec.)].

Una política que restrinja el número de organizaciones a las que el Gobierno debe consultar no es incompatible con la libertad sindical (STEDH 27 octubre 1975, Caso Unión Nacional de Policía Belga c. Bélgica, (f. 40-41, en que el sindicato demandante pudo participar en otros tipos de actividades frente al Gobierno para la protección de los intereses de sus miembros).

El Artículo 11.2 no excluye a ningún sector profesional de su ámbito de aplicación. A lo sumo, las autoridades nacionales tienen derecho a imponer "restricciones legales" respecto de algunos de sus empleados de conformidad con el Artículo 11 § 2 [Sindicatul "Păstorul cel Bun" v. Rumania (GC), f. 145]. Por tanto, el Artículo 11 se aplica a todo aquel que tenga una relación laboral [ver Sindicatul "Păstorul cel Bun" v. Rumania (GC), f.141 y 148, sobre miembros del clero; Manole y "Farmers farmers direct" c. Rumania, f. 62, en lo que respecta a los agricultores por cuenta propia].

El CEDH no distingue entre las funciones de un Estado contratante como titular de poder público y sus responsabilidades como empleador. En consecuencia, el artículo 11 es vinculante para el "Estado como empleador ", si las relaciones de este último con sus empleados se rigen sea por la ley pública o por la privada (STEDH 6 febrero 1976, Caso Schmidt y Dahlström c. Suecia, f 33; Tüm Haber Sen y Çınar v. Turquía, § 29).

b) Contenido esencial de la libertad sindical en la doctrina del TEDH

La libertad sindical incluye los siguientes elementos esenciales: el derecho a formar o unirse a un sindicato, la prohibición de acuerdos de taller cerrado, el derecho de un sindicato a tratar de persuadir al empleador para que escuche lo que tiene que decir en nombre de sus miembros y, en principio, el derecho a negociar colectivamente con el empleador (STEDH 12 noviembre 2008, Caso Demir y Baykara c. Turquía f. 145 y 154; y Sindicatul "Păstorul cel Bun" c. Rumania f. 135).

Este listado de elementos no es exhaustivo y está sujeto a la evolución y avances particulares en las relaciones laborales. El TEDH tendrá en cuenta elementos del derecho internacional distintos del CEDH en la interpretación de dichos elementos por parte de los órganos competentes, y la práctica de Estados que reflejan sus valores comunes (Demir y Baykara c. Turquía, f. 85 y 146; Manole y "Romanian Farmers Direct" c. Rumania, f. 67).

Sería incoherente con este método que el TEDH adoptase en relación con el artículo 11 una interpretación del alcance de la libertad sindical más estricta que la que prevalecen en el derecho internacional (STEDH 8 abril 2014, Caso National Union of Rail, Maritime and Transport Workers c. The United Kingdom, f. 76).

Dos principios guían el enfoque de la TEDH sobre el contenido del derecho a la libertad sindical; en primer lugar, el Tribunal toma en consideración la totalidad de las medidas tomadas por el Estado interesado para asegurar la libertad sindical, dentro del margen de apreciación; en segundo lugar, el tribunal no acepta restricciones que afecten al contenido esencial de la libertad sindical, sin las cuales la libertad perdería su misma sustancia. Mientras que, en principio, los Estados son libres de decidir qué medidas que desean tomar para garantizar el cumplimiento del artículo 11, están bajo la obligación de tener en cuenta los elementos considerados como esenciales por la doctrina del TEDH. (Demir Baykara c. Turquía, F.144).

c) Derecho a la negociación colectiva

En Demir y Baykara c. Rurquía el TEDH modificó su jurisprudencia anterior, en que había sostenido que el derecho a negociar colectivamente y a celebrar convenios colectivos no constituía un elemento inherente al artículo 11 y no era indispensable para el disfrute efectivo de la libertad sindical. Teniendo en cuenta la evolución de la legislación laboral y la práctica de los Estados contratantes en tales asuntos, sostuvo que **el derecho a negociar colectivamente con el empleador se había convertido, en principio, en parte del contenido esencial** del "derecho a formar y afiliarse sindicatos para la protección de los intereses de los trabajadores" establecido en el Artículo 11 de la Convención, entendiéndose que los Estados tienen la libertad de organizar su sistema para, si corresponde, otorgar un estatus especial a los sindicatos representativos (§§ 153-154).

El derecho a la negociación colectivo **no se interpreta en el sentido de que incluya el derecho al convenio colectivo** (STEDH 8 abril 2014, Caso National Union of Rail, Maritime and Transport Workers, c. Reino Unido, F.85), y tampoco en el setnido de que comprenda el derecho de un sindicato a mentener un convenio colectivo en un ámbito concreto por tiempo indefinido (DTEDH 30 noviembre 2004, Caso Swedish Transport Workers Union c. Suecia)

El CEDH en ningún momento exige que un empresario entre o se mantenga en un determinado convenio colectivo o acceda a las reivindicaciónes de un sindicato en nombre de sus miembros (DTEDH 10 enero 2002, Caso Unison c. Reino Unido).

Las obligaciones positivas de los Estados no se extienden a establecer un mecanismo legal obligatorio para la negociación colectiva [DTEDH 3 mayo 2016, Caso Unite the Union c. Reino Unido, (f.65). y STEDH 2 julio 2002, Caso Wilson, National Union of Journalists and Others c. Reino Unido, f.46].

La esencia de un sistema voluntario de negociación colectiva es que debe ser posible que un sindicato que no sea reconocido por un empleador tome medidas que incluyan, si es necesario, la organización de acciones sindicales, con el fin de persuadir al empleador para que inicie la negociación colectiva con él en aquellos asuntos que el sindicato cree que son importantes para los intereses de sus miembros [STEDH 2 julio 2002, Caso Wilson, National Union of Journalists and Others c. Reino Unido (f.46)].

d) Derecho de Huelga

La garantía del derecho de huelga representa **uno de los medios más importantes mediante los que el Estado puede garantizar la libertad de un sindicato** para proteger los intereses laborales de sus miembros [STEDH 6 febrero 1976, Caso Schmidt y Dahlström c. Suecia, (f.36); STEDH 2 julio 2002 Wilson National Union of Journalists and Others c. Reino Unido 45].

El **derecho de huelga no es absoluto** y puede estar sujeto a regulación según la legislación nacional (STEDH 21 abril 2009, Caso Enerji Yapi-Yol c. Turquía). Las restricciones impuestas por un Estado contratante al ejercicio del derecho de huelga no plantean por sí mismas un problema en virtud del Artículo 11 del Convenio (DTEDH 27 junio 2002, Caso Federación de Sindicatos de Trabajadores Offshore y Otros c. Noruega).

Las **limitaciones al derecho de huelga deben estar la ley**: En el contexto del empleo, se debe entender que el requisito de legalidad abarca tanto el marco regulatorio público como el privado aplicable en cada sector profesional (véase, por ejemplo, STEDH 19 febrero 1993, Caso Casado Coca v. España, nº 15450/89, §§ 42 y 43). Este marco **legal debe establecer claramente las restricciones sobre los propósitos de la huelga**, la extensión del espacio y el tiempo, las modalidades y el tiempo y la conducta de los huelguistas. En el sentido de precisarse una ley para la limitación del derecho de huelga, véase la STEDH 20 noviembre 2018, Caso Ognevenko c. Rusia (f.59).

Aunque el derecho de huelga **aún no se ha considerado como un elemento esencial de la libertad sindical**, la huelga está claramente protegida por el Artículo 11 (DTEDH 15 mayo 2018, Caso Association of Academics c. Islandia f. 24-27), que proporciona una panorámica de la jurisprudencia del Tribunal (STEDH 8 abril 2014, National Union of Rail Maritime and Transport Workers c Reino Unido, F. 84).

El TEDH se ha referido a la **huelga como el instrumento más poderoso disponible para un sindicato para proteger los intereses** laborales de sus miembros (STEDH 27 noviembre 2014, Caso Hrvatski Lijecnicki sindikat c. Croacia, (f.49).

En la STEDH 21 abril 2009, Caso Enerji Yapi-Yol c. Turquía: el TE-DH considera que lo que exige el Convenio es que la legislación permita a los sindicatos, según las modalidades no contrarias al artículo 11, luchar por la defensa de los intereses de sus miembros (STEDH 6 febrero 1976, Caso Schmidt y Dahlström c. Suecia, STEDH 27 octubre 1975, y STEDH 6 febrero 1976). **La huelga, que permite a un sindicato hacer oír su voz, constituye un aspecto importante para los miembros de un sindicato en la protección de sus intereses** (Sentencia Schmidt y Dahlström, F. 36). El TEDH señala asimismo que el derecho de huelga es reconocido por los órganos de control de la Organización Internacional del Trabajo (OIT) como el **corolario indisociable del derecho de asociación sindical que protege el Convenio C87 de la OIT sobre la libertad sindical** y la protección del derecho sindical (para la consideración por el Tribunal de elementos de Derecho Internacional distintos al Convenio, véase Sentencia Demir y Baykara, previamente citada). Recuerda, en fin, el TEDH que la Carta social europea reconoce también el derecho de huelga como medio de asegurar el ejercicio efectivo del derecho a la negociación colectiva laboral.

Vid. también STEDH 6 febrero 1976 (TEDH 1976, 1) Caso Schmidt y Dahstrom c. Suecia; STEDH 27 septiembre 2011 (TEDH 2011, 76) Caso Sisman y otros contra Turquía, entre otras.

La **prohibición de una huelga debe considerarse como una restricción del poder del sindicato** para proteger los intereses de sus miembros y, por lo tanto, revela una **restricción de la libertad sindical** [UNISON v. Reino Unido (dec.); Hrvatski liječnički sindikat c. Croacia, F 49; STEDH 2 octubre 2014, Caso Veniamin Tymoshenko y otros c. Ucrania, f. 77].

La huelga de solidaridad (huelga contra un empresario distinto, destinada a ejercer presión indirecta sobre el empresario involucrado en la disputa industrial) también forma **parte de la actividad sindical** y **una prohibición legal de tal acción es una injerencia en la libertad sindical en virtud del Artículo 11** (Unión Nacional de Trabajadores Ferroviarios, Marítimos y de Transporte contra el Reino Unido, f. 77-78).

Si bien **se pueden imponer restricciones al derecho de huelga** de los trabajadores que prestan servicios esenciales a la población, una prohibición completa requiere razones sólidas del Estado para justificar su necesidad [STEDH 20 noviembre 2018, Caso Ognevenko c. Rusia, f. 72-73, sobre la prohibición de huelga impuesta por ley a ciertas categorías de trabajadores ferroviarios; Federación de Sindicatos de Trabajadores Offshore y Otros c. Noruega (dec.), Donde el TEDH aceptó las razones del Gobierno para detener una huelga de trabajadores en plataformas petroleras].

El **derecho de huelga no implica el derecho a vencer** [prevail (National Union of Rail, Maritime and Transport Workers v. the United Kingdom, f. 85)].

El impacto de cualquier restricción sobre la capacidad de los sindicatos para emprender acciones de huelga no debe colocar a sus miembros en riesgo alguno, real o inmediato de regresión o indefensión ante futuros intentos de rebajar el salario u otras condiciones laborales [UNISON v. Reino Unido (dic.)].

e) Obligaciones positivas y margen de apreciación

El derecho a crear sindicatos y afiliarse a **ellos ampara, ante todo, frente a la acción del Estado** [STEDH 27 febrero 2007, Caso de Associated Society of Locomotive Engineers & Firemen (ASLEF) v. the United Kingdom, (f. 37)].

Aunque el fin primordial del Artículo 11 es proteger al individuo contra la injerencia arbitraria de las autoridades públicas en el ejercicio de los derechos que protege, del mismo se **derivan también obligaciones positivas** para el Estado en orden a garantizar el disfrute efectivo de dichos derechos (Demir y Baykara c. Turquía, f. 110).

Los **límites entre las obligaciones positivas y negativas** del Estado derivadas del artículo 11 de la Convención presentan contornos difusos, pero los principios aplicables son similares. En ambos contextos, debe tenerse en cuenta el justo equilibrio que debe lograrse entre los intereses en competencia del individuo y de la comunidad en su conjunto (Sindicatul "Păstorul cel Bun" v. Rumania [GC], § 132; STEDH 4 abril 2017, Caso Tek Gıda İş Sendikası c. Turquía, f. 50).

En el ámbito de la libertad sindical, a la vista del carácter sensible de las cuestiones sociales y políticas involucradas en lograr un equilibrio adecuado entre los respectivos intereses laborales y de gestión, y dado el alto grado de divergencia entre los sistemas domésticos, los **Estados contratantes disfrutan de un amplio margen de apreciación sobre cómo se puede garantizar la libertad sindica**l y la protección de los intereses profesionales de los miembros del sindicato [STEDH 27 abril 2010, Caso Vörður Ólafsson c. Islandia, § 75; Sindicatul "Păstorul cel Bun" v. Rumania (GC), § 133]

La **amplitud del margen de apreciación** depende, entre otras cosas, de la naturaleza y el alcance de la restricción del derecho sindical en cuestión, el objeto perseguido por la restricción impugnada, los derechos e intereses en conflicto de otras personas en la sociedad que son susceptibles de ser afectados como resultado del ejercicio no limitado del derecho a la libertad sindicato y el grado de puntos en común entre los Estados miembros del Consejo de Europa o cualquier consenso internacional reflejado en los instrumentos internacionales correspondientes (Unión Nacional de Trabajadores de Ferrocarriles, Marítimos y Transporte v. Reino Unido, f 86).

Si se produce una **restricción legislativa en el contenido esencial de la actividad sindical**, se debe reconocer un **margen de apreciación menor** a la legislación nacional y se **exige una mayor motivación de la proporcionalidad** de la injerencia resultante, ponderando interés general con el ejercicio de libertad sindical. Por el contrario, **si no es contenido esencial**, sino adicional o accesorio de la actividad sindical lo que se ve afectado, **el margen de apreciación es más amplio** y la injerencia es, por su naturaleza, más probable que sea proporcionada en cuanto a sus consecuencias para el ejercicio de la libertad sindical se refiere (Sindicato Nacional de Trabajadores de Ferrocarriles, Marítimos y Transporte v. Reino Unido, § 87; donde la prohibición legal de la huelga de solidaridad afectó esencia misma de la libertad sindical; véase también STEDH 4 abril 2017, Caso Tek Gıda İş Sendikası c. Turquía, §§ 54-55, donde los despidos a gran escala de miembros sindicales que afectaron al contenido esencial de la libertad sindical).

A la vista de la amplia gama de modelos constitucionales que rigen las relaciones entre los Estados y las confesiones religiosas en Europa, el Estado goza de un amplio margen de apreciación en este ámbito, que abarca el derecho a decidir si reconoce o no a los sindicatos que actúan dentro dichas comunidades en tanto que persigan objetivos que puedan dificultar el ejercicio de la autonomía de las mismas (Sindicatul "Păstorul cel Bun" v. Rumania f. 171).

El margen de apreciación se ha considerado reducido cuando la legislación interna de un Estado Contratante permite la celebración de acuerdos de taller cerrado entre sindicatos y empresarios que van en contra de la libertad sindical individual inherente al Artículo 11 (STEDH 11 enero 2016, Caso Sørensen y Rasmussen c Dinamarca, f. 58) o donde la interferencia con la libertad de asociación es de largo alcance, como la disolución de un sindicato (Demir y Baykara v. Turquía, f-119; ver también Unión Nacional de Ferrocarriles, Marítima y Transport Workers v. the United Kingdom, f.86).

El Estado tiene la obligación positiva de proteger al individuo contra el abuso de poder por parte de un sindicato [DCEDH 13 mayo 1985, Caso Cheall c. Reino Unido; DCEDH 7 mayo 1990, Caso Johansson c. Suecia (ambas decisiones de la Comisión)]. Si bien el Estado puede intervenir para proteger a un afiliado al sindicato frente a las medidas adoptadas en su contra por su sindicato, debe lograr un equilibrio justo entre los intereses en conflicto, y su margen de apreciación juega un papel limitado (STEDH 27 febrero 2007, Caso Associated Society of Locomotive Engineers & Firemen c. Reino Unido, f. 45-49).

En fin, los Estados también tienen la obligación positiva de garantizar una tutela judicial efectiva frente a la discriminación por motivo de afiliación sindical [STEDH 30 julio 2009, Caso Danilenkov y otros c. Rusia, (f.124 y 136)]

11.1.4. Proyección en España de la doctrina del TEDH y el derecho de huelga

Sería imposible, por el propósito de esta obra, hacer un resumen de la doctrina del TC y del TS en materia del derecho de huelga en España.

Por ello, nos limitaremos a señalar sus aspectos normativos esenciales, por un lado; y por otro, traeremos un caso singularmente relacionado con Hravatski, consistente en la **limitación estatal del derecho de huelga**, a **través de una suspensión cautelar no prevista por una ley previa.** Nos referimos al **Auto de la Audiencia Nacional de 14 de mayo de 2015, que tuvo el dudoso honor de acordar por primera vez la suspensión cautelar del derecho de huelga en España**, en tiempos de democracia.

a) Régimen jurídico de la huelga en España

La CE configura España como un Estado Social y Democrático de Derecho (art. 1). En coherencia con su carácter social, su **art. 28.2 contempla el derecho de huelga de los trabajadores/as para la defensa de sus intereses, con categoría de derecho fundamental,** y en su art. 7 reconoce a los sindicatos de trabajadores su papel esencial en el Estado social: contribuir a la defensa y promoción de los interese sociales que les son propios, para lo que gozan de la libertad sindical, garantizada por el art. 28.1 de la CE. El Derecho de huelga se desarrolla por una norma preconstitucional, el **RD-Ley 17/17**, de 4 de marzo(declarado parcialmente inconstitucional por la STC 11/1981, de 8 de abril).

La **huelga se reconoce, además, como derecho humano,** en el art. 8d) del PIDESC art. 6 de la Carta Social Europea y art. 28 de la Carta de Derechos Fundamentales de la Unión Europea.

Por tanto, los Tribunales españoles en la interpretación de las normas relativas al derecho de huelga, debemos atenernos a los citados tratados y acuerdos· internacionales (art. 10.2 CE).

El **Derecho de huelga es un derecho fundamental de titularidad individual y de ejercicio colectivo** (vid. entre otras muchas STS 28 diciembre de 1993, Rec 2975/1992), que corresponde en el plano colectivo, entre otros sujetos, a las organizaciones sindicales [(art. 2.2d) LOLS), STC 11/1981, F.12; STS 2 febrero 1987, F.1]

El **contenido esencial del derecho de huelga** (art. 53.1 CE) consiste en la cesación del trabajo en cualquiera de sus manifestaciones, núcleo que implica a su vez la facultad de declararse en huelga, estableciendo su causa, motivo y fin, y la de elegir la modalidad que se considera más idónea al respecto, dentro de los tipos aceptados legalmente, también resulta esencial la consecución de una cierta eficacia (STS 123/1986, de 28 de septiembre F.4). Dentro del contenido esencial se integra el derecho a difundirla y hacer publicidad de la misma, en el entendido de que se trata de una publicidad pacífica, sin que de ningún modo pueda incurrirse en coacciones, intimidaciones, amenazas ni actos de violencia de ninguna clase [STC 37/1998, de 17 de febrero (RTC 1998, 37), F.3, SSTC 332/1994, de 19 de diciembre F.6].

Son facultades del ejercicio colectivo del derecho de huelga: la convocatoria, el establecimiento de las reivindicaciones, la elección de la modalidad, la determinación de sus objetivos, la publicidad o proyección exterior, la negociación y la decisión de darla por terminada (SSTC 11/1981, de 8 abril, F.12).

Por otro lado, el derecho de huelga forma parte, junto a la negociación colectiva y el conflicto colectivo, de la actividad sindical que es parte del contenido de la libertad sindical (art. 2.2d) LOLS). Así lo ha reconocido el TC (STC 37/83, de 11 de mayo, 75/92, de 14 de mayo, 173/92, de 29 octubre) al decir que la acción sindical comprende todos los medios lícitos que se desprenden de nuestro ordenamiento y de los tratados internacionales suscritos por España en la materia, entre los que se incluyen la negociación colectiva y la huelga, debiendo también comprender la incoación de conflictos colectivos.

De cuanto antecede, resulta que **los límites o restricciones al derecho de huelga**—como los de todo derecho fundamental— deben perseguir **la protección de otros derechos, valores o bienes de rango constitucional**(STC 104/2000, de 13 abril, F.8); deben establecerse con norma que tenga rango de ley (STC 83/1984, de 24 de julio, F.5); dicha ley han de respetar su contenido esencial (art. 53.1 CE) y, además, toda restricción ha de atenerse al principio de proporcionalidad (SSTC 66/1995, de 8 de mayo, 55/1996, de 28 de marzo y 76/1996, de 30 de abril, entre muchísimas otras).

En lo que se refiere a la **interpretación de las normas que establezcan restricciones o límites a la huelga, como a todo derecho fundamental, hay que seguir un criterio hermenéutico estricto**, puesto que sólo el legislador está habilitado para establecer límites a los derechos fundamentales y el intérprete, en consecuencia, no puede realizar interpretaciones expansivas de los mismos. Por consiguiente, en tales casos, la interpretación ha de ser estricta (STC 13/1985, de 31 de enero, F.3), e incluso, si ello es preciso para salvar la constitucionalidad del precepto que establece un límite al derecho fundamental, la interpretación ha de ser restrictiva (STC 11/1981, de 8 de abril, F.17).

Una vez analizado sintetizadamente el régimen jurídico del derecho de huelga en España, veremos un caso emblemático de restricción indebida, contraria a la doctrina del TEDH antes expuesta.

b) La suspensión cautelar del derecho de huelga en España sin soporte legal. Análisis del Auto de la AN de 14 de mayo de 2015 (Proc.131/2015)[954]

1.1. Síntesis del supuesto de hecho

- El Convenio Colectivo de fútbol profesional (BOE 09/10/14), suscrito por la AFE y la LNFP regula las relaciones de los futbolistas profesionales y está vigente desde 01/07/14 a 31/12/16. En su art. 43 se regula el Fondo social por el que tada temporada la LNFP entrega a la AFE cantidades para fines benéficos y para el desarrollo de la actividad de la AFE. El Anexo III contiene un FOGASA por el que la LNFP garantiza el pago de las deudas que los Clubes mantengan con sus futbolistas profesionales, mediante el cumplimiento de ciertos requisitos.

- En la reunión de la comisión negociadora del Convenio de 25/07/14 el Presidente de LNFP se comprometió a que, si se aprobaba una legislación reguladora de la venta centralizada de los derechos audiovisuales, la AFE percibiría un 0,5% del total de los mismos.

- El 6/03/2015 la LFP y la RFEF llegan a un principio de Acuerdo, también con la AFE, por el que solicitaban urgentemente la aprobación por el Gobierno de un RD-ley regulador de la venta centralizada de los derechos audiovisuales del fútbol.

Ese RD se aprueba por RD-Ley 5/2015.

- El 06/05/2015 la AFE notifica a la RFEF la decisión de convocar una huelga, por no estar de acuerdo con la nueva regulación del citado RD-Ley 5/15. En ese momento, la RFEF acordó suspender las jornadas del Campeonato Nacional de Liga a partir de 16/05/15.

- El 7/05/2015 la AFE promovió un procedimiento de mediación ante el SIMA, previo a la convocatoria formal de la huelga, al que se citó a la LNFP, a la RFEF y al CSN, para tratar sobre la convocatoria de una huelga, cuya fecha de comienzo sería el 16-05-2015, a la que se convocaba a los futbolistas que prestan servicios en las competi-

---

[954] Id. Cendoj: Roj: AAN 81/2015 - ECLI: ES:AN:2015:81A.

ciones oficiales, correspondientes al Campeonato Nacional de Liga de 1ª División, 2ª División A, englobadas en la LNFP, cuyo número asciende aproximadamente a 900, así como a los que prestan servicios en las categorías nacionales de 2ª División B, 3ª División y Liga Nacional Juvenil, organizadas por la RFEF, cuyo número asciende aproximadamente a 9000.

Los objetivos de la huelga fueron los siguientes:

a) Que se abra un periodo de diálogo y negociación con la Asociación de Futbolistas Españoles para consensuar un modelo equilibrado de gestión comercial de los derechos audiovisuales de fútbol profesional.

b) Que se pacte una distribución más equitativa de los ingresos provenientes de la venta centralizada de los derechos audiovisuales entre los participantes en el Campeonato Nacional de Liga.

c) Que se destine directamente a favor de la Asociación de Futbolistas Españoles, un porcentaje de los ingresos que pudieran derivarse de la venta centralizada de los derechos, para el cumplimiento de los fines que le son propios, así como para cualquier otra finalidad que pudieran adoptar los órganos legítimos de esta asociación.

d) Que se constituyan garantías con los ingresos provenientes de la venta de los derechos audiovisuales, para el cobro de las deudas salariales de los futbolistas y demás profesionales que tengan licencia federativa en el mundo del fútbol.

e) Participación de los representantes de la Asociación de Futbolistas Españoles en todos los órganos constituidos en el fútbol profesional, que incidan en los intereses y derechos de los futbolistas profesionales.

El 12-05-2015 la mediación concluyó sin acuerdo ante el SIMA.

El 8-05-2015 la LNFP promovió demanda de conflicto colectivo ante la AN, en la que pretendía la declaración de la ilegalidad de la huelga, decretándose su nulidad de pleno derecho En la misma demanda se solicitó, como medida cautelar, la suspensión de la huelga antes dicha, aunque no se ofreció ningún tipo de caución.

1.2. *Problemas que se plantean*

Prescindiremos del comentario de las cuestiones previas que se plantearon, concretamente la subsanabilidad de la falta de ofrecimiento de caución, así como la falta de acción y falta de acreditación de conciliación y mediación, y nos centraremos en el núcleo de la controversia, esto es, **la (im)posibilidad de suspender un derecho fundamental sin que medie ley habilitante y supuesta ilicitud indiciaria de la huelga convocada.**

- La imposibilidad de suspender cautelarmente una huelga sin habilitación legal

La AN concluye que cabe admitir la tutela cautelar frente al ejercicio ilícito de un derecho fundamental, en este caso el derecho de huelga, cuando en la solicitud de la medida cautelar se contengan datos, argumentos y justificaciones documentadas que conduzcan a fundar, por parte del Tribunal, sin prejuzgar el fondo del asunto, un juicio provisional o indiciario favorable al fundamento de la pretensión, si bien dichos indicios deberán acreditarse de modo exigente para asegurar todas las garantías formales, así como las pautas propias del principio de proporcionalidad para la aplicación de medidas restrictivas de los derechos fundamentales.

Está fuera de toda duda que **no hay precepto alguno que autorice de forma específica y concreta a suspender cautelarmente el derecho de huelga.** Al contrario **sí existe referencia explícita a medidas cautelares frente a actos lesivos del derecho de huelga,** como la determinación del personal laboral adscrito a los mínimos necesarios para garantizar los servicios esenciales de la comunidad, o a los servicios de seguridad y mantenimiento precisos para la reanudación ulterior de las tareas. (art. 180.3LRJS). Así mismo la **LRJS sí prevé la limitación de otros derechos fundamentales por los jueces por ejemplo para fines probatorios** (arts. 76.5, 90.4, 90.5 LRJS, etc).

Por tanto, la **tutela cautelar limitativa o asegurativa de los derechos fundamentales no es cuestión ajena a la LRJS, sino que está expresamente regulada en la misma.**

El **auto de la AN se basa, sin embargo, en el art. 79 LRJS y en el art. 723 LEC para suspender la huelga.** Ahora bien, ninguno de tales preceptos contiene autorización para ello. El primero autoriza a adoptar medidas cautelares necesarias para asegurar la efectividad de la tutela judicial que pueda acordarse en sentencia; el segundo regula (arts. 721-747 LEC) el procedimiento civil de adopción de medidas cautelares, sin que en ninguno de ambos preceptos —insistimos— se contemple de forma expresa la suspensión judicial del derecho de huelga.

No puede ampararse la suspensión de un derecho fundamental en una habilitación legal no expresa, inespecífica o inconcreta como "aquellas otras medias que para la protección de ciertos derechos (...) se estimen necesarias para asegurar la efectividad de la tutela judicial (art. 727.11 LEC)

La **CE exige una triple condición sobre la previsión legal de las medidas limitadoras** de derechos fundamentales: la **existencia de una disposición jurídica que habilite** a la autoridad judicial para la imposición de la medida en el caso concreto, **el rango legal** que ha de tener dicha disposición, **y la calidad de Ley como garantía de seguridad jurídica.**

La ley que restrinja un derechos fundamental ha de ser **expresa, precisa, cierta y previsible,** de forma que esta garantía ha sido integrada por el TC en el contenido esencial del DF restringido (vid. STC 292/00). Por decirlo gráficamente, todos los DDFF tienen "derecho" a que sus restricciones sean expresas, precisas, ciertas y previsibles y si no, no son Derechos fundamentales.

Ello excluye las restricciones por costumbre o principios generales, las restricciones, tácitas, las indeterminadas y las restricciones delegadas, las dejadas en manos de los jueces o de la Administración y sujetas a criterios propios y por tanto, imprevisibles.

En efecto el TC ha sostenido que, aún teniendo un fundamento constitucional y resultando proporcionadas las limitaciones del derecho fundamental establecidas por una Ley, éstas pueden vulnerar la Constitución si adolecen de falta de certeza y previsibilidad en los propios límites que imponen y su modo de aplicación. En este sentido el TC ha sostenido, que no sólo lesionaría el principio de seguridad jurídica (art. 9.3 CE), concebida como certeza sobre el ordenamiento aplicable y expectativa razonablemente fundada de la persona sobre cuál ha de ser la actuación del poder aplicando el Derecho (STC 104/2000, F. 7, por todas), sino que al mismo tiempo dicha Ley estaría lesionando el contenido esencial del derecho fundamental así restringido, dado que la forma en que se han fijado sus límites lo hacen irreconocible e imposibilitan, en la práctica, su ejercicio[955]. Por tanto, **la falta de precisión de la Ley en los presupuestos materiales de la limitación de un derecho fundamental es susceptible de generar una indeterminación sobre los casos a los que se aplica tal restricción. Y al producirse este resultado, más allá de toda interpretación razonable, la Ley ya no cumple su función de garantía del propio derecho fundamental que restringe**, pues deja que en su lugar opere simplemente la voluntad de quien ha de aplicarla, menoscabando así tanto la eficacia del derecho fundamental como la seguridad jurídica.

En efecto, por mandato expreso de la Constitución, toda injerencia estatal en el ámbito de los derechos fundamentales y libertades públicas, ora incida directamente en su desarrollo (art. 81.1 CE), o limite o condicione su ejercicio (art. 53.1 CE), precisa una habilitación legal. Esa reserva de ley a que, con carácter general, somete la Constitución Española la regulación de los derechos fundamentales y libertades públicas reconocidos en su Título I, desempeña una doble función, a saber: de una parte, asegura que los derechos que la Constitución atribuye a los ciudadanos no se vean afectados por ninguna injerencia estatal no autorizada por sus representantes; y, de otra, en un ordenamiento jurídico como el nuestro, en el que los Jueces y Magistrados se hallan sometidos "únicamente al imperio de la Ley" y no existe, en puridad, la vinculación al precedente constituye, en definitiva, el único modo efectivo de garantizar las exigencias de seguridad jurídica en el ámbito de los derechos fundamentales y las libertades públicas.

Como primera conclusión, **la suspensión cautelar de un derecho fundamental sin habilitación legal es contraria a la Constitución y, además, entraña unos elevados riesgos para la seguridad jurídica.**

Por otro lado, el Auto de la AN que comentamos es absolutamente insensible a los "efectos colaterales" que genera la suspensión cautelar de la huelga para la negociación colectiva: ¿Qué fuerza en la negociación tendrá la advertencia de huelga si la patronal sabe que contará con tribunales prestos a suspenderla?. Este autismo del Auto frente a los devastadores efectos que para la negociación colectiva tiene la suspensión cautelar del derecho de huelga va en una línea diametralmente opuesta a la que ha

---

[955] SSTC 11/1981, F. 15; 142/1993, de 22 de abril, F. 4, y 341/1993, de 18 de noviembre, F. 7).

sostenido el TS, por ejemplo en la STS 20 abril 2015. (Caso Coca-Cola) en que se concluye *"que la minimización o eliminación de los efectos nocivos que el desabastecimiento de productos había de producir con ocasión de esa huelga privó a su vez de cualquier eficacia o fuerza a la posición que en la mesa pudieran tener los representantes de los trabajadores durante el periodo de consultas..."*; doctrina ésta que con toda evidencia se muestra más sensible a la incidencia que la vulneración del derecho de huelga puede tener en la negociación colectiva que, no olvidemos es la finalidad de toda huelga: lograr acuerdos negociados.

· La ilicitud de la huelga

Una cuestión objeto de viva controversia en la doctrina que ha analizado el Auto[956] de la AN es la licitud o ilicitud de la huelga y la suficiencia indiciaria para concluir que es ilícita, como termina haciendo la AN.

El **juicio provisional de ilicitud** que la AN hace de la huelga es **enormemente escueto y precario**, limitándose a identificar la ilicitud con la propia de una huelga novatoria (art. 11c) RD-Ley 17/77 en la forma que sigue:

"La Sala, sin entrar ahora en los restantes motivos de ilegalidad de la huelga, aducidos por LNFP, lo que acometeremos en el momento procesal oportuno, cuando entremos a conocer sobre la demanda principal, considera que la simple lectura del art. 43 y el anexo III del convenio, reproducidos en el hecho probado segundo y los objetivos de la huelga, identificados en su convocatoria, reproducidos en el hecho probado noveno, así como en la propia carta remitida por el señor Héctor a sus asociados

---

[956] SEMPERE NAVARRO, A. V. Suspensión cautelar de huelga novatoria (El conflicto futbolístico). Revista Española de Derecho del Trabajo núm. 176/2015. BIB 2015\2076.

ROQUETA BUJ, R. La suspensión de la huelga de los futbolistas como medida cautelar. Revista Aranzadi de Derecho de Deporte y Entretenimiento num. 47/2015. BIB 2015\2315

MOLINA NAVARRETE, C. Poder en el fútbol y derecho de huelga: ¿un uso estratégico antihuelga de la justicia social cautelar? En: Revista de trabajo y seguridad social: comentarios y casos prácticos. N. 387 junio 2015, p. 5-14. ISSN 1138-9532.

Gabinete Estudios Jurídicos CCOO. La suspensión judicial del derecho de huelga: una vía ilegal para restringir este derecho fundamental. Análisis del Auto de 14 de mayo de 2015, de la Sala de lo Social de la Audiencia Nacional, en el conflicto del futbol profesional.

(hecho probado octavo), **permiten adelantar un juicio provisional favorable a que algunos de los objetivos de la huelga podrían tener por finalidad la modificación del convenio colectivo vigente**, *que regula expresamente el fondo de la AFE y el fondo de garantía salarial para asegurar el cobro de los futbolistas en los clubes morosos, así como los compromisos pactados el 25-07-2014 entre la LNFP y la AFE, por la que la primera se comprometió a abonar a la segunda un 0,5% neto de todos los ingresos si se legislaba finalmente sobre la venta centralizada de los derechos audiovisuales (hecho probado tercero)."*

Ante tal razonamiento, cabe recordar la doctrina sobre huelgas novatorias del TC, conforme a la STC 11/81 nada impide la huelga durante el periodo de vigencia del convenio colectivo cuando la **finalidad de la huelga no sea estrictamente la de alterar el convenio,** como puede ser:

– Reclamar una interpretación del mismo (STC 11/81).

– Exigir reivindicaciones que no impliquen modificación del convenio, como las condiciones de trabajo establecidas por otras fuentes distintas al convenio (STC 38/90), o para completar lo acordado, o encaminada a obtener soluciones a un problema no resuelto en el convenio y susceptible de ser solucionado en la comisión de seguimiento (STS 8 de junio 2011).

– Instar que la revisión del convenio colectivo, iniciada por los sujetos legitimados para ello, incorpore determinados contenidos o tenga un concreto alcance[957].

– Reivindicar derechos o condiciones de trabajo no contempladas en el convenio SSTS 14 febrero 1990 y 8 de junio de 2011.

Por otro lado, es posible reclamar una **alteración del convenio** en aquellos casos en que:

– El convenio ha sido **incumplido por la parte empresarial.**

– Se haya producido un **cambio absoluto y radical de las circunstancias,** que permitan aplicar la llamada cláusula *"rebus sic stantibus".* (vid. STS 17 febrero 2014. RJ 2014\3747).

Pues bien, en **el caso de autos,** los **objetivos reales de la huelga está claro que no derivan de la regulación del Convenio,** aunque puedan afectar-

---

[957] GÁRATE CASTRO, Javier. Derecho de Huelga. Ed. Bomarzo 2013. p. 87

la indirectamente, sino de la irrupción de una nueva norma, el RD-ley 5/15 de medidas urgentes en relación con la comercialización de los derechos de explotación de contenidos audiovisuales de la competición de fútbol profesional, aprobado sin que la AFE tuviera acceso al borrador ni hubiera podido efectuar aportaciones. Dicho RD no contempla el 0,5% de la los derechos para la AFE, mientras que consta probado que en la reunión de la comisión negociadora del Convenio de 25/07/14 el Presidente de LNFP se comprometió a que, si se aprobaba una legislación reguladora de la venta centralizada de los derechos audiovisuales, la AFE percibiría un 0,5% del total de los mismos.

Así las cosas, el auto en cuestión, considera que hay indicios de ilegalidad porque *algunos* (no todos) los objetivos de la huelga "**podrían**" (en hipótesis y no de forma evidente), tener por fin modificar el Convenio, en el punto de el fondo de la AFE y el fondo de garantía salarial para asegurar el cobro de los futbolistas en los clubes morosos, así como los compromisos pactados el 25-07-2014 entre la LNFP y la AFE, por la que la primera se comprometió a abonar a la segunda un 0, 5% neto de todos los ingresos si se legislaba finalmente sobre la venta centralizada de los derechos audiovisuales.

Sin embargo, como sostiene buena parte de la doctrina[958], la huelga no tiene por objeto ni finalidad modificar el art. 43 del Convenio sino, **que lo que se reclama es la correcta aplicación del mismo y de los compromisos pactados en re la LFP y la AFE el 25/07/14,** puesto que los fines de la huelga son, en síntesis que se abra un periodo de diálogo, que se pacte una distribución más equitativa de los ingresos, que se destine directamente a favor de la Asociación de Futbolistas Españoles, un porcentaje de los ingresos, que se constituyan garantías con los ingresos provenientes de la venta de los derechos audiovisuales y la participación de los representantes de la Asociación de Futbolistas Españoles en todos los órganos constituidos en el fútbol profesional.

En conclusión, **no existe ilicitud de la huelga por no ser una huelga novatoria** y, es más, del propio redactado de la resolución de la AN cabe

---

[958] ROQUETA BUJ, R. La suspensión de la huelga de los futbolistas como medida cautelar. Revista Aranzadi de Derecho de Deporte y Entretenimiento num. 47/2015. BIB 2015\2315

concluir que **no concurre el juicio provisional e indiciario favorable al fundamento de la pretensión de ilicitud**, exigible ex art. 728.2 LEC, pues **la mera especulación de que algunos de los objetivos de la huelga podrían tener por fin la modificación de lo pactado en el convenio no es un juicio indiciario ni mucho menos suficiente para suspender un derecho fundamental,** ya que afecta a sólo alguno de los objetivos de la huelga y no a todos y, sobre todo, lo hace de forma meramente hipotética o probable. Extrapolar este débil juicio indiciario a toda suspensión cautelar de derechos fundamentales puede llevar a resultados desastrosos.

- Afectación al contenido esencial de un derecho fundamental por medio de medida cautelar

Una cuestión sobre la que no cabe discusión alguna es que la suspensión cautelar de la huelga convocada para el día 16/05/2015, privó a la misma de toda potencial eficacia tanto en la fase previa (posible negociación), como en la fase de ejercicio del derecho (perjuicio causado a la empresa).

Sentada esta premisa, no es ocioso recordar que la huelga consiste en la cesación del trabajo en cualquiera de sus manifestaciones, núcleo que implica a su vez la facultad de declararse en huelga, estableciendo su causa, motivo y fin y la de elegir la modalidad que se considera más idónea al respecto, dentro de los tipos aceptados legalmente. En tal contexto también **resulta esencial la consecución de una cierta eficacia,** como indican las SSTC 41/1984, 123/92, entre otras, que consideran dicha eficacia como parte del contenido esencial del derecho.

Por tanto, **una resolución judicial que prive totalmente de eficacia a una huelga convocada, está afectando al contenido esencial del derecho.** ¿Es ello posible?

Nuestra doctrina constitucional configura el contenido esencial como una auténtica barrera para el legislador (SSTC 227/88, 61/97[959], 112/2006, entre otras):

---

[959] Son muchas las maneras posibles de fijar "la finalidad o utilidad social" que debe cumplir cada categoría de bienes objeto de propiedad privada, con tal de que no rebase el límite del contenido esencial. (FJ 22).

"... la **delimitación del contenido de los derechos (...) o la introducción de nuevas limitaciones no pueden desconocer su contenido esencial**, pues en tal caso no cabría hablar de una regulación general del derecho, sino de una privación o supresión del mismo que, aunque predicada por la norma de manera generalizada, se traduciría en un despojo de situaciones jurídicas individualizadas, no tolerado por la norma constitucional, salvo que medie la indemnización correspondiente".

Desde esta óptica, afirma gráficamente ALEXY[960] que "*los derechos fundamentales, en sí mismos, son restricciones a sus restricciones y a la posibilidad de restringirlos*".

En efecto, el TC considera que los derechos fundamentales pueden ceder, ante bienes, e incluso intereses constitucionalmente relevantes, siempre que el recorte que experimenten sea necesario para lograr el fin legítimo previsto, proporcionado para alcanzarlo y, *en todo caso*, sea **respetuoso con el contenido esencial** del derecho fundamental restringido[961]. De este modo, el TC ha mantenido que se rebasa o desconoce el contenido esencial cuando el derecho queda sometido a limitaciones que lo hacen impracticable, lo dificultan más allá de lo razonable o lo despojan de la necesaria protección (SSTC 37/87; 204/04, etc).

Pues bien, en el caso de autos se afectó el contenido esencial, y si ello no lo puede hacer el legislador, menos aún el juez, que está sometido al imperio de la Ley. En este punto no vale, como sostiene la resolución recurrida, acudir a la necesidad de proteger la tutela judicial efectiva, pues en los casos de colisión de derechos fundamentales juega el principio de proporcionalidad, que exige tratar los derechos como principios y no como normas, acudiendo a la técnica de la ponderación, para optimizar en todo lo posible cada uno de los derechos en liza, y no para aplicar uno e inaplicar otro, que es lo que termina por hacer la AN.

No entraremos ahora en la falta de soporte legal de la medida, que ya hemos abordado, pero sí vale la pena centrarse en **el juicio de proporcionalidad ante la hipotética colisión entre derecho de huelga y tutela judicial**

---

[960] ALEXY, Robert. Teoría de los derechos fundamentales. Trad. Carlos Bernal Pulido. Ed. CEPC 2ª edición. P. 257.

[961] SSTC 292/2000, de 30 de noviembre RTC 2000/292; 57/1994, de 28 de febrero, F. 6; 18/1999, de 22 de febrero, F. 2).

En este sentido, el juicio de proporcionalidad debería imperar en los casos de colisión, con los consiguientes estándares de idoneidad, necesidad y proporcionalidad en sentido estricto. Ahora bien, **no cabe proporcionalidad ahí donde se desconoce el contenido esencial.**

En efecto, una restricción que no respete el contenido esencial no puede ser nunca proporcionada, puesto que la restricción que consista en una vulneración del DF no es nunca idónea para alcanzar el fin constitucionalmente previsto, salvo que aceptemos la posibilidad que vulnerar un derecho fundamental sea medio idóneo para tutelar otro bien constitucionalmente protegido. Siendo esta mi opinión, comparto con algunos autores[962] que la **relación entre contenido esencial y principio de proporcionalidad está lejos de ser clara en la doctrina del TC,** como lo muestran las SSTC 66/99, 136/99, 202/99 o la más reciente STC 8/15, sobre la reforma laboral, que razona en términos de proporcionalidad sin considerar que en algunos casos se incide en el contenido esencial de los derechos, mientras que en la STC 202/99, en que el TC consideró que el almacenamiento no consentido de datos por una empresa no constituía una restricción desproporcionada del DF sino una vulneración de su contenido esencial.

A mi entender la correcta distinción de contenido esencial y de principio de proporcionalidad hace referencia a dos momentos diversos el de la delimitación y el de la restricción. Así, mientras el **contenido esencial se fija** *a priori*, en **el momento** previo **de la delimitación del contenido** del derecho, **la proporcionalidad actúa** *partiendo* **del derecho previamente delimitado, ergo** *a posteriori*; lo que explica que pueda haber restricciones que respeten el contenido esencial del DF y sean desproporcionadas, pero no restricciones que siendo proporcionadas respeten el contenido esencial.

Partiendo en el caso de autos de que hubo afectación al contenido esencial, privando a la huelga totalmente de su eficacia, hay que concluir que la medida cautelar fue también desproporcionadas.

---

[962] GONZÁLEZ BEILFUSS, Markus. El principio de proporcionalidad en la jurisprudencia del TC. Cuadernos Aranzadi del TC. Pp. 86-88.

11.1.5. Índice de casos

11.1.6. Bibliografía

ALEXY, Robert. Teoría de los derechos fundamentales. Trad. Carlos Bernal Pulido. Ed. CEPC 2ª edición.

Gabinete Estudios Jurídicos CCOO. La suspensión judicial del derecho de huelga: una vía ilegal para restringir este derecho fundamental. Análisis del Auto de 14 de mayo de 2015, de la Sala de lo Social de la Audiencia Nacional, en el conflicto del futbol profesional.

GÁRATE CASTRO, Javier. Derecho de Huelga. Ed. Bomarzo 2013. p. 87.

GARCÍA ROCA, J., SANTOLAYA, P. (Coord.) "La Europa de los Derechos. El Convenio Europeo de Derechos Humanos Ed. CEC. 2ª Edición. 2009.

GONZÁLEZ BEILFUSS, Markus. El principio de proporcionalidad en la jurisprudencia del TC. Cuadernos Aranzadi del TC. Pp. 86-88.

LASAGABASTER HERRARTE, I. "Convenio Europeo de Derechos Humanos. Comentario Sistemático. 2ª edición. Ed. Civitas Thomson-Reuters 2009.

MOLINA NAVARRETE, C. Poder en el fútbol y derecho de huelga: ¿un uso estratégico antihuelga de la justicia social cautelar? En: Revista de trabajo y seguridad social: comentarios y casos prácticos. N. 387 junio 2015, pp. 5-14. ISSN 1138-9532.

MONEREO ATIENZA, C.; MONEREO PÉREZ, J. L. "La Garantía Multinivel de los Derechos Fundamentales en el Consejo de Europa". Ed. Comares. 2017.

PÉREZ TREMPS, P.; SAIZ ARNAIZ, A., "Comentario a la Constitución Española. 40 aniversario 1979-2018. Libro homenaje a Luis López Guerra. Ed. Tirant Lo Blanch.

PINTO DE ALBUQUERQUE, P. "I Diritti umani in una prospettiva europea. Opinini concrrenti e dissenzienti (2011-2015)". A cura e con un saggio di Davide Galliani prefaziine di Paola Bilancia. Ed. B. Giappichelli Editori-2016.

PRECIADO DOMÈNECH, C. H. "Teoría General de los Derechos Fundamentales en el contrato de Trabajo". Ed. Thomson Reuters-Aranzadi. 2018.

PRECIADO DOMÈNECH, C. H. "La suspensión cautelar de la huelga de futbolistas en el Reino de España: el circo a cambio del pan". Revista Sinpermiso. 24/05/2015. Puede consultarse en: http://www.sinpermiso.info/textos/la-suspensin-cautelar-de-la-huelga-de-futbolistas-en-el-reino-de-espaa-el-circo-a-cambio-del-pan

QUERALT JIMÉNEZ, A. "La interpretación de los derechos: del Tribunal de Estrasburgo al Tribunal Constitucional". Ed. CEC. 2008.

RIPOL CARULLA, S., VELÁZQUEZ GARDETA, J. M. y AAVV "España en Estrasburgo. Tres Décadas bajo la Jurisdicción del Tribunal Europeo de Derechos Humanos. Ed… Aranzadi. Primera edición. 2010.

ROQUETA BUJ, R. La suspensión de la huelga de los futbolistas como medida cautelar. Revista Aranzadi de Derecho de Deporte y Entretenimiento num. 47/2015. BIB 2015\2315.

SARMIENTO,D.; MIERES MIRES, L.J.; PRESNO LINERA, M. "Las sentencias básicas del Tribunal Europeo de Derechos Humanos. Ed. Thomson Cititas. 2007.

SEMPERE NAVARRO, A.V. Suspensión cautelar de huelga novatoria (El conflicto futbolístico). Revista Española de Derecho del Trabajo núm. 176/2015. BIB 2015\2076.

12. PROHIBICIÓN DE EXPULSIONES COLECTIVAS DE PERSONAS EXTRANJERAS (ART. 4 DEL PROTOCOLO Nº 4 CEDH)

12. 1. CASO HIRSI JAMAA Y OTROS C. ITALIA
(STEDH 23 febrero 2012): Deportación masiva de refugiados. Operación de devolución en caliente en alta mar

12.1.1. Resumen del caso

Resumen de los hechos: los demandantes son 11 somalíes y 13 eritreos. Formaban parte de un grupo de unas doscientas personas que abandonaron Libia a bordo de tres embarcaciones con el objetivo de alcanzar la costa italiana.

El 6 de mayo de 2009, cuando dichas embarcaciones se hallaban en la zona marítima de búsqueda y salvamento que correspondía a la jurisdicción de Malta, fueron abordadas por barcos de vigilancia aduanera y guarda costas italianos. Los ocupantes de las embarcaciones interceptadas fueron transferidos a buques militares italianos y devueltos a Trípoli. Los demandantes alegan que durante el viaje, las autoridades italianas no les informaron de su destino y que no llevaron a cabo proceso alguno de identificación.

Una vez llegaron al puerto de Trípoli, tras diez horas de viaje, los migrantes fueron entregados a las autoridades libias. Según los demandantes, ellos se opusieron a su entrega a las autoridades libias, pero les obligaron por la fuerza a abandonar los buques italianos.

En una rueda de prensa que tuvo lugar al día siguiente, el ministro italiano del interior afirmó que las operaciones de interceptación de embarcaciones en alta mar y la devolución de los emigrantes a Libia traía causa de la entrada en vigor, en febrero de 2009, de acuerdos bilaterales concluidos con Libia, y constituía un hito importante en la lucha contra la inmigración clandestina.

Dos de los demandantes murieron en circunstancias desconocidas después de los hechos objeto de enjuiciamiento. Entre junio y octubre de 2009,

14 de los demandantes obtuvieron el estatuto de refugiado ante la oficina del Alto Comisariado para los refugiados (ACR) de Trípoli.

A consecuencia de la revuelta libia de febrero de 2011, empeoró la calidad de los contactos entre los demandantes y sus representantes. Los abogados están en contacto en la actualidad con 6 demandantes, de los cuales 4 residen en Bénin, Malta o en Suiza, estando algunos a la espera de respuesta a su solicitud de protección internacional.

Uno de los demandantes se halla en un campo de refugiados en Túnez a la espera de retornar a Italia. En junio de 2011, se otorgó el estatuto de refugiado a uno de los demandantes en Italia, a donde había llegado clandestinamente.

Resumen de los fundamentos jurídicos: **Artículo 1 CEDH: sobre la jurisdicción de Italia:** Italia no discute que los buques en los que fueron embarcados los demandantes estaban plenamente bajo su jurisdicción. El TEDH recuerda el principio de derecho internacional, contemplado en el código italiano de la navegación, conforme al que un buque en alta mar está sujeto a la jurisdicción exclusiva de su pabellón. El TEDH no puede aceptar la calificación de "salvamento en alta mar" opuesto por el Gobierno para describir los hechos, ni el pretendidamente reducido nivel de control ejercido sobre los demandantes. Los hechos se han desarrollado por completo a bordo de buques de las fuerzas armadas italianas, cuya tripulación estaba compuesta exclusivamente por militares italianos. Desde su embarque hasta su entrega a las autoridades libias, los demandantes se han encontrado bajo el control exclusivo, de hecho y de derecho, de las autoridades italianas. Por tanto, los hechos de que derivan las violaciones de los derechos que se denuncian, ocurren bajo la jurisdicción italiana en el sentido del art. 1 del CEDH.

En conclusión, el TEDH desestima por unanimidad la alegación de falta de jurisdicción aducida por el gobierno italiano.

a) Sobre la violación del Art. 3 CEDH (prohibición de torturas o de tratos inhumanos o degradantes)

- *Riesgo de sufrir malos tratos en Libia*

El TEDH, consciente de la presión que representa sobre los Estados el flujo constante de personas migrantes, particularmente complejo en el medio marítima, recuerda sin embargo que esta situación no les exime de su obligación de no expulsar una persona que se halle en riesgo de sufrir tratos prohibidos por el art. 3 en el país de destino.

Partiendo de la degradación de la situación en Libia desde abril de 2010, sin embargo el TEDH examina el caso en cuestión atendiendo sólo a la situación existente en el momento de los hechos.

En este sentido, considera que las preocupantes conclusiones de numerosas organizaciones en lo que se refiere al tratamiento de las personas inmigrantes clandestina vienen corroboradas por el informe del CPT (Comité para la Prevención de la Tortura), que se publicó en 2019. Personas inmigrantes irregulares y demandantes de asilo tratados indistintamente, sistemáticamente arrestados y encarcelados en condiciones que los observadores han calificado de inhumanas, informando concretamente de casos de tortura. Bajo un riesgo constante de devolución, los inmigrantes clandestinos, si están en libertad, viven precariamente y están expuestos al racismo.

El gobierno italiano ha sostenido que Libia es un lugar seguro para las personas migrantes y que este país respeta los compromisos internacionales en materia de asilo y protección de refugiados

El TEDH subraya que la existencia de textos internos y la ratificación de los tratados internacionales que garantizan el respeto de los derechos fundamentales no es suficiente, por sí mismo, para asegurar una protección adecuada contra el riesgo de malos tratos cuando fuentes fiables dan noticia de prácticas contrarias a los principios del CEDH.

Por otro lado, Italia no puede liberarse de su responsabilidad en virtud del CEDH invocando sus compromisos ulteriores derivados de los acuerdos bilaterales con Libia. La oficina del Alto Comisionado de los Refugiados (ACR) en Trípoli no ha sido reconocida por el gobierno Libio. Siendo evidente y notoria esta realidad en Libia y fácil de comprobar en la época de los hechos, las autoridades italianas sabían o debían saber en el momento de expulsar a los demandantes que se verían expuestos a tratos contrarios al CEDH.

Por otro lado, el hecho de que los demandantes no hayan solicitado de foram expresa asilo no libera a Italia de sus responsabilidades. El TEDH recuerda las obligaciones de los Estados derivadas del derecho internacional en materia de refugiados, entre las que figura el "principio de no devolución" que también consagra la Carta de los Derechos Fundamentales de la Unión Europea.

El TEDH, considerando de otra parte que la situación común de los demandantes y de otras numerosas personas inmigrantes clandestinas en Libia no impide la existencia del riesgo individual que ellos alegaban, concluye que al trasladarles a Libia las autoridades italianas les han expuesto, con pleno conocimiento de causa, a tratos contrarios a la Convención.

Por ello, el TEDH concluye por unanimidad que hubo violación del art. 3 CEDH.

- **_Riesgo de sufrir malos tratos en los países de origen de los demandantes_**

El carácter indirecto de la devolución de una persona extranjera no exonera de su responsabilidad al Estado que la lleva a cabo, el cual debe asegurarse de que el país intermediario ofrece garantías contra una repatriación arbitraria, sobre todo si este Estado no es pare del CEDH.

El conjunto de las informaciones de que dispone el TEDH indica claramente una situación de inseguridad generalizada en Somalia y Eritrea —riesgos de tortura y de detención en condiciones inhumanas, por el simple hecho de haber abandonado el país de forma irregular—. Por tanto, los demandantes podrían, de manera sostenible, defender que su repatriación vulneraría el art. 3 CEDH.

El TEDH, a continuación, ha indagado si las autoridades italianas podrían acogerse razonablemente a que Libia ofreciese las garantías suficientes contra las repatriaciones arbitrarias.

Partiendo de que Libia no ha ratificado la Convención de Ginebra sobre el estatuto de los refugiados y constatando la ausencia de todo procedimiento de asilo o de protección de personas refugiadas en ese país, el TEDH no comparte el argumento conforme al que la acción de la ACR en Trípoli supone una garantía contra las repatriaciones arbitrarias.

Por otro lado, casos de devoluciones forzadas de solicitantes de asilo y de refugiados han sido denunciados por Human Rights Watch y la ACR. De este modo, la obtención del estatuto de refugiado en Libia para ciertos demandantes, lejos de proporcionar seguridad constituye una prueba adicional de la vulnerabilidad de los interesados.

El TEDH concluye por unanimidad que hubo violación del art. 3 CEDH porque en el momento de transferir a Libia a los demandantes, las autoridades italianas supieron o debieron saber que no existían garantías suficientes para protegerles del riesgo de ser expulsados arbitrariamente a sus respectivos países de origen.

b) Sobre la violación del art. 4 del Protocolo nº 4 del CEDH: prohibición de expulsiones colectivas de personas extranjeras

a) *Admisibilidad:* el TEDH debe examinar por primera vez la aplicabilidad de este precepto en un caso de expulsión de extranjeros a un Estado tercero efectuado fuera del territorio nacional. Se ha examinado si el traslado de los demandantes a Libia ha sido constitutivo de una expulsión colectivo en el sentido de esta disposición. El TEDH observa que ni el texto ni los trabajos preparatorios de la Convención se oponen a una aplicación extraterritorial de este artículo. Por otro lado, limitar su aplicación a las expulsiones colectivas a partir del territorio nacional de los Estados miembros, eliminaría una parte importante de los fenómenos migratorios contemporáneos y privaría a las personas migrantes que se hacen al mar, a menudo arriesgando su propia vida, y que no logran alcanzar las fronteras de un Estado, de un examen de su situación personal anterior a la expulsión, al contrario de lo que acontece con los que siguen la vía terrestre.

La noción de expulsión como la noción de "jurisdicción", está fundamentalmente vinculada al territorio nacional. De todas formas, ahí donde el TEDH reconoce, como es el caso, que un Estado ha ejercido, a título excepcional, su jurisdicción fuera de su territorio nacional, puede admitir que el ejercicio de la citada jurisdicción extraterritorial de ese Estado se ha plasmado en una expulsión colectiva.

Por otro lado, la especialidad del contexto marítimo no debería conducir a la consagración de un espacio de "no derecho" en cuyo seno los individuos carecieran de todo régimen jurídico susceptible de garantizarles el disfrute de los derechos previstos por la Convención. Por tanto, el TEDH concluye por unanimidad que el art. 4 del Protocolo nº 4 resulta de aplicación al caso y la demanda es admisible en este punto.

b) *Fondo del asunto:* la transferencia de los demandantes a Libia tuvo lugar sin examinar las situaciones individuales de cada uno de ellos. No se llevó a cabo procedimiento alguno de identificación por parte de las autoridades italianas, que se limitaron a embarcarlos y después a desembarcarlos en Libia.

En este sentido, el TEDH concluye que la expulsión de los demandantes tuvo un carácter colectivo y, por ende, contrario al art. 4 del Protocolo nº 4.

Artículo 13 CEDH (derecho a un recurso efectivo). Se examina la vulneración del art. 13 CEDH combinado con el art. 3 y el art. 4 del Protocolo nº 4: el gobierno italiano admite que la verificación de las situaciones individuales de los demandantes no era viable a bordo de los buques militares en los que fueron embarcados. Por otro lado, entre la tripulación no había intérpretes ni asesores jurídicos. Los demandantes alegan que no recibieron información alguna por parte de los militares italianos, que les hicieron creer que los llevaban a Italia y que no les informaron sobre el procedimiento a seguir para impedir su expulsión a Libia. Esta versión de los hechos, por más que sea contradicha por el gobierno italiano, ha sido corroborada por numerosos testigos recopilados por el ACR, el CPT y Human Rights Watch, y el TEDH le confiere una particular importancia.

El TEDH reitera la importancia de garantizar a las personas afectadas por una medida de expulsión, cuyas consecuencias son potencialmente irreversibles, el derecho de obtener la información suficiente para poder tener un acceso efectivo a los procesos y poder interponer las consiguientes demandas. Un proceso penal contra los militares que estaban a bordo del buque, aunque fuera accesible en la práctica, no cumpliría con el criterio del efecto suspensivo que exige el art. 13 CEDH. Los demandantes también fueron privados de toda acción encaminada someter a una autoridad competente sus demandas conforme al art. 3 CEDH y el art. 4 del Protocolo nº 4, y de obtener un examen completo y riguroso dichas demandas antes de que la medida de expulsión fuera ejecutada. Por tanto, el TEDH concluye por unanimidad que hubo violación del art. 4 del Protocolo nº 4.

12.1.2. *Extractos del voto particular de Paulo Pinto*

«El asunto Hirsi trata, por un lado, de la protección internacional de refugiados, y, por otro lado, de la compatibilidad con el derecho internacional de ciertas políticas de inmigración y control fronterizo.

La cuestión fundamental en este caso es cómo debe Europa reconocer que los refugiados tienen "el derecho a tener derechos", como en su día dijera Hannah Arendt[963]. La solución a estos problemas políticos extremadamente delicados se encuentra en la intersección entre la legislación internacional en materia de derechos humanos y la legislación internacional en materia de refugiados. Aunque estoy de acuerdo con la sentencia de la Gran Sala, quiero analizar las cuestiones planteadas por el presente asunto en el marco de una interpretación completa basada en principios, que tenga en cuenta la conexión intrínseca que existe entre estos dos ámbitos del derecho internacional."
(…)

La prohibición de expulsiones colectivas

La obligación de no devolución conlleva dos consecuencias procesales: el deber de informar a toda persona extranjera de su derecho a beneficiarse de la protección internacional, y el deber de proporcionar a todo individuo un proceso justo y efectivo para la determinación y evaluación de su posible condición de refugiado. Cumplir con la obligación de no devolución exige que se evalúe el riesgo de sufrir daños al que se enfrenta cada persona. Esta evaluación solamente puede tener lugar si se otorga a los extranjeros el acceso a un procedimiento justo y efectivo mediante el cual sus casos sean examinados de manera individualizada. Estos dos aspectos están tan estrechamente interconectados que podría decirse que son las dos caras de la misma moneda. Por lo tanto, la expulsión colectiva de extranjeros es inaceptable.
La prohibición de expulsiones colectivas de personas extranjeras está contemplada el artículo 4 del Protocolo Núm. 4 CEDH, el artículo 19, apartado 1 de la CDFUE, el artículo 12, apartado 5 de la CADHP, el artículo 22, apartado 9 del CIADH, el artículo 26, apartado 2 de la CADH, el artículo 25, apartado 4 del CDHCEI y en el artículo 22, apartado 1 del Convenio Internacional sobre la Protección de los Derechos de Todos los Trabajadores Migrantes y de sus Familias.
Para que un procedimiento de determinación del estatuto de refugiado sea individual, justo y efectivo, debe necesariamente presentar por lo menos las siguientes características: (1) un plazo razonable dentro el cual sea posible presentar la solicitud de asilo, (2) una entrevista personal con el solicitante de asilo antes de que se adopte la decisión sobre su solicitud, (3) la oportunidad de presentar pruebas en apoyo de la solicitud y

---

[963] Hannah Arendt describió mejor que nadie el movimiento masivo de refugiados que tuvo lugar en el siglo XX, compuesto de hombres y mujeres normales que huyeron de la persecución por motivos de religión. "Un refugiado solía ser una persona obligada a buscar refugio por algún acto cometido o por sostener cierta opinión política. Bien, es verdad que nosotros tuvimos que buscar refugio, pero no cometimos acto alguno y la mayoría de nosotros nunca soñó con tener una opinión política radical. Con nosotros, el significado del término "refugiado" ha cambiado. Ahora "refugiados "son aquellos de nosotros que han tenido la desgracia de llegar a un país nuevo sin medios y que han tenido que recibir ayuda de los comités de refugiados." (Hannah Arendt, "Nosotros los Refugiados, en The Menorah Journal, 1943, reeditado en Marc Robinson (ed.), Altogether Elsewhere, Writers on exile, Boston, Faber and Faber, 1994).

de impugnar pruebas expuestas en su contra, (4) una decisión escrita completamente motivada y dictada por un órgano independiente de primera instancia, basada en la situación personal del solicitante de asilo y no solamente en una valoración general de su país de origen, teniendo el solicitante de asilo derecho a impugnar la presunción de seguridad de cualquier país en lo que a él mismo respecta, (5) un plazo razonable dentro del cual es posible interponer un recurso contra la decisión y un efecto suspensivo automático para todo recurso en contra de la decisión de primera instancia, (6) un control judicial completo y rápido de los motivos tanto fácticos como jurídicos en que se funda la decisión de primera instancia, y (7) asesoramiento y representación legal gratuita y, si fuere necesario, asistencia lingüística gratuita en primera y segunda instancia, así como un acceso libre al ACNUR y a cualquier otra organización que trabaje para ACNUR[964].

---

[964] Véanse, para las normas de la legislación internacional sobre derecho humanos y de la legislación sobre asilo, Andric contra Suecia, decisión del 23 de febrero de 1999, núm. 45917/99; Conka c. Bélgica, núm. 51564/99, párrafo 81-83, TEDH 2002-I; Gebremedhin [Gaberamadhien] contra Francia, núm. 25389/05, párrafo 66-67, TEDH 2007-II; M.S.S. contra Bélgica y Grecia, op. cit., párrafos 301-302 y 388-389; y I.M. contra Francia, núm. 9152/09, párrafo 154, 2 de febrero de 2012; el Informe del Gobierno italiano sobre la visita a Italia llevada a cabo por el Comité Europeo para la prevención de la tortura y de las penas o tratos inhumanos o degradantes (CPT) del 27 al 31 de julio de 2009, párrafo 27; la Recomendación Rec (2003)5 del Comité de Ministros del Consejo de Europa sobre las medidas de detención de solicitantes de asilo, la Recomendación No. R (98) 13 del Comité de Ministros sobre el derecho de los solicitantes de asilo rechazado a una vía de recurso contra les decisiones de expulsión en el contexto del artículo 3 del Convenio Europeo de Derechos Humanos, la Recomendación Rec (81)16 sobre la armonización de los procedimientos nacionales de asilo; la Recomendación 1327 (1997) de la Asamblea Parlamentaria del Consejo de Europa sobre la "Protección y consolidación de los derechos humanos de los refugiados y solicitantes de asilo en Europa"; las "Directrices sobre protección de los derechos humanos en el contexto de los procedimientos acelerados de asilo", adoptadas por el Comité de Ministros el 1 de julio de 2009, y "Mejorando los procedimientos de asilo: Análisis comparativo y recomendaciones legales y prácticas, Principales conclusiones y recomendaciones, un proyecto de investigación de ACNUR sobre la aplicación de las disposiciones clave de la Directiva de Procedimientos de Asilo en determinados Estados Miembros", Marzo de 2010, y los "Comentarios provisionales del ACNUR a la 'Propuesta de la Directiva Europea sobre normas mínimas para los procedimientos que deben aplicar los Estados miembros para conceder o retirar la condición de refugiado (Documento del Consejo 14203/04, 9 de noviembre de 2004)'," 10 de febrero de 2005; Consejo Europeo sobre Refugiados y Exiliados, "Nota Explicativa sobre la Directiva 2005/85/EC del Consejo Europeo del 1 de diciembre 2005 sobre normas mínimas para los procedimientos que deben aplicar los Estados miembros para conceder o retirar la condición de refugiado", IN1/10/2006/EXT/JJ; Comisión de Derecho Internacional, 62ª sesión, Ginebra, del 3 de mayo al 4 de junio y del 5 de julio al 6 de agosto de

Estas garantías procesales son de aplicación a todos los solicitantes de asilo, independientemente de su estatuto legal y de su situación personal, tal y como se contempla en la legislación internacional en materia de asilo[965] y en la legislación universal[966] y regional en materia de derechos humanos[967].

2010, "Sexto informe sobre la expulsión de extranjeros" presentado por el señor Maurice Kamto, relator especial, Addendum A/CN.4/625/Add.1, y el Informe de la Comisión de Derecho Internacional, 62ª sesión, del 3 de mayo al 4 de junio y del 5 de julio al 6 de agosto de 2010, Asamblea General, Documentos Oficiales, 65ª sesión, Suplemento Núm. 10 (A/65/10)A/65/10), párrafos 135-83; y el Comité sobre la Unión Europea de la Cámara de los Lores, "Handling EU Asylum Claims: New Approaches examined", HL Paper 74, 11º Informe del Periodo de Sesiones 2003-04, y "Minimum Standards in Asylum Procedures", HL Paper 59, 11º Informe del Periodo de Sesiones 2000-01.

[965] Conclusión Núm. 82 (1997) del Comité Ejecutivo del ACNUR, párrafo d (iii) y Conclusión Núm 85 (1998) del Comité Ejecutivo, párrafo q); ACNUR, Manual de procedimientos y criterios para determinar la condición de refugiado, HCR/IP/4/Eng/Rev.1, 1992, párrafos 189-223; y la Resolución 6/2002 de la Asociación de Derecho Internacional sobre Procedimientos para Refugiados (Declaración de normas internacionales mínimas para la protección de los refugiados), 2002, párrafos 1,5 y 8.

[966] Véanse el fallo del Tribunal Internacional de Justicia del 30 de noviembre de 2010 en el asunto Ahmadou Sadio Diallo, A/CN.4/625, párrafo 82, a la luz del artículo 13 del Pacto Internacional de Derechos Civiles y Políticos y del artículo 12, apartado 4 de la Carta Africana de Derechos Humanos y de los Pueblos; Comité de las Naciones Unidas contra la Tortura, SH contra Noruega, Comunicación Núm. 121/1998, 19 de abril de 2000, CAT/C/23/D/121/1998 (2000), párrafo 7.4, Falcón Ríos contra Canadá, Comunicación Núm. 133/1999, 17 de diciembre de 2004, CAT/C/33/D/133/1999, párrafo 7.3, Conclusiones y Recomendaciones: Francia, CAT/C/FRA/CO/3, 3 de abril de 2006, párrafo 6, Conclusiones y Recomendaciones: Canadá, CAT/C/CR/34/CAN, 7 de julio de 2005, párrafo 4, apartados (c) y (d), Análisis de informes presentados por Estados parte en relación con el artículo 19 del Convenio: China, CAT/C/CHN/CO/4, 21 de noviembre de 2008, párrafo 18 (D); Comité de Derechos Humanos de las Naciones Unidas, Observación General Núm. 15: La situación de los extranjeros con arreglo al Pacto, 1986, párrafo 10; Comité de las Naciones Unidas para la eliminación de la discriminación racial, Recomendación General 30: Discriminación de Extranjeros, CERD/C/64/Misc.11/rev.3, 2004, párrafo 26; y el Informe Final del señor David Weissbrodt, Relator Especial de las Naciones Unidas para la prevención de la discriminación, E/CN4/Sub2/, 2003, 23, párrafo 11; y el Informe Anual del señor Jorge Bustamante, Relator Especial de las Naciones Unidas para los Derechos Humanos de los Migrantes, Doc A/HRC/7/12, 25 de febrero de 2008, párrafo 64.

[967] Comisión Inter-Americana, Centro Haitiano para los Derechos Humanos y otros contra EEUU, caso 10.675, párrafo 163, en relación con el artículo XXVII de la

Esta conclusión no se ve alterada por el hecho de que el Tribunal haya decidido que el artículo 6 CEDH no resulta de aplicación a los procedimientos de expulsión o asilo[968] ni por la presencia en el artículo 1 del Protocolo Núm. 7 de algunas garantías procesales relativas a las personas extranjeras expulsados. El artículo 4 del Protocolo Núm. 4 y el artículo 1 del Protocolo Núm. 7, poseen la misma naturaleza: ambos establecen garantías procesales, pero son esencialmente diferentes en su ámbito de aplicación personal. El ámbito personal de aplicación de las garantías procesales establecidas en el artículo 4 del Protocolo Núm. 4 es mucho más amplio que el del artículo 1 del Protocolo Núm. 7, puesto que la primera de estas dos disposiciones se aplica a todos los extranjeros independientemente de su estatuto legal y de su situación personal, mientras que la segunda de ellas se aplica únicamente a aquellos extranjeros residentes en el Estado responsable de la expulsión[969].

Declaración Americana de Derechos Humanos; y la sentencia del Tribunal de Justicia de la Unión Europea del 28 de julio de 2011, en el caso Brahim Samba Diouf, en relación con el artículo 39 de la Directiva 2005/85/CE.

[968] En cuanto al procedimiento de expulsión, véase Maaouia contra Francia ([GS], núm. 39652/98, TEDH 2000-X) y en cuanto al procedimiento de asilo, véase Katani contra Alemania [(dec), núm. 67679/01, 31 de mayo de 2001]. Comparto las dudas de los jueces Loucaides y Trabaja en cuanto el argumento según el cual, en razón del presunto elemento discrecional y de orden público de las decisiones adoptadas en los procedimientos, no se puede considerar que éstos determinen los derechos civiles de las personas en cuestión. Mis dos mayores motivos son los siguientes: en primer lugar, esas decisiones tendrán necesariamente consecuencias importantes sobre la vida privada y social-profesional del extranjero; en segundo lugar, esas decisiones no son discrecionales para nada y no están sujetas a obligaciones internacionales, como las derivadas de la prohibición de devolución. En cualquier caso, las garantías del procedimiento de asilo también pueden derivarse del artículo 4 del Protocolo Núm. 4 e incluso del mismo Convenio. De hecho, el Tribunal ya ha utilizado el artículo 3 del Convenio como base para evaluar si un procedimiento de asilo era justo (Jabari contra Turquía, núm. 40035/98, párrafos 39-40, TEDH 2000-VIII). Por añadidura, el Tribunal ya ha invocado el artículo 13 del Convenio para denunciar la falta de una vía de recurso efectiva en contra del rechazo de una solicitud de asilo [Chahal, op. cit., párrafo 153, y Gebremedhin (Gabermadhien), op. cit., párrafo 66]. En otras palabras, el contenido de las garantías procesales de la prohibición de devolución deriva, al fin y al cabo, de los artículos del Convenio para la protección de los derechos humanos que no admiten derogación alguna (como, por ejemplo, el artículo 3), examinados en relación con el artículo 13, así como del artículo 4 del Protocolo Núm. 4.

[969] Véase Conka, op. cit., caso en el que los demandantes, en el momento de su expulsión, ya habían perdido su permiso para permanecer en el país y habían recibido la orden de abandonarlo. Véanse también, en relación con la aplicabilidad de otros convenios regionales a los extranjeros presentes en el territorio de manera ilegal, el

*Una vez establecido que el principio de no devolución resulta aplicable a todo actuación de un Estado incluso la que tiene lugar fuera de sus fronteras, la conclusión lógica es **que la garantía procesal de una evaluación individualizada de todas las solicitudes de asilo y la consiguiente prohibición de expulsiones colectivas no se aplican solamente en el territorio terrestre y marítimo de un Estado, sino también en alta mar**[970]. De hecho, ni el tenor literal ni la ratio del artículo 4 del Protocolo Núm. 4 impiden que el mismo sea de aplicación extraterritorial. El texto de la disposición no contiene límite territorial alguno. Además, la disposición hace referencia a "extranjeros" en un sentido amplio, no a "residentes", ni siquiera a "migrantes". El propósito de esta disposición es garantizar el derecho a presentar una solicitud de asilo que sea examinada de forma individualizada e independientemente de la manera en la que el solicitante de asilo haya entrado en el país, ya sea por tierra, mar o aire, legal o ilegalmente. De la misma manera, la finalidad de esa norma exige también una interpretación amplia del concepto de expulsión colectiva, que incluya toda operación colectiva de extradición, expulsión, traslado informal, "restitución" rechazo, negativa de admisión, o cualquier otra medida colectiva a consecuencia de la cual un solicitante de asilo se vea obligado a permanecer en su país de origen, sea cual sea el lugar en el que tenga lugar esta operación. El fin que persigue esta norma podría ser fácilmente defraudado si los Estados tuvieran derecho a situar un buque militar en alta mar o al límite de las aguas territoriales nacionales y comenzaran a rechazar de manera colectiva y sistemática todas las solicitudes de asilo o incluso de abstenerse de valorar el estatuto de refugiado de las personas implicadas. Por lo tanto, esta disposición debe interpretarse en coherencia con el objetivo de proteger a las personas extranjeras de las expulsiones colectivas.*

En conclusión, el carácter extraterritorial de la garantía procesal establecida en el artículo 4 del Protocolo Núm. 4 CEDH, está en completa harmonía con la extensión extraterritorial de la misma garantía prevista tanto en la legislación internacional en materia de asilo, como en la legislación universal sobre derechos humanos.

Responsabilidad del Estado por vulneraciones de derechos humanos durante controles de inmigración y de fronteras

El control de la inmigración y de las fronteras constituye una función esencial del Estado y, en todas sus formas, este control implica el ejercicio de la jurisdicción del

---

Tribunal Inter-Americano de Derechos Humanos, "Medidas provisionales solicitadas por la Comisión Interamericana de Derechos Humanos respecto de la República Dominicana: Caso de Haitianos y Dominicanos de Origen Haitiano en la República Dominicana", resolución del tribunal del 18 de agosto de 2000; y la Comisión Africana sobre Derechos Humanos y de los Pueblos, Rencontre Africaine pour la Défense des Droits de l'Homme contra Zambia, comunicación Núm. 71/92, octubre de 1996, párrafo 23, y Union Inter-Africaine des Droits de l'Homme y otros contra Angola, comunicación Núm. 159/96, 11 de noviembre de 1997, párrafo 20.

[970] A este respecto, véase también la Resolución 1821 (2011) 1 de la Asamblea Parlamentaria del Consejo de Europa sobre la intercepción y el salvamento en el mar de solicitantes de asilo, refugiados y migrantes irregulares, párrafos 9.3-9.6.

Estado. Por lo tanto, todas las formas de control de inmigración y de fronteras lleva-das a cabo por un Estado parte del CEDH están sujetas a las normas sobre derechos humanos establecidas en este Convenio así como a la supervisión del Tribunal[971], con independencia del tipo de personal encargado de las mismas y del lugar en el que se hayan llevado a cabo tales operaciones.

Generalmente el control de la inmigración y de las fronteras se encomienda a funcio-narios del Estado posicionados en diversos puntos a lo largo de las fronteras de un país, especialmente en lugares de tránsito de personas y mercancías, como puertos y aeropuertos. Pero ese mismo control también puede llevarse a cabo por otro tipo de profesionales y en otros lugares. De hecho, son irrelevantes tanto la capacidad formal del funcionario del Estado que ejecute el control fronterizo, como la circunstancia de que vaya o no armado.

Las normas del Convenio vinculan a todo representante, funcionario, delegado, em-pleado público, agente de policía u otro tipo de agente encargado de la aplicación de la ley, militar o empleado civil contratado provisionalmente, o todo miembro de una empresa privada que, de conformidad con una autorización legal estatal, desempeñe la función de control fronterizo en nombre de una Alta Parte Contratante[972].

Mientras el control de inmigración o de fronteras haya sido llevado a cabo en re-presentación del Estado parte, poco importa si tuvo lugar en el territorio terrestre o marítimo del Estado, en sus misiones diplomáticas, en buques militares, en navíos registrados en el Estado o efectivamente controlados por él, en navíos pertenecientes a otro Estado o en una instalación establecida en el territorio de otro Estado o un territorio cedido por otro Estado[973].

Un Estado no puede eludir sus obligaciones convencionales para con los refugiados acudiendo a la estratagema de cambiar su lugar o situación determinadas. A fortiori, la "escisión" de una parte del territorio de un Estado de la zona de migración para evitar la aplicación de las garantías legales generales en cuanto a las personas que lleguen a esa parte del territorio "extirpado" significa que el Estado en cuestión está incumpliendo de manera flagrante las obligaciones que le impone la legislación in-ternacional[974].

---

[971] Véase la sentencia del asunto que sentó jurisprudencia Abdulaziz, Cabales y Balkandalicontra Reino Unido, 28 de mayo de 1985, párrafo 59, Serie A núm. 94.

[972] Lauterpacht y Bethlehem, op. cit., párrafo 61; y Goodwin y McAdam, op. cit., p. 384.

[973] Lauterpacht y Bethlehem, op. cit., párrafo 67; Goodwin-Gill, "The right to seek asylum: interception at sea and the principle of no devolución", Conferencia Inaugu-ral en el Palais des Académies de Bruselas, 16 de febrero de 2011, p. 5; y Goodwin y McAdam, op. cit., p. 246.

[974] Véase Bernard Ryan, "Extraterritorial immigration control, what role for legal guarantees?", en Bernard Ryan y Valsamis Mitsilegas (eds), Extraterritorial immigra-tion control, legal challenges, Leiden, 2010, pp. 28-30.

Por lo tanto, el Convenio rige sobre toda la variedad concebible de políticas de inmigración y de fronteras, como la negativa a otorgar permisos de entrada en aguas territoriales, a proporcionar visados, a autorizar desembarcos o el suministro de fondos, material o personal para las operaciones de control de inmigración llevadas a cabo por otros Estados o por organizaciones internacionales en nombre de la Alta Parte Contratante. Todas estas políticas constituyen formas de ejercitar, por parte de un Estado, su función de control fronterizo así como una manifestación de la jurisdicción del Estado, independientemente del lugar en el que son aplicadas y de quién las lleve a cabo[975].

La jurisdicción de un Estado en cuanto al control de la inmigración y las fronteras naturalmente implica la responsabilidad del Estado por toda violación de los derechos humanos que se produzca durante la ejecución de este control. Las normas aplicables sobre la responsabilidad internacional por violaciones de derechos humanos son las establecidas en los Artículos sobre la Responsabilidad del Estado por Hechos Internacionalmente Ilícitos, anexados y confirmados mediante la Resolución 56/83 de 2001 de la Asamblea General de las Naciones Unidas[976]. Las normas del Convenio imponen obligaciones a la Alta Parte Contratante, cuya responsabilidad no es menor por el hecho de que un Estado no contratante también sea responsable del mismo acto. Por ejemplo, la presencia de un agente de un Estado no contratante a bordo del buque militar perteneciente a un Estado parte o de un buque controlado por un Estado

---

[975] En el párrafo 45 de la decisión Regina contra el Agente del Servicio de Inmigración del Aeropuerto de Praga y otros (partes demandadas) a instancia del Centro Europeo para los Derechos de los Romaní y otros (demandantes), la Cámara de los Lores reconoció que, en realidad, las operaciones de despacho previo "representan un ejercicio de autoridad gubernamental" sobre las personas qué son el objeto de estas operaciones. Sin embargo, los Lores no estaban convencidos de que el denegar el acceso para embarcar en un avión en un aeropuerto extranjero pudiese ser considera un acto de devolución en el sentido del Convenio de las Naciones Unidas sobre Refugiados

[976] Hoy en día, estas normas constituyen el derecho internacional consuetudinario (TIJ, Aplicación del Convenio sobre la Prevención y la Sanción del Delito de Genocidio (Bosnia y Herzegovina contra Serbia y Montenegro), fallo del 26 de febrero de 2007, párrafo 420; y, entre académicos juristas, McCorquodale y Simons, "Responsibility Beyond Borders: State responsibility for extraterritorial violations by corporations of international human rights law", Modern Law Review, 70, 2007, p. 601, Lauterpacht y Bethlehem, op. cit., p. 108, y Crawford y Olleson, "The continuing debate on a UN Convention on State Responsibility", International and Comparative Law Quarterly, 54, 2005, p. 959) y son aplicables a las violaciones de los derechos humanos (Crawford, The International Law Commission's articles on state responsibility: Introduction, text and commentaries, Cambridge, 2002, p. 25; y Gammeltoft-Hansen, "The externalisation of European migration control and the reach of international refugee law", en European Journal of Migration and Law, 2010, p. 8).

parte no exime a este último de las obligaciones impuestas por el Convenio (artículo 8 de los Artículos sobre la Responsabilidad del Estado). En cambio, la presencia de un agente de un Estado parte a bordo de un buque militar perteneciente a un Estado no contratante o de un buque controlado por un Estado no contratante implica que la Alta Parte Contratante colaboradora sea considerada responsable de toda violación del Convenio (artículo 16 de los Artículos sobre la Responsabilidad del Estado).

Violación del Convenio por parte del Estado italiano

Según los principios mencionados anteriormente, las "devoluciones" en alta mar llevadas a cabo por Italia en el contexto de las operaciones de control fronterizo, combinadas con la falta de un procedimiento individual, justo y efectivo para identificar a posibles solicitantes de asilo, constituyen una violación grave de la prohibición de expulsiones colectivas de extranjeros y, por lo tanto, del principio de no devolución[977]. En el marco de la operación de "devolución" impugnada se produjo la expulsión de los demandantes a bordo de un navío militar perteneciente a la marina italiana. Tradicionalmente, los navíos en alta mar son considerados como una extensión del territorio del Estado cuya bandera enarbolan[978]. Esta es una afirmación indiscutible del derecho internacional, que ha quedado consagrada en el artículo 92 (1) del Convenio de las Naciones Unidas sobre el Derecho del Mar (CDM), y es aún más cierta en el caso de un buque militar que se considera, citando a Malcolm Shaw, "un brazo armado de la soberanía del Estado del pabellón"[979]. El artículo 4 del Código de Navegación italiano establece este mismo principio cuando dispone que "los navíos italianos en alta mar [o en espacios o aéreos] que no estén sujetos a la jurisdicción de un Estado serán considerados territorio italiano." En resumen, cuando los demandantes embarcaron a bordo de los navíos italianos en alta mar, entraron en territorio italiano, en el sentido figurado de dicha expresión, beneficiándose ipso facto de todas las obligaciones aplicables correspondientes a una Alta Parte Contratante del CEDH y del Convenio de las Naciones Unidas sobre Refugiados.

El Estado demandado alega que las operaciones de devolución en alta mar estaban justificadas en virtud del derecho del mar. Se podrían considerar cuatro motivos de justifi-

---

[977] El Comité Europeo para la Prevención de la Tortura y de las Penas o Tratos Inhumanos o Degradantes (CPT) llegó a la misma conclusión en su informe al Gobierno italiano sobre su visita a Italia del 27 al 31 de julio de 2009 (véase el párrafo 48).

[978] Véase el fallo del Tribunal Permanente de Justicia Internacional en el Caso Lotus (Francia contra Turquía), fallo del 27 de septiembre de 1927, párrafo 65, en el que el Tribunal afirmó claramente lo siguiente: "Un corolario del principio de libertad de mares es que un barco en alta mar es asimilado al territorio del estado del pabellón que enarbola, porque, al igual como en su propio territorio, ese Estado ejerce su autoridad sobre ese barco y ningún otro Estado puede hacerlo. Por lo tanto, lo que ocurre a bordo de un barco que se encuentra en alta mar debe ser considerado como si hubiese ocurrido en el Estado cuyo pabellón enarbola el barco."

[979] Shaw, International Law, Quinta Edición, Cambridge, p. 495.

cación: el primero, invocando el artículo 110, apartado (1) (d) del CDM, examinado en relación con el artículo 91, que autoriza el abordaje de navíos sin pabellón alguno, como los que frecuentemente transportan a migrantes ilegales a través del Mar Mediterráneo; el segundo, invocando el Artículo 110, apartado (1) (b) del CDM, que autoriza a los barcos a abordar navíos en alta mar si existen motivos razonables de sospechar que el barco está implicado en el tráfico de esclavos o, por extensión, que contiene víctimas de tráfico de seres humanos, a la vista de las similitudes entre estas formas de comercio[980]; el tercero, invocando el artículo 8, apartados (2) y (7) del Protocolo contra el Contrabando de Migrantes por Tierra, Mar y Aire, que complementa el Convenio de las Naciones Unidas contra la Delincuencia Organizada Transnacional, que autoriza los Estados a interceptar y adoptar las medidas adecuadas en contra de todo navío con respecto al cual exista una sospecha razonable de que esté implicado en contrabando de migrantes; y el cuarto, basado en el deber establecido en el artículo 98 del CDM de proporcionar asistencia a toda persona en peligro o en grave dificultad en alta mar. En todos estos casos, los Estados están a la vez sometidos a la prohibición de devolución. Ninguna de estas disposiciones puede ser razonablemente invocada para justificar una excepción a la obligación de no devolución y, por lo tanto, a la prohibición de expulsión colectiva.

Solamente una interpretación errónea de estas disposiciones, cuyo objetivo es garantizar la protección de individuos especialmente vulnerables (víctimas de tráfico de seres humanos, personas en peligro o en dificultad grave en alta mar), podría justificar devolver a estas personas a los países de los que han huido, exponiéndolos así a un riesgo adicional de ser sometidos a malos tratos. Como así declaró el representante francés, el señor Juvigny, durante la discusión del Comité Ad Hoc sobre el proyecto del Convenio sobre Refugiados, "No existe peor catástrofe para un individuo que ha conseguido, a duras penas, abandonar un país en el que era víctima de persecución, que la de ser devuelto a ese país, al margen de las sanciones que allí le esperan"[981].

Si existe un caso en el que el Tribunal debe establecer medidas concretas de ejecución, helo aquí.

El Tribunal considera que el Gobierno italiano deber tomar medidas para obtener garantías por parte del Gobierno libio de que los demandantes no serán sometidos a tratos incompatibles con el Convenio, inclusive la devolución indirecta. Esto no es suficiente. El Gobierno italiano también tiene una obligación positiva de proporcionar a los demandantes un acceso práctico y efectivo al procedimiento de asilo en Italia.

Las palabras del Juez Blackmun son una fuente de inspiración demasiado potente como para ser olvidadas. Los refugiados que intentar huir de África no exigen un derecho de admisión en Europa. Solamente piden que Europa, la cuna del estado de derecho y del idealismo promotor de los derechos humanos, deje de cerrar sus puertas a las personas desesperadas que han huido de la arbitrariedad y la violencia. Es una súplica muy modesta, defendida por el CEDH, ante la cual "no deberíamos hacer oídos sordos.»

---

[980] Véanse los informes del Grupo de Trabajo sobre Formas Contemporáneas de Esclavitud, Doc E/CN.4/Sub.2/1998/14, 6 de julio 1998, rec. 97, y UN Doc E/CN.4/Sub.2/2004/36, 20 de julio de 2004, rec. 19-31.

[981] UN doc. E/AC.32/SR.40

12.1.3. Doctrina del TEDH sobre las expulsiones colectivas de personas extranjeras[982]

El **Protocolo nº 4 al CEDH, de 16 de septiembre de 1963**[983], contempla cuatro derechos no previstos en el CEDH, concretamente: Prohibición de prisión por deudas (art. 1); Libertad de circulación (Art. 2); Prohibición de la expulsión de los nacionales (Art. 3) y **Prohibición de las expulsiones colectivas de extranjeros (Art. 4).**

El art. 4 del Protocolo establece que "*Quedan prohibidas las expulsiones colectivas de extranjeros*".

Se trata del **primer instrumento internacional que aborda la cuestión de las expulsiones colectivas de personas extranjeras**, pero no del único (vid.: art. 4 CIADH; art. 12.5 CADH), destacando en este punto el art. 19.1 CDFUE que prohíbe las expulsiones colectivas en el ámbito eurounitario.

Conforme a la doctrina del TEDH, (Hirsi Jamaa y otros c. Italia, F.177), "… **el objetivo que persigue el artículo 4 del Protocolo Núm. 4** es el de impedir que los Estados puedan expulsar a determinados extranjeros sin antes examinar sus circunstancias personales y, de esta manera, sin dejarles presentar sus argumentos en contra de la medida adoptada por la autoridad competente".

Partiendo de cuanto antecede, en las próximas líneas examinaremos el concepto de "expulsión colectiva", el concepto de "extranjeros" y algunas cuestiones de jurisdicción y aplicación territorial del Protocolo nº 4.

El concepto de "expulsión colectiva", ha sido perfilado por una nutrida jurisprudencia del TEDH, que la define como "cualquier medida de las autoridades competente que compela a personas extranjeras como un grupo a dejar el país, excepto cuando tal medida sea adoptada en base a un examen objetivo y razonable de los casos particulares de cada uno de los individuos

---

[982] Véase la Guía del Artículo 4 del Protocolo nº 4 del CEDH, actualizada a 30 de abril de 2019. Puede consultarse en: https://www.echr.coe.int/Documents/Guide_Art_4_Protocol_4_ENG.pdf

[983] Aprobado y ratificado en España mediante Instrumento de Ratificación publicado en el BOE de 13 de octubre de 2009, y vigente en España desde el 16 de septiembre de 2009.

de dicho grupo (DTEDH 23 febrero 1999, Caso Andric c. Suecia; STE-DH 5 febrero 2002, Caso Conka c. Bélgica, F.59; STEDH 20 septiembre 2007, Caso Sultani c. Francia, F. 81)[984].

El término expulsión tiene el mismo significado que en el art. 3 del Protocolo nº 4, que prohíbe la expulsión de nacionales, de acuerdo con los redactores del Protocolo nº 4, **el término "expulsión" debería interpretarse en el sentido común o vulgar** (alejar de un lugar) [Vid. Hirsi Jamaa y otros c. Italia —ya citada— (f.174)]. Por ello, que la normativa nacional califique un procedimiento de expulsión como "denegación de entrada con expulsión", no supone que se inaplique el art. 4 del Protocolo nº 4 al caso en cuestión (Vid. STEDH 15 diciembre 2016, Caso Khlaifia y otros c. Italia, f.243-244).

El **hecho de que cierto numero de personas extranjeras reciba decisiones similares no lleva a la conclusión de que hay una "expulsión colectiva"**, cuando cada persona interesada ha tenido la oportunidad de exponer sus razones contra su expulsión a las autoridades competentes y de forma individualizada (Alibaks y otros c. Holanda, Andric c. Suecia y Sultani c. Francia, F.81, ya citadas). Eso no significa que en los casos en que haya habido un examen objetivo y razonable del caso particular, los antecedentes de la ejecución de las órdenes de expulsión ya no jueguen papel alguno en la determinación de si se ha cumplido el art. 4 del Protocolo nº 4. (Conka c. Bélgica, F.59, ya citada).

No se vulnera el art. 4 del Protocolo nº 4 si la falta de la decisión individualizada de expulsión se ha producido por culpa del demandante. Así, por ejemplo, en la DTEDH 16 junio 2005, Caso Berisha y Haljiti c. La Ex-República Yugoslava de Macedonia, en que los demandantes habían seguido un procedimiento conjunto de asilo y, por tanto, había recibido una resolución común o en la DTEDH 1 febrero 2011, Caso Dritsas c. Italia, en que los demandantes se negaron a exhibir sus documentos de identidad a la policía y, por lo tanto, esta última no pudo redactar órdenes de expulsión a nombre de los demandantes.

---

[984] Ver también las Decisiones de la CEDH: DCEDH 3 octubre 1975, Caso Becker c. Dinamarca; DCEDH 1 marzo 1977, Caso K.G. c. Alemania; DCEDH 3 marzo 1978, Caso O. y otros c. Luxemburgo; DCEDH 16 diciembre 1988, Caso Alibaks y otros contra Holanda y DCEDH 11 enero 1995, Caso Tahiri c. Suecia.

El concepto de "extranjeros": Las personas extranjeras a que se refiere el art. 4 del Protocolo nº 4 no son solo aquellos que residen legalmente en el territorio, sino también "todos aquellos que carecen de un derecho a la nacionalidad en un Estado, tanto si están de paso en un país, como si residen o están domiciliados en el mismo, como aquellos que son refugiados o entran en un país por iniciativa propia, como aquellos que son apátridas o tienen otra nacionalidad".

De acuerdo con tal interpretación, el TEDH ha aplicado al art. 4 del Protocolo nº4 el artículo no hace referencia a los extranjeros que residen de manera legal en un territorio sino a "todos aquellos que, en realidad, no tienen derecho a obtener nacionalidad de un Estado, tanto los que están transitando por un país como los que residen o están domiciliados en él, tanto los refugiados como los que entraron en el país por iniciativa propia, y tanto si son apátridas como si poseen otra nacionalidad" (Vid. Hirsi Jamaa F. 174 y STEDH 3 julio 2014, Caso Georgia c. Rusia, F.170);y todo ello tanto si son residentes legales en el Estado demandado, como si no lo son.

En relación a las cuestiones sobre jurisdicción: La mayor parte de los casos de los que ha conocido el TEDH trataban sobre personas extranjeras que ya estaban en el territorio del Estado demandado[985], en cuyo caso no se han planteado cuestiones de aplicabilidad.

En cambio, precisamente en Hirsi Jamaa y otros c. Italia, se trata de una operación de expulsión que se produce tras un salvamento en Alta Mar. Como ya se ha visto,tanto en el resumen de la sentencia, como en los extractos del voto particular de Paulo Pinto, la conclusión que se alcanza es la aplicación del CEDH en estos caos. Así en el f.178 de Hirsi Jamaa se dice:

"(…) existen también casos como el presente en los que el Tribunal ha estimado que una Alta Parte Contratante ha ejercitado su jurisdicción fuera de los límites de su territorio nacional. En tales casos, el Tribunal ha admitido que el ejercicio de la jurisdicción extraterritorial por parte de tales Estados se manifestó en forma de expulsiones colectivas. Si se llegara a una conclusión distinta y se otorgara a este concepto una dimensión estrictamente territorial, ello resultaría en una discrepancia entre el ámbito de aplicación del Convenio como tal y el del artículo 4 del Protocolo Núm. 4, lo cual estaría en contradicción con el principio según el cual el Convenio debe ser objeto de una interpretación de conjunto. Además, el Tribunal ya ha considerado, en

---

[985] Vid. DCEDH 1 marzo 1977, Caso K.G. c. Alemania; o las ya citadas DCEDH Andric c. Suecia STEDH Conca c. Bélgica.

relación con el ejercicio por parte de un Estado de su jurisdicción en alta mar, que la naturaleza especial del medio marítimo no justifica la existencia de una zona de no derecho, en la que los individuos se encuentran desprovistos de un sistema jurídico susceptible de proteger los derechos y garantías de los que disfrutan en virtud del Convenio y que los Estados se han comprometido a garantizar a toda persona bajo su jurisdicción (véase Medvedyev y otros, op. cit. apartado 81)."

En efecto, si el **artículo 4 del Protocolo Núm. 4 fuera aplicable solamente a las expulsiones colectivas del territorio nacional** de los Estados parte al Convenio, **una parte importante de las tendencias migratorias contemporáneas quedarían fuera de su ámbito de aplicación**, a pesar de que el tipo de comportamiento que esta disposición busca evitar puede tener lugar fuera del territorio nacional y en particular, como ocurre en el presente caso, en alta mar. En tal caso, **el artículo 4 resultaría entonces ineficaz en la práctica para tratar ese tipo de situaciones, las cuales, no obstante, están en aumento**. Como consecuencia y a diferencia de los emigrantes por vía terrestre, los emigrantes por vía marítima, quienes arriesgan frecuentemente sus vidas sin conseguir alcanzar las fronteras de un Estado, serían expulsados sin antes poder beneficiarse de un examen de sus circunstancias personales. (vid. Hirsi Jamaa, F.177).

El mismo enfoque se ha seguido en la STEDH 21 octubre 2014, Caso Sharifi y otros c. Italia y Grecia (f.210-213), en un caso de deportación a Grecia de personas inmigrantes que habían viajado de forma clandestina como polizones en buques que llegaron a Italia, al puerto de Ancona. Se rechazó en este caso la excepción del Gobierno italiano de que el art. 4 no era aplicable *ratio materiae* a los casos de denegación de entrada en el territorio nacional a personas que habían llegado de forma ilegal. El TEDH consideró innecesario determinar si las personas migrantes habían sido interceptado al llegar a territorio italiano o antes, puesto que en ambas situaciones resultaba de aplicación del art. 4 del Protocolo nº 4.

Para terminar, el TEDH ha considerado que **había expulsión colectiva de extranjeros**, además de en Hirsi Jamaa c. Italia, entre otros, en:

– STEDH 5 febrero 2002, Caso Conka c. Bélgica.

– STEDH 3 julio 2014, Caso Georgia c. Rusia.

– STEDH 21 octubre 2014, Caso Sharifi y otros c. Italia y Grecia.

– STEDH 20 diciembre 2016, Caso Shioshvili y otros c. Rusia.

- STEDH 20 diciembre 2016, Caso Berdzenishvili y otros c. Rusia.

- STEDH 3 octubre 2017, Caso N.D. y N.T. contra España.

Al contrario, el TEDH no ha apreciado que se vulnerase el art. 4 del Protocolo nº 4, entre otras, en:

- STEDH 20 septiembre 2007, Caso Sultani c. Francia.

- STEDH 23 julio 2013, Caso M.A. c. Chipre.

- STEDH 15 diciembre 2016, Caso Khlaifia y otros c. Italia.

12.1.4. Proyección en España de la prohibición de expulsión colectiva de extranjeros. La STEDH 3 octubre 2017, Caso N.D. y N.T c. España

Siendo España un país frontera de la UE no es de extrañar que la misma haya sido objeto de pronunciamientos del TEDH, concretamente en materia de expulsión colectiva de personas extranjeras.

Nos referimos a la importantísima sentencia condenatoria: **STEDH 3 octubre 2017, Caso N.D. y N.T c. España**, que trata sobre las expulsiones colectivas en la valla de Melilla, tristemente conocidas como "expulsiones en caliente", a cuyo comentario dedicaremos este apartado, puesto que constituye la proyección de la doctrina del TEDH en materia de expulsiones en caliente en España. Existen al cerrar este trabajo casos aún pendientes ante el TEDH, como Doumbe Nnabuchi c. España (nº 19420/15), Balde y Abel c. España (Nº 20351/17), respecto de los cuales el TEDH no ha dictado aún sentencia.

En el *caso N.D y N.T c. España* se trata sobre las **expulsiones en caliente en la valla de Melilla. En lo que aquí interesa, los hechos se resumen como sigue:** El 13 de agosto de 2014, los demandantes, procedentes de Mali y Costa de Marfil abandonaron el campamento del Monte Gurugú en Marruecos y trataron de entrar en España con un grupo de inmigrantes subsaharianos por la frontera de Melilla.

Este puesto fronterizo se caracteriza por tres vallas sucesivas, dos exteriores con una altura de 6 metros y una interior de 3 metros. Se instaló un sistema de cámaras de vídeo vigilancia por infrarrojos y de sensores de movimiento. Por la mañana, los demandantes y otros inmigrantes saltaron la primera valla. Declaran haber sido objeto de un ataque por parte de las autoridades marroquís que les lanzaban piedras. El primer demandante consiguió escalar hasta el alto de la tercera valla y se quedó hasta el mediodía, sin asistencia médica ni jurídica. El segundo demandante declara que fue alcanzado por una piedra cuando escalaba la primera valla y que se cayó, pero que consiguió atravesar las dos primeras vallas. Durante este tiempo, los demandantes habrían sido testigos de actos violentos cometidos contra inmigrantes subsaharianos por los agentes de la Guardia Civil española y las fuerzas del orden marroquí. Sobre las 15 horas y las 14 horas respectivamente, el primer y segundo demandantes bajaron la tercera valla con la ayuda de las fuerzas del orden españolas. Desde el momento en el que pusieron sus pies en el suelo, fueron detenidos por miembros de la Guardia Civil que les esposaron y les expulsaron a Marruecos. En ningún momento se comprobó la identidad de los demandantes. Tampoco tuvieron oportunidad de explicar su situación personal ni de recibir asistencia de abogados, intérpretes o personal médico.

En cuanto al *derecho aplicable al caso*, hay que subrayar, entre otros (vid. f. 16 a 42 de sentencia).

Derecho interno:

- RD 557/2011 de 20 de abril, (Reglamento de extranjería), que en su art. 1 y 4 exige la entrada a territorio español por puestos habilitados y con el cumplimiento de una serie de requisitos (pasaporte, visado, justificación del objeto y condiciones de entrada, acreditar medios económicos suficientes, etc.)

- Protocolo operativo de vigilancia de la Guardia Civil de 26 febrero 2014: (el subrayado es nuestro) "(…), cuando los inmigrantes tratan de atravesar ilegalmente esta línea son *contenidos y rechazados* por las fuerzas del orden encargadas de la vigilancia de las fronteras, *se considera que no ha tenido lugar ninguna entrada ilegal*. Solo se considera que la entrada ha tenido lugar cuando un inmigrante ha superado la citada valla, entrando en territorio nacional y, por tanto, depende del régimen a los extranjeros (…).

- LO 4/2000, de 11 de enero de extranjería, (LOEX) que tras varios casos como el resuelto en N.D y N.T, fue reformada. En efecto, la DF 1ª de la Ley Orgánica 4/2015, de 30 de marzo, de protección de la seguridad ciudadana añadió la disposición adicional décima de la Ley Orgánica 4/2000, de 11 de enero, sobre derechos y libertades de los extranjeros en España y su integración social (conocida como ley de extranjería) del siguiente tenor: "1. Los extranjeros que sean detectados en la línea fronteriza de la demarcación territorial de Ceuta o Melilla mientras intentan superar los elementos de contención fronterizos para cruzar irregularmente la frontera *podrán ser rechazados a fin de impedir su entrada ilegal en España. 2. En todo caso, el rechazo se realizará respetando la normativa internacional de derechos humanos y de protección internacional de la que España es parte".* En la actualidad resultan de aplicación el art. 25 LOEX[986].

Derecho eurounitario: El TFUE reconoce los derechos de la CDFUE con valor jurídico de tratado (art. 6).

La CDFUE garantiza en su art. **18 el derecho de asilo** con el respeto a la Convención de Ginebra de 28 de julio de 1951 y el Protocolo de 31 enero 1967 sobre el Estatuto de los Refugiados. El art. **19 CDFUE prohíbe las expulsiones colectivas,** y el art. 47 CDFUE garantiza el derecho a la tutela judicial efectiva.

El TFUE en su art. 72, en el marco de la seguridad interior, establece que La Unión desarrollará una **política común en materia de asilo, protección subsidiaria y protección temporal** destinada a ofrecer un estatuto apropiado a todo nacional de un tercer país que necesite protección internacional y a garantizar el respeto del principio de no devolución. Esta política deberá ajustarse a la Convención de Ginebra de 28 de julio de 1951 y al Protocolo de 31 de enero de 1967 sobre el Estatuto de los Refugiados, así como a los demás tratados pertinentes.

En desarrollo de dicha política común, la **Directiva 2008/115/CE regula las normas y procedimientos comunes en los Estados miembros pa-**

---

[986] Art. 25 LOEX «El extranjero que pretenda entrar en España deberá hacerlo por los puestos habilitados al efecto, hallarse provisto del pasaporte o documento de viaje que acredite su identidad, que se considere válido para tal fin en virtud de convenios internacionales suscritos por España y no estar sujeto a prohibiciones expresas. Asimismo, deberá presentar los documentos que se determinen reglamentariamente que justifiquen el objeto y condiciones de estancia, y acreditar medios de vida suficientes para el tiempo que pretenda permanecer en España, o estar en condiciones de obtener legalmente dichos medios.

ra el retorno de los nacionales de terceros países en situación irregular (Directiva de retorno).

El TJUE declaró que todo extranjero tiene derecho a expresar, con anterioridad a la adopción de una decisión sobre su devolución, su punto de vista sobre la legalidad de su situación (ver, principalmente, STJUE 11 diciembre 2014, Caso Khaled Boudjlida c. Préfet de los Pirineos Atlánticos, asunto C-249/13, puntos 28-35). Los principios que se desprenden de la jurisprudencia del TJUE sobre el respeto del derecho a ser oído en la «directiva retorno» pueden ser consultados detalladamente en los apartados 42 a 45 de la STEDH 15 diciembre 2016, Caso Khlaifia y otros c. Italia.

La Directiva 2013/32/UE sobre procedimientos comunes para la concesión o la retirada de la protección internacional (refundición), exige la información y asesoramiento en centros de internamientos y en puestos fronterizos (art. 8), el derecho de permanencia en el Estado miembro durante el examen de la solicitud (art. 9), fijando una serie de garantías para los solicitantes de asilo: información, intérprete, contacto con el ACNUR, información sobre la resolución de su solicitud en lengua que les sea comprensible.

El Reglamento (UE) 2016/399 por el que se establece un Código de normas de la Unión para el cruce de personas por las fronteras (Código de fronteras Schengen) (art. 13)

El TEDH, partiendo de cuanto antecede, condena a España por la violación del art. 4 del Protocolo nº 4 (prohibición de expulsiones colectivas de personas extranjeras) y por la violación del art. 13 CEDH (derecho a un recurso efectivo), combinado con el art. 4 del Protocolo nº 4.

Como cuestiones previas, el Gobierno de España planteó la falta de aplicación territorial del CEDH, que los demandantes carecían de la condición de víctimas, así como la falta de agotamiento de los recursos internos.

En cuanto a la aplicación territorial, España aducía que los hechos tuvieron lugar fuera de la jurisdicción Española puesto que los demandantes no consiguieron ir más allá del dispositivo de protección del puesto fronterizo de Melilla y, por tanto, no entraron en territorio español. Sin embargo, el TEDH rechaza dicho planteamiento, porque, invocando precisamente Hirsi Jamaa, desde el instante en el que el Estado, a través de sus agentes que operan fuera de su territorio, ejerce un control y su autoridad sobre un individuo y, en consecuencia, su jurisdicción, pesa sobre él, en virtud del artículo 1, una obligación de reconocer a éste los derechos y libertades definidos en el Título I del Convenio que concierne a su caso. En el caso de N.D y N.T, concluye el TEDH que **"a partir del momento en el que los demandantes descienden de las vallas fronterizas, se encuentran bajo el control continuo y exclusivo, al menos de facto, de las autoridades españolas", por lo que les resulta aplicable el CEDH."** (f.54)

En lo que atañe a **la condición de víctima de los demandantes**, España duda de su identidad pues la misma se verificó con informes periciales sobre grabaciones de video del salto de la valla de 13 de agosto de 2014, y añade que tras su expulsión, meses más tarde lograron cruzar y fueron entonces objeto de órdenes de expulsión adoptadas en procesos con todas las garantías, sin que ninguno de ellos solicitara protección internacional ante las autoridades españolas. El TEDH rechaza la alegación del Gobierno puesto que los demandantes "informaron de una manera coherente de las circunstancias, de su país de origen, de las dificultades que les condujeron hasta el Monte Gurugú y de su participación, el 13 de agosto de 2014, junto a otros inmigrantes, en el asalto a la valla de la frontera terrestre que separa Marruecos de España por el puesto fronterizo de Beni-Enzar (apartado 41 supra), asalto que fue inmediatamente reprimido por la Guardia Civil española. Señala que los demandantes presentaron en apoyo de sus afirmaciones imágenes de vídeo que parecían creíbles. Por otro lado, el Gobierno no niega la existencia de expulsiones inmediatas y, poco después de los hechos del presente asunto, modificó la Ley orgánica sobre los derechos y libertades de los extranjeros con el fin de legalizar estas «expulsiones en caliente». (F.59)

Por otro lado, el TEDH recuerda que si los demandantes no pueden aportar documentos que les identifiquen de manera más precisa entre el grupo de inmigrantes expulsados el 13 de agosto de 2014, es porque, durante su expulsión, no se comprobó la identidad de los extranjeros devueltos.

En cuanto al agotamiento de las vías internas de recurso, la misma es rechazada, porque en una fecha posterior a la expulsión de la que fueron objeto los demandantes el 13 de agosto de 2014, los interesados lograron entrar de nuevo ilegalmente en España burlando los controles del perímetro fronterizo de la ciudad de Melilla. Fueron entonces objeto de un proceso administrativo que desembocó en la adopción de dos órdenes de expulsión de 7 de noviembre de 2014 y de 26 de enero de 2015. Dicho esto, los demandantes no se quejan de estas órdenes, sino de la expulsión colectiva tras los acontecimientos de 13 de agosto de 2014, que las autoridades españolas llevaron a cabo sin haber comprobado la identidad de los inmigrantes y sin haber recogido información sobre su situación personal, y que no fue documentada.

En cuanto al fondo del asunto.

a) Sobre la violación del art. 4 del Protocolo nº 4

El Gobierno español niega tanto que hubiera expulsión, puesto que a su entender los demandantes no se hallaban en territorio español, como que la misma fuera colectiva.

En cuanto a si hubo o no expulsión, el TEDH no considera necesario establecer, en el presente asunto, si los demandantes fueron expulsados tras haber entrado en territorio español o si lo fueron antes, como afirma el Gobierno. Teniendo en cuenta que incluso las interceptaciones en alta mar entran en el ámbito del artículo 4 del Protocolo núm. 4 (Hirsi Jamaa y otros, citada), solo puede ocurrir lo mismo para la denegación de entrada en territorio nacional de la que serían legalmente objeto las personas que llegan clandestinamente a España.

El Tribunal señala no cabe duda que los demandantes, que se encontraban bajo control continuo y exclusivo de las autoridades españolas (ver igualmente los apartados 50 y siguientes supra), fueron expulsados y enviados a Marruecos en contra de su voluntad, lo que constituye claramente una «expulsión» en el sentido del artículo 4 del Protocolo núm. 4 (Sharifi y otros, citada, ap. 212).

En cuanto a **si la expulsión fue o no colectiva**. Los demandantes formaban parte de un grupo de entre setenta y cinco a ochenta inmigrantes subsaharianos que trataron de entrar ilegalmente en España por el puesto fronterizo de Melilla (apartado 13 supra). Se les aplicó una medida de carácter general que consistía en contener y rechazar las tentativas de los inmigrantes de cruzar ilegalmente la frontera. El Tribunal señala que en este caso, las medidas de expulsión fueron adoptadas en ausencia de decisión administrativa o judicial previa. En ningún momento los demandantes fueron objeto de un proceso, ni siquiera fueron identificados. En estas circunstancias, el Tribunal estima que el proceso seguido no plantea dudas sobre el carácter colectivo de las expulsiones denunciadas.

Por tanto, se violó el art. 4 del Protocolo nº 4, puesto que hubo una expulsión colectiva de personas extranjeras.

b) Sobre la violación del art. 13 CEDH en relación con el art. 4 del protocolo nº 4

El Tribunal recuerda que el artículo 13 del Convenio garantiza la existencia en la legislación interna de un recurso que permite prevalecerse de los derechos y libertades del Convenio tal como se encuentran consagrados. Esta disposición tiene como consecuencia exigir un recurso interno que permita examinar el contenido de una «denuncia defendible» basada en el Convenio y ofrecer una reparación apropiada.

Sobre la cuestión de la exigencia del carácter suspensivo del recurso, el Tribunal ha llegado a diferentes soluciones teniendo en cuenta el riesgo potencialmente irreversible al que se exponen los demandantes en el país de destino en caso de expulsión del territorio del Estado demandado.

El TEDH considera que se vulnera el art. 13 puesto que los demandantes fueron expulsados por las autoridades de la frontera y que no tuvieron acceso ni a un intérprete ni a agentes que pudieran ofrecerles la información mínima necesaria a propósito del derecho de asilo y/o del proceso pertinente contra su expulsión. Hay, en este caso, un vínculo evidente entre las expulsiones colectivas de las que los demandantes fueron objeto en Melilla y el hecho de que no pudieran acceder a un proceso nacional que satisficiera las exigencias del artículo 13

Teniendo en cuenta las circunstancias del presente asunto y el carácter inmediato de su expulsión de facto, el **Tribunal estima que los demandantes fueron privados de toda vía de recurso** que les hubiera permitido presentar ante una autoridad competente su queja planteada del artículo 4 del Protocolo núm. 4 y obtener un control atento y riguroso de su solicitud antes de su devolución.

c) Valoración crítica de las expulsiones colectivas y las expulsiones en caliente en España

Los sucesivos gobiernos de España han acudido a la estrategia de la *cri-migración* y a la promoción de las devoluciones en caliente como respuesta al aumento de personas extranjeras que han tratado de entrar de forma irregular en España, fundamentalmente a través de Ceuta y Melilla. Muestra de esta estrategia común es que la valla fronteriza de Melilla —donde se desarrollan los hechos del caso N.D y N.T c. España— se construyó en 1998 por decisión del Gobierno del Partido Popular, con una altura de 3 metros y en 2005 se aumentó a los 6 metros por decisión del Gobierno del Partido Socialista Obrero Español. Entre 2005 y 2014, erigido el muro, se plantea el problema de qué hacer con quienes logran superarlo o son sorprendidos mientras lo intentan. Es en este contexto en el que se gesta la estrategia gubernamental de las conocidas como "expulsiones en caliente", que ya contaban con tristes precedentes en 1995, con el traslado en un vuelo de 103 personas migrantes a las que se habían suministrado fármacos sin su conocimiento ni consentimiento, para evitar problemas en su traslado[987]. Primero las negaban, luego reconocieron que "en casos puntuales" incumplían la ley hasta que finalmente el Ejecutivo de Mariano Rajoy intentó darles cobertura legal.

En efecto, como ya hemos apuntado, con la Ley de Seguridad Ciudadana (LOSC) se pretendió legalizar la práctica de las expulsiones en caliente, puesto que la DF 1ª de la LSC añadió la DA 10ª de la LOEX del siguiente tenor: "*1. Los extranjeros que sean detectados en la línea fronteriza de la demarcación territorial de Ceuta o Melilla mientras intentan superar los elementos de contención fronterizos para cruzar irregularmente la frontera podrán ser rechazados a fin de impedir su entrada ilegal en España. 2. En todo caso, el rechazo se realizará respetando la normativa internacional de derechos humanos y de protección internacional de la que España es parte*".

Se abrió así un **período político de "legalización" de unas prácticas radicalmente contrarias a los derechos humanos, que fue asumido por**

---

[987] SÁNCHEZ TOMÁS, J. M. "Las 'devoluciones en caliente' en el Tribunal Europeo de Derechos Humanos (STEDH, AS. N.D. y N.T. vs España, de 03.10.2017) Revista Española de Derecho Europeo 2018. Núm. 65 (enero-marzo 2018), con cita del informe del Defensor del Pueblo, 1997, 224-5.

el discurso político dominante, con el eufemismo del "rechazo en frontera".

Desgraciadamente, el caso de España no es único. El caso Hirsi Jamaa, uno de los más paradigmáticos del TEDH en materia de "expulsiones en caliente" abre en canal la conciencia de la Unión Europea, que no da una respuesta acorde con los DDHH a la situación de miles de personas cuyo único crimen es, en el mejor de los casos, buscar una vida mejor para ellas y sus hijos, y de forma frecuente, huir de la guerra y de las hambrunas en sus países de origen. El **caso de N.D y N.T es, por así decirlo, el Hirsi Jamaa español,** pues revela el mismo drama humano, cambiando sólo el contexto en que se desarrolla, Alta Mar vs. la valla fronteriza.

Esta diferencia de decorado, sin embargo, no oculta la similitud de los guiones seguidos por los gobiernos para defenderse ante las acusaciones de vulneración de los derechos humanos: carencia de jurisdicción (el buque o la verja), falta de la condición de víctima, falta de agotamiento de las vías de recurso internas, o falta de identificación de las personas demandantes, son las excepciones invocadas con mayor frecuencia en este tipo de casos y revelan el cinismo con que actúan los Estados, que ejerciendo el control *de facto* y de *iure* sobre determinadas personas (sea en un buque, sea en una verja), niegan que estén bajo su jurisdicción; e incumpliendo el deber informarles y proporcionarles asistencia jurídica e intérprete para, en su caso, formular la petición de asilo, niegan que estén fehacientemente identificados o que sean solicitantes de asilo.

Una muestra bien ilustrativa de esta actitud es el STEDH 11 diciembre 2018, Caso M.A y otros c. Lituania. Este supuesto, si bien no se trata de un caso de expulsión colectiva, se refiere a una familia rusa de 7 personas, que tras haber abandonado Chechenia intentan hasta en tres ocasiones solicitar asilo en Lituania, pero también son "rechazadas en frontera", donde se les niega toda posibilidad de presentar la solicitud de asilo ante las autoridades competentes. En este supuesto se concluye que hay violación del art. 3 y del art. 13.

Estas respuestas revelan una estrategia común frente a la inmigración, consistente en la **creación de espacios libres de derechos humanos** (alta mar o la valla) a la que se añade **la *crimigración*,** o el abordaje cuasi exclusivo del fenómeno por la vía del derecho penal. (vid. comentario a Abdulahi Elmi c. Malta)

El discurso político español tilda las devoluciones en caliente de "devoluciones en frontera, sin que se haya pisado el suelo español"[988], con evidentes paralelismos con Hirsi jama, pretendiendo así convertir la frontera en una suerte de espacio libre de derechos humanos, y olvidando que la característica primordial de tales derechos es su inherencia, los derechos humanos corresponden a las personas desde el nacimiento hasta la muerte[989] y cuando el Estado, sea en su territorio, en Alta Mar o en la valla fronteriza ejercita su poder, está sujeto al CEDH y al Protocolo nº 4, como así lo ha venido reiterando el TEDH.

Tras octubre de 2017, en que se dicta la importante sentencia N.D y N.T, la cuestión, lejos de haberse solventando, continúa tristemente vigente, como lo revelan las siguientes cifras: las personas a las que le ha sido aplicada la Disposición adicional 10ª de la LOEX fueron 125 en Melilla, tanto en 2017 como en 2018, y 482 en Ceuta (en 2017) y 533 (en 2018)[990].

Además, como ya hemos apuntado, existen aún pendientes ante el TEDH, supuestos de expulsiones en caliente, que pasamos a resumir brevemente:

– **Doumbe Nnabuchi c. España** (nº 19420/15)[991], se trata de un supuesto acontecido en 2014 de intento grupal de salto de la valla de Melilla, en la que el demandante alcanzó la tercera valla, momento en el que la guardia civil ordenó a él y otras personas migrantes descender de la misma. Cuando el demandante estaba descendiendo con

---

[988] https://www.eldiario.es/desalambre/Gobierno-Sanchez-argumento-PP-devoluciones_0_803169816.html

[989] Art. 1 DUDDH "Todos los seres humanos nacen libres e iguales en dignidad y derechos…". Sobre la inherencia como carácter esencial de los DDHH vid. PRECIADO DOMÈNECH, C.H. "Teoría General de los Derechos Fundamentales en el contrato de Trabajo". Ed. Thomson Reuters-Aranzadi. 2018. p. 77.

[990] https://www.eldiario.es/andalucia/devoluciones-caliente_0_854964586.html

[991] SÁNCHEZ TOMÁS, J.M. "Las 'devoluciones en caliente' en el Tribunal Europeo de Derechos Humanos (STEDH, AS. N.D. y N.T. vs España, de 03.10.2017) Revista Española de Derecho Europeo 2018. Núm. 65 (enero-marzo 2018), con cita del informe del Defensor del Pueblo, 1997, 224-5. En Notal al Pie nº 48.

Las imágenes del caso pueden consultarse en: http://melillafronterasur.blogspot.com/2014/10/asi-defiende-espana-el-ministerio-del_16.html; y fueron tomadas por el activista de DDHH José Palazón Osma.

la ayuda de una escalera proporcionada por las fuerzas de seguridad españolas, cuatro guardias civiles le golpearon en las piernas, los brazos y el costado, otro guardia civil le golpeó la rodilla, mientras otros dos guardias civiles le forzaban a bajar más rápidamente estirándole de la camiseta y el pantalón. Recibió un golpe en la mano y cayó al suelo de una altura de 2 metros, quedando inconsciente. Fue esposado, transportado en volandas y fue puesto en manos de la policía marroquí. En momento alguno fue identificado, careció toda posibilidad de asistencia letrada o de intérpretes, no pudo pedir asilo ni presentar recurso alguno, ni recibió asistencia sanitaria[992].

– **Balde y Abel c. España** (Nº 20351/17), trata sobre la devolución de los demandantes por las autoridades españolas a Marruecos, sobre los malos tratos a los que fueron sometidos en el puesto fronterizo de Ceuta en el momento de su detención para su devolución, que denuncian como colectiva, y sobre el riesgo de reenvío. Por otro lado, denuncian la imposibilidad de pedir asilo, obtener un examen individualizado de su situación por las autoridades españolas, obtener un examen sobre las alegaciones de malos tratos. Se denuncia, así la infracción de los art. 3 CEDH del art. 4. del Protocolo nº 4 en relación con el art. 13 CEDH.

A la vista de la jurisprudencia del TEDH, enriquecida por el voto particular de Paulo Pinto, no es difícil aventurar que estos casos van a desembocar también en sendas condenas del Reino de España. En el segundo de ellos se tendrá la oportunidad de contrastar si la ya mencionada DA 10º LOEX sobre el eufemístico "rechazo en frontera", se adecúa a la legalidad internacional. Mi opinión es evidentemente negativa, y considero que dicha disposición, sobre todo tras el caso N.D y N.T., no es otra cosa que el torpe intento de cubrir de un manto de legalidad lo que no deja de ser una vulneración flagrante de los derechos humanos de las personas migrantes.

---

[992] Puede consultarse en: https://hudoc.echr.coe.int/eng#{"fulltext":["19420/15"],"itemid":["001-159932"]}

12.1.5. Índice de casos

DCEDH 3 octubre 1975, Caso Becker c. Dinamarca
DCEDH 1 marzo 1977, Caso K.G. c. Alemania
DCEDH 3 marzo 1978, Caso O. y otros c. Luxemburgo
DCEDH 16 diciembre 1988, Caso Alibaks y otros contra Holanda
DCEDH 11 enero 1995, CasoTahiri c. Suecia
STEDH 5 febrero 2002, Caso Conka c. Bélgica
DTEDH 16 junio 2005, Caso Berisha y Haljiti c. La Ex-República Yugoslava de Macedonia
STEDH 20 septiembre 2007, Caso Sultani c. Francia
DTEDH 1 febrero 2011, Caso Dritsas c. Italia
STEDH 23 julio 2013, Caso M.A. c. Chipre
STEDH 3 julio 2014, Caso Georgia c. Rusia
STEDH 21 octubre 2014, Caso Sharifi y otros c. Italia y Grecia
STEDH 15 diciembre 2016, Caso Khlaifia y otros c. Italia
STEDH 20 diciembre 2016, Caso Berdzenishvili y otros c. Rusia
STEDH 20 diciembre 2016, Caso Shioshvili y otros c. Rusia
STEDH 3 octubre 2017, Caso N.D. y N.T. contra España
STEDH 11 diciembre 2018, Caso M.A y otros c. Lituania

12.1.6. Bibliografía

ÁLVAREZ GONZÁLEZ, E. M. y MORENO LINDE, M. "Prohibición al Estado de expulsión de nacionales y de expulsiones colectivas de extranjeros. Garantías procedimentales en caso de expulsión de extranjeros"; en MONEREO.

ATIENZA, C.; MONEREO PÉREZ, J. L. "La Garantía Multinivel de los Derechos Fundamentales en el Consejo de Europa". Ed. Comares. 2017. pp. 256-276.

ENÉRIZ OLAECHEA, J. "El rechazo de extranjeros en las fronteras de Ceuta y Melilla. Alcance de la Disposición Adicional Décima de la Ley Orgánica de Extranjería. Revista Aranzadi Doctrinal núm. 3/2017 parte Estudios. BIB 2017\741

GARCÍA ROCA, J., SANTOLAYA, P. (Coord.) "La Europa de los Derechos. El Convenio Europeo de Derechos Humanos Ed. CEC. 2ª Edición. 2009.

LASAGABASTER HERRARTE, I. "Convenio Europeo de Derechos Humanos. Comentario Sistemático. 2ª edición. Ed. Civitas Thomson-Reuters 2009.

MONEREO ATIENZA, C.; MONEREO PÉREZ, J. L. "La Garantía Multinivel de los Derechos Fundamentales en el Consejo de Europa". Ed. Comares. 2017.

PÉREZ TREMPS, P.; SAIZ ARNAIZ, A., "Comentario a la Constitución Española. 40 aniversario 1979-2018. Libro homenaje a Luis López Guerra. Ed. Tirant Lo Blanch

PINTO DE ALBUQUERQUE, P. "I Diritti umani in una prospettiva europea. Opinini concrrenti e dissenzienti (2011-2015)". A cura e con un saggio di Davide Galliani prefaziine di Paola Bilancia. Ed. B. Giappichelli Editori- 2016.

PRECIADO DOMÈNECH, C. H. "Teoría General de los Derechos Fundamentales en el contrato de Trabajo". Ed. Thomson Reuters-Aranzadi. 2018.

QUERALT JIMÉNEZ, A. "La interpretación de los derechos: del Tribunal de Estrasburgo al Tribunal Constitucional". Ed. CEC. 2008.

RIPOL CARULLA, S., VELÁZQUEZ GARDETA, J. M. y AAVV "España en Estrasburgo. Tres Décadas bajo la Jurisdicción del Tribunal Europeo de Derechos Humanos. Ed… Aranzadi. Primera edición. 2010.

SÁNCHEZ TOMÁS, J. M. "Las 'devoluciones en caliente' en el Tribunal Europeo de Derechos Humanos (STEDH, AS. N.D. y N.T. vs España, de 03.10.2017) Revista Española de Derecho Europeo 2018. Núm. 65 (enero-marzo 2018).

SARMIENTO,D.; MIERES MIRES, L. J.; PRESNO LINERA, M. "Las sentencias básicas del Tribunal Europeo de Derechos Humanos. Ed. Thomson Cititas. 2007.

Webgrafía

Véase la Guía del Artículo 4 del Protocolo nº 4 del CEDH, actualizada a 30 de abril de 2019. Puede consultarse en: https://www.echr.coe.int/Documents/Guide_Art_4_Protocol_4_ENG.pdf

13. RELACIÓN DE VOTOS PARTICULARES DEL MAGISTRADO PAULO PINTO DE ALBUQUERQUE DESDE ABRIL DE 2011 HASTA SEPTIEMBRE DE 2019

April 2011-september 2019

The opinions are available on the site of the European Court of Human Rights (Court's data base: HUDOC). Some of the opinions were co-authored by other Judges.

THE COURT JURISDICTION AND POWERS (ARTICLE 1 OF THE CONVENTION)

GRAND CHAMBER JUDGMENTS

1. G.I.E.M. S.R.L. AND OTHERS v. ITALY (application no. 1828/06 and 2 others, judgment of 28 June 2018): the relationship between the convention and the constitution, the "interpretative authority" of the Court's judgment, multilevel constitutionalism, a Convention-oriented constitutional theory of fundamental rights.

2. HUTCHINSON v. THE UNITED KINGDOM (application no. 57592/08, judgment of 17 January 2017): universalism and diversity in human rights, *Argentoratum locutum, iudicium finitum* – "Strasbourg has spoken, the case is closed", the Court's judgment as *res interpretata*, the State obligation to "take into account" the judgments of the Court.

3. MURSIC v. CROATIA (application no. 7334/13, judgment of 20 October 2016): evolutive interpretation of the European Convention on Human Rights, European consensus, the role of soft law in European human rights law.

4. BAKA v. HUNGARY (application no. 20261/12, judgment of 23 June 2016): transitional constitutional provision incompatible with the European Convention on Human Rights, unconstitutional constitutional norms (*verfassungswidrige Verfassungsnormen*), direct, supra-constitutional effect of the European Convention, the European Convention as European *ius constitutionale commune*, the Court as the European Constitutional Court.

5. AL-DULIMI and MONTANA MANAGEMENT INC. v. SWITZERLAND (application no. 5809/08, judgment of 21 June 2016): Security Council Resolution-based confiscation measures as penalties, the fundamental character of the right of access to court in criminal and civil matters, the conflict between obligations derived from the United Nations Charter and obligations derived from the European Convention on Human Rights, the European Convention as the European Constitution, the Court's *Bosphorus* case law applied to the United Nations.

6. SARGSYAN v. AZERBAIJAN (application no. 40167/06, judgment of 16 June 2015): the intersection between European human rights law and international 3/33 humanitarian law, the right to humanitarian intervention, jurisdiction over the ceasefire line and the adjacent area, responsibility to protect, duty to protect civilians.

7. CHIRAGOV AND OTHERS v. ARMENIA (application no. 13216/05, judgment of 16 June 2015): the intersection between European human rights law and international huma-

nitarian law, State secession, "remedial secession" as a human rights imperative, jurisdiction in foreign territory by long-distance remote-controlled exercise of authority, occupation, violation of property rights of displaced persons.

8. CASE OF CENTRE FOR LEGAL RESOURCES ON BEHALF OF VALENTIN CÂMPEANU v. ROMANIA (application no. 47848/08, judgment of 17 July 2014): the Court's judgment as an act of *potestas* or an act of *autorictas*, legal principles in the motivation of the Court's judgments, role of NGOs as representatives of victims before the Court, principle of equality.

9. CYPRUS v. TURKEY (application no. 25781/94, judgment (just satisfaction) of 12 May 2014): the Court's power to award just satisfaction in inter-State cases, the time-limit for inter-State just satisfaction claims, the punitive nature of just satisfaction under the Convention, the Court's power to deliver a declaratory judgment on the cessation of ongoing violations.

10. VALLIANATOS AND OTHERS v. GREECE (applications no. 29381/09 e no. 32684/09, judgment of 7 November 2013): the Court's power to review in abstract the Convention-compatibility of a law, direct action before the Court without prior exhaustion of domestic constitutional remedies, principle of subsidiarity.

11. FABRIS c. FRANCE (Article 41) (application no. 16574/08, judgment of 28 June 2013): execution of the Court's judgment finding a violation in the case of discriminatory law and a final judgment of the *Cour de Cassation* in accordance with this law.

12. FABRIS v. FRANCE (application no. 16574/08, judgment of 7 February 2013): the direct, *erga omnes* and retroactive effect of the Court's judgment, the Court's power to oversee the execution of its own judgments, the Court's implicit powers and the balance of power between the Court and the Committee of Ministers.

13. HERRMANN v. GERMANY (application no. 9300/07, judgment of 26 June 2012): the *stare decisis* effect of the Court's judgment, European consensus as a factor of the Court's case law development.

SECTION II JUDGMENTS

14. TREVALEC v. BELGIUM (Article 41) (application no. 30812/07, judgment of 25 June 2013): preventive and punitive nature of just satisfaction under the Convention, punitive damages established by the Court with regard to the respondent state, in spite of the previous satisfaction of damages by a third state.

SECTION IV JUDGMENTS

15. TCHANKOTADZE v. GEORGIA (application no. 15256/05, judgment of 21 June 2016): critique of the prohibitive standard of proof in Article 18 cases.

16. BORG v. MALTA (application no. 37537/13, judgment of 12 January 2016): breach of the Court's *Salduz* case law by the Constitutional Court of Malta, lack of impartiality of magistrate, lack of legal assistance to third persons called as witnesses against the applicant.

THE RIGHT TO LIFE (ARTICLE 2 OF THE CONVENTION)
GRAND CHAMBER JUDGMENTS

17. FERNANDES DE OLIVEIRA v. PORTUGAL (application no. 78103/04, judgment of 31 January 2019): health care provided to psychiatric patients with suicidal tendency.

18. LOPES DE SOUSA FERNANDES v. PORTUGAL (application no. 56080/13, judgment of 19 December 2017): right to health care, medical malpractice in public hospital.

19. VASILIAUSKAS v. LITHUANIA (application no. 35343/05, judgment of 20 December 2015): Soviet genocide of Lithuanian nation, partisans as relevant part of the nation.
20. PARRILLO v. ITALY (application no. 46470/11, judgment of 27 August 2015): scientific research on human embryos and embrionic stem cells.
21. MOCANU AND OTHERS v. ROMANIA (application no. 10865/09, 45886/07 32431/08, judgment of 17 September 2014): the nature of the statute of limitations in criminal law, the State obligation to punish crimes against humanity without any time bar.

SECTION I JUDGMENT
22. TAGAYEVA AND OTHERS v. RUSSIA (application no. 26562/07 and 6 other applications, judgment of 13 April 2017): deficiencies of criminal investigation.
23. BLJAKAJ AND OTHERS v. CROATIA (application no. 74448/12, judgment of 18 September 2014): the State obligation to protect lawyers from work-related violence and against violent acts of mentally disturbed persons, lawyer in a divorce action threatened and attacked by the adverse party.

SECTION II JUDGMENTS
24. PERINÇEK v. SWITZERLAND (application no. 27510/08, judgment of 17 December 2013): denial of the Armenian genocide, the State obligation to criminalize the denial of genocide.
25. TREVALEC v. BELGIUM (application no. 30812/07, judgment of 14 June 2011): putative self-defence and excessive defence.

SECTION IV JUDGMENT
26. AKELIENĖ v. LITHUANIA (application no. 54917/13, judgment of 16 October 2018): right of victims of criminal offences and their relatives with regard to the application of remand measures to the offender and the subsequent enforcement of a custodial sentence; *argumentum ad ignorantiam*; treatment of classified documents.

THE RIGHT TO PHYSICAL INTEGRITY (ARTICLE 3 OF THE CONVENTION)
GRAND CHAMBER JUDGMENTS
27. KHAMTOKHU AND AKSENCHIK v. RUSSIA (applications nos. 60367/08 and 961/11, judgment of 24 January 2017): discrimination of male offenders aged between 18 and 65, prohibition of life imprisonment for women, elderly and juvenile offenders, the State obligation to "level up" in case of false positive discrimination.
28. HUTCHINSON v. THE UNITED KINGDOM (application no. 57592/08, judgment of 17 January 2017): whole life sentence, the State obligation to establish a parole mechanism.
29. MURSIC v. CROATIA (application no. 7334/13, judgment of 20 October 2016): prison overcrowding, the minimum living space in a multiple-occupancy cell.
30. MURRAY v. THE NETHERLANDS (application no. 10511/10, judgment of 26 April 2016): the State obligation to provide for an individualised sentence plan and to establish a parole mechanism.
31. KHOROSHENKO v. RUSSIA (application no. 41418/04, judgment of 30 June 2015): resocialisation as the primary purpose of imprisonment, the State obligation to provide for an individualised sentence plan.

SECTION I JUDGMENT
32. MEREZHNIKOV v. RUSSIA (no. 30456/06, judgment of 12 November 2015): negligent excessive use of force.

SECTION II JUDGMENTS

33. ÖCALAN v. TURKEY (No 2) (applications nos. 24069/03, 197/04, 6201/06 and 10464/07, judgment of 18 March 2014): life imprisonment without parole for the leader of a terrorist organization, prison regime with severe restrictions of contacts with family and lawyers.

34. FILIZ v. TURKEY (application no. 28074/08, judgment of 4 March 2014): principle of subsidiarity, proportionality of use of force by the police.

35. CAMEKAN v. TURKEY (application no. 54241/08, judgment of 28 January 2014): principle of subsidiarity, self-defence and reconstitution of the facts.

36. ERTUS v. TURKEY (application no. 37871/08, judgment of 5 November 2013): excessive force in police detention of minor.

37. VALIULIENE v. LITHUANIA (application no. 33234/07, judgment of 26 March 2013): gender sensitive interpretation of the Convention, the State obligation to criminalize and prosecute effectively domestic violence, review of the "Osman test" in domestic violence cases, public interest in the prosecution of domestic violence.

38. TAUTKUS v. LITHUANIA (application no. 29474/09, judgment of 27 November 2011): the State obligation to protect detainees from the danger of severe bodily harm caused by another detainee within the prison facility, the State obligation to provide for an individualised sentence plan.

39. PORTMANN v. SWITZERLAND (application no. 38455/06, judgment of 11 October 2011): hooding of dangerous detainees.

SECTION III JUDGMENT

40. VOLODINA v. RUSSIA (application no. 41261/17, judgment of 9 July 2019): gender sensitive interpretation of the Convention, domestic violence as torture.

SECTION IV JUDGMENTS

41. PETUKHOV v. UKRAINE (No. 2) (application no. 41216/13, judgment of 12 March 2019): lack of adequate medical care in detention and irreducibility of life sentence.

42. M. A. v. LITHUANIA (application no. 59793/17, judgment of 11 December 2018): jurisdiction at land borders, immediate refusal and return of asylum seekers at land borders.

43. ISAYEVA v. UKRAINE (application no. 35523/06, judgment of 4 December 2018): award of compensation on the basis of the objective civil liability of a psychiatric institution.

44. ABDILLA v. MALTA (application no. 36199/15, judgment of 17 July 2018): prison conditions.

45. RUIZ PENA AND PEREZ OBERGHT v. MALTA (applications nos. 25218/15 and 25251/15, judgment of 17 July 2018): prisons conditions.

46. YANEZ PINON AND OTHERS v. MALTA (applications nos. 71645/13, 7143/14 and 20342/15, judgment of 19 December 2017): prison conditions. 10/33

47. PEÑARANDA SOTO v. MALTA (application no. 16680/14, judgment of 19 December 2017): prison conditions, health care, non-derrogable minimum core of Article 3.

48. D.M.D. v. ROMANIA (application no. 23022/13, judgment of 3 October 2017): domestic violence, ill-treatment inflicted on a child by his father, State's positive obligation to prohibit all forms of violence against children.

49. MIRONOVAS AND OTHERS v. LITHUANIA (applications nos. 40828/12, 29292/12, 69598/12, 40163/13, 66281/13, 70048/13 and 70065/13, judgment of 8 December 2015): prison overcrowding, compensatory and preventive remedies.

61. LUPENI GREEK CATHOLIC PARISH AND OTHERS v. ROMANIA (application no. 76943/11, judgment of 29 November 2016): forced transfer of property from the Greek Catholic Church to the Orthodox Church, redistribution of property, duty of neutrality of the State, lack of legal certainty, discrimination of religious minority.

62. BAKA v. HUNGARY (application no. 20261/12, judgment of 23 June 2016): dismissal of the president of the Supreme Court by a transitional constitutional provision, *ad hominem* legislation against the independence of the judiciary, lack of access to Constitutional Court to impugn transitional constitutional norms.

63. DVORSKI v. CROATIA (application no. 25703/11, judgment of 20 October 2015): the right to a lawyer of one's own choosing from the initial stages of the proceedings, erroneous deprivation of choice of lawyer, impact of structural errors on the fairness of criminal proceedings.

SECTION I JUDGMENTS

64. MIKHAYLOVA v. RUSSIA (application no. 46998/08, judgment of 19 November 2015): lack of free legal assistance to a defendant in a criminal or administrative offence.

65. MELO TADEU v. PORTUGAL (application no. 27785/10, judgment of 23 October 2014): presumption of innocence in tax enforcement proceedings after acquittal in criminal proceedings on the basis of same facts.

66. LAGUTIN AND OTHERS v. RUSSIA (application nos. 6228/09, 19123/09, 19678/07, 52340/08 and 7451/09, judgment of 24 April 2014): undercover operations, human rights legislation on special investigation techniques.

67. MATYTSINA v. RUSSIA (application no. 58428/10, judgment of 27 March 2014): lack of cross-examination of the alleged victim.

SECTION II JUDGMENTS

68. GRANDE STEVENS AND OTHERS v. ITALY (applications nos. 18640/10, 18647/10, 18663/10, 18668/10 and 18698/10, judgment of 4 March 2014): unfair administrative proceedings for market manipulation before the *Commissione Nazionale per la Società e la Borsa* (CONSOB), lack of an effective judicial review of the CONSOB's decision, the court of appeal's amendment of the accusation, to the detriment of the appellant, illegality and disproportionality of the pecuniary and non-pecuniary sanctions.

69. PIOTRAS BOGDEL v. LITHUANIA (application no. 41248/06, judgment of 26 November 2013): judicial action to annul administrative contract with *bona fide* private party, limitation period for claiming invalidity of a contract in action brought by the administration distinct from limitation period in action brought by the private party.

70. ATES MIMARLIK MUHENDISLIK A.S. v. TURKEY (application no. 33275/05, judgment of 25 September 2012): jurisdiction over claim of payment of work fee regarding an international construction contract.

71. K.M.C. v. HUNGARY (application no. 19554/11, judgment of 10 July 2012): groundless decision of termination of employment.

72. MENARINI DIAGNOSTICS S.R.L. v. ITALY (application no. 43509/08, judgment of 27 September 2011): scope of judicial review of administrative sanctions.

73. ADAMOV v. SWITZERLAND (application no. 3052/06, judgment of 21 June 2011): *salvus conductus* guarantee, bad faith conduct of the State agents.

74. DOBRIC v. SERBIA (applications nos. 2611/07 e 15276/07, judgment of 21 June 2011): rejection by the Supreme Court of an appeal in civil procedure due to redenomination of the Serbian currency and change of the value of the dispute.

75. ABDULLAH YILDIZ v. TURKEY (application no. 35164/05, judgment of 26 April 2011): violation of article 6 does not constitute in itself sufficient compensation for any non-pecuniary damage.

SECTION III JUDGMENT

76. FARRUGIA v. MALTA (application no. 63041/13, judgment of 4 June 2019): overall fairness test, access to lawyer during police custody.

SECTION IV JUDGMENTS

77. JANUŠKEVIČIENĖ V. LITHUANIA (application no. 69717/14, judgment of 3 September 2019): judgment with phrases which established third parties' guilt in respect of criminal acts.

78. GARBUZ v. UKRAINE (application no. 72681/10, judgment of 19 February 2019): separate opinions on decisions regarding inadmissibility which are incorporated into merits judgments, attesting witnesses.

79. PRODUKCIJA PLUS STORITVENO PODJETJE D.O.O. v. SLOVENIA (application no. 47072/15, judgment of 23 October 2018): reopening of domestic proceedings after finding of Article 6 violation; compensation for pecuniary damages, loss of real opportunities.

80. SOMORJAI v. HUNGARY (application no. 60934/13, 28 August 2018): lack of reasoning in connection with the need for a reference to the CJEU for a preliminary ruling; dissent regarding inadmissibility decision)

81. DEVINAR v. SLOVENIA (application no. 28621/15, 22 May 2018): objective impartiality of the disability experts' commission, distinguishing technique, silent overruling of previous case law.

82. SVETINA v. SLOVENIA (application no. 38059/13, 22 May 2018): conviction on the basis of "inevitable discovery" exception to the doctrine of the fruit of the poisonous tree.

83. DRAGOŞ IOAN RUSU v. ROMANIA (application no. 22767/08, judgment of 31 October 2017): conviction on the basis of evidence collected in breach of Article 8 of the Convention.

84. D.M.D. v. ROMANIA (application no. 23022/13, judgment of 3 October 2017): domestic violence, ill-treatment inflicted on a child by his father, State's positive obligation to prohibit all forms of violence against children.

THE PRINCIPLE OF LEGALITY IN CRIMINAL LAW (ARTICLE 7 OF THE CONVENTION)

GRAND CHAMBER JUDGMENTS

85. ILNSEHER v. GERMANY (applications nos. 10211/12 and 27505/14, judgment of 4 December 2018): retroactive preventive detention, the minimalist understanding of the principle of legality, the erasure of the autonomous meaning of the notion of "penalty".

86. G.I.E.M. S.R.L. AND OTHERS v. ITALY (applications nos. 1828/06 and 2 others, judgment of 28 June 2018): the efficiency-interests-oriented approach to criminal law, confiscation of immovable property as a penalty for unlawful site development, the substantive nature of the statute of limitations.

87. VASILIAUSKAS v. LITHUANIA (application no. 35343/05, judgment of 20 December 2015): Soviet genocide of Lithuanian nation, partisans as relevant part of the nation, retroactive application of penal law.

88. ROHLENA v. CZECH REPUBLIC (application no. 59552/08, judgment 27 January 2015): the difference between a continuing offence (*Dauerdelikt, infraction continue, reato*

permanente) and a continuous offence (*fortgesetzte Handlung, infraction continuée, reato continuato*); the difference between consecutive or cumulative sentence (*peine cumulée ou peines consécutives*), concurrent sentence (*peine confondue ou peines simultanées*) and aggregate, consolidated or overall sentence (*peine globale ou peine d'ensemble*); broad consensus arising out of a long European tradition on objective (*actus reus*) and subjective (*mens rea*) elements of a continuous offence.

89.   MAKTOUF AND DAMYANOVIC v. BOSNIA AND HERZEGOVINA (applications nos. 2312/08 and 34179/08, judgment of 18 July 2013): retroactive application of *lex mitior*, general principles of law as source of penal law, arbitrary and discriminatory sentencing, arbitrary transfer of case file, principle of natural or legal judge.

SECTION I JUDGMENT

90.   MATYTSINA v. RUSSIA (application no. 58428/10, judgment of 27 March 2014): deficient application of a blanket criminal provision, waiver of the statute of limitations in criminal law.

SECTION II JUDGMENTS

91.   DILIPAK v. TURKEY (application no. 29680/05, judgment of 15 September 2015): defamation of State and state organs, *Majestätsbeleidigung*.

92.   VARVARA v. ITALY (application no. 17475/09, judgment of 29 October 2013): the State obligation to confiscate the instruments and proceeds of crime, confiscation on grounds of unlawful land development.

93.   LIUIZA v. LITHUANIA (application no. 13472/06, judgment of 31 July 2012): *nulla poena sine lege stricta* in the field of security measures, retroactive application of the more severe security measure.

94.   HIDIR DURMAZ v. TURKEY (no. 2) (application no. 26291/05, judgment of 24 April 2012): retroactive application of more lenient penal law including to *res judicata* cases, delay in the application of a more lenient penal law.

SECTION IV JUDGMENT

95.   ROLA v. SLOVENIA (application nos. 12096/14 and 39335/16, judgment of 4 June 2019): retrospective application of revocation of a licence to act as a judicial liquidator.

THE RIGHT TO PROTECTION OF FAMILY LIFE (ARTICLE 8 OF THE CONVENTION)

GRAND CHAMBER JUDGMENTS

96.   BIAO v. DENMARK (application no. 38590/10, judgment of 24 May 2016): discriminatory policy on family reunification of resident foreigners and Danish nationals of foreign origin living in Denmark.

97.   KHOROSHENKO v. RUSSIA (application no. 41418/04, judgment of 30 June 2015): prisoner's right to family visits.

98.   X. v. LATVIA (application no. 27853/09, judgment of 26 November 2013): the conflict between obligations derived from European Convention on Human Rights and the obligations derived from the Hague Convention on international child abduction, the "inchoate" custody right of a non-registered father.

99.   KONSTANTIN MARKIN v. RUSSIA (application no. 30078/06, judgment of 22 March 2012): right to parental leave of a serviceman, protection of social rights by the Convention.

SECTION I JUDGMENT

100. MARINIS v. GREECE (application no. 3004/10, judgment of 9 October 2014): the principle of prevalence of biological link in paternity and maternity actions.

SECTION II JUDGMENTS

101. PONTES v. PORTUGAL (application no. 19554/09, judgment of 10 April 2012): court order for a child to be placed for adoption due to drug addiction of parents.
102. ASSUNÇÃO CHAVES v. PORTUGAL (application no. 61226/08, judgment of 31 January 2012): court order for a child to be placed for adoption due to negligent behaviour of parents.
103. IYILIK v. TURKEY (application no. 2899/05, judgment of 6 December 2011): paternity presumption of the mother's spouse.

SECTION IV JUDGMENTS

104. ALEXANDRU ENACHE v. ROMANIA (application no. 16986/12, judgment of 3 October 2017): ineligibility of the father of a child under the age of one for a stay of execution of his prison sentence on an equal footing with the mother.
105. BABIARZ v. POLAND (application no. 1955/10, judgment of 10 January 2017): right to divorce, the protection of *de facto* family life created by one of the spouses with another third person, unpredictable case law).

THE RIGHT TO PROTECTION OF PRIVATE LIFE (ARTILE 8 OF THE CONVENTION)

GRAND CHAMBER JUDGMENTS

106. PARADISO AND CAMPANELLI v. ITALY (application no. 25358/12, judgment of 24 January 2017): prohibition of remunerated gestational surrogacy.
107. SÖDERMAN v. SWEDEN (application no. 5786/08, judgment of 12 November 2013): the State obligation to criminalise child pornography, evolutive interpretation of penal law in accordance with the international law obligations of the State, right to domestic compensation based directly on a violation of the Convention, even in the absence of a violation of national law.

SECTION I JUDGMENT

108. SÕRO v. ESTONIA (application no. 22588/08, judgment of 3 September 2015): registration and public disclosure of former KGB employee as a lustration measure.

SECTION II JUDGMENT

109. VARAPNICKAITE-MAZYLIENE v. LITHUANIA (application no. 20376/05, judgment of 17 January 2012): public disclosure of medical data.

SECTION IV JUDGMENTS

110. RAMADAN v. MALTA (application no. 76136/12, judgment of 21 June 2016): right to citizenship, prohibition of statelessness, revocation of citizenship due to annulment of false marriage.
111. SZABO AND VISSY v. HUNGARY (application no. 37138/14, judgment of 12 January 2016): mass surveillance for the purpose of national security.
112. BARBULESCU v. ROMANIA (application no. no. 61496/08, judgment of 12 January 2016): employer's surveillance of the employee's Internet usage in the workplace within a private employment relation, termination of employment relation on the basis of the employee's intercepted Internet messages, horizontal effect of the European Convention.

FREEDOM OF CONSCIENCE (ARTICLE 9 OF THE CONVENTION)

GRAND CHAMBER JUDGMENT

113. HERRMANN v. GERMANY (application no. 9300/07, judgment of 26 June 2012): conscientious objection to hunting, the State obligation to protect animal "rights", lawful restrictions of property rights conflicting with the proprietor's conscience.

FREEDOM OF RELIGION (ARTICLE 9 OF THE CONVENTION)
GRAND CHAMBER JUDGMENT
114. F.G. v. SWEDEN (application no. 43611/11, judgment of 23 March 2016): criminalisation of apostasy, prohibition du *refoulement* to a country where apostasy is criminalised.

SECTION I JUDGMENT
115. KRUPKO AND OTHERS v. RUSSIA (application no. 26587/07, judgment of 26 June 2014): forced dispersal of indoor religious assemblies.

SECTION IV JUDGMENT
116. RELIGIOUS COMMUNITY OF JEHOVAH'S WITNESSES OF KRYVYI RIH'S TERNIVSKY DISTRICT v. UKRAINE (application no. 21477/10, judgment of 3 September 2019): State positive obligations with regard to freedom of religion, failure to grant a lease to the applicant community.

FREEDOM OF SPEECH (ARTICLE 10 OF THE CONVENTION)
GRAND CHAMBER JUDGMENT
117. MOUVEMENT RAELIEN SUISSE v. SWITZERLAND (application no. 16354/06, judgment 13 July 2012): freedom of speech of a minority in the public space and with new Internet technologies; protection of political, religious and commercial speeches.

SECTION I JUDGMENT
118. TARANENKO v. RUSSIA (application no. 19554/05, judgment of 15 May 2014): freedom of expression and expressive conduct inside the premises of a public building, which a group of people including the applicant entered without authorisation.

SECTION II JUDGMENTS
119. DİLİPAK v. TURKEY (application no. 29680/05, judgment of 15 September 2015): defamation of the State and of State organs, *Majestätsbeleidigung*.
120. DI GIOVANNI v. ITALY (application no. 51160/06, judgment of 9 July 2013): freedom of speech of a judge, procedural shortcomings of disciplinary proceedings against a judge.
121. YILDIRIM v. TURKEY (application no. 3111/10, judgment of 18 December 2012): collateral blockage of a site hosted on Google sites.
122. DRAKSAS v. LITHUANIA (application no. 36662/04, judgment of 31 July 2012): public disclosure of phone tapping records referring to unlawful exercise of public functions.
123. FABER v. HUNGARY (application no. 40721/08, judgment of 24 July 2012): ban of flag with a political meaning used in a public demonstration.

SECTION III JUDGMENTS
124. PRYANISHNIKOV v. RUSSIA (application no. 25047/05, judgment of 10 September 2019): refusal of a film reproduction licence after the authorities had issued distribution certificates for he films and verified that they were not pornographic.

SECTION IV JUDGMENTS
125. MAGYAR JETI ZRT v. HUNGARY (application no. 11257/16, judgment of 4 December 2018): vicarious liability of operator of an Internet news portal for hyperlinks.

FREEDOM OF ASSOCIATION AND ASSEMBLY (ARTICLE 11 OF THE CONVENTION)

SECTION I JUDGMENTS

126. NAVALNYY AND YASHIN v. RUSSIA (application no. 76204/11, judgment of 4 December 2014): burden of proof with regard to facts which justify a restriction on freedom of assembly, protection of "spontaneous assemblies", freedom to access and leave a place of assembly.
127. HRVATSKI LIJEČNIČKI SINDIKAT v. CROATIA (application no. 36701/09, judgment of 27 October 2014): strike demanding that a collective agreement for the medical and dentistry sector be concluded.
128. PRIMOV AND OTHERS v. RUSSIA (application no. 17391/06, judgment of 12 June 2014): blocking by the police of the demonstrators' access to the place of assembly, violent police dispersal of the demonstration, arrest and detention of demonstrators.

SECTION II JUDGMENTS

129. KUDREVICIUS AND OTHERS v. LITHUANIA (application no. 37553/05, judgment of 26 November 2013): unauthorised blocking of three highways during two days by farmers' demonstration against the government agricultural policy, conviction of the demonstration leaders.
130. VONA v. HUNGARY (application no. 35943/10, judgment of 9 July 2013): dissolution of a racist association.
131. ASSOCIATION RHINO AND OTHERS v. SWITZERLAND (application no. 48848/07, judgment of 11 October 2011): dissolution of a squatters' association.

SECTION IV JUDGMENT

132. CHERNEGA AND OTHERS v. UKRAINE (application no. 74768/10, judgment of 18 June 2019): violent action of private security and police force actions towards protestors.

THE RIGHTS OF REFUGEES, MIGRANTS AND ALIENS

GRAND CHAMBER JUDGMENTS 27/33

133. S.J. v. BELGIUM (application no. 70055/10, judgment of 19 March 2015): expulsion of terminally ill foreigner.
134. DE SOUZA RIBEIRO v. FRANCE (application no. 22689/07, judgment of 13 December 2012): expulsion of undocumented foreign migrant.
135. HIRSI JAMAA AND OTHERS v. ITALY (application no. 27765/09, judgment of 23 February 2012): collective *refoulement* of refugees, "push-back" operation on the high seas.

SECTION II JUDGMENTS

136. VASQUEZ v. SWITZERLAND (application no. 1785/08, judgment of 26 November 2013): administrative expulsion of foreigner convicted of a sexual crime, although criminal court suspended expulsion, presumption of danger for public security based on decisions of dismissal of criminal proceedings.
137. KISSIWA KOFFI v. SWITZERLAND (application no. 38005/07, judgment of 15 November 2012): expulsion of a foreign citizen convicted of a crime of drug trafficking.
138. SHALA v. SWITZERLAND (application no. 52873/09, judgment of 15 November 2012): expulsion of a foreign citizen convicted of several crimes of minor gravity.
139. YOH-EKALE MWANJE v. BELGIUM (application no. 10486/10, judgment of 20 December 2011): expulsion of terminally ill foreigner without possibility of treatment in the destination country.

SECTION IV JUDGMENTS

140. ABDULLAHI ELMI AND AWEYS ABUBAKAR v. MALTA (applications nos. 25794/13 and 28151/13, judgment of 22 November 2016): the trend to *crimmigration*, detention of asylum-seekers.

141. RAMADAN v. MALTA (application no. 76136/12, judgment of 21 June 2016): the right to citizenship, prohibition of statelessness, revocation of citizenship due to annulment of false marriage.

RIGHT TO AN EFFECTIVE REMEDY (ARTICLE 13 OF THE CONVENTION)

142. JANUŠKEVIČIENĖ V. LITHUANIA (application no. 69717/14, judgment of 3 September 2019): difference from objection of non-exhaustion of domestic remedies.

PROHIBITION OF DISCRIMINATION (ARTICLE 14 OF THE CONVENTION)
GRAND CHAMBER JUDGMENTS

143. KHAMTOKHU AND AKSENCHIK v. RUSSIA (applications nos. 60367/08 and 961/11, judgment of 24 January 2017): indirect discrimination of male offenders aged between 18 and 65, prohibition of life imprisonment for female, elderly and juvenile offenders, the State obligation to "level up" in case of false positive discrimination based on sex and age.

144. LUPENI GREEK CATHOLIC PARISH AND OTHERS v. ROMANIA (application no. 76943/11, 29 November 2016): forced transfer of property from the Greek Catholic Church to the Orthodox Church, redistribution of property, duty of neutrality of the State, lack of legal certainty, discrimination of religious minority.

145. BIAO v. DENMARK (application no. 38590/10, judgment 24 May 2016): indirect discrimination based on length of Danish nationality or on "race" or ethnic origin, family reunification requirements for resident foreigners and Danish nationals of foreign origin living in Denmark.

146. VALLIANATOS AND OTHERS v. GREECE (applications no. 29381/09 e no. 32684/09, judgment of 7 November 2013): indirect discrimination of same sex couples based on their sexual orientation, right to enter into "civil union" contract only for heterosexual couples, legislative omission.

147. FABRIS v. FRANCE (application no. 16574/08, judgment of 7 February 2013): direct discrimination of children born out of wedlock in inheritance law.

148. HERRMANN v. GERMANY (application no. 9300/07, judgment of 26 June 2012): direct discrimination between owners of big and small plots of land with regard to the legal obligation to tolerate hunting by third persons in their land.

149. KONSTANTIN MARKIN v. RUSSIA (application no. 30078/06, judgment of 22 March 2012): indirect discrimination of servicemen based on their sex and their professional status, right to parental leave only for servicewomen and women and men outside the military. 30/33

SECTION II JUDGMENTS

150. ALTINAY v. TURKEY (application no. 37222/04, judgment of 9 July 2013): discrimination of students of vocational schools in access to the university.

151. RAVIV v. AUSTRIA (application no. 26266/05, judgment of 13 March 2012): discrimination of Holocaust victim in entitlement to a social pension.)

SECTION IV JUDGMENT

152. ALEXANDRU ENACHE v. ROMANIA (application no. 16986/12, judgment of 3 October 2017): ineligibility of the father of a child under the age of one for a stay of execution of his prison sentence on an equal footing with women.

166. A. and B. v. NORWAY (application nos. 24130/11 and 29758/11, judgment of 15 November 2016): *ne bis in idem* as a principle of customary international law in the modality of the "exhaustion-of-procedure principle" (*Erledigungsprinzip*) but not in the modality of the "accounting principle" (*Anrechnungprinzip*), administrative offences and criminal policy *à deux vitesses*, tax penalties as a criminal policy instrument, combination of administrative and criminal penalties.

SECTION II JUDGMENT

167. GRANDE STEVENS AND OTHERS v. ITALY (applications nos. 18640/10, 18647/10, 18663/10, 18668/10 and 18698/10, judgment of 4 March 2014): *ne bis in idem* effect of conviction of an administrative offence in subsequent criminal proceedings.

Strasbourg, September 2019.

NOTAS BIOGRÁFICAS Y CURRICULARES DE LOS AUTORES

PAULO PINTO DE ALBUQUERQUE, nacido en Beira (Mozambique) el 5 de octubre de 1966, ha sido juez del Tribunal Europeo de Derechos Humanos en Estrasburgo desde 2011. Antes de iniciar su carrera universitaria, fue juez, de 1992 a 2004, en varios tribunales portugueses. Desde 2015 es Profesor Catedrático de Derecho Penal en la Facultad de Derecho de la Universidad Católica de Lisboa, donde enseñó derecho y proceso penal, derecho penitenciario, derecho internacional público, derecho internacional de los derechos humanos y filosofía del derecho. Fue Profesor Adjunto y Visitante en Estados Unidos (Universidad de Illinois, Facultad de Derecho) y en China (Universidad Shangia Jiao Tong), es Doctor Honoris Causa por la Universidad de Edge Hill en Reino Unido y orador en conferencias celebradas en Angola, Bélgica, Brasil, China, Francia, Alemania, Guinea, Italia, Portugal, España, Suiza, Turquía, Estados Unidos y Reino Unido. Fue llamado, como experto, por el GRECO (Grupo de Estados contra la Corrupción), del Consejo de Europa, la Comisión Europea, el Parlamento, el Ministerio de Justicia y el Ministro del Interior de Portugal, el Ministro de Justicia alemán, así como el Max-Planck Institut Für ausländisches und internationales Strafrecht de Friburgo. Actualmente es miembro de la Asociación Internacional de Derecho Penal, el Comité de Derecho Internacional de los Derechos Humanos de la Asociación de Derecho Internacional, la Sociedad Americana de Derecho Internacional, la Sociedad Asiática de Derecho Internacional y la Sociedad Europea de Derecho Internacional, así como las asociaciones de derecho internacional. de diferentes países (Bélgica, Italia, Francia, Alemania, Portugal y Suiza). Es miembro honorario de la Academia Brasileña de Derechos Humanos, del Instituto Brasileño de Derechos Humanos y de la Fundación Internacional Penal y Penitenciaria. Desde 2014, es presidente del jurado del Premio René Cassin otorgado por el Instituto homónimo de Estrasburgo y en 2015 fue uno de los fundadores de la Asociación de amigos de la Fundación René Cassin. Su CV está disponible en el sitio web oficial del Tribunal (www.echr.coe.int). La dirección de correo electrónico es albuquerque@ echr.coe. int

CARLOS HUGO PRECIADO DOMÈNECH, nacido en Tarragona (España), el 5 de septiembre de 1969, ha sido conserje, abogado laboralista, Juez de Primera Instancia e Instrucción (turno libre) y Juez de Violencia contra la Mujer; en la actualidad ejerce como Magistrado Especialista en el Orden Social en la Sala Social del TSJ de Catalunya.

Máster Universitario por la UNED en Derechos Humanos, calificado con Matrícula de Honor y con Premio a la excelencia en los estudios de Máster 2015/2016; Doctor en Derecho por la UNED, calificado como Sobresaliente "cum laude", por su tesis "Teoría General de los Derechos Fundamentales en el Contrato de Trabajo", publicada en 2018, por la que obtuvo el Premio Extraordinario de Doctorado en Derecho y Ciencias Sociales de la UNED del Curso académico 2017/2018.

Ha impartido docencia como profesor asociado de derecho penal en la Universitat Rovira i Virgili de Tarragona (URV) y como profesor colaborador de derecho penal en ESADE; en la actualidad da clases de máster en relaciones laborales en la Fundación de la URV.

Autor de 18 monografías que tratan, entre otras cuestiones, sobre la prueba en el proceso social, la interpretación de los derechos humanos, la negociación colectiva, la corrupción en la reforma del CP de 2015, la igualdad en el derecho de la UE, la historia de los derechos fundamentales en el contrato de trabajo, la protección de datos en el contrato de trabajo o los derechos digitales de las personas trabajadoras. Sus libros han sido prologados por la Presidenta Emérita del Tribunal Constitucional Español y por varios Magistrados del Tribunal Supremo (Salas Social y Penal), así como por Catedráticos de Derecho del Trabajo y la Seguridad Social.